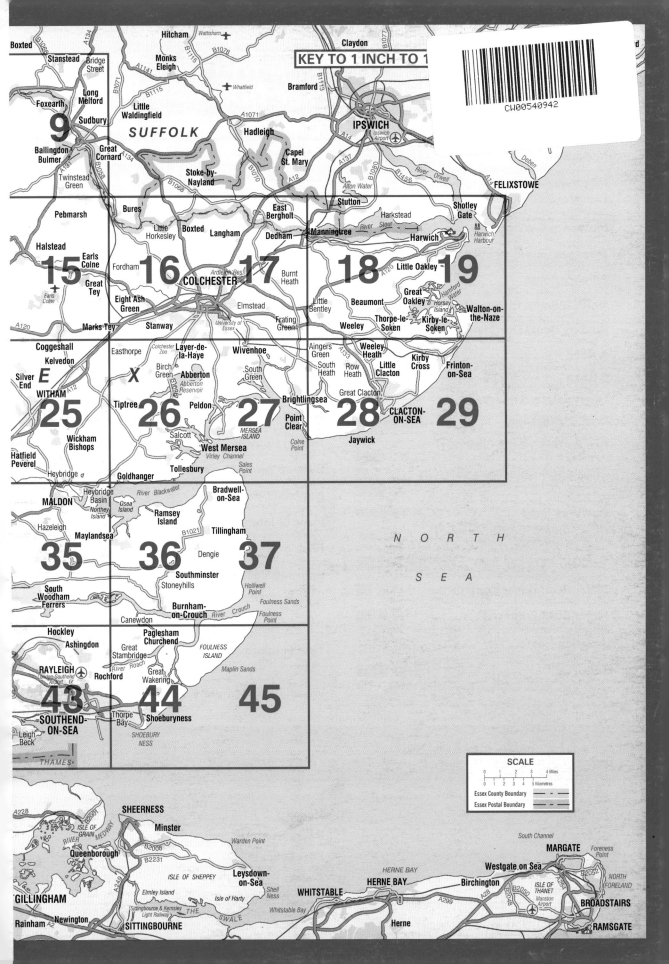

REFERENCE TO 1 INCH TO 1 MILE STREET MAP SECTION

Motorway	M11 ▬▬▬
Motorway Junction Numbers	
Unlimited Interchange 8	Limited Interchange 9
Motorway Service Area	Ⓢ THURROCK
Mileages - between Motorway Junctions	*4*
Primary Route	A12 ▬▬▬
North & South Circular Roads	▬▬▬
Primary Route Destination	HARLOW
A Road	A128 ▬▬▬
B Road	B1033 ▬▬▬
Other Selected Roads	▬▬▬
Dual Carriageway	▬▬ ▬▬ ▬▬
Red Route (Priority Clearway)	
Primary Route	▬▬▬
North & South Circular Roads	▬▬▬
A Road	▬▬▬
One Way Road	▬▬ ▬▬ ▬▬
(Motorway, Primary Route & A Road only - Traffic flow indicated by a heavy line on the driver's left)	
Tunnel	▬▐▐▐▐▬
Major Road Under Construction	▬ ▬
Major Road Proposed	▬ ▬
Junction Name	GALLOWS CORNER
Toll	TOLL ▬
Ferry	- - - ⛴ - - -

Railway and Croydon Tramlink	▬▬▬
Level Crossing and Tunnel	┼┼ - - -
Railway Station	▬█ COLCHESTER
London Underground Station	UPMINSTER
Docklands Light Railway Station and Tramlink Stop	SOUTH QUAY
Local Authority Boundary	▬ · ▬ · ▬
Postcode Boundary	▬ ▬ ▬
Map Continuation	▲
for 1 Inch to 1 Mile Street Mapping (Blue Pages)	5
to 3 Inches to 1 Mile Street Mapping (Red Pages)	89 or 205 ▼
Airport	LONDON - STANSTED AIRPORT ✈
Airport Runway	▬▬▬▬
Built-up Area	▬
National Grid Reference	⁵80
Place of Interest	• *Audley End*
River or Canal	▬
Sporting Venues	
Cricket ▌	Rugby ⬭
Football ⚽	Stadium ⬭
Golf Course 18 Hole ⛳₁₈	9 Hole ⛳₉
Tourist Information Centre	
Open all year ℹ	Open Summer only ℹ
Wood, Park, Cemetery, Etc.	▬

SCALE   1 Inch (2.54 cm) to 1 Mile
1.58 cm to 1 Kilometre

0	½	1		2 Miles
0	1	2		3 Kilometres

1:63,360

The following features are shown only in those areas of Essex not covered by 3 Inches to 1 Mile Street Mapping (Red Pages)

Building	▢	**Hospital**	Ⓗ
Car Park - selected	Ⓟ	**Police Station**	▲
Church or Chapel	†	**Post Office**	★
Fire Station	■	**Toilet** with facilities for the Disabled	▽ ♿

AZ ESSEX

CONTENTS

Geographers' A-Z Map Company Ltd.

Head Office : Fairfield Road, Borough Green, Sevenoaks, Kent TN15 8PP Telephone : 01732 781000 (General Enquiries & Trade Sales)

Showrooms : 44 Gray's Inn Road, London WC1X 8HX   Telephone 020 7440 9500 (Retail Sales)

www.a-zmaps.co.uk

© 1999 Edition 1 2000 Edition 1A (Part Revision)

2001 Edition 1B (Part Revision)

Copyright © Geographers' A-Z Map Company Ltd. 2001

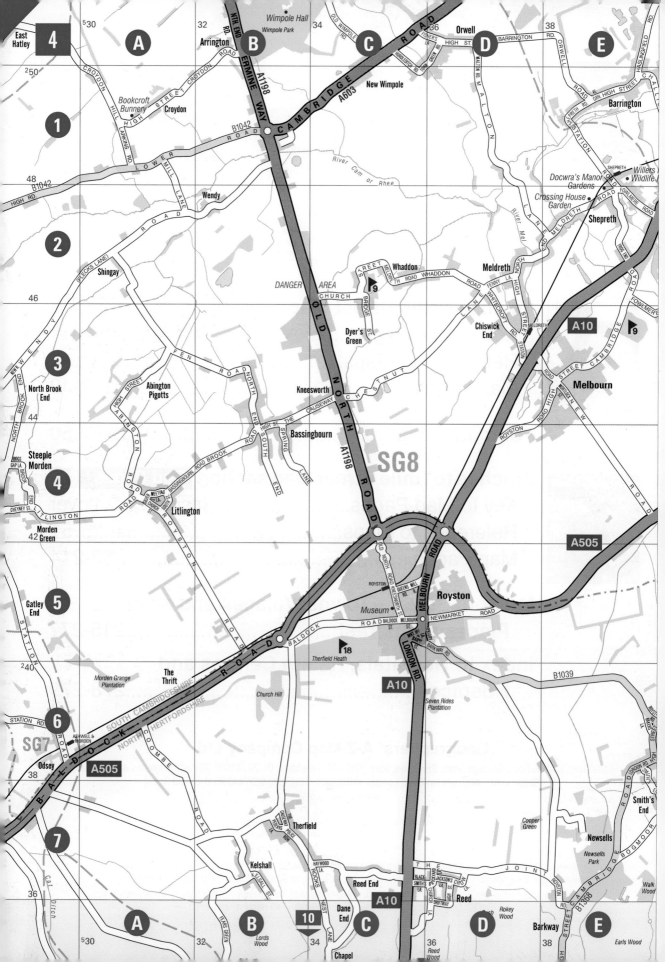

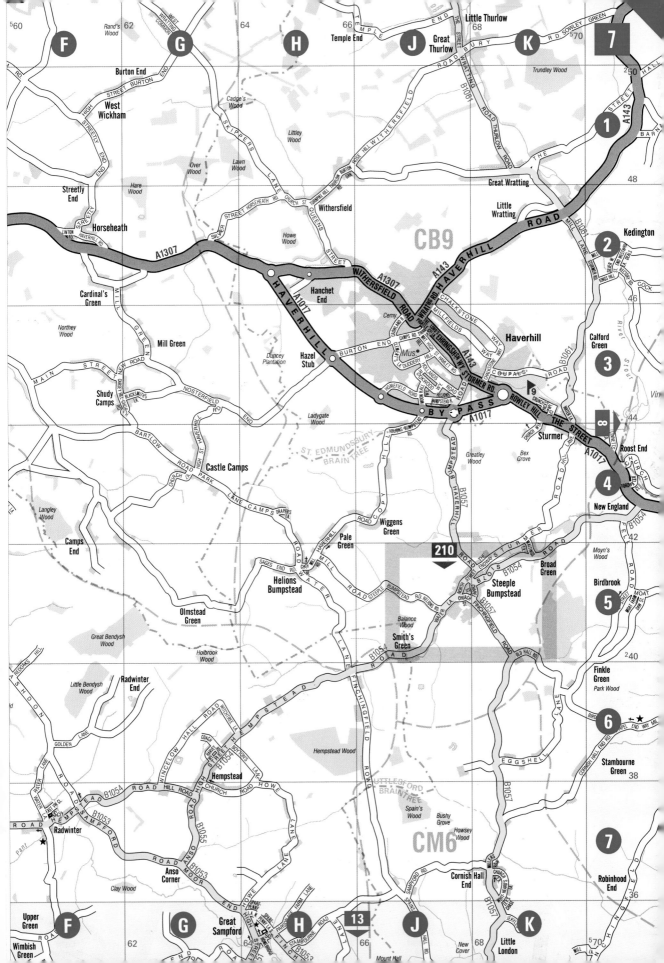

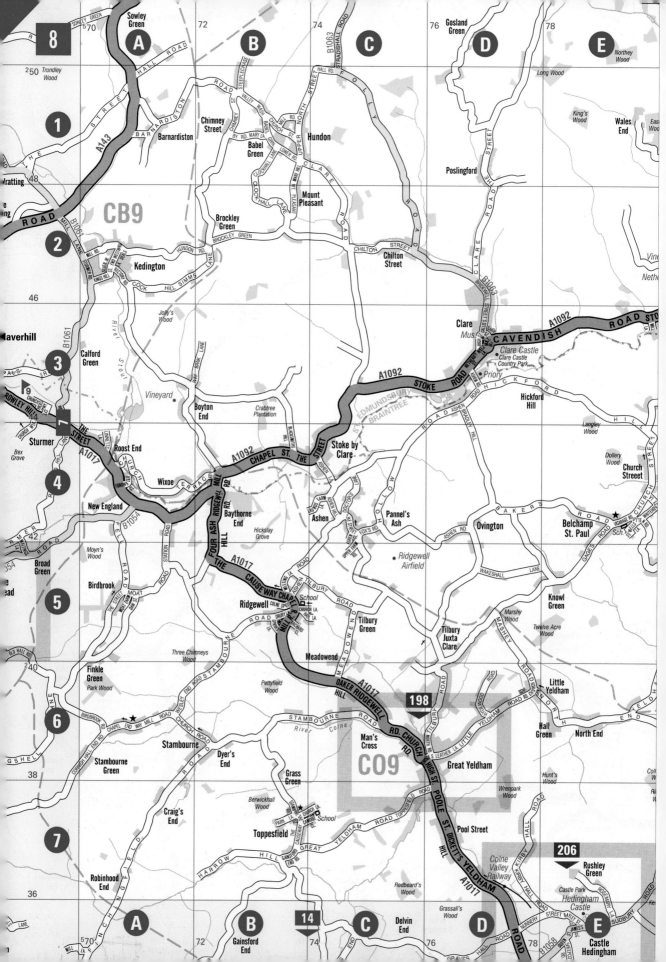

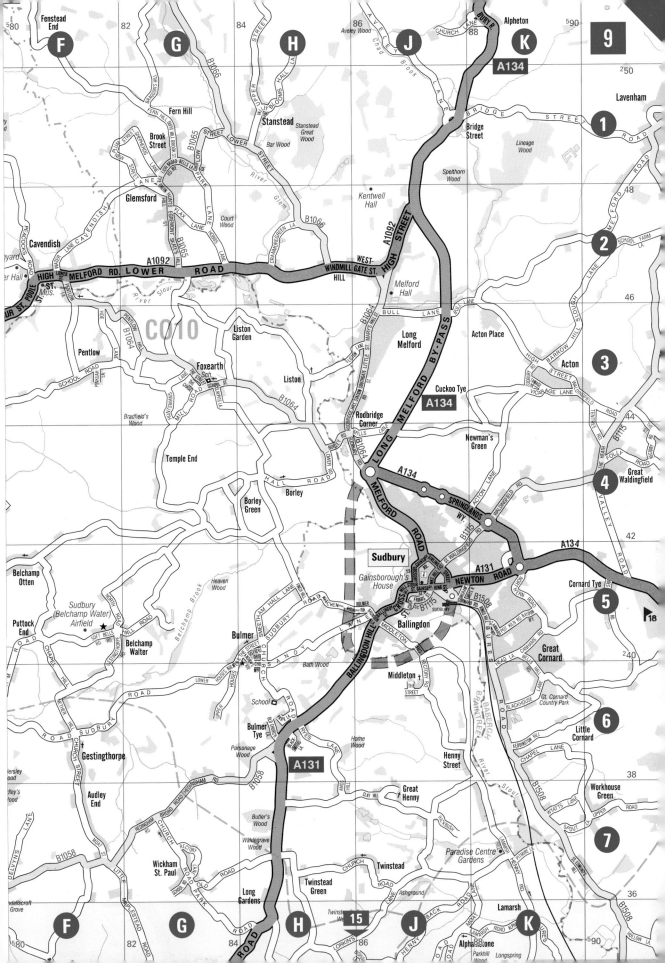

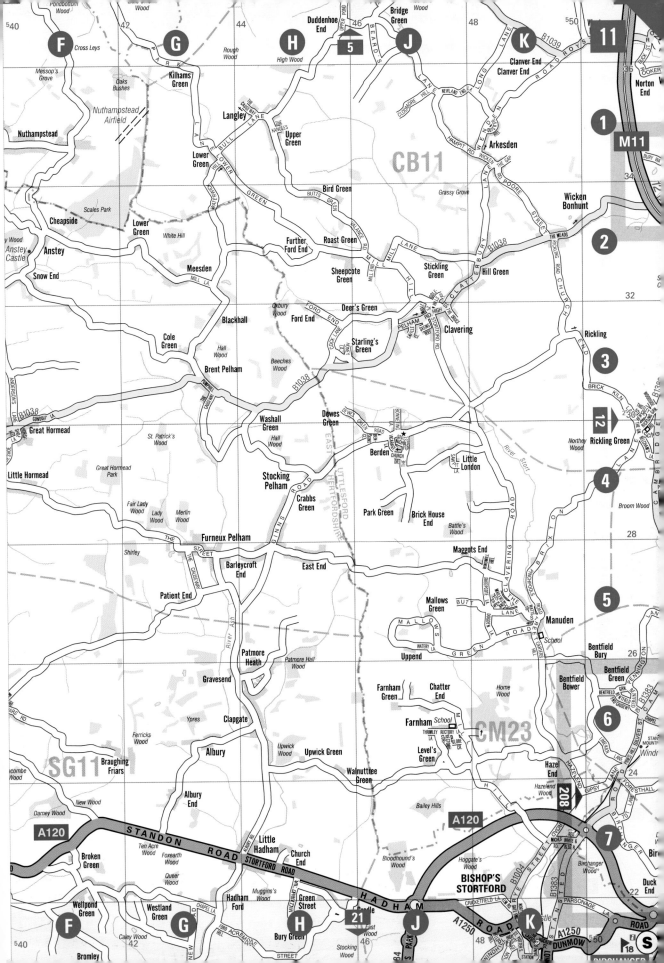

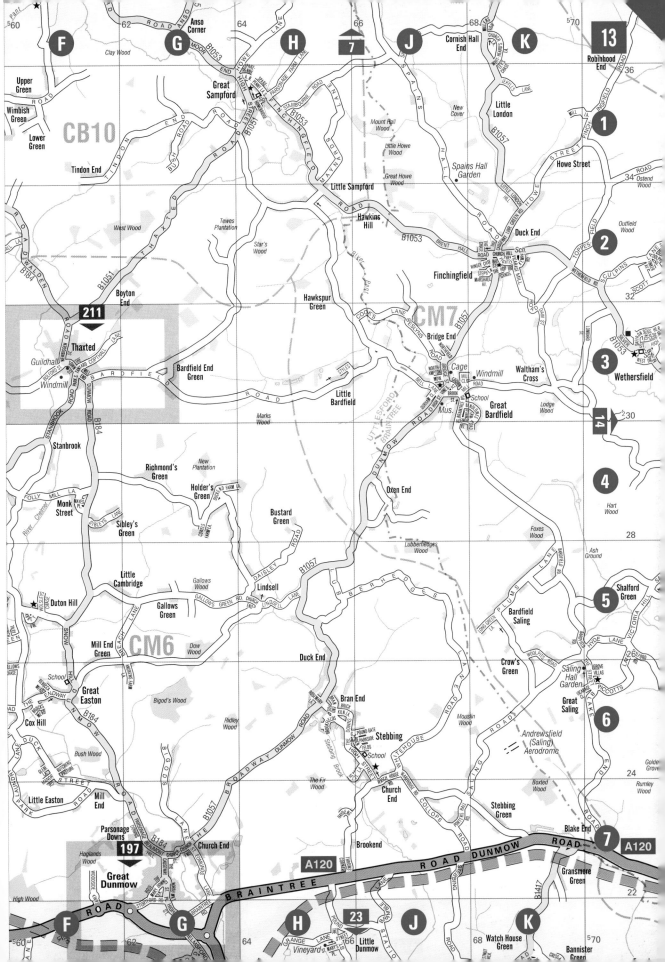

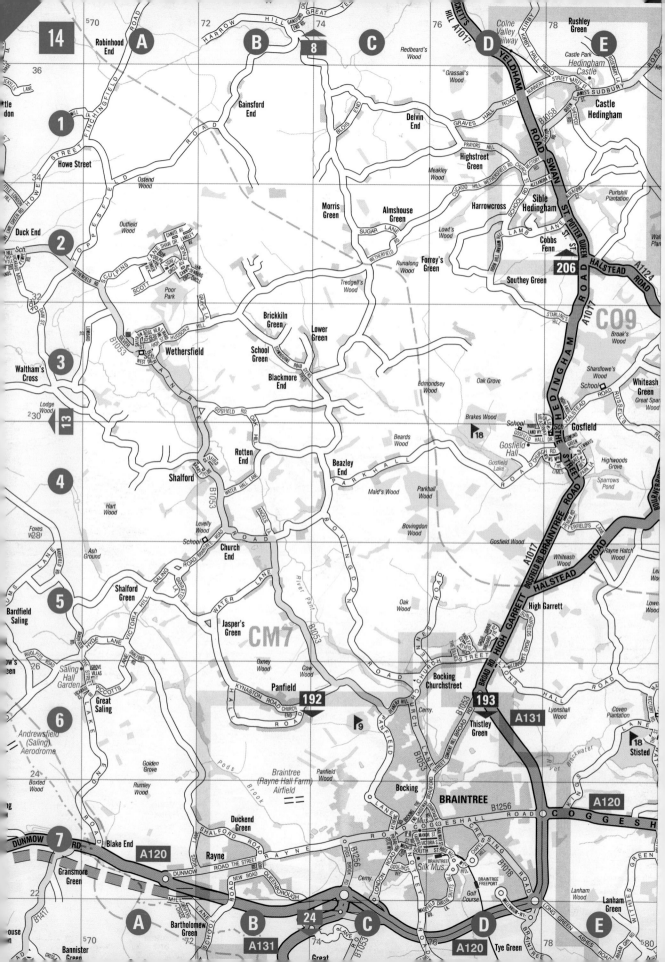

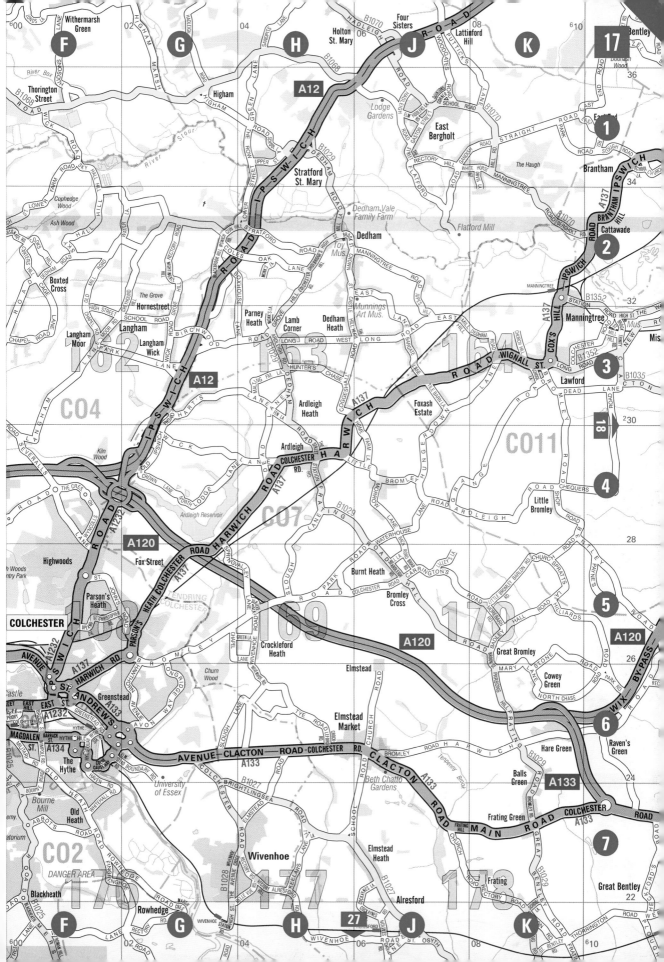

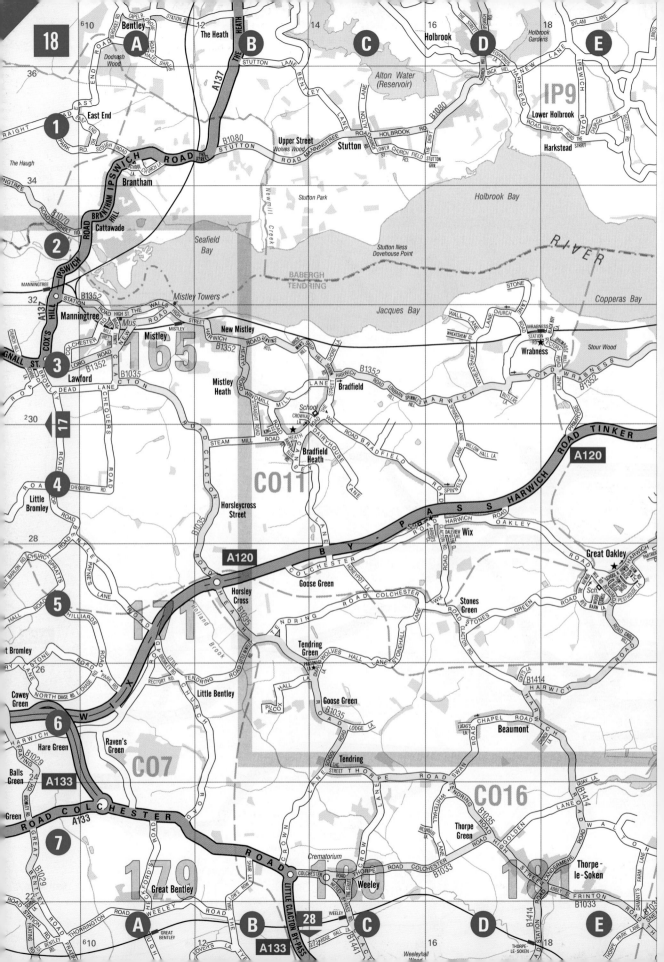

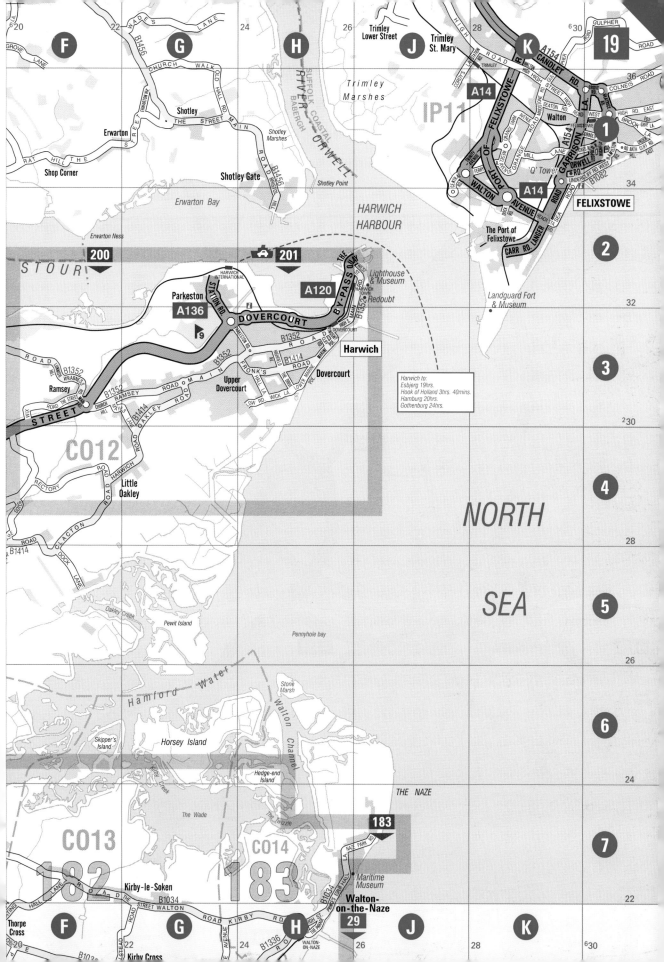

F G H J K **19**

Trimley Lower Street

Trimley St. Mary

A14

A154
CANDLET RD.

IP11

1

Walton

FELIXSTOWE

Erwarton

Shotley

Shop Corner

Shotley Gate

2

'Q' Tower

The Port of Felixstowe

Erwarton Bay

Erwarton Ness

HARWICH HARBOUR

Landguard Fort & Museum

32

200   **201**   **A120**

S T O U R

HARWICH INTERNATIONAL

Parkeston
A136

DOVERCOURT

Lighthouse & Museum
Redoubt

3

Ramsey

Upper Dovercourt

Harwich

Dovercourt

Harwich to:
Esbjerg 19hrs.
Hook of Holland 3hrs. 40mins.
Hamburg 20hrs.
Gothenburg 24hrs.

²30

CO12

Little Oakley

NORTH

4

28

Oakley Creek

Pewit Island

Pennyhole bay

SEA

5

26

Hamford   Water

Stone Marsh

Skipper's Island

Horsey Island

Walton Channel

6

Hedge-end Island

24

THE   NAZE

The Wade

183

7

CO13

CO14

182 **183**

Kirby-le-Soken

Maritime Museum

Walton-on-the-Naze

Thorpe Cross

29

F G H J K

²620   22   24   26   28   ⁶30   22

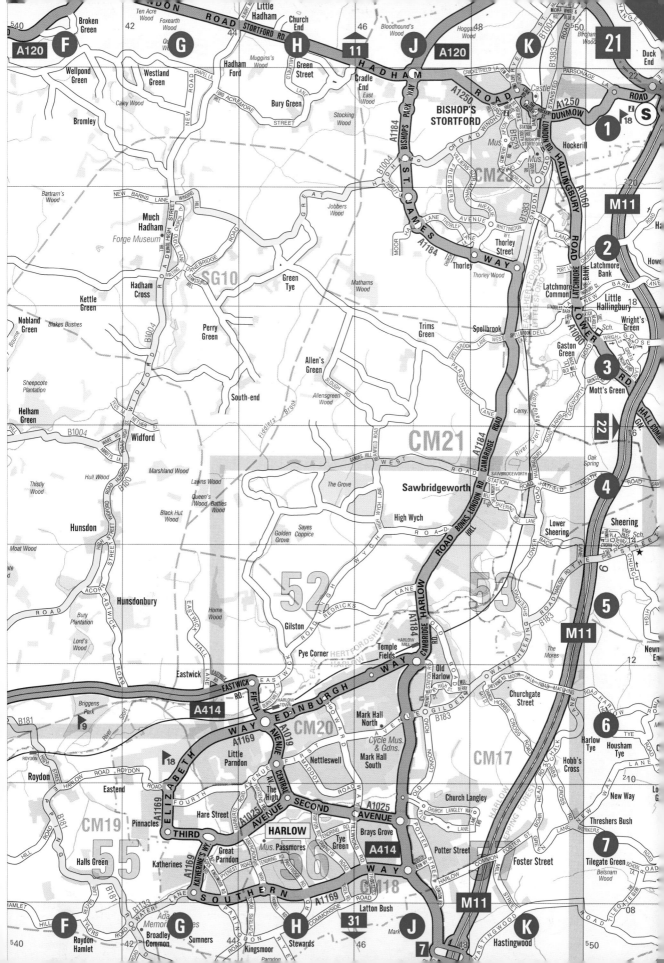

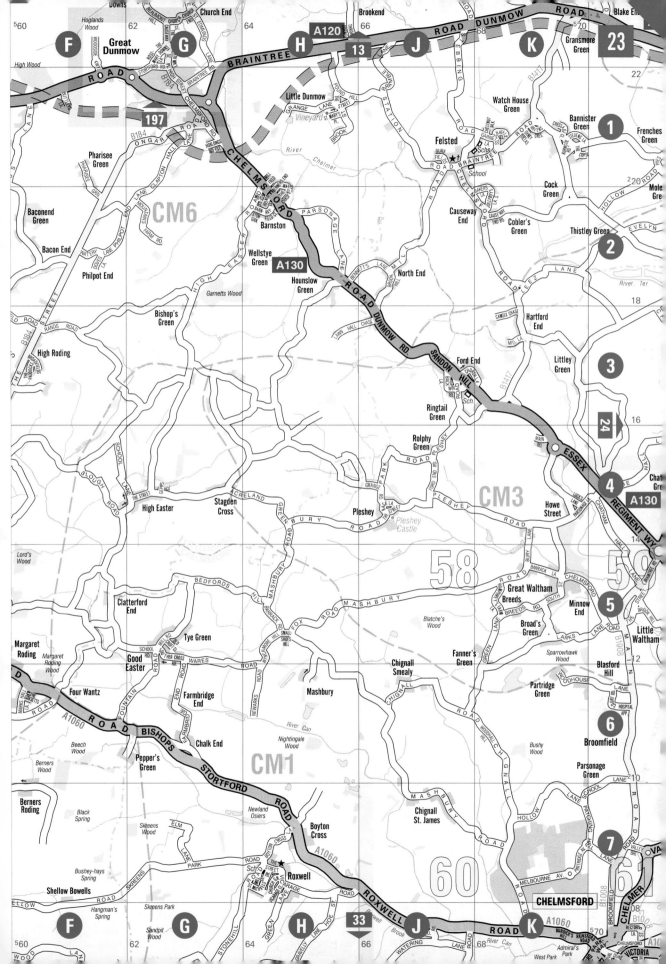

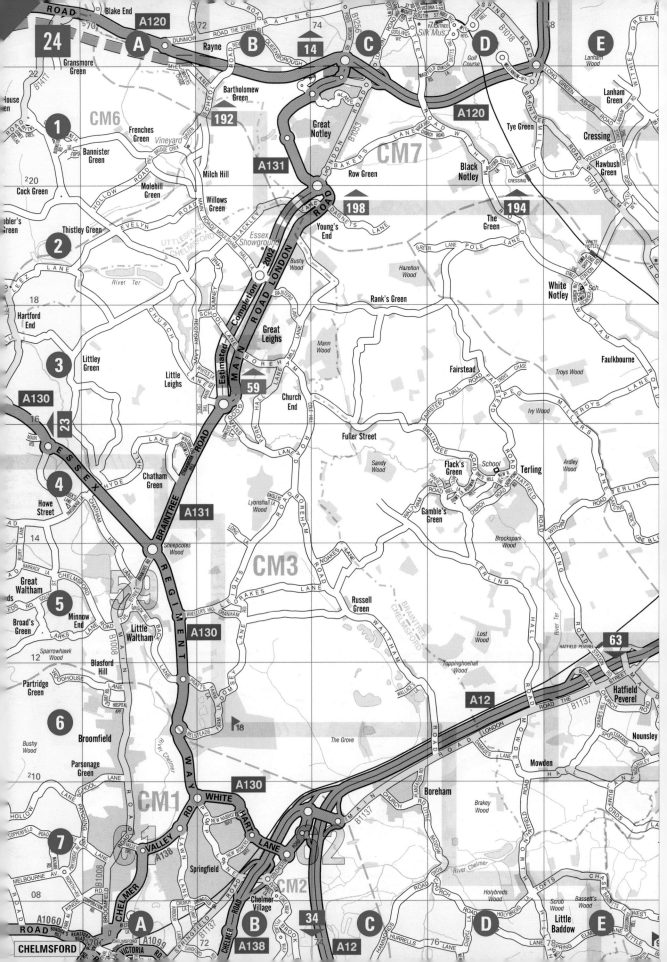

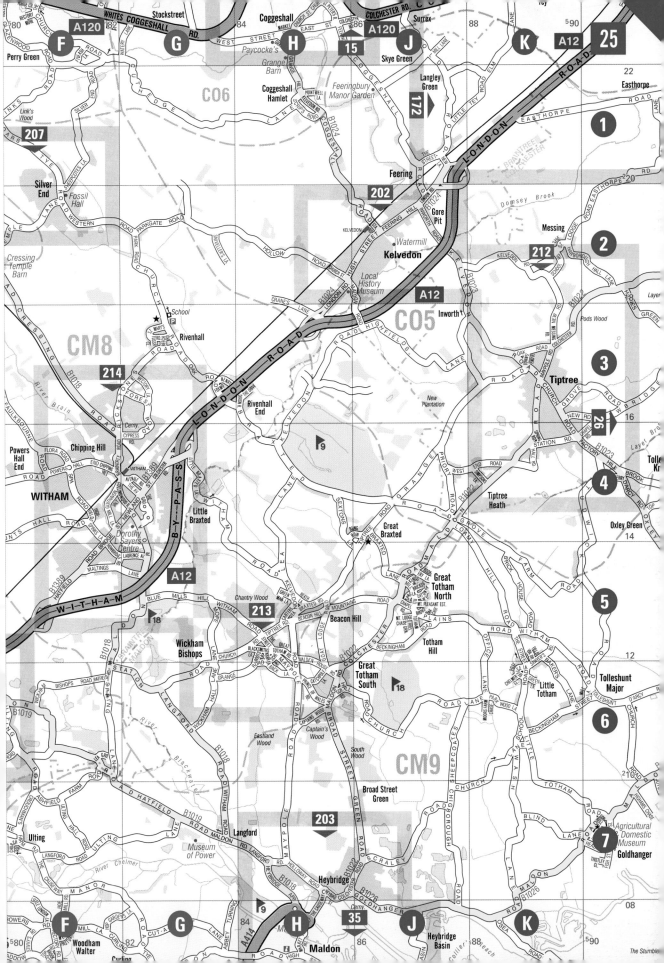

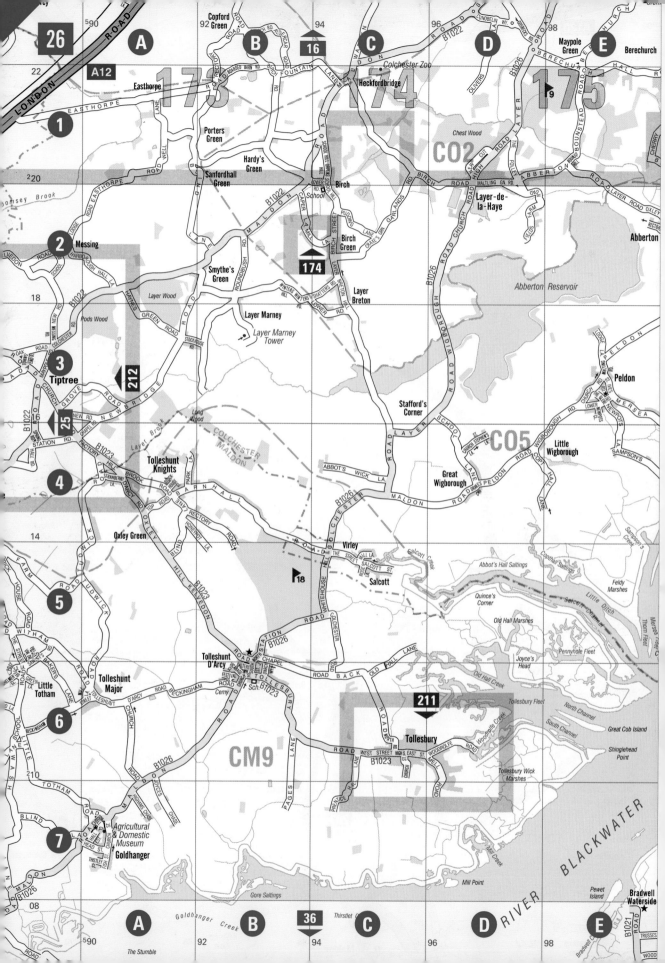

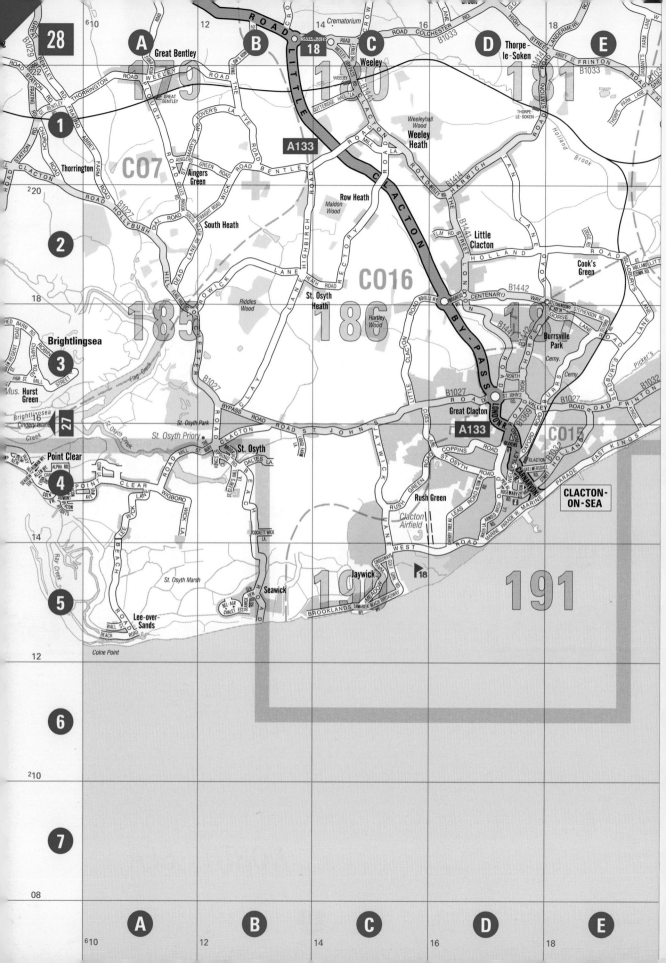

F G C014 H 19 J K

182 182 183 Walton-on-the-Naze

Thorpe Cross Kirby-le-Soken

Kirby Cross

C013

Great Holland

C014

Frinton-on-Sea

Great Holland Common

188 189 Holland Haven Country Park

Holland-on-Sea

NORTH SEA

F G H J K

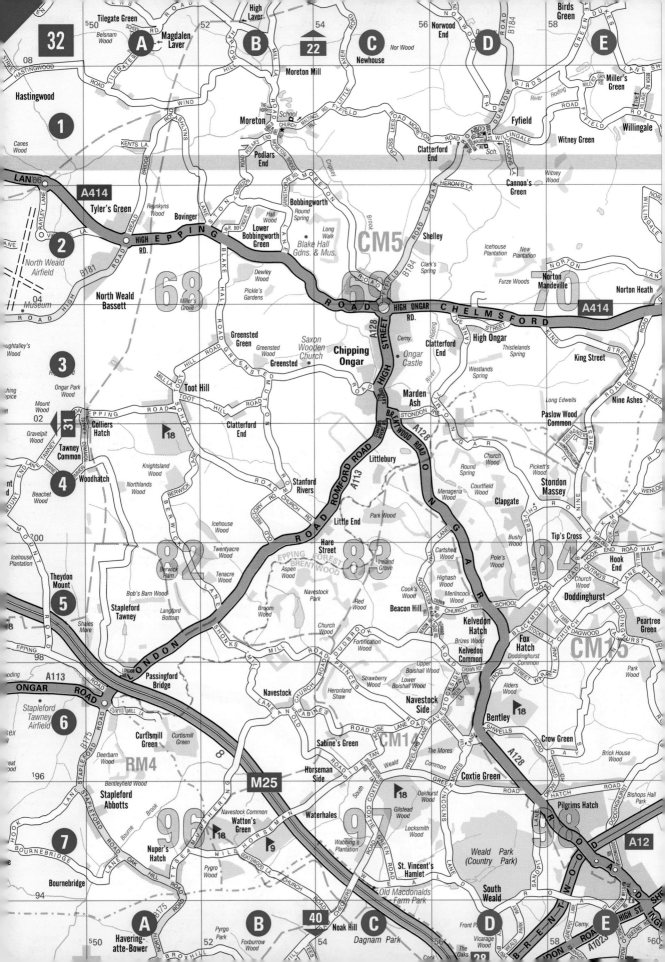

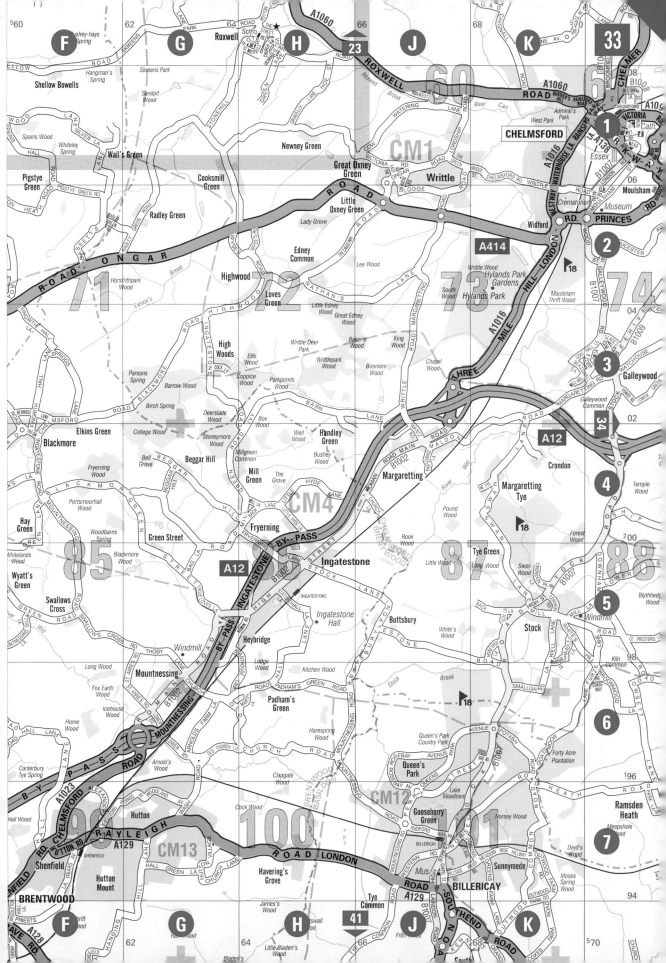

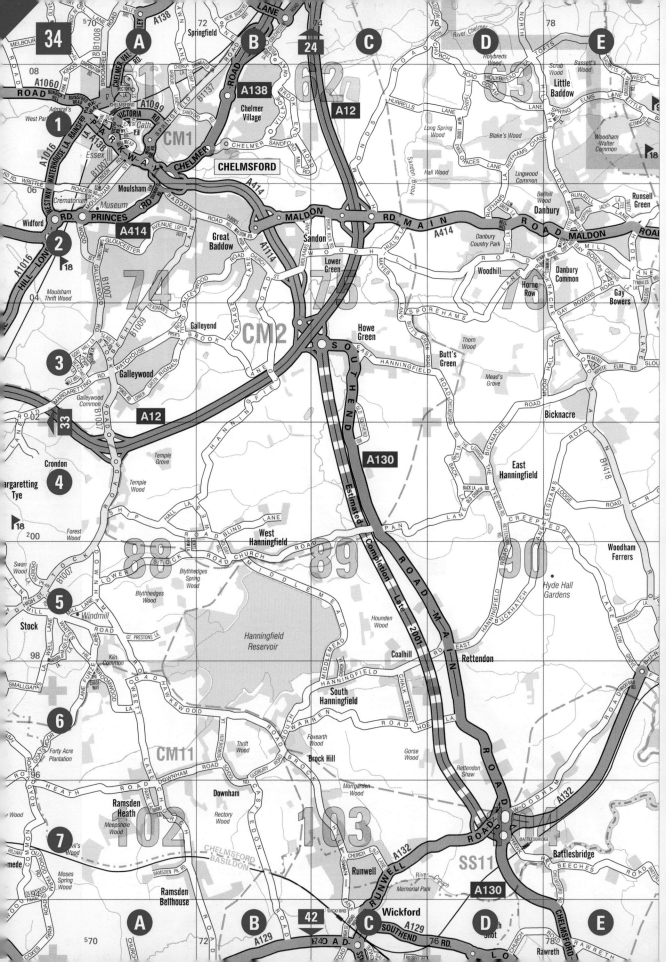

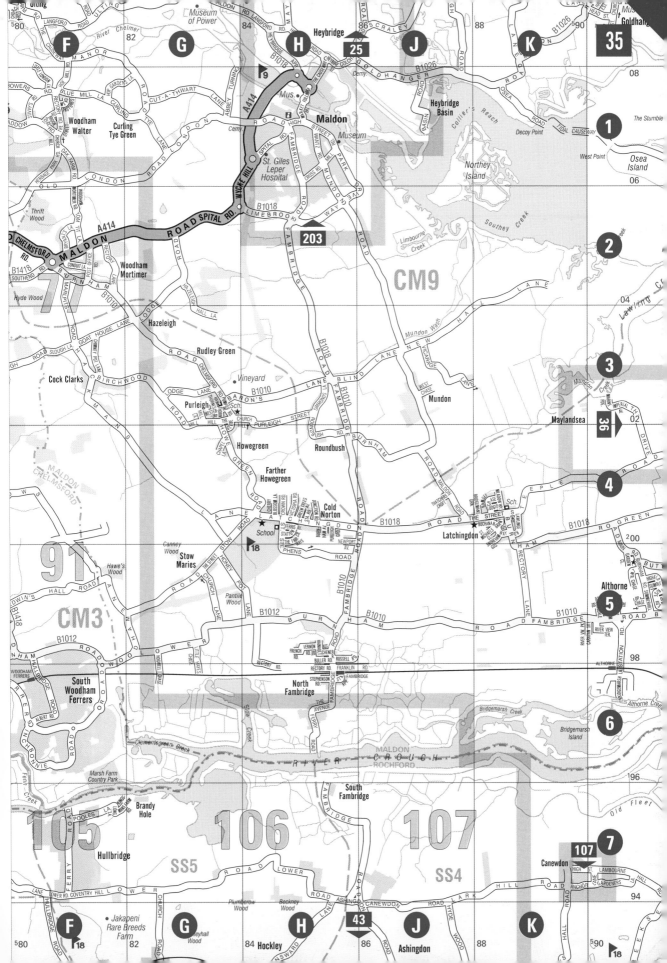

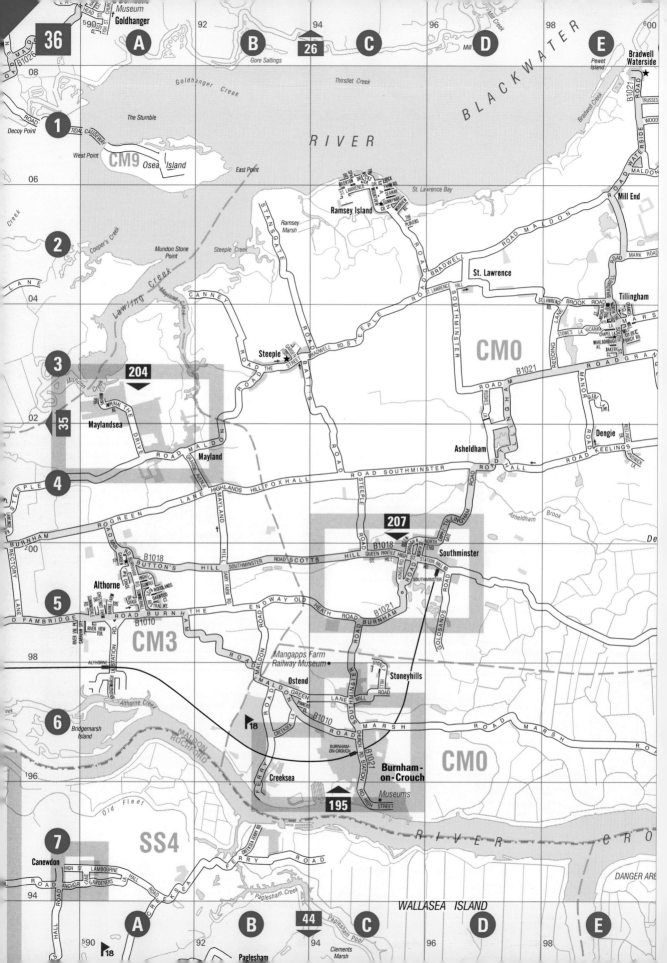

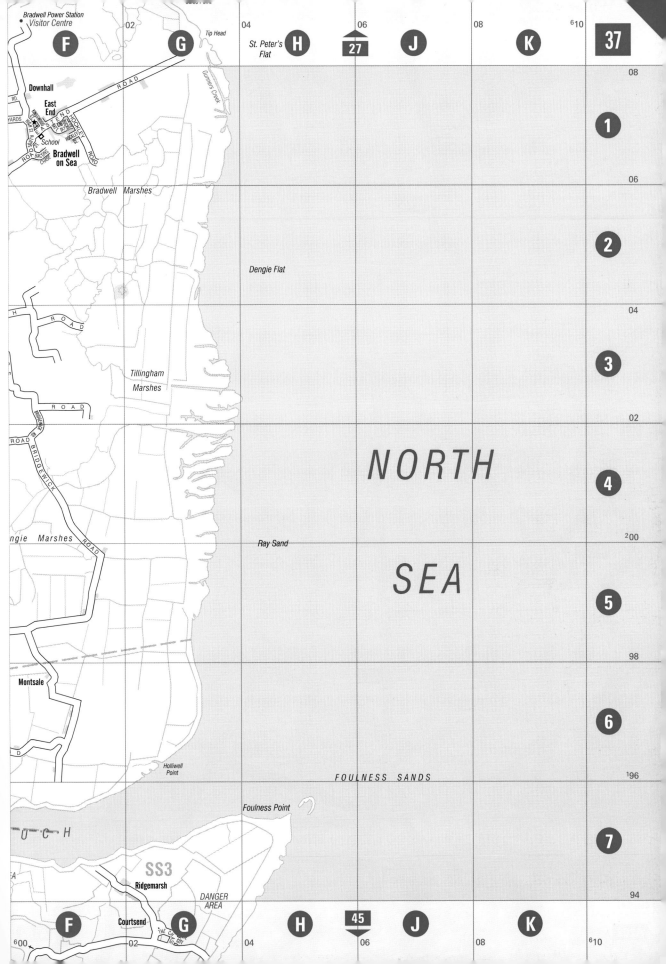

08

1

06

2

04

3

02

NORTH

SEA

²00

4

5

98

6

96

7

94

Bradwell Power Station
Visitor Centre

Downhall

East
End

Bradwell
on Sea

School

Gunners Creek

ROAD

HOCKLEY

ROAD

Bradwell Marshes

Dengie Flat

Tillingham
Marshes

ROAD

BRIDGEWICK

Dengie Marshes

ROAD

Ray Sand

Montsale

Holliwell
Point

FOULNESS SANDS

Foulness Point

U C H

SS3

Ridgemarsh

DANGER
AREA

⁶00

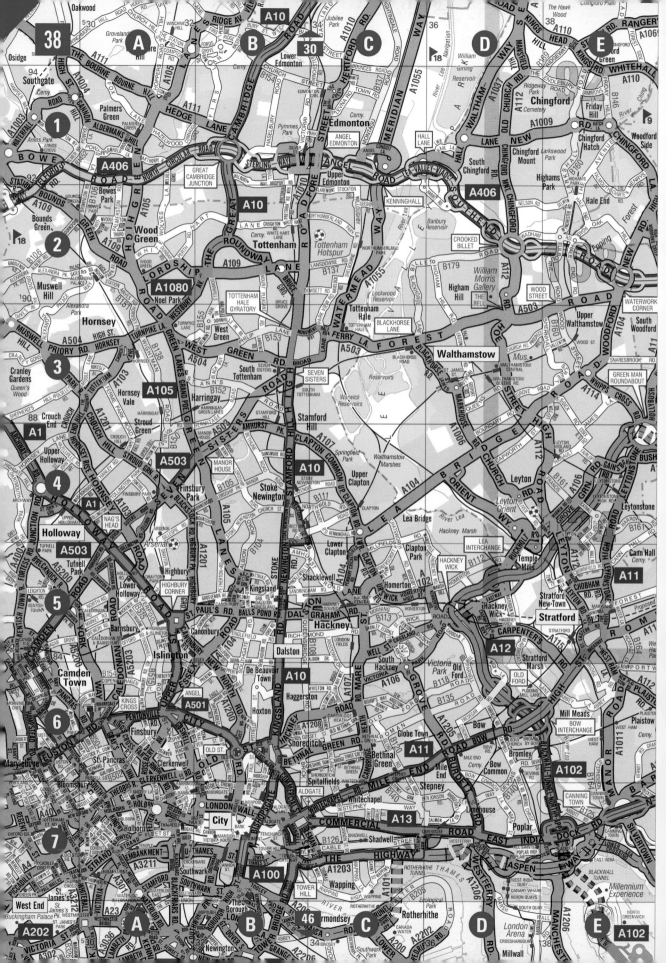

600   02   04   06   08   610

94

1

92

2

190

3

88

4

86

5

84

6

82

7

180

Ridgemarsh

DANGER AREA

Courtsend

THE WHITE CITY

Churchend

ISLAND

Fisherman's Head

Eastwick Head

DANGER AREA

Rugwood Head

Asplins Head

The Broomway

MAPLIN SANDS

NORTH   SEA

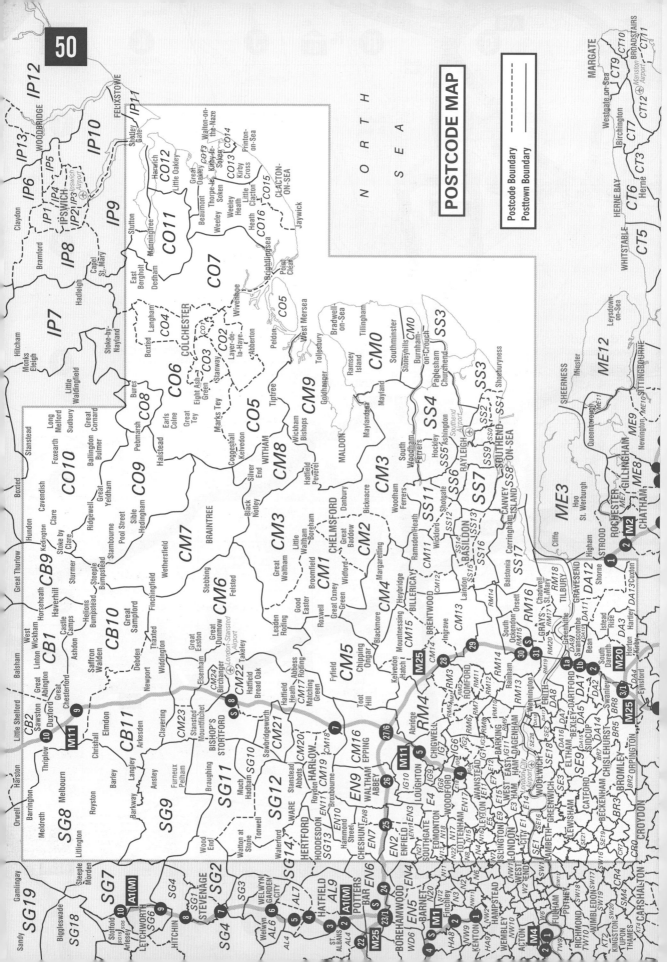

POSTCODE MAP

- - - - - -	Postcode Boundary
————	Posttown Boundary

REFERENCE TO 3 INCHES TO 1 MILE STREET MAP SECTION

Motorway	M11
A Road	A12
Under Construction	
Proposed	
B Road	B184
Dual Carriageway	
Tunnel	A282
One Way Street Traffic flow on A Roads is indicated by a heavy line on the driver's left	→
Junction Names (London Area)	RIPPLE ROAD JUNCTION
Pedestrianized Road	
Restricted Access	
Unmade Road	
Track	
Footpath	
Residential Walkway	
Railway	Tunnel / Station / Level Crossing
Docklands Light Railway	DLR Station
London Underground Station	●

Built Up Area	HIGH STREET
Local Authority Boundary	
Postcode Boundary	
Map Continuation For 3 Inches to 1 Mile Street Mapping (Red Pages)	118
Map Continuation To 1 Inch to 1 Mile Street Mapping (Blue Pages)	32
Car Park Selected	P
Church or Chapel	†
Cycle Route Selected	
Fire Station	■
Hospital	H
House Numbers A & B Roads only	51 22 19 48
Information Centre	i
National Grid Reference	570
Police Station	▲
Post Office	★
Toilet	▽
with facilities for the Disabled	♿

SCALE approx. 3 Inches (7.94 cm) to 1 Mile — 0 ¼ ½ ¾ Mile / 0 250 500 750 Metres 1 Kilometre — 1:20,267 or 4.93 cm to 1km

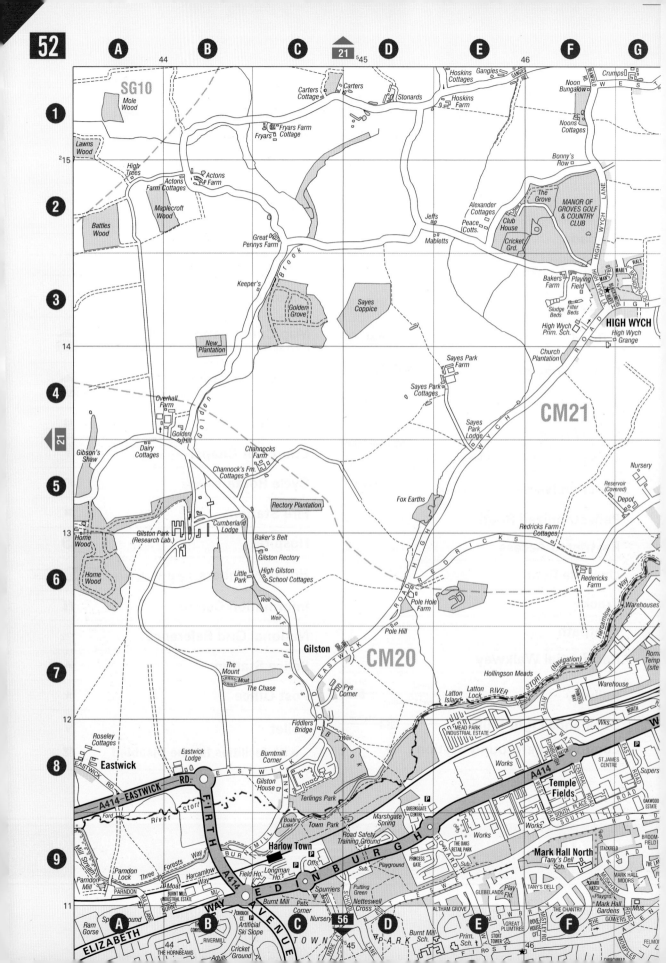

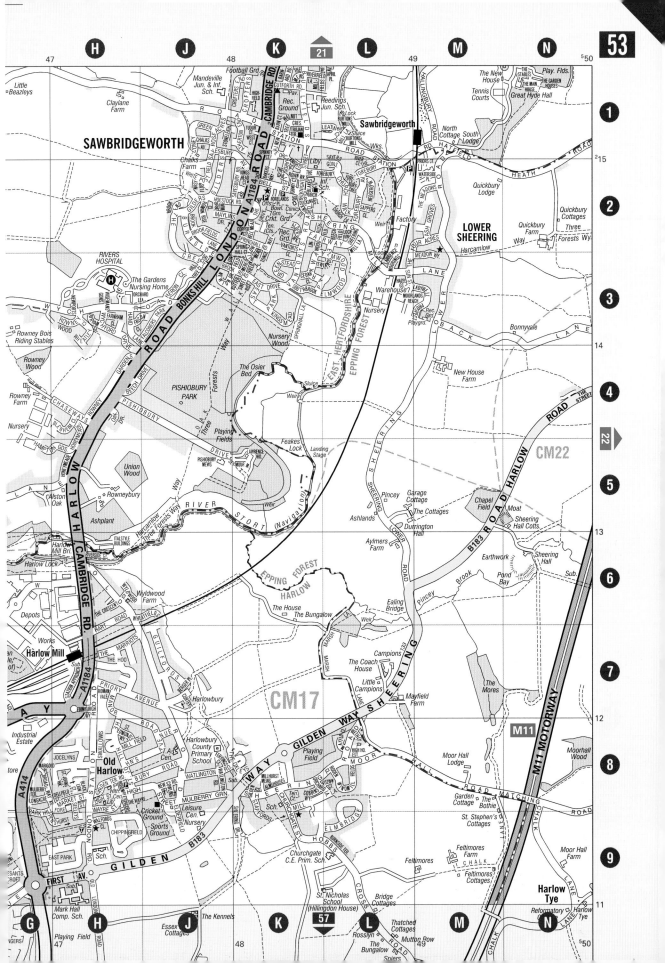

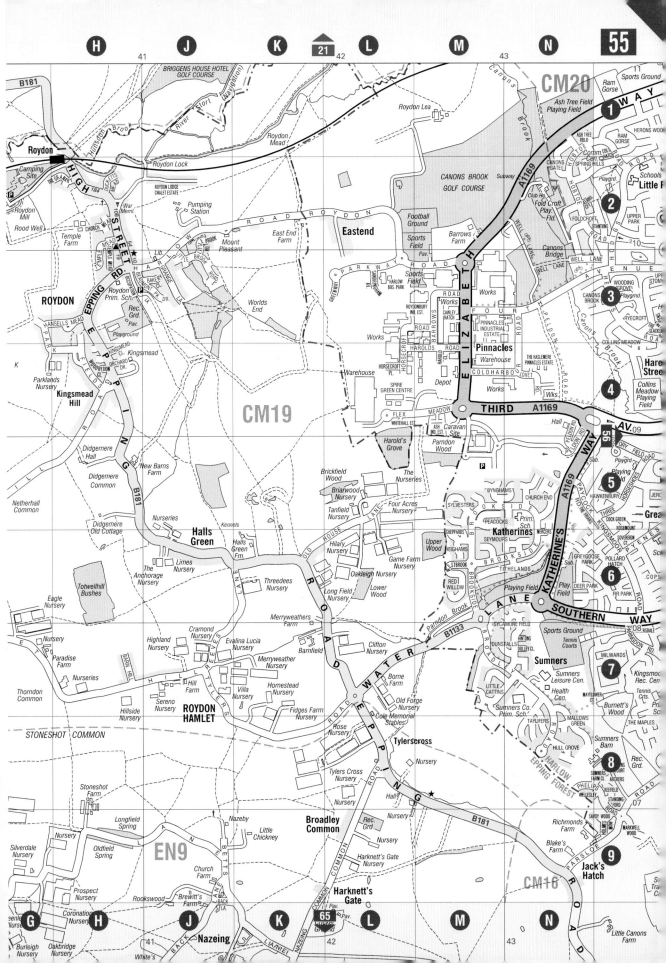

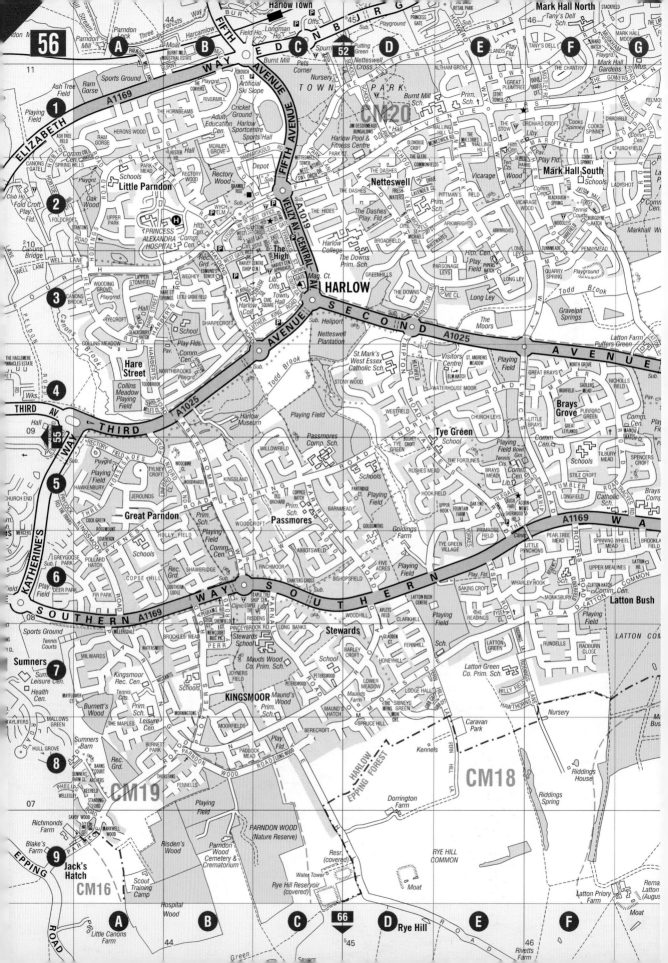

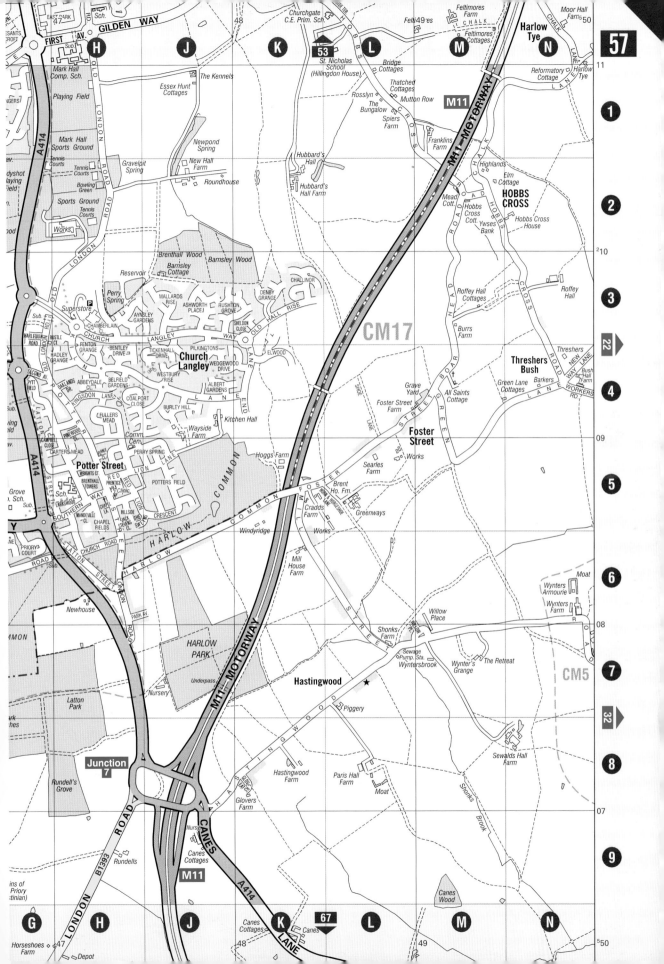

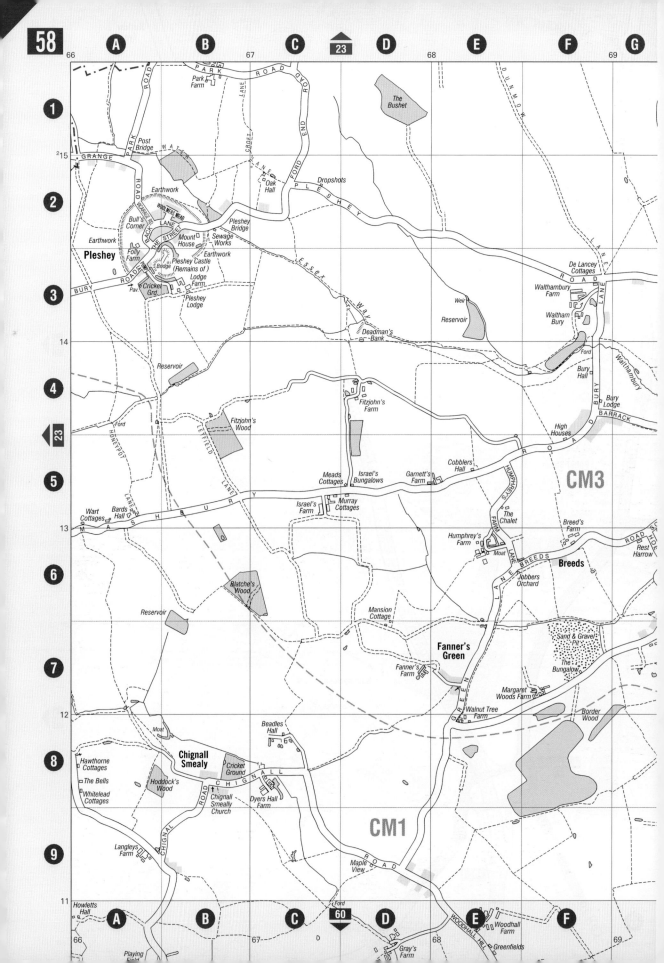

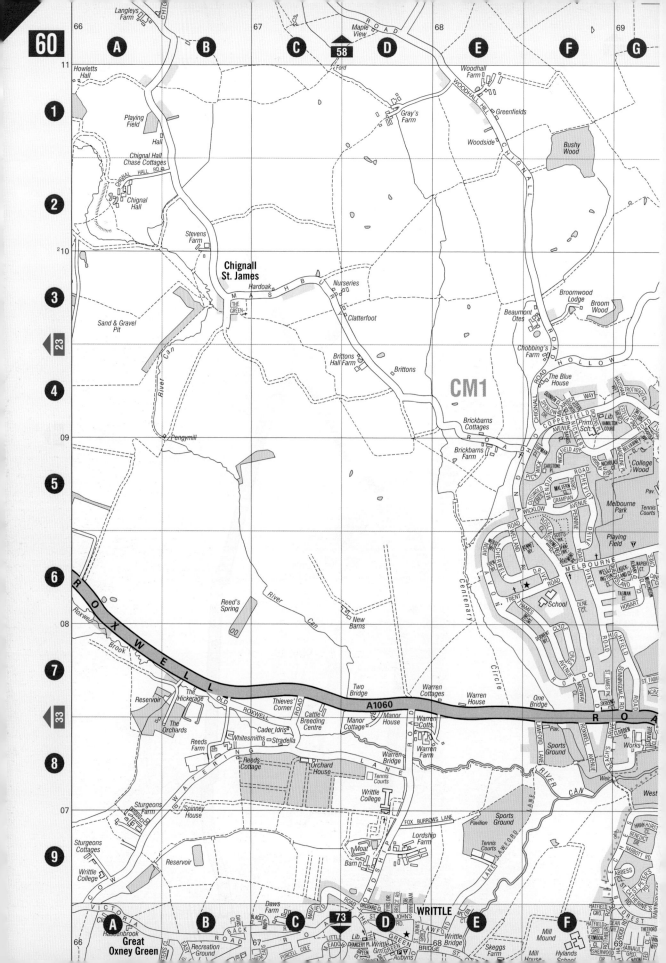

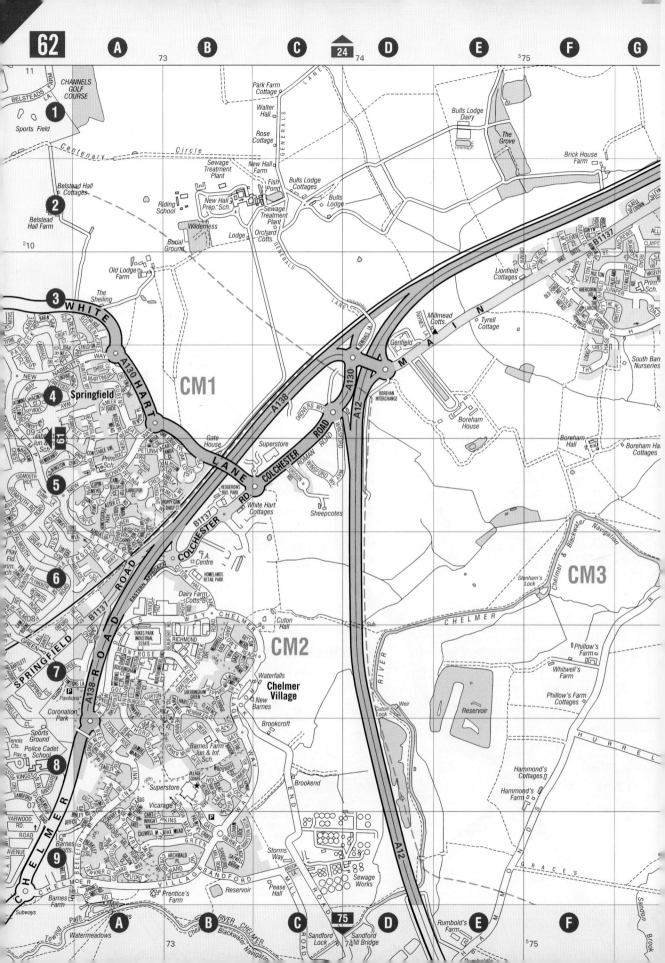

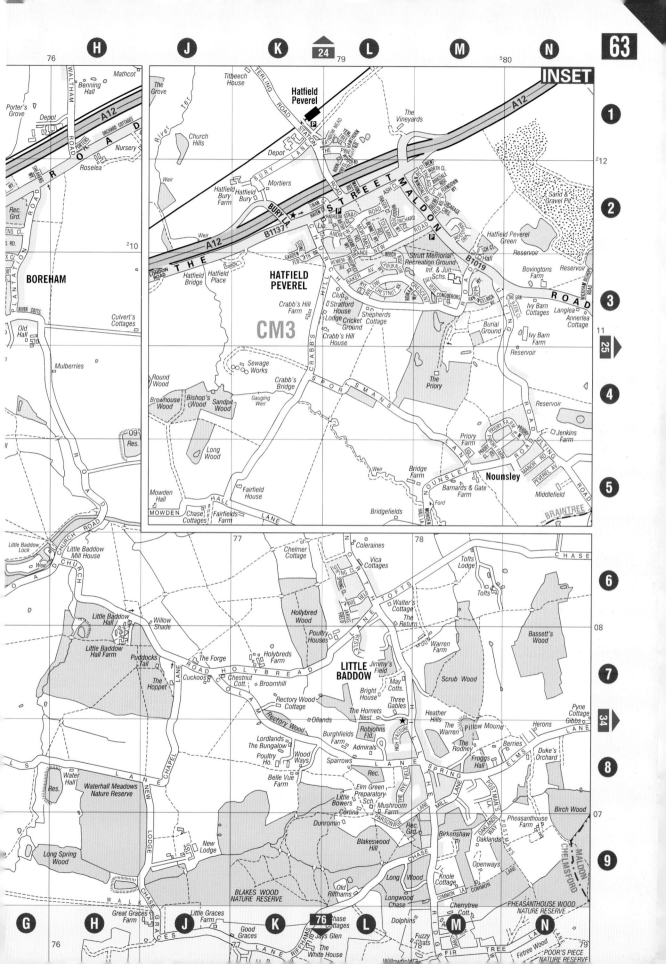

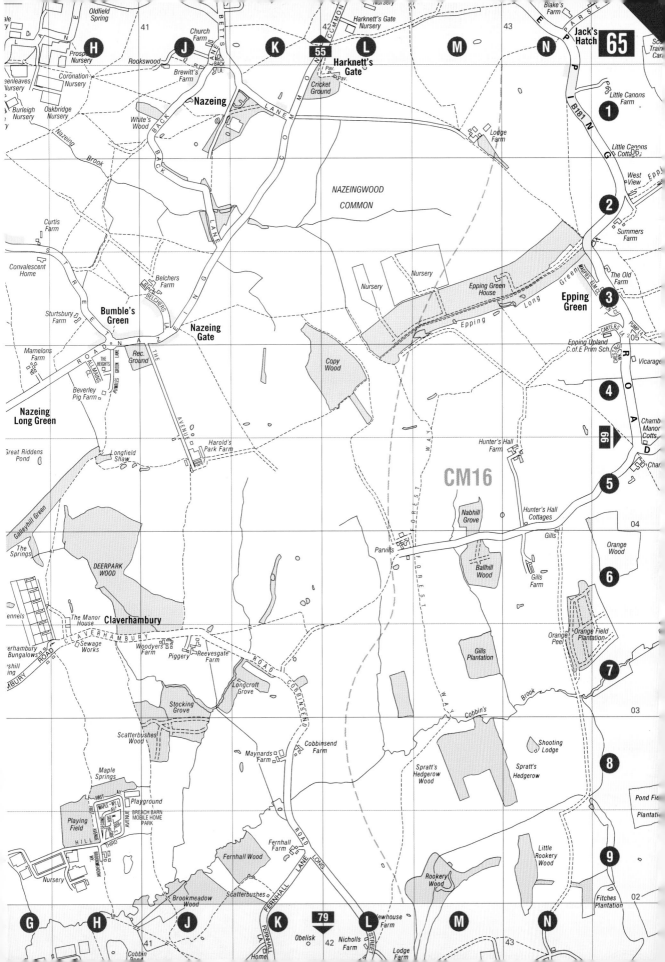

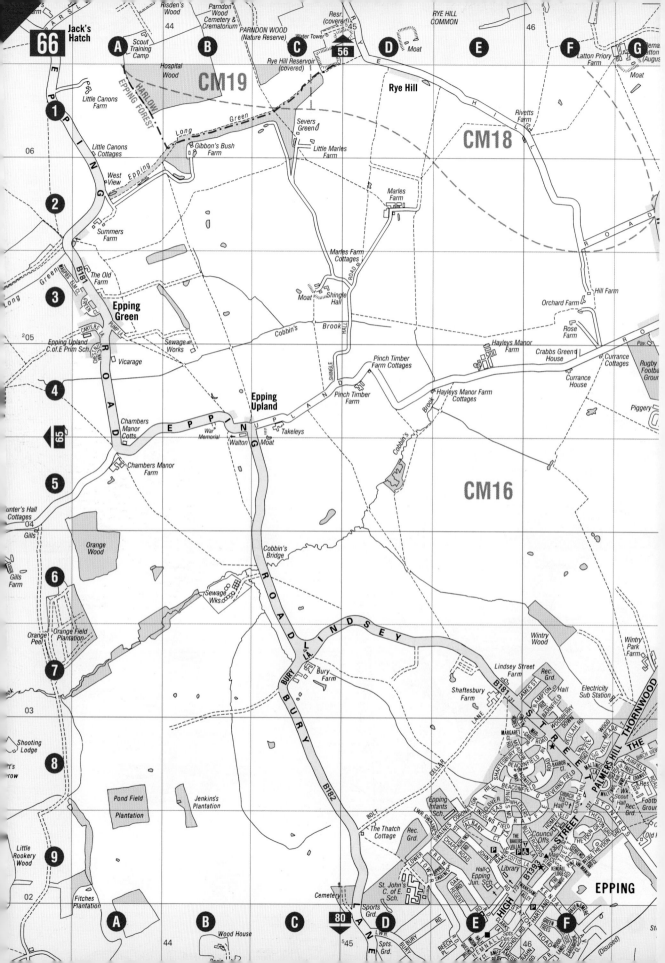

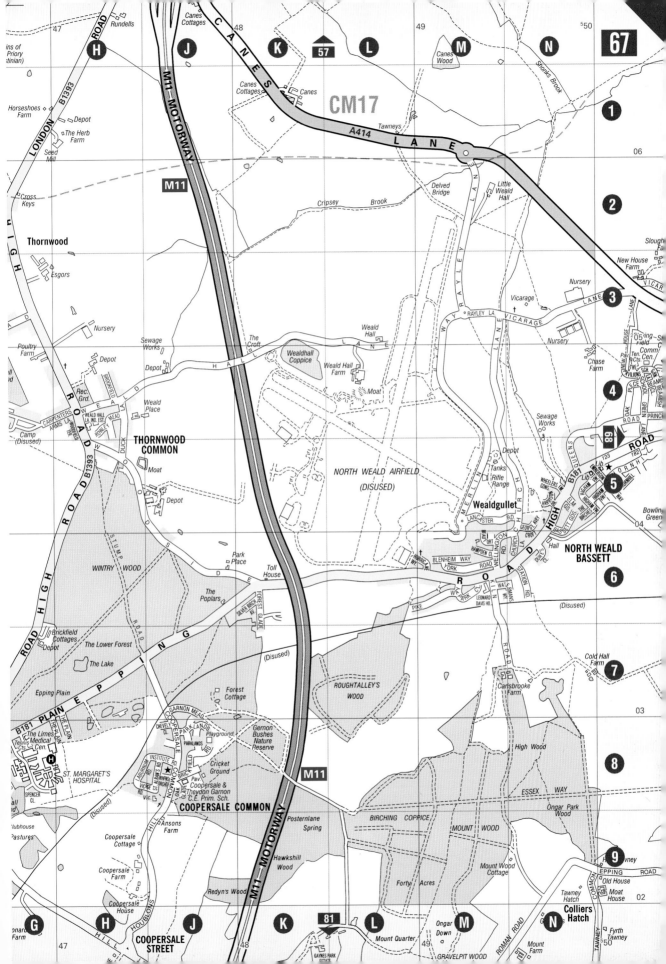

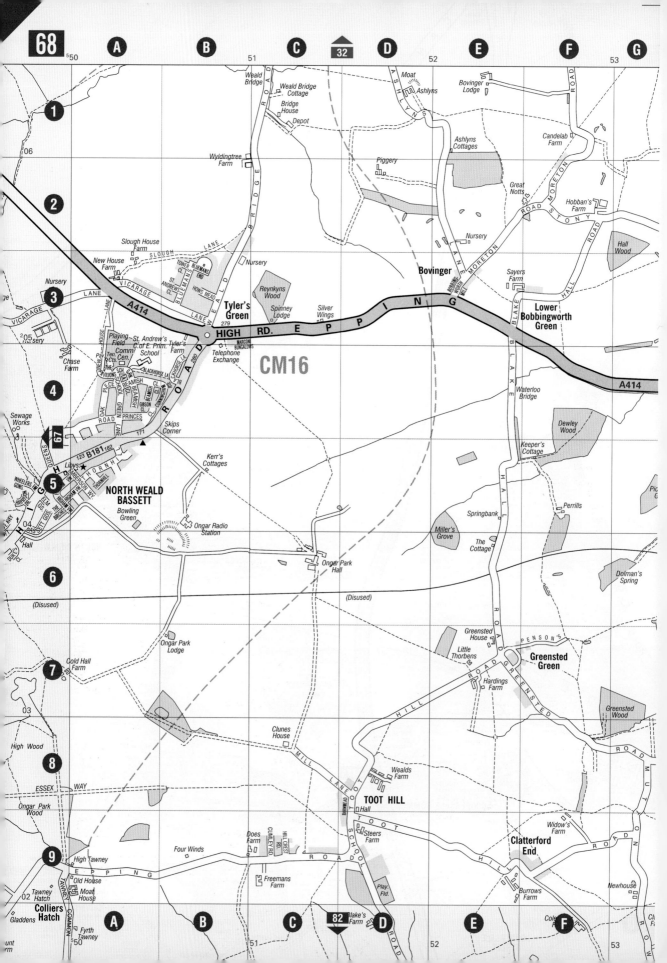

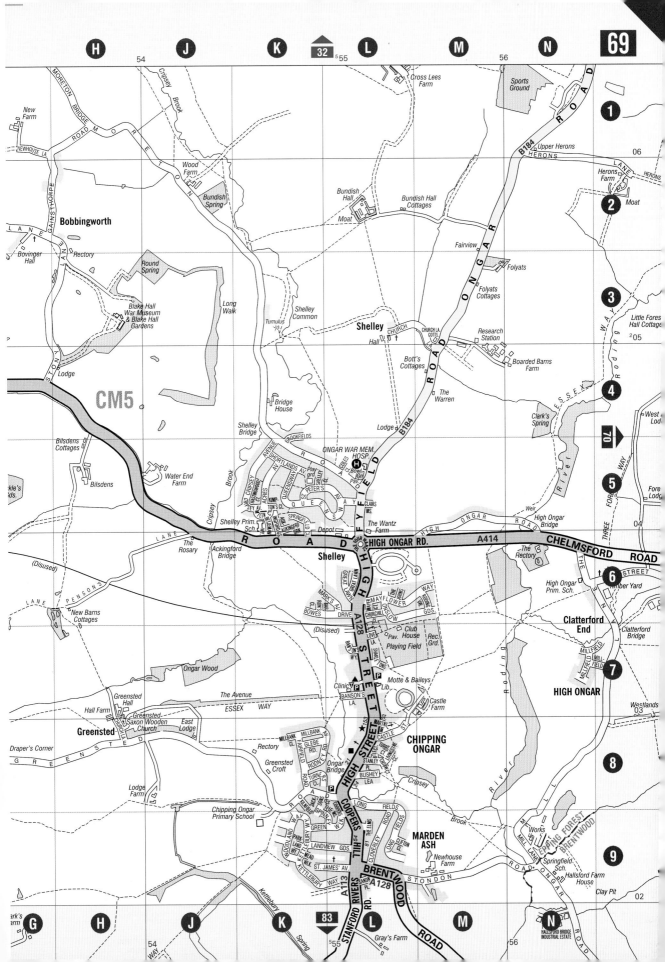

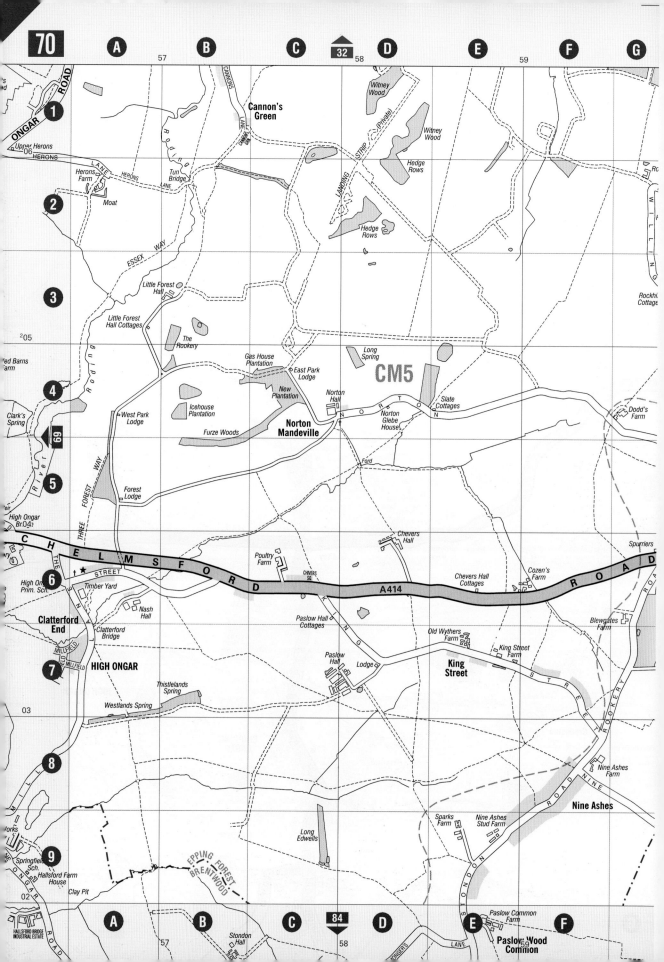

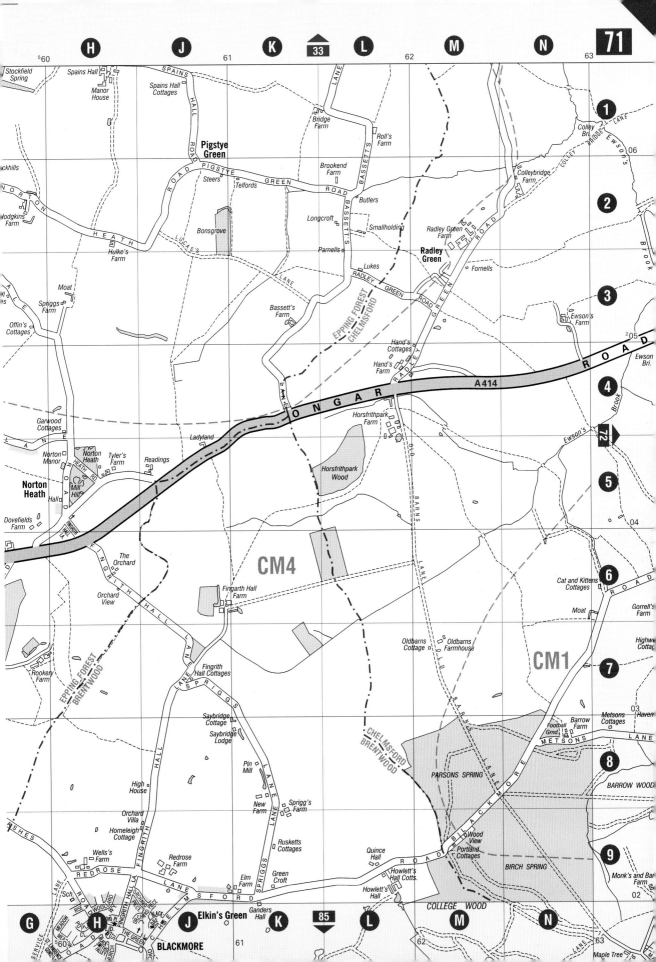

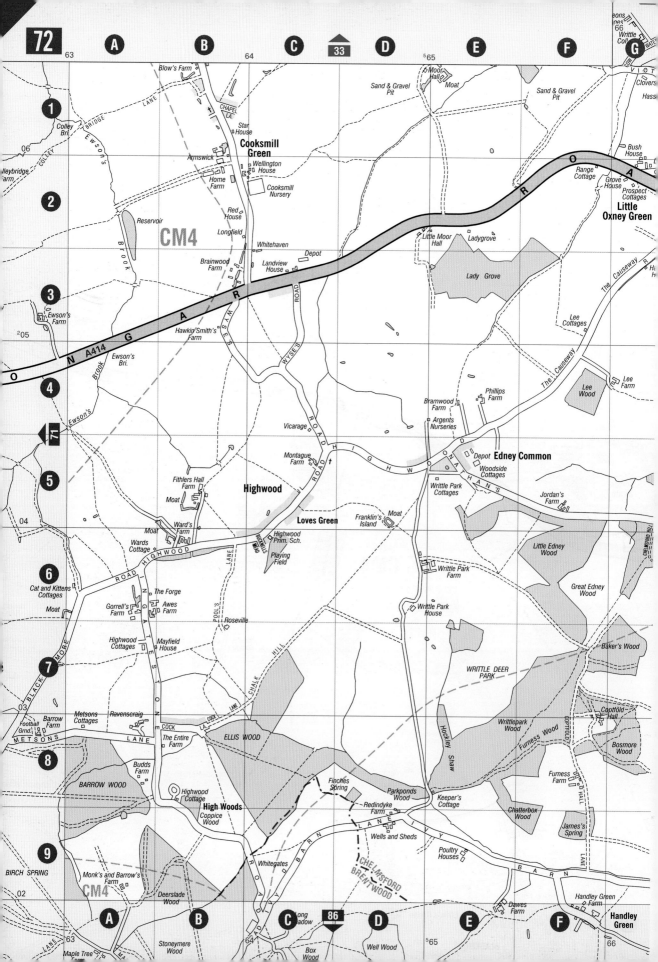

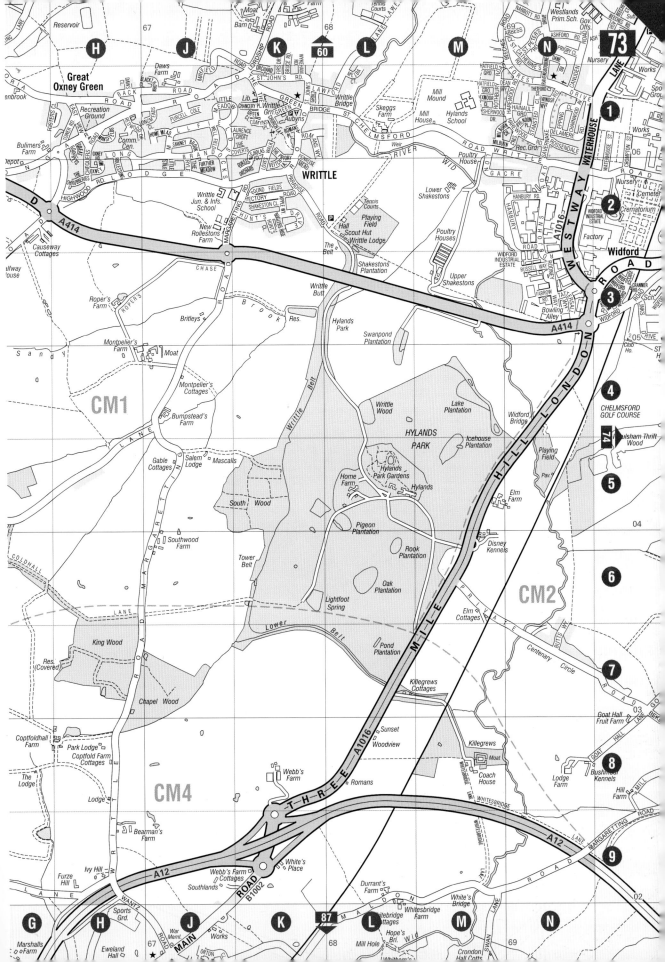

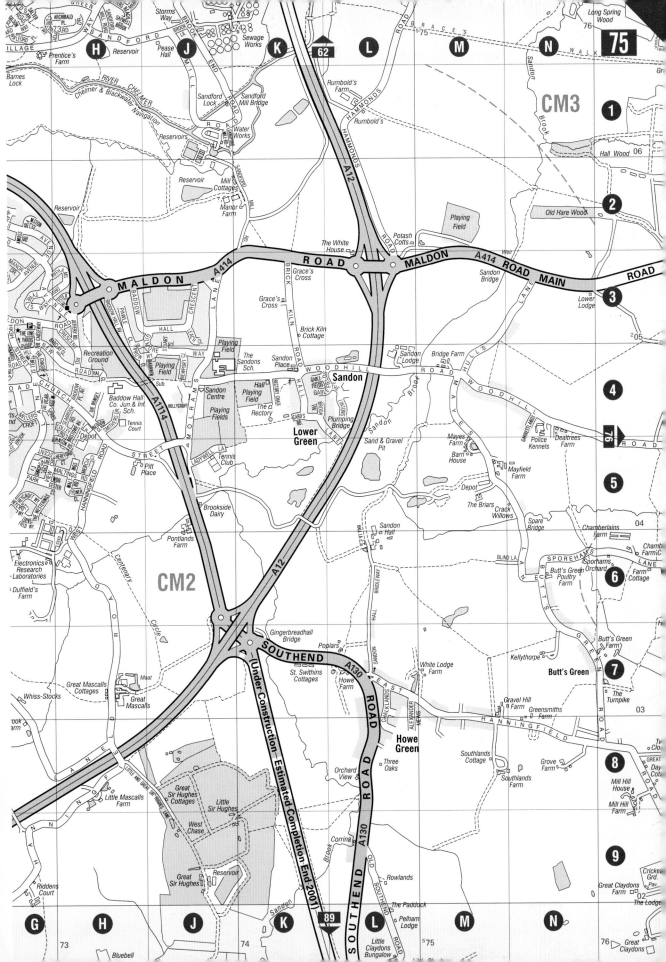

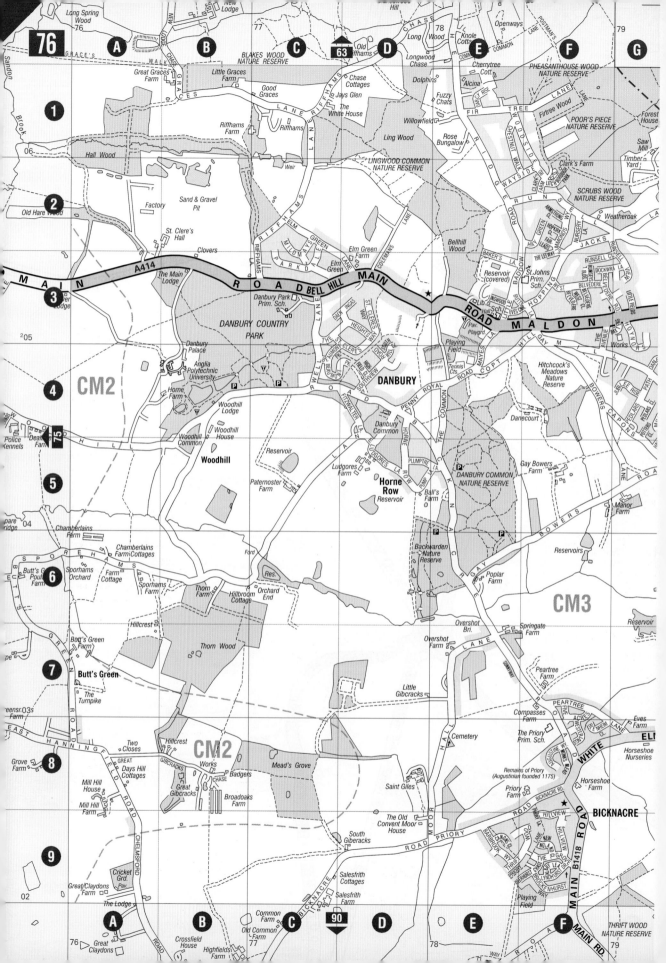

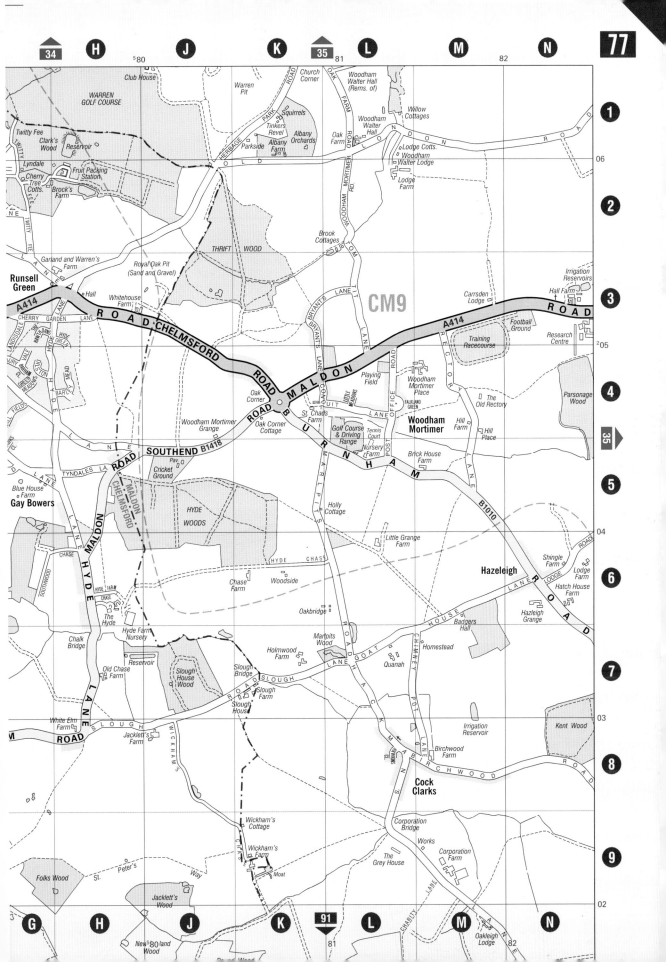

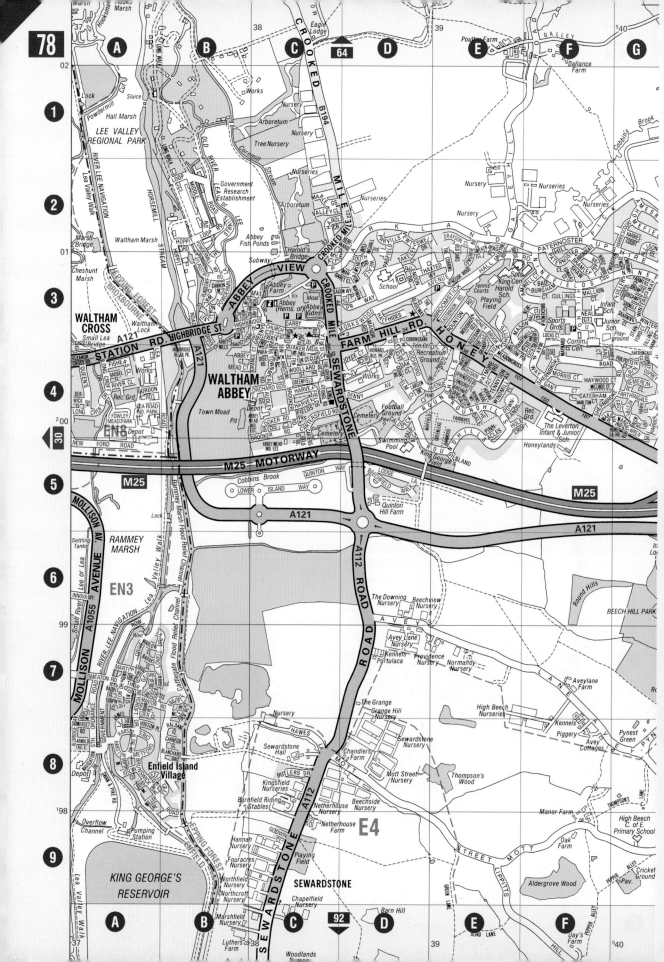

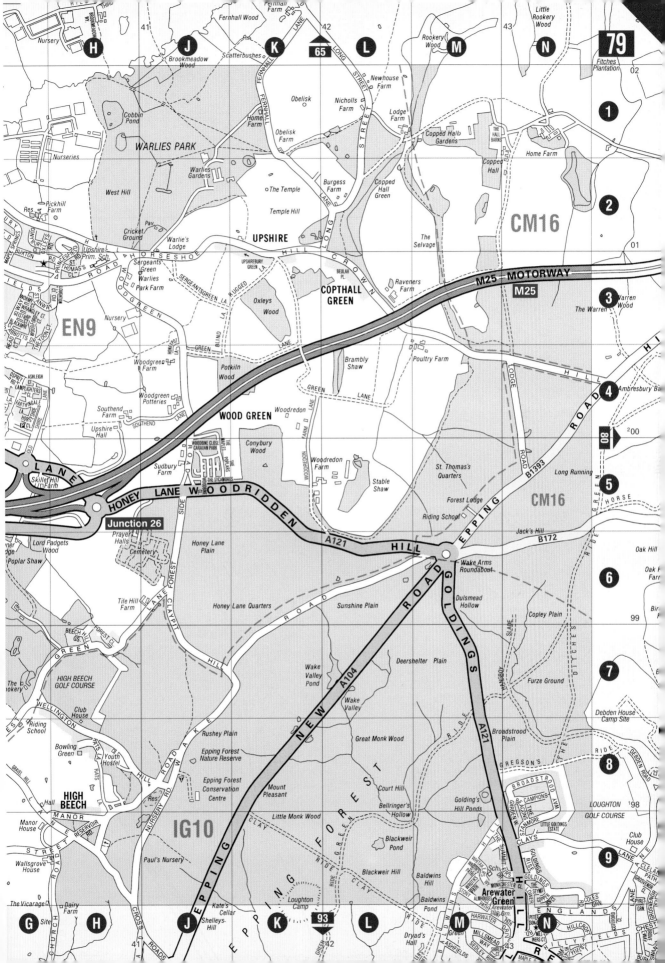

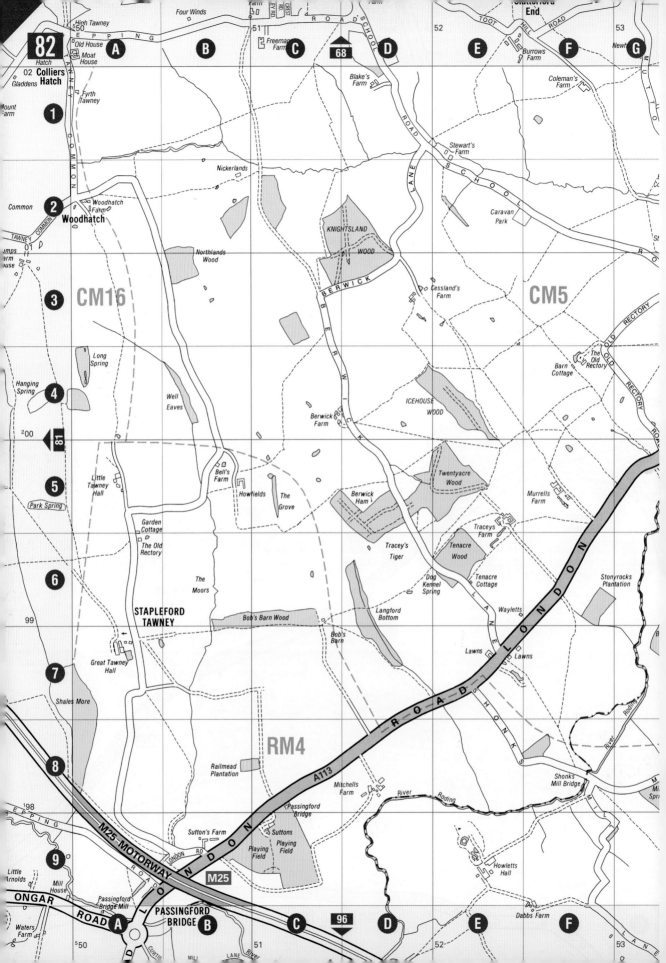

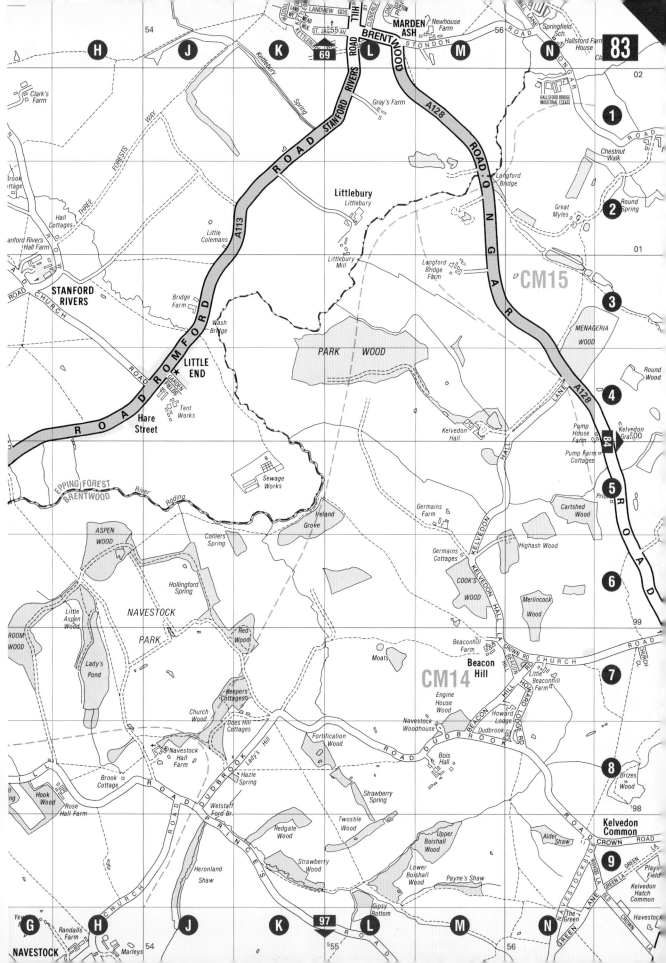

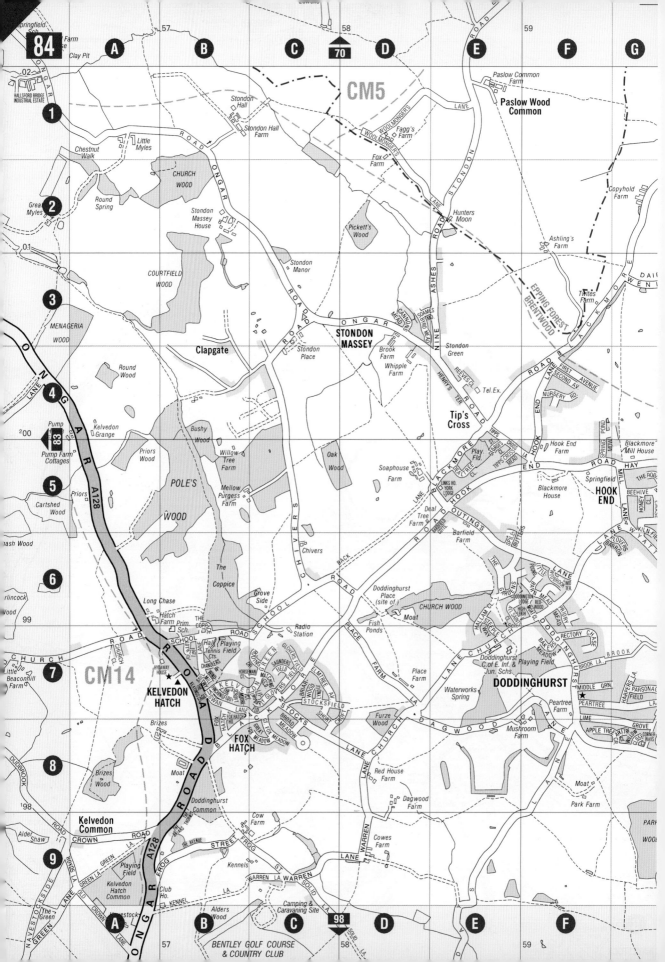

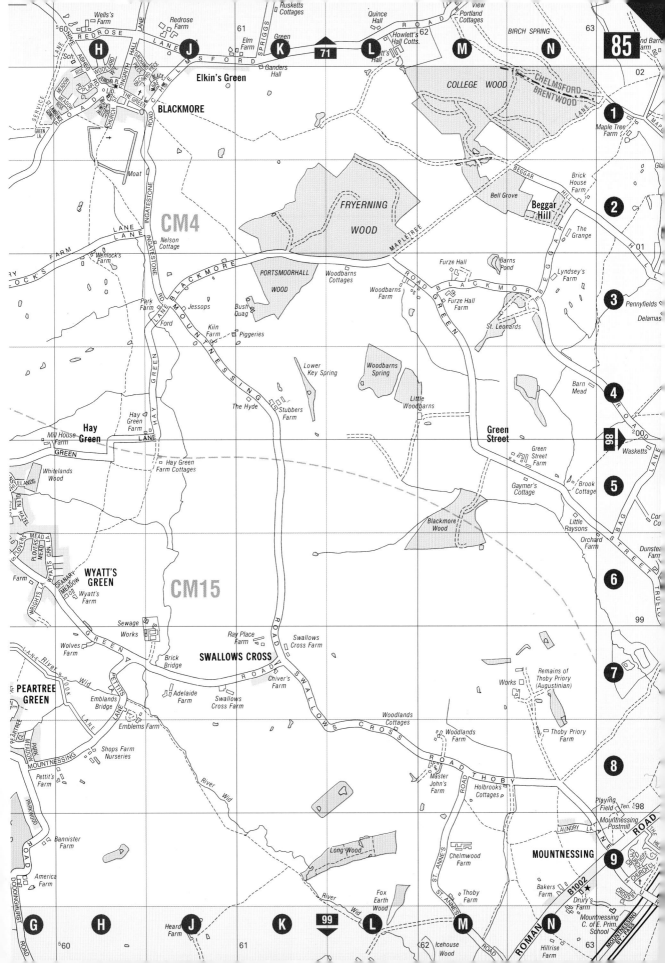

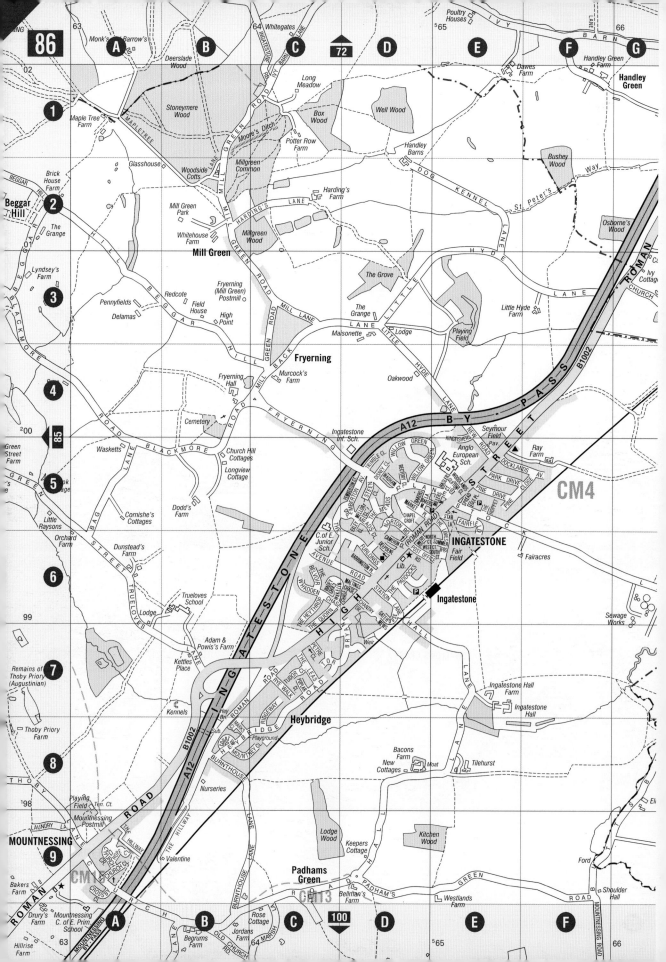

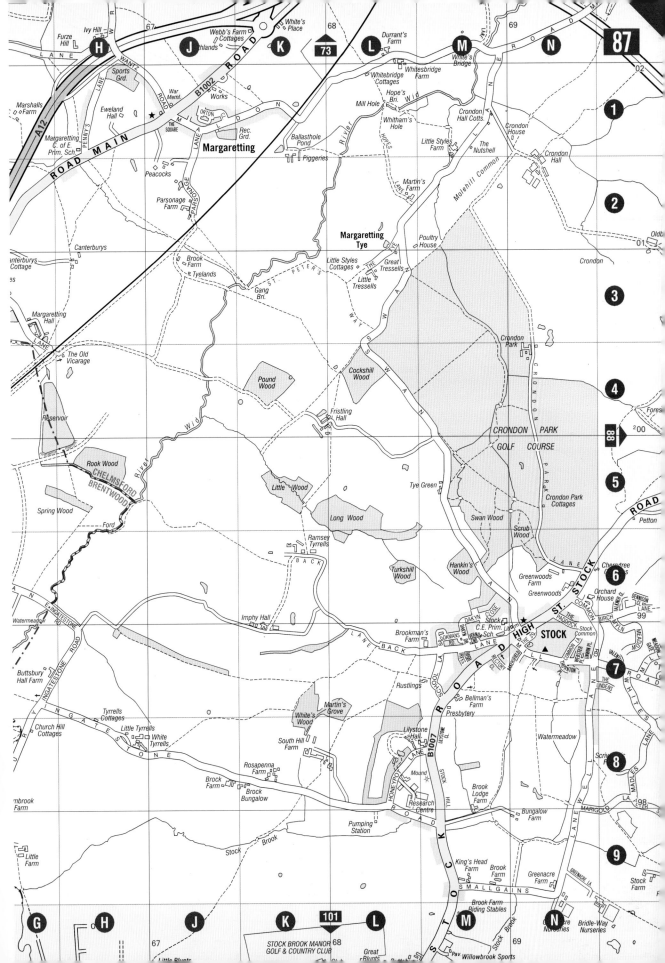

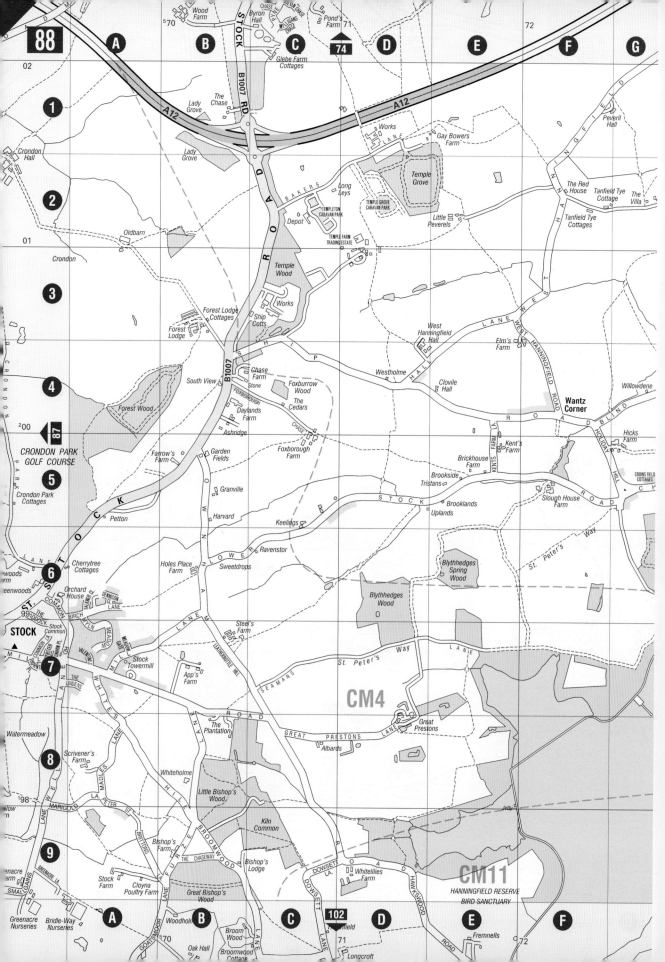

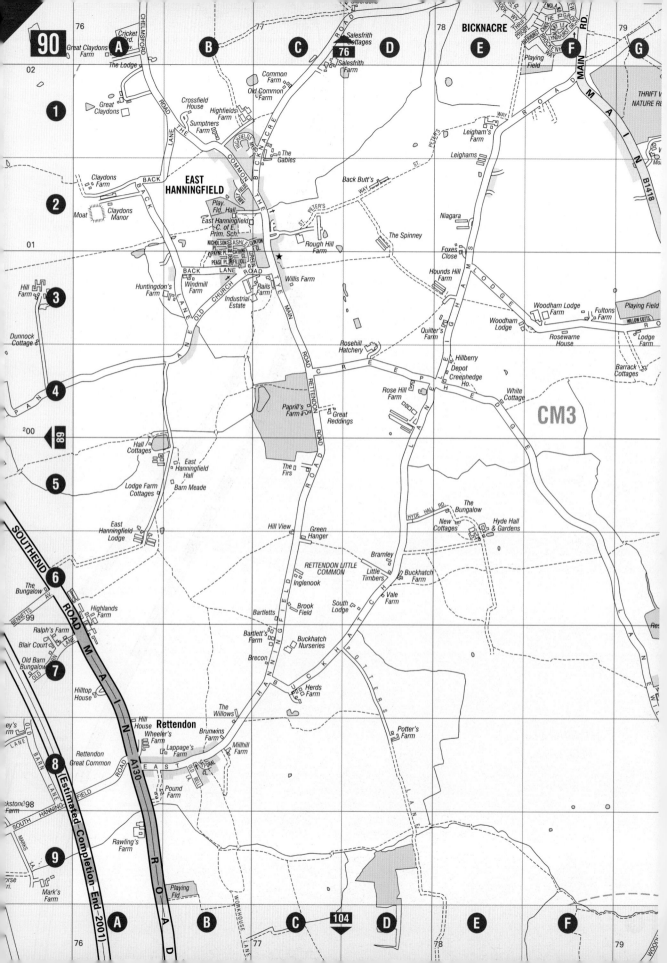

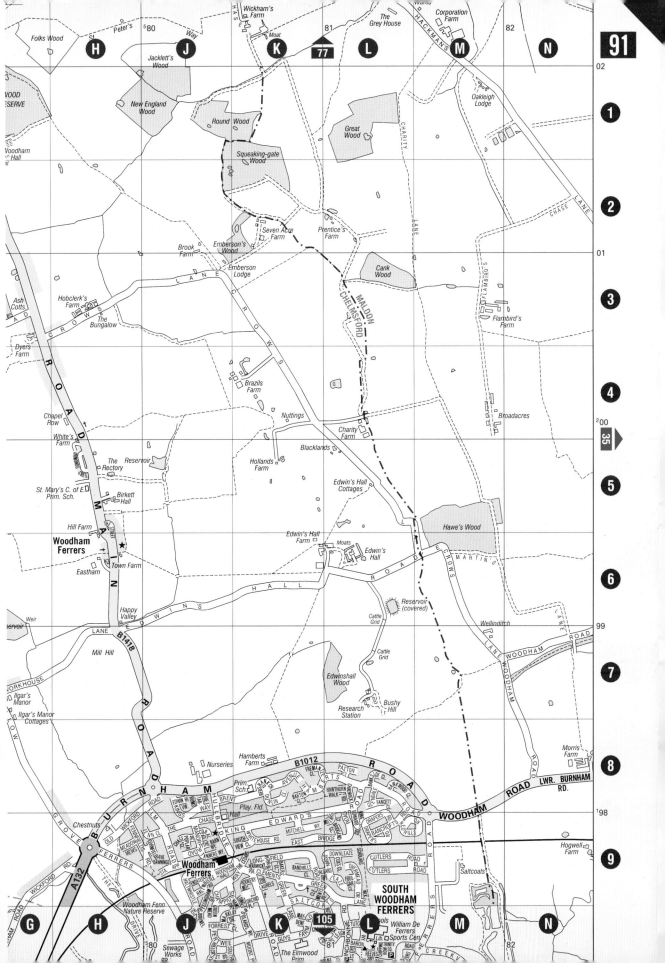

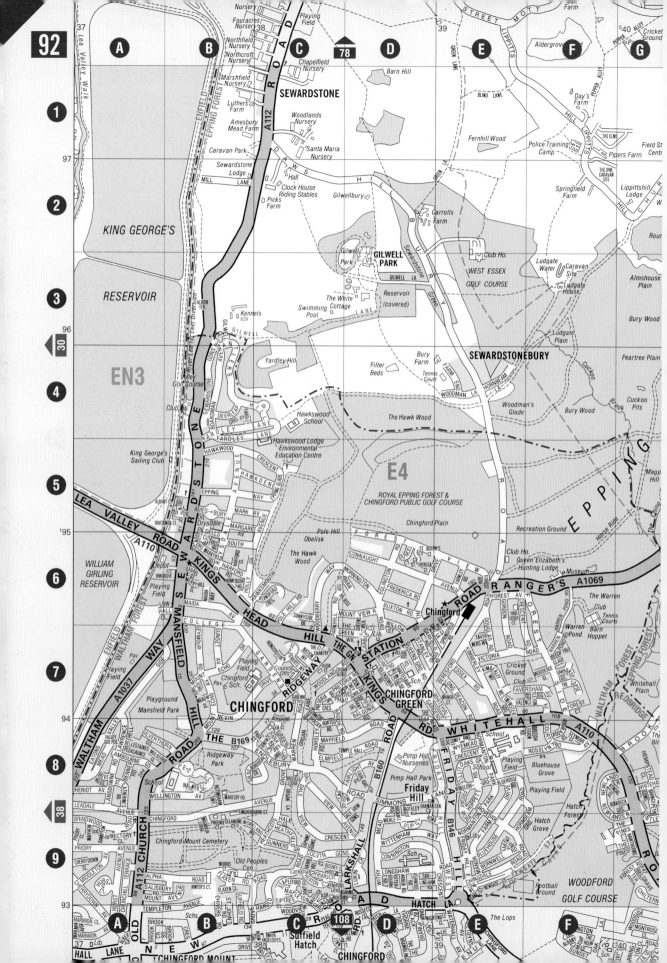

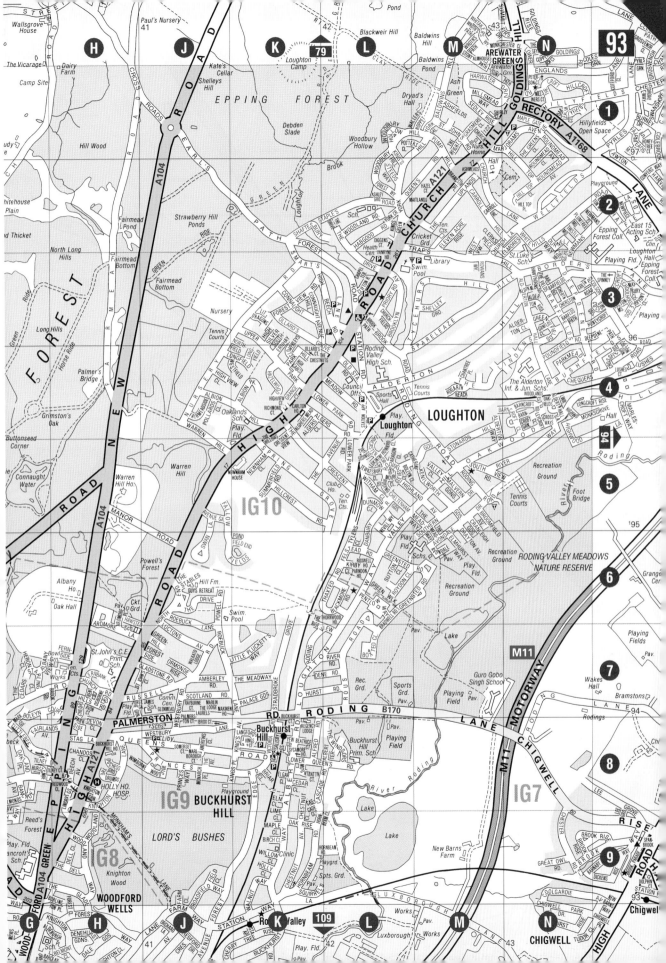

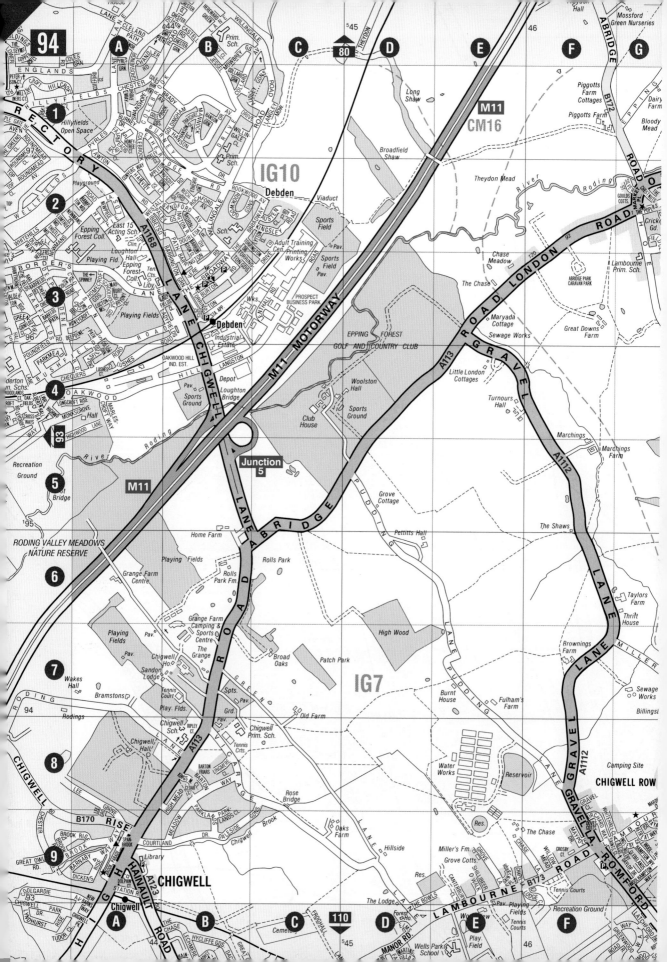

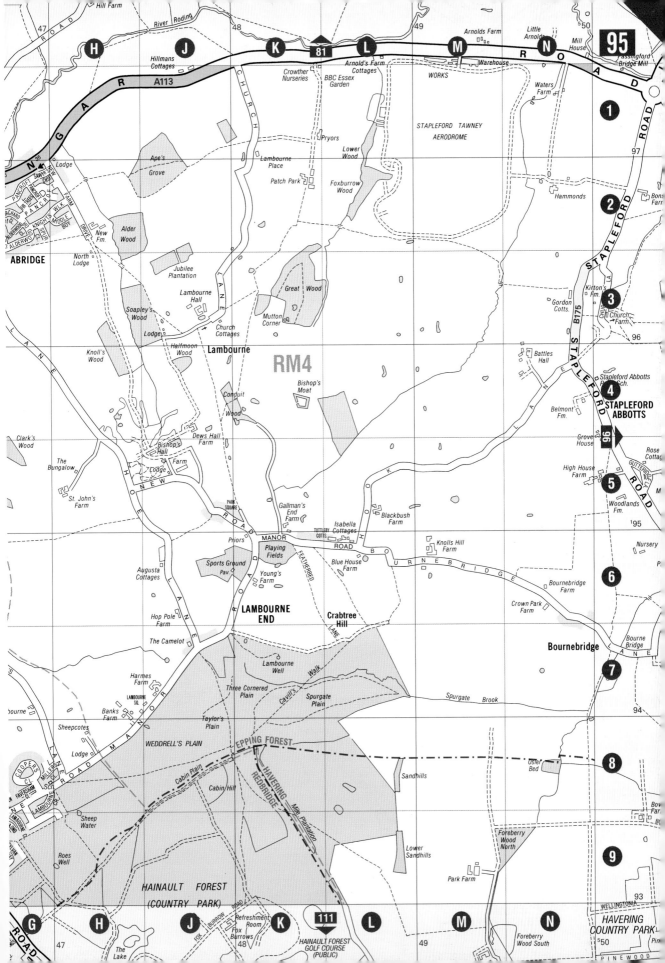

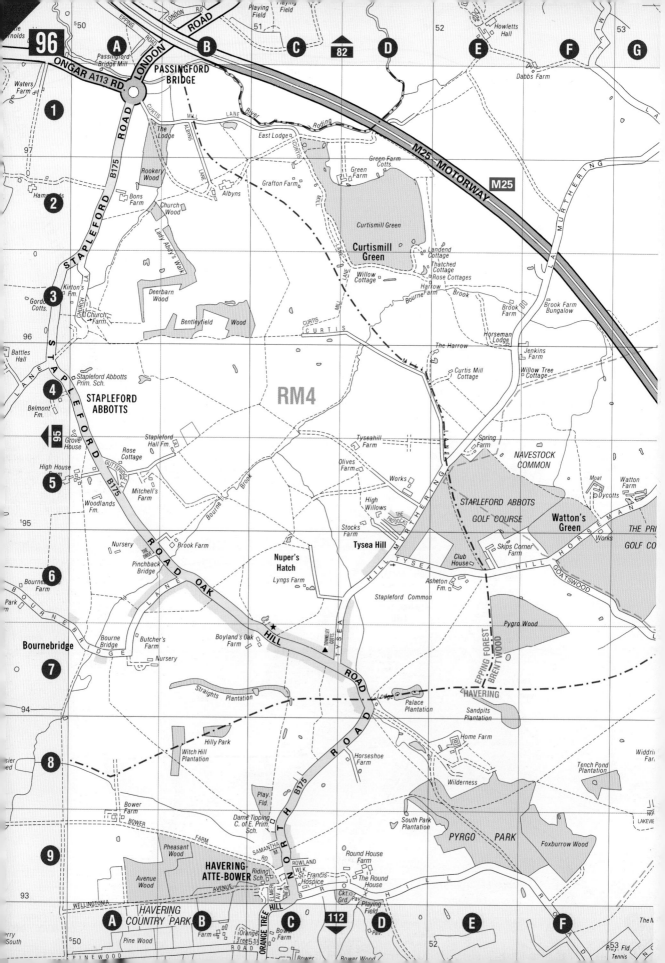

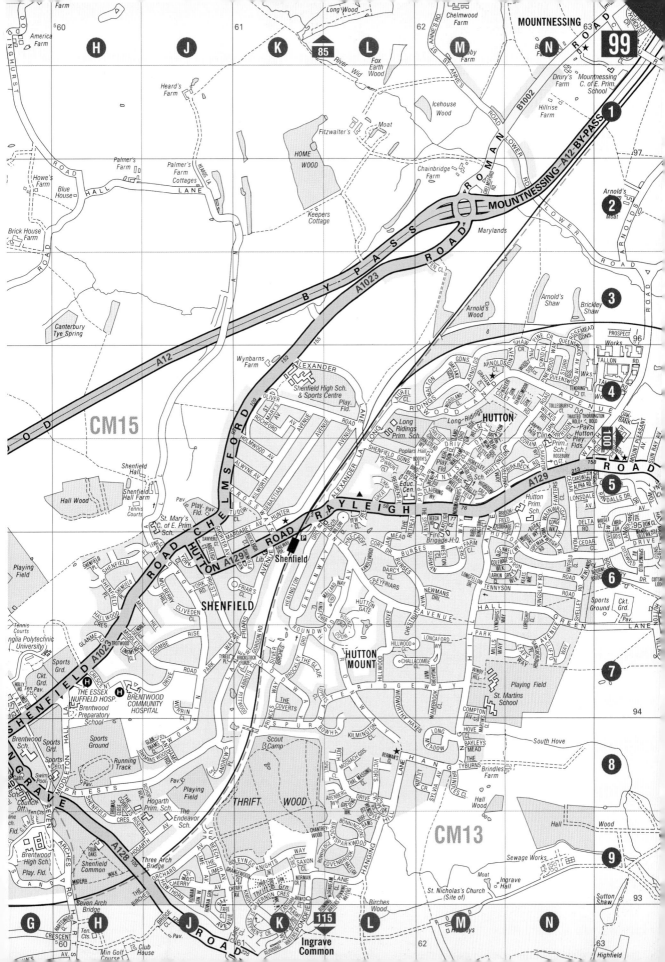

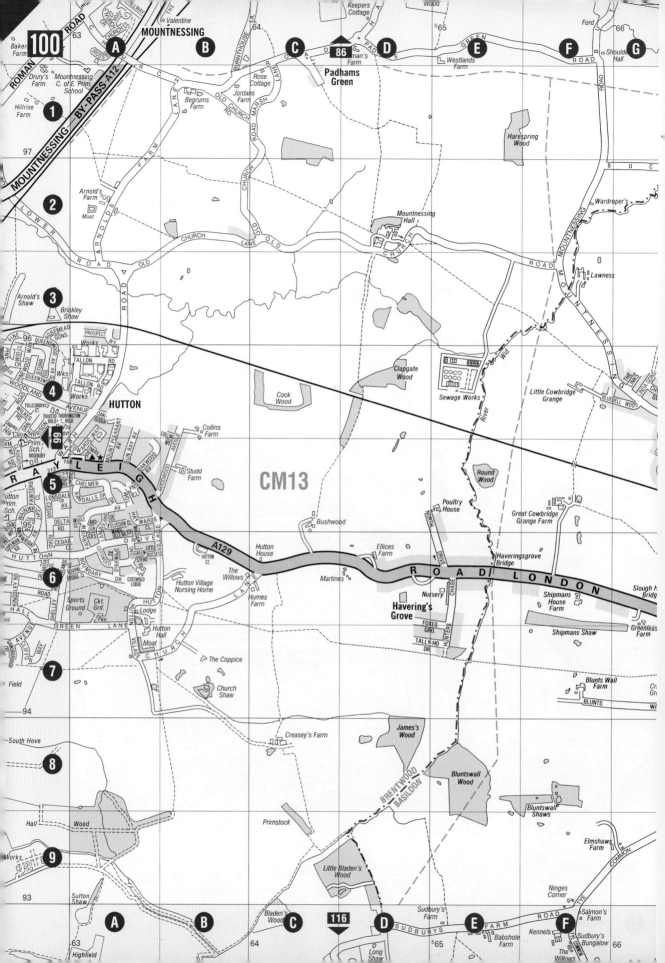

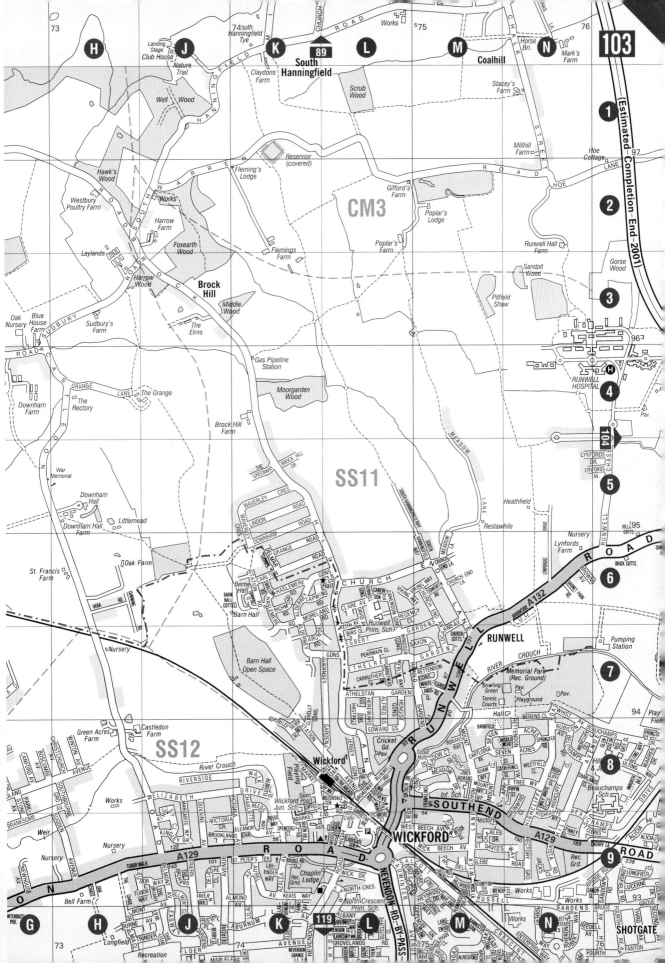

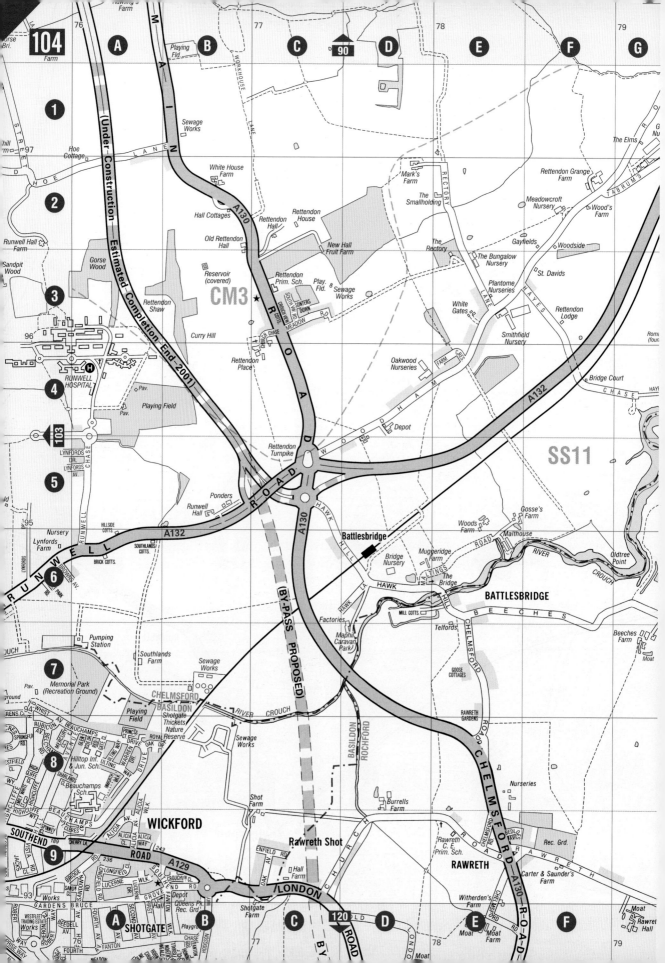

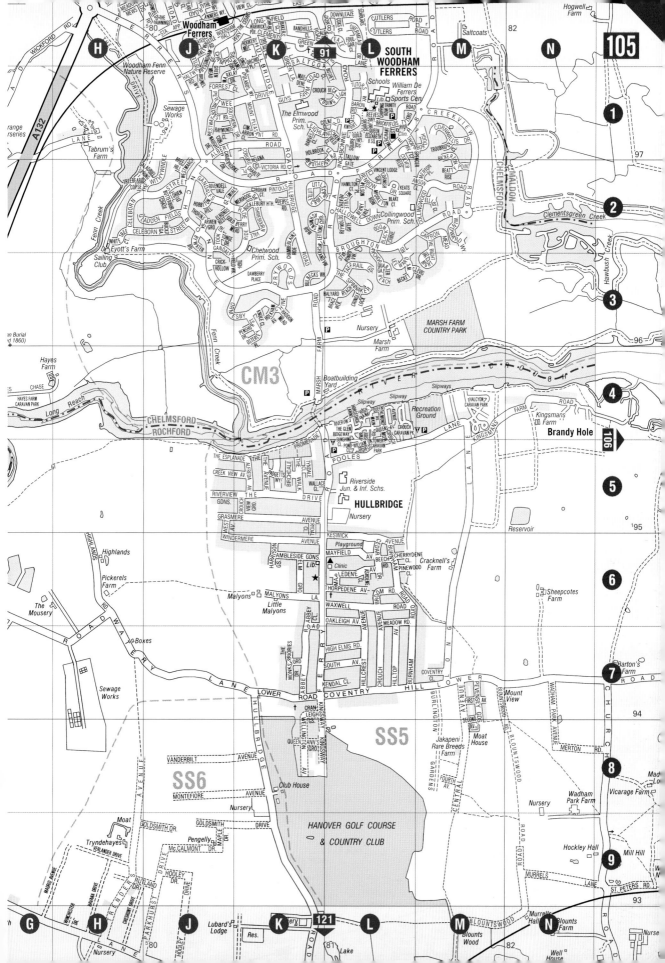

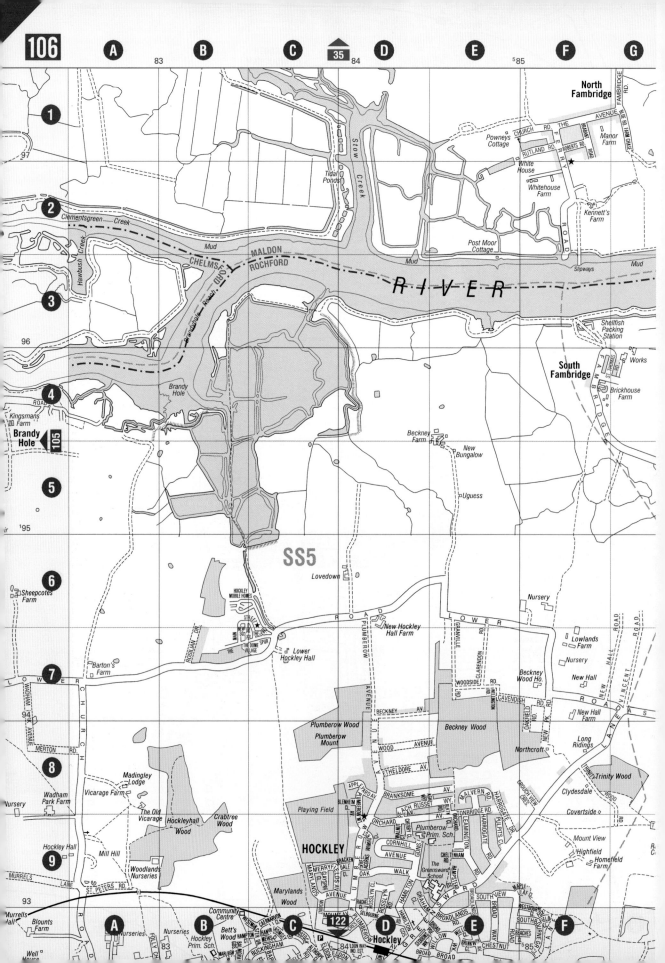

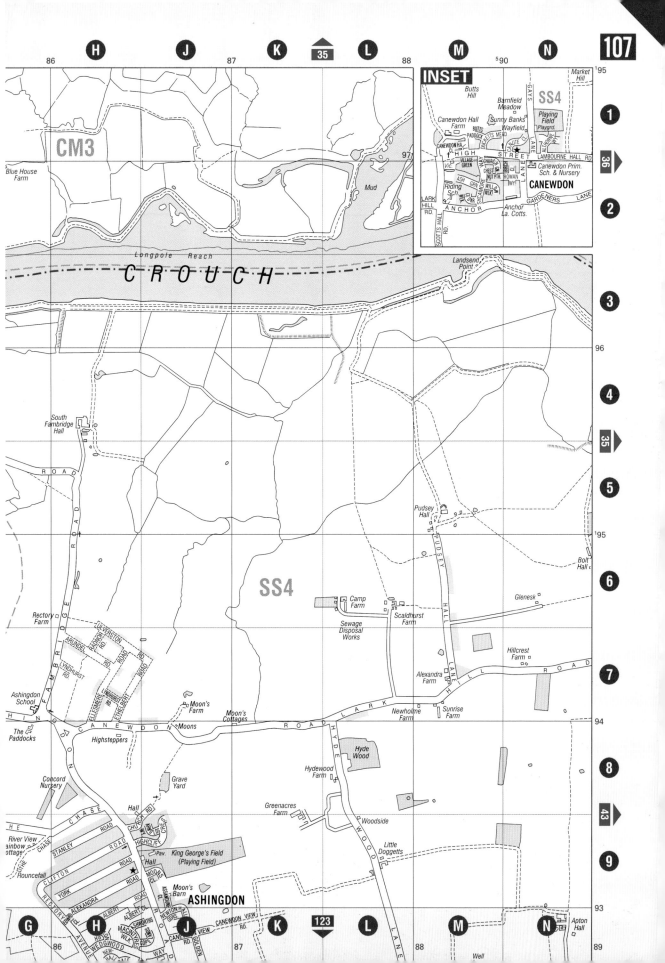

H | J | K | L | M | N

86 | 87 | 88 | 90 | 95

INSET

SS4

Butts Hill

Barnfield Meadow

Canewdon Hall Farm

Sunny Banks

Wayfield

Playing Field Playgrd.

CANEWDON HA

BUTTS PADDOCK

BLACKETTS MEAD

GAYS LANE

Market Hill

LAMBOURNE HALL RD.

HIGH STREET

VILLAGE GREEN

VIC.

CHURCH CHEST.

CAIUTE CT.

Canewdon Prim. Sch. & Nursery

CANEWDON

Riding Sch.

ASH GRN

NUT PTH.

WILL WLK

ROWAN WY

SYCAMORE WK

GARDENERS LANE

LARK HILL RD.

SCOTTS HALL RD.

ANCHOR

Anchor La. Cotts.

CM3

Mud

97

Longpole Reach

Landsend Point

CROUCH

96

South Fambridge Hall

Pudsey Hall

ROAD

'95

Bolt Hall

SS4

Camp Farm

Scaldhurst Farm

Glenesk

Sewage Disposal Works

Rectory Farm

CULVERSTON

ARUNDEL

RADNOR RD.

LYNDHURST RD.

ELLESMERE

ROAD

ROAD

ROAD

LYNDHURST RD.

ETHELBERT

Ashingdon School

Hillcrest Farm

PUDSEY HALL LANE

HILL ROAD

Alexandra Farm

The Paddocks

CANEWDON

Moon's Farm

Moons

Moon's Cottages

Highsteppers

HINGDON ROAD

LARK ROAD

Newholme Farm

Sunrise Farm

Hyde Wood

94

Concord Nursery

Grave Yard

Hydewood Farm

HYDE ROAD

River View Rainbow Cottage

CHASE

Hall

STANLEY

ROAD

CHURCH RD.

HIGHCLIFF

Pav.

Hall

King George's Field (Playing Field)

Greenacres Farm

Woodside

WOOD

Little Doggetts

Rouncefall

CLIFTON ROAD

YORK

ROAD

ALEXANDRA

ALBERT

MOO

Moon's Barn

ASHINGDON

ASMANINE

NEWTON

Apton Hall

G | H | J | K | L | M | N

86 | 87 | CANEWDON VIEW RD. | 88 | LANE | Well | 89

123

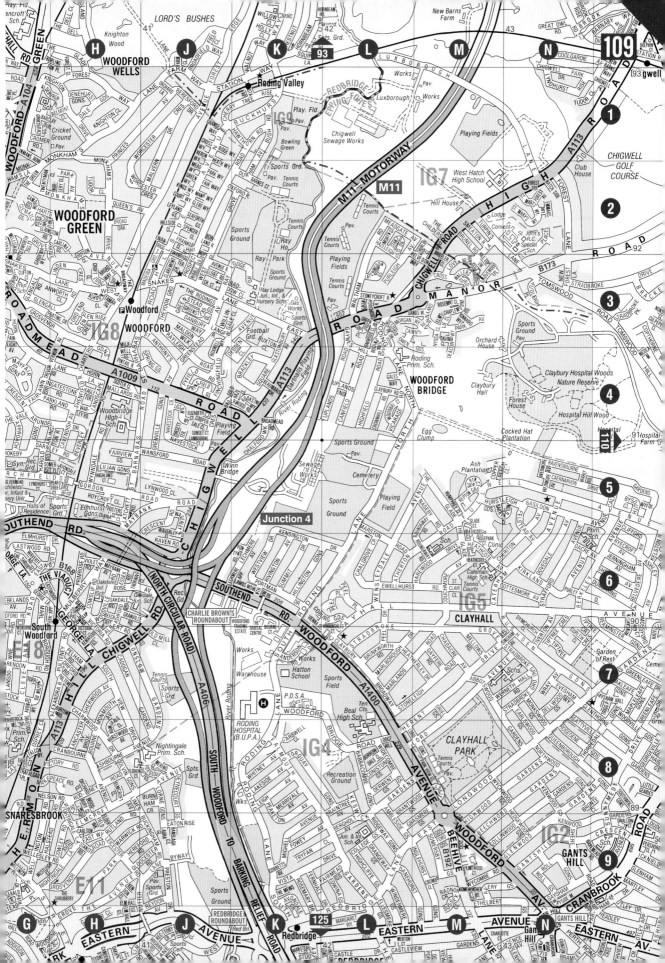

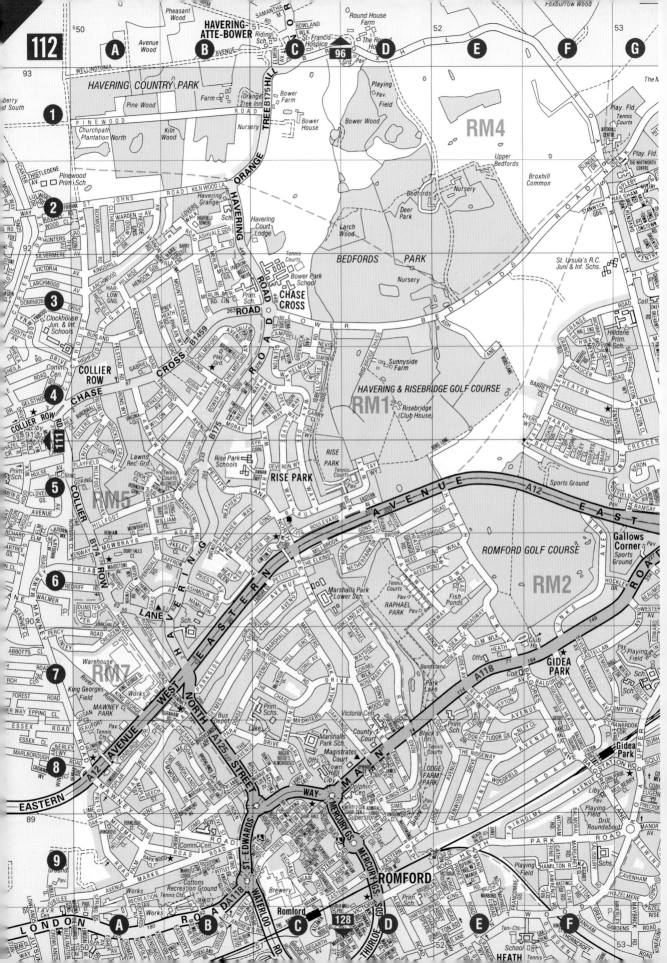

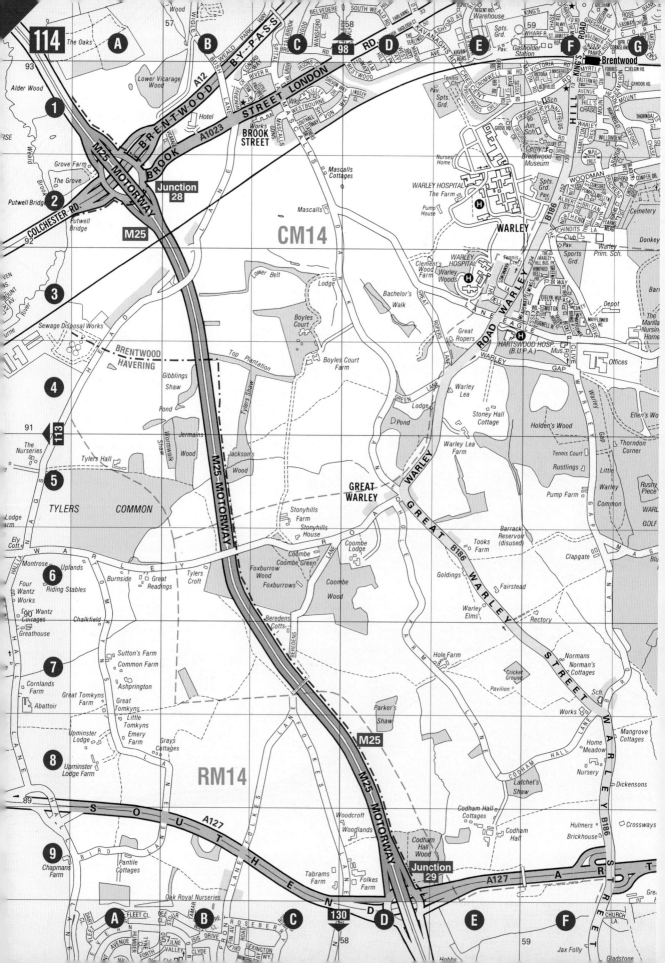

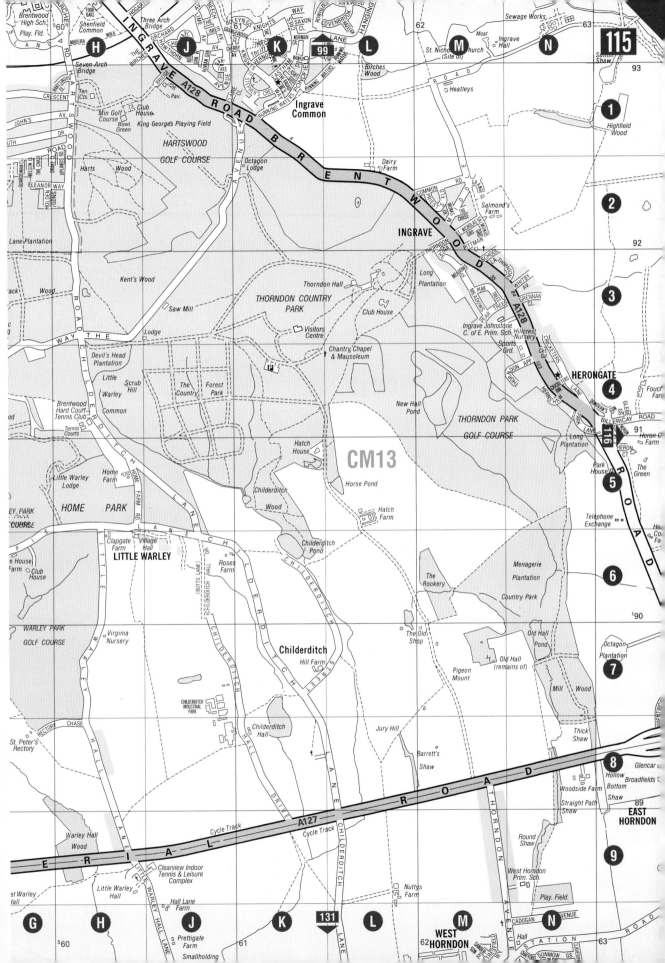

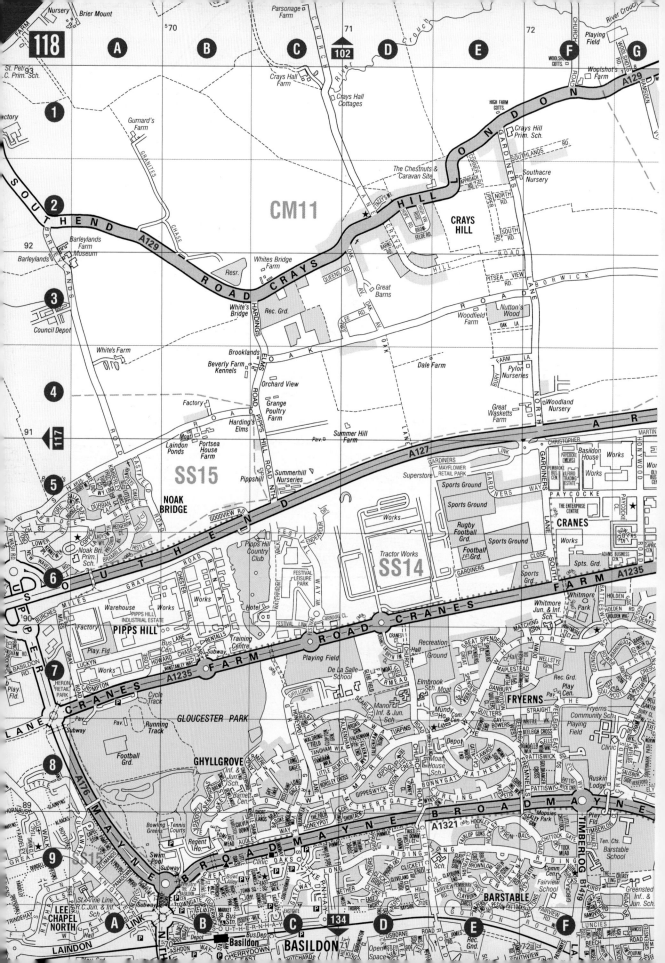

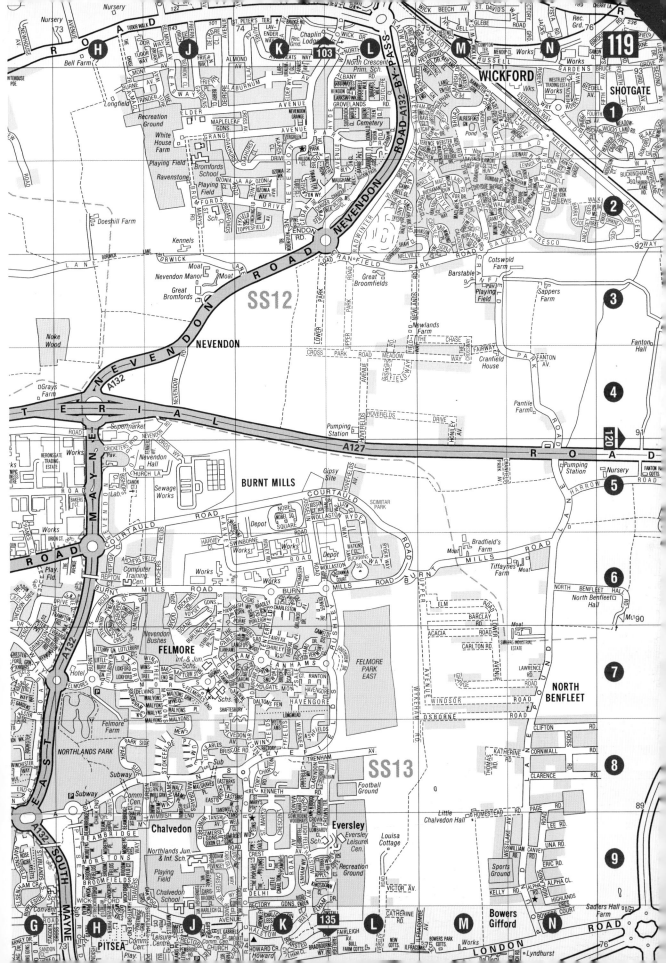

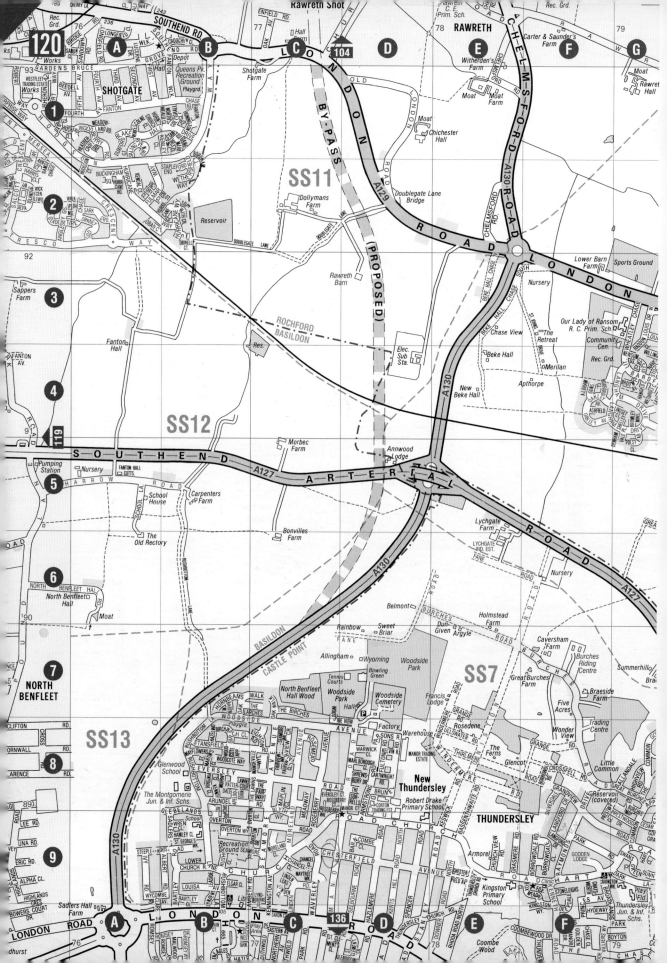

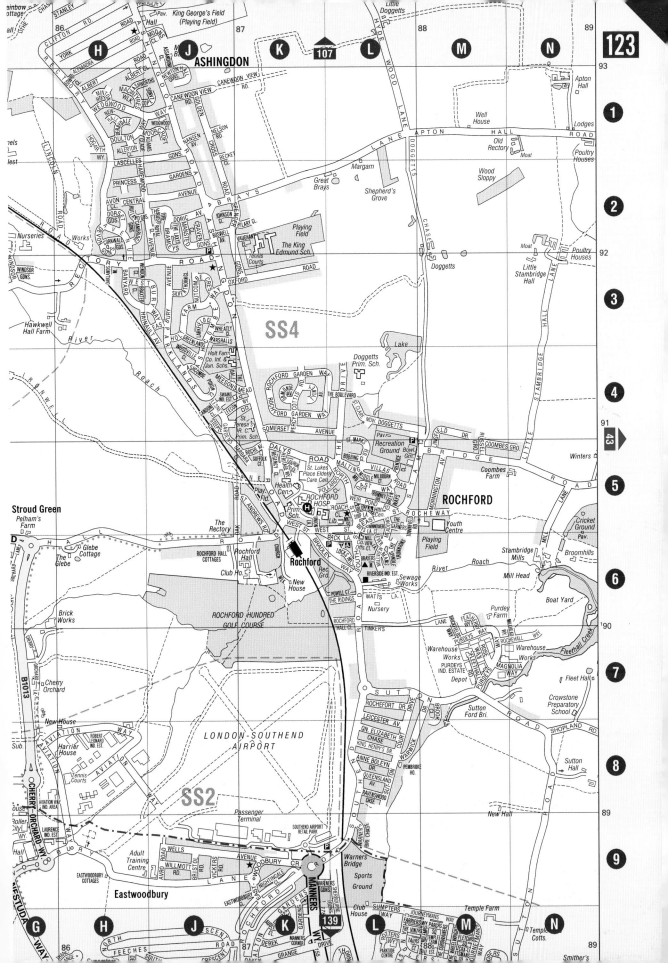

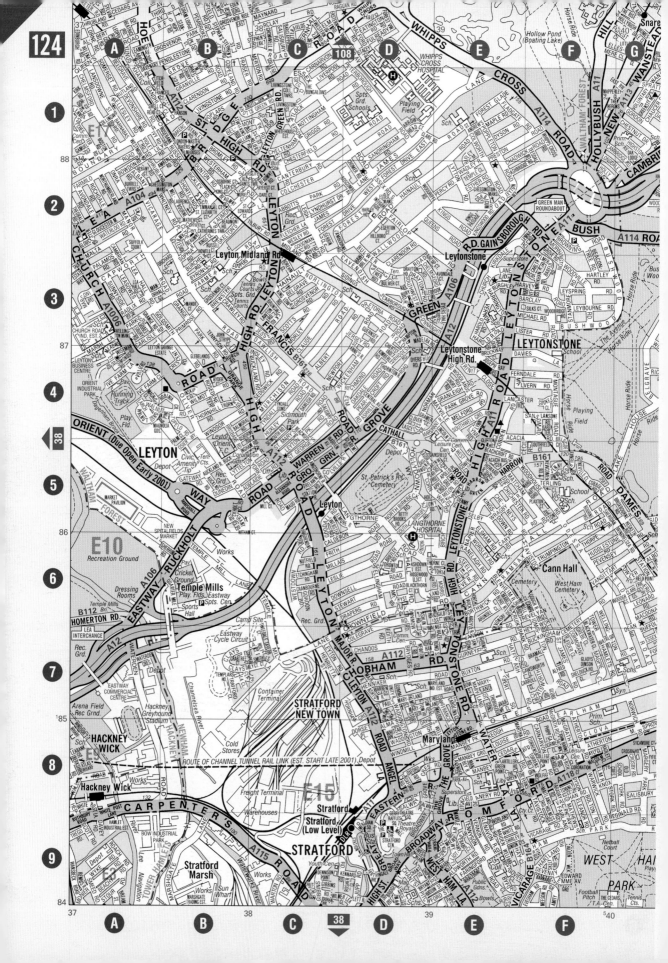

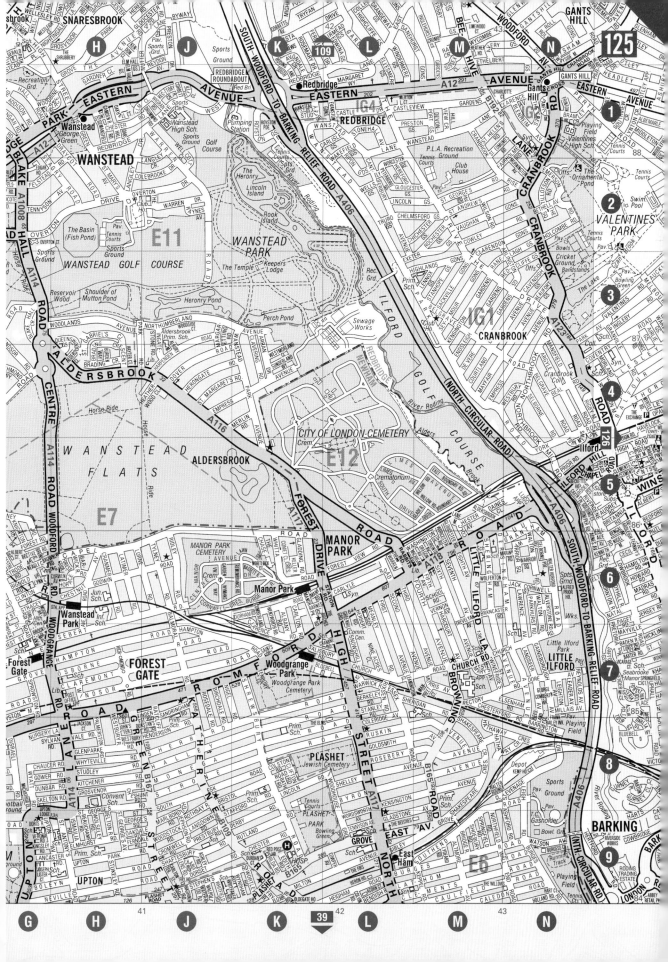

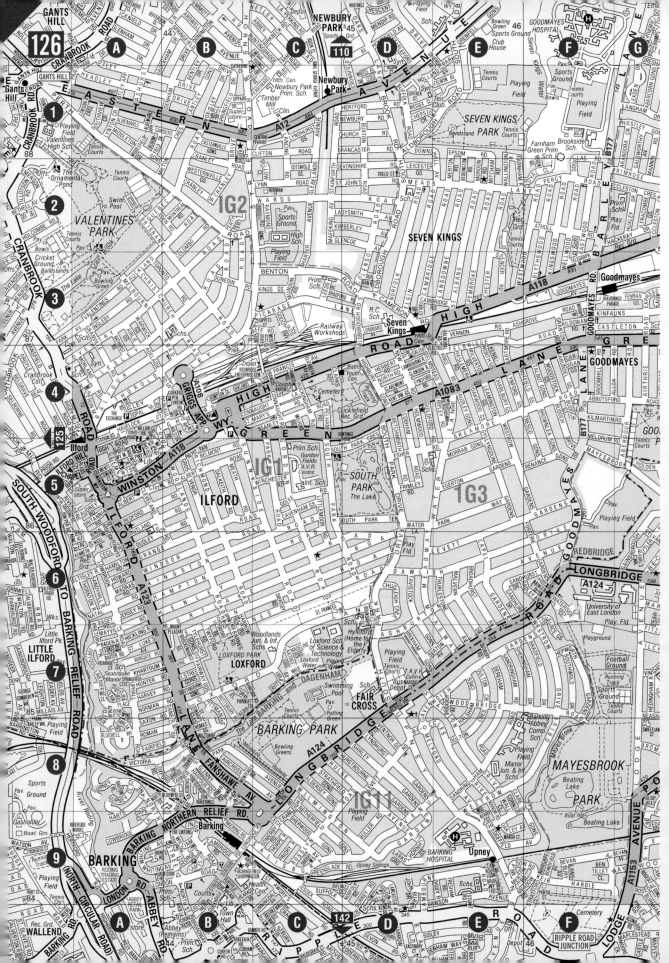

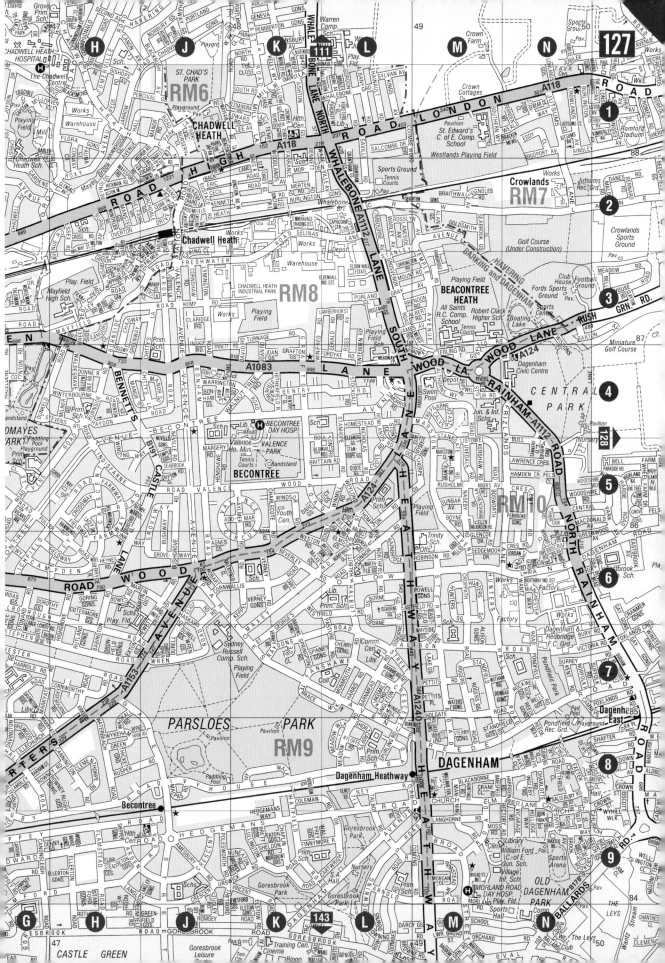

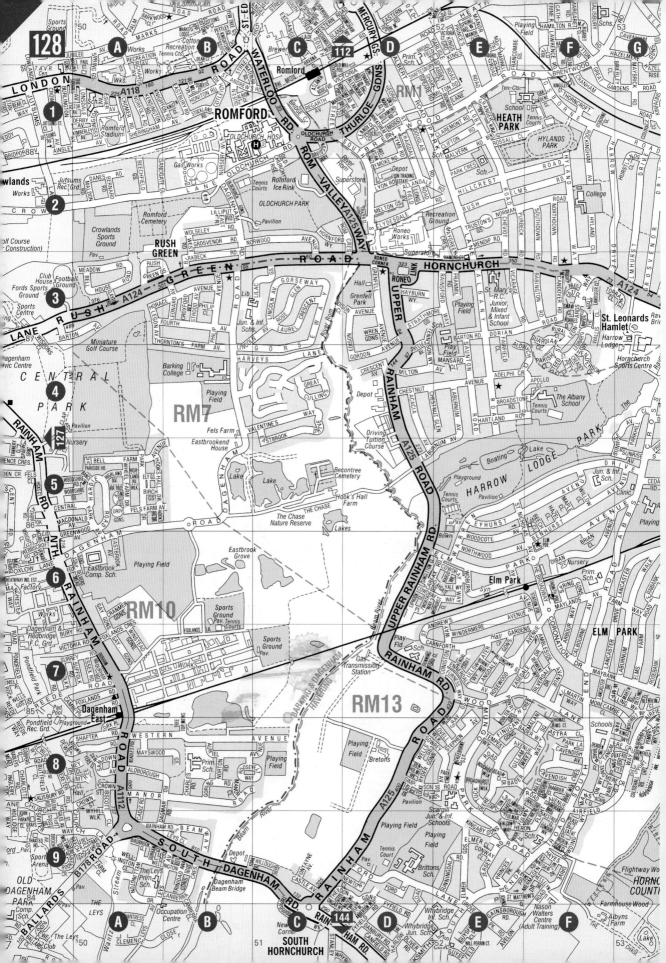

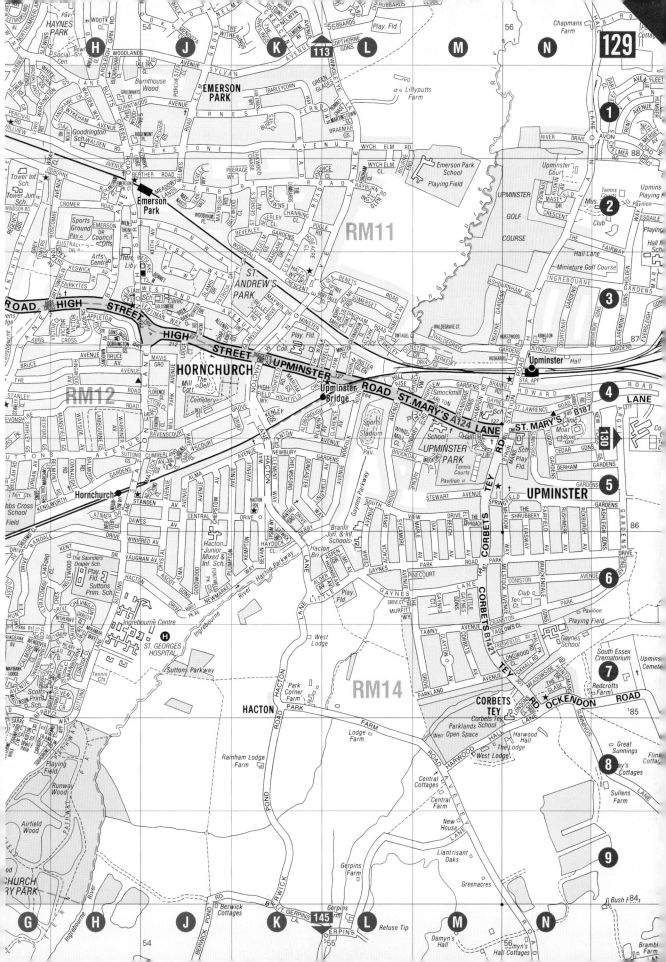

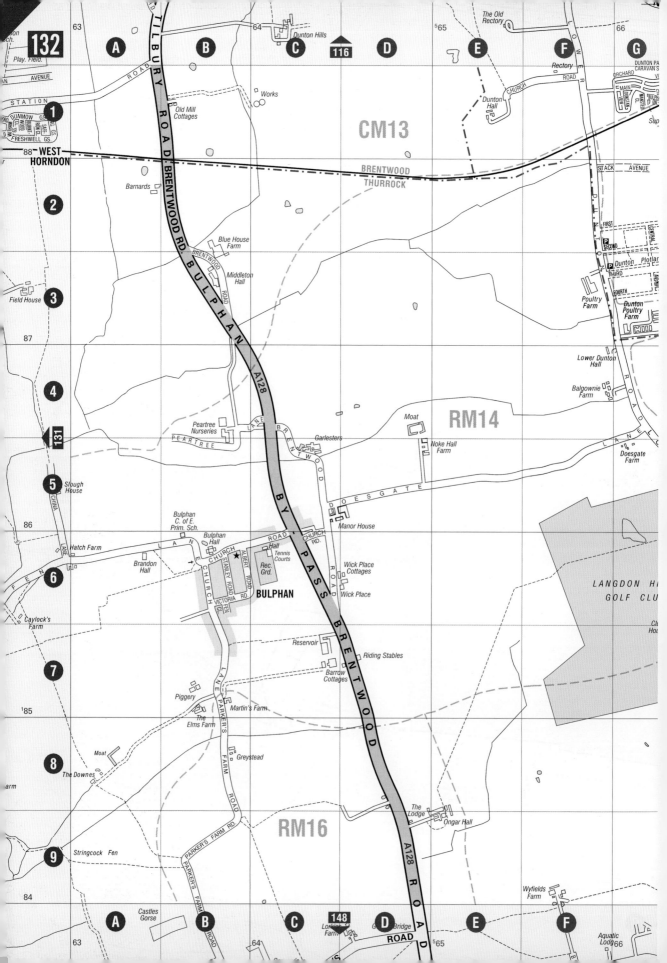

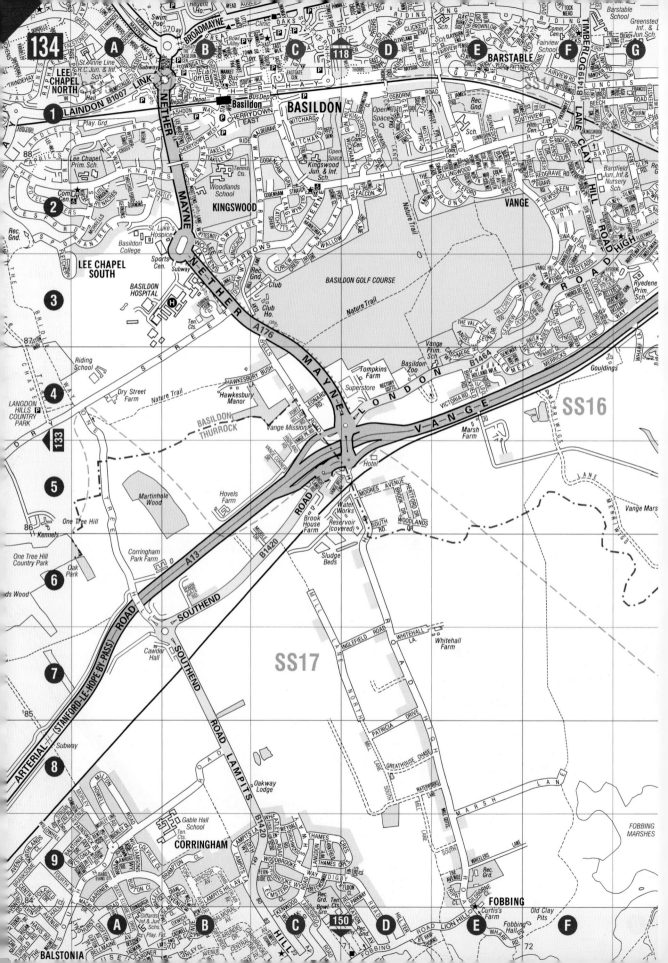

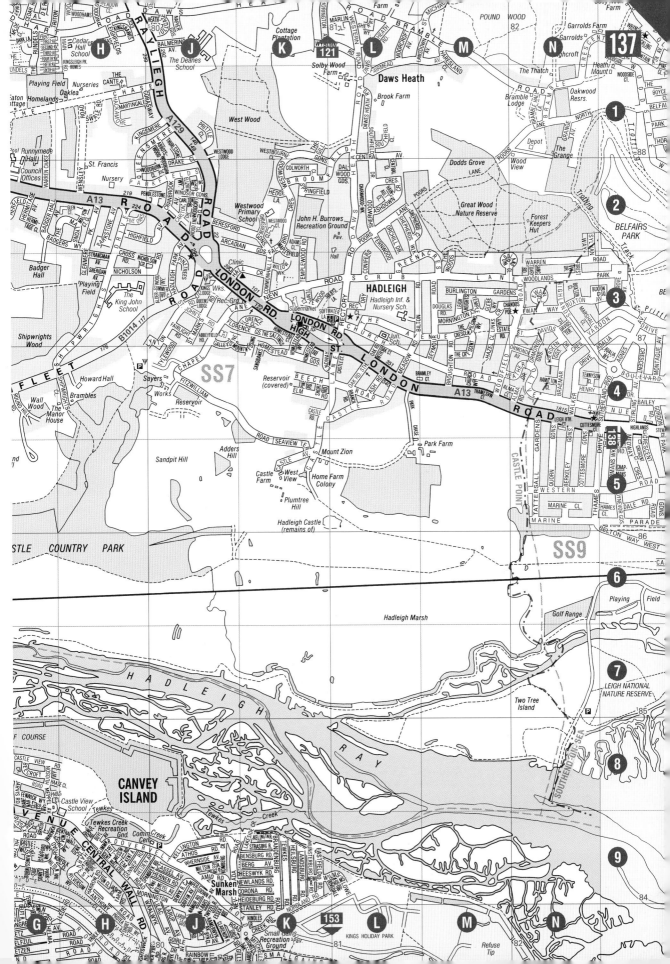

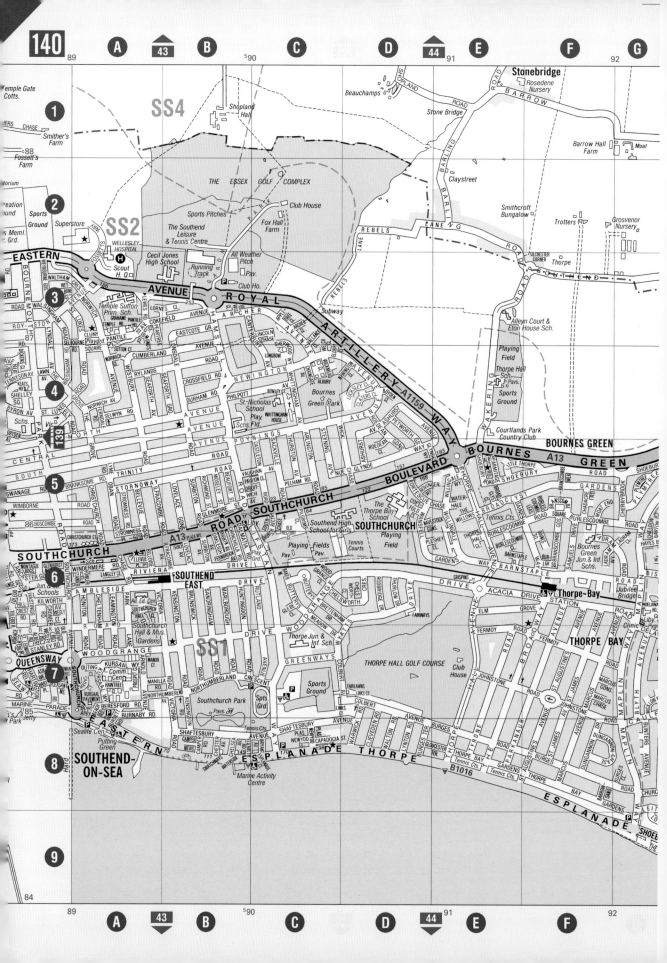

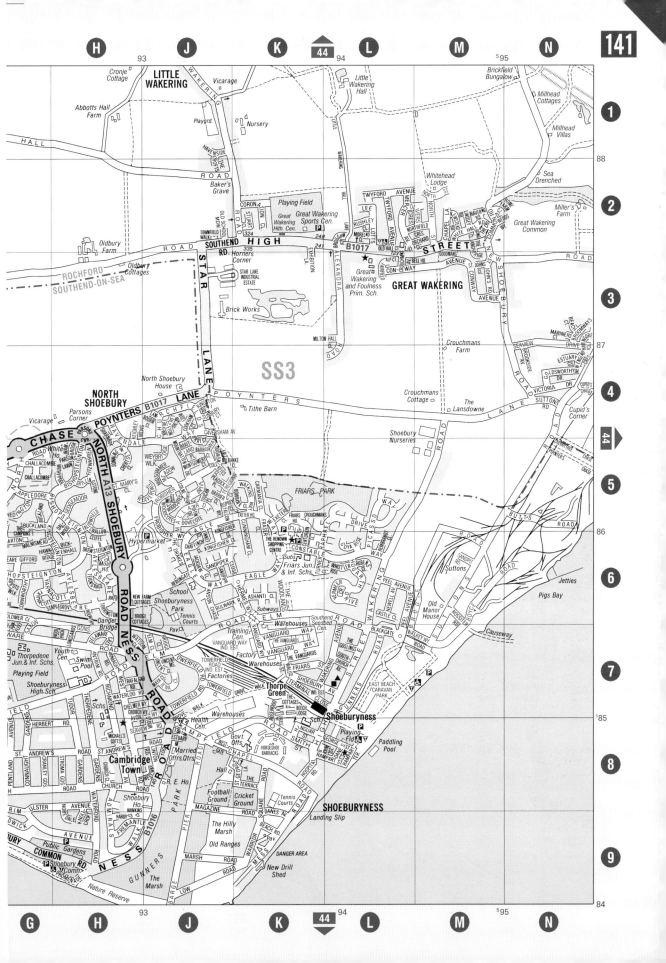

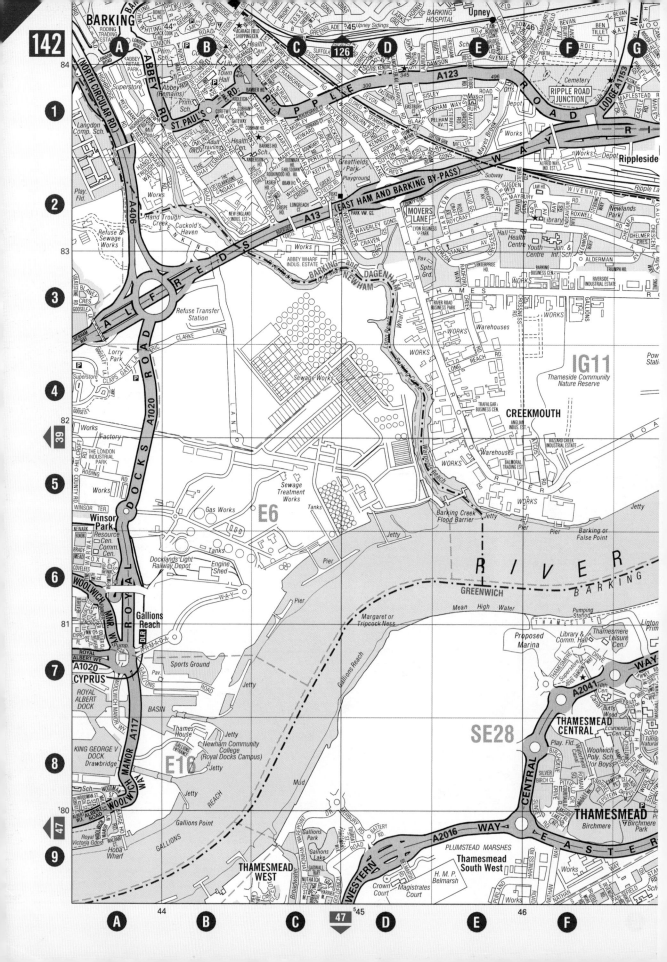

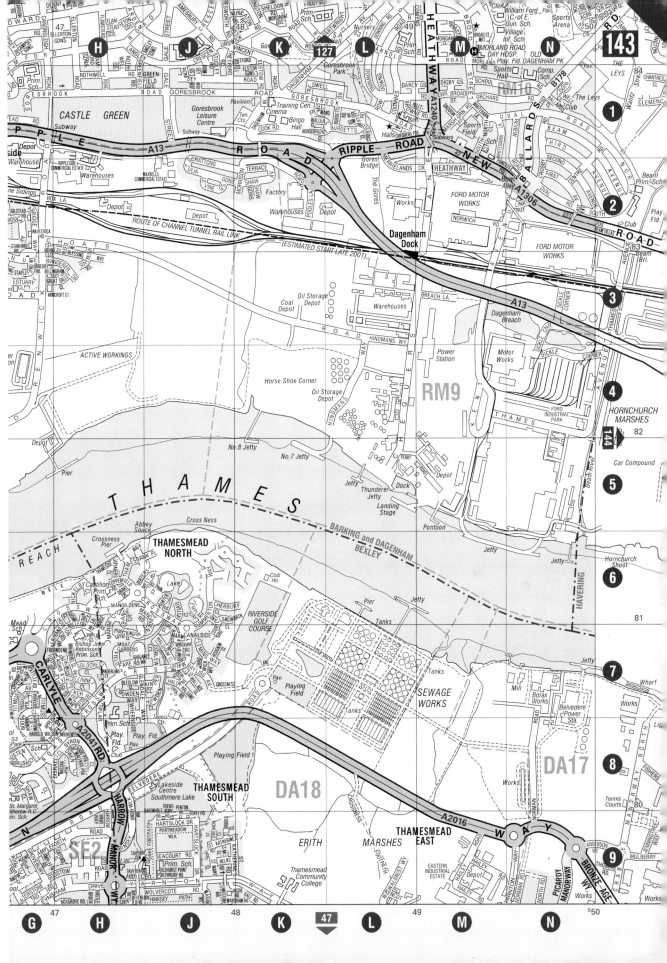

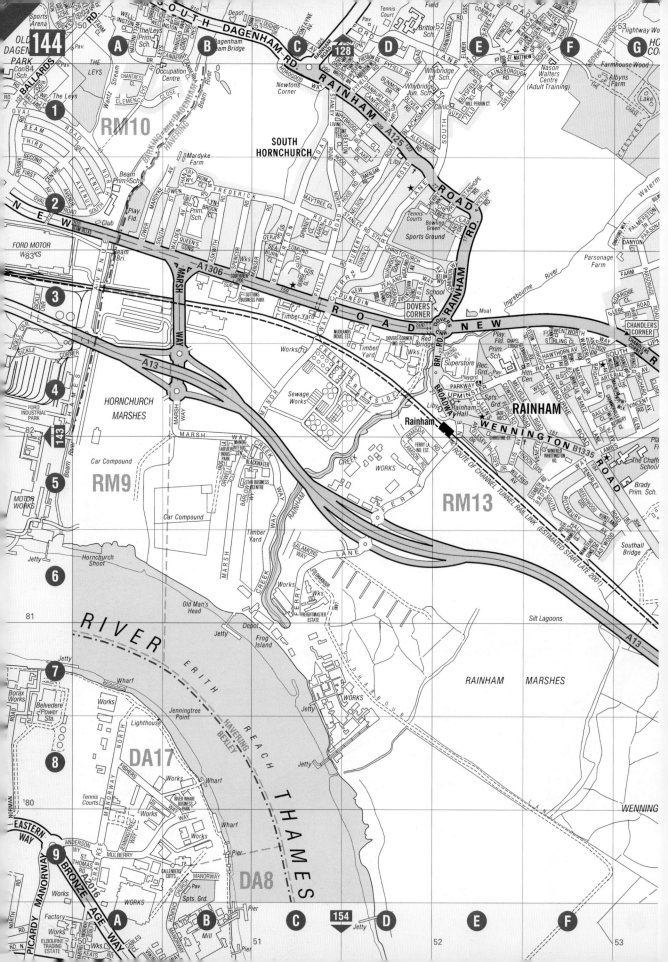

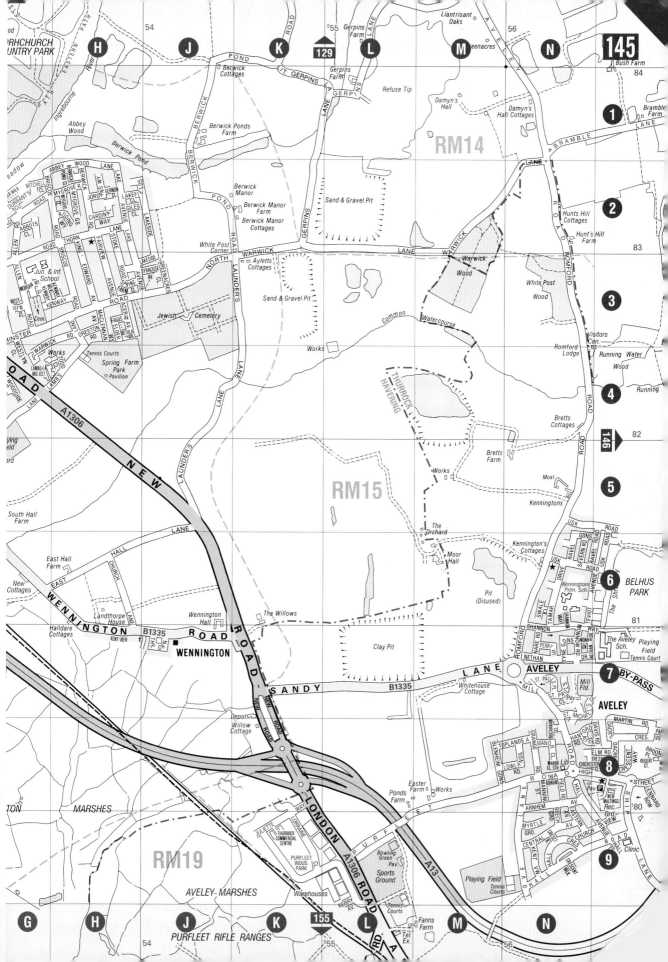

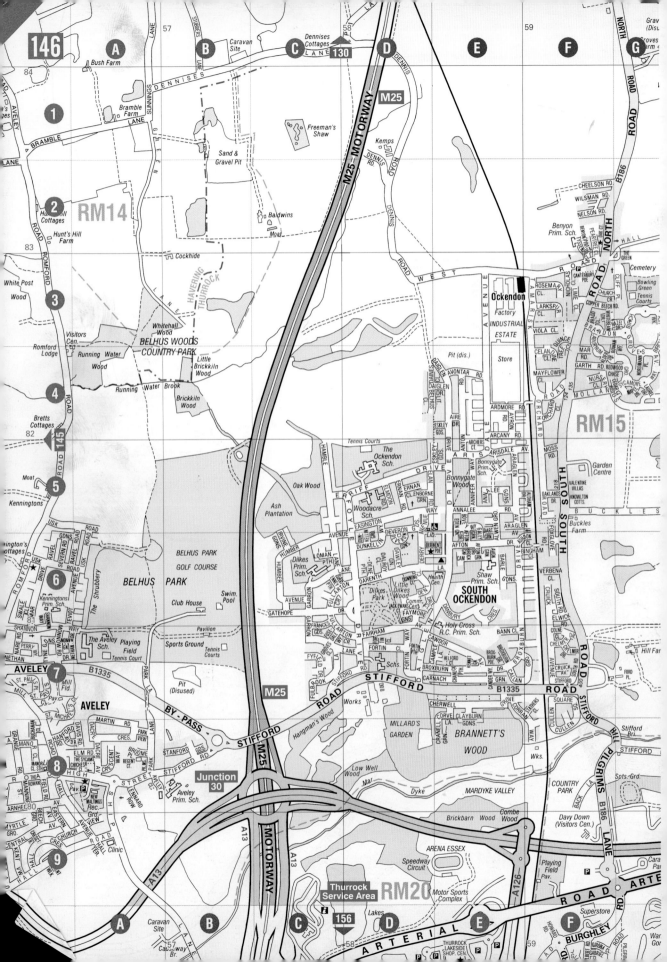

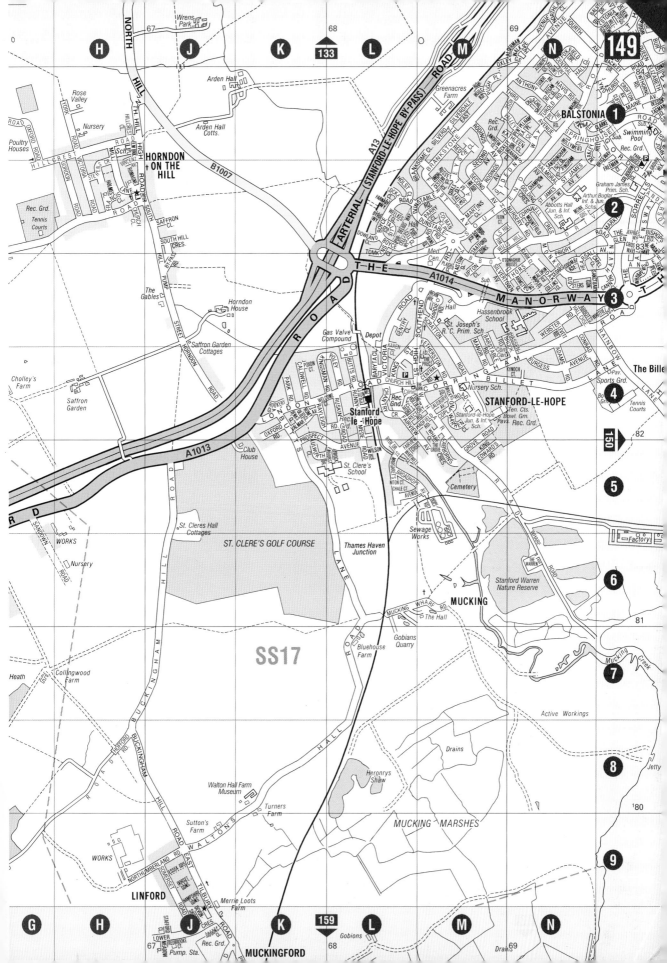

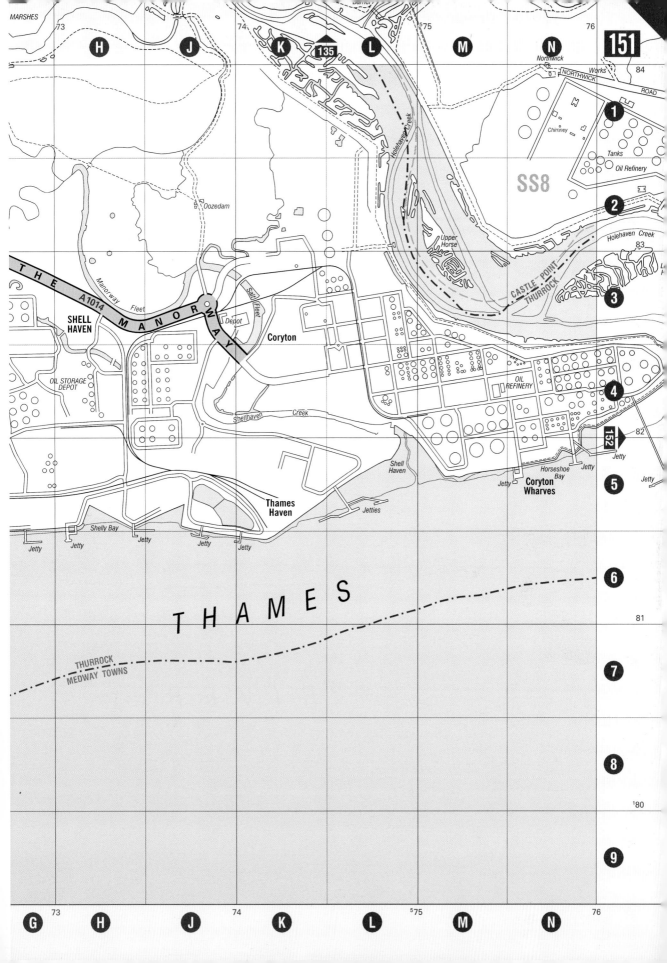

MARSHES

H   J   K 135 L   M   N Northwick

NORTHWICK
Works
ROAD

SS8

84

1

Chimney
Tanks
Oil Refinery

2

Holehaven Creek

83

Oozedam

Upper
Horse

CASTLE POINT
THURROCK

3

THE A1014 M A N O R W A Y

Manorway Fleet

Salt Fleet

SHELL
HAVEN

Depot

Coryton

OIL
REFINERY

4

OIL STORAGE
DEPOT

Shellhaven Creek

152

82
Jetty

Shell
Haven

Horseshoe
Bay

Jetty

Jetty

Jetty

Coryton
Wharves

5

Jetty

Thames
Haven

Jetties

Shelly Bay

Jetty   Jetty   Jetty   Jetty   Jetty

6

T H A M E S

81

THURROCK
MEDWAY TOWNS

7

8

¹80

9

G 73   H   J 74   K   L ⁵75   M   N 76

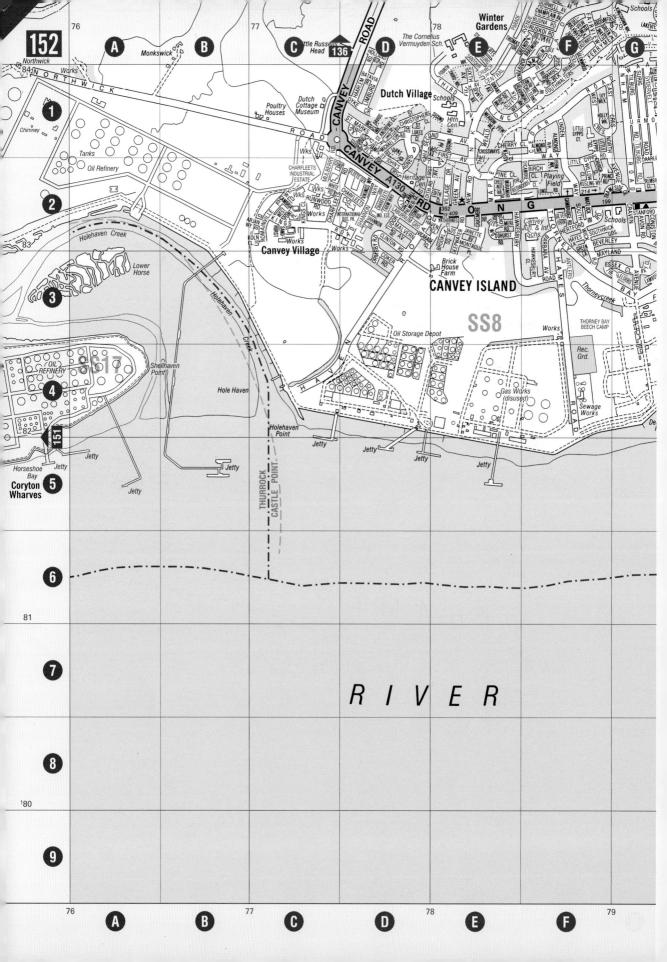

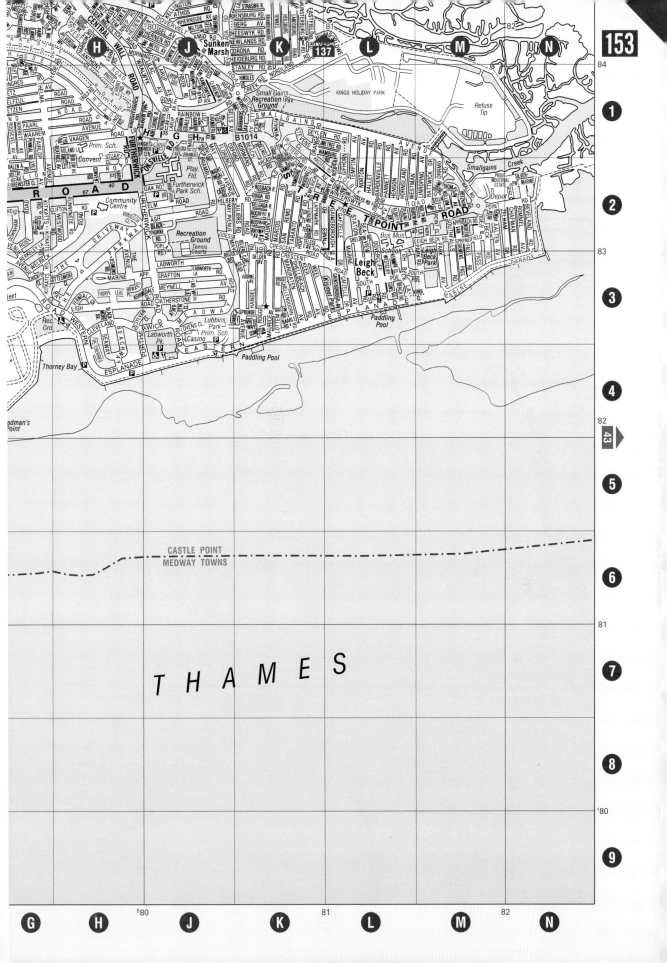

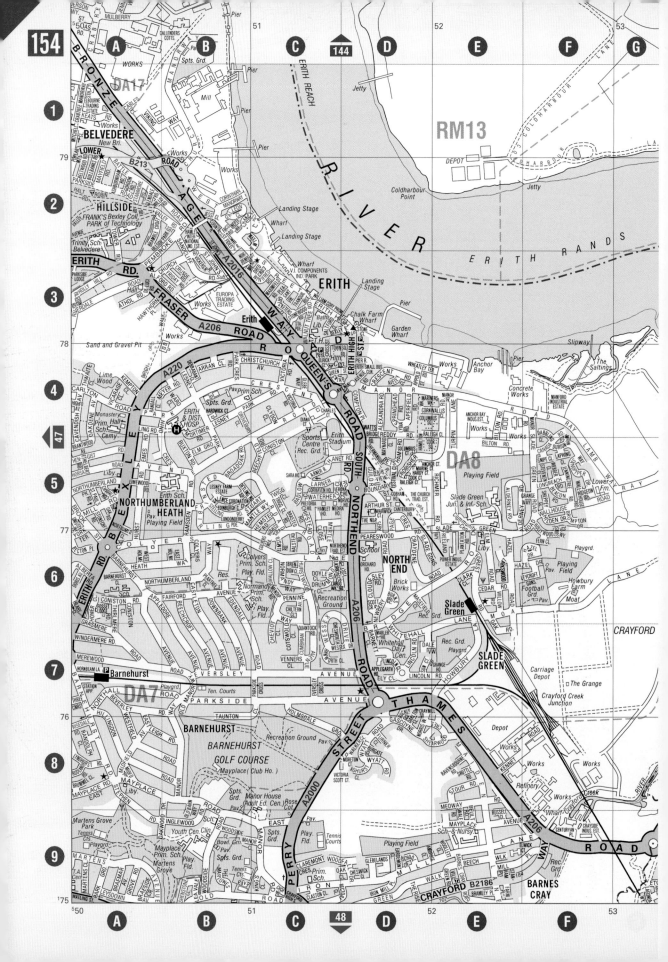

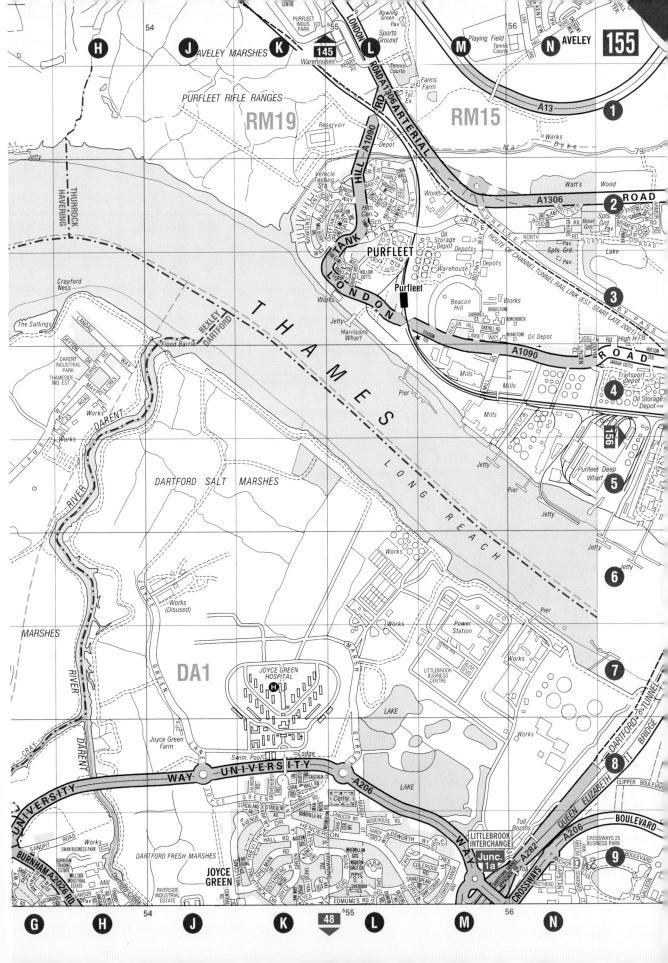

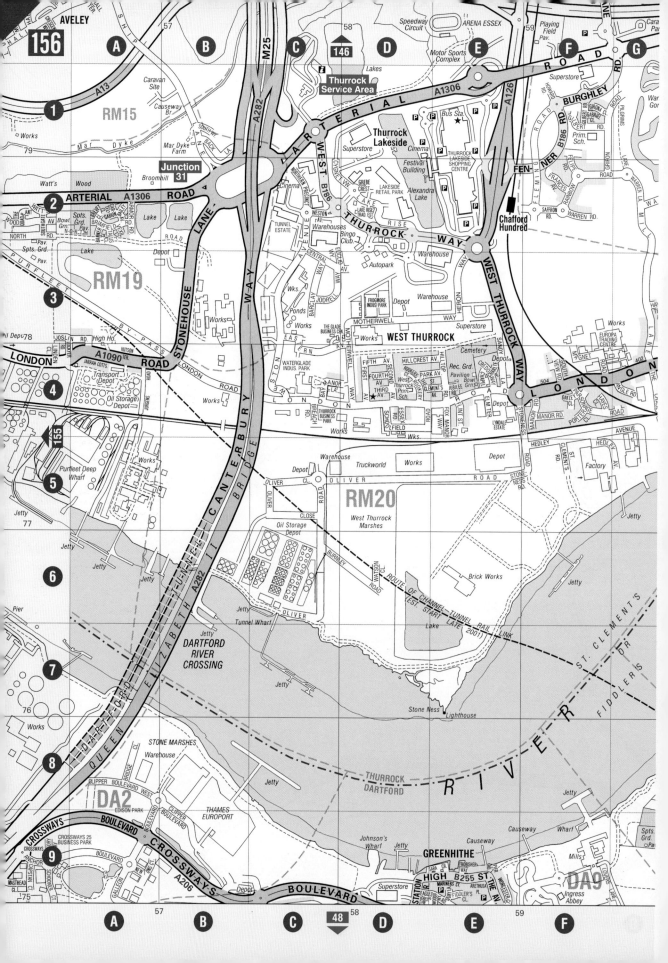

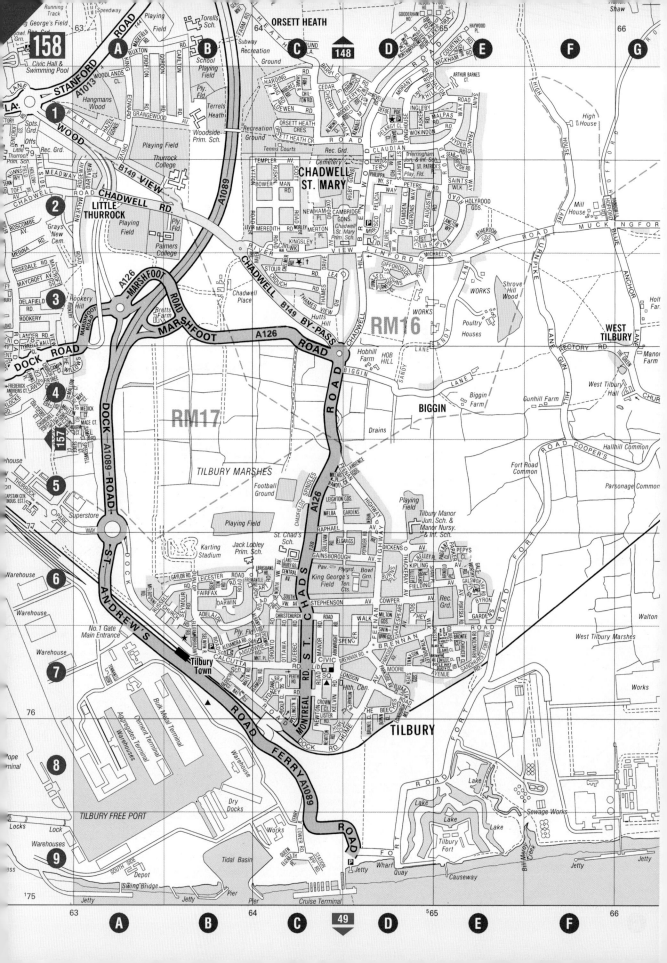

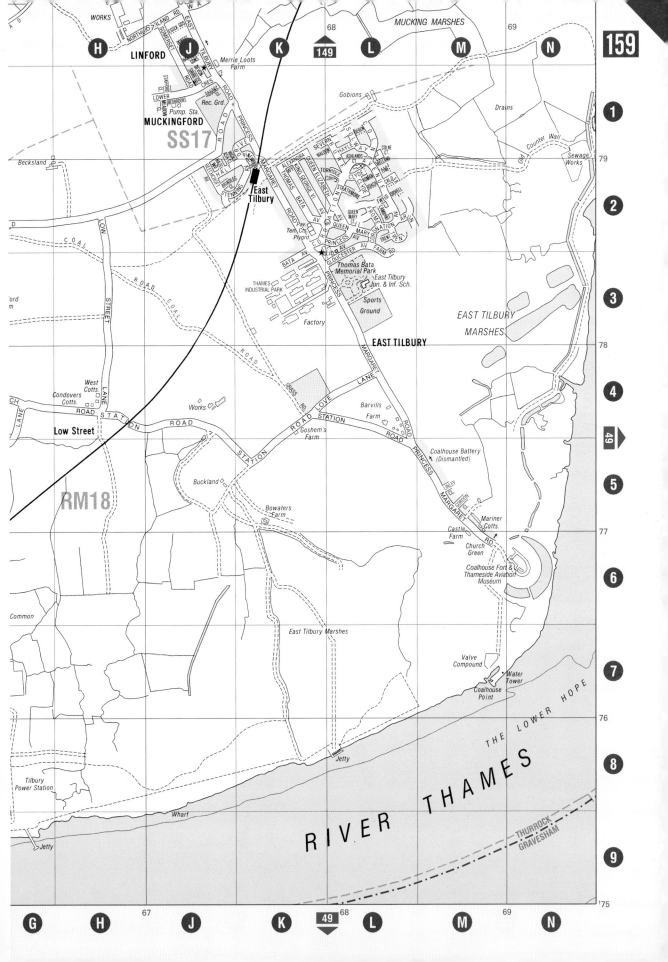

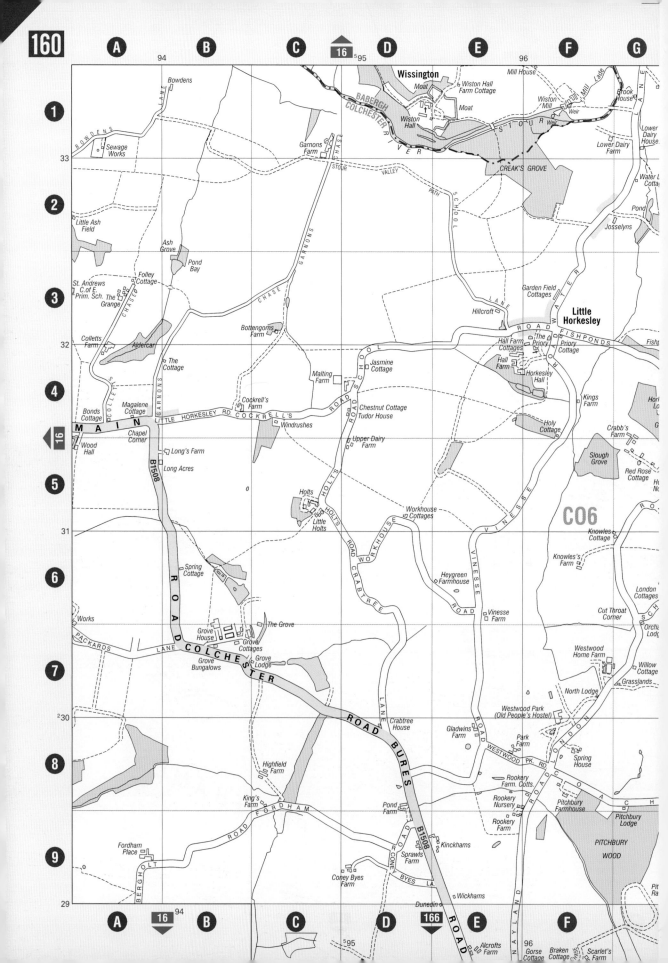

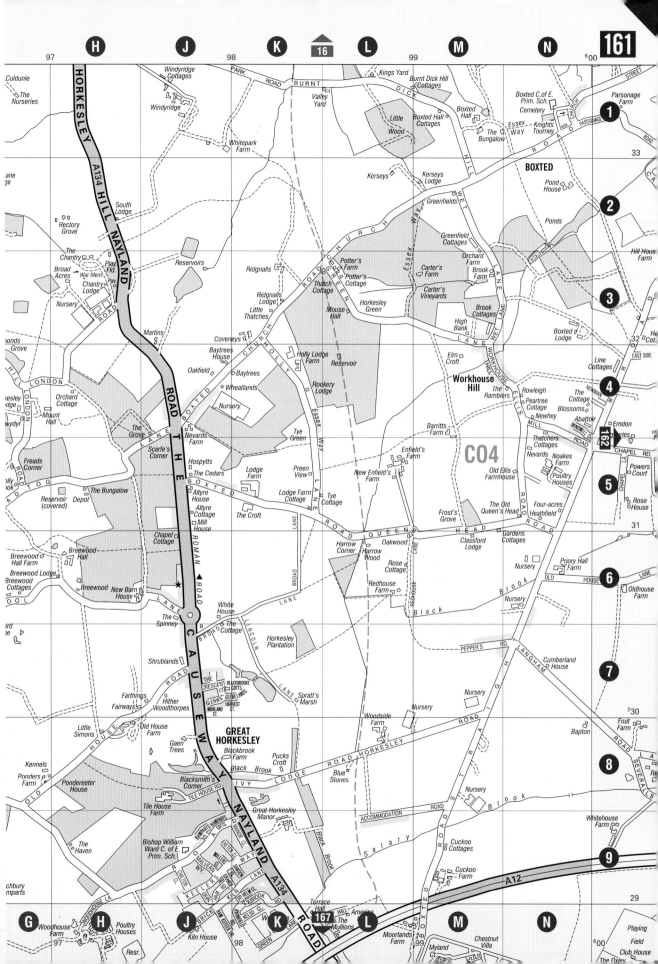

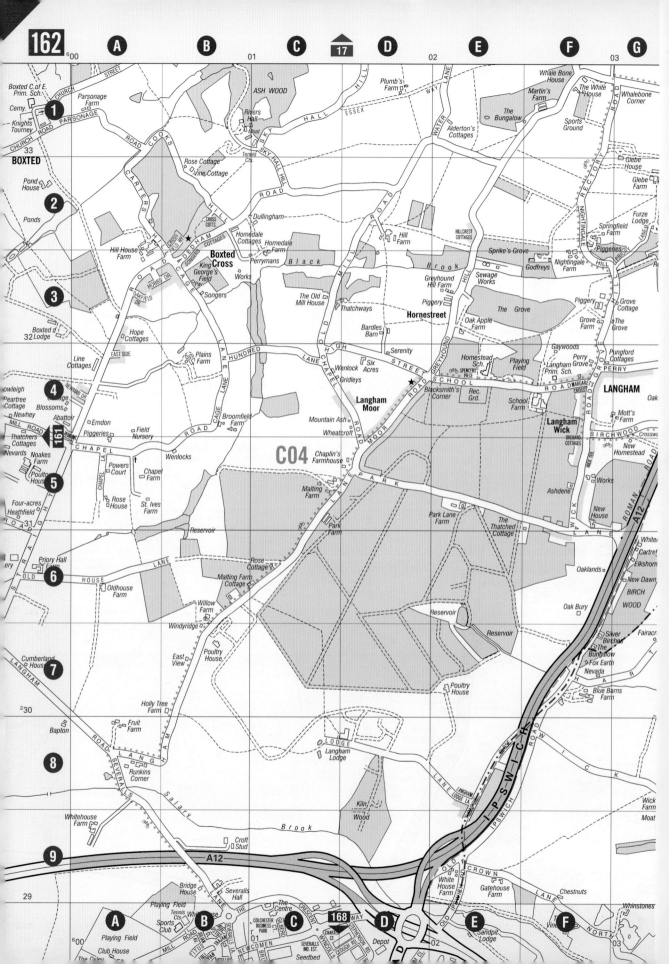

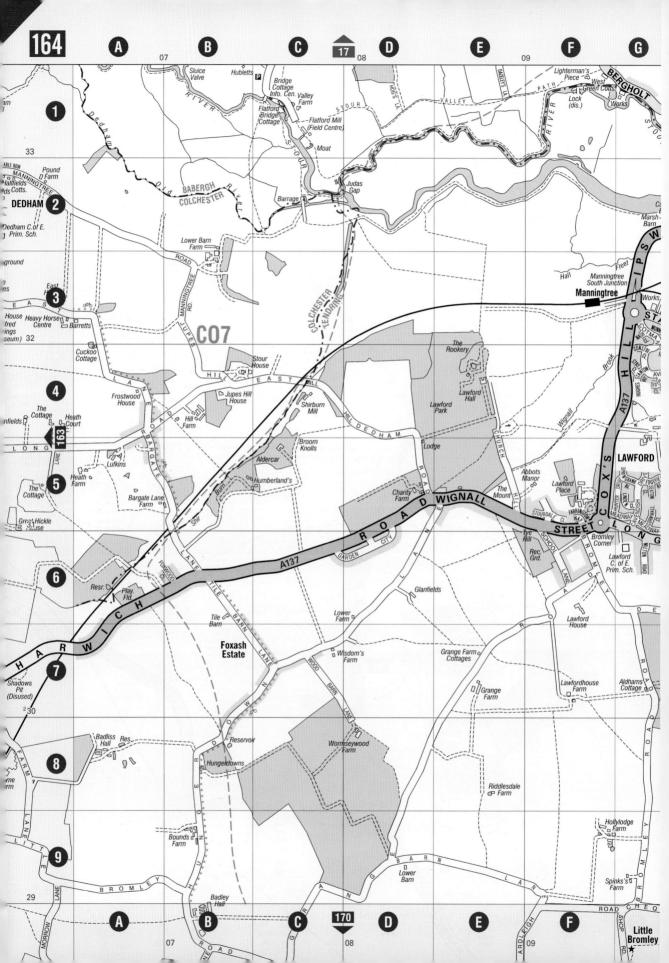

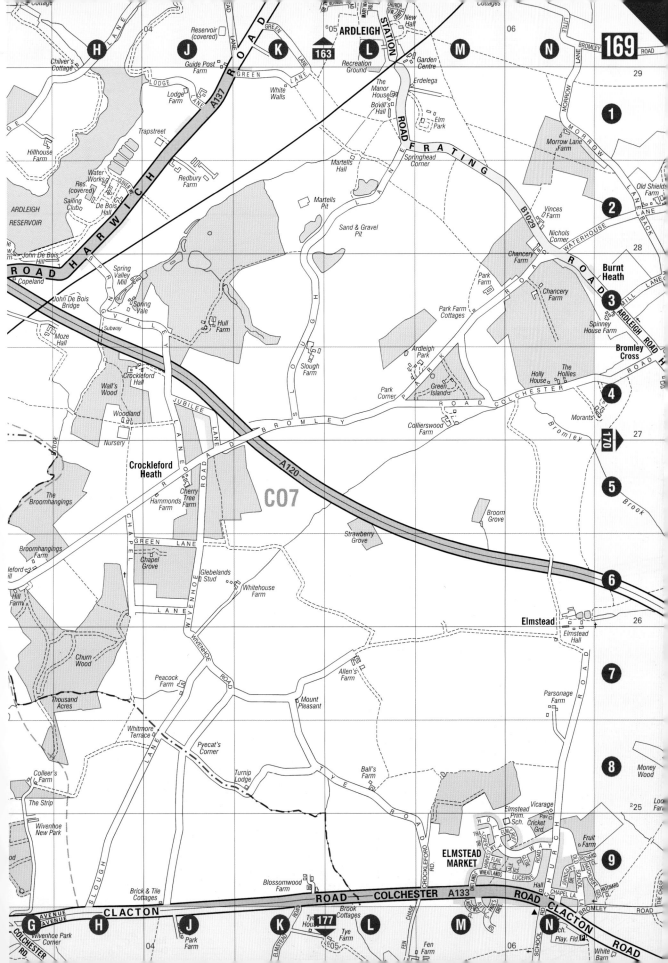

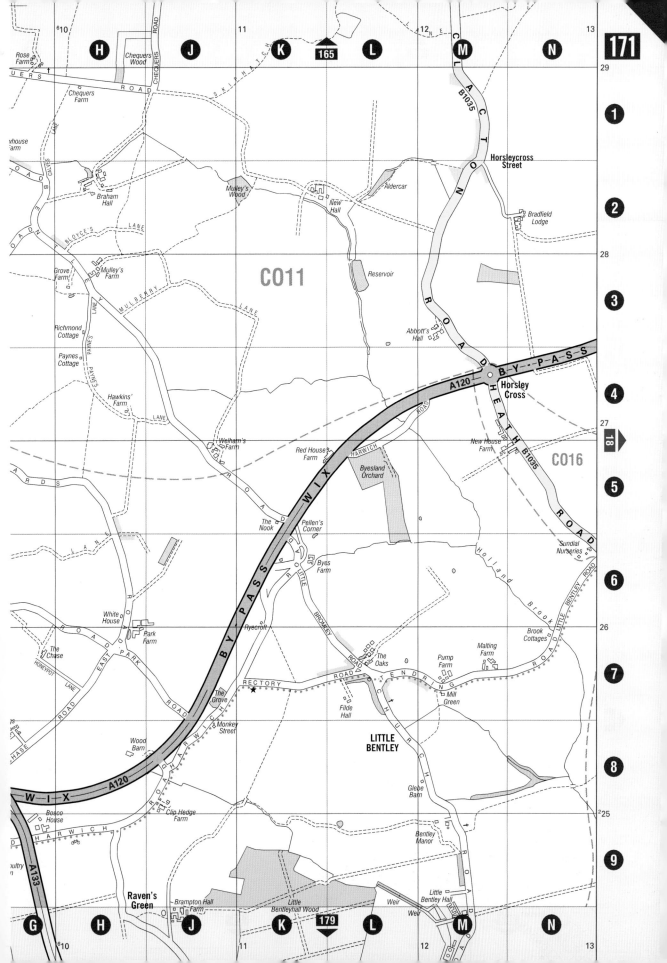

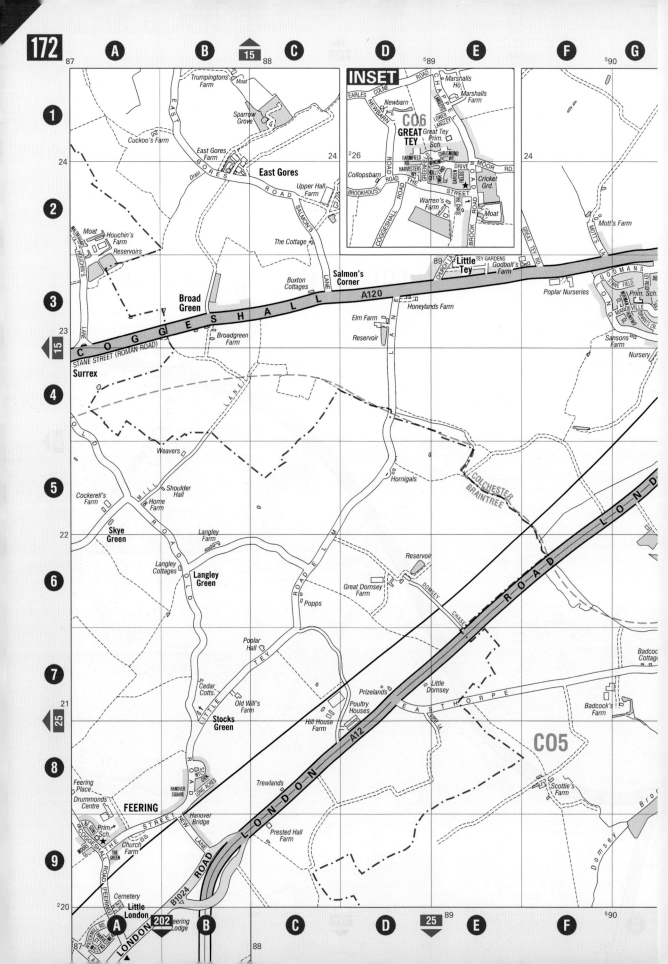

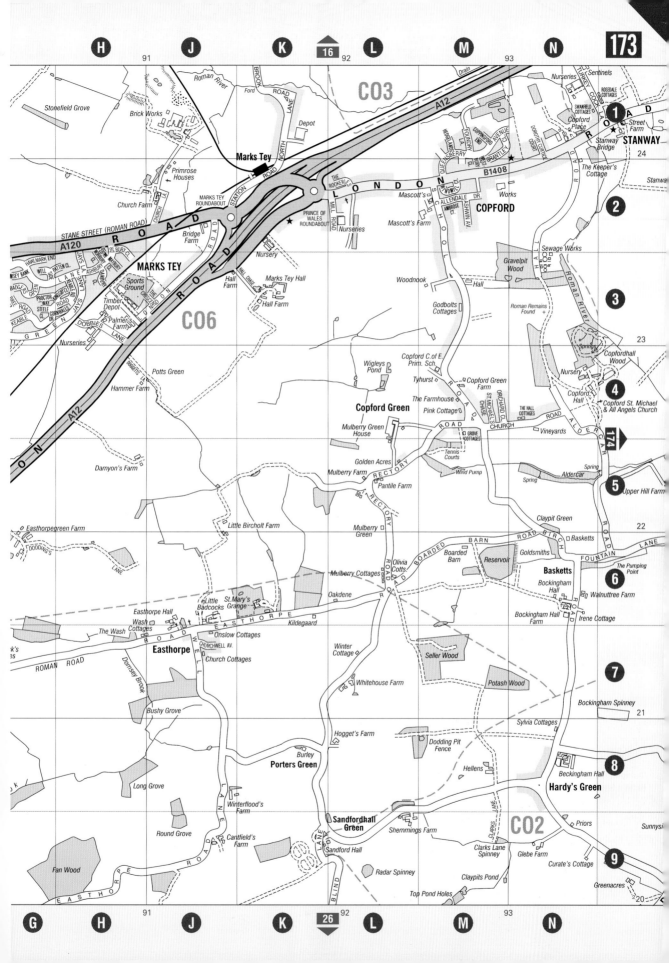

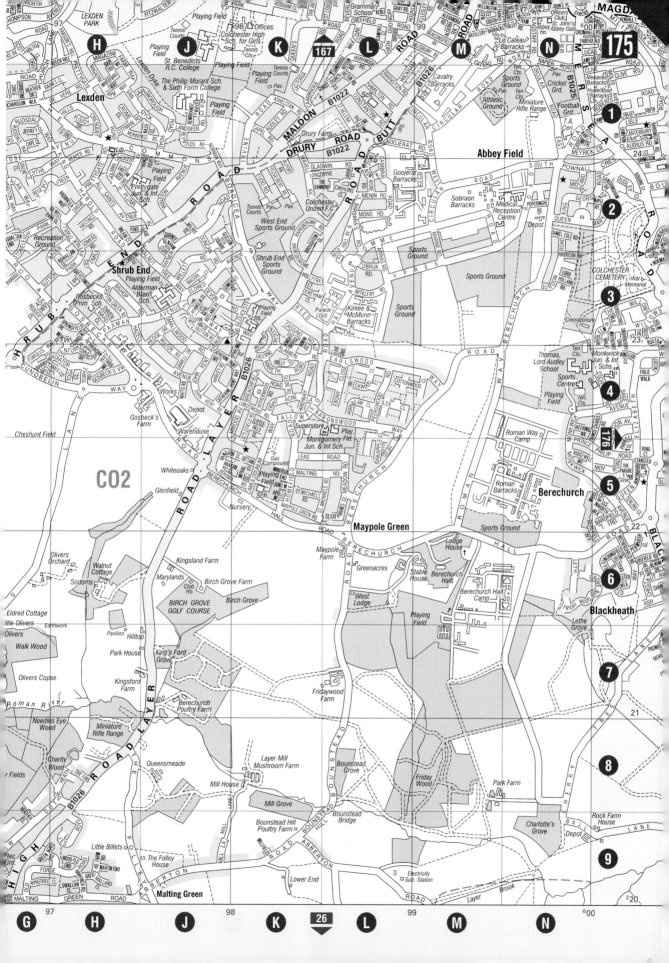

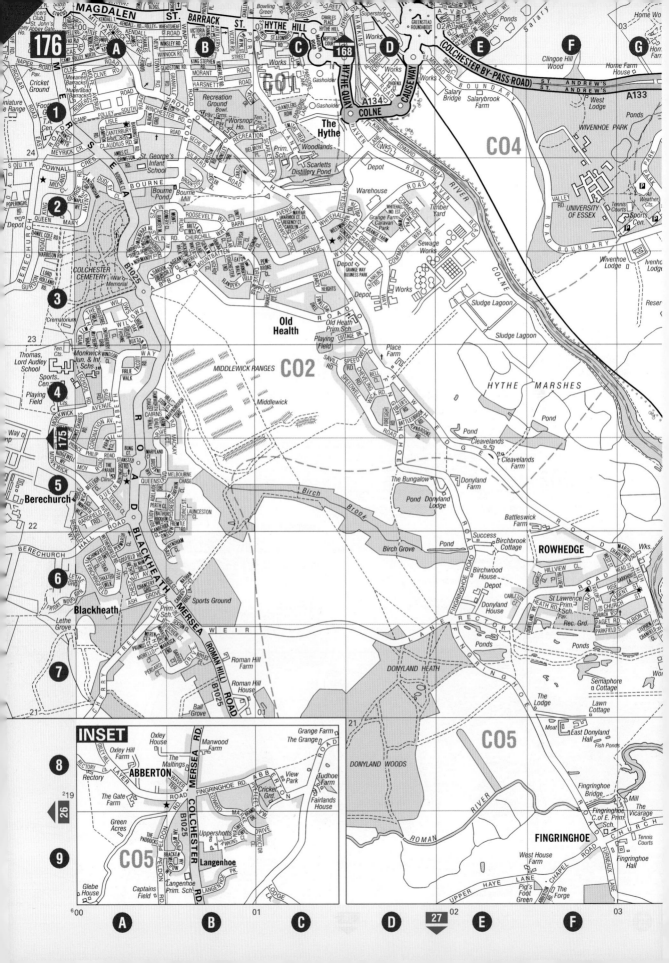

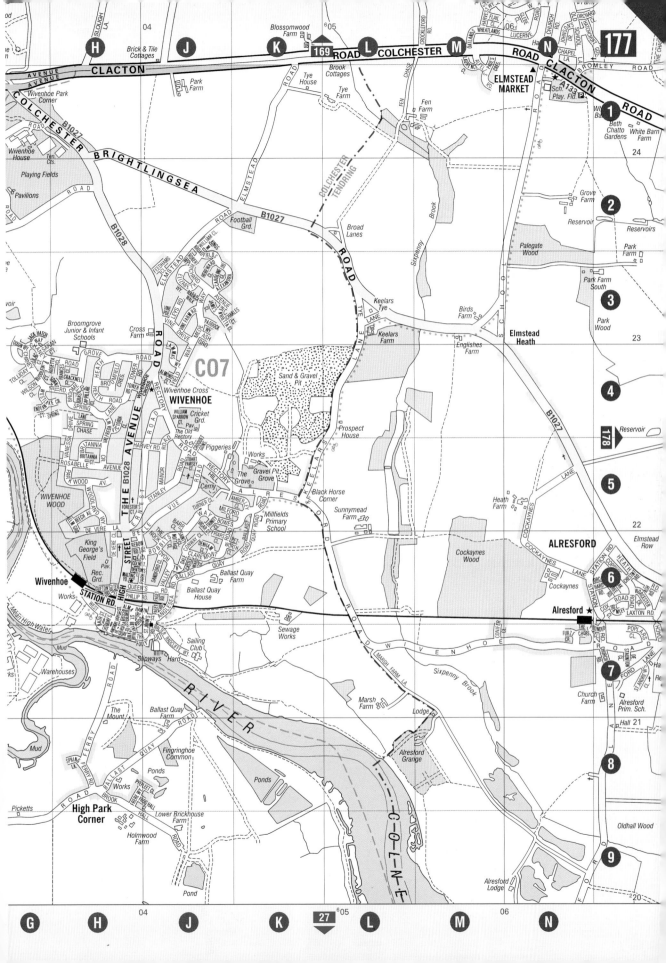

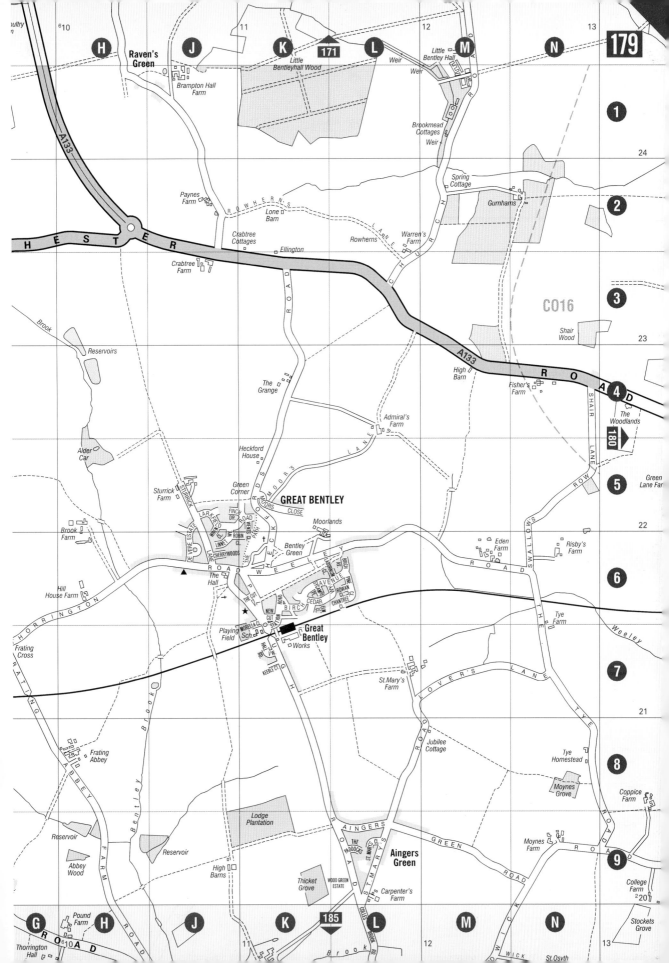

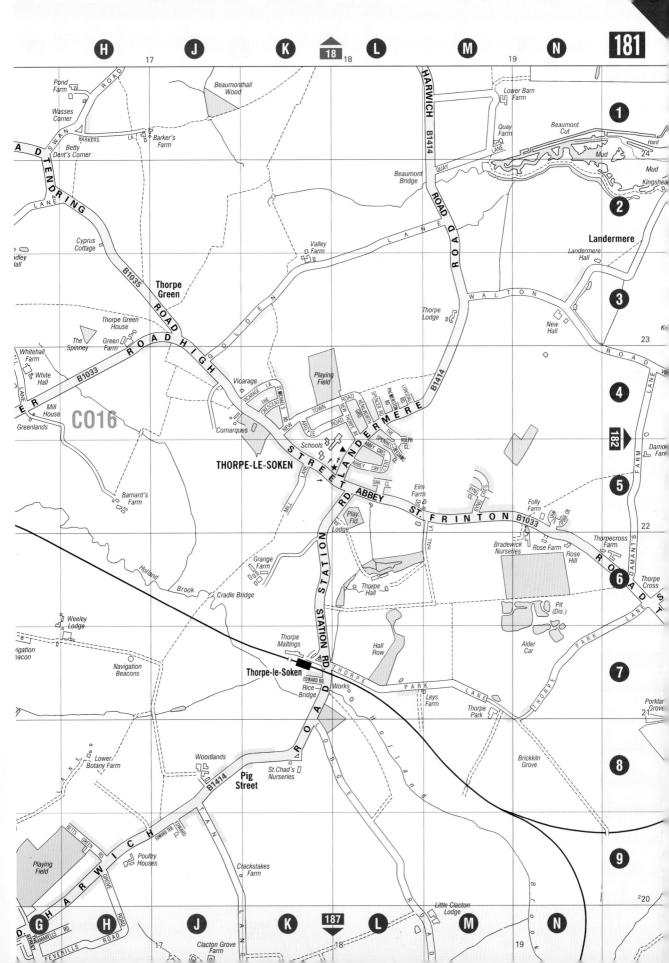

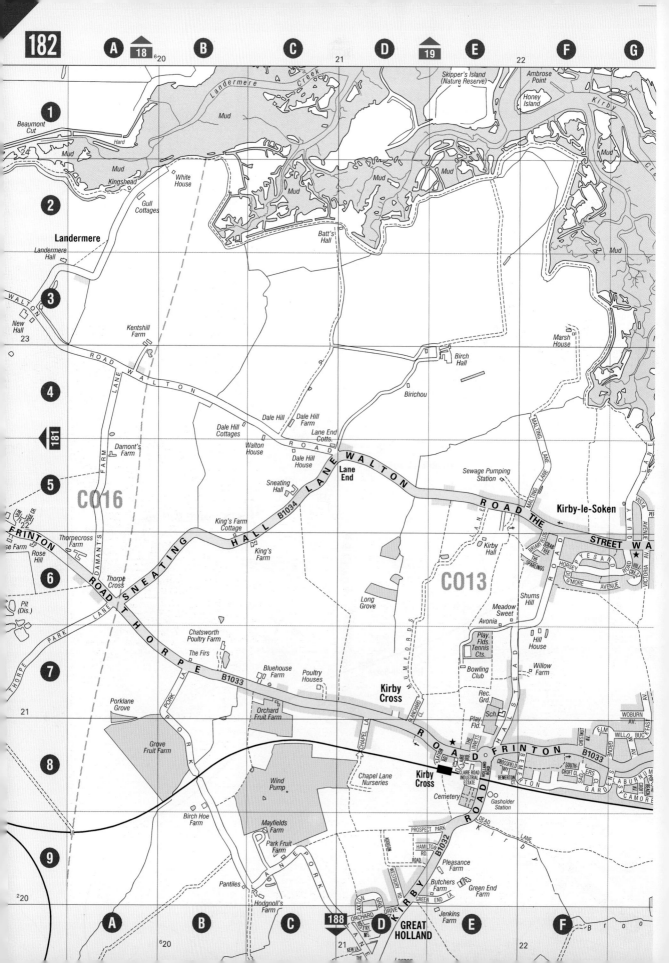

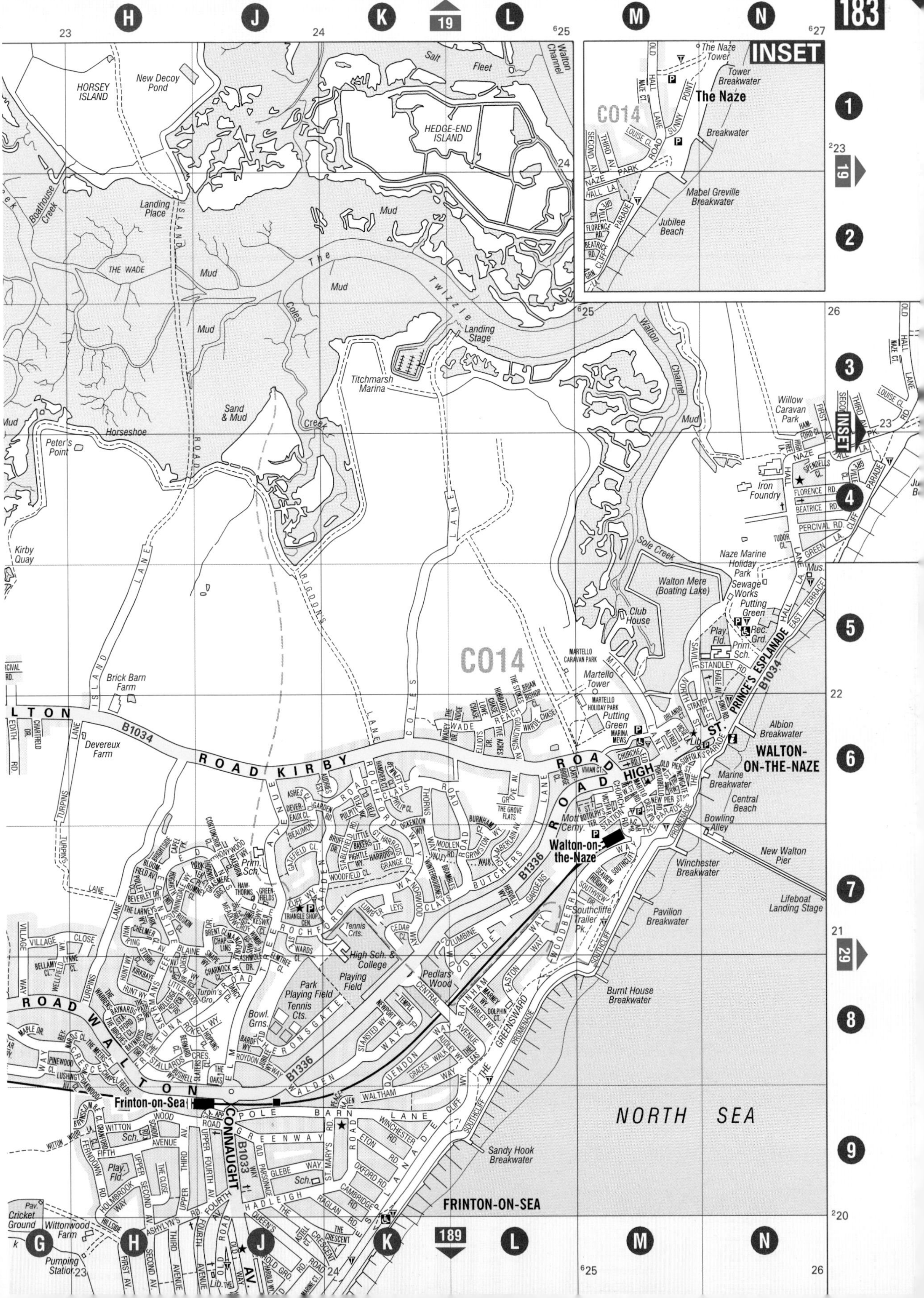
H
J
K
L
M
N
19
INSET
The Naze Tower
Tower Breakwater
The Naze
CO14
Breakwater
Mabel Greville Breakwater
Jubilee Beach
HORSEY ISLAND
New Decoy Pond
Salt
Fleet
Walton Channel
HEDGE-END ISLAND
Boathouse Creek
Landing Place
Mud
THE WADE
The
Twizzle
Coles
Landing Stage
Titchmarsh Marina
Sand & Mud
Horseshoe
Creek
Peter's Point
Kirby Quay
Willow Caravan Park
Iron Foundry
Sole Creek
Naze Marine Holiday Park
Walton Mere (Boating Lake)
Club House
Sewage Works
Putting Green
Play. Fld.
Rec. Grd.
Prim. Sch.
Mus.
PRINCE'S ESPLANADE
B1034
Brick Barn Farm
Devereux Farm
MARTELLO CARAVAN PARK
Martello Tower
MARTELLO HOLIDAY PARK
Putting Green
Albion Breakwater
WALTON-ON-THE-NAZE
Marine Breakwater
Central Beach
Bowling Alley
New Walton Pier
Mott Cemy.
Walton-on-the-Naze
Winchester Breakwater
Lifeboat Landing Stage
Pavilion Breakwater
Southcliffe Trailer Pk.
29
Burnt House Breakwater
KIRBY ROAD
B1336
Prim. Sch.
TRIANGLE SHOP. CEN.
Tennis Crts.
High Sch. & College
Playing Field
Park Playing Field Tennis Cts.
Pedlars Wood
Bowl. Grns.
WALTON ROAD
Frinton-on-Sea
CONNAUGHT
B1033
NORTH SEA
Sandy Hook Breakwater
FRINTON-ON-SEA
Pav.
Cricket Ground
Wittonwood Farm
Pumping Station
Sch.
Play. Fld.
G
189

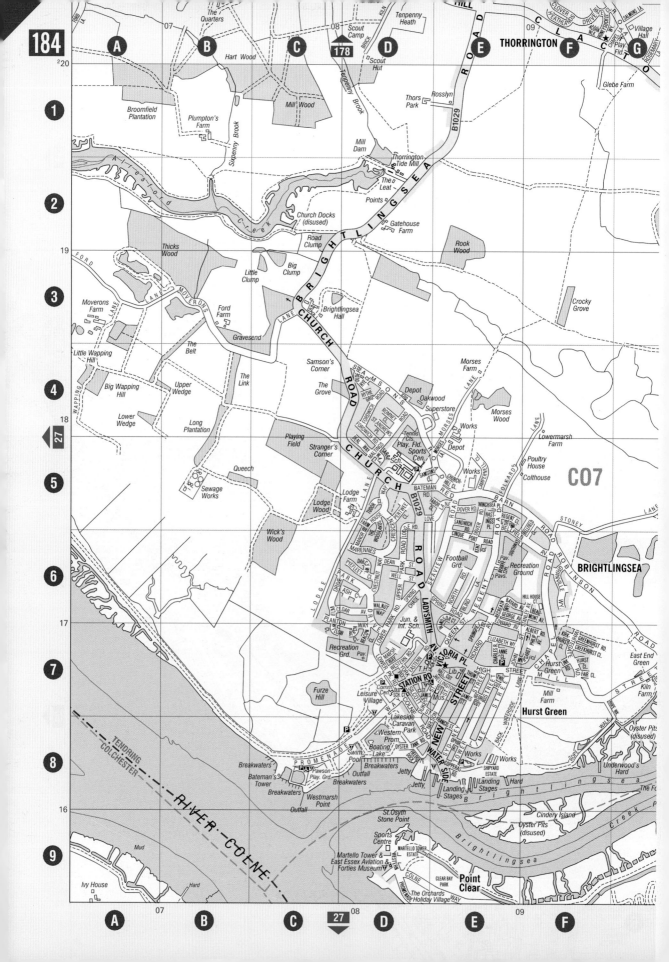

A B C 178 D E THORRINGTON F G

THORRINGTON
BRIGHTLINGSEA
Hurst Green
Point Clear

CO7

RIVER COLNE

TENDRING
COLCHESTER

27

A 07 B C 27 08 D E 09 F

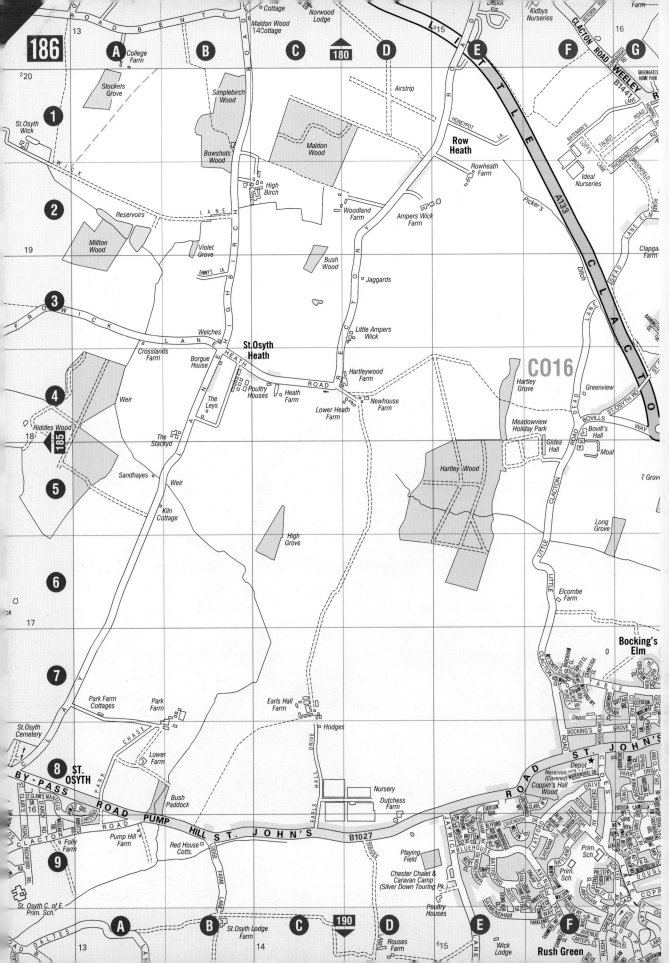

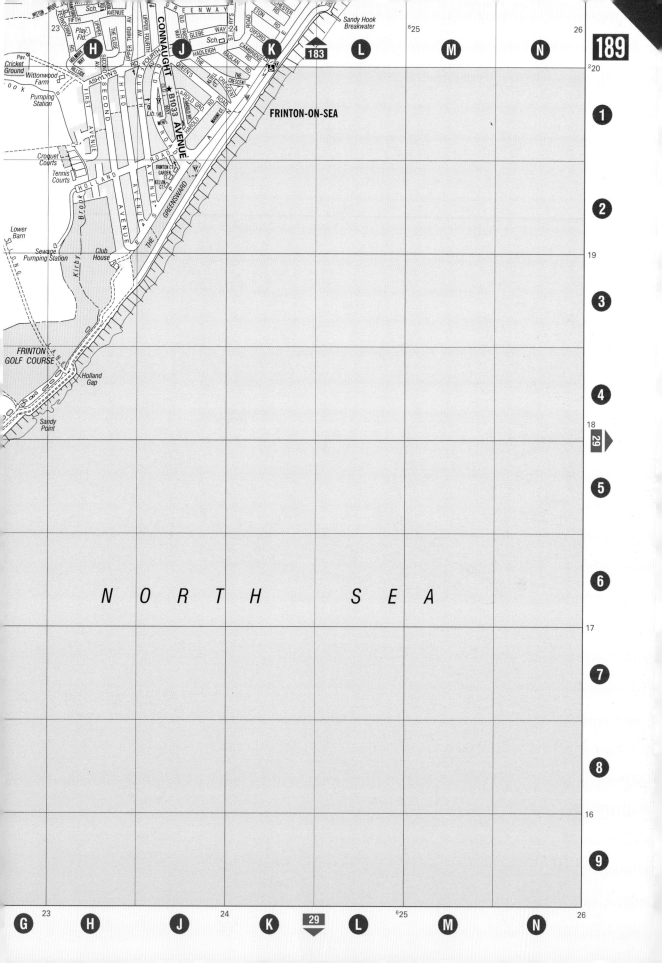

A B C ▲ 186 D E F G

1

DALTES LANE

LODGE FARM LANE

St.Osyth Lodge Farm

Daltes Farm

BOTANY

Red House Cotts.

Farm

ROUSES LANE

Rouses Farm

Playing Field

Chester Chalet & Caravan Camp (Silver Down Touring Pk.)

Poultry Houses

Wick Lodge

Rush Green

CO16

15

2

Botany Barn Farm

Sacketts Grove (Caravan Pk.)

Club

WICK LANE

Cross House

RUSH GREEN RD.

Tinker's Hall

Rush Green Nurseries

CO15

3

COCKETT WICK LANE

Cockett Wick Farm

Sewage Works

SEYMOUR WAY

FROBISHER

SPENSER WAY

Prim. Sch.

PARK SQ. W.

GREEN

MILLER'S

DRIVE

CHAUCER

MARLOWE

TUDOR CL.

TYNDALE

RAYMOND DRIVE

ALTON

West Country House

Sand & Gravel Pit

14

4

ROAD

PARK SQUARE WEST

TUDOR ROAD

PARK SQUARE EAST

ALLEYNE WY.

UNION RD.

DONNE DR.

GOLF GREEN ROAD

WEST

Hall & Library

Club

CLACTON GOLF COURSE

Club Ho.

◄ 28

Marsh Cott.

PARK SQ. W.

PARK SQ. E.

ARAGON CL.

BOLEY

MEADOW

CROSS

JAYWICK

JASMINE WY.

CORNFLOWER

Martello Tower (No 3)

SEAWICK HOLIDAY CENTRE

Decoy Pond

GORSE WAY

ROSEMARY

LAVENDER

FLOWERS

Club

PROMENADE

5

Seawick

Hutleys East Caravan Park

ST. OSYTH BEACH HOLIDAY PARK

BEACH ROAD

Tower Caravan Park

LANCHESTER AV.

STANDARD AV.

DAIMLER AV.

SINGER AV.

TRIUMPH AV.

CROSSLEY AV.

SHIRLEY AV.

ROVER AV.

ALVIS AV.

AUSTIN AV.

HUMBER AV.

ESSEX AV.

VAUXHALL AV.

BUICK AV.

NAPIER AV.

LINCOLN AV.

BELSIZE AV.

BENTLEY AV.

BROOKLANDS GARDENS

SUNBEAM AV.

WOLSELEY AV.

SWIFT AV.

TALBOT AV.

RILEY AV.

Go-Kart Track

CHRISTOPHERS

FERN WY.

TILMAN AV.

GRASMERE AV.

BROOM WY.

TAMARISK WY.

BEACH WY.

MEADOW WY.

13

6

PROMENADE

Martello Tower

Lion Point

7

N O R

12

8

9

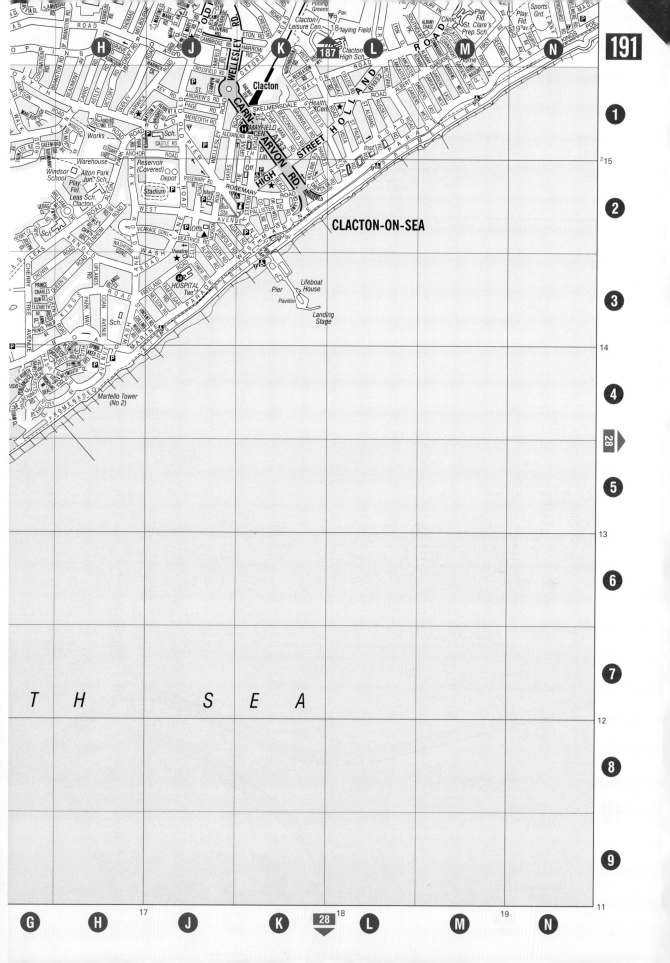

CLACTON-ON-SEA

THE   SEA

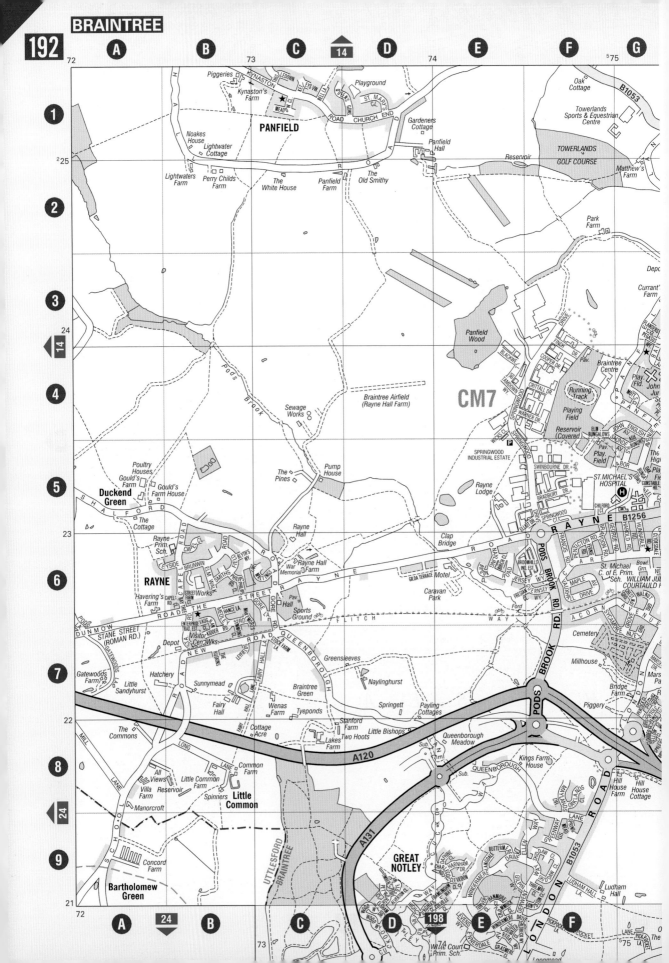

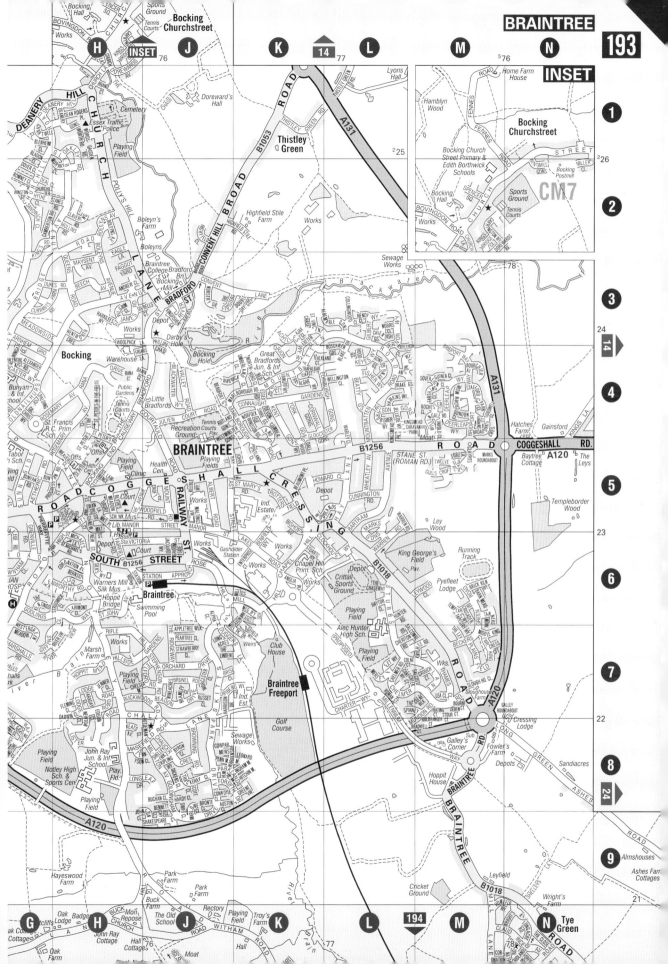

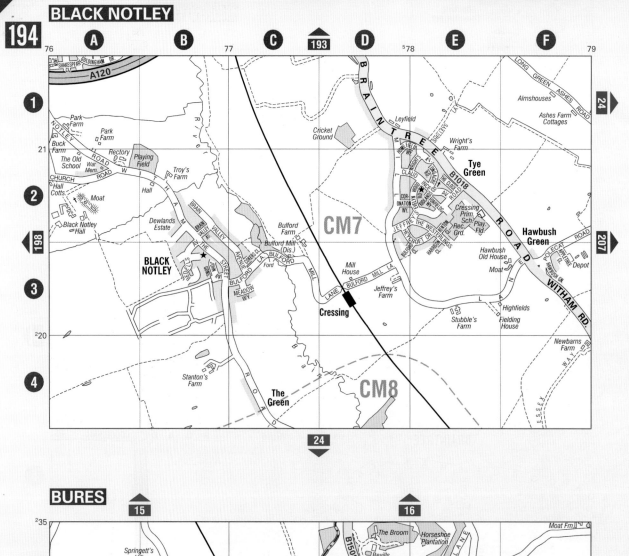

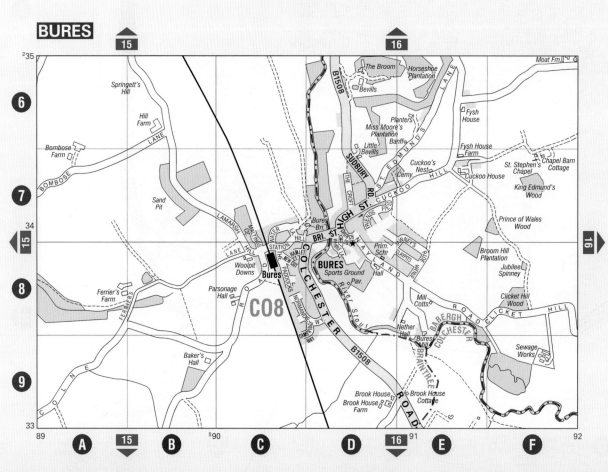

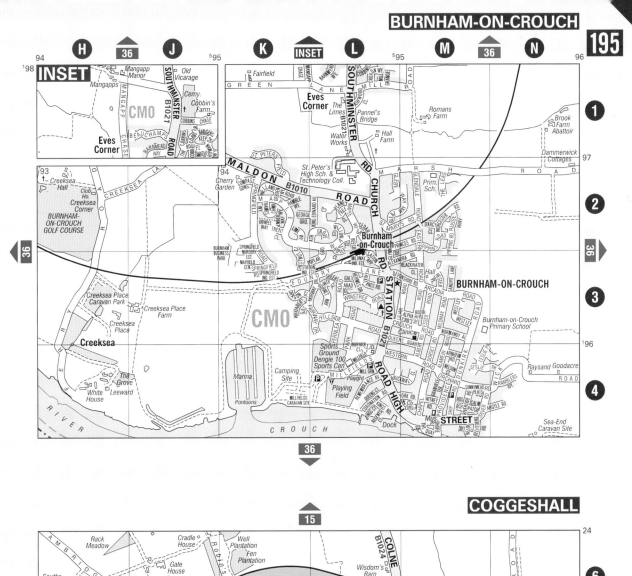

BURNHAM-ON-CROUCH

COGGESHALL

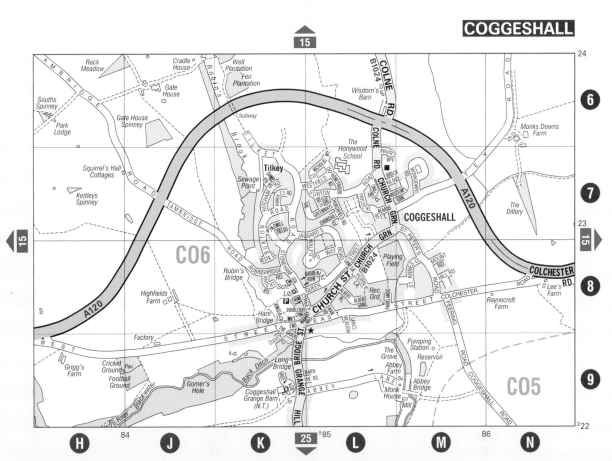

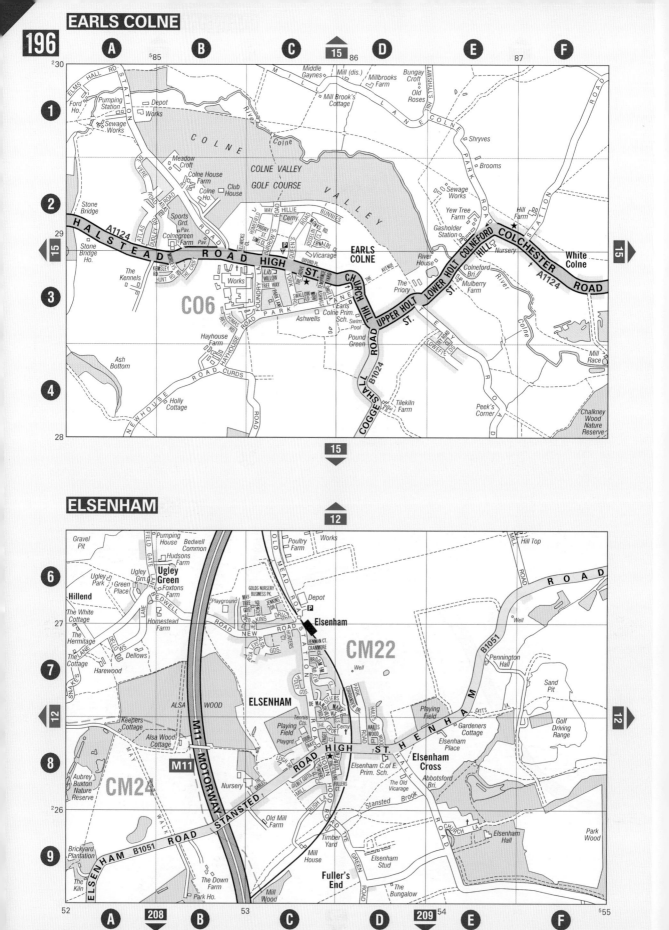

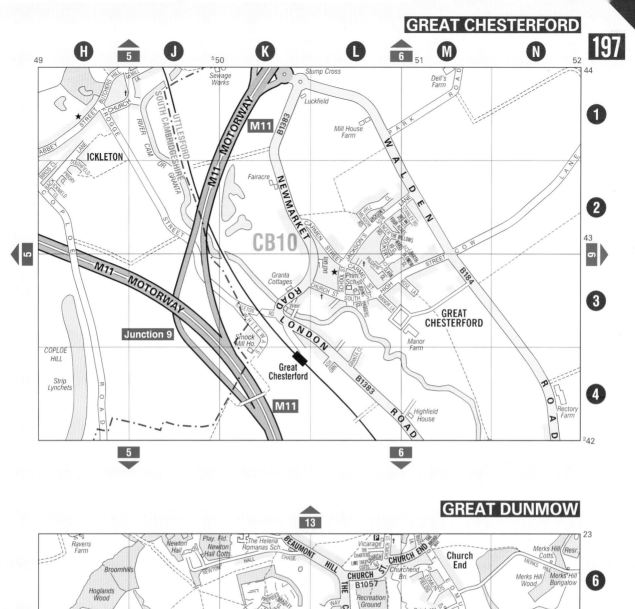

GREAT CHESTERFORD map — key labels:
Stump Cross, Dell's Farm, Luckfield, Mill House Farm, WALDEN, M11 MOTORWAY, B1383, M11, NEWMARKET, Sewage Works, ICKLETON, ABBEY, SOUTH CAMBRIDGESHIRE, UTTLESFORD, RIVER CAM OR GRANTA, Fairacre, CB10, CARMEN STREET, Granta Cottages, Weir, Prim. Sch., GREAT CHESTERFORD, B184, COW, Junction 9, Smock Mill Ho., LONDON ROAD, Great Chesterford, Manor Farm, M11, COPLOE HILL, Strip Lynchets, B1383 ROAD, Highfield House, Rectory Farm

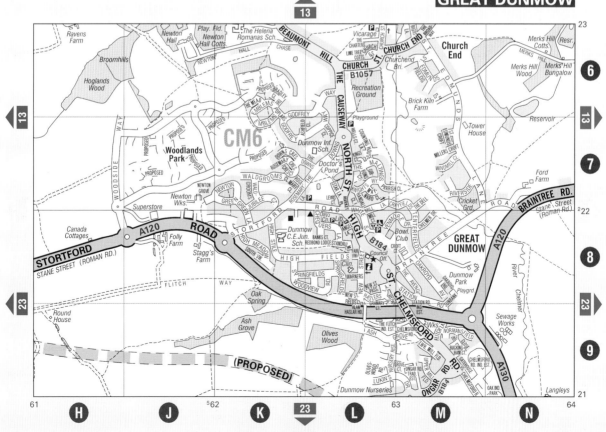

GREAT DUNMOW map — key labels:
Ravens Farm, Broomhills, Hoglands Wood, Newton Hall, Play. Fld., Newton Hall Cotts., The Helena Romanas Sch., CHASE, BEAUMONT HILL, Vicarage, The Charters, Lime Trees Cotts., CHURCH END, Church End, Merks Hill Cotts., Merks Hill Resr., Merks Hill Wood, Merks Hill Bungalow, CHURCH, B1057, Churchend Bri., Reservoir, Recreation Ground, Playground, Brick Kiln Farm, Tower House, CM6, Woodlands Park, THE CAUSEWAY, NORTH ST., Dunmow Inf. Sch., Doctor's Pond, Ford Farm, Newton Wks., Superstore, Canada Cottages, STORTFORD ROAD, A120, STANE STREET (ROMAN RD.), Folly Farm, Stagg's Farm, FLITCH WAY, Dunmow C.E.Jun. Sch., HIGH, FIELDS, Cricket Grd., Bowl. Club, GREAT DUNMOW, BRAINTREE RD., Stane Street (Roman Rd.), River Chelmer, Council Off., Dunmow Park Playgrd., B184, ST. CHELMSFORD, Clin., Round House, Oak Spring, Ash Grove, Olives Wood, (PROPOSED), Sewage Works, Langleys, A130, Dunmow Nurseries, ONGAR RD., B184

GREAT NOTLEY

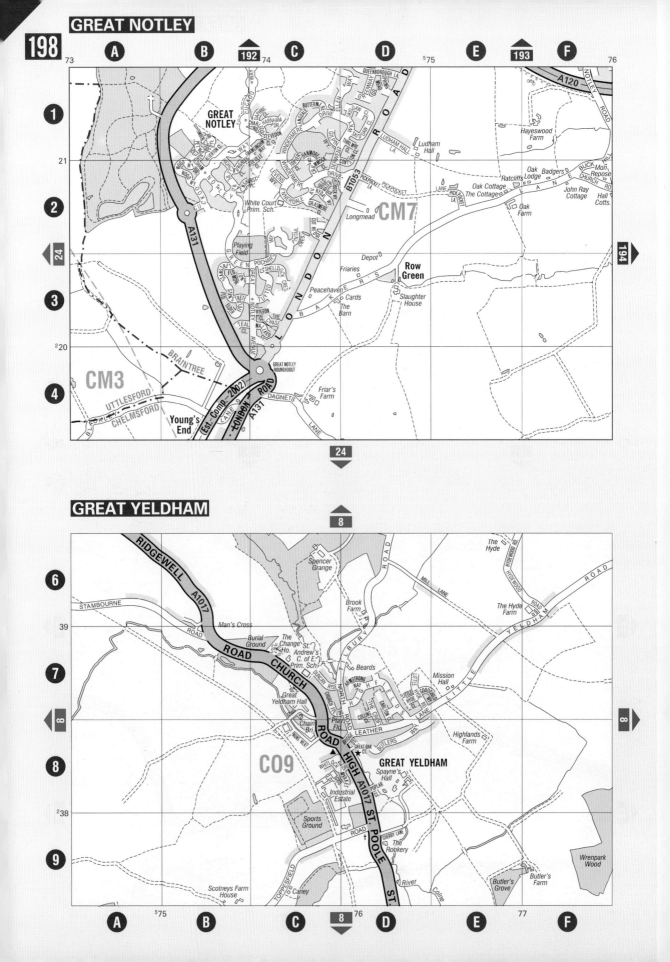

GREAT NOTLEY

CM7

CM3

Row Green

UTTLESFORD
CHELMSFORD

BRAINTREE

Young's End

GREAT YELDHAM

GREAT YELDHAM

CO9

Wrenpark Wood

Butler's Grove

Butler's Farm

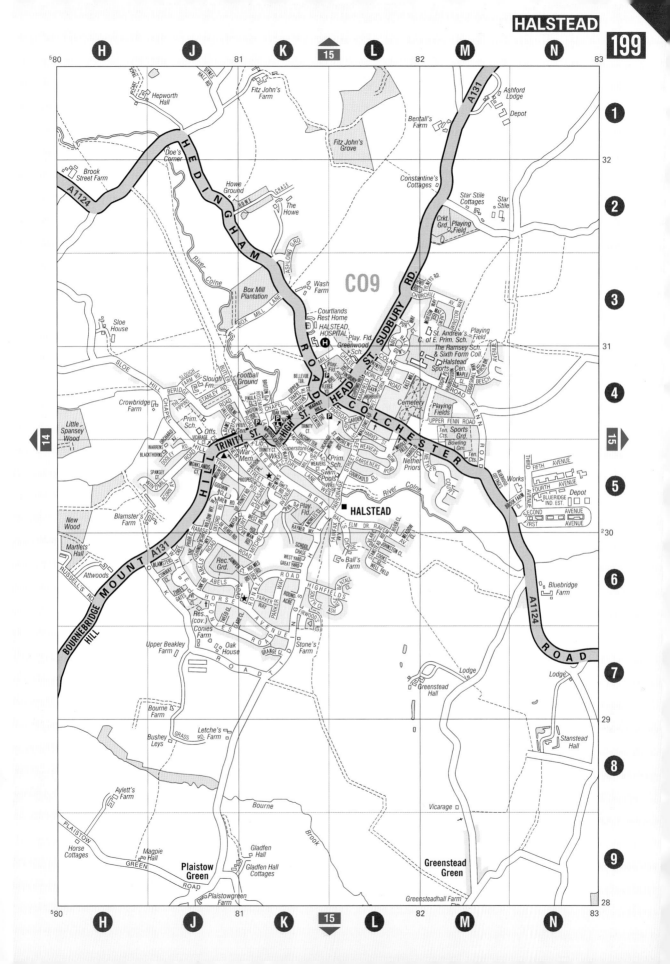

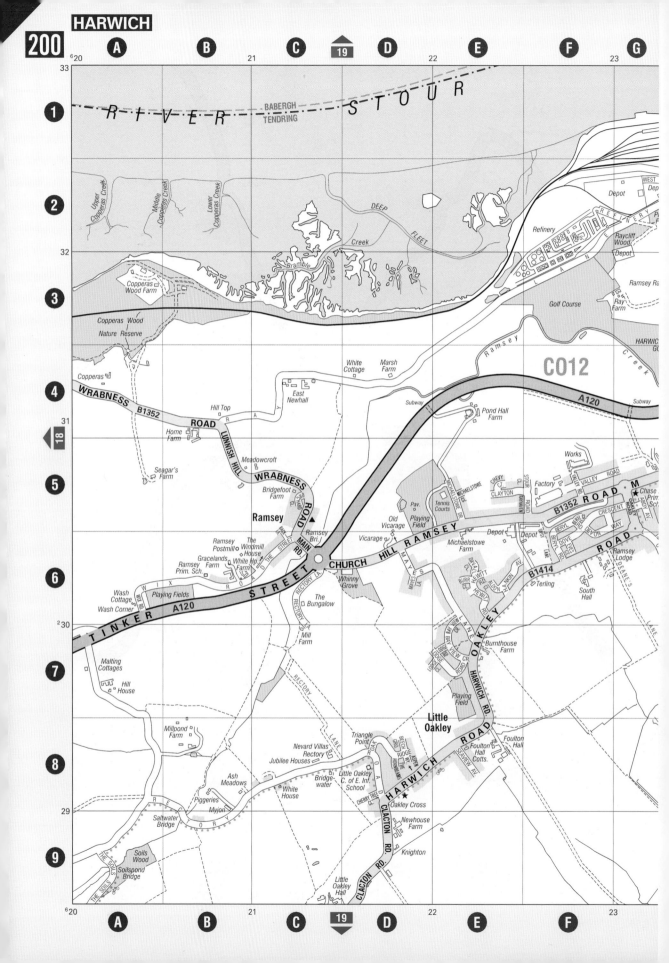

A B C 19 D E F G

RIVER STOUR
BABERGH
TENDRING

Upper Copperas Creek
Middle Copperas Creek
Lower Copperas Creek

DEEP FLEET

Creek

Bramble

Refinery
WEST
Depot Dep
REFINERY P
Raycliff Wood
Depot

Ramsey Ra

Copperas Wood Farm

Copperas Wood Nature Reserve

Copperas

Golf Course

Ray Farm

Ramsey

HARWIC G

White Cottage
Marsh Farm

Subway
A120
CO12
Subway

WRABNESS ROAD B1352

Hill Top

Home Farm

LUNNISH HILL

Meadowcroft

Pond Hall Farm

Works

WRABNESS ROAD

Seagar's Farm

Bridgefoot Farm

CHEVY
MICHAELSTOWE DR
CLAYTON

Factory

STOUR
RAINHIW
B1352 ROAD M

VALLEY ROAD

Chase Pri Sch

Ramsey

Old Vicarage
Pav.

Tennis Courts

Playing Field

CRESCENT WAY

Ramsey Postmill

The Windmill House

STREET

RAMSEY

Vicarage

MAYES

Michaelstowe Farm

Depot Depot

BERYL

DEVON

DOVE

Ramsey Lodge

Ramsey Bri.

CHURCH HILL

B1414

Gracelands

White Ho.

Ramsey Farm Prim. Sch.

Farm

MAIN RD

ROAD

Whinny Grove

BURR
RD
HEWIT
HANK AV.

ALTON
HEWI T

LODEANE'S

Terling

South Hall

Wash Cottage

WIX RD

Playing Fields

The Bungalow

BAY VIEW

OAKLEY

Burnthouse Farm

Wash Corner

TINKER A120 STREET

ROAD

RECTORY LA.

Mill Farm

LODGE ESTRD

HARWICH RD

Malting Cottages

Hill House

Millpond Farm

RECTORY

LANE

Playing Field

Little Oakley

Foulton Hall

Nevard Villas Rectory
Jubilee Houses

Triangle Point

Foulton Hall Cotts.

Ash Meadows

Bridgewater

White House

Little Oakley C. of E. Inf. School

BEECH
BROW
ASPEN
THE HORNBEAMS

HARWICH ROAD

SEAVIEW AV.

Piggeries

Myjon

RECTORY

Saltwater Bridge

CHERRY TREE

Oakley Cross

CLACTON RD

Newhouse Farm

Knighton

Soils Wood

THE SOILS

Soilspond Bridge

Little Oakley Hall

CLACTON RD

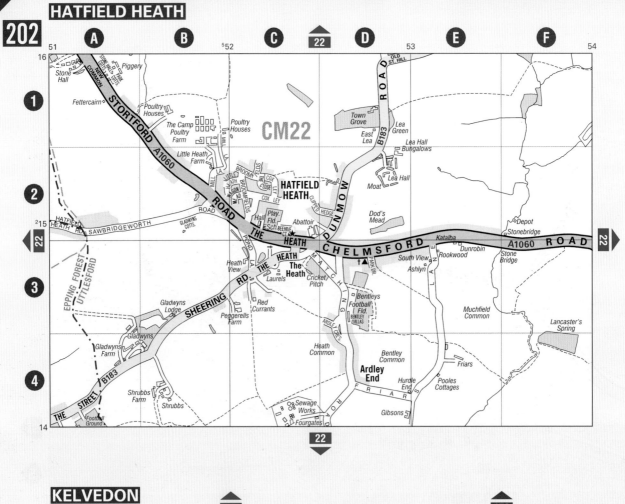

KELVEDON

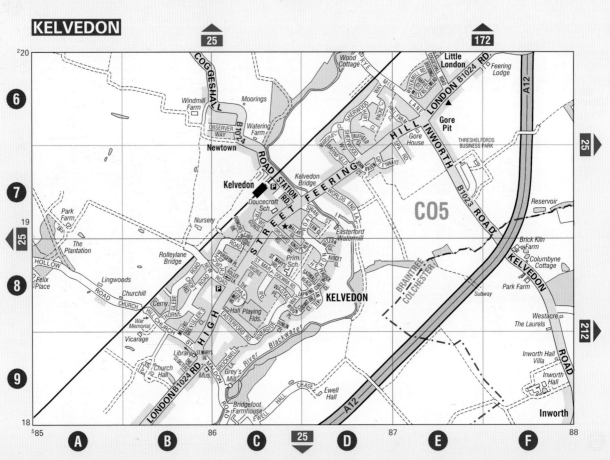

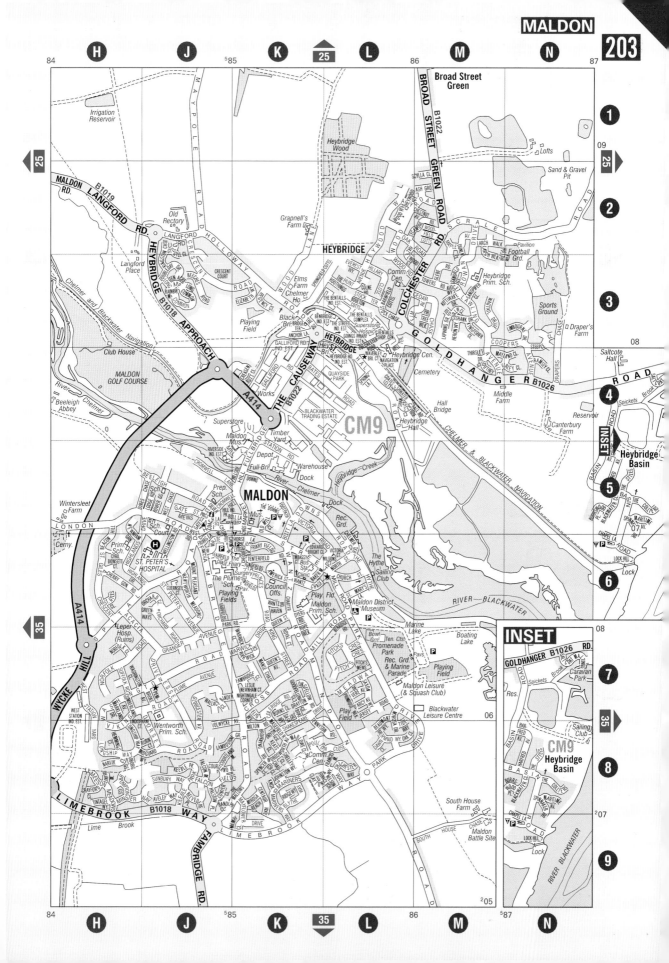

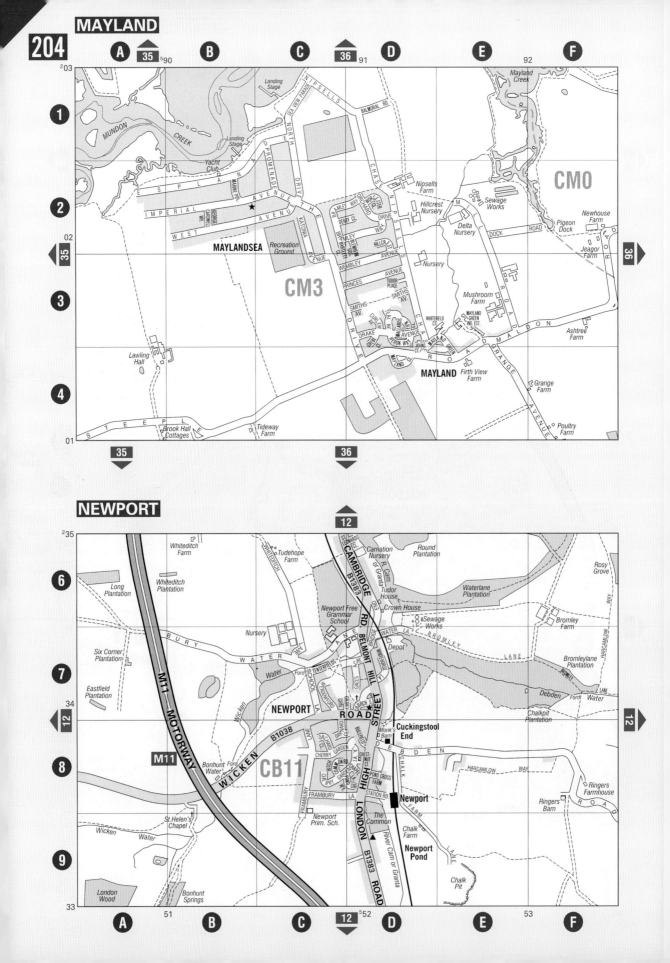

MAYLAND (map grid)

A · 35 · ⁵90 · B · C · 36 · 91 · D · E · 92 · F

²03

1
MUNDON CREEK
Landing Stage
Landing Stage
Yacht Club
BALMORAL RD.
Mayland Creek
CM0

35 ◄ 02
2
ESPLANADE
IMPERIAL WEST
MARINE PDE
GEORGE CARDNELL WY.
KATONIA
THE PROMENADE
AVENUE
NORTH DRIVE
CHASE
NIPSELLS
SEA VIEW PROM.
Nipsells Farm
Hillcrest Nursery
Delta Nursery
Sewage Works
Mushroom Farm
Pigeon Dock
DOCK ROAD
Newhouse Farm
Jeagor Farm
MALDON ROAD
► 36

3
MAYLANDSEA
Recreation Ground
CM3
FAMLEY WAY
ORCHARD WAY
DERBY CL.
WEMBLEY
AVENUE
PRINCES
TUDOR PLACE
SMITHS AV.
SMITHS AV.
DRAKE DRIVE
CURLEW
HERON WY.
ST. JOHNS CT.
WHITEFIELD CL.
MAYLAND GREEN IND. EST.
Ashtree Farm

01
4
Lawling Hall
STEEPLE
Brook Hall Cottages
Tideway Farm
MAYLAND
Firth View Farm
Grange Farm
AVENUE
Poultry Farm

35 ▼ · 36 ▼

NEWPORT (map grid)

12 ▲

²35

6
Whiteditch Farm
Tudehope Farm
Whiteditch
WHITEDITCH
Long Plantation
Whiteditch Plantation
ST. LEONARDS ONE
CAMBRIDGE RD. B1383
Carnation Nursery or Granta
Round Plantation
Tudor House
Crown House
Waterlane Plantation
Bromley Farm
Rosy Grove
HARCAMLOW WAY

12 ◄ 34
7
Six Corner Plantation
Eastfield Plantation
BURY
WATER
Nursery
Newport Free Grammar School
Water
Ford
SCHOOL LANE
TENTERFIELDS
BELMONT
BRIDGE
Water LA.
WHITEHORSE
Depot
BROMLEY LANE
Bromleylane Plantation
Debden
Ford Water
Chalkpit Plantation
► 12

8
M11 MOTORWAY
M11
Wicken
Bonhunt Water
Ford
WICKEN
NEWPORT
ROAD
B1038
CB11
CHERRY
ORCHARD
GARDEN
ST. MARY'S
HILL STREET
COACH LA.
Monk's Barn
Cuckingstool End
CROSS FARM
POND
STATION RD.
HIGH
DEBDEN
CHALK
HARCAMLOW WAY
Ringers Barn
Ringers Farmhouse
FARM ROAD

9
St. Helen's Chapel
Wicken Water
FRAMBURY LA.
Newport Prim. Sch.
LONDON ROAD B1383
The Common
River Cam or Granta
Chalk Farm
Newport Pond
Chalk Pit
Newport

33
London Wood
Bonhunt Springs

A · 51 · B · C · 12 · ⁵52 · D · E · 53 · F

12 ▼

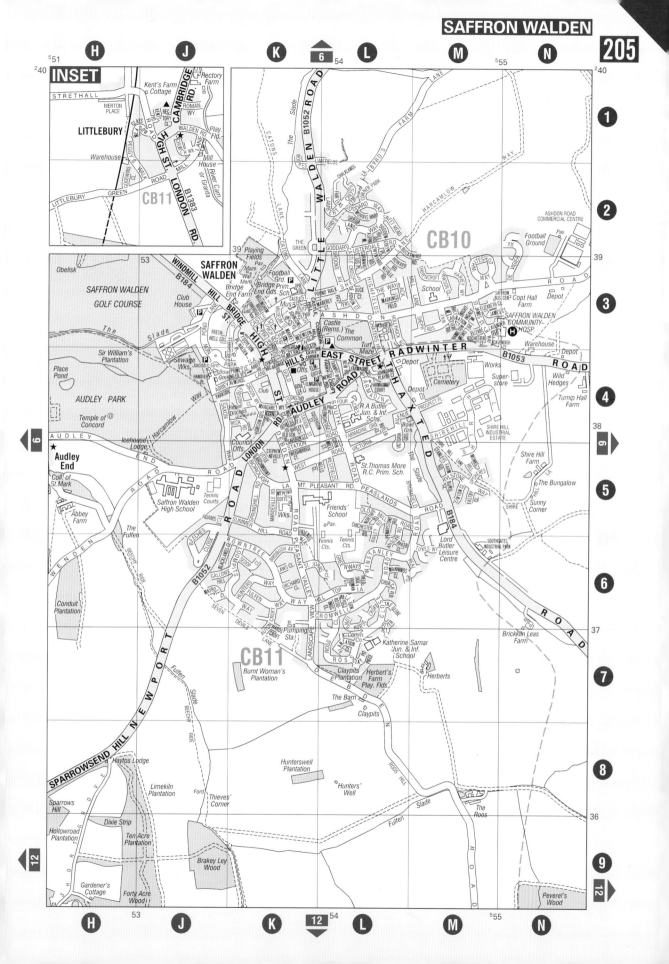

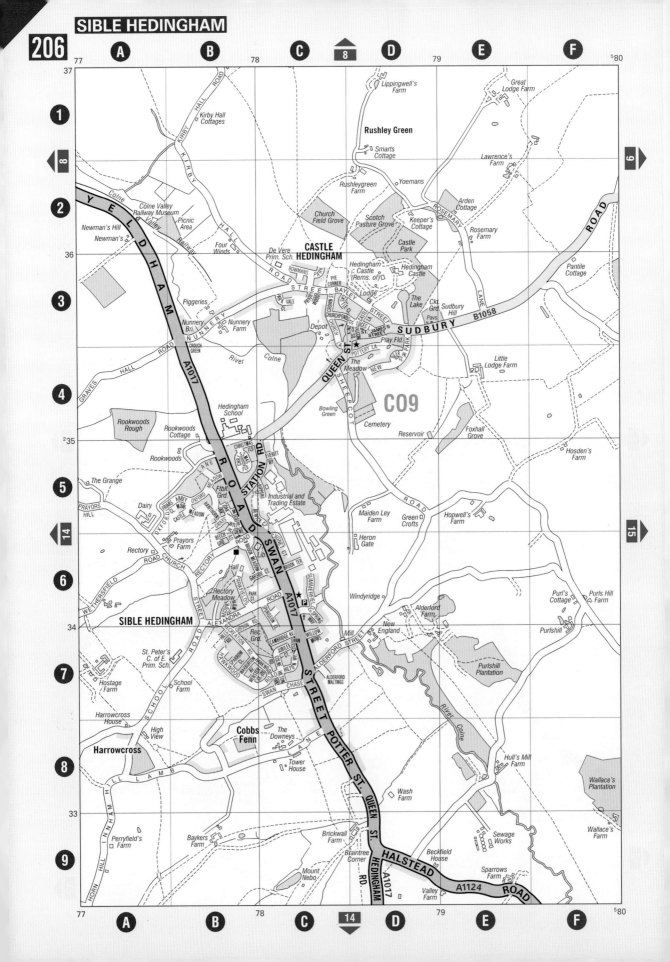

A   B   C   D   E   F

77   78   79   80

37

1

8   9

Kirby Hall Cottages

Kirby Hall Road

Lippingwell's Farm

Great Lodge Farm

Rushley Green

Smarts Cottage

Lawrence's Farm

Colne Valley Railway Museum

Picnic Area

Newman's Hill

Newman's

Rushleygreen Farm

Yeomans

Arden Cottage

2

Colne Valley Railway

Four Winds

Church Field Grove

Scotch Pasture Grove

Keeper's Cottage

Rosemary Farm

Rosemary Road

36

De Vere Prim. Sch.

CASTLE HEDINGHAM

Hedingham Castle (Rems. of)

Hedingham Castle

Castle Park

Pantile Cottage

Bowmans

Piggeries

Bowmans Park

Pye Corner

Prior Wood

Lodge

The Lake

Ckt. Grd.

Sudbury Hill

Pavs.

3

Nunnery Bri.

Nunnery Farm

Church Ponds

Depot

Bayley Street

St. James's Street

Lucas St.

B1058

SUDBURY

Crouch Green

River   Colne

Queen St.

Play. Fld.

Pottery La.

Little Lodge Farm

4

Hedingham School

Rookwoods Rough

Rookwoods Cottage

Bowling Green

The Meadow

New   Sheepcot

C09

Cemetery

Reservoir

Foxhall Grove

Hosden's Farm

2 35

Rookwoods

Christmas Fld.

Station Rd.

Everitt Wy.

Road

5

The Grange

Prayors Hill

Dairy

Ftbll. Grd.

Abbey Mdw.

Oxford Cl.

Castle Mdw.

Industrial and Trading Estate

Maiden Ley Farm

Green Crofts

Hopwell's Farm

14   15

Rectory

Prayors Farm

Beech Grd.

Swan Road

Brook Ter.

Heron Gate

6

Church Road

Rectory Meadow

Hall

Garside Ct.

Park Cl.

A1017

Summerfield Spring

Windyridge

Alderford Farm

Purl's Cottage

Purls Hill Farm

34

SIBLE HEDINGHAM

Alexandra Road

Rec. Grd.

Cambridge Av.

Swan

Willow Mdws.

New England

Purlshill

7

St. Peter's C. of E. Prim. Sch.

School Farm

Hilts

Chase

Alderford Street

Mill Street

Alderford Maltings

Purlshill Plantation

River   Colne

Hostage Farm

Harrowcross House

High View

Swan

Potter   St.

Harrowcross

Cobbs Fenn

The Downeys

Lane

Hull's Mill Farm

8

Hornham Hill

Lamb

Tower House

Wash Farm

Wallace's Plantation

33

Perryfield's Farm

Baykers Farm

Brickwall Farm

Braintree Corner

Beckfield House

Sewage Works

Wallace's Farm

9

Mount Nebo

Hedingham Rd.

HALSTEAD

A1017

ROAD

Valley Farm

A1124

Sparrows Farm

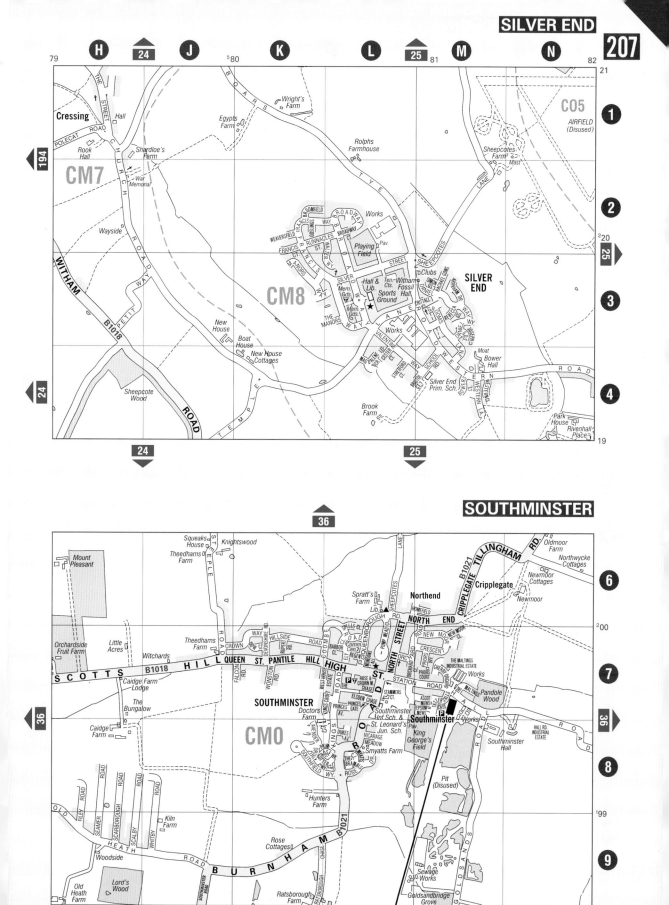

SILVER END

Cressing
CM7
CM8
SILVER END
CO5
AIRFIELD (Disused)

SOUTHMINSTER

Cripplegate
Northend
SOUTHMINSTER
CMO
Southminster

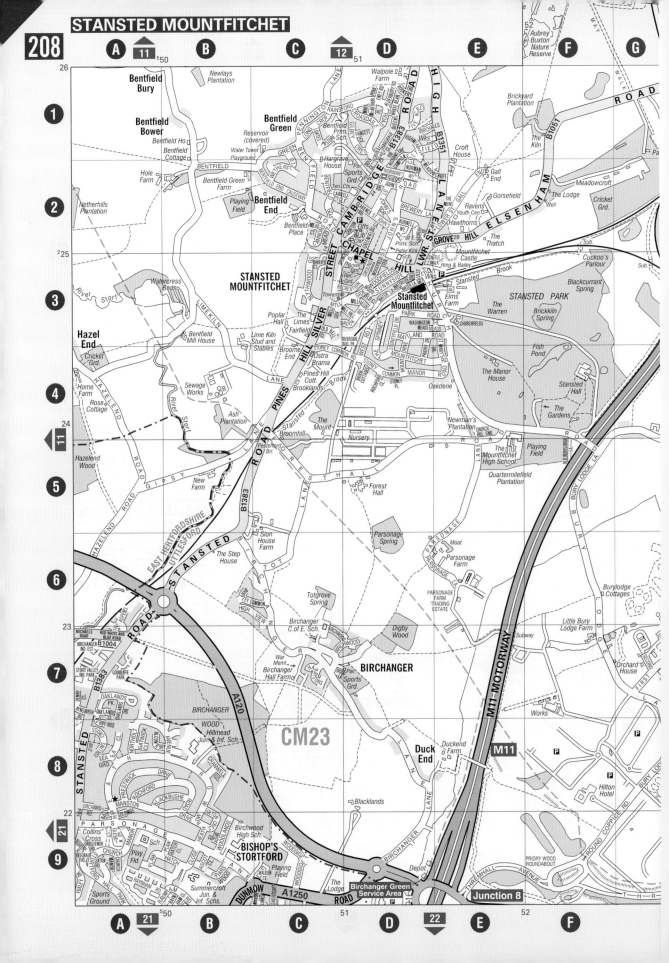

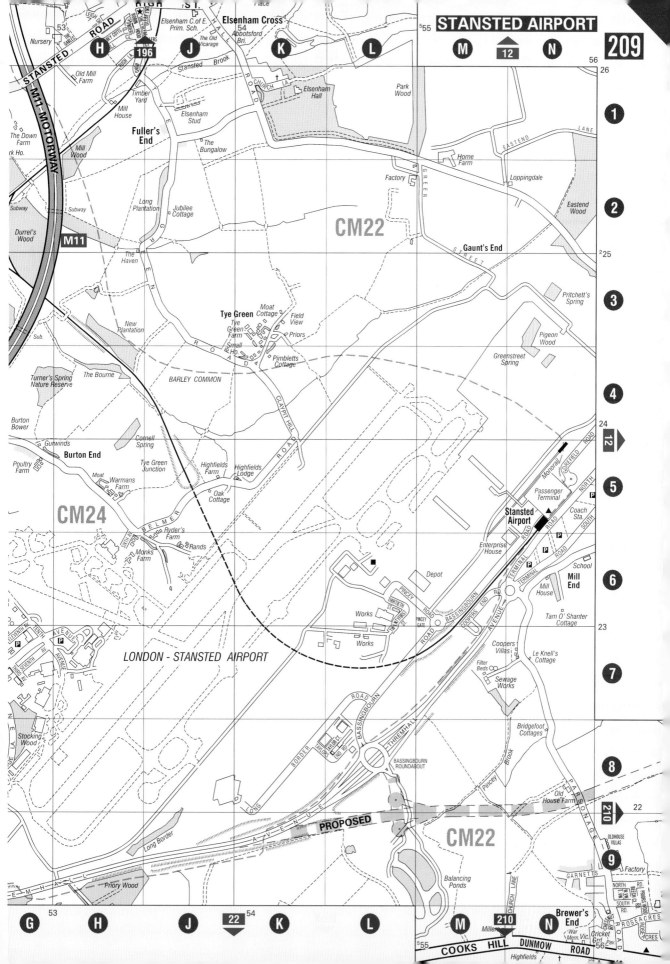

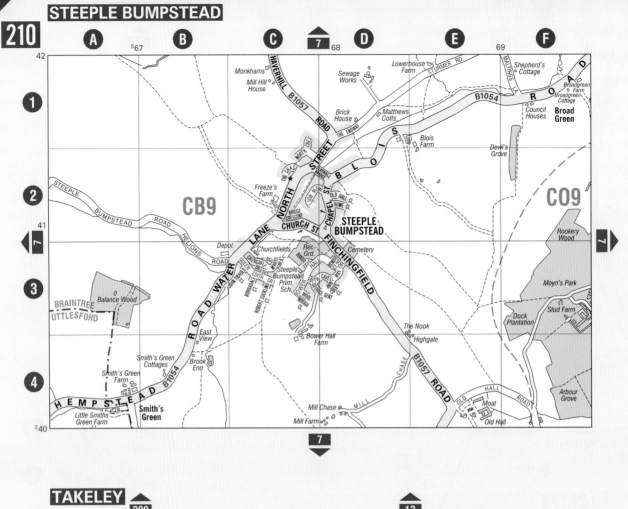

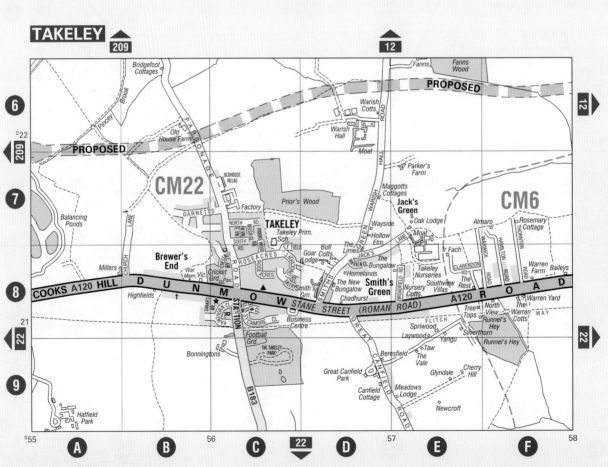

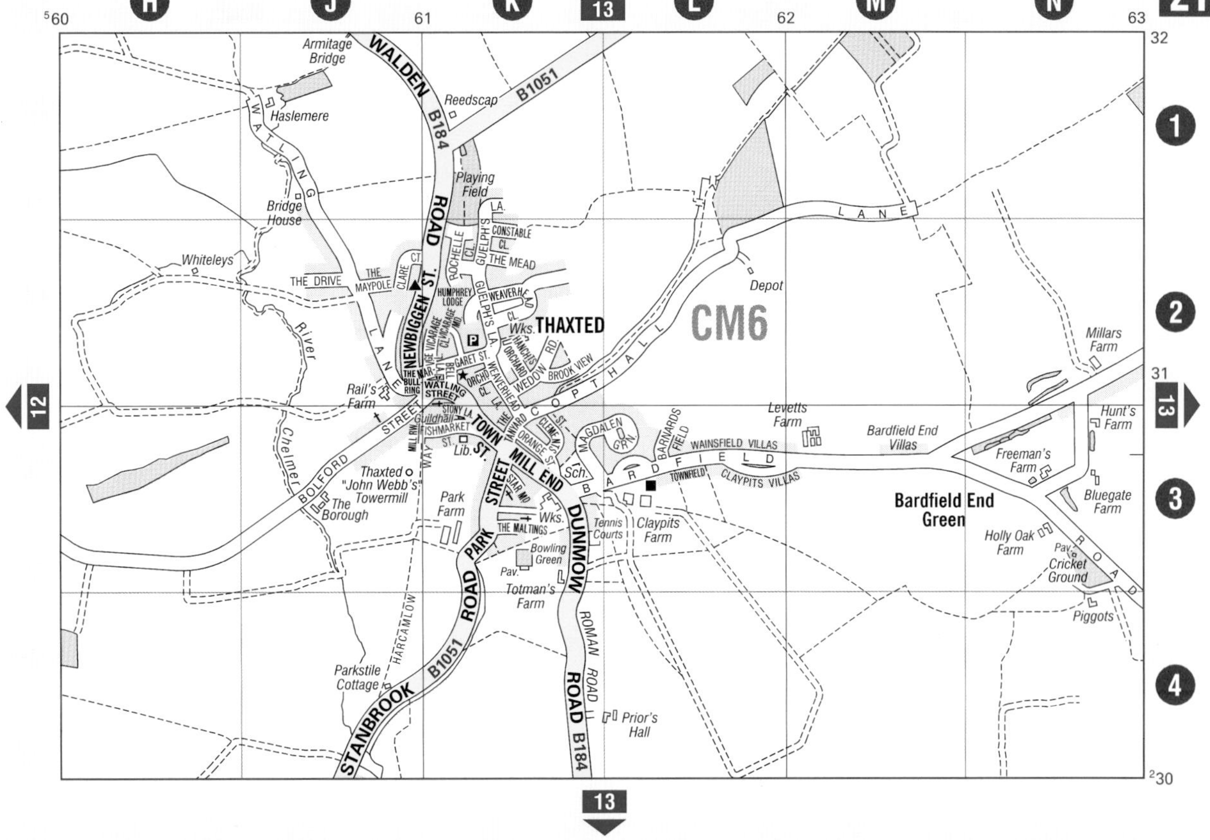
Armitage Bridge
Haslemere
Reedscap
WALDEN ROAD B184
B1051
Playing Field
Bridge House
Whiteleys
THE DRIVE
THE MAYPOLE
NEWBIGGEN ST.
CONSTABLE CL.
THE MEAD
THAXTED
CM6
Depot
LANE
COPTHALL
Millars Farm
River Chelmer
Rail's Farm
BOLFORD STREET
WATLING STREET
TOWN ST.
MILL END
Guildhall
FISHMARKET
Levetts Farm
Bardfield End Villas
Hunt's Farm
MAGDALEN GRN.
BARNARDS FIELD
WAINSFIELD VILLAS
BARDFIELD
TOWNFIELD
CLAYPITS VILLAS
Freeman's Farm
Thaxted "John Webb's" Towermill
The Borough
Park Farm
PARK STREET
Sch.
Wks.
THE MALTINGS
Tennis Courts
Claypits Farm
Bardfield End Green
Bluegate Farm
Holly Oak Farm
Pav.
Cricket Ground
ROAD
Bowling Green
Totman's Farm
DUNMOW ROAD B184
ROMAN ROAD
Piggots
HARCAMLOW WAY
Parkstile Cottage
STANBROOK ROAD B1051
Prior's Hall

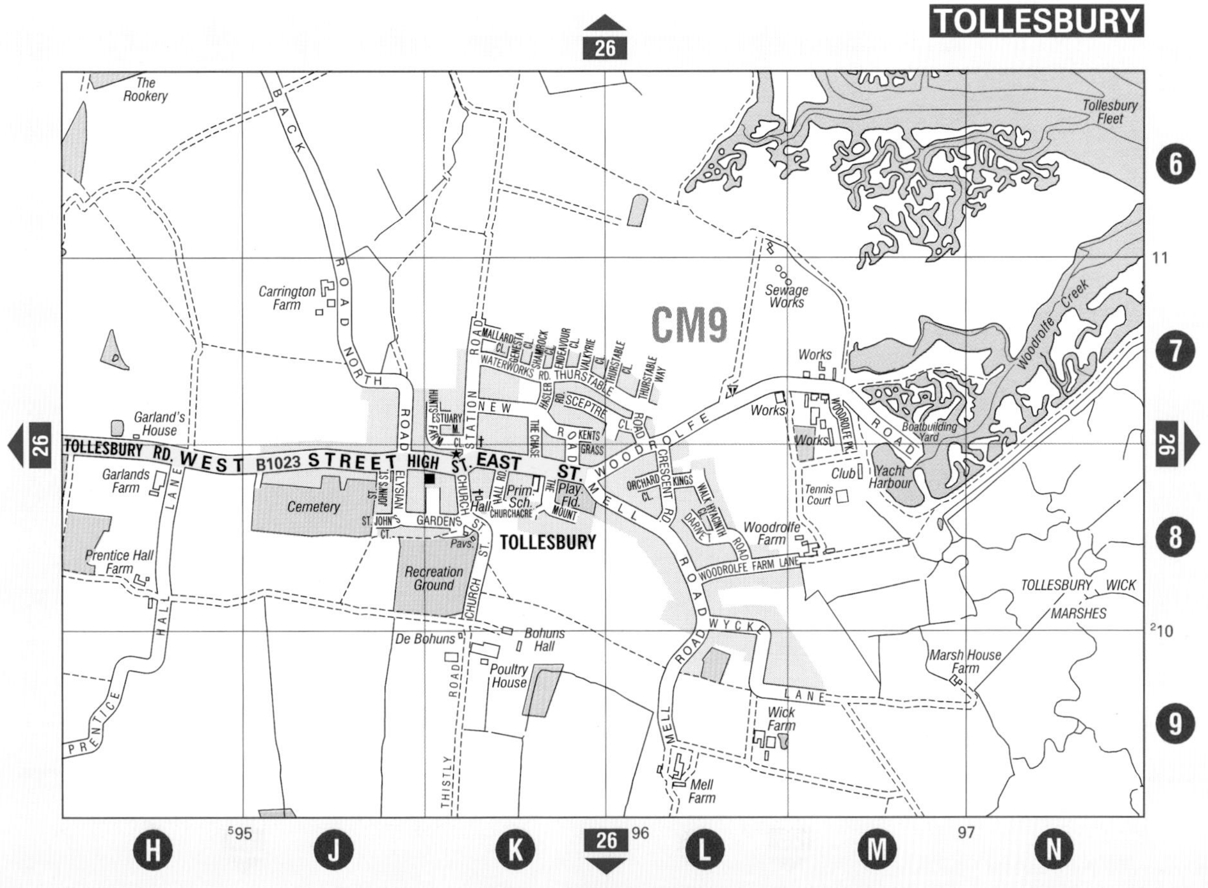
The Rookery
BACK ROAD
Tollesbury Fleet
Carrington Farm
Sewage Works
CM9
STATION ROAD
WATERWORKS RD.
THURSTABLE WAY
SCEPTRE CL.
Works
WOODROLFE ROAD
Boatbuilding Yard
Woodrolfe Creek
Garland's House
TOLLESBURY RD.
WEST STREET B1023
HIGH ST.
EAST ST.
Garlands Farm
Cemetery
ELYSIAN GARDENS
Prim. Sch.
Play. Fld.
CHURCHACRE
Club
Yacht Harbour
Tennis Court
Prentice Hall Farm
Recreation Ground
TOLLESBURY
Woodrolfe Farm
WOODROLFE FARM LANE
TOLLESBURY WICK MARSHES
HALL LANE
De Bohuns
Bohuns Hall
Poultry House
WYCKE LANE
Marsh House Farm
PRENTICE
THISTLY ROAD
MELL ROAD
Wick Farm
Mell Farm

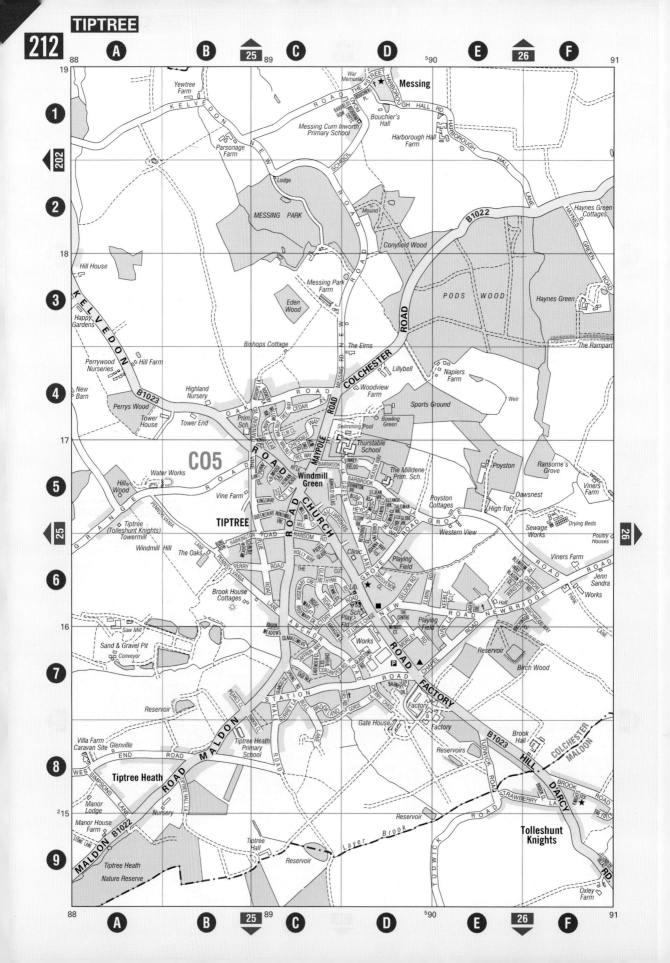

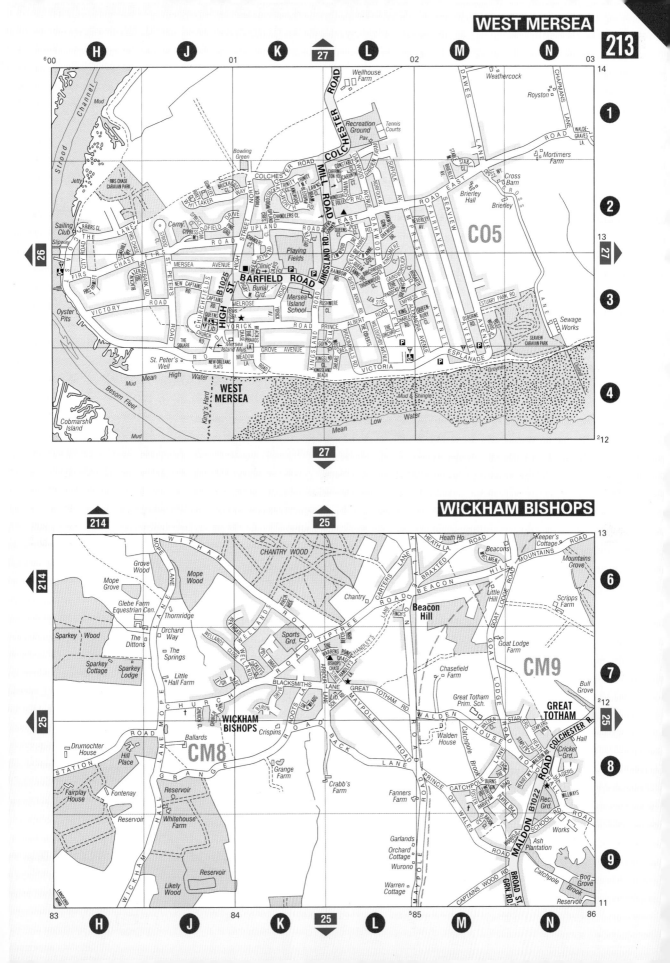

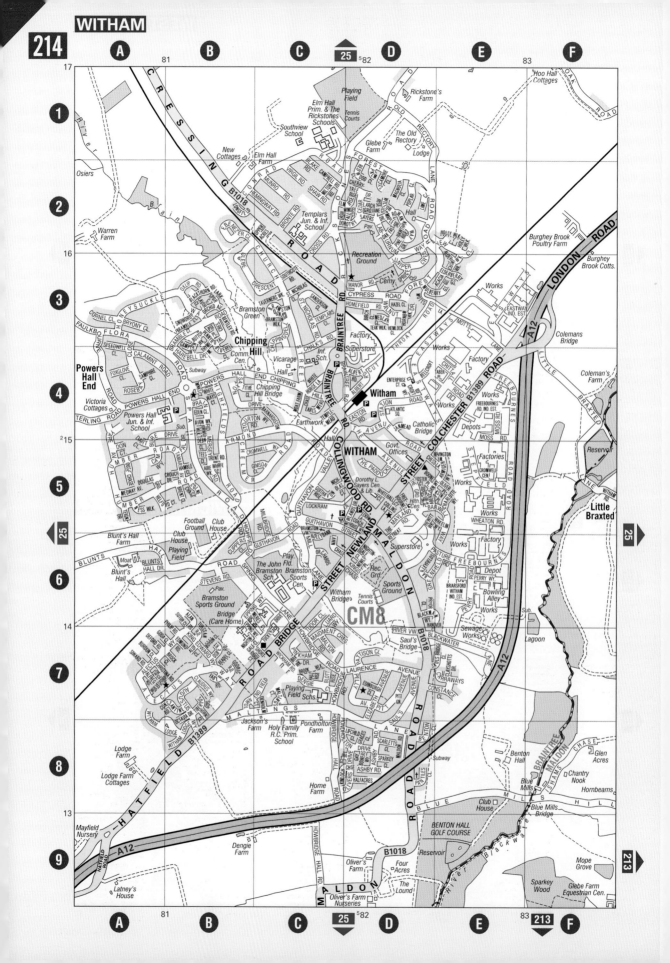

INDEX

Including Streets, Places & Areas, Industrial Estates, Selected Junction Names, Selected Subsidiary Addresses and Selected Tourist Information.

HOW TO USE THIS INDEX

1. Each street name is followed by its Postal District or, if outside the London Postal District, by its Posttown or Postal Locality), and then by its map reference; e.g. Abbess Clo. *Chelm* —9G **60** is in the Chelmsford Posttown and is to be found in square 9G on page **60**. The page number being shown in bold type.
A strict alphabetical order is followed in which Av., Rd., St., etc. though abbreviated are read in full and as part of the street name; e.g. Abbey Fields appears after Abbeyfield Ho. but before Abbeygate St.

2. Streets and a selection of Subsidiary names not shown on the Maps, appear in the index in *Italics* with the thoroughfare to which it is connected shown in brackets;
e.g. *Acacia Ct. Wal A —4G **79** (off Lamplighters Clo.)*

3. Places and areas are shown in the index in **bold type**, the map reference referring to the actual map square in which the town or area is located and not to the place name; e.g. **Abberton. —8B 176 2F 27)**

4. Streets that appear on the 3 Inches to 1 Mile Street Mapping red pages and 1 Inch to 1 Mile Street Mapping blue pages are given two references; e.g. Abberton Rd. *Fing* —8C **176** 2F **27** is to be found in square 8C on page **176** on the 3 Inches to 1 Mile Street Mapping and in square 2F on page **27** on the 1 Inch to 1 Mile Street Mapping.

5. With the now general usage of Postcodes for addressing mail, it is not recommended that this index is used for such a purpose.

GENERAL ABBREVIATIONS

All : Alley
App : Approach
Arc : Arcade
Av : Avenue
Bk : Back
Boulevd : Boulevard
Bri : Bridge
B'way : Broadway
Bldgs : Buildings
Bus : Business
Cvn : Caravan
Cen : Centre
Chu : Church
Chyd : Churchyard
Circ : Circle
Cir : Circus
Clo : Close
Comn : Common
Cotts : Cottages
Ct : Court
Cres : Crescent
Dri : Drive
E : East
Embkmt : Embankment
Est : Estate
Gdns : Gardens
Ga : Gate
Gt : Great
Grn : Green
Gro : Grove
Ho : House
Ind : Industrial
Junct : Junction
La : Lane
Lit : Little
Lwr : Lower
Mnr : Manor
Mans : Mansions
Mkt : Market
M : Mews
Mt : Mount
N : North
Pal : Palace
Pde : Parade
Pk : Park
Pas : Passage
Pl : Place
Quad : Quadrant
Rd : Road
Shop : Shopping
S : South
Sq : Square
Sta : Station
St : Street
Ter : Terrace
Trad : Trading
Up : Upper
Vs : Villas
Wlk : Walk
W : West
Yd : Yard

POSTTOWN AND POSTAL LOCALITY ABBREVIATIONS

Abb : Abberton
Ab R : Abbess Roding
Abgtn : Abington
Ab P : Abington Pigotts
Abr : Abridge
Act : Acton
Abry : Albury
Aldh : Aldham
A Grn : Allens Green
Alph : Alphamstone
Alp : Alpheton
Alr : Alresford
Alth : Althorne
Ans : Anstey
A'lgh : Ardleigh
A'den : Arkesden
Arr : Arrington
As : Ash
A'dn : Ashdon
Ashel : Asheldham
Ashen : Ashen
Ave : Aveley
Ayt R : Aythorpe Roding
Bab : Babraham
Badg D : Badgers Dene
B'shm : Balsham
Bar S : Bardfield Saling
Bark : Barking
B'side : Barkingside
B'wy : Barkway
Bar : Barley
B'dstn : Barnardiston
B'hurst : Barnehurst
Barns : Barnston
Barr : Barrington
Bart : Bartlow
Bas : Basildon
Bass : Bassingbourn
Bat : Battlesbridge
B'frd : Bayford
Bay E : Baythorne End
Bean : Bean
Beau : Beaumont
Beau R : Beauchamp Roding
Bea E : Beazley End
Beck : Beckenham
Bel O : Belchamp Otten
Bel P : Belchamp St Paul
Bel W : Belchamp Walter
Belv : Belvedere
Ben : Benfleet
B'tn : Benington
B'ley : Bentley
Ber : Berden
Bex : Bexley
Bexh : Bexleyheath
Bick : Bicknacre
Bill : Billericay
B'ch : Birch
Bchgr : Birchanger
Bird : Birdbrook
Bis S : Bishop's Stortford
B'hth : Blackheath
B'moor : Blackmoor
B'more : Blackmore
Bla E : Blackmore End
Bla N : Black Notley
Boc : Bocking
Bore : Boreham
Bor : Borley
Boxt : Boxted
Brad : Bradfield
B'wll : Bradwell
Brad S : Bradwell-on-Sea
Brain : Braintree
B'wck : Braiswick
B'fld : Bramfield
Bran : Brantham
Brau : Braughing
Bre P : Brent Pelham
Brtwd : Brentwood
B'sea : Brightlingsea
Brom : Bromley
Broom : Broomfield
Brox : Broxbourne
Broxt : Broxted
Buck H : Buckhurst Hill
Bkld : Buckland
Bulm : Bulmer
Bulp : Bulphan
Bunt : Buntingford
Bures : Bures
Bur C : Burnham-on-Crouch
Burnt M : Burnt Mills Ind. Est.
Cwdn : Canewdon
Can I : Canvey Island
Cas C : Castle Camps
Cas H : Castle Hedingham
Catt : Cattawade
Caven : Cavendish
Chad H : Chadwell Heath
Chaf H : Chafford Hundred
Chap E : Chapmore End
Chap : Chappel
Chel V : Chelmer Village
Chel : Chelmondiston
Chelm : Chelmsford
Chesh : Cheshunt
Chig J : Chignal St. James
Chig S : Chignal Smealey
Chig : Chigwell
Chst : Chislehurst
Chris : Chrishall
Chu L : Church Langley
Clac S : Clacton-on-Sea
Clare : Clare
Clav : Clavering
Cob : Cobham
Cock C : Cock Clarks
Cogg : Coggeshall
Colc : Colchester
Cold N : Cold Norton
Coln E : Colne Engaine
Col R : Collier Row
Cook G : Cooksmill Green
Coop : Coopersale
Cop : Copford
Corn H : Cornish Hall End
Corr : Corringham
Cot : Cottered
Cray : Crayford
Cray H : Crays Hill
Cres : Cressing
Crock : Crockenhill
C Hth : Crockleford Heath
Cro : Cromer
Cydn : Croydon nr. Royston)
Croy : Croydon nr. Sutton)
Cuff : Cuffley
Cux : Cuxton
Dag : Dagenham
Dan : Danbury
D End : Dane End
Dart : Dartford
Deb : Debden
Deb G : Debden Green
Ded : Dedham
Deng : Dengie
Dodd : Doddinghurst
Dov : Dovercourt
D'ham : Downham
Dud E : Duddenhoe End
D'mw : Dunmow
Dun : Dunton
Dut H : Duton Hill
Dux : Duxford
E Col : Earls Colne
E Ber : East Bergholt
E End : East End
E Han : East Hanningfield
Ethpe : Easthorpe
E Mer : East Mersea
E Til : East Tilbury
E'wck : Eastwick
E'wd : Eastwood
Ed C : Edney Common
Eig G : Eight Ash Green
Elm : Elmdon
Elm P : Elm Park
Elms : Elmstead
Else : Elsenham
Enf : Enfield
Epp : Epping
Epp G : Epping Green
Epp Up : Epping Upland
Eri : Erith
Erw : Erwarton
Eyns : Eynsford
F'std : Fairstead
Farnh : Farnham
F'ham : Farningham
Fau : Faulkbourne
Fawk : Fawkham
Fee : Feering
Felix : Felixstowe
Fels : Felsted
F'fld : Finchingfield
Fing : Fingringhoe
Fob : Fobbing
F End : Ford End
For : Fordham
For H : Fordham Heath
Fou I : Foulness Island
Fow : Fowlmere
Fox : Foxearth
Foxt : Foxton
Frat : Frating
Frin S : Frinton-on-Sea
Fry : Fryerning
Fur P : Furneux Pelham
Fyf : Fyfield
Gall : Galleywood
Gest : Gestingthorpe
Gid P : Gidea Park
Gil : Gilston
Glem : Glemsford
Gold : Goldhanger
Good E : Good Easter
Gosf : Gosfield
Grav : Gravesend
Grays : Grays
Gt Ab : Great Abington
Gt Amw : Great Amwell
Gt Bad : Great Baddow
Gt Bar : Great Bardfield
Gt Ben : Great Bentley
Gt Br : Great Braxted
Gt Bro : Great Bromley
Gt Can : Great Canfield
Gt Che : Great Chesterford
Gt Chi : Great Chishill
Gt Cor : Great Cornard
Gt Eas : Great Easton
Gt Hal : Great Hallingbury
Gt Hen : Great Henny
Gt Hol : Great Holland
Gt Hork : Great Horkesley
Gt Hor : Great Hormead
Gt L : Great Leighs
Gt Map : Great Maplestead
Gt Mun : Great Munden
Gt Oak : Great Oakley
Gt Sal : Great Saling
Gt Sam : Great Sampford
Gt Tey : Great Tey
Gt Tot : Great Totham
Gt W : Great Wakering
Gt Wal : Great Waldingfield
Gt Walt : Great Waltham
Gt War : Great Warley
Gt Wen : Great Wenham
Gt Wig : Great Wigborough
Gt Wra : Great Wratting
Gt Yel : Great Yeldham
Grnh : Greenhithe
G Est : Greenstead Estate
G'std G : Greenstead Green
G'sted : Greensted
Had : Hadleigh
Hads : Hadstock
Hail : Hailey
H'std : Halstead
Hare S : Hare Street
Hark : Harkstead
H'low : Harlow
H Hill : Harold Hill
H Wood : Harold Wood
Hars : Harston
Har E : Hartford End
Hart : Hartley
Har : Harwich
H'wd : Hastingwood
Hat O : Hatfield Broad Oak
Hat H : Hatfield Heath
Hat P : Hatfield Peverel
Haul : Haultwick
H'hll : Haverhill
Hav : Havering-atte-Bower
H'wl : Hawkwell
Hay : Hayes
Haz : Hazeleigh
Hel B : Helions Bumpstead
Hpstd : Hempstead
Hen : Henham
Heron : Herongate
Hert : Hertford
Hert H : Hertford Heath
Hex : Hextable
H'bri : Heybridge
Hey B : Heybridge Basin
Hey : Heydon
Hghm : Higham nr. Stratford St Mary)
High : Higham nr. Strood)
H Bee : High Beech
H Cro : High Cross
High E : High Easter
High R : High Roding
H Lav : High Laver
H Ong : High Ongar
Hghwd : Highwood
H'wds : Highwoods
H Wych : High Wych
Hxtn : Hinxton
Hock : Hockley
Hod : Hoddesdon
Holb : Holbrook
Hol S : Holland-on-Sea
Hol M : Holton St Mary
Hook E : Hook End
Horn : Hornchurch
Horn H : Horndon-on-the-Hill
H'hth : Horseheath
Hor X : Horsley Cross
Hort K : Horton Kirby
H Grn : Howe Green
Hull : Hullbridge
Hund : Hundon
Hun : Hunsdon
Hut : Hutton
I'tn : Ickleton
Ilf : Ilford
Ing : Ingatestone
Ingve : Ingrave
Jay : Jaywick
Ked : Kedington
Kel : Kelshall
K'dn : Kelvedon
Kel C : Kelvedon Common
Kel H : Kelvedon Hatch
Kir X : Kirby Cross
Kir S : Kirby-le-Soken
Lain : Laindon
Lmsh : Lamarsh
Lang H : Langdon Hills
L'hoe : Langenhoe
Lang : Langford
L'ham : Langham
Lang L : Langley Lower Green
Lang U : Langley Upper Green
Latch : Latchingdon
Lav : Lavenham
Law : Lawford
Lay B : Layer Breton
Lay H : Layer-de-la-Haye
Lay M : Layer Marney
Lea R : Leaden Roding
L'hth : Leavenheath
Lee S : Lee-over-Sands
Lgh S : Leigh-on-Sea
Lex H : Lexden Heath
Lndsl : Lindsell
Linf : Linford
Lin : Linton
Lit : Litlington
Lit A : Little Abington
L Bad : Little Baddow
L Bar : Little Bardfield
L Ben : Little Bentley
L Berk : Little Berkhamsted
L Brax : Little Braxted
L Bro : Little Bromley
L Bur : Little Burstead
L'bry : Littlebury
L Can : Little Canfield
L Ches : Little Chesterford
L Cla : Little Clacton
L Cor : Little Cornard
L Dun : Little Dunmow
L Eas : Little Easton
L Had : Little Hadham
L Hall : Little Hallingbury
L Hth : Little Heath
L Hork : Little Horkesley
L Hor : Little Hormead
L L'gh : Little Leighs
L Lon : Little London
L Map : Little Maplestead
L Oak : Little Oakley
L Sam : Little Sampford
L Tey : Little Tey
L Tot : Little Totham
L Wal : Little Walden
L Walt : Little Waltham
L War : Little Warley
L Wig : Little Wigborough
L Yel : Little Yeldham
Stan Apt : London Stansted Airport
Long : Longfield
L Mel : Long Melford
Lou : Loughton
Ludd : Luddesdown
Mag L : Magdalen Laver
Mal : Maldon
Mann : Manningtree
Man : Manuden
Mar R : Margaret Roding
Marg : Margaretting
M Tey : Marks Tey
Mash : Mashbury
Mat G : Matching Green
Mat T : Matching Tye
Mawn : Mawneys
May : Mayland
Mee : Meesden
Mel : Melbourn
Meld : Meldreth
Meop : Meopham
Mess : Messing
Mdltn : Middleton
M End : Mile End
Mill G : Mill Green
Mis : Mistley
Mitc : Mitcham
More : Moreton
M Bur : Mount Bures
Mount : Mountnessing
M Hud : Much Hadham
Mun : Mundon
Nave : Navestock
N'side : Navestockside
Nay : Nayland
Naze : Nazeing
New Ash : New Ash Green
New E : New England
Newp : Newport
New : Newton
New W : New Wimpole
Noak H : Noak Hill
N'thaw : Northaw
N Ben : North Benfleet
N End : North End
N Fam : North Fambridge
N'fleet : Northfleet
N Ock : North Ockendon
N Stif : North Stifford
N Hth : Northumberland Heath
N Wea : North Weald
Nuth : Nuthampstead
Odsey : Odsey
Old G : Old Hall Green
Ong : Ongar
Orp : Orpington
Ors : Orsett
Orw : Orwell
Ovgtn : Ovington
Pag : Paglesham
Pam : Pampisford
Pan : Panfield
Pkstn : Parkeston
Patt : Pattiswick
Peb : Pebmarsh
Pel : Peldon
Pent : Pentlow
Pil H : Pilgrims Hatch
Pits : Pitsea
Ples : Pleshey
P Bay : Point Clear Bay
Pol : Polstead
Pos : Poslingford
Pot B : Potters Bar
Puck : Puckeridge
Purf : Purfleet
Pur : Purleigh
Quen : Quendon
R'ter : Radwinter
Rain : Rainham
Rams B : Ramsden Bellhouse
Rams H : Ramsden Heath
R'sy : Ramsey
Raw : Rawreth

A-Z Essex Atlas 215

POSTTOWN AND POSTAL LOCALITY ABBREVIATIONS

INDEX

Alder Dri.—Arnold Av.

Alder Dri. S Ock —4F 146
Alderford Maltings. Sib H —7C 206
Alderford St. Sib H —7C 206 (2E 14)
Aldergrove Wlk. Horn —8G 128
Alderleys. Ben —9G 121
Alderman Av. Bark —3F 142
Alderman Howe Lodge. H'wds —3B 168
(off Tynedale Sq.)
Aldermans Hill. N13 —1A 38
Alderman's Hill. Hock —2A 122 (1G 43)
Alderman Wlk. Stan H —9N 133
Alderney Gdns. W'fd —6K 103
Alderney Rd. Eri —5E 154
Alders Av. Wfd G —3E 108
Aldersbrook. —4H 125 (4F 39)
Aldersbrook La. E12 —5M 125
Aldersbrook Rd. E11 & E12
—4H 125 (4F 39)
Alders Clo. E11 —4H 125
Aldersey Gdns. Bark —8C 126
Aldersgate St. EC1 —7B 38
Aldersgrove. Wal A —4E 78
Alders Wlk. Saw —2K 53
Alderton Clo. Lou —3N 93
Alderton Clo. Pil H —4E 98
Alderton Hall La. Lou —3N 93
Alderton Hill. Lou —4L 93 (7G 31)
Alderton M. Lou —3N 93
Alderton Rise. Lou —3N 93
Alderton Rd. Colc —7C 168
Alderton Rd. Ors —6G 148
Alderton Way. Lou —4M 93
Alder Wlk. Ilf —7B 126
Alder Wlk. Wthm —3E 214
Alderwood Clo. Abr —2G 95
Alderwood Dri. Abr —2G 95
Alderwood Way. Ben —3J 137
Aldgate. (Junct.) —7B 38
Aldham. —5A 16
Aldham Dri. S Ock —5F 146
Aldham Gdns. Ray —4F 120
Aldingham Ct. Horn —7F 128
(off Easedale Dri.)
Aldingham Gdns. Horn —7E 128
Aldington Clo. Dag —3H 127
Aldon Clo. Har —6E 200
Aldria Rd. Stan H —9N 133
Aldriche Way. E4 —3C 108
Aldridge Av. Enf —8A 78
Aldridge Clo. Chelm —7B 62
Aldrin Clo. Stan H —3N 149
Aldrington Rd. SW16 —5A 46
Aldrin Way. Lgh S —9F 122
Aldworth Rd. E15 —9E 124
Aldwych. WC2 —7A 38
Aldwych Av. Ilf —8B 110
Aldwych Clo. Horn —4E 128
Alectus Way. Wthm —7A 214
Alefounder Clo. Colc —9E 168
Alexander La. Hut & Shenf
—5L 99 (7F 33)
Alexander M. S'don —8L 75
Alexander Rd. Bas —3K 133
(in two parts)
Alexander Rd. Brain —4G 193
Alexandra Av. W Mer —3L 213
Alexandra Clo. Grays —9D 148
Alexandra Ct. Sth S —7L 139
(Alexandra Rd.)
Alexandra Ct. Sth S —5L 139
(Baxter Av.)
Alexandra Dri. W'hoe —3J 177
Alexandra Pal. Way. N8 —3A 38
Alexandra Pk. Rd. N22 —2A 38
Alexandra Rd. E10 —5C 124
Alexandra Rd. E18 —7H 109
Alexandra Rd. Ben —4D 136
Alexandra Rd. Brtwd —9F 98
Alexandra Rd. Bur C —3L 195
Alexandra Rd. Chad H —1K 127
Alexandra Rd. Clac S —1J 191
Alexandra Rd. Colc —9M 167
Alexandra Rd. Eri —4D 154
Alexandra Rd. Gt W —3L 141
Alexandra Rd. Har —2M 201
Alexandra Rd. Lgh S —6D 138
Alexandra Rd. Rain —1D 144
Alexandra Rd. Ray —4L 121
Alexandra Rd. R'fd —9H 107
Alexandra Rd. Romf —1D 128
Alexandra Rd. Sib H —6B 206 (1D 14)
Alexandra Rd. Sth S —7L 139
Alexandra Rd. Til —7B 158
Alexandra Rd. Wee —5D 180
Alexandra St. Har —2M 201
Alexandra St. Sth S —7M 139 (5K 43)
Alexandra Ter. Colc —9M 167
Alexandra Way. Til —2K 159
Alexandria Dri. Ray —3G 121
Alfells Rd. Elms —1M 177
Alford Rd. Eri —3A 154
Alfreda Av. Hull —5K 105
Alfred Gdns. W'fd —7L 103
Alfred Prior Ho. E12 —6N 125
Alfred Rd. E15 —7F 124
Alfred Rd. Ave —8N 145
Alfred Rd. Brtwd —8G 98
Alfred Rd. Buck H —8K 93
Alfred's Gdns. Bark —2D 142
Alfred St. Grays —4M 157
Alfreds Way. Bark —3A 142 (6H 39)
Alfred's Way Ind. Est. Bark —2F 142
Alfred Ter. W on N —6M 183
Alfreg Rd. Wthm —7A 214
Algars Way. S Fer —9K 91
Algers Clo. Lou —4K 93
Algers Rd. Lou —4K 93
Alghers Mead. Lou —4K 93
Alibon Gdns. Dag —7M 127
Alibon Rd. Dag —7L 127
Alice Burrell Cen. E10 —4C 124
(off Sidmouth Rd.)
Alicia Av. W'fd —9A 104
Alicia Clo. W'fd —9A 104
Alicia Wlk. W'fd —8A 104
Alicia Way. W'fd —9A 104
Alienor Av. Gt Bar —3J 13
Alkerden La. Grnh & Swans —3E 48
Allandale. Ben —8G 120
Allandale Rd. Horn —2D 128
Allanson Ct. E10 —4A 124
(off Leyton Grange Est.)
Allenby Cres. Grays —3L 157
Allenby Dri. Horn —3J 129
Allen Ct. E17 —1A 124
(off Yunus Khan Clo.)
Allendale Dri. Cop —2M 173
Allen Rd. Rain —3G 145
Allens Clo. Bore —2G 62
Allen's Green. —3H 21
Allens Rd. Rams H —3C 102
Allensway. Stan H —2A 150
Allen Way. St O —4K 27
Allerton Clo. R'fd —1H 123
Alley Dock. Lgh S —6C 138
Alleyndale Rd. Dag —4H 127
Alleyne Way. Jay —4E 190
Alleyn Pk. SE21 —4B 46
Alleyn Pl. Wclf S —5J 139
Allfields. Dov —5H 201
Allington Ct. Bill —9L 101
Allison Clo. Wal A —2G 78
Alliston Way. Stan H —2A 150
Allmains Clo. Naze —4H 65
Allnutts Rd. Epp —3F 80
Alloa Rd. Ilf —4F 126
All Saints Av. Colc —2H 175
All Saints Church. —5J 203 (1H 35)
All Saints Clo. Chelm —7N 61
All Saints Clo. Chig —9G 94
All Saints Clo. Dodd —6E 84
All Saints Tower. E10 —2B 124
Alma Av. E4 —4C 108
Alma Av. Horn —6J 129
Alma Clo. Ben —4M 137
Alma Clo. W'fd —1H 119
Alma Dri. Chelm —9H 61
Alma Rd. Ben —4N 137
Alma Rd. Enf —7C 30
Alma Rd. Sidc —4J 47
Alma Sq. Mann —4J 165
Alma St. E15 —8D 124
Alma St. W'hoe —6H 177
Almere. Ben —2D 136
Almhouse Green. —2C 14
Almond Av. Hull —4L 105
Almond Av. W'fd —9K 103
Almond Clo. Clac S —1G 190
Almond Clo. Grays —1C 158
Almond Clo. Tip —5C 212
Almond Clo. W'hoe —4J 177
Almonds Av. Buck H —8G 93
Almond Wlk. Can I —1F 152
Almond Way. Colc —7E 168
Almshouses. Lou —9M 79
Alnwick Clo. Lain —1H 133
Alp Ct. Gt W —3L 141
Alpha Clo. Bas —9N 119
Alpha Clo. Brain —6J 193
Alpha Ct. Hod —4A 54
Alphamstone. —1J 15
Alphamstone Rd. Lmsh —1K 15
Alpha Pl. Saf W —4L 205
Alpha Rd. E4 —9A 92
Alpha Rd. Bas —9N 119
Alpha Rd. Bur C —3M 195
Alpha Rd. Hut —5N 99
Alpha Rd. St O —4K 27
Alpheton. —1K 9
Alport Av. Colc —2K 175
Alracks. Bas —9N 117
Alresford. —6A 178 (1J 27)
Alresford Grn. W'fd —1M 119
Alresford Rd. W'hoe —7H 17
Alsa Bus. Pk. Stans —5A 12
Alsa Gdns. Else —7C 196
Alsa Leys. Else —7C 196
Alsa St. Stans —5A 12
Altar Pl. Lain —8L 117
Altbarn Clo. H'wds —2C 168
Altbarn Rd. Colc —1D 176
Altham Gro. H'low —1E 56
Althorne. —5A 36
Althorne Clo. Bas —6J 119
Althorne Gdns. E18 —8F 108
Althorne Way. Cwdn —1N 107
Althorne Way. Dag —4M 127
Althorpe Clo. Hock —1C 122
Altmore Av. E6 —9M 125
Alton Dri. Colc —9J 167
Alton Gdns. Sth S —1K 139
Alton La. Stut —1C 18
Alton Pk. Rd. Clac S —2H 191 (4D 28)
Alton Pk. Rd. Jay —3E 190
Alton Rd. Clac S —2J 191
Aluf Clo. Wthm —7B 214
Aluric Clo. Grays —2D 158
Alverstoke Rd. Romf —4J 113
Alverstone Rd. E12 —6N 125
Alverton Clo. Bla N —1B 198
Alverton Way. H'wds —4B 168
Alvis Av. Jay —6C 190
Alwen Gro. S Ock —6E 146
Alwyne Av. Shenf —5K 99
Alyssum Clo. Chelm —5B 62
Alyssum Wlk. Bill —3H 101
Alyssum Wlk. Colc —8D 168
Amanda Clo. Chig —3C 110
Amarells Rd. Wee H —1G 187
Amberden. Bas —1M 133
Amberley Clo. W'hoe —5K 177
Amberley Rd. E10 —2A 124
Amberley Rd. Buck H —7J 93
Amberley Way. Romf —8N 111
Amberry Ct. H'low —2C 56
(off Netteswell Dri.)
Amber St. E15 —9D 124
Ambleside. Epp —1F 80
Ambleside Av. SW16 —5A 46
Ambleside Av. Beck —7D 46
Ambleside Av. Horn —7F 128
Ambleside Clo. E10 —2B 124
Ambleside Dri. Sth S —6A 140
Ambleside Gdns. Hull —6K 105
Ambleside Wlk. Can I —1F 152
Ambridge Rd. Cogg —6H 195 (7G 15)
Ambrose Av. Colc —2G 174
Ambrose Clo. Cray —9D 154
Ambrose Ct. Cop —2M 173
Ameland Rd. Can I —8G 136
Amelia Blackwell Ho. Can I —2E 152
(off Link Rd.)
America Rd. E Col —5H 15
America St. Mal —6K 203
Amersham Av. Bas —1H 133
Amersham Clo. Romf —3K 113
Amersham Dri. Romf —3J 113
Amersham Rd. Romf —3J 113
Amersham Wlk. Romf —3K 113
Amery Gdns. Romf —7H 113
Amesbury. Wal A —2G 78
Amesbury Clo. Epp —1E 80
Amesbury Dri. E4 —5B 92
Amesbury Rd. Dag —9J 127
Amesbury Rd. Epp —1E 80
Amethyst Rd. E15 —6D 124
Amhurst Pk. N16 —4B 38
Amhurst Rd. N16 & E8 —5B 38
Amhurst Wlk. SE28 —8F 142
Amidas Gdns. Dag —6G 127
Amid Rd. Can I —9J 137
Amies Ct. Colc —1A 176
Amity Rd. E15 —9F 124
Amos Hill. Gt Hen —7H 9
Amoss Rd. Chelm —2G 75
Ampers End. Bas —1E 134
Ampleforth Rd. SE2 —9G 143
Ampthill Ho. H Hill —2H 113
(off Montgomery Cres.)
Amwell Ct. Hod —4A 54
Amwell Ct. Wal A —3F 78
Amwell End. Ware —4C 20
Amwell Hill. Gt Amw —5D 20
Amwell La. Stan A —5D 20
Amwell St. EC1 —6A 38
Amwell St. Hod —4A 54 (7D 20)
Amwell View. Ilf —2G 110
Ancels La. Shalf —4B 14
Anchorage, The. Gt W —3M 141
Anchor Bay Ind. Est. Eri —4E 154
Anchor Boulevd. Dart —9N 155
Anchor Ct. Eri —5D 154
Anchor Dri. Rain —3F 144
Anchor End. Mis —4M 165
Anchor Hill. W'hoe —7H 177
Anchor La. Abb R —6C 22
Anchor La. Cwdn —2M 107 (7K 35)
Anchor La. H'bri —3K 203
Anchor La. Mis —4M 165
Anchor La. Wad —3B 20
Anchor Reach. S Fer —3L 105
Anchor Rd. Clac S —1H 191
Anchor Rd. Tip —6C 212
Anchor St. Chelm —1C 74
Anders Fall. Lgh S —9F 122
Anderson Av. Chelm —6H 61
Anderson Clo. Man —5K 11
Anderson Ho. Bark —2C 142
Anderson Rd. Wfd G —7K 109
Andersons. Stan H —3A 150
Anderson's La. Gt Hor —3F 11
Anderson Way. Belv —9N 143
Andover Clo. Clac S —7L 187
Andrea Av. Grays —9K 147
Andrew Clo. Brain —3H 193
Andrew Clo. Ilf —3C 110
Andrew Clo. Stan H —1M 149
Andrew Pl. Saf W —2L 205
Andrews Clo. Buck H —8J 93
Andrews Farm La. Gt Eas —6G 13
Andrewsfield Airstrip. —6K 13
Andrew's La. Chesh —3B 30
Andrews Pl. Chelm —9H 61
Andromeda Ct. H Hill —4G 113
Andwell Clo. SE2 —9G 143
Andyk Rd. Can I —2L 153
Anemone Ct. Colc —5K 167
Anerley. —6C 46
Anerley Hill. SE19 —5B 46
Anerley Rd. SE19 & SE19 —5C 46
Anerley Rd. Wclf S —6J 139
Angel. (Junct.) —6A 38
Angel Clo. Bas —3E 134
Angel Ct. Colc —8N 167
Angel Edmonton. (Junct.) —1C 38
Angel Ga. Har —1N 201
Angel La. E15 —8D 124 (5E 38)
Angel La. D'mw —8L 197
Angel Rd. N18 —1C 38
Angel Way. Romf —9C 112
Anglefield. Clac S —2K 191
Angle Grn. Dag —3H 127
Angle Rd. Grays —4G 156
Anglesea Rd. W'hoe —6J 177
Anglesey Dri. Rain —4E 144
Anglesey Gdns. W'fd —2N 119
Angle Side. Brain —6K 193
Anglia Clo. Colc —3J 175
Anglian Ind. Est. Bark —4E 142
Anglian Rd. E11 —5D 124
Anglia Way. Brain —6K 193
Angmering Ho. H Hill —2H 113
(off Barnstaple Rd.)
Annabel Av. Ors —6F 148
Annalee Gdns. S Ock —5E 146
Annalee Rd. S Ock —5E 146
Anna Neagle Clo. E7 —6G 125
Annan Way. Romf —5C 112
Ann Coles Clo. Stpl B —3D 210
Anne Boleyn Dri. R'fd —8L 123
Anne Clo. B'sea —7E 184
Anne Nastri Ct. Romf —9F 112
(off Heath Pk. Rd.)
Anne Way. Ilf —3B 110
Annie Taylor Ho. E12 —6N 125
(off Walton Rd.)
Annifer Way. S Ock —5E 146
Ansgar Rd. Saf W —6L 205
Anso Corner. —7G 7
Anson Chase. Shoe —6J 141
Anson Clo. Dov —5J 201
Anson Clo. Romf —6N 111
Anson Clo. S Fer —2M 105
Anson Way. Brain —4L 193
Anso Rd. Hpstd —7G 7
Anstead Dri. Rain —2E 144
Anstey. —2F 11
Anstey Castle. —2F 11
Anstey Clo. Lgh S —8C 122
Antelope Av. Grays —1K 157
Anthony Clo. Bill —1M 117
Anthony Clo. Can I —9H 137
Anthony Clo. Colc —4D 168
Anthony Dri. Stan H —1N 149
Antlers. Can I —3F 152
Antlers Hill. E4 —4B 92
Antonio Wlk. Colc —8F 168
Antonius Way. Colc —1B 168
Anton Rd. S Ock —5E 146
Antrim Rd. Shoe —7H 141
Anvil Way. Bill —3K 101
Anvil Way. Spri —3N 61
Anworth Clo. Wfd G —3H 109
Anzio Cres. Colc —4K 175
Apeldoorn. Ben —8B 120
Aperfield Rd. Eri —4D 154
Apollo Clo. Horn —4F 128
Apollo M. Colc —5K 175
Apollo Pl. E11 —5E 124
Appleby Clo. E4 —3C 108
Appleby Dri. Lain —1H 133
Appleby Dri. Romf —2G 112
Appleby Grn. Romf —2G 112
Appleby St. Chesh —2B 30
Apple Ct. Chelm —9H 61
Appledene Clo. Ray —3K 121
Appledore. Shoe —5G 141
Appledore Av. Bexh —6A 154
Appledore Clo. Romf —5G 113
Appleford Ct. Bas —9K 119
Applegarth Dri. Ilf —8E 110
Applegarth Ho. Eri —7D 154
Applegarth Rd. SE28 —8G 143
Apple Ga. Brtwd —4C 98
Apple Rd. E11 —5E 124
Applerow. Lgh S —9E 122
Appleton Clo. H'low —4B 56
Appleton Rd. Ben —3B 136
Appleton Rd. Lou —2A 94
Appleton Way. Horn —3H 129
Apple Tree Clo. Dodd —8G 84
Appletree Clo. Sth S —3C 140
Appletree Clo. Tye G —3F 194
Apple Tree Cres. Dodd —8F 84
Appletree Wlk. Brain —7J 193
Apple Tree Way. W'fd —8N 103
Apple Way. Writ —2K 73
Appleyard Av. Hock —8D 106
Appold St. Eri —4D 154
Approach Rd. Can I —2M 153
Approach Rd. Cray H —2E 118
Approach, The. Jay —4E 190
Approach, The. Ray —4J 121
Approach, The. Upm —5M 129
April Pl. Saw —1L 53
Apton Hall Rd. Cwdn —1M 123 (1K 43)
Apton Rd. Bis S —1K 21
Arabia Clo. E4 —6D 92
Araglen Av. S Ock —5E 146
Aragon Clo. Jay —4D 190
Aragon Clo. Lou —5L 93
Aragon Clo. Romf —3N 111
Aragon Clo. Sth S —2K 139
Aragon Dri. Ilf —4B 110
Aragon Rd. Gt L —1M 59
Arakan Clo. Colc —5J 175
Arandora Cres. Romf —2G 126
Arbor Rd. E4 —9D 92
Arbour Clo. War —2F 114
Arbour La. Chelm —7M 61 (1A 34)
Arbour La. W Bis —7K 213 (5H 25)
Arbour Way. Colc —4C 168
Arbour Way. Horn —7F 128
Arbuthnot La. Bex —3K 47
Arbutus Clo. Chelm —4C 74
Arcade Pl. Romf —9C 112
Arcade, The. E17 —8A 108
Arcade, The. Bark —9B 126
Arcade, The. Romf —2H 113
(off Farnham Rd.)
Arcade, The. W'fd —8L 103
Arcadian Gdns. Ben —2J 137
Arcadia Rd. Bur C —3M 195
Arcadia Rd. Can I —2K 153
Arcadia Rd. Grav —6G 49
Arcany Rd. S Ock —4E 146
Archates Av. Grays —1K 157
Archer Av. Sth S —3B 140
Archer Clo. Sth S —3C 140
Archer Rd. Bas —7K 117
Archers. H'low —8A 56
Archers Clo. Bill —8J 101
Archers Ct. S Ock —5E 146
Archers Fields. Bas —6J 119
Archers Way. Chelm —8D 74
Archery Fields. Clac S —8L 187
Archibald Rd. E10 —3B 126
Archibald Rd. Romf —5L 113
Archibald Ter. Bas —8K 117
Archway. (Junct.) —4A 38
Archway. Romf —3F 112
Archway Rd. N6 & N19 —4A 38
Ardeley. —5A 10
Arden Clo. Colc —4C 168
Arden Cres. Dag —9H 127
Arden M. E17 —9B 108
Arderne Clo. Har —5H 201
Ardleigh. —8L 163 (4H 17)
Ardleigh. Bas —1N 133
Ardleigh Clo. Horn —7H 113
Ardleigh Ct. A'lgh —8L 163
Ardleigh Ct. Shenf —6J 99
Ardleigh Gdns. Hut —5A 100
Ardleigh Green. —8H 113 (3B 40)
Ardleigh Grn. Rd. Horn —9H 113 (3B 40)
Ardleigh Heath. —7K 163 (3H 17)
Ardleigh Ho. Bark —1B 142
Ardleigh M. Ilf —5A 126
Ardleigh Rd. A'lgh —3A 170 (5J 17)
Ardleigh Rd. Ded —4K 163 (3H 17)
Ardleigh Rd. L Bro —1C 170 (4J 17)
Ardley Cres. Hat H —3D 202
Ardley End. —4D 202 (4B 22)
Ardley Way. Ray —3K 121
Ardmore La. Buck H —6H 93
Ardmore Pl. Buck H —6H 93
Ardmore Rd. S Ock —4E 146
Ardwell Av. Ilf —9B 110
Arewater Green. —9N 79
Argent Ct. Lain —8H 117
Argent St. Grays —4H 157 (2F 49)
Argus Clo. Romf —5N 111
Argyle Ct. K'dn —8C 202
Argyle Gdns. Upm —4A 130
Argyle Rd. E15 —6E 124
Argyle Rd. Bur C —4N 195
Argyle Rd. Ilf —4N 125
Argyle Rd. T Sok —4K 181
Argyll Ho. Wclf S —7J 139
Argyll Rd. Chelm —6B 62
Argyll Rd. Grays —3K 157
Argyll Rd. Wclf S —6J 139
Ariel Clo. Colc —8E 168
Arisdale Av. S Ock —5E 146 (6E 40)
Arjan Way. Can I —2C 152
Ark Av. Grays —1K 157
Arkesden. —1K 11
Ark La. R'fd —6E 122
Arkwright Rd. Til —7C 158
Arkwrights. H'low —2E 56
Arlington Gdns. Ilf —3N 125
Arlington Gdns. Romf —5J 113
Arlington M. Wal A —3C 78
(off Sun St.)
Arlington Rd. Sth S —5C 140
Arlington Rd. Wfd G —4G 109
Arlington Way. Bill —3H 101
Armada Clo. Lain —1M 133
Armada Ct. Grays —2K 157
Armadale. Can I —9F 136
Armada Way. E6 —7A 142
Armagh Rd. Shoe —7H 141
Armath Pl. Lang H —3H 133
Armidale Wlk. Colc —4A 176
Armigers. —4E 12
Armiger Way. Wthm —5E 214
Armitage Rd. Sth S —5E 140
Armonde Clo. Bore —3F 62
Armond Rd. Wthm —5B 214
Armor Rd. Purf —2A 156
Armoury Rd. W Ber —3G 166
Armstead Wlk. Dag —9M 127
Armstrong Av. Wfd G —3E 108
Armstrong Clo. Dag —2J 127
Armstrong Clo. Dan —2F 76
Armstrong Clo. Stan H —3N 149
Armstrong Rd. Ben —8D 120
Armstrong Way. Gt Yel —7D 198
Army & Navy Flyover. Chelm —1D 74
Arncroft Ct. Bark —3G 143
Arne Clo. Stan H —2M 149
Arne Ct. Bas —7L 117
Arne M. Bas —7L 117
(off Basildon Dri.)
Arneways Av. Romf —7J 111
Arnheim Rd. Bur C —4M 195
Arnhem Av. Ave —8N 145
Arnhem Gro. Brain —3G 193
Arnhem Rd. Chelm —5G 61
Arnold Av. Bas —1J 133

Arnold Av.—Badlow Clo.

Arnold Av. Sth S —7A 140
Arnold Av. E. Enf —8A 78
Arnold Dri. Colc —9E 168
Arnold Pl. Til —6E 158
Arnold Rd. Clac S —2H 191 (4D 28)
Arnold Rd. Dag —9L 127
Arnolds Av. Hut —4M 99
Arnolds Clo. Hut —4M 99
Arnolds Farm La. Mount —2A 100 (6G 33)
Arnold's La. S at H —5C 48
Arnolds Way. R'fd —9J 107
Arnold Vs. Tip —5C 212
Arnold Way. Chelm —7D 74
Arnott Clo. SE28 —8H 143
Arnsberg Way. Bexh —3K 47
Arnstones Clo. Colc —7C 168
Arran Clo. Eri —4B 154
Arran Ct. W'fd —2N 119
Arran Dri. E12 —3K 125
Arras Rd. Colc —3L 175
Arrington. —1B 4
Arrowhead Ct. E11 —1D 124
Arrow Rd. Colc —8F 168
Arrowsmith Clo. Chig —2E 110
Arrowsmith Path. Chig —2E 110
Arrowsmith Rd. Chig —2D 110
Arsenal F.C. —5B 38
Arterial Av. Rain —4F 144
Arterial Rd. N Stif —9G 146 (1E 48)
Arterial Rd. Purf —1L 155 (1C 48)
Arterial Rd. Stan H —2L 149 (6K 41)
Arterial Rd. W Thur —1C 156 (1E 48)
Arteris Rd. Wfd G —4H 109
Artesian Clo. Horn —1D 128
Artesian Wlk. E11 —5E 124
Arthur Barnes Ct. Grays —1E 158
Arthur Ct. Chelm —6H 61
Arthur Rd. Romf —1H 127
Arthur St. Colc —9N 167
Arthur St. Eri —5D 154
Arthur St. Grays —4M 157
Arthur Toft Ho. Grays —4L 157
(off New Rd.)
Arthy Clo. Hat P —2L 63
Artillery Barracks Folley. Colc —9M 167
Artillery Clo. Ilf —1B 126
Artillery Ho. E15 —8E 124
Artillery Pl. SE18 —1G 47
Artillery Rd. Colc —3L 175
Artillery St. Colc —9B 168
Artisan Clo. E6 —7A 142
Artisans Dwellings. Saf W —4L 205
(off New Rd.)
Arun. E Til —2L 159
Arun Clo. Chelm —6L 61
Arundel Clo. E15 —6E 124
Arundel Clo. Bill —2L 101
Arundel Dri. Corr —1B 150
Arundel Dri. Wfd G —4G 109
Arundel Gdns. Ilf —4F 126
Arundel Gdns. Ray —2H 121
Arundel Gdns. Wclf S —3F 138
Arundel M. Bill —2L 101
Arundel Rd. Ben —8B 120
Arundel Rd. Dart —9G 155
Arundel Rd. R'fd —7H 107
Arundel Rd. Romf —4K 113
Arundel Rd. W'fd —7K 103
Arundel Way. Bill —2L 101
Arun Rd. Lou —4N 93
Arwen Gro. S Fer —2J 105
Asbury Clo. Colc —7D 168
Ascension Rd. Romf —3A 112
Ascham Dri. E4 —4B 108
Ascot Clo. Ben —8H 121
Ascot Clo. Bis S —9B 208
Ascot Clo. Ilf —3D 110
Ascot Gdns. Horn —6J 129
Ascot M. S'min —7M 207
Ashanti Clo. Shoe —6K 141
Ashbeam Clo. Gt War —3F 114
Ashbourne Av. E18 —8H 109
Ashbourne Rd. Romf —1G 113
Ashbridge Rd. E11 —2E 124
Ashbrook Rd. Dag —5N 127
Ash Bungalows. Brain —5G 192
Ashburnham Gdns. Upm —3M 129
Ashburnham Rd. Belv —2A 154
Ashburnham Rd. Sth S —6L 139
Ashburton Av. Ilf —7D 126
Ashburton Rd. Croy —7C 46
Ashbury Dri. M Tey —3H 173
Ashbury Gdns. Romf —9J 111
Ashby Clo. Horn —3L 129
Ashby Clo. Ors —6G 148
Ashby Rise. Bis S —8A 208
Ashby Rd. Wthm —8D 214
Ash Clo. B'sea —6D 184
Ash Clo. Clac S —1G 190
Ash Clo. Hat P —2L 63
Ash Clo. Pil H —4C 98
Ash Clo. Romf —4N 111
Ashcombe. R'fd —4J 123
Ashcombe Clo. Lgh S —9A 122
Ashcombe Way. Ray —5M 121
Ash Ct. Shoe —8K 141
Ashdene Clo. Hull —6L 105
Ashdon. —4E 6
Ashdon Clo. Hut —5M 99
Ashdon Clo. S Ock —6E 146
Ashdon Clo. Wfd G —3H 109
Ashdon Rd. A'dn —6F 7
Ashdon Rd. Saf W —3L 205 (6C 6)
Ashdon Rd. Commercial Cen. Saf W —2N 205
Ashdon Way. Bas —1B 134 (3A 42)
Ashdown Clo. Corr —9A 134
Ashdown Cres. Ben —2L 137
Ashdown Est. E11 —6D 124
Ashdown Wlk. Romf —5N 111
Ashdown Way. Colc —8D 168
Asheldham. —4D 36
Ashen. —4C 8
Ashen Clo. Ashen —4C 8
Ashendene Rd. B'frd —1A 30
Ashen Hill. Ashen —4C 8
Ashen La. Stoke C —4C 8
Ashen Rd. Clare —3D 8
Ashen Rd. Ovgtn —4D 8
Ashen Rd. Ridg —5B 8
Ashes Clo. W on N —6J 183
Ashes Rd. Cres —1F 194 (1E 24)
Ash Fall. Wthm —2C 214
Ashfield. Ray —4F 120
Ashfield Farm Rd. Ult —7F 25
Ashfield La. Chst —5H 47
(in three parts)
Ashfields. Lou —1M 93
Ashfields. Pits —8K 119
Ashford Av. Brtwd —9E 98
Ashford Ct. Grays —3N 157
Ashford Rd. E6 —9N 125
Ashford Rd. E18 —6H 109
Ashford Rd. Chelm —9G 61
Ash Grn. Bill —6M 101
Ash Grn. Cwdn —2M 107
Ash Grn. Gt Che —4L 197
Ash Gro. Bur C —2L 195
Ash Gro. Chelm —3D 74
Ash Gro. Colc —6A 176
Ash Gro. D'mw —9L 197
Ash Gro. Gt Bro —9F 170
Ash Gro. Mal —2M 203
Ash Gro. W'hoe —3J 177
Ashgrove Rd. Brom —5E 46
Ashgrove Rd. Ilf —3E 126
Ash Groves. Saw —2M 53
Ash Ind. Est. H'low —4M 55
Ashingdale Clo. Can I —3H 153
Ashingdon. —9H 107 (1J 43)
Ashingdon Clo. E4 —9C 92
Ashingdon Rd. R'fd —7G 106 (1J 43)
Ashlands Ct. Til —2L 159
Ash La. Horn —8L 113
Ash La. Romf —3E 112
Ashleigh Clo. Can I —8G 136
Ashleigh Ct. Can I —8G 136
Ashleigh Ct. Hod —6A 54
Ashleigh Ct. Wal A —4G 79
Ashleigh Dri. Lgh S —6E 138
Ashleigh Gdns. Upm —5A 130
Ashley Av. Ilf —6A 110
Ashley Clo. Corr —1B 150
Ashley Gdns. Colc —9K 167
Ashley Gdns. Grays —8M 147
Ashley Grn. E Han —2B 90
Ashley Gro. Lou —2L 93
Ashley Rd. E4 —3A 108
Ashley Rd. E7 —9J 125
Ashley Rd. Har —4J 201
Ashlin Rd. E15 —6D 124
Ashlong Gro. H'std —3K 199
Ashlyn Gro. Horn —7H 113
Ashlyns. Bas —8H 119
Ashlyns. Pits —3B 42
Ashlyns La. Ong —1D 68 (1A 32)
Ashlyns Rd. Epp —9E 66
Ashlyns Rd. Frin S —2G 29
Ashmans Row. S Fer —2K 105
Ashmeads. Lou —2M 93
Ashmole Dri. Kir X —8J 183
Ashmour Gdns. Romf —6B 112
Ashpole Rd. Brain —5D 14
Ash Rise. H'std —6L 199
Ash Rd. E15 —7E 124
Ash Rd. Alr —6A 178
Ash Rd. Ben —4L 137
Ash Rd. Can I —2J 153
Ash Rd. Hart & Sev —6F 49
Ashtead Clo. Clac S —7F 186
Ashton Gdns. Romf —1K 127
Ashton Pl. Chelm —8B 62
Ashton Rd. E15 —7D 124
Ashton Rd. H Hill —4H 113
Ash Tree Clo. Chelm —9H 61
Ash Tree Ct. Stam —2K 43
Ashtree Ct. Wal A —4G 79
(off Horseshoe Clo.)
Ash Tree Cres. Chelm —9H 61
Ash Tree Field. H'low —1N 55
Ash Tree Wlk. Bas —1G 134
Ashurst Av. Sth S —5D 140
Ashurst Clo. Dart —8D 154
Ashurst Clo. Rhdge —6F 176
Ashurst Dri. Chelm —4M 61
Ashurst Dri. Ilf —1A 126
Ashvale Dri. Upm —4B 130
Ashvale Gdns. Romf —2B 112
Ashvale Gdns. Upm —4B 130
Ashville Rd. E11 —4D 124
Ash Wlk. Sth S —7N 139
Ash Wlk. S Ock —3G 147
Ash Way. Colc —3G 175
Ashway. Corr —9C 134
Ash Way. Hock —8D 106
Ashwells Meadow. E Col —3C 196
Ashwells Rd. Pil H —2A 98 (6D 32)
Ashwin Av. Cop —2M 173
Ashwood Av. Rain —4F 144
Ashwood Clo. Bur C —1L 195
Ashwood Rd. E4 —9D 92
Ashworth Pl. H'low —3J 57
Ashworths. Can I —8G 136
Ashworths. R'fd —1H 123
Ashylyn's Rd. Frin S —1H 189
Askews Farm La. Grays —3H 157
Askwith Rd. Rain —3B 144
Aspen Clo. Can I —1E 152
Aspen Ct. Lain —6L 117
Aspenden. —4D 10
Aspenden Rd. Bunt —4D 10
Aspen Gro. Upm —6L 129
Aspens, The. Bis S —7A 208
Aspens, The. Wal A —5J 79
(off Woodbine Clo.)
Aspen Way. E14 —7D 38
Aspen Way. Colc —7D 168
Aspen Way. L Oak —8D 200
Aspin M. Saf W —2L 205
Asquith Av. Ben —9H 121
Asquith Clo. Dag —3H 127
Asquith Dri. H'wds —2C 168
Asquith Gdns. Ben —8J 121
Assandune Clo. R'fd —9J 107
Astell Ct. Frin S —1J 189
Aster Clo. Clac S —9G 186
Aster Ct. Chelm —5A 62
Asthall Gdns. Ilf —8B 110
Astins Ho. E17 —8B 108
Astley. Grays —4J 157
Astley Rd. Clac S —1H 191
Aston Ct. Wfd G —3G 108
Aston M. Romf —2H 127
Aston Rd. Bas —9K 117
Astor Av. Romf —1A 128
Astra Clo. Horn —8F 128
Atcost Rd. Bark —5F 142
Athelstan Clo. Romf —6K 113
Athelstan Gdns. W'fd —7L 103
Athelstan Rd. Colc —1K 175
Athelstan Rd. Romf —5K 113
Atherstone Clo. Can I —3J 153
Atherstone Rd. Can I —3J 153
Atherton End. Saw —1K 53
Atherton Gdns. Grays —2E 158
Atherton Ho. H Hill —4J 113
(off Leyburn Cres.)
Atherton M. E7 —8F 124
Atherton Rd. E7 —8F 124
Atherton Rd. Ilf —6L 109
Athlone Ct. E17 —7D 108
Athol Clo. Can I —3M 153
Atholl Rd. Chelm —6A 62
Atholl Rd. Ilf —2F 126
Athol Rd. Eri —3A 154
Athos Rd. Can I —9J 137
Atkinson Ct. E10 —2B 124
(off Kings Clo.)
Atkins Rd. E10 —1B 124
Atkins Rd. SW12 —4A 46
Atlanta Boulevd. Romf —1C 128
Atlantic Sq. Wthm —4D 214
Atlas Ct. E Col —2B 196
Atlas Rd. Dart —8K 155
Atlas Rd. E Col —2A 196
Atlas Wharf. E9 —8A 124
Atridge Chase. Bill —4J 101
Attlee Ct. Grays —1K 157
Attlee Gdns. Colc —9A 168
Attlee Rd. SE28 —7G 143
Attlee Ter. E17 —8B 108
Attwood Clo. H'wds —2B 168
Attwoods Clo. Chelm —7C 74
Atwell Clo. E10 —1B 124
Aubretia Clo. H Wood —5J 113
Aubrey Buxton Nature Reserve. —8A 196 (5B 12)
Aubrey Clo. Chelm —4K 61
Aubrey Rd. E17 —7A 108
Auckland Av. Rain —3D 144
Auckland Clo. Chelm —6G 60
Auckland Clo. Til —7C 158
Auckland Rd. E10 —5B 124
Auckland Rd. SE25 —6B 46
Auckland Rd. Ilf —3A 126
Audleigh Pl. Chig —3N 109
Audley Ct. E18 —8F 108
Audley Ct. Saf W —4K 205
Audley End. —5H 205 (7B 6)
Audley End. —6B 6
Audley End Rd. A End —4H 205 (6B 6)
Audley Gdns. Ilf —4E 126
Audley Gdns. Lou —1B 94
(in two parts)
Audley Gdns. Wal A —4C 78
Audley Rd. Colc —1K 175
Audley Rd. Gt L —1M 59
Audley Rd. Saf W —4K 205 (6B 6)
Audleys Clo. Sth S —1K 139
Audley Way. Bas —9B 118
Audley Way. Frin S —8K 183
Audrey Rd. Ilf —5A 126
Audries Est. W on N —6K 183
Augustine Way. Bick —8F 76
Augustus Clo. Colc —1B 168
Augustus Way. Wthm —7B 214
Aukingford Gdns. Ong —5K 69
Aukingford Grn. Ong —6K 69
Auriel Av. Dag —8B 128
Aurum Ct. Lain —8H 117
Austen Clo. SE28 —8G 143
Austen Clo. Brain —8J 193
Austen Clo. Lou —2C 94
Austen Clo. Til —7E 158
Austen Gdns. Dart —9K 155
Austin Av. Jay —6C 190
Austral Dri. Horn —2H 129
Austral Way. Alth —5A 36
Auton Croft. Saf W —7K 205
Autoway. Colc —2C 168
Autumn Clo. Clac S —8G 186
Avebury Rd. E11 —3D 124
Avebury Rd. Wclf S —5K 139
Aveley. —8N 145 (7C 40)
Aveley By-Pass. S Ock —7N 145 (7D 40)
Aveley Clo. Ave —8A 146
Aveley Clo. Eri —4D 154
Aveley La. Alp —1J 9
Aveley Mans. Bark —9A 126
(off Whiting Av.)
Aveley Rd. Romf —8B 112
Aveley Rd. Upm —8M 129 (5C 40)
Aveley Way. Mal —8J 203
Aveline Rd. A'lgh —9L 163
Aveling Pk. Rd. E17 —6A 108
Avelon Rd. Rain —1E 144
Avelon Rd. Romf —3B 112
Avenue Clo. Romf —4K 113
Avenue Ga. Lou —5J 93
Avenue Ind. Est. Romf —6H 113
Avenue Lodge. Grays —3M 157
Avenue Rd. E7 —6H 125
Avenue Rd. N14 —7A 30
Avenue Rd. Belv —2A 154
Avenue Rd. Ben —3E 136
Avenue Rd. Bexh —3K 47
Avenue Rd. Chad H —2H 127
Avenue Rd. Chelm —3E 74
Avenue Rd. Eri —5A 154
(in three parts)
Avenue Rd. H Wood —4K 113
Avenue Rd. Hod —7D 54
Avenue Rd. Ing —6C 86
Avenue Rd. Lgh S —6D 138
Avenue Rd. Stan H —6B 134
Avenue Rd. They B —6C 80
Avenue Rd. War —1F 114
Avenue Rd. Wclf S —6L 139
Avenue Rd. Wthm —4D 214 (4G 25)
Avenue Rd. Wfd G —3J 109
Avenue Ter. Wclf S —6K 139
Avenue, The. E4 —1E 108 (2E 38)
Avenue, The. E11 —9H 109
Avenue, The. Bas —6H 119
Avenue, The. Ben —3L 137
Avenue, The. Bill —6H 101
Avenue, The. Brain —5H 193
Avenue, The. Brtwd —2K 115 (2F 41)
Avenue, The. Buck H —8J 93
Avenue, The. Can I —3H 153
Avenue, The. Clac S —7M 187
Avenue, The. Colc —9K 167
Avenue, The. Dan —3F 76
Avenue, The. D'mw —8M 197
Avenue, The. E Col —3D 196
Avenue, The. Fob —9E 134
Avenue, The. Gt Oak —5E 18
Avenue, The. Grnh —9E 156 (3E 48)
Avenue, The. Hod —7A 54
Avenue, The. Horn —4G 129
Avenue, The. Hull —5K 105
Avenue, The. Kel H —9B 84
Avenue, The. Lou —5L 93
Avenue, The. Naze —4J 65
Avenue, The. N Fam —1F 106 (6H 35)
Avenue, The. Romf —8B 112
Avenue, The. W Ber —4E 166
Avenue, The. W Wick —7E 46
Avenue, The. Wthm —4D 214 (4G 25)
Avenue, The. W'hoe —5H 177 (7G 17)
Avery Gdns. Ilf —9M 109
Avery Hill. —3H 47
Avery Hill Rd. SE9 —3H 47
Avey La. Wal A & Lou —6D 78 (5E 30)
Aviation Way. Sth S —8G 123
Avignon Clo. Colc —2B 176
Avignon Rd. SE4 —3C 46
Avila Chase. Gall —9C 74
Avington Wlk. Ben —9F 120
Avoca Ter. Wclf S —4J 139
(off Fairfax Dri.)
Avocet Clo. Frin S —8H 183
Avocet Clo. K'dn —8D 202
Avocet Clo. W Mer —2L 213
Avocet Way. H'bri —3M 203
Avon Clo. R'fd —2H 123
Avon Ct. E4 —7C 92
Avon Ct. Buck H —7H 93
Avondale Clo. Lou —6M 93
Avondale Clo. Ray —5M 121
Avondale Ct. E11 —3E 124
Avondale Ct. E18 —5H 109
Avondale Cres. Ilf —9K 109
Avondale Dri. Lgh S —2E 138
Avondale Dri. Lou —6M 93
Avondale Gdns. Stan H —9N 133
Avondale Rd. E17 —2A 124
Avondale Rd. Bick —2H 135
Avondale Rd. Ben —3D 136
Avondale Rd. Clac S —1L 191
Avondale Rd. Ray —5M 121
Avondale Wlk. Can I —1E 152
Avonfield Ct. E17 —7D 108
Avon Grn. S Ock —6E 146
Avon Rd. E17 —7D 108
Avon Rd. Can I —2G 152
Avon Rd. Chelm —6E 60
Avon Rd. Upm —1A 130
Avontar Rd. S Ock —4E 146 (6E 40)
Avon Wlk. Wthm —4B 214
Avon Way. E18 —7G 109
Avon Way. Colc —9E 168 (6G 17)
Avon Way. Shoe —7H 141
Avril Way. E4 —2C 108
Avro Rd. Sth S —9J 123
Axe St. Bark —1B 142
(in two parts)
Ayerst Ct. E10 —2C 124
Aylesbeare. Shoe —6H 141
Aylesbury Clo. E7 —8F 124
Aylesbury Dri. Hol S —7C 188
Aylesbury Dri. Lang H —1H 133
Aylesbury M. Bas —5A 118
Aylets Field. H'low —6D 56
Aylett Clo. Can I —1J 153
Aylett Rd. Upm —4N 129
Ayletts. Bas —9G 119
Ayletts. Broom —9K 59
Aylmer Rd. E11 —3F 124
Aylmer Rd. Dag —5K 127
Ayloffe Rd. Colc —6C 168
Ayloffe Rd. Dag —8L 127
Ayloffs Clo. Horn —8H 113
Ayloffs Wlk. Horn —9H 113
Aylsham La. Romf —1G 113
Aylsham Rd. Hod —4C 54
Aynsley Gdns. H'low —3H 57
Ayr Grn. Romf —5C 112
Ayron Rd. S Ock —4E 146
Ayr Way. Romf —5C 112
Aythorpe Roding. —4E 22
Aythorpe Roding Postmill. —4E 22
Azalea Av. W'fd —9K 103
Azalea Ct. Chelm —6A 62
Azalea Ct. Wfd G —3E 108
Azalea Way. Clac S —9F 186
Azalia Clo. Ilf —7A 126

Baardwyk Av. Can I —2L 153
Baas Hill. —1C 30
Baas Hill. Brox —1C 30
Baas La. Brox —1D 30
Babbacombe Gdns. Ilf —8L 109
Babbs Green. —3E 20
Babel Green. —1B 8
Babel Grn. Hund —1B 8
Babington Rd. Dag —7H 127
Babington Rd. Horn —3F 128
Babraham. —1A 6
Babraham Rd. Saws —1K 5
Back Hill. Hads —3C 6
Back Hill. Holb —1D 18
Back La. Bark —1B 142
Back La. Chelm —2M 61
Back La. Colc —8F 166
Back La. E Han —2A 90 (4D 34)
Back La. F End —3J 23
Back La. Gt Oak —5E 18
Back La. I'tn —2H 197
Back La. Ing —4C 86 (4H 33)
Back La. Kel H —6D 84
Back La. L Hall —3K 21
Back La. L Walt —6L 59 (5A 24)
Back La. Naze —1J 65 (1F 31)
Back La. N Stif —8F 146
Back La. Ples —2A 58 (4J 23)
Back La. Purf —1B 156
Back La. R'sy —6C 200
Back La. R'fd —6L 123
Back La. Romf —2J 127
Back La. Saw —3M 53 (4K 21)
Back La. Srng —4A 22
Back La. Stis —6F 15
Back La. Stock —6K 87 (5K 33)
(in two parts)
Back La. W Bis —8L 213 (6H 25)
Bk. Lane E. Gt Bro —8E 170
Bk. Lane W. Gt Bro —8E 170
Back Rd. A'lgh —2A 170 (4J 17)
Back Rd. Lin —2C 6
Back Rd. Tol —6J 211 (6C 26)
Back Rd. Writ —1H 73
Backwarden Nature Reserve, The. —5E 76 (2E 34)
Bk. Waterside La. B'sea —8E 184
Bacon End. —2F 23
Baconend Green. —2F 23
Bacon Link. Romf —3N 111
Bacons Chase. Brad S —1F 37
Bacon's La. Chap —5K 15
Bacon Ter. Dag —7G 127
Badburgham Ct. Wal A —3F 78
Baddow Clo. Dag —1M 143
Baddow Clo. Wfd G —3K 109
Baddow Hall Av. Chelm —3H 75
Baddow Hall Cres. Chelm —3H 75
Baddow Pl. Av. Chelm —4H 75
Baddow Rd. Chelm —1C 74 (2A 34)
(in three parts)
Baden Powell Dri. Colc —3H 175
Baden Rd. Ilf —7A 126
Bader Way. Rain —8E 128
Badger Clo. Ilf —1B 126
Badger Hall Av. Ben —2G 137
Badgers Clo. Chelm —9C 74
Badgers Clo. Wclf S —2G 139
Badgers Grn. M Tey —3G 173
Badgers Keep. Bur C —1J 195
Badgers Mt. Hock —2B 122
Badgers Mt. Ors —9B 148
Badgers, The. Bas —2J 133
Badgers Way. Ben —2G 137
Badley Hall Rd. Gt Bro —6D 170 (5K 17)
Badlis Rd. E17 —7A 108
Badlow Clo. Eri —5C 154

Badminton Rd.—Beatrice Littlewood Ho.

Badminton Rd. Jay —5E 190
Bag La. Ing —5G 33
Bagleys Spring. Romf —8K 111
Bagshaw Rd. Dov —3M 201
Bailey Bri. Rd. Brain —4G 192
Bailey Clo. E4 —1C 108
Bailey Clo. Purf —2A 156
Bailey Dale. S'way —2D 174
Bailey Rd. Lgh S —4A 138
Bailey, The. Ray —5J 121
Baillie Clo. Rain —4F 144
Bainbridge Dri. Tip —7D 212
Bainbridge Rd. Dag —6L 127
Baines Clo. Colc —1G 175
Baker Av. Hat P —3L 63
Baker Av. Ray —3J 121
Baker Clo. Stpl B —3C 210
Baker Meadows. Sib H —7C 206
Baker M. Mal —6K 203
Bakers Av. E17 —1B 124
Bakers Clo. S Fer —9K 91
Bakers Ct. Bas —5H 119
Baker's End. —3E 20
Bakersfield. Stock —7N 87
Bakers La. Bar —6E 4
Baker's La. Bla N —3C 198 (1C 24)
Baker's La. Colc —6H 167 (6D 16)
Baker's La. Dan —3E 76
Bakers La. Epp —9E 66
Bakers La. Fels —2K 23
Bakers La. Ing —5D 86
Baker's La. Tol M —6K 25
Bakers La. W Han —2C 88
Bakers Mead. Gt Walt —5H 59
Bakers Meadow. Dodd —7F 84
Bakers M. Ing —5D 86
Baker's Rd. Bel P —4D 8
Baker Street. —6A 148 (7G 41)
Baker St. Chelm —1B 74
Baker St. Enf —6B 30
Baker St. Ors —6A 148 (7G 41)
Bakers Vs., The. Epp —9E 66
Bakers Wlk. Saw —2K 53
Bakery Clo. Roy —3J 55
Bakery Clo. T'ham —3E 36
Bakery Ct. Stans —3C 208
Balaam St. E13 —6F 39
Baldock Rd. Bunt —4C 10
Baldock Rd. Odsey & R'ton —7A 4
Baldocks Rd. They B —5D 80
Baldock St. R'ton —5C 4
Baldock St. Ware —4C 20
Baldwins Hill. Lou —1M 93
Baldwyn's Pk. Bex —4A 48
Bale Clo. Colc —2F 174
Balfe Ct. Colc —9E 168
Balfour Clo. W'fd —2M 119
Balfour Rd. Grays —2M 157
Balfour Rd. Ilf —4A 126
Balgonie Rd. E4 —7D 92
Balgores Cres. Romf —7F 112
Balgores La. Romf —7F 112 (3B 40)
Balgores Sq. Romf —8F 112
Balham Hill. SW12 —4A 46
Balkerne Clo. Colc —8M 167
Balkerne Gdns. Colc —8M 167
(in two parts)
Balkerne Hill. Colc —8M 167 (6E 16)
Balkerne Pas. Colc —8M 167
Ball All. Colc —8N 167
Ballards Clo. Dag —1N 143
Ballards Gore. —1A 44
Ballards Rd. Dag —2N 143 (6K 39)
Ballards Wlk. Bas —8N 117 (3K 41)
Ballast Quay Rd. Fing —8H 177 (1G 27)
Ballast Quay Rd. W'hoe —6J 177
(in two parts)
Ballingdon. —5J 9
Ballingdon Hill. Sud —6H 9
Ballingdon St. Sud —5J 9
Balliol Av. E4 —1E 108
Ball La. B'hth —9N 175 (1F 27)
Ball's Chase. H'std —5L 199
Balls Green. —1F 178 (6K 17)
Balls Pond Rd. N1 —5B 38
Balmerino Av. Ben —9J 121
Balmoral Av. Clac S —1H 191
Balmoral Av. Corr —1B 150
Balmoral Av. Stan H —2N 149
Balmoral Clo. Bill —7N 101
Balmoral Gdns. Hock —1B 122
Balmoral Gdns. Ilf —3E 126
Balmoral Ho. Wclf S —6K 139
(off Balmoral Rd.)
Balmoral Rd. E7 —6J 125 (5F 39)
Balmoral Rd. E10 —4B 124
Balmoral Rd. Horn —5H 129
Balmoral Rd. May —1D 204
Balmoral Rd. Pil H —5E 98
Balmoral Rd. Romf —9F 112
Balmoral Rd. Wclf S —6K 139
Balmoral Ter. Wclf S —4J 139
(off Fairfax Dri.)
Balmoral Trad. Est. Bark —5E 142
Balsham. —1E 6
Balsham Rd. Lin —2D 6
Balstonia. —2N 149 (6K 41)
Balstonia Dri. Stan H —9A 134
Baltic Av. Sth S —6M 139
Balton Way. Har —5H 201
Bamber Ho. Bark —1B 142
Bamber's Green. —7D 12
Bamford Rd. Bark —8B 126
Bamford Way. Romf —2N 111
Bampton Rd. Romf —5J 113
Bance Clo. Wclf S —3G 138
Bancroft Av. Buck H —8G 93
Bancrofts Rd. S Fer —9L 91
Bandhills Clo. S Fer —9K 91
Banes Down. Naze —1E 64
Banister Clo. Clac S —8G 187
Bankart La. Chelm —7A 62
Bank Bldgs. E4 —3D 108
(off Avenue, The)
Bankfoot. Badg D —3J 157
Bank Pas. Colc —8M 167
Bank Pl. Brtwd —8F 98
Banks Ct. D'mw —8L 197
Bankside Clo. S Fer —8L 91
Bankside Rd. Ilf —7B 126
Banks La. They G —3K 81 (4K 31)
Bank St. Brain —5H 193
Bann Clo. S Ock —7E 146
Banner Clo. Purf —2A 156
Bannister Dri. Hut —5M 99
Bannister Green. —1K 23
Bannister Grn. W'fd —1M 119
Banson's La. Ong —7L 69
Banson's Way. Ong —7L 69
Banters La. Gt L —2B 24
Banyards. Horn —8J 113
Banyard Way. R'fd —3H 123
Barbara Av. Can I —2F 152
Barbara Clo. R'fd —5K 123
Barbel Clo. Wal X —4A 78
Barbel Rd. Colc —6F 168
Barberry Clo. Romf —4G 113
Barbor Av. Bur C —4M 195
Barbor Gro. Colc —4J 175
Barbor Mead. Dodd —6F 84
Barbour Gdns. Colc —4G 175
Barbrook La. Tip —5C 212
Barbrook Way. Bick —9E 76
Barclay Clo. Gt Bad —3H 75
Barclay Ct. Hod —5A 54
Barclay Oval. Wfd G —1G 109
Barclay Path. E17 —9C 108
Barclay Rd. E11 —3F 124
Barclay Rd. E17 —9C 108
Barclay Rd. Bas —6M 119
Barclay Rd. Croy —7B 46
Barclay Way. Water P —3C 156
Bardell Clo. Chelm —5H 61
Bardenville Rd. Can I —2L 153
Bardeswell Clo. Brtwd —8F 98
Bardfield. Bas —1F 134
Bardfield Av. Romf —7J 111
Bardfield Cottage Museum. —3J 13
Bardfield Cotts. Dodd —5E 84
Bardfield End Green. —3N 211 (3G 13)
Bardfield Rd. Bar S —5K 13
Bardfield Rd. Colc —5A 176
Bardfield Rd. Gt Sal —5K 13
Bardfield Rd. Thax —3L 211 (3F 13)
Bardfield Saling. —5K 13
Bardfield Way. Frin S —8J 183
Bardfield Way. Ray —4G 120 (2E 42)
Barell Clo. Frat —3F 178
Barfield Rd. E11 —3F 124
Barfield Rd. W Mer —3K 213 (5F 27)
Barfields. Lou —3N 93
Barfields Gdns. Lou —3N 93
Barfields Path. Lou —3N 93
Barfields Row. Mess —1D 212
Bargate La. Ded —5A 164 (3J 17)
Barge Ho. Rd. E16 —9A 142
Barge Pier Rd. Shoe —9J 141
Barham Clo. Romf —6N 111
Barham M. Sth S —5E 140
Barham Pk. Horn —9E 128
Baring Rd. SE12 —4F 47
Bark Burr Rd. Grays —9J 147
Barker Clo. Law —4G 165
Barkers La. Beau —1H 181
Barkers Mead. L Hall —3K 21
Barking. —9B 126 (5H 39)
Barking Bus. Cen. Bark —3F 142
Barking Northern Relief Rd. Bark
—9A 126 (5G 39)
Barking Rd. E16 & E6 —6E 38
Barkingside. —7B 110 (3G 39)
Barkis Clo. Chelm —4F 60
Barkstead Rd. Colc —6C 168
Barkway. —1E 10
Barkway Rd. R'ton —5D 4
Barkway St. R'ton —5C 4
Barkwood Clo. Romf —9A 112
Barle Gdns. S Ock —6E 146
Barley. —6F 5
Barley Clo. Bas —3J 133
Barley Clo. Hat H —4C 22
Barleycorn Way. Horn —1K 129
Barley Ct. Saf W —4K 205
Barley Croft. H'low —7D 56
Barleycroft End. —5G 11
Barley Field. Kel H —7C 84
Barleyfields. Wthm —6D 214
Barleyfields Clo. Romf —1G 127
Barleylands Farm Museum.
—3N 117 (1K 41)
Barleylands Rd. Bill & Bas
—2N 117 (2K 41)
Barley La. Ilf & Romf —2F 126 (4J 39)
Barley Mead. Dan —4H 77
Barley Rd. Bar —6F 5
Barley Rd. Gt Chi —6F 5
Barley Way. S'way —1E 174
Barling. —3B 44
Barling Rd. Gt W —2E 140 (3A 44)
Barlon Rd. Gt Bro —4E 170 (5K 17)
Barlow's Reach. Chelm —7B 62
Barlow Way. Rain —5B 144
Barnaby Rudge. Chelm —4H 61
Barnaby Way. Chig —9A 94
Barnaby Way. Lain —8M 117
Barnard Acres. Naze —2E 64
Barnard Clo. Newp —8C 204
Barnard Gro. E15 —9F 124
Barnardiston. —1A 8
Barnardiston Rd. B'dstn & Hun —1A 8
Barnardiston Rd. Colc —6C 168
Barnardiston Way. Wthm —4C 214
Barnardo Dri. Ilf —8B 110
Barnardos Village. B'side —7B 110
Barnard Rd. Gall —8C 74
Barnard Rd. Lgh S —4A 138
Barnard Rd. Saw —1K 53
Barnards Av. Can I —1K 153
Barnards Clo. Bas —4F 134
Barnards Ct. Saf W —3K 205
Barnards Field. Thax —3L 211
Barnard's Yd. Saf W —4K 205
Barncombe Clo. Ben —9D 120
Barn Ct. Saw —1K 53
Barncroft Clo. H'wds —4B 168
Barncroft Clo. Lou —4N 93
Barncroft Grn. Lou —4N 93
Barncroft Rd. Lou —4N 93
Barnehurst. —8A 154 (3A 48)
Barnehurst Av. Eri & Bexh —6A 154
Barnehurst Clo. Eri —6A 154
Barnehurst Rd. Bexh —7A 154 (2A 48)
Barn End La. Dart —5B 48
Barnes Clo. E12 —6K 125
Barnes Ct. Wfd G —2K 109
Barnes Cray. —9E 154 (3B 48)
Barnes Cray Rd. Dart —9E 154
Barnes Ho. Bark —1C 142
Barnes Mill Rd. Chelm —9N 61
(in two parts)
Barnes Rd. Ilf —7B 126
Barnet Pk. Rd. Runw —6N 103
Barnett Clo. Eri —7D 154
Barneveld Av. Can I —2L 153
(off Winterswyk Av.)
Barnfield. Epp —7F 66
Barnfield. Fee —7D 202
Barn Field. Hat O —3C 22
Barnfield. Mann —4J 165
Barnfield. W'fd —8M 103
Barnfield Clo. Hod —3A 54
Barnfield Clo. Naze —1F 64
Barnfield Cotts. H'bri —3L 203
Barnfield M. Chelm —5J 61
Barnfield Rd. Gt Hork —1K 167
Barn Grn. Chelm —3N 61
Barn Hall Av. Colc —2B 176
Barn Hall Cotts. W'fd —6J 103
Barnhall Rd. Tol K —4A 26
Barn Hill. Roy —7H 55
Barn La. L Bro —9D 164
Barn Mead. Brain —6M 193
Barn Mead. Dodd —6F 84
Barnmead. H'low —5C 56
Barn Mead. They B —6D 80
Barnmead. Toot —8D 68
Barnmead Gdns. Dag —7L 127
Barnmead Rd. Dag —7L 127
Barnmead Way. Bur C —1L 195
Barnsbury. —5A 38
Barnsbury Rd. N1 —6A 38
Barns Ct. H'low —8A 56
Barns Farm Dri. Alth —5A 36
Barnsley Rd. Romf —4K 113
Barns Rd. Cray H —2D 118
Barnstaple Clo. Sth S —6E 140
Barnstaple Path. Romf —2H 113
Barnstaple Rd. Romf —2G 113
Barnstaple Rd. Sth S —6E 140
Barnston. —2H 23
Barnston Grn. Barns —2H 23
Barnston Way. Hut —4M 99
Barn, The. Grays —2L 157
Barn View Rd. Cogg —9L 195
Barnwell Dri. Hock —1C 122
Barnwell Rd. Dart —8K 155
Barnyard, The. Bas —2J 133
Baron Gdns. Ilf —7B 110
Baronia Croft. Colc —4C 168
Baron Rd. Dag —3J 127
Baron Rd. S Fer —1L 105
Barons Ct. Ilf —4C 126
Barons Ct. Rd. Ray —1J 121
Baron's La. Pur & Mun —3G 35
Barons Way. Bas —2K 133
Baronswood Way. Colc —4K 175
Barpack St. Brad —4B 18
Barrack La. Gt Ben —2M 185
Barrack La. Gt Walt —4F 58 (5K 23)
Barrack La. Har —3N 201
Barrack Rd. Good E —5H 23
Barrack Sq. Chelm —9K 61
Barrack St. Colc —9B 168 (6F 17)
Barra Glade. W'fd —2N 119
Barr Clo. W'hoe —5J 177
Barrett Clo. Romf —4F 112
Barrett Rd. E17 —8C 108
Barrie Pavement. W'fd —2L 119
Barrington. —1E 4
Barrington Clo. Bas —7G 118
Barrington Clo. Chelm —4J 75
Barrington Clo. Ilf —5M 109
Barrington Clo. L Cla —3G 186
Barrington Clo. Lou —2B 94
Barrington Clo. Shoe —5J 141
Barrington Ct. Hut —5M 99
Barrington Gdns. Bas —7G 118
Barrington Gdns. Clac S —8N 187
Barrington Grn. Lou —3B 94
Barrington Pl. Ing —6D 86
Barrington Rd. E12 —8N 125
Barrington Rd. Colc —1A 176
Barrington Rd. Lou —3B 94
Barrington Rd. Orw —1D 4
Barringtons Clo. Ray —4K 121
Barron's Clo. Ong —6K 69
Barrow Hall Rd. Gt W —1E 140 (3A 44)
Barrow Hill. Act —3K 9
Barrow La. Chesh —4B 30
(in two parts)
Barrowsand. Sth S —8F 140
Barrows Rd. H'low —3M 55
Barry Clo. Grays —1C 158
Barry Ct. Romf —2B 112
Barryfields. Shalf —4A 14
Barrymore Wlk. Ray —5M 121
Barry Rd. SE22 —3C 46
Barstable. —9E 118 (3B 42)
Barstable Rd. Stan H —3M 149
Bartholomew Clo. Gt Che —3M 197
Bartholomew Dri. H Wood —6H 113
Bartholomew Green. —9A 192 (1B 24)
Bartholomew Way. Swan —6A 48
Bartlett Av. Upm —4B 130
Bartlett Clo. May —2C 204
Bartlett Houses. Dag —9N 127
(off Vicarage Rd.)
Bartletts. Ray —7N 121
Bartley Clo. Ben —9B 120
Bartley Rd. Ben —9B 120
Bartlow. —3E 6
Bartlow End. Bas —7J 119
Bartlow Gdns. Romf —5B 112
Bartlow Rd. A'dn —3E 6
Bartlow Rd. Hads —3D 6
Bartlow Rd. Lin —2D 6
Bartlow Rd. Shudy C —4G 7
Bartlow Side. Bas —7J 119
Barton Av. Hull —7L 105
Barton Av. Romf —3N 127
Barton Clo. Chig —8B 94
Barton Clo. S Fer —8K 91
Barton Friars. Chig —8B 94
Barton Meadows. Ilf —8A 110
Barton Rd. Bark —2E 142
Barton Rd. Horn —3E 128
Barton Wlk. Wal A —5E 78
Bartram Av. Brain —5L 193
Barwell Way. Wthm —5D 214
Barwick. —2E 20
Barwick Rd. E7 —6H 125
Baryta Clo. Stan H —4L 149
Baryta Ct. Lgh S —6D 138
(off Rectory Gro.)
Basedale Rd. Dag —9G 126
Basildon. —9C 118 (3A 42)
Basildon Av. Ilf —5N 109
Basildon Cen., The. Bas —9B 118
Basildon Dri. Bas —8L 117
Basildon Rise. Lain —7N 117
Basildon Rd. SE2 —1J 47
Basildon Rd. Bas —7N 117 (3K 41)
Basildon Zoo. —4E 134
Basing Ho. Bark —1C 142
(off St Margarets)
Basin Rd. Hey B —8N 203 (1J 35)
Basketts. —6N 173
Bassenthwaite Rd. Ben —9E 120
Bassett Gdns. N Wea —5N 67
Bassett Rd. E7 —6K 125
Bassetts La. L Bad —7E 24
Bassett's La. Will —2L 71 (2F 33)
Bassingbourn. —4B 4
Bassingbourn Rd. Lit —4A 4
Bassingbourn Rd. Stan Apt
—8L 209 (7C 12)
Bassingbourn Roundabout. Tak
—8L 209
Bassus Green. —6A 10
Bastable Av. Bark —2D 142
Baston Rd. Brom —7F 47
Bata Av. E Til —3K 159
Batavia Rd. Can I —1D 152
Bate Dudley Dri. Brad S —1F 37
Bateman Clo. Bark —8B 126
Bateman Rd. E4 —3A 108
Bateman Rd. B'sea —5D 184 (3K 27)
Bateman's La. L Cla —1F 186
Bates Bus. Cen. H Wood —4L 113
Bates Ind. Est. H Wood —4M 113
Bates Rd. H'bri —4K 203
Bates Rd. Romf —4L 113
Bath Hill. Felix —1K 19
Bath Rd. E7 —8K 125
Bath Rd. Romf —1K 127
Bath Side. —2M 201
Bath St. EC1 —6B 38
Bath St. Grav —3H 49
Bath St. W'hoe —7H 177
Bathurst Clo. Colc —5A 176
Bathurst Rd. Ilf —3A 126
Battersea Pk. Rd. SW11 & SW8 —2A 46
Battery Rd. SE28 —9D 142
Battisford Dri. Clac S —9E 186
Battis, The. Romf —1C 128
Battle Ct. Ong —8L 69
Battle Rd. Belv & Eri —2A 154 (1A 48)
Battlesbridge. —6E 104 (7D 34)
Battlesbrook Rd. Colc —4D 176
Battleswick. Bas —6F 118
Batt's Rd. Cob —7J 49
Batt's Rd. Stpl —3B 36
Bawdsey Av. Ilf —8E 110
Bawdsey Clo. Clac S —1F 190
Bawn Clo. Brain —4H 193
Bawtree Way. Colc —1H 175
Baxter Av. Sth S —5L 139
Baxter Gdns. Noak H —8G 97
Baxter Rd. Ilf —7A 126
Baxters. Dan —3G 76
Bayard Av. B'sea —6E 184
Bay Clo. Can I —3H 153
Bayford. —7A 20
Bayford La. B'frd —7A 20
Bayham St. NW1 —6A 38
Bayleys Mead. Hut —8M 99
Bayley St. Cas H —3C 206 (1E 14)
Bayliss Av. SE28 —7J 143
Bay Mnr. La. Grays —4C 156
Baymans Wood. Shenf —8J 99
Baynards Cres. Kir X —8H 183
Bay Rd. Har —3M 201
Baythorne End. —4B 8
Bay Tree Clo. Brain —6B 192
Baytree Ho. E4 —6B 92
Bay View. St La —2C 36
(off Mountview Cres.)
Bay View Cres. L Oak —7E 200
Baywood Sq. Chig —1G 110
BBC Essex Garden. —2K 95 (6K 31)
Beach Av. Lgh S —5F 138
Beach Ct. Gt W —3N 141
Beach Ct. Wclf S —7H 139
Beach Cres. Jay —6D 190
Beachcroft Av. Kir X —8G 182
Beachcroft Rd. E11 —5E 124
Beaches Clo. Hock —1F 122
Beach Ho. Gdns. Can I —3L 153
Beach Rd. Can I —1K 153
Beach Rd. Clac S —2K 191
Beach Rd. Har —4L 201
Beach Rd. Lee S —5A 28
Beach Rd. St O —6A 190 (4B 28)
Beach Rd. Shoe —9K 141
Beach Rd. Sth S —7A 140
Beach Rd. St O —4B 28
Beach Rd. W Mer —3K 213
Beach's Dri. Chelm —8F 60
Beach Sta. Rd. Felix —2K 19
Beachway. Can I —3H 153
Beach Way. Jay —6D 190 (5C 28)
Beachy Dri. St La —2C 36
(off Moorhen Av.)
Beachy Rd. E3 —9A 124
Beacon Clo. B'sea —7D 184
Beacon End. —9E 166 (6C 16)
Beaconfield Av. Epp —8E 66
Beaconfield Rd. Epp —8E 66
Beaconfield Way. Epp —8E 66
Beacon Heights. St O —4K 27
Beacon Hill. —7M 83 (5C 32)
(nr. Kelvedon Hatch)
Beacon Hill. —6M 213 (5H 25)
(nr. Wickham Bishops)
Beacon Hill. Kel C —7N 83 (5C 32)
Beacon Hill. Mal —6H 203
Beacon Hill. Purf —3M 155
Beacon Hill. W Bis —6M 213 (5H 25)
Beacon Hill Av. Har —3N 201
Beacon Hill Rd. Brtwd —8M 83 (5C 32)
Beacon Rd. Eri —5F 154
Beaconsfield Av. Colc —9M 167 (6E 16)
Beaconsfield Rd. E10 —5C 124
Beaconsfield Rd. Clac S —1K 191
Beaconsfield Ter. Romf —1J 127
Beacons, The. Lou —8N 79
Beacontree Av. E17 —5D 108
Beacontree Heath. —4M 127 (4K 39)
Beacontree Rd. E11 —2F 124
Beacon Way. S'way —9D 166
Beacon Way. St O —4K 27
Beadel Clo. Wthm —7B 214
Beadle's Pde. Dag —8A 128
Beadles, The. L Hall —3A 22
Beadle Way. Gt L —2M 59
Beadon Dri. Brain —7J 193
Beads Hall La. Pil H —3E 98
Beal Rd. Ilf —4N 125
Beam Av. Dag —1N 143
Beambridge. Bas —9H 119
Beambridge Ct. Bas —9H 119
Beambridge M. Bas —9H 119
Beambridge Pl. Bas —9H 119
Beaminster Gdns. Ilf —6A 110
Beamish Clo. N Wea —4A 68
Beams Clo. Bill —8L 101
Beams Way. Bill —8L 101
Beam Vs. Dag —2B 144
Beamway. Dag —9B 128
Bean. —4E 48
Beanfield Rd. Saw —1F 52 (4J 21)
Bean La. Bean —4E 48
Bean Rd. Grnh —4E 48
Beansland Gro. Romf —7K 111
Bear Clo. Romf —1N 127
Beard's La. Dud E —7J 5
Beardsley Dri. Chelm —4N 61
Beardsley Ter. Dag —7G 127
(off Fitzstephen Rd.)
Beards Ter. Cogg —7L 195
Bearing Clo. Chig —1F 110
Bearing Way. Chig —1F 110
Bearsted Dri. Pits —1K 135
Bear St. Nay —1D 16
Beatrice Av. Can I —1H 153
Beatrice Av. Felix —1K 19
Beatrice Clo. Hock —1C 122
Beatrice Ct. Buck H —8K 93
Beatrice Littlewood Ho. Can I —2G 153
(off Kitkatts Rd.)

Beatrice Rd.—Beverley Rd.

Beatrice Rd. E17 —9A 108
Beatrice Rd. Clac S —2J 191
Beatrice Rd. W on N —4N 183
Beatty Gdns. Brain —4L 193
Beatty La. Bas —9F 118
Beatty Rise. S Fer —2M 105
Beattyville Gdns. Ilf —8N 109
Beauchamp Rd. E7 —9H 125
Beauchamp Roding. —6E 22
Beauchamps. Bur C —1J 195
Beauchamps Clo. Chelm —3A 62
Beauchamps Dri. W'fd —9N 103
Beaufort Clo. E4 —3B 108
Beaufort Clo. Chaf H —1J 157
Beaufort Clo. N Wea —6M 67
Beaufort Clo. Romf —8A 112
Beaufort Gdns. Brain —4J 193
Beaufort Gdns. Ilf —3N 125
Beaufort Rd. Bill —6H 101
Beaufort Rd. Chelm —7B 62
Beaufort St. Sth S —5B 140
Beauly Way. Romf —5C 112
Beaumaris Dri. Wfd G —4K 109
Beaumont. —6D 18
Beaumont Av. B'sea —6F 184
Beaumont Av. Clac S —1H 191
Beaumont Clo. Colc —3M 167
Beaumont Clo. Romf —6G 112
Beaumont Clo. W on N —7J 183
Beaumont Cres. Rain —8E 128
Beaumont Gdns. Hut —5M 99
Beaumont Hill. D'mw —6K 197 (7G 13)
Beaumont Ho. E10 —2B 124
Beaumont Pk. Dan —4C 76
Beaumont Pk. Dri. Roy —3H 55
Beaumont Pl. Brain —5K 193
Beaumont Rd. E10 —2B 124
Beaumont Rd. Chesh —2B 30
Beaumont Rd. Gt Oak —5E 18
Beaumont Wlk. Chelm —6F 60
Beaumont Way. Mal —8L 203
Beaver Clo. Colc —8F 166
Beaver Rd. Ilf —2H 111
Beaver Tower. Lgh S —9D 122
Beazley End. —4C 14
Beazley End. W'fd —1M 119
Bebington Clo. Bill —5J 101
Beccles Dri. Bark —8D 126
Beche Rd. Colc —1B 176
Bechervaise Ct. E10 —3B 124
(off Leyton Grange Est.)
Beckenham. —6D 46
Beckenham Hill Rd. Beck & SE6 —5D 46
Beckenham La. Brom —6E 46
Beckenham Rd. Beck —6C 46
Beckenham Rd. W Wick —7E 46
Becker Rd. Colc —2F 174
Beckers Grn. Rd. Brain —7M 193
Becket Clo. Gt War —3F 114
Becket Clo. R'fd —1J 123
Beckett Dri. Stan H —1M 149
Becketts. Bas —9J 117
Becketts Ho. Ilf —5N 125
Becket Way. S Fer —3L 105
Beck Farm Clo. Can I —2M 153
Beckford Rd. Mis —4M 165
Beckingham Rd. Gt Tot —5J 25
Beckingham Rd. Tol D —6A 26
Beckingham St. Tol M —6K 25
Beckney Av. Hock —7D 106
Beck Rd. Can I —2M 153
Beck Rd. Saf W —4K 205
Beckton. —7G 39
Beckton Rd. E16 —7E 38
Becontree. —4K 127 (4J 39)
Becontree Av. Dag —6G 126 (4J 39)
Becontree Clo. Clac S —5K 187
Bective Rd. E7 —6G 125
Becton Pl. Eri —6A 154
Bedale Rd. Romf —2L 113
Beddington. —7A 46
Beddington La. Croy —7A 46
Beddington Rd. Ilf —2E 126
Beddow Clo. Gt Bad —4H 75
Bedells Av. Bla N —3B 194
Bede Rd. Romf —1H 127
Bedford Clo. Brain —4K 193
Bedford Clo. Ray —6K 121
Bedford Clo. Tip —6D 212
Bedford Gdns. Horn —4G 129
Bedford Hill. SW12 & SW16 —4A 46
Bedford Pl. Can I —1F 152
Bedford Rd. E17 —6A 108
Bedford Rd. E18 —6G 108
Bedford Rd. SW4 —3A 46
Bedford Rd. Bas —9K 117
Bedford Rd. Colc —3N 167
Bedford Rd. Grays —3L 157
Bedford Rd. Hol S —8N 187
Bedford Rd. Ilf —5A 126
Bedfords Hill. Good E —5G 23
Bedford Sq. WC1 —7A 38
Bedlar's Green. —1B 22
Bedloes Av. Raw —9E 104
Bedrose La. Ing —3F 33
Bedwell Ct. Romf —2J 127
(off Broomfield Rd.)
Bedwell Rd. Ugley —5B 12
Bedwells Rd. Else —6B 196
Beecham Ct. Bas —7L 117
Beech Av. Brain —3H 193
Beech Av. Brtwd —9J 99
Beech Av. Buck H —8H 93
Beech Av. H'std —4M 199
Beech Av. Ray —4K 121
Beech Av. Upm —5M 129
Beech Av. W'hoe —5H 177
Beech Clo. Bur C —2L 195
Beech Clo. Horn —5F 128
Beech Clo. Tak —7C 210
Beechcombe. Corr —9C 134
Beechcroft Av. Bexh —6B 154
Beechcroft Av. Linf —2J 159
Beechcroft Rd. E18 —6H 109
Beechcroft Rd. Can I —2E 152
Beech Dri. Saw —4H 53
Beechenlea La. Swan —6B 48
Beechers Ct. Chelm —9H 61
Beeches Clo. Chelm —9G 61
Beeches Clo. Saf W —6J 205
Beeches Rd. Chelm —9G 60
Beeches Rd. H'bri —3J 203
Beeches Rd. Raw —6E 104 (7E 34)
Beeches, The. E12 —9M 125
Beeches, The. A End —7A 6
Beeches, The. Brtwd —9E 98
Beeches, The. Til —7D 158
Beeches, The. Wal A —5J 79
(off Woodbine Clo.)
Beechfield. Hod —1A 54
Beechfield. Saw —2L 53
Beechfield Gdns. Romf —2A 128
Beechfield Rd. Eri —5C 154
Beechfield Wlk. Wal A —5D 78
Beech Gdns. Dag —9A 128
Beech Grn. W Bis —7L 213
Beech Gro. Ave —9N 145
Beech Gro. For H —6A 166
Beech Gro. Ilf —3D 110
Beech Gro. L Oak —8D 200
Beech Gro. Sib H —6B 206
Beech Hale Cres. E4 —4D 108
Beech Hall Rd. E4 —4C 108
Beech Hill. Colc —9H 167
Beech Hill Gdns. Wal A —7H 79
Beech Ho. E17 —7D 108
Beech Ho. Hut —5M 99
Beech La. Buck H —8H 93
Beech La. Pam —1K 5
Beech Lodge. Shoe —7J 141
Beechmont Gdns. Sth S —2K 139
Beech Pl. Epp —1E 80
Beech Rise. Hat P —3L 63
Beech Rd. Bas —1F 134
Beech Rd. Ben —4K 137
Beech Rd. Hull —6L 105
Beech Rd. Riven —3G 25
Beech Rd. Will —1E 32
Beech St. EC1 —7B 38
Beech St. Romf —8A 112
Beech Tree Glade. E4 —7F 92
Beech Wlk. Dart —9E 154
Beechwood Clo. Colc —4L 175
Beechwood Dri. Wfd G —2F 108
Beechwood Gdns. Ilf —9M 109
Beechwood Gdns. Rain —5F 144
Beechwood Pk. E18 —7G 108
Beechwood Rd. Wfd G —2F 108
Beechy Ride. A End —6H 205
(in two parts)
Beecroft Art Gallery. —7J 139 (5J 43)
Beecroft Cres. Can I —8G 137
Beedell Av. Wclf S —5J 139
Beedell Av. W'fd —1N 119
Beehive Chase. Hook E —5G 84
Beehive Ct. Hat H —2C 202
Beehive Ct. Romf —4K 113
Beehive La. Bas —9C 118
Beehive La. Chelm —7C 74 (3A 34)
Beehive La. Ilf —9M 109 (3G 39)
Beeleigh Av. Bas —4L 133
Beeleigh Clo. Colc —5A 176
Beeleigh Clo. Sth S —2K 139
Beeleigh Cross. Bas —8F 118
Beeleigh E. Bas —7F 118
Beeleigh Link. Chelm —8A 62
Beeleigh Rd. Mal —5J 203
Beeleigh W. Bas —8E 118
Beesfield La. F'ham —7C 48
Beggar Hill. —2N 85 (4G 33)
Beggar Hill. Fry —2N 85 (4G 33)
Begonia Clo. Chelm —5A 62
Begonia Pl. Clac S —9G 187
Beke Hall Chase N. Ray —3E 120
Beke Hall Chase S. Ray —3E 120
Bekeswell La. Chelm —8A 74 (3K 33)
Bekeswell Pl. Gall —8D 74
Bel-Air Chalet Est. St O —5B 28
Belchamp Otten. —5F 9
Belchamp St. Paul. —4E 8
Belchamps Rd. W'fd —8N 103
Belchamps Way. Hock —2D 122
Belchamp Walter. —5G 9
Belcham's La. R Grn —4A 12
Belcher Rd. Hod —4A 54
Belchers La. Naze —3J 65
Beldams Clo. T Sok —5L 181
Beldowes. Bas —1E 134
Belfairs Clo. Lgh S —4C 138
Belfairs Ct. Lgh S —9A 122
(off Southend Arterial Rd.)
Belfairs Dri. Lgh S —4C 138
Belfairs Dri. Romf —2H 127
Belfairs Pk. Clo. Lgh S —1B 138
Belfairs Pk. Dri. Lgh S —1A 138
Belfairs Wood Nature Reserve.
—3F 136 (4E 42)
Belfield Gdns. H'low —4H 57
Belgrave Av. Romf —7G 113
Belgrave Clo. Chelm —3E 74
Belgrave Clo. Lgh S —8A 122
Belgrave Ho. Bis S —9A 208
Belgrave Rd. E10 —3C 124
Belgrave Rd. E11 —4G 124
Belgrave Rd. E17 —9A 108
Belgrave Rd. SW1 —1A 46
Belgrave Rd. Bill —4J 101
Belgrave Rd. Ilf —3M 125
Belgrave Rd. Lgh S —9A 122
Belgrave Ter. Wfd G —9G 92
Belhus Woods Country Park &
Visitor Centre. —4A 146 (6D 40)
Bellamy Clo. Kir X —8G 183
Bellamy Rd. E4 —3B 108
Bell Av. Romf —5F 112
Bell Clo. Colc —4D 176
Bell Common. —2D 80 (4H 31)
Bell Comn. Epp —2D 80
Bell Corner. Upm —4N 129
Bellcroft. Wthm —4D 214
Bellegrove Rd. Well —2H 47
Bellestaines Pleasaunce. E4 —8A 92
Belle Vue. Chelm —1B 74
Bellevue Av. Sth S —6A 140
Bellevue Pl. Sth S —6A 140
Belle Vue Rd. E17 —6D 108
Bellevue Rd. Bill —6H 101
Belle Vue Rd. Colc —6M 167
Belle Vue Rd. Horn —3K 129
Belle Vue Rd. Romf —3A 112
Bellevue Rd. Sth S —5A 140
Belle Vue Rd. W'hoe —6H 177 (7H 17)
Bellevue Ter. H'std —4K 199
Bell Farm Av. Dag —5A 128
Bell Farm Cotts. Epp —2D 80
Bellfield. Bas —3F 134
Bellfield Av. B'sea —5E 184
Bellfield Clo. B'sea —5F 184
Bellflower Path. Romf —4G 113
Bell Green. —5D 46
Bell Grn. SE26 —5D 46
Bell Grn. La. SE26 —5D 46
Bell Hill. Bill —8K 101
Bell Hill. Dan —3C 76
Bell Hill Clo. Bill —8K 101
Bell Ho. Grays —4J 157
Bell Ho. Gt W —3L 141
Bellhouse Cres. Lgh S —1C 138
Bellhouse La. Lgh S —2C 138 (4G 43)
Bellhouse La. Pil H —4B 98
Bellhouse Rd. Lgh S —1C 138
Bell Ho. Rd. Romf —3A 128
Bellingham. —4D 46
Bellingham Bldgs. Saf W —3K 205
Bellingham Ct. Bark —3G 143
Bellingham La. Ray —5K 121
Bellingham Rd. SE6 —4E 46
Bell La. Brox —1D 30
Bell La. Enf —5C 30
Bell La. Gt Bar —3J 13
Bell La. Hod —5A 54
Bell La. Pan —1C 192
Bell La. Thax —2K 211
Bellmaine Av. Corr —1A 150
Bellmead. Chelm —9K 61 (1A 34)
Bell Mead. Ing —6D 86
Bell Mead. Saw —2K 53
Bells Chase. Gt Bad —4F 74
Bells Clo. Saf W —5K 205
Bells Hill. Bis S —1K 21
Bells Hill. M Bur —3A 16
Bells Hill Rd. Van —4C 134 (4A 42)
Bells La. Glem —1G 9
Bells Rd. Bel W —5F 9
Bell St. Gt Bad —4G 75
Bell St. Saw —2K 53 (4K 21)
Bell, The. (Junct.) —7A 108 (3D 38)
Belmarsh Rd. SE28 —9D 142
Belmer Rd. Stans —5J 209 (7B 12)
Belmonde Dri. Chelm —4N 61
Belmont Av. Upm —4K 129
Belmont Av. W'fd —9J 103
Belmont Clo. E4 —2D 108
Belmont Clo. Chelm —4N 61
Belmont Clo. W'fd —9J 103
Belmont Clo. Wfd G —1H 109
Belmont Cres. Colc —4C 168
Belmont Hill. SE13 —3E 46
Belmont Hill. Newp —7D 204 (1B 12)
Belmont Pk. Rd. E10 —1B 124
Belmont Pl. Colc —1B 176
Belmont Rd. N15 & N17 —3B 38
Belmont Rd. Eri —2K 47
Belmont Rd. Grays —4J 157
Belmont Rd. Horn —5H 129
Belmont Rd. Ilf —5B 126
Belsize Av. Jay —6B 190
Belsteads Farm La. L Walt
—1M 61 (6A 24)
Belstedes. Bas —9M 117
Beltinge Rd. Romf —7K 113
Belton Bri. Lgh S —6C 138
Belton Corner. Lgh S —6C 138
Belton Gdns. Lgh S —6B 138 (5G 43)
Belton Rd. E7 —9H 125
Belton Rd. E11 —6E 124
Belton Way E. Lgh S —6B 138 (5G 43)
Belton Way W. Lgh S
—6A 138 (5G 43)
Beltwood Rd. Belv —2A 154
Belvawney Clo. Chelm —5G 60
Belvedere. —1K 47
Belvedere Av. Hock —1B 122
Belvedere Av. Ilf —6A 110
Belvedere Clo. Dan —3F 76
Belvedere Ct. Chelm —2A 74
Belvedere Pl. Mal —8J 203
Belvedere Rd. SE2 —8H 143
Belvedere Rd. Bexh —3K 47
Belvedere Rd. Brtwd —9C 98
Belvedere Rd. Bur C —4M 195
Belvedere Rd. Dan —3F 76
Belvedere, The. Bur C —4M 195
Belvoir, The. Ing —6C 86
Bembridge Clo. Clac S —5K 187
Bemerton Ct. Kir X —8E 182
Bemerton Gdns. Kir X —8F 182
Benbow Dri. S Fer —2L 105
Benbridge Ind. Est. H'bri —3K 203
Bendalls Ct. Mann —4H 165
Benderloch. Can I —1E 152
Bendish Rd. E6 —9L 125
Bendlowes Rd. Gt Bar —3K 13
Bendyshe Ct. Stpl B —3D 210
Benedict Dri. Chelm —9G 60
Benets Rd. Horn —3L 129
Benfield Rd. Stans —6A 12
Benfield Way. Brain —6K 193
Benfleet Pk. Rd. Ben —3B 136
Benfleet Rd. Ben —4G 136 (4E 42)
Bengal Rd. Ilf —5A 126
Bengeo St. Hert —5B 20
Benham Wlk. Bas —7K 119
Benhurst Av. Horn —6F 128
Benington. —7A 10
Benington Castle & Lordship Gardens.
—7A 10
Benjamin Clo. Horn —1E 128
Ben Jonson Rd. E1 —7C 38
Bennett Clo. Brain —8J 193
Bennett Clo. W on N —6K 183
Bennett Ct. Colc —9E 168
Bennett Rd. Romf —1K 127
Bennetts Av. Ret C —6N 89
Bennett's Castle La. Dag
—4H 127 (4J 39)
Bennett's La. N End —2H 23
Bennett Way. Hat P —2L 63
Bennington Rd. E4 —4E 108
Bennions Clo. Horn —8H 129
Bennison Dri. H Wood —6H 113
Benrek Clo. Ilf —4B 110
Bensham La. Croy & T Hth —7A 46
Benskins Clo. Ber —4J 11
Benskins La. Noak H —7H 97
Benson Rd. Grays —4M 157
Bentall Clo. H'std —6L 199
Bentalls. Bas —6B 118
Bentalls Clo. Sth S —2M 139
Bentalls Complex, The. H'bri —3L 203
Bentalls Ind. Est., The. H'bri —3L 203
Bentalls Shop. Cen. H'bri —3L 203
Bentfield Bower. —1B 208 (6K 11)
Bentfield Bury. —5A 12
Bentfield End. —2C 208
Bentfield End Causeway. Stans
—2C 208 (6A 12)
Bentfield Gdns. Stans —2C 208
Bentfield Green. —2B 208 (6A 12)
Bentfield Grn. Stans —2B 208 (6A 12)
Bentfield Rd. Stans —1C 208
Bentham Rd. SE28 —7G 142 (7J 39)
Ben Tillet Clo. Bark —9F 126
Bentley. —2A 98 (6D 32)
Bentley Av. Jay —6C 190
Bentley Dri. H'low —4H 57
Bentley Dri. Ilf —1B 126
Bentley La. Stut —1B 18
Bentley Rd. L Ben —9A 180 (1B 28)
Bentley Rd. L Bro —2G 171 (4K 17)
Bentley Rd. Wthm —3B 214
Bentleys, The. Sth S —8F 122
Bentley Vs. Hat H —3D 202
Bentley Way. Wfd G —9G 92
Benton Clo. Cres —2E 194
Benton Clo. Wthm —8D 214
Benton Gdns. Stan H —9A 134
Benton Rd. Ilf —3C 126 (4H 39)
Bentry Clo. Dag —4K 127
Bentry Rd. Dag —4K 127
Benvenue Av. Lgh S —9E 122
Benyon Path. S Ock —2F 146
Berberis Clo. Lang H —2H 133
Berberis Wlk. Colc —8E 168
Berden. —4J 11
Berdens. Bas —1E 134
Berechurch. —5A 176 (7F 17)
Berechurch Hall Rd. Colc
—5J 175 (7D 16)
Berechurch Rd. Colc —5L 175 (7E 16)
Berecroft. H'low —8C 56
Beredens La. Gt War —7C 114
Berefield Way. Colc —5N 175
Berens Clo. W'fd —7N 103
Beresford Clo. Had —2K 137
Beresford Ct. Bill —3H 101
Beresford Dri. Wfd G —1J 109
Beresford Gdns. Ben —2J 137
Beresford Gdns. Romf —9K 111
Beresford Mans. Sth S —7A 140
(off Beresford Rd.)
Beresford Rd. E4 —7E 92
Beresford Rd. E17 —5B 108
Beresford Rd. Sth S —7A 140
Beresford St. SE18 —1G 47
Berg Av. Can I —9K 137
Bergen Ct. Mal —8J 203
(off Longship Way)
Berger Gro. Cogg —7M 195
Berger Ter. Saw —3K 53
Bergholt Av. Ilf —9L 109
Bergholt Rd. B'ley —1A 18
Bergholt Rd. Bran —1G 164 (2K 17)
Bergholt Rd. Colc —5L 167 (5E 16)
Bergholt Rd. For —9A 160 (4B 16)
Beridge Rd. H'std —4J 199
Beriffe Pl. B'sea —6E 184
Berkeley Av. Ilf —6N 109
Berkeley Av. Romf —4A 112
Berkeley Clo. Horn —4M 129
Berkeley Dri. Bill —3J 101
Berkeley Dri. Horn —3L 129
Berkeley Gdns. Lgh S —5N 137
Berkeley La. Can I —3G 153
Berkeley Rd. E12 —7L 125
Berkeley Rd. Clac S —9J 187
Berkeley St. W1 —7A 38
Berkhamsted La. Ess —1A 30
Berkley Clo. H'wds —3C 168
Berkley Dri. Chelm —9A 62
Berkley Hill. Corr —1N 149
Berkshire Clo. Lgh S —1B 138
Berkshire Rd. E9 —8A 124
Berkshire Way. Horn —9L 113
Berman's Clo. Hut —8L 99
Bermondsey. —1C 46
Bermondsey St. SE1 —7B 38
Bermuda Rd. Til —7C 158
Bernal Clo. SE28 —7J 143
Bernard Clo. Kir X —8H 183
Bernard Rd. Romf —2A 128
Bernards Clo. Ilf —4C 110
Bernard St. WC1 —6A 38
Berners End. Barns —2H 23
Berners Roding. —7F 23
Berners Wlk. Bas —7F 118
Bernice Clo. Rain —4G 144
Bernside. Brain —6H 193
Bernwell Rd. E4 —9E 92
Berridge Ho. Mal —7L 203
Berrimans Clo. Colc —9D 168
Berrybank Clo. E4 —8C 92
Berry Clo. Bas —1K 133
Berry Clo. Horn —7G 129
Berry Clo. W'fd —1J 119
Berryfield Clo. E17 —8B 108
Berry La. Bas —1K 133
Berryman Clo. Dag —5H 127
Berrys Arc. Ray —5K 121
(off High St. Rayleigh,)
Berry Vale. S Fer —2L 105
Bersham La. Badg D —2J 157
Berther Rd. Horn —2H 129
Berthons Gdns. E17 —9D 108
(off Wood St.)
Bertram Av. L Cla —4H 187
Bertrand Way. SE28 —7G 143
Berwick Av. Chelm —4J 61
Berwick Clo. Wal X —4A 78
Berwick La. Ong —3C 82 (4A 32)
Berwick Pond Clo. Rain —2H 145
Berwick Pond Rd. Rain & Upm
—2J 145 (6C 40)
Berwick Rd. Rain —2H 145
Berwood Rd. Corr —2A 150
Beryl Dri. Tak —8C 210
Beryl Rd. Har —6F 200
Beslyns Rd. Gt Bar —3J 13
Besson St. SE14 —2C 46
Betchworth Rd. Ilf —4D 126
Bethany St. W'hoe —7H 177
Beth Chatto Gardens.
—1A 178 (6J 17)
Bethell Av. Ilf —2N 125
Bethnal Green. —6C 38
Bethnal Grn. Rd. E1 —6B 38
Bethune Rd. N4 —4B 38
Betjeman Clo. Brain —8J 193
Betjeman Clo. Ray —4M 121
Betjeman M. Sth S —4M 139
Betjeman Way. Ong —5K 69
Betony Cres. Bill —3H 101
Betony Rd. Romf —3G 113
Betoyne Av. E4 —1E 108
Betoyne Clo. Bill —6M 101
Betsham. —5E 48
Betsham Rd. Eri —5D 154
Betsham Rd. S'fleet —5E 48
Betterton Rd. Rain —3C 144
Betts Grn. Rd. L Cla —9H 181
Bett's La. Hock —1C 122
Betts La. Naze —9J 55 (1F 31)
Betty Brooks Ho. E11 —5D 124
Betula Wlk. Rain —3H 145
Beulah Hill. SE19 —5A 46
Beulah Path. E17 —9C 108
Beulah Pl. Wal A —3L 79
Beulah Rd. E17 —9B 108
Beulah Rd. Epp —8F 66
Beulah Rd. Horn —5G 129
Beulah Rd. T Hth —6B 46
Beult Rd. Dart —9E 154
Bevan Av. Bark —9F 126
Bevan Ho. Grays —9N 147
Bevan Way. Horn —6K 129
Beveland Rd. Can I —2N 153
Beverley Av. Can I —2F 152
Beverley Av. W Mer —2M 213
Beverley Clo. Horn —2K 129
Beverley Clo. Ors —6F 148
Beverley Cres. Wfd G —5H 109
Beverley Dri. Kir X —7H 183
Beverley Gdns. Chesh —3C 30
Beverley Gdns. Horn —2K 129
Beverley Gdns. Sth S —2K 139
Beverley M. E4 —3D 108
Beverley Rise. Bill —7L 101
Beverley Rd. E4 —3D 108
Beverley Rd. Bexh —7A 154
Beverley Rd. Colc —9L 167

Beverley Rd.—Bouchiers Pl.

Beverley Rd. Dag —6K 127 (5K 39)
Bevil Ct. Hod —2A 54
Bevile Ho. Grays —5L 157
Bevington M. Wthm —5E 214
Bevin Wlk. Stan H —3M 149
Bewick Ct. Sib H —5B 206
Bewley Ct. Sth S —4C 140
Bexhill Clo. Clac S —4G 191
Bexhill Dri. Grays —4H 157
Bexley. —3K 47
Bexley Av. Har —6H 201
Bexley Gdns. Chad H —9G 110
Bexleyheath. —3K 47
Bexley High St. Bex —4K 47
Bexley La. Sidc —5J 47
Bexley Rd. SE9 —3G 47
Bexley Rd. Eri —5A 154 (2A 48)
(in two parts)
Beyers Gdns. Hod —2A 54
Beyers Prospect. Hod —1A 54
Beyers Ride. Hod —2A 54
Bibby Clo. Corr —2B 150
Bickenhall. Shoe —6H 141
Bickerton Point. S Fer —1M 105
Bickley. —6G 47
Bickley Pk. Rd. Brom —6G 47
Bickley Rd. E10 —2B 124
Bickley Rd. Brom —6F 47
Bicknacre. —8F 76 (3E 34)
Bicknacre Rd. Bick —8F 76
Bicknacre Rd. Dan —4D 76 (2E 34)
Bicknacre Rd. E Han —2C 90 (4D 34)
Biddenden Ct. Bas —9K 119
Bideford Clo. Romf —5G 113
Bideford Clo. Wclf S —1F 138
Biggin. —4E 158
Biggin Hill. Ans —2E 10
Biggin La. Grays —4D 158
Bight, The. S Fer —2M 105
Bignells Croft. H'wds —3C 168
Bignold Rd. E7 —6G 125
Bigods La. D'mw —6M 197 (6G 13)
Bijou Clo. Tip —5D 212
Bilberry End. Hads —3D 6
Billericay. —7J 101 (7J 33)
Billericay Rd. Heron & Bill —4A 116 (2G 41)
Billet Clo. Romf —7J 111
Billet La. Horn —3H 129 (4B 40)
Billet La. Lgh S —6C 138
Billet La. Stan H —4M 149 (6K 41)
Billet Rd. E17 —5A 108 (2C 38)
Billet Rd. Romf —7G 111 (3J 39)
Billet, The. —4A 150
Billingsgate Fish Market. —7D 38
Bilsdale Clo. H'wds —3C 168
Bilton Rd. Ben —3L 137
Bilton Rd. Chelm —1A 74
Bilton Rd. Eri —5E 154
Bilton Way. Enf —5D 30
Bincote Rd. Enf —6A 30
Bingham Clo. S Ock —6F 146
Bingham Rd. Croy —7C 46
Bingley Rd. Hod —5C 54
Binley Rd. Chelm —9A 62
Binsey Wlk. SE2 —9H 143
Birch. —9B 174 (1C 26)
Birchalls. Stans —1D 208
Bircham Rd. Sth S —4M 139
Birchanger. —7C 208 (7A 12)
Birchanger Ind. Est. Bis S —7A 208
Birchanger La. Bchgr —6B 208 (7A 12)
Birchanger Rd. SE25 —7C 46
Birch Av. Gt Ben —6K 179
Birch Av. Har —4K 201
Birch Clo. Ben —8B 120
Birch Clo. Brain —6E 192
Birch Clo. B'sea —7D 184
Birch Clo. Buck H —9K 93
Birch Clo. Cwdn —2N 107
Birch Clo. Can I —2F 152
Birch Clo. Clac S —1G 190
Birch Clo. Ray —4J 121
Birch Clo. Romf —7N 111
Birch Clo. S Ock —4G 146
Birch Clo. Wthm —3D 214
Birch Cres. Horn —8J 113
Birch Cres. S Ock —3G 146
Birchdale. Hull —5K 105
Birchdale Gdns. Romf —2J 127
Birchdale Rd. E7 —7J 125
Birchdene Dri. SE28 —8F 142
Birch Dri. H'std —4M 199
Birche Clo. Lgh S —2D 138
Birches, The. E12 —6L 125
Birches, The. Ben —7C 120
Birches, The. Brtwd —9H 99
Birches, The. Kir X —8H 183
Birches, The. N Wea —5N 67
Birches Wlk. Gall —8B 74
Birch Gdns. Dag —5A 128
Birch Gdns. T'ham —3E 36
(off Birch Rd.)
Birch Green. —8D 174 (2C 26)
Birch Grn. W'fd —9L 103
Birch Gro. E11 —6E 124
Birch La. Stock —6A 88
Birch Rise. W Bis —6K 213
Birch Rd. Cop —6N 173 (1B 26)
Birch Rd. Lay H —9E 174 (1C 26)
Birch Rd. Romf —7N 111
Birch Rd. T'ham —3E 36
Birch St. B'ch —8D 174 (2C 26)
Birch View. Epp —8G 66
Birch Wlk. Eri —4A 154
Birchway. B'ch —9D 174
Birchwood. Ben —8B 120
Birchwood. Bchgr —7C 208
Birchwood. Wal A —4E 78
Birchwood Clo. Gt War —3F 114
Birchwood Clo. Tip —6E 212
Birchwood Clo. W Mer —3L 213
Birchwood Dri. Lgh S —4F 138
Birchwood Rd. Cock C —8M 77 (3F 35)
Birchwood Rd. Corr —9C 134
Birchwood Rd. L'ham & Ded —4F 162 (3G 17)
Birchwood Rd. Swan & Dart —6A 48
Birchwood Way. Tip —6F 212
Birdbrook. —5A 8
Birdbrook Clo. Dag —9A 128
Birdbrook Clo. Hut —5L 99
Birdbrook Rd. Stamb —6A 8
Birdbush Av. Saf W —6K 205
Bird Green. —2H 11
Bird La. Gt War —7G 114 (3E 40)
Bird La. Tip —7E 212
Bird La. Upm —9A 114 (3D 40)
Birds Clo. I'tn —2H 197
Birds Clo. Rams H —3D 102
Birds Farm Av. Romf —5N 111
Birds Green. —7E 22
Birds Grn. Will —1D 32
Birk Beck. Chelm —6L 61
Birkbeck Gdns. Wfd G —8G 92
Birkbeck Rd. Hut —5N 99
Birkbeck Rd. Ilf —9C 110
Birkbeck Rd. Romf —3B 128
Birkdale Av. Romf —4L 113
Birkdale Rise. Hat P —2M 63
Birkin Clo. Tip —8B 212
Birling Rd. Eri —5B 154
Birs Clo. W'fd —7L 103
Biscay. Sth S —8F 122
Bishop Hall La. Chelm —7K 61
Bishop Ho. Sth S —9G 122
Bishop Rd. Chelm —8K 61
Bishop Rd. Colc —3H 175
Bishops Av. Brain —5K 193
Bishop's Av. Romf —1H 127
Bishops Chase. W Bis —7L 213
Bishops Clo. E17 —8B 108
Bishops Clo. Bas —5H 119
Bishops Ct. Can I —2K 153
(off Maurice Rd.)
Bishopscourt Gdns. Chelm —7N 61
Bishopsfield. H'low —6C 56
Bishopsgate. EC3 —7B 38
Bishop's Green. —3G 23
Bishop's Hall Rd. Pil H —5E 98
Bishop's La. Peb —1J 15
Bishops La. Tip —4C 212
Bishops Pk. Way. Bis S —1J 21
Bishops Rd. Stan H —2A 150
Bishops Rd. W'fd —4L 119
Bishop's Stortford. —9B 208 (1K 21)
Bishop's Stortford Local History Museum. —1K 21
Bishops Stortford Rd. Rox —6G 23
Bishopsteignton. Shoe —6G 140
Bishop Stortford Castle. —1K 21
Bishop's Way. E2 —6C 38
Bishop Wlk. Shenf —8J 99
Bisley Clo. Clac S —7F 186
Bisterne Av. E17 —7D 108
Bittern Clo. K'dn —8D 202
Blackacre Rd. They B —7D 80
Blackberry Rd. S'way —2D 174 (7C 16)
Blackborne Rd. Dag —8M 127
Black Boy La. N15 —3B 38
Black Boy La. Wrab —3E 18
Blackbrooke Cotts. Gt Hork —7J 161
Blackbrook Hill. Ded —2H 163 (2G 17)
Blackbrook La. Brom —7G 47
Blackbrook Rd. Gt Hork —9K 161
Black Buoy Hill. W'hoe —7H 177
Blackbush Av. Romf —9J 111
Blackbushe. Bis S —8A 208
Black Bush La. Horn H —1F 148 (6H 41)
Blackbush Spring. H'low —2F 56
Blackcat. —7C 22
Black Ditch Rd. Wal A —6C 78
Blackdown. Wclf S —5K 139
Blackfen. —3J 47
Blackfen Rd. Sidc —3H 47
Blackfriars Bri. SE1 —7A 38
Blackfriars Rd. SE1 —7A 38
Blackgate Rd. Shoe —7L 141
Blackhall. —3G 11
Blackheath. —6A 176 (1F 27)
(nr. Colchester)
Blackheath. —3E 46
(nr. Greenwich)
Black Heath. —2E 46
Blackheath. Colc —6A 176 (1F 27)
Blackheath Chase. Bas —6M 133
Blackheath Hill. SE10 —2E 46
Blackheath Park. —3F 47
Blackheath Rd. SE8 —2D 46
Blackheath Rugby Ground. —2F 47
Blackheath Village. SE3 —2E 46
Blackhorse Lane. (Junct.) —3C 38
Blackhorse La. E17 —2C 38
Black Horse La. Croy —7C 46
Blackhorse La. N Wea —4B 68
(in two parts)
Blackhorse Rd. E17 —3C 38
Blackhouse La. L Cor —6K 9
Blacklands Clo. Saf W —6J 205
Blackley La. Bla N & Brain —4A 198 (2B 24)
Black Lion Ct. H'low —8H 53
Blacklock. Chelm —8B 62
Blackman Way. Wthm —6D 214
Blackmore. —1H 85 (4E 32)
Blackmore Av. Can I —3H 153
Blackmore Clo. Grays —3M 157
Blackmore Ct. Wal A —3G 79
Blackmore End. —3B 14
Blackmore Mead. B'more —1J 85
Blackmore Rd. B'more & Fry —3J 85 (4F 33)
Blackmore Rd. Buck H —6L 93
Blackmore Rd. Ing & Hghwd —9M 71 (3G 33)
Blackmore Rd. Kel H & Ing —8B 84 (5D 32)
Blackmores. Bas —9H 117
Blackmore Wlk. Ray —5N 121
Black Notley. —3B 194 (1D 24)
Black Prince Interchange. (Junct.) —3K 47
Blackshots La. Grays —7M 147 (7G 41)
Blacksmith Clo. Bill —3K 101
Blacksmiths All. B'moor —1H 85
Blacksmiths Clo. Bab —1A 6
Blacksmiths Clo. Chelm —3N 61
Blacksmiths Clo. Romf —1H 127
Blacksmiths Hill. Stoke C —4B 8
Blacksmiths Ho. E17 —8A 108
(off Gillards M.)
Blacksmiths La. Bulm —6H 9
Blacksmith's La. Har —4H 201
Blacksmith's La. Orp —7J 47
Blacksmith's La. Rain —1D 144
Blacksmith's La. Reed —7C 4
Blacksmiths La. Shudy C —3G 7
Blacksmiths La. W Bis —7K 213 (5H 25)
Blacksmiths Way. Saw —3F 52
Blackstock Rd. N4 & N5 —4A 38
Blackthorn Av. Colc —8E 168
Blackthorn Clo. Writ —1J 73
Blackthorn Ct. E15 —6D 124
Blackthorn Ct. Lang H —2J 133
Blackthorne Dri. E4 —1D 108
Blackthorne Rd. Can I —2J 153
Blackthorn Rd. Grays —8L 147
Blackthorn Rd. Har —5H 201
Blackthorn Rd. Hock —8E 106
Blackthorn Rd. Wthm —3B 214
Blackthorns. H'std —5H 199
Blackthorn Way. War —2G 114
Blackwall La. SE10 —1E 46
(in two parts)
Blackwall Tunnel Northen App. E3 & E14 —6E 38
Blackwall Tunnel Southern App. SE10 —1E 46
Blackwater. Ben —2F 136
Blackwater. Brtwd —7E 98
Blackwater Av. Colc —5E 168
Blackwater Clo. E7 —7F 124
Blackwater Clo. Bur C —3M 195
Blackwater Clo. Chelm —5L 61
Blackwater Clo. Hey B —8N 203
Blackwater Clo. Rain —5B 144
Blackwater Clo. Shoe —5J 141
Blackwater Dri. W Mer —3H 213
Blackwater La. Wthm —7D 214
Blackwater Trad. Est. H'bri —4K 203
Blackwater Way. Brain —4J 193
Blackwell Dri. Brain —4E 192
Blackwood Chine. S Fer —2L 105
Bladon Clo. Brain —2G 193
Bladon Clo. Tip —6E 212
Blaine Dri. Frin S —7H 183
Blake Av. Bark —1D 142
Blakeborough Dri. H Wood —6J 113
Blake Clo. Law —4G 165
Blake Clo. Rain —1D 144
Blake Ct. S Fer —2L 105
Blake Dri. Brain —4L 193
Blake Dri. Clac S —7H 187
Blake End. Rayne —7A 14
Blake End Rd. Gt Sal —6A 14
Blake Gdns. Dart —9K 155
Blake Hall Cres. E11 —3G 125
Blake Hall Dri. W'fd —1A 120
Blake Hall Gardens. —3H 69 (2B 32)
Blake Hall Rd. E11 —2G 125 (4F 39)
Blake Hall Rd. Ong —3E 68 (2B 32)
Blake Hall War Museum. —3H 69 (2B 32)
Blakeney Rd. Beck —6D 46
Blake Rd. Wthm —2C 214
Blakes Ct. Saw —2K 53
Blakes Wood Nature Reserve. —9K 63 (1D 34)
Blake Way. Til —7E 158
Blamsters Cres. H'std —6J 199
Blanchard Clo. Kir X —8D 182
Blandford Clo. Romf —8M 111
Blandford Cres. E4 —6C 92
Blaney Cres. E6 —3A 142
Blasford Hill. —8K 59 (6A 24)
Blatches Chase. Lgh S & Sth S —9E 122
Bledlow Clo. SE28 —7H 143
Blendon Rd. Bex —3J 47
Blenheim Av. Ilf —1N 125
Blenheim Chase. Lgh S —3C 138 (4G 43)
Blenheim Clo. Brain —1G 193
Blenheim Clo. Dan —8F 76
Blenheim Clo. Hock —8D 106
Blenheim Clo. Romf —8A 112
Blenheim Clo. Saw —4H 53
Blenheim Clo. Upm —3B 130
Blenheim Ct. Horn —7G 129
Blenheim Cres. Lgh S —3D 138
Blenheim Dri. Colc —6A 176
Blenheim Gdns. Ave —8M 145
Blenheim Gdns. May —2D 204
Blenheim Ho. Lgh S —3E 138
Blenheim M. Lgh S —3D 138
Blenheim Pk. Clo. Lgh S —2E 138
Blenheim Rd. E15 —6E 124
Blenheim Rd. Clac S —2H 191
Blenheim Rd. Pil H —5D 98
Blenheim Way. N Wea —6M 67
Blenheim Way. Tip —6E 212
Blessing Way. Bark —3H 143
Blewbury Ho. SE2 —9J 143
Blewetts Cotts. Rain —3D 144
(off New Rd.)
Bligh Way. Roch —6K 49
Blind La. Bill —2D 116
Blind La. B'ch —9L 173 (1A 26)
Blind La. B'sea —6E 184
Blind La. Eig G —7B 166
Blind La. Gold —7K 25
Blind La. Hare S —4A 10
Blind La. H Grn —6M 75
Blind La. Mun —3H 35
Blind La. Tol K —5A 26
Blind La. Wal A —3J 79
Blind La. W Han —4F 88 (4B 34)
Blithbury Rd. Dag —8G 126
Blockhouse Rd. Grays —4M 157
Blois End. Sib H —1C 14
Blois Rd. Stpl B —2D 210 (5K 7)
Blomville Rd. Dag —5K 127
Bloomfield Av. Kir X —7H 183
Bloomfield Cres. Ilf —1A 126
Bloomfields, The. Bark —8B 126
Bloomsbury St. WC1 —7A 38
Blooms Hall La. S'std —1H 9
Blossom Clo. Dag —1L 143
Blott Rise. Wthm —7C 214
Blountswood Rd. Hock —7M 105
(in three parts)
Blower Clo. Ray —4M 121
Bloyce's La. L Bro —2H 171
Blue Anchor La. W Til —2G 158 (1H 49)
Bluebell Av. E12 —7K 125
Bluebell Av. Clac S —9G 186
Bluebell Clo. Wthm —4B 214
Bluebell Grn. Chelm —4N 61
Bluebell Way. Colc —5K 167
Bluebell Way. Ilf —8A 126
Bluebell Wood. Bill —4F 100
Blueberry Clo. Wfd G —3G 109
Blue Circle Heritage Centre. —3F 49
Bluehouse Av. Clac S —9E 186
Blue Ho. Farm Chase. N Fam —1G 106
Bluehouse Rd. E4 —9E 92
Bluehouses. Bas —1B 134
Bluemans. N Wea —3B 68
Bluemans End. N Wea —3B 68
Blue Mill La. Wdhm W —1F 35
Blue Mills Hill. Wthm —8D 214 (5G 25)
Blueridge Cotts. H'std —5M 199
Blueridge Ind. Est. H'std —5N 199
Blue Rd. Tip —6C 212
Blue Row. —4G 27
Blue Water. —4D 48
Blunden Clo. Dag —3H 127
Blunts Hall Dri. Wthm —6A 214
Blunts Hall Rd. Wthm —6A 214 (4E 24)
Blunts Wall Rd. Bill —7F 100
Blyford Rd. Clac S —9E 186
Blyth Av. Shoe —7G 140
Blythe Rd. Hod —7D 54
Blythe Rd. Stan H —1N 149
Blythe Way. Mal —8K 203
Blyth Rd. SE28 —7H 143
Blyth's Meadow. Brain —5H 193
Blyth's Way. Brain —6B 192
Blythswood Rd. Ilf —3F 126
Blyth Wlk. Upm —1B 130
Blyth Way. Ben —8C 120
Blythwood Gdns. Stans —3C 208
Blyton Clo. W'fd —2L 119
Boadicea Way. Colc —2J 175 (7E 16)
Boar Clo. Chig —2F 110
Boarded Barn Rd. Cop —6M 173 (1B 26)
Boarded Barn Rd. Wak C —4A 16
Boardman Av. E4 —4B 92
Boar Head Rd. H'low —4M 57
Boars Tye Rd. Sil E —1K 207 (1F 25)
Bobbing Clo. R'fd —5L 123
Bobbingworth. —2G 69 (2B 32)
Bobbingworth Mill. Ong —3E 68
Bobbits Way. W'hoe —6J 177
Bober Ct. Colc —7B 176
Bobs La. Romf —5E 112
Bocking. —3J 193 (7C 14)
Bocking Churchstreet. —1N 193 (6D 14)
Bocking End. Brain —5H 193 (7C 14)
Bockingham Grn. Bas —7H 119
Bockings. Walk —5A 10
Bocking's Elm. —8F 186
Bocking's Gro. Clac S —8F 186
Bodell Clo. Grays —1L 157
Bodiam Clo. Pits —9J 119
Bodmin Rd. Chelm —6M 61
Bogmoor Rd. Bar —7E 4
Bogs Gap La. Stpl M —4A 4
Bohemia Chase. Lgh S —1B 138
Bohum Link. Lain —9G 117
Bohun Clo. Gt L —1M 59
Bois Field Ter. H'std —4L 199
Bois Hall Gdns. H'std —3L 199
Boleyn Clo. E17 —8A 108
Boleyn Clo. Bill —3J 101
Boleyn Clo. Chaf H —1J 157
Boleyn Clo. Lgh S —8B 122
Boleyn Clo. Lou —5L 93
Boleyn Ct. Buck H —7G 93
Boleyn Gdns. Brtwd —9K 99
Boleyn Gdns. Dag —9A 128
Boleyn Rd. E7 —9G 125
Boleyn Rd. N16 —5B 38
Boleyns Av. Brain —2H 193
Boleyn Way. Bore —2G 62
Boleyn Way. Ilf —3B 110
Boleyn Way. Jay —4D 190
Boley Rd. Whi C —4J 15
Bolford St. Thax —3J 211 (3F 13)
Bolingbroke Clo. Gt L —1M 59
Bolls La. Lay H —9F 174
Boley Dri. Clac S —8L 187
Bolney Dri. Lgh S —8B 122
Bolt Cellar La. Epp —9D 66
Bolton Rd. E15 —8F 124
Bolton St. W1 —7A 38
Bombose La. Bures —7A 194 (1K 15)
Bommel Av. Can I —2N 153
Bonchurch Av. Lgh S —4C 138
Bonchurch Ct. Purf —3N 155
Bondfield Wlk. Dart —9K 155
Bond St. E15 —7E 124
Bond St. Chelm —9L 61
Bond St. Grays —4M 157
Bond Way. SW8 —2A 46
Bonham Clo. Clac S —8L 187
Bonham Gdns. Dag —4J 127
Bonham Rd. Dag —4J 127
Bonington Chase. Chelm —5N 61
Bonington Rd. Horn —7H 129
Bonks Hill. Saw —3J 53 (4J 21)
Bonner Rd. E2 —6C 38
Bonner Wlk. Grays —1J 157
Bonneting La. Ber —3J 11
Bonnet M. Horn —3J 129
Bonningtons. Brtwd —9L 99
Bonnygate. Bas —8E 118
Bookcroft Bunnery. —1A 4
Boone Pl. Wthm —5D 214
Boose's Green. —3H 15
Bootham Clo. Bill —7H 101
Bootham Rd. Bill —7H 101
Booth Av. Colc —8C 168
Boothby Ct. E4 —9C 92
Booth Clo. SE28 —8G 143
Booth Pl. Bur C —3M 195
Booth's Ct. Hut —5M 99
Borda Clo. Chelm —6J 61
Border's La. Lou —3N 93 (6G 31)
Boreham. —3G 62 (7C 24)
Boreham Clo. E11 —3C 124
Boreham Clo. W'fd —2B 120
Boreham Interchange. Bore —4D 62
Boreham Rd. Gt L —1M 59 (3B 24)
Boreham Rd. L Walt —4B 24
Borges Gdns. M End —3L 167
Borley. —4H 9
Borley Ct. Ors —6F 148
Borley Green. —4H 9
Borley Rd. L Mel —4H 9
Borman Clo. Lgh S —9F 122
Borough High St. SE1 —1B 46
Borough La. Saf W —5K 205 (7B 6)
Borough Rd. SE1 —1A 46
Borough, The. —1B 46
Borradale Ct. Stpl B —3C 210
Borrett Av. Can I —1G 153
Borrowdale Clo. Ben —9F 120
Borrowdale Clo. Ilf —8L 109
Borrowdale Rd. Ben —9F 120
(in two parts)
Borthwick M. E15 —6E 124
Borthwick Rd. E15 —6E 124
Borwick La. Cray H & W'fd —3F 118
(in three parts)
Bosanquet Rd. Hod —3C 54
Boscawen Gdns. Brain —4L 193
Boscombe Av. E10 —2D 124
Boscombe Av. Grays —2N 157
Boscombe Av. Horn —2H 129
Boscombe Av. W'fd —8G 103
Boscombe Rd. Sth S —5N 139
Bosgrove. E4 —8C 92
Bostall Hill. SE18 —1J 47
Boston Av. Ray —3G 121
Boston Av. Sth S —5L 139
(in two parts)
Boston Rd. E17 —1A 124
Boswell Av. R'fd —2J 123
Boswells Dri. Chelm —9L 61
Bosworth Clo. Hock —3E 122
Bosworth Cres. Romf —3G 113
Bosworth Ho. Eri —3C 154
(off Saltford Clo.)
Bosworth Rd. Dag —5M 127
Bosworth Rd. Lgh S —8B 122
Botanical Way. St O —8M 185
Botany Bay. —5A 30
Botany La. St O —1A 190
Botany La. Wee H —9F 180
(in two parts)
Botany Way. Purf —3M 155
Botelers. Bas —2N 133
Boteley Clo. E4 —8D 92
Botney Hill Rd. L Bur —3E 116 (2H 41)
Bouchers Mead. Chelm —4A 62
Bouchiers Pl. Mess —1D 212

Bouchier Wlk.—Bridle Rd.

Bouchier Wlk. Rain —8E 128
Boudicca Wlk. W'hoe —3J 177
Bouldrewood Rd. Ben —1B 136
Boulevard, The. R'fd —4L 123
Boulter Gdns. Rain —8E 128
Boulton Cotts. H'bri —3L 203
Boulton Rd. Dag —4K 127
Boult Rd. Bas —7L 117
Bounces Rd. N9 —1C 38
Boundary Clo. Ilf —6D 126
Boundary Dri. Hut —6A 100
Boundary Rd. E13 —6F 39
Boundary Rd. E17 —2A 124 (4D 38)
Boundary Rd. Bark —2B 142 (in two parts)
Boundary Rd. Colc —1E 176 (6G 17)
Boundary Rd. Lgh S —7A 122
Boundary Rd. Romf —1E 128
Boundary Rd. Upm —5L 129
Boundary St. Eri —5D 154
Bounderby Gro. Chelm —5G 61
Bounds Green. —2A 38
Bounds Grn. Rd. N11 & N22 —2A 38
Bounstead Hill. Lay H —9K 175 (1E 26)
Bounstead Rd. B'hth —8L 175 (1E 26)
Bourchier Av. Brain —4M 193
Bourchier Way. H'std —6J 199
Bourn Bri. Rd. Lit A —1B 6
Bourne Av. Bas —7J 117
Bournebridge. —6N 95 (7K 31)
Bournebridge Clo. Hut —6A 100
Bournebridge Hill. Gosf —4E 14
Bournebridge Hill. H'std —7H 199
Bournebridge La. Stap A —6L 95 (7K 31)
Bourne Clo. Bas —7J 117
Bourne Clo. H'std —6J 199
Bourne Ct. Brain —7M 193
Bourne Ct. Colc —2A 176
Bourne Ct. Wfd G —6K 109
Bourne End. Horn —2L 129
Bourne Gdns. E4 —1B 108
Bourne Hill. N13 —1A 38
Bourne Mill. —2B 176 (7F 17)
Bournemouth Pk. Rd. Sth S —3N 139 (4K 43)
Bournemouth Rd. Hol S —7C 188
Bourne Rd. E7 —5F 124
Bourne Rd. Bex & Dart —4K 47
Bourne Rd. Bis S —9A 208
Bourne Rd. Colc —2A 176 (7F 17)
Bourne Rd. W Ber —4E 166
Bournes Green. —5F 140 (4A 44)
Bournes Grn. Chase. Sth S & Shoe —5E 140 (4A 44)
Bourne, The. N14 —7A 30
Bourne, The. Bunt —4D 10
Bourne, The. Ware —4C 20
Bourne Way. Brom —7E 46
Bouvel Dri. Bur C —1J 195
Bouverie Rd. Chelm —2C 74
Bovey Way. S Ock —5E 146
Bovills Way. L Cla —4F 186 (2C 28)
Bovingdon Rd. Brain —2M 193 (4C 14)
Bovinger. —3E 68 (2A 32)
Bovinger Way. Sth S —5D 140
Bow. —6D 38
Bowbank Clo. Shoe —5K 141
Bow Common. —6D 38
Bow Comn. La. E3 —6D 38
Bowden Dri. Horn —3J 129
Bowdens La. Wmgfd —1A 160 (2B 16)
Bowdon Rd. E17 —2A 124
Bower Clo. Romf —4B 112
Bower Ct. Epp —1F 80
Bower Farm Rd. Hav —9A 96
Bower Gdns. Mal —5J 203
Bower Hall Dri. Stpl B —3C 210
Bower Hall La. W Mer —4G 27
Bower Hill. Epp —1F 80 (4J 31)
Bower La. Bas —7F 118
Bower La. Eyns & Sev —7C 48
Bowerman Rd. Grays —2C 158
Bowers Clo. Sil E —4M 207
Bowers Ct. Dri. Bas —1N 135
Bowers Gifford. —1M 135 (3C 42)
Bowers Pk. Cotts. Bas —1M 135
Bowers Rd. Ben —1D 136
Bower Ter. Epp —2F 80
Bower Vale. Epp —2F 80
Bowes Dri. Ong —6K 69
Bowe's Ho. Bark —9A 126
Bowes Park. —2A 38
Bowes Rd. N11 & N13 —1A 38
Bowes Rd. Dag —6H 127
Bowes Rd. W'hoe —5J 177
Bowfell Dri. Bas —2J 133
Bowhay. Hut —8K 99
Bow Ind. Pk. E15 —9A 124
Bow Interchange. (Junct.) —6E 38
Bowland Rd. Wfd G —2J 109
Bowlers Croft. Bas —5G 118
Bowls, The. Chig —9D 94
Bowman Av. Lgh S —9A 122
Bowmans Pk. Cas H —3C 206
Bowmont Clo. Hut —5L 99
Bown Clo. Til —7D 158
Bowness Way. Horn —7E 128
Bow Rd. E3 —6D 38
Bowsers La. L Wal —4C 6
Bow St. E15 —7E 124
Bow St. WC2 —7A 38
Bowyer Ct. E4 —7C 92 (off Ridgeway, The)
Box Clo. Lain —6M 117
Boxford Clo. Ray —4F 120
Boxgrove Rd. SE2 —9H 143
Boxhouse La. Ded —2H 163 (2H 17) (in two parts)
Box La. Bark —2G 143
Box Mill La. H'std —3K 199
Boxmoor Rd. Romf —2A 112
Boxoll Rd. Dag —6L 127
Boxted. —2N 161 (2E 16)
Boxted Av. Clac S —9F 186
Boxted Chu. Rd. L Hork —4J 161 (3D 16)
Boxted Clo. Buck H —7L 93
Boxted Cross. —2B 162 (2F 17)
Boxted Rd. L Hork —5J 161 (3D 16)
Boxted Rd. M End —2L 167 (4E 16)
Boyce Grn. Ben —4D 136
Boyce Hill Clo. Lgh S —1A 138
Boyce Rd. Shoe —6M 141
Boyce Rd. Stan H —2L 149
Boyce View Dri. Ben —4C 136
Boyd Clo. Bis S —9A 208
Boyd Ct. W'fd —2N 119
Boyden Clo. Sth S —4D 140
Boyden Ho. E17 —7C 108
Boydin Clo. Wthm —7B 214
Boyles Ct. Colc —7B 176
Boyne Dri. Chelm —5M 61
Boyne Rd. Dag —5M 127
Boyton Clo. Ben —1G 136
Boyton Cross. —7H 23
Boyton Cross La. Rox —7H 23
Boyton End. —3B 8 (nr. Stoke by Clare)
Boyton End. —2F 13 (nr. Thaxted)
Boytons. Bas —9N 117
Boyton's La. Hpstd —6G 7
Boyton Vineyards. —3A 8
Brabant Rd. N Fam —1F 106
Brabner Gdns. Rams H —4D 102
Bracelet Clo. Corr —9A 134
Brace Wlk. S Fer —3L 105
Brackendale. Bill —5M 101
Brackendale Av. Bas —2J 135
Brackendale Clo. Hock —9D 106
Brackendale Ct. Bas —2K 135
Brackendale Gdns. Upm —6N 129
Bracken Dell. Ray —5L 121
Brackenden Dri. Chelm —4M 61
Bracken Dri. Chig —3A 110
Bracken Ind. Est. Ilf —4E 110
Bracken M. E4 —7C 92
Bracken M. Romf —1N 127
Brackens Dri. War —2F 114
Brackens, The. H'wds —4B 168
Bracken, The. E4 —8C 92
Bracken Way. Abb —9B 176
Bracken Way. Ben —9G 121
Brackley Cres. Bas —6H 119
Brackley Sq. Wfd G —4K 109
Bradbourne Rd. Grays —4L 157
Bradbourne Way. Pits —1K 135
Bradbrook Gdns. W Ber —3G 167
Bradbury Dri. Brain —5F 192
Bradd Clo. S Ock —3F 146
Bradfield. —3C 18
Bradfield Dri. Bark —7F 126
Bradfield Heath. —4B 18
Bradfield Rd. Wix —4C 18
Bradford Bury. Lgh S —9B 122
Bradford Rd. Ilf —3C 126
Bradford St. Brain —4H 193 (7D 14)
Bradford St. Chelm —1B 74
Brading Av. Clac S —6L 187
Brading Cres. E11 —4H 125
Bradleigh Av. Grays —3M 157
Bradley Av. Ben —1F 136
Bradley Clo. Ben —1F 136
Bradley Clo. Can I —9G 136
Bradley Clo. D'mw —6K 197
Bradley Comn. Bchgr —6B 208
Bradley Grn. Bas —6K 119
Bradleyhall La. T Sok —3G 180
Bradley Hill. Clare —3D 8
Bradley Link. Ben —1F 136
Bradley M. Saf W —3M 205
Bradley Way. R'fd —6K 123 (2J 43)
Bradshawe Rd. Grays —8K 147
Bradwell. —7F 15
Bradwell Av. Dag —4M 127
Bradwell Clo. E18 —8F 108
Bradwell Clo. Horn —8F 128
Bradwell Ct. Brain —8M 193
Bradwell Ct. Hut —5M 99 (off Bradwell Grn.)
Bradwell Grn. Hut —5M 99
Bradwell on Sea. —1E 36
Bradwell Power Station Visitor Centre. —7F 27
Bradwell Rd. Buck H —7L 93
Bradwell Rd. Stpl —3C 36
Bradwell Rd. St La —2D 36
Bradwell Rd. T'ham —2E 36
Bradwell Waterside. —1E 36
Brady Av. Lou —1B 94
Brady Ct. Dag —3J 127
Bradymead. E6 —6A 142
Braemar Av. Bexh —9A 154
Braemar Av. Chelm —2C 74
Braemar Cres. Lgh S —4N 137
Braemar Gdns. Horn —1L 129
Braemar Wlk. Pits —9J 119
Braemore. Can I —9F 136
Braemore Clo. Colc —4D 168
Braeside Cres. Bexh —9A 154
Braggon's Hill. Glem —1G 9
Braham St. E1 —7B 38
Brain Rd. Wthm —4B 214
Braintree. —5H 193 (7D 14)
Braintree Av. Ilf —8L 109
Braintree District Museum. —6H 193 (7C 14)
Braintree Rd. Brain —8M 193
Braintree Rd. Dag —5M 127
Braintree Rd. D'mw —8M 197 (1G 23)
Braintree Rd. Fels —1J 23
Braintree Rd. Gosf —4E 14
Braintree Rd. Gt Bar —3J 13
Braintree Rd. L Walt —5K 59 (5A 24)
Braintree Rd. Shalf —5B 14
Braintree Rd. Terl —4D 24
Braintree Rd. Tye G —1D 24
Braintree Rd. Weth —3A 14
Braintree Rd. Wthm —3C 214 (4F 25)
Braintree Tourist Information Centre. —6H 193 (7C 14)
Braintree Town Hall Centre. —6H 193 (7C 14)
Brain Valley Av. Bla N —2B 194
Braiswick. —5K 167 (5E 16)
Braiswick. Colc —4H 167 (5D 16)
Braiswick La. M End —3L 167
Braiswick Pl. Lain —7K 117
Braithwaite Av. Romf —2M 127
Bramall Clo. E15 —7F 124
Bramble Clo. Lgh S —8A 122
Bramble Ct. Wthm —3B 214
Bramble Cres. Ben —1N 137 (3G 43)
Bramble Croft. Eri —2A 154
Brambledown. W Mer —2K 213
Bramble Hall La. Ben —1N 137
Bramble La. L Dun —1J 23
Bramble La. Upm —1N 145 (6D 40)
Bramble Rise. H'low —2B 56
Bramble Rd. Ben —9L 121 (3F 43)
Bramble Rd. Can I —2J 153
Bramble Rd. Lgh S —8A 122
Bramble Rd. Wthm —4B 214
Brambles. W on N —7K 183
Brambles La. Whi C —3J 15
Brambles, The. Chig —2B 110
Brambles, The. Colc —3G 175
Brambles, The. Lain —7J 117
Brambles, The. S'min —8L 207
Bramble Tye. Lain —6A 118
Bramblings, The. E4 —1D 108
Bramerton Rd. Hock —1C 122
Bramfield. —4A 20
Bramfield La. W'frd —4A 20
Bramfield Rd. W'frd —4A 20
Bramfield Rd. E. Ray —5N 121
Bramfield Rd. W. Ray —5M 121
Bramley Clo. Alr —6A 178
Bramley Clo. Brain —7J 193
Bramley Clo. Colc —8J 167
Bramley Ct. E4 —7C 92 (off Ridgeway, The)
Bramley Ct. Ben —4M 137
Bramley Cres. Ilf —1N 125
Bramley Gdns. Bas —7L 117
Bramley Pl. Dart —9E 154
Bramley Rd. N14 —7A 30
Bramleys. Stan H —2M 149
Bramley Shaw. Wal A —3F 78
Bramleys, The. Cogg —7L 195
Bramleys, The. R'fd —2J 123
Bramley Way. May —2C 204
Brampstead. Bas —9J 117
Brampton Clo. Corr —9B 134
Brampton Clo. Wclf S —2F 138
Brampton Rd. Bexh & SE2 —2J 47
Bramshill Clo. Chig —2D 110
Bramston Clo. Chelm —2G 75
Bramston Clo. Ilf —3E 110
Bramston Grn. Wthm —3C 214
Bramston Link. Lain —8G 117
Bramston View. Wthm —5C 214
Bramston Wlk. Wthm —3C 214
Bramston Way. Lain —9G 117 (3J 41)
Bramwoods Rd. Chelm —2F 74
Brancaster Pl. Lou —2M 93
Brancaster Rd. E12 —6M 125
Brancaster Rd. Ilf —1D 126
Brancepeth Gdns. Buck H —8G 92
Branch Rd. Ben —4L 137
Branch Rd. Ilf —2G 111
Brand Ct. Brain —1H 193
Brand Dri. L'hoe —9B 176
Brandenburg Rd. Can I —9K 137
Brandon Clo. Bill —3J 101
Brandon Clo. Chaf H —9J 147
Brandon Groves Av. S Ock —3F 146
Brandon Rd. E17 —8C 108
Brandon Rd. Brain —6F 192
Brands Hatch Rd. Fawk —7E 48
Brandville Gdns. Ilf —8A 110
Brandy Hole. —4N 105 (7G 35)
Bran End. —6H 13
Bran End Fields. Steb —6H 13
Branfill Rd. Upm —4M 129
Branksome Av. Hock —8D 106
Branksome Av. Stan H —1M 149 (6K 41)
Branksome Av. W'fd —9G 103
Branksome Clo. Stan H —2L 149
Branksome Rd. Sth S —5N 139
Branscombe Clo. Frin S —9H 183
Branscombe Gdns. Sth S —6F 140
Branscombe Sq. Sth S —5F 140
Branscombe Wlk. Sth S —5F 140
Branstone Ct. Purf —3N 155
Branston Rd. Clac S —1G 191
Brantham. —1A 18
Brantham Hill. Bran —2A 18
Brantwood Av. Eri —5A 154
Brantwood Clo. E17 —7C 108
Brantwood Gdns. Ilf —8L 109
Brasted Rd. Eri —5C 154
Brathertons Ct. Bill —5H 101
Braughing. —6E 10
Braughing Friars. —6F 11
Braxted Clo. R'fd —3H 123
Braxted La. Gt Br & Gt Tot —4J 25
Braxted Rd. Riven & Tip —6M 213 (3H 25)
Braxted Rd. W Bis —6M 213 (5H 25)
Braxteds. Bas —9J 117
Braybrooke. Bas —9C 118
Bray Ct. Shoe —4J 141
Brayers M. R'fd —6L 123
Brays Grove. —4F 56 (7J 21)
Brays La. R'fd —2J 123 (1J 43)
Brays Mead. H'low —5E 56
Brays Springs. Wal A —4E 78
Braziers Clo. Chelm —7D 74
Breach Barn Mobile Home Pk. Wal A —9H 65
Breachfield Rd. Colc —4K 175
Breach La. Dag —3M 143
Breach La. Gt Eas —5F 13
Breach Rd. Grays —4C 156
Bread and Cheese Hill. Ben —1E 136
Bread and Cheese La. Chesh —2B 30
Break Egg Hill. Bill —5M 101
Bream Ct. Colc —6F 168
Breamore Rd. Ilf —4E 126
Breams Field. Bas —2L 133
Bream St. E3 —9A 124
Brecknock Rd. N19 & N7 —5A 38
Brecon. Wclf S —5K 139
Brecon Clo. Pits —7K 119
Bredo Ho. Bark —3G 143
Bree Av. M Tey —3G 172
Breeds. —6F 58
Breeds Rd. Gt Walt —6F 58 (5K 23)
Bree Hill. S Fer —2J 105
Bremer M. E17 —8B 108
Brempsons. Bas —8B 118
Brenchley Gdns. SE23 —3C 46
Brendans Clo. Horn —3J 129
Brendon. Bas —1M 133
Brendon Clo. Eri —6C 154
Brendon Gdns. Ilf —9D 110
Brendon Pl. Chelm —1N 73
Brendon Rd. Dag —3L 127
Brendon Way. Wclf S —1F 138
Brennan Rd. Til —7D 158 (2H 49)
Brent Av. S Fer —8J 91
Brent Clo. Frin S —7J 183
Brent Clo. Wthm —5B 214
Brent Hall Rd. F'fld —2J 13
Brenthall Towers. H'low —5H 57
Brentleigh Ct. Brtwd —9D 98
Brent Pelham. —3G 11
Brent, The. Dart —4C 48
Brentwood. —8G 98 (1F 41)
Brentwood By-Pass. Brtwd —1A 114 (1D 40)
Brentwood Museum. —2F 114 (1E 40)
Brentwood Pl. Brtwd —7G 98
Brentwood R.C. Cathedral. —8G 98 (1E 40)
Brentwood Rd. Bulp —4C 132 (5H 41)
Brentwood Rd. Grays —2E 148 (1H 49)
Brentwood Rd. Heron —5E 116 (2H 41)
Brentwood Rd. Hol S —7N 187
Brentwood Rd. Ingve —1K 115 (1F 41)
Brentwood Rd. Ong —9L 69 (3C 32)
Brentwood Rd. Romf —1D 128 (3A 40)
Brentwood Rd. W H'dn —2B 132 (4G 41)
Brentwood Tourist Information Centre. —8G 98 (1E 40)
Bressey Gro. E18 —6F 108
Bressingham Gdns. S Fer —1J 105
Bretons. Bas —9N 117
Bretten Clo. Clac S —9E 186
Brettenham Av. E17 —5A 108
Brettenham Dri. Sth S —6C 140
Brettenham Rd. E17 —6A 108
Brett Gdns. Dag —9K 127
Bretts Bldgs. Colc —9A 168
Brevet Clo. Purf —2A 156
Brewer's End. —8B 210 (1C 22)
Brewers Rd. Shorne —6K 49
Brewers Yd. S'min —7L 207
Brewery La. Stans —2D 208
Brewery Rd. N7 —5A 38
Brewery Rd. SE18 —1H 47
Brewery Rd. Hod —5A 54
Brewery Rd. Pam —1K 5
Brewery Yd. Stans —2D 208
Brewood Rd. Dag —8G 127
Brewster Clo. Can I —2G 153
Brewster Rd. E10 —3B 124
Brian Bishop Clo. W on N —6L 183
Brian Clo. Chelm —4C 74
Brian Clo. Horn —6F 128
Brian Rd. Romf —9H 111
Briar Clo. Bill —9M 101
Briar Clo. Buck H —8K 93
Briar Clo. Hock —3E 122
Briardale Av. Har —4H 201
Briarfields. Kir S —6F 182
Briarleas Gdns. Upm —2B 130
Briar Mead. Bas —7K 117
Briar Rd. Gt Bro —3A 170 (5J 17)
Briar Rd. Romf —4G 113
Briarsford Witham Ind. Est. Wthm —6E 214
Briars, The. Kel H —9B 84
Briars Wlk. Romf —6J 113
Briarswood. Can I —9G 136
Briarswood. Chelm —4M 61
Briar View. Bill —9M 101
Briarwood. Kel H —7C 84
Briarwood Av. Clac S —7C 188
Briarwood Clo. Lgh S —1C 138
Briarwood Dri. Lgh S —1C 138
Briarwood End. H'wds —4B 168
Briary, The. W'fd —9J 103
Briceway. Corr —2A 150
Brick Cotts. W'fd —6A 104
Brick Ct. Grays —4K 157 (off Jetty Wlk.)
Brick End. —6D 12
Brickenden Ct. Wal A —3F 78
Brickendon. —7B 20
Brickendon Ct. Hod —6A 54
Brickendon La. B'don —6B 20
Brickfield Clo. Van —4E 134
Brickfield Rd. Bas —4E 134
Brickfield Rd. Coop —8J 67
Brickfields Rd. S Fer —1L 105
Brickfields Way. R'fd —6M 123
Brickhouse Clo. W Mer —2J 213
Brick House End. —4J 11
Brickhouse La. Bore —2F 62
Brickhouse Rd. Coln E —3H 15
Brick Ho. Rd. Tol M —5K 25
Brick Kiln Clo. Cogg —7L 195
Brickkiln Green. Bla E —3B 14
Brick Kiln La. Gt Hork —1J 167
Brick Kiln La. R Grn —3A 12
Brick Kiln La. Steb —6H 13
Brick Kiln La. Thorr —9D 178
Brick Kiln Rd. Colc —6M 167
Brick Ho. Rd. S'don —3K 75 (2C 34)
Brick Kiln Way. Brain —6M 193
Brick La. E1 —6B 38
Bricklayer's Arms. (Junct.) —1B 46
Brickmakers La. Colc —5N 167
Brickman's Hill. Brad —3B 18
Brick Row. Chris —6H 5
Brickspring La. Gt Tot —5J 25
Brickstock Furze. Shenf —7K 99
Brick St. For H —6C 166
Brickwall Clo. Bur C —4L 195
Brickyard La. Reed —7D 4
Bridewell St. Clare —2D 8
Bridge Av. Upm —5L 129
Bridge Brook Clo. Colc —6D 168
Bridge Clo. Brtwd —1J 115
Bridge Clo. Romf —1C 128
Bridge Clo. Shoe —7J 141
Bridgecote La. Bas —5A 118
Bridge Cotts. Shoe —6H 141
Bridge Ct. Grays —4L 157 (off Bridge Rd.)
Bridge Cres. Stpl B —2C 210
Bridge Croft. Gt Walt —2H 59
Bridge End. E17 —5C 108
Bridge End. Gt Bar —3J 13
Bridge End. Newp —7D 204
Bridge End Gardens. —3K 205 (6B 6)
Bridgefield Clo. Colc —8C 168
Bridge Green. —7J 5
Bri. Hall Rd. B'wll —7F 15
Bridge Hill. Epp —3E 80 (4H 31)
Bridge Hill. For —4B 16
Bridge Ho. Clo. W'fd —9K 103
Bridgemans Grn. Latch —4K 35
Bridgemarsh La. Alth —6A 36
Bridgend Clo. S Fer —9L 91
Bridgen Rd. Bex —4K 47
Bridge Pde. Bill —5H 101
Bridge Rd. E6 —9M 125
Bridge Rd. E15 —9D 124 (6E 38)
Bridge Rd. N22 —2A 38
Bridge Rd. Beck —5D 46
Bridge Rd. Eri —7D 154 (2A 48)
Bridge Rd. Grays —4L 157 (2F 49)
Bridge Rd. Gt W —4D 44
Bridge Rd. More —1B 32
Bridge Rd. Rain —4E 144 (6A 40)
Bridge Rd. W'fd —9A 104
Bridge Street. —1K 9
Bridge St. Bures —7D 194 (1A 16)
Bridge St. Cogg —9K 195 (7H 15)
Bridge St. F'fld —2K 13
Bridge St. Gt Bar —3J 13
Bridge St. Gt Yel —8D 198 (6C 8)
Bridge St. H'std —4K 199 (3F 15)
Bridge St. Lain —5N 117
Bridge St. Saf W —3J 205 (6B 6)
Bridge St. Whad —2C 4
Bridge St. Wthm —7C 214 (5F 25)
Bridge St. Writ —1K 73 (1K 33)
Bridge St. Rd. Lav —1K 9
Bridge Ter. E15 —9D 124 (in two parts)
Bridge Ter. H'bri —3K 203
Bridgeview Ct. Ilf —3D 110
Bridgewater Clo. Romf —2H 113
Bridgewater Rd. Romf —2G 113
Bridgewater Wlk. Romf —2H 113
Bridgeway. Bark —9E 126
Bridgewick Rd. T'ham —3F 37
Bridgwater Dri. Wclf S —1E 138 (3H 43)
Bridle Clo. Hod —1A 54
Bridle Path, The. E4 —4E 108
Bridle Rd. Croy —7D 46 (in two parts)

Bridle Wlk.—Brussum Rd.

Bridle Wlk. S'way —9E 166
(off Stirrup M.)
Bridleway. Bill —2M 101
Bridle Way. Hod —2A 54
Bridle Way. (North), Hod —1A 54 (6D 20)
Bridle Way. (South), Hod —2A 54 (6D 20)
Bridle Way, The. Bas —3N 133
Bridon Clo. E Han —3B 90
(off Ashley Grn.)
Bridport Av. Romf —1N 127
Bridport Rd. N18 —2B 38
Bridport Rd. Chelm —6M 61
Bridport Way. Brain —4M 193
Brierley Av. W Mer —2M 213
Brierley Clo. Horn —1G 128
Brierley Rd. E11 —6D 124
Brighstone Ct. Purf —3M 155
Bright Clo. Clac S —7H 187
Brightlingsea. —7E 184 (3K 27)
Brightlingsea Museum. —7E 184 (3K 27)
Brightlingsea Rd. Thorr —3C 184 (2J 27)
Brightlingsea Rd. W'hoe —1H 177 (7H 17)
Brighton Av. Sth S —6B 140
Brighton Rd. Hol S —7C 188
Brighton Rd. Wclf S —6L 139
Brights Av. Rain —4F 144
Brightside. Bill —4G 101
Brightside. Kir X —7H 183
Brightside Clo. Bill —4G 101
Brightwell Av. Wclf S —4J 139
Brigstock Rd. T Hth —7A 46
Brimfield Rd. Purf —2A 156
Brimsdown. —6D 30
Brimsdown Av. Bas —9K 117
Brimsdown Av. Enf —6D 30
Brimstone Ct. Brain —8G 193
Brimstone Hill. Meop —7H 49
Brimstone Ho. E15 —9E 124
(off Victoria St.)
Brindles. Can I —1F 152
Brindles. Horn —8J 113
Brindles Clo. Hut —8M 99
Brindles Clo. Linf —2J 159
Brindley Rd. Clac S —5M 187
Brindwood Rd. E4 —9A 92
Bringey, The. Gt Bad —4H 75
Brinkley Cres. Colc —6D 168
Brinkley Gro. Rd. M End —2A 168
Brinkley La. H'wds —2B 168
Brinkley Pl. Colc —4N 167
Brinkworth Clo. Hock —1E 122
Brinkworth Rd. Ilf —7L 109
Brinsmead Rd. Romf —6L 113
Brisbane Ho. Til —6C 158
Brisbane Rd. E10 —4B 124
Brisbane Rd. Ilf —2A 126
Brisbane Way. Colc —5A 176
Briscoe Clo. E11 —5F 124
Briscoe Rd. Hod —3A 54
Briscoe Rd. Pits —8J 119
Briscoe Rd. Rain —2G 145
Brise Clo. Brain —7J 193
Bristol Clo. Ray —2J 121
Bristol Ct. Sil E —4M 207
Bristol Hill. Shot G —1H 19
Bristol Ho. Bark —9F 126
(off Margaret Bondfield Av.)
Bristol Rd. E7 —8J 125
Bristol Rd. Colc —7A 168
Bristol Rd. Sth S —9J 123
Bristowe Av. Chelm —4H 75
Bristowe Dri. Ors —6F 148
Britannia Clo. Bill —6K 101
Britannia Ct. Bas —6L 119
Britannia Ct. W'hoe —5H 177
Britannia Cres. W'hoe —5H 177
Britannia Gdns. Wclf S —6H 139
Britannia Lodge. Wclf S —6H 139
Britannia Rd. Ilf —5A 126
Britannia Rd. War —2F 114
Britannia Rd. Wclf S —6H 139
British Legion Rd. E4 —8F 92
Brittain Rd. Dag —5K 127
Brittany Way. Colc —2B 176
(in two parts)
Britten Clo. Bas —1J 133
Britten Clo. Colc —9E 168
Britten Cres. Chelm —2G 74
Britton Ct. Ray —6K 121
Brittons La. Stock —9A 88
Brixham Clo. Clac S —4G 191
Brixham Clo. Ray —2K 121
Brixham Gdns. Ilf —7D 126
Brixton. —3A 46
Brixton Hill. SW2 —4A 46
Brixton La. Man —5K 11
Brixton Rd. SW9 —3A 46
Brixton Water La. SW2 —3A 46
Broad Chishall Green. —6H 5
Broad Clo. Hock —1D 122
Broadclyst Av. Lgh S —1C 138
Broadclyst Clo. Sth S —5E 140
Broadclyst Gdns. Sth S —5E 140
Broad Ditch Rd. Meop —5G 49
Broadfield. H'low —2D 56
Broadfield Clo. Romf —9D 112
Broadfield Rd. Tak —8E 210
Broadfields. High R —3F 23
Broadfields. H Wych —3G 52
Broadfields. W'hoe —2J 177
Broadfield Way. Buck H —9J 93
Broadgate. Wal A —3F 78
Broad Green. —6H 5
(nr. Chrishall)
Broad Green. —7B 46
(nr. Croydon)
Broad Green. —3B 172 (7J 15)
(nr. Marks Tey)
Broad Green. —1F 210 (5K 7)
(nr. Steeple Bumpstead)
Broad Grn. Bas —8D 118
Broad Grn. B'frd —7A 20
Broadgreen Wood. —7A 20
Broadhope Av. Stan H —5L 149
Broadhurst Av. Ilf —6E 126
Broadhurst Gdns. Chig —1B 110
(in two parts)
Broadhurst Wlk. Rain —8E 128
Broadlands. Badg D —3J 157
Broadlands. Ben —9F 120
Broadlands Av. Hock —9E 106
Broadlands Av. Ray —4K 121
Broadlands Rd. Hock —1E 122
Broadlands Way. Colc —6B 168
Broad La. N15 —3B 38
Broad La. Dart —5B 48
Broad La. Gt Hork —7J 161
Broadlawn. Lgh S —2B 138
Broadley Common. —9K 55 (1G 31)
Broadley Rd. H'low —7M 55
Broadmayne. Bas —9B 118 (3A 42)
Broadmead Ct. Wfd G —3G 108
Broad Meadow. Kel H —8C 84
Broadmead Rd. Colc —6E 168
Broadmead Rd. Wfd G —3G 108 (2F 39)
Broadmere Clo. Hol S —6B 188
Broad Oak. Wfd G —2H 109
Broadoak Chase. Gt Tot —5J 25
Broad Oak Clo. E4 —2A 108
Broad Oakes Clo. Wim —1D 12
Broadoak Rd. Eri —5B 154
Broadoaks. Epp —1E 80
Broad Oaks. W'fd —1M 119
Broadoaks Cres. Brain —4M 193
Broad Oaks Pk. Colc —4D 168
Broad Oak Way. Ray —6L 121
Broad Pde. Hock —1E 122
Broad Rd. Brain —3J 193 (6D 14)
(in two parts)
Broad Rd. Wick P —7G 9
Broad Sanctuary. SW1 —1A 46
Broad's Green. —7G 59 (5K 23)
Broadstone Rd. Horn —4E 128
Broad St. Dag —9M 127 (5K 39)
Broad St. Hat O —3C 22
Broad Street Green. —1M 203 (7J 25)
Broad St. Grn. Rd. Gt Tot —9N 213 (6H 25)
Broad St. Grn. Rd. Mal —1M 203
Broad St. Mkt. Dag —9N 127
Broadstrood. Lou —8N 79
Broadstrood. St O —8M 185
Broadview Av. Grays —9N 147
Broadwalk. E18 —7F 108
Broad Wlk. SE3 —2F 47
Broad Wlk. H'low —2C 56
Broad Wlk. Hock —1E 122
Broadwalk. W'fd —1L 119
Broad Wlk. N., The. Brtwd —9K 99
Broad Wlk. S., The. Brtwd —1K 115
Broadwater Grn. Lain —9H 117
Broadway. E15 —9D 124 (5E 38)
(in two parts)
Broadway. Bark —1B 142
Broadway. Bexh —3K 47
Broadway. Glem —1G 9
Broadway. Grays —4M 157
Broad Way. Hock —9E 106
Broadway. Jay —6D 190 (5C 28)
Broadway. Lgh S —6D 138 (5H 43)
Broadway. Rain —4E 144 (6A 40)
Broadway. Romf —6E 112
Broadway. Sil E —2L 207
Broadway. Swan —7A 48
Broadway. Til —7B 158
Broadway. W'fd —1C 42
Broadway Av. H'low —8G 53
Broadway Clo. Wfd G —3H 109
Broadway Ct. Sil E —2L 207
Broadway Mkt. E2 —6C 38
Broadway N. Pits —1J 135
Broadway Pde. E4 —3C 108
Broadway Pde. Horn —6F 128
(off Broadway)
Broadway, The. E4 —3D 108
Broadway, The. N8 —3A 38
Broadway, The. N9 —1C 38
Broadway, The. Dag —4L 127
Broadway, The. D'mw —6M 197 (7G 13)
Broadway, The. Horn —6F 128 (5B 40)
Broadway, The. Lain —9H 117
Broadway, The. Lou —3B 94 (6H 31)
Broadway, The. Sth S —7F 140 (5A 44)
Broadway, The. W'fd —8L 103
Broadway, The. Wfd G —3H 109
Broadway W. Lgh S —6C 138 (5G 43)
Brock Clo. Wthm —7B 214
Brockdish Av. Bark —7E 126
Brockenhurst Dri. Stan H —5L 149
Brockenhurst Gdns. Ilf —7B 126
Brockenhurst Way. Bick —9F 76
Brocket Clo. Chig —1E 110
Brocket Rd. Grays —1C 158
Brocket Rd. Hod —5A 54
Brocket Way. Chig —2D 110
Brock Grn. S Ock —6E 146
Brockham Clo. Clac S —7F 186
Brockham Dri. Ilf —1A 126
Brock Hill. —3J 103 (6B 34)
Brock Hill. Runw —2H 103 (6B 34)
Brock Hill Dri. Runw —5K 103
Brockles Mead. H'low —7B 56
Brockley. —3C 46
Brockley Cres. Romf —4A 112
Brockley Green. —2B 8
Brockley Grn. Hund —2B 8
Brockley Gro. SE4 —3D 46
Brockley Gro. Hut —7K 99
Brockley Rise. SE23 —4D 46
Brockley Rd. SE23 —3D 46
Brockley Rd. Chelm —9M 61
Brock Rd. Ilf —3H 39
Brocksford Av. Ray —6M 121
Brocks Mead. Gt Eas —6F 13
Brocksparkwood. Brtwd —9L 99
Brockton Clo. Romf —7D 112
Brockway Clo. E11 —4E 124
Brockwell La. K'dn —9C 202
Brockwell Wlk. W'fd —1L 119
Brodie Rd. E4 —7C 92
Brodie Rd. Shoe —6L 141
Brodie Wlk. W'fd —2N 119
Brograve Clo. Chelm —7E 74
Broken Green. —7F 11
Broman's La. E Mer —4J 27
Bromefield Ct. Wal A —3G 78
Bromfelde Rd. Cray H —2D 118
Bromfield. Saf W —5M 205
Bromfield Rd. Chelm —8J 61
Bromfords Clo. W'fd —2J 119
Bromfords Dri. W'fd —2J 119
Bromhall Rd. Dag —8G 126
Bromley. —6D 38
(nr. Bow)
Bromley. —6E 46
(nr. Chislehurst)
Bromley. Grays —4J 157
Bromley Common. —7G 47
Bromley Comn. Brom —6F 47
Bromley Cross. —3A 170 (5J 17)
Bromley Hill. Brom —5E 46
Bromley La. Chst —5H 47
Bromley La. Newp —7D 204
Bromley M. Ray —4G 120
Bromley Museum. —7J 47
Bromley Rd. E10 —1B 124
Bromley Rd. E17 —7A 108
Bromley Rd. SE6 & Brom —4D 46
Bromley Rd. A'lgh —4K 169
Bromley Rd. Beck & Brom —6D 46
Bromley Rd. Chst —6G 47
Bromley Rd. Colc —6E 168 (5G 17)
Bromley Rd. Elms —1N 177 (6J 17)
Bromley Rd. Frat —3F 178 (7K 17)
Bromley Rd. Law —6F 164 (3K 17)
Brompton Clo. Bill —3J 101
Brompton Dri. Eri —5F 154
Brompton Gdns. Mal —8H 203
Bronte Clo. E7 —6G 125
Bronte Clo. Brain —8J 193
Bronte Clo. Ilf —8N 109
Bronte Clo. Til —7E 158
Bronte Gro. Dart —9K 155
Bronte M. Sth S —4N 139
Bronte Rd. Wthm —2C 214
Bronze Age Way. Eri —9N 143 (1A 48)
Brook Av. Dag —9N 127
Brook Clo. Brain —6E 192
Brook Clo. Gt Tot —9M 213
Brook Clo. R'fd —7M 123
Brook Clo. Romf —5D 112
Brook Clo. Tip —8F 212
Brook Clo. Wdhm W —1F 35
Brook Cotts. Stans —4D 208
Brook Ct. E11 —5E 124
Brook Cres. E4 —1A 108
Brookdale Av. Upm —5L 129
Brookdale Clo. Upm —5M 129
Brookdale Rd. E17 —7A 108
Brook Dri. Fob —5D 134
Brook Dri. W'fd —2K 119
Brooke Av. Saf W —3L 205
Brook End. —4B 10
(nr. Buntingford)
Brookend. —7J 13
(nr. Great Dunmow)
Brook End. Saw —2J 53
Brook End. Stpl M —4A 4
Brook End Rd. Chelm —7B 62 (1B 34)
Brooke Rd. E17 —8C 108
Brooke Rd. Grays —3K 157
Brooker Rd. Wal A —4C 78
Brooke Sq. Mal —7K 203
Brook Farm Cvn. Pk. Clac S —6H 187
Brook Farm Clo. H'std —5N 199
Brookfield. Thorn —4H 67
Brookfield Av. E17 —8C 108
Brookfield Clo. Hut —5M 99
Brookfield La. W. Chesh —3C 30
Brookfield Path. E4 —3E 108
Brookfield Path. Wfd G —3E 108
Brookfield Rd. Wee H —2G 186
Brookfields. Lgh S —1C 138
Brookfields. Ong —5K 69
Brookfields. Saw —2J 53
Brookfields. Steb —6H 13
Brookfields Clo. Lgh S —1C 138
Brook Gdns. E4 —1B 108
Brook Hall Rd. Fing —8H 177 (1G 27)
Brookhampton St. I'tn —3K 5
Brook Hill. L Walt —6K 59 (5A 24)
Brook Hill. N End —2J 23
Brookhouse Gdns. E4 —1E 108
Brookhouse Rd. Gt Tey —2D 172 (6K 15)
Brookhurst Clo. Chelm —8M 61
Brooking Rd. E7 —7G 125
Brookland. Tip —7C 212
Brooklands. Colc —9A 168
Brooklands. Jay —6B 190 (5C 28)
Brooklands. W'fd —9J 103
Brooklands App. Romf —8B 112
Brooklands Av. Lgh S —9D 122
Brooklands Clo. Romf —8B 112
Brooklands Gdns. Horn —1G 129
Brooklands Gdns. Jay —6C 190
Brooklands La. Romf —8B 112
Brooklands Pk. Lain —9H 117
Brooklands Rd. Bran —1H 165
Brooklands Rd. Romf —8B 112
Brooklands Sq. Can I —2E 152
Brooklands Wlk. Chelm —2B 74
Brook La. Chelm —9C 62
Brook La. Dodd —7F 84
Brook La. Felix —1K 19
Brook La. Gall —7E 74 (3A 34)
Brook La. Saw —2J 53
Brooklane Field. H'low —6G 56
Brook Lodge. Colc —9K 167
Brook Lodge. Romf —8B 112
(off Brooklands Rd.)
Brooklyn Av. Lou —3L 93
Brooklyn Ct. Har —4L 201
Brooklyn Dri. Ray —2K 121
Brooklyn Rd. Har —4L 201
Brookman's Av. Grays —8N 147
Brookmans Clo. Upm —2B 130
Brookmans Rd. Stock —7M 87
Brook Mead. Bas —8K 117
Brook Mead. Gt Walt —4G 59
Brook Meadow. Sib H —6B 206
Brook Meadow Clo. Wfd G —3E 108
Brook Meadows. Tip —7C 212
Brookmeadow Way. Wal A —9H 65
Brookmill Rd. SE8 —2D 46
Brook Pde. Chig —9A 94
Brook Path. Lou —3L 93
Brook Pl. H'std —5K 199
Brook Rise. Chig —9N 93
Brook Rd. Aldh —1K 173 (6A 16)
Brook Rd. Bass —4B 4
Brook Rd. Ben —5C 136
Brook Rd. Brtwd —9C 98
Brook Rd. Buck H —8G 92 (1E 38)
Brook Rd. Epp —3F 80 (4J 31)
Brook Rd. Gt Tey —2E 172 (6K 15)
Brook Rd. Ilf —1D 126 (3H 39)
Brook Rd. Lou —3L 93
Brook Rd. New & Thri —1G 5
Brook Rd. Ray —7J 121
Brook Rd. Romf —6D 112
Brook Rd. Saw —3J 53
Brook Rd. Stans —3D 208
Brook Rd. T'ham —2E 36
Brook Rd. Tip & Tol K —8F 212 (4A 26)
Brook Rd. Ind. Est. Ray —7K 121
Brooksby's Wlk. E9 —5C 38
Brooks Ct. E15 —7B 124
(off Clays La.)
Brookscroft. E17 —7B 108
(off Forest Rd.)
Brookscroft Rd. E17 —5B 108
(in two parts)
Brooks Ho. Brtwd —7F 98
Brookside. Bill —2L 101
Brookside. Can I —9G 137
Brookside. H'low —6M 55
Brookside. Hock —3E 122
Brookside. Hod —5A 54
Brookside. Horn —9J 113
Brookside. Ilf —3B 110
Brookside. Wal A —2E 78
Brookside. W'fd —6N 103
Brookside Av. Gt W —4N 141
Brookside Clo. Bill —2L 101
Brookside Clo. Colc —2B 176
Brookside Ind. Est. Wclf S —4J 139
Brook Street. —1B 114 (1D 40)
Brook St. Belv & Eri —5A 154 (1K 47)
Brook St. Brtwd —2A 114 (1D 40)
Brook St. Chelm —8K 61
Brook St. Colc —8B 168 (6F 17)
Brook St. Coln E —3H 15
Brook St. Ded —1M 163 (2H 17)
Brook St. Glem —1G 9
Brook St. Gt Bar —3J 13
Brook St. Gt Bro —6D 170 (5K 17)
Brook St. L Dun —1H 23
Brook St. Mann —4J 165 (3A 18)
Brook St. W'hoe —6H 177
Brook Ter. Sib H —6C 206
Brookvale. St O —9M 185 (4B 28)
Brook View. S'don —4K 75
Brook View. Thax —2K 211
Brook Wlk. Wclf S —4F 138
Brook Wlk. Wthm —7C 214
(in two parts)
Brook Way. Chig —9N 93
Brook Way. Rain —5F 144
Broome Clo. Bill —3M 101
Broome Gro. W'hoe —4H 177
Broome Pl. Ave —8A 146
Broome Rd. Bill —3M 101
Broome Way. Jay —6D 190
Broom Farm Rd. Else —7C 196
Broomfield. —3K 61 (6A 24)
Broomfield. Ben —2K 137
Broomfield. H'low —9G 52
Broomfield. Sil E —2K 207
Broomfield Av. N13 —1A 38
Broomfield Av. Lgh S —1E 138
Broomfield Av. Lou —5M 93
Broomfield Av. Ray —4G 120
Broomfield Clo. Romf —4B 112
Broomfield Cres. W'hoe —4H 177
Broomfield Grn. Can I —9F 136
Broomfield La. N13 —1A 38
Broomfield Rd. Chelm —7J 61 (1A 34)
Broomfield Rd. Romf —2J 127
Broomfields. Bas —9H 119
Broomfields. Hat H —2C 202
Broomfields Ct. Bas —9H 119
Broomfields M. Bas —9H 119
Broomfields Pl. Bas —9H 119
Broomhall Clo. Chelm —1K 61
Broomhall Rd. Chelm —1J 61
Broomhill Ct. Wfd G —3G 108
Broomhill Rd. Ilf —4F 126
Broomhill Rd. Wfd G —3G 108 (2F 39)
(in two parts)
Broomhills. —2J 41
Broomhills Chase. L Bur —2H 117
Broomhills Ind. Est. Brain —6E 192
Broomhills Rd. W Mer —3L 213 (5F 27)
Broomhill Wlk. Wfd G —4F 108
Broom Rd. Hull —6L 105
Broomstick Hall Rd. Wal A —3E 78 (4E 30)
Broom Way. Abb —9B 176
Broomways. Gt W —3N 141
Broomwood Gdns. Pil H —5D 98
Broomwood La. Stock & Rams H —9B 88 (6A 34)
Broseley Gdns. Romf —1J 113
Broseley Rd. Romf —1J 113
Broton Dri. H'std —4K 199
(in two parts)
Brougham Clo. Gt W —2L 141
Brougham Glades. S'way —1E 174
Broughton Clo. Colc —2K 175
Broughton Rd. Ben —4M 137
Broughton Rd. S Fer —2L 105
Browne Clo. Brtwd —7E 98
Browne Clo. Romf —2N 111
Brownhill Rd. SE6 —4E 46
Browning Av. Sth S —4M 139
Browning Clo. Colc —9G 166
Browning Clo. Col R —4L 111
Browning Rd. E11 —2F 124
Browning Rd. E12 —7M 125 (5G 39)
Browning Rd. Brain —8J 193
Browning Rd. Dart —9K 155
Browning Rd. Enf —5B 30
Browning Rd. Mal —8K 203
Brownings Av. Chelm —6H 61
Browning Wlk. Til —7E 158
Brownlea Gdns. Ilf —4F 126
Brownlow Bend. Bas —9E 118
Brownlow Cross. Bas —9E 118
Brownlow Grn. Bas —9E 118
Brownlow Rd. E7 —6G 125
Brownlow Rd. N11 —2A 38
Brownlows Clo. Lea R —5E 22
Browns Av. Runw —6N 103
Brownsea Way. Colc —2H 175
Brown's End Rd. Broxt —6D 12
Browns Rd. E17 —7A 108
Brownswood Rd. N4 —4A 38
Broxbourne. —1D 30
Broxbourne Av. E18 —8H 109
Broxbourne Rd. E7 —5G 124
Broxburn Dri. S Ock —7D 146
Broxburn Pde. S Ock —7E 146
Broxhill Cen. Romf —1G 112
Broxhill Rd. Hav —9C 96 (1A 40)
Broxted. —5D 12
Broxted Dri. W'fd —1M 119
Broxted Hill. —6E 12
Broxted M. Brtwd —5M 99
Broxted Rd. Gt Eas —6E 12
Bruce Av. Horn —4G 129
Bruce Gro. N17 —2B 38
Bruce Gro. Chelm —3B 74
Bruce Gro. W'fd —1A 120
Bruce Rd. Writ —1K 73
Bruces Wharf Rd. Grays —4K 157
Bruff Clo. Colc —5M 167
Bruff Dri. W on N —7K 183
Bruges Rd. Can I —3J 153
Brummel Clo. Bexh —8A 154
Brundells Rd. Gt Bro —1F 178
Brundish. Bas —1H 135
Brundon La. Sud —5J 9
Brunel Clo. Til —8D 158
Brunel Ct. H'wds —2C 168
Brunel Ct. Ind. Est. H'wds —2C 168
Brunel Rd. SE16 —1C 46
Brunel Rd. Ben —8D 120
Brunel Rd. Brain —7J 193
Brunel Rd. Clac S —5M 187
Brunel Rd. Lgh S —8B 122
Brunel Rd. Wfd G —2M 109
Brunel Way. Colc —1C 168
Brunel Way. S Fer —1J 105
Brunswick Av. Upm —2B 130
Brunswick Ct. Hod —6A 54
(off Rawdon Dri.)
Brunswick Ct. Upm —2B 130
Brunswick Gdns. Ilf —4B 110
Brunswick Ho. Cut. Mis —5M 165
Brunswick Rd. E10 —3C 124
Brunswick Rd. Sth S —6B 140
Brunswick St. E17 —9C 108
Brunwin Rd. Rayne —6B 192
Brunwins Clo. W'fd —8N 103
Brussum Rd. Can I —3K 153

Brust Rd.—Cambridge Rd.

Brust Rd. Can I —3K 153
Bruton Av. Wclf S —1F 138
Bruton St. W1 —7A 38
Bryanstone M. Colc —1F 174
Bryanston Rd. Til —7E 158
Bryant Av. Romf —5H 113 (2B 40)
Bryant Av. Sth S —8C 140
Bryant Row. Noak H —8G 97
Bryant's La. Wdhm M —3K 77 (2F 35)
Bryant St. E15 —9D 124
Bryce Rd. Dag —6H 127
Brydges Rd. E15 —7D 124
Bryn Farm Clo. Bas —7D 118
Bryony Clo. Lou —3A 94
Bryony Clo. Wthm —3A 214
Buchanan Clo. Ave —8N 145
Buchanan Gdns. W'fd —2M 119
Buchanan Way. Latch —4K 35
Buchan Clo. Brain —8J 193
Buckbean Path. Romf —4G 113
Buckenhoe Rd. Saf W —2L 205
Buckeridge Way. Brad S —1F 37
Buckerills. Bas —1H 135
Buckfast Av. Kir X —8G 182
Buckhatch La. Ret C —7C 90 (5D 34)
Buck Hill. Bla N —1C 24
Buck Hill. Brain —2F 198
Buckhurst Ct. Buck H —8K 93 (off Albert Rd.)
Buckhurst Hill. —8K 93 (1F 39)
Buckhurst Hill Ho. Buck H —8H 93
Buckhurst Way. Buck H —1K 109 (1F 39)
Buckingham Clo. Horn —1H 129
Buckingham Ct. D'mw —9M 197
Buckingham Ct. Spri —7A 62
Buckingham Dri. Colc —8E 168
Buckingham Hill Rd. Stan H —5J 149 (6D 42)
Buckingham Pal. Rd. SW1 —1A 46
Buckingham Rd. E10 —5B 124
Buckingham Rd. E11 —9J 109
Buckingham Rd. E15 —7F 124
Buckingham Rd. E18 —5F 108
Buckingham Rd. N22 —2A 38
Buckingham Rd. Hock —1C 122
Buckingham Rd. Ilf —4C 126
Buckingham Rd. Lain —7N 117
Buckingham Sq. W'fd —2A 120
Buckinham Hill Rd. Stan H —7H 149
Buckland. —2C 10
Buckland. Shoe —5G 141
Buckland Ga. S Fer —2J 105
Buckland Rd. E10 —4C 124
Buckland Rd. Ludd —7J 49
Bucklebury Heath. S Fer —2K 105
Bucklers Ct. War —2F 114
Buckles La. S Ock —5F 146
Buckley Clo. Corr —9A 134
Buckley Clo. Dart —7D 154
Buckleys. Chelm —3G 74
Buckleys Clo. W Bis —7K 213
Buckley's La. Cogg —6J 15
Bucknells Mead. Hghwd —6C 72
Buckrell Rd. E4 —8D 92
Bucks All. L Ber —1A 30
Buck Wlk. E17 —8D 108
Buckwins Sq. Burnt M —6L 119
Buckwoods Rd. Brain —7H 193
Buckwyns. Bill —2G 100
Buckwyns Chase. Bill —2H 101
Buckwyns Ct. Bill —4H 101
Buddleia Ct. W'hoe —4G 177
Budna Rd. Can I —9F 136
Budoch Ct. Ilf —4F 126
Budoch Dri. Ilf —4F 126
Buffett Way. Colc —9E 168
Buglers Rise. Chelm —2K 73
Bugsby's Way. SE10 & SE7 —1E 46
Buick Av. Jay —6B 190
Building End. —7G 5
Building End Rd. Chris —7G 5
Bulbecks Wlk. S Fer —3K 105
Bulford Clo. Cres —3D 194
Bulford La. Bla N —3C 194 (1D 24)
Bulford Mill La. Bla N —3C 194 (1D 24)
Bullace Clo. Colc —4D 168
Bullbanks Rd. Belv —2A 154
Bull Clo. Grays —9J 147
Bull Clo. Van —1F 134
Bullen Wlk. Chelm —7D 74
Buller Rd. Bark —9D 126
Buller Rd. Bas —8K 117
Buller Rd. N Fam —5H 35
Bull Farm Cotts. Bas —1L 135
Bullfields. Newp —8D 204
Bullfinch Clo. Colc —7F 168
Bull Hill Rd. Clac S —8K 187
Bull La. N18 —1B 38
Bull La. Dag —5N 127
Bull La. Hock —1B 122
Bull La. Lang U —1G 11
Bull La. L Mel —3J 9
Bull La. Mal —5K 203
Bull La. Ray —5K 121 (2F 43)
Bull La. Tip —7C 212
Bullock's La. Hert —6B 20
Bullocks La. Tak —1D 22
Bullock Wood Clo. Colc —3D 168
Bullring, The. Thax —2J 211
Bulls Cross. —5C 30
Bull's Cross. Enf —5C 30
Bulls Cross Ride. Wal X —5C 30
Bullsmoor. —5C 30
Bullsmoor La. Enf —5C 30
Bullwood App. Hock —2A 122
Bullwood Hall La. Hock —2N 121
Bullwood Rd. Hock —2C 122
Bulmer. —5H 9
Bulmer Rd. Sud —5J 9
Bulmer St. Bulm —6G 9
Bulmer Tye. —6H 9
Bulmer Wlk. Rain —2G 144
Bulow Av. Can I —2H 153
Bulphan. —6B 132 (5G 41)
Bulphan By-Pass. W H'dn & Bulp —3B 132 (4G 41)
Bulphan Clo. W'fd —1M 119
Bulphan View. Dun —1G 132
Bulwark Rd. Shoe —6J 141
Bulwer Ct. E11 —3D 124
Bulwer Ct. Rd. E11 —3D 124
Bulwer Rd. E11 —2D 124
Bumble's Green. —4H 65 (2F 31)
Bumbles Grn. La. Naze —4H 65
Bumfords La. Ult —7E 24
Bumpstead Rd. H'hll —4J 7
Bunce's La. Wfd G —4F 108
Bundick's Hill. Chelm —8H 61
Bungalows, The. E10 —1C 124
Bungalows, The. Ilf —5D 110
Bung Ct. Colc —5A 176
Bung Row. Gt Br —4H 25
Bunhill Row. EC1 —6B 38
Bunkers Hill. Sidc —4K 47
Bunters Av. Shoe —8G 140
Buntingbridge Rd. Ilf —9C 110
Bunting Clo. Chelm —5C 74
Buntingford. —4D 10
Buntingford Ct. Colc —5A 176
Buntingford Rd. Puck —7E 10
Bunting La. Bill —7L 101
Bunting's Green. —3H 15
Bunyan Rd. Brain —5G 193 (in two parts)
Burchell Rd. E10 —3B 124
Burches. Bas —6N 117
Burches Mead. Ben —8G 120
Burches Rd. Ben —6E 120
Burchett Way. Romf —1L 127
Burchwall Clo. Romf —4A 112
Burden Way. E11 —4H 125
Burdett Av. Wclf S —6K 139
Burdett Rd. E3 & E14 —6D 38
Burdett Rd. Sth S —8A 140
Burdetts Rd. Dag —1L 143
Burdun Clo. Wthm —7A 214
Bure. E Til —1L 159
Bure Dri. Wthm —5A 214
Buren Av. Can I —2L 153
Bures. —8D 194 (1A 16)
Bures Green. —1A 16
Bures Rd. Bures & Nay —2B 16
Bures Rd. Lmsh —1K 15
Bures Rd. Sud —5K 9
Bures Rd. Wak C —3K 15
Bures Rd. W Ber —8D 160 (4C 16)
Burfield Clo. Lgh S —9E 122
Burfield Rd. Lgh S —9E 122
Burford Clo. Dag —5H 127
Burford Clo. Ilf —8B 110
Burford Gdns. Hod —4B 54
Burford M. Hod —4A 54
Burford Pl. Hod —4A 54
Burford St. Hod —5A 54 (7D 20)
Burgate Clo. Clac S —9E 186
Burgate Clo. Dart —8D 154
Burge Rd. E7 —6K 125
Burges Clo. Horn —1L 129
Burges Clo. Sth S —8G 140
Burges Rd. E6 —9L 125
Burges Rd. Sth S —8A 140
Burgess Av. Stan H —4N 149
Burgess Ct. E6 —9N 125
Burgess Ct. Brtwd —7G 98
Burgess Field. Chelm —7A 62
Burgess Rd. E15 —6E 124
Burgess Ter. Sth S —8D 140
Burghley Clo. Bla N —2B 198
Burghley Rd. E11 —3E 124
Burghley Rd. Chaf H —1F 156
Burghstead Clo. Bill —7J 101
Burghstead Ct. Bill —7J 101 (off Burghstead Clo.)
Burgoyne Hatch. H'low —2F 56
Burgundy Gdns. Bas —7J 119
Burland Rd. Brtwd —7G 98
Burland Rd. Romf —3A 112
Burleigh Clo. Bill —3K 101
Burleigh Mans. Wclf S —6H 139 (off Station Rd.)
Burleigh Rd. Enf —6B 30
Burleigh Sq. Sth S —6F 140
Burlescoombe Clo. Sth S —6E 140
Burlescoombe Leas. Sth S —5F 140
Burlescoombe Rd. Sth S —5E 140
Burley Clo. E4 —2A 108
Burley Hill. H'low —4J 57
Burlington Av. Romf —1N 127
Burlington Ct. Bas —7J 119
Burlington Gdns. Ben —3M 137
Burlington Gdns. Hull —7M 105
Burlington Gdns. Romf —2K 127
Burlington Pl. Wfd G —9H 93
Burlington Rd. Colc —9M 167
Burmanny Clo. Clac S —1G 191
Burnaby Rd. Sth S —7A 140
Burne Av. W'fd —1H 119
Burnells Way. Stans —2D 208
Burnell Wlk. Gt War —3F 114
Burnett Pk. H'low —8A 56
Burnett Rd. Eri —4H 155
Burney Dri. Lou —1A 94 (in two parts)
Burnham Av. Cold N —4H 35
Burnham Bus. Pk. Bur C —2K 195
Burnham Clo. W on N —7L 183
Burnham Cres. E11 —8J 109
Burnham Cres. Dart —9G 155
Burnham-on-Crouch. —3M 195 (6C 36)
Burnham-on-Crouch & District Museums. —4L 195 (7C 36)
Burnham Rd. Alth —5A 36
Burnham Rd. Chelm —6M 61
Burnham Rd. Dag —9G 126
Burnham Rd. Dart —9G 155 (3B 48)
Burnham Rd. Hull —6L 105
Burnham Rd. Latch —4K 35
Burnham Rd. Lgh S —4B 138
Burnham Rd. Mun —4J 35
Burnham Rd. Romf —7B 112
Burnham Rd. S'min —9J 207 (5C 36)
Burnham Rd. S Fer —9H 91 (5E 34)
Burnham Rd. Wdhm M —4K 77 (2F 35)
Burnham Trad. Est. Dart —9H 155
Burnhouse La. Ing —5G 33
Burnley Rd. Grays —6C 156
Burnsall Clo. Saf W —5M 205
Burns Av. Bas —1J 135
Burns Av. Chad H —2H 127
Burns Av. Colc —9G 166
Burns Clo. Eri —6D 154
Burns Clo. Mal —7K 203
Burns Cres. Chelm —2C 74
Burn's Green. —7A 10
Burns Grn. Gt Tot —8M 213
Burnside. Can I —9G 137
Burnside. Saw —2J 53
Burnside Av. E4 —3A 108
Burnside Cres. Chelm —4K 61
Burnside Rd. Dag —4H 127
Burnside Ter. H'low —9L 53
Burns Pl. Til —6D 158
Burnstie Rd. Fels —1K 23
Burns Way. Hut —6N 99
Burnt Ash Hill. SE12 —3E 46 (in two parts)
Burnt Ash La. Brom —5F 47
Burnt Ash Rd. SE12 —3E 46
Burnt Dick Hill. Boxt —1K 161 (2E 16)
Burnt Heath. —3A 170 (5J 17)
Burnthouse La. Ing —8B 86
Burnthouse Rd. Gt Tey —5J 15
Burnt Mill. H'low —1B 56
Burnt Mill Ind. Est. H'low —9B 52
Burntmill La. H'low —6H 21
Burnt Mills. —5K 119 (2B 42)
Burnt Mills Rd. Bas & N Ben —7H 119 (2B 42)
Burntwood. Brtwd —9F 98
Burntwood Av. Horn —1H 129
Burntwood Clo. Bill —6H 101
Burntwood Clo. W H'dn —1N 131
Burnway. Horn —2J 129
Burrage Rd. SE18 —1G 47
Burr Clo. Lang H —1G 133
Burr Clo. R'sy —6E 200
Burrell Towers. E10 —2A 124
Burr Hill Chase. Sth S —3K 139
Burrow Clo. Chig —2E 110
Burrow Grn. Chig —2E 110
Burrow Rd. Chig —2E 110
Burrows Clo. Clac S —7H 187
Burrows Clo. Law —4G 165
Burrow's Rd. E Col —2C 196
Burrows Way. Ray —6J 121
Burrs Rd. Clac S —8K 187 (3E 28)
Burrsville Park. —7K 187 (3E 28)
Burr's Way. Corr —1C 150
Burrswood Pl. Hey B —8N 203
Burses Way. Hut —6L 99
Burslem Av. Ilf —3F 110
Burstall Clo. Clac S —9F 186
Burstead Dri. Bill —9M 101
Burton Clo. Corr —9A 134
Burton End. —5H 209 (7B 12)
Burton End. H'hll —3H 7
Burton End. W W'ck —1G 7
Burton Grn. Wthfld —1H 7
Burton Pl. Chelm —7A 62
Burton Rd. E18 —7H 109
Burton Rd. Lou —3B 94
Burtons Ct. E15 —9D 124
Burton's Green. —5G 15
Burton's Grn. Rd. G'std G —5G 15
Burtons Mill. Saw —1L 53 (in two parts)
Burwell Av. Can I —9F 136
Burwood Ct. Chelm —1D 74
Burwood Gdns. Rain —3D 144
Bury Clo. Colc —7A 168
Bury Clo. M Tey —2H 173
Bury Farm Centre. —7C 66 (3H 31)
Bury Farm La. Cray H —4E 118
Bury Fields. Fels —1J 23
Bury Green. —1H 21
Bury Grn. Rd. Chesh —3C 30
Bury La. Elm —6J 5
Bury La. Epp —7C 66 (3H 31)
Bury La. Gt Walt —4F 58 (5K 23)
Bury La. Hat P —2K 63 (in two parts)
Bury La. Mel —6H 5
Bury Lodge La. Stans —5F 208 (7B 12)
Bury Rd. E4 —3D 92 (6E 30)
Bury Rd. Alp —1K 9
Bury Rd. Dag —7N 127
Bury Rd. Epp —1D 80
Bury Rd. H'low —8H 53
Bury Rd. Ples —3A 58 (4H 23)
Bury Rd. Thurl —1K 7
Bury St. N9 —7B 30
Bury, The. St O —9M 185 (4B 28)
Bury Water La. Newp —7B 204 (1A 12)
Burywoods. Colc —5J 167
Bush Clo. Ilf —9C 110
Bushell Way. Kir X —8H 183
Bush Elms Rd. Horn —2E 128
Bush End. —2C 22
Bushey Av. E18 —7F 108
Bushey Clo. E4 —9C 92
Bushey Clo. S Fer —1L 105
Bushey Croft. H'low —5D 56
Bushey Lea. Ong —8L 69
Bush Fair. H'low —5E 56
Bushfields. Lou —4N 93
Bushgrove Rd. Dag —6J 127
Bush Hall Rd. Bill —3K 101
Bush Hill. N21 —7B 30
Bush Hill Park. —7B 30
Bush Hill Rd. N21 —7B 30
Bush Rd. E11 —2F 124 (4E 38)
Bush Rd. SE16 —1C 46
Bush Rd. Buck H —1K 109
Bush Rd. Cux —7K 49
Bush Rd. L Sam —1G 13
Bushway. Dag —6J 127
Bushwood. E11 —2F 124
Bushy Mead. Bas —7K 117
Business Cen., The. Romf —4H 113
Bustard Green. —4H 13
Butcher Row. E1 —7C 38
Butcher Row. Saf W —4K 205
Butchers Hill. I'tn —1H 197 (4K 5)
Butchers La. New Ash —7E 48
Butchers La. W on N —7L 183
Butchers Pasture. L Eas —6F 13
Bute Rd. Ilf —9A 110
Butler Clo. Saf W —4L 205
Butler Rd. Dag —6G 126
Butler Rd. H'std —4J 199
Butlers Clo. Chelm —1K 61
Butlers Dri. E4 —8C 78
Butlers Gro. Bas —3K 133
Butlers La. Saf W —5D 6
Butlers La. Wrab —3D 18
Butlers Way. Gt Yel —8D 198
Butler Wlk. Grays —2N 157
Butneys. Bas —8C 118
Butterbur Chase. S Fer —2J 105
Buttercross La. Epp —9F 66
Buttercup Clo. Bill —4J 101
Buttercup Wlk. Wthm —3B 214
Buttercup Way. S'min —8K 207
Butterfield Rd. Bore —3F 62
Butterfields. E17 —9C 108
Butteridges Clo. Dag —1L 143
Buttermere. Brain —1C 198
Buttersweet Rise. Saw —3K 53
Butterworth Gdns. Wfd G —2G 109
Butterys. Sth S —6C 140
Buttfield Rd. Dag —8N 127
Butt La. Mal —6K 203
Butt La. Man —5J 11
Buttleys La. D'mw —1F 23
Buttondene Cres. Brox —1B 64
Button Rd. Grays —2J 157
Button's Hill. Alth —5A 36
Button St. Swan —6B 48
Butt Rd. Colc —1L 175 (6E 16)
Butt Rd. Stoke N —1E 16
Buttsbury. Ing —6H 33
Buttsbury Rd. Ilf —7B 126 (in two parts)
Butt's Green. —7N 75 (3C 34)
Butts Grn. Clav —2H 11
Butts Grn. Rd. Horn —1H 129 (3B 40)
Butts Grn. Rd. S'don —6N 75 (3C 34)
Butts La. Dan —3E 76
Butts La. L War —6J 115
Butts La. Stan H —4K 149 (7K 41)
Butts Paddock. Cwdn —1M 107
Butts Rd. Shoe —5N 141
Butts Rd. Stan H —4L 149
Butts Way. Chelm —7N 73
Buxey Clo. W Mer —2J 213
Buxton Av. Lgh S —3N 137
Buxton Clo. Lgh S —3N 137
Buxton Clo. Wfd G —3K 109
Buxton Dri. E11 —8E 108
Buxton Ho. E11 —8E 108
Buxton Link. Lain —9G 117 (3J 41)
Buxton Rd. E4 —6D 92
Buxton Rd. E15 —7E 124
Buxton Rd. Cogg —8K 195
Buxton Rd. Colc —3A 176
Buxton Rd. Eri —5B 154
Buxton Rd. Grays —9A 148
Buxton Rd. Ilf —1D 126
Buxton Rd. They B —6D 80
Buxton Rd. Wal A —2G 79
Buxton Sq. Lgh S —3N 137
Buyl Av. Can I —9H 137
Buzzard Creek Ind. Est. Bark —5F 142
Byfield. Lgh S —8E 122
Byfield Ct. W Horn —1M 131
Byfletts. Bas —2G 134
Byford Clo. E15 —9E 124
Byford Clo. Ray —4L 121
Bylam La. Chel —1E 18
Byng Clo. T Sok —5M 181
Byng Cres. T Sok —5M 181
Byng Gdns. Brain —4L 193
Bynghams. H'low —5M 55
By-Pass Rd. Horn H —3J 149
By-Pass Rd. St O —8M 185 (3B 28)
Byrd Ct. Bas —7L 117
Byrd Mead. Ston M —3D 84
Byrd's Farm La. Saf W —2L 205 (in two parts)
Byrd Way. Stan H —2L 149
Byrne Dri. Sth S —1K 139
By Rd. Hund —1B 8
Byron Av. E12 —8L 125
Byron Av. E18 —7F 108
Byron Av. Colc —9G 166
Byron Av. Sth S —4N 139
Byron Clo. SE28 —8H 143
Byron Clo. Brain —8J 193
Byron Clo. Can I —2J 153
Byron Ct. E11 —8H 109 (off Makepeace Rd.)
Byron Ct. Bas —8K 117
Byron Dri. W Bis —7K 213
Byron Gdns. Til —6E 158
Byron Mans. Upm —5N 129
Byron Rd. E10 —3B 124
Byron Rd. E17 —7A 108
Byron Rd. Chelm —9M 61
Byron Rd. Dart —9M 155
Byron Rd. Hut —6N 99
Byron Way. Romf —5G 112
Bysouth Clo. Ilf —5A 110
Bywater Rd. S Fer —2J 105
Byway. E11 —9J 109

Cabbage Hall La. Colc —6B 176
Cabborns Cres. Stan H —5M 149
Cabinet Way. Lgh S —9B 122
Cables Clo. Belv —1A 154
Cable St. E1 —7C 38
Cadenhouse M. Colc —8F 166
Cadiz Rd. Dag —9A 128
Cadogan Av. W H'dn —1N 131
Cadogan Gdns. E18 —7H 109
Cadogan Ter. E9 —5D 38
Cadogan Ter. Bas —8K 119
Caernarvon Clo. Hock —1C 122
Caernarvon Clo. Horn —3L 129
Caernarvon Dri. Ilf —5N 109
Cage End. Hat O —3C 22
Cage End Clo. Hat O —3C 22
Cagefield Rd. Stam —2A 44
Cage La. Boxt —3B 162 (2F 17)
Cairns Av. Wfd G —3L 109
Cairns Rd. Colc —4A 176
Cairo Rd. E17 —8A 108
Caister Dri. Pits —9J 119
Caladonia La. W'fd —2M 119
Calamint Rd. Wthm —4A 214
Calbourne Av. Horn —7F 128
Calcott Clo. Brtwd —7E 98
Calcutta Rd. Til —7B 158 (2G 49)
Caldbeck. Wal A —4D 78
Caldbeck Way. Brain —2C 198
Calder. E Til —2L 159
Calderon Rd. E11 —6C 124
Caldwell Rd. Stan H —4K 149
Caledonian Clo. Ilf —3G 127
Caledonian Rd. N1 & N7 —6A 38
Caledon Rd. E6 —9M 125
Calford Green. —3A 8
California Clo. Colc —3B 168
California Rd. Mis —4M 165
Callan Gro. S Ock —7E 146
Callenders Cotts. Belv —9B 144
Callis St. Clare —3D 8
Calmont Rd. Brom —5E 46
Calmore Clo. Horn —7G 129
Calm Patch. Bur C —4M 195
Calne Av. Ilf —5A 110
Calshot Av. Chaf H —9J 147
Calthorpe St. WC1 —6A 38
Calton Av. SE21 —3B 46
Calverley Cres. Dag —4M 127
Calvert Dri. Bas —6K 119
Calves La. L Bro —2G 171
Camberton Rd. Brain —2G 193
Camberwell. —2B 46
Camberwell Chu. St. SE5 —2B 46
Camberwell Green. (Junct.) —2B 46
Camberwell Grn. SE5 —2B 46
Camberwell New Rd. SW9 —2A 46
Camberwell Rd. SE5 —2B 46
Cambeys Rd. Dag —7N 127
Camborne Av. Romf —4J 113
Camborne Clo. Chelm —7N 61
Camborne Way. Romf —4J 113
Cambrai Rd. Colc —2L 175
Cambria Clo. Can I —2C 152
Cambria Clo. Mis —5N 165
Cambria Ho. Eri —5C 154 (off Larner Rd.)
Cambrian Av. Ilf —9D 110
Cambrian Rd. E10 —2A 124
Cambridge Av. Romf —7G 113
Cambridge Av. Sib H —7C 206
Cambridge Clo. Lang H —1H 133
Cambridge Ct. Clac S —9J 187
Cambridge Ct. Sth S —7L 139
Cambridge Gdns. Grays —2C 158
Cambridge Gdns. R'fd —2H 123
Cambridge Heath Rd. E1 & E2 —6C 38
Cambridge Pk. E11 —2G 124 (4F 39)
Cambridge Pk. Rd. E11 —2F 124
Cambridge Rd. E4 —7D 92
Cambridge Rd. E11 —1F 124

Cedar Av. Romf —9K 111
Cedar Av. Tip —4C 212
Cedar Av. Upm —6L 129
Cedar Av. W'fd —2K 119
Cedar Av. W. Chelm —8J 61
Cedar Chase. H'bri —3M 203
Cedar Clo. Buck H —8K 93
Cedar Clo. Hut —6N 99
Cedar Clo. Ray —6M 121
Cedar Clo. Romf —8A 112
Cedar Clo. Saw —3K 53
Cedar Clo. Sth S —4M 139
Cedar Clo. W on N —7K 183
Cedar Ct. E18 —5G 109
Cedar Ct. Chig —8B 94
Cedar Ct. Epp —1F 80
Cedar Cres. Law —5H 165
Cedar Dri. Hull —6L 105
Cedar Dri. Wthm —2D 214
Cedar Gdns. Upm —5N 129
Cedar Grn. Hod —6A 54
Cedar Gro. Bur C —2L 195
Cedar Hall Gdns. Ben —9G 120
Cedar M. Hock —1B 122
Cedar Pk. Clo. Ben —9G 121
Cedar Pk. Gdns. Romf —2J 127
Cedar Rise. S Ock —4G 146
Cedar Rd. Ben —9G 121
Cedar Rd. Can I —1F 152
Cedar Rd. Enf —5A 30
Cedar Rd. Eri —6E 154
Cedar Rd. Grays —1C 158
Cedar Rd. Horn —5G 129
Cedar Rd. Hut —5N 99
Cedar Rd. Romf —8A 112
Cedars. Stan H —3N 149
Cedars Av. E17 —9A 108
Cedars Ho. E17 —7B 108
Cedars Rd. E15 —8E 124
Cedars Rd. Colc —9M 167
Cedars, The. Buck H —7G 93
Cedars, The. Gt W —2M 141
Cedars, The. S Fer —9K 91
Cedars, The. Wal A —5J 79
(off Woodbine Clo.)
Cedar Wlk. Cwdn —2M 107
Cedar Wlk. Wal A —4D 78
Cedar Way. Gt Ben —6K 179
Cedric Av. Romf —7C 112
Celandine Clo. Bill —4H 101
Celandine Clo. S Ock —4F 146
Celandine Ct. E4 —9B 92
Celandine Ct. Colc —5K 167
Celandine Dri. SE28 —8G 142
Celeborn St. S Fer —2H 105
Celedon Clo. Grays —1H 157
Cement Block Cotts. Grays —4M 157
Cemetery La. Naze —4F 64
Cemetery Rd. E7 —6F 124
Cemetery Rd. Bis S —1K 21
Centaur Way. Mal —8K 203
Centaury Clo. S'way —8D 166
Centenary Way. L Cla —4H 187 (2D 28)
Central Arc. Saf W —4K 205
Central Av. E11 —4D 124
Central Av. Ave —9N 145
Central Av. Bas —2G 132
Central Av. Ben —1L 137
Central Av. Bill —3L 101
Central Av. Can I —1E 152
Central Av. Corr —1B 150
Central Av. Frin S —8K 183
Central Av. Grays —3C 156
Central Av. H'low —2C 56 (6H 21)
Central Av. Hull —8M 105
Central Av. R'fd —2H 123
Central Av. Sth S —5N 139 (4K 43)
Central Av. Stan H —9N 133
Central Av. Til —6C 158
Central Av. Well —2J 47
Central Clo. Ben —2L 137
Central Dri. Horn —5J 129
Central Hill. SE19 —5B 46
Central Pde. E17 —8A 108
Central Pde. Ilf —1C 126
Central Pk. Av. Dag —5N 127
Central Pk. Rd. E13 —6F 39
Central Rd. Dart —9J 155
Central Rd. Felix —1J 19
Central Rd. H'low —8F 52
Central Rd. Stan H —4M 149
Central Sq. Chelm —9K 61
Central St. EC1 —6A 38
Central Wall. Can I —8F 136
(in four parts)
Central Wall Cotts. Can I —9H 137
Central Wall Rd. Can I —9H 137 (5E 42)
Central Way. SE28 —8F 142 (7J 39)
Centre Av. Epp —2E 80
Centre Clo. Epp —2E 80
Centre Comn. Rd. Chst —5H 47
Centre Dri. E7 —6J 125
Centre Dri. Epp —2E 80
Centre Grn. Epp —2E 80
Centre Pl. Sth S —7A 140
(off Prospect Clo.)
Centre Rd. E11 & E7 —4G 125 (4F 39)
Centre Rd. Dag —2N 143
Centre, The. Colc —8E 168
Centre, The. H'std —4K 199
Centre, The. Tip —6D 212
Centre Way. E17 —4C 108
Centre Way. Ilf —4B 126
Centre Way. Wal A —5C 78
Centurion Clo. Shoe —6K 141
Centurion Way. Colc —4H 175
Centurion Way. Purf —2K 155
Centuryan Pl. Dart —9F 154
Century Rd. Hod —4A 54
Ceylon Rd. Wclf S —6J 139
Chadacre Av. Ilf —7M 109
Chadacre Rd. Sth S —5F 140
Chadfields. Til —5C 158
Chadville Gdns. Romf —9J 111
Chadway. Dag —3H 127
Chadwell Av. Romf —2G 127
Chadwell By-Pass. Grays
—3B 158 (1G 49)
Chadwell Heath. —2J 127 (3J 39)
Chadwell Heath Ind. Pk. Dag —3K 127
Chadwell Heath La. Chad H
—8G 111 (3J 39)
Chadwell Hill. Grays —3D 158
Chadwell Rd. Grays —2M 157 (1G 49)
Chadwell St Mary. —2C 158 (1H 49)
Chadwick Av. E4 —1D 108
Chadwick Ct. Wclf S —6H 139
Chadwick Dri. H Wood —6H 113
Chadwick Rd. E11 —2E 124
Chadwick Rd. Ilf —5A 126
Chadwick Rd. S Fer —8L 91
Chadwick Rd. Wclf S —6H 139
Chadwick Way. SE28 —7J 143
Chaffinch Clo. Shoe —6J 141
Chaffinch Cres. Bill —7L 101
Chaffinch Gdns. Colc —7F 168
Chaffix Clo. Fels —1K 23
Chafford. Brtwd —7E 98
Chafford Gdns. W H'dn —1N 131
Chafford Hundred. —1J 157 (1F 49)
Chafford Wlk. Rain —2G 144
Chafford Way. Grays —8K 147
Chafford Way. Romf —8H 111
Chaingate Av. Sth S —4C 140
Chale Ct. Stan H —5L 149
Chalfont Clo. Lgh S —2C 138
Chalfont Rd. Colc —5C 168
Chalforde Gdns. Romf —8F 112
Chalford Wlk. Wfd G —5K 109
Chalgrove Cres. Ilf —6L 109
Chalice Clo. Bas —9F 118
Chalk. —4J 49
Chalk Ct. Grays —4K 157
(off Jetty Wlk.)
Chalk End. —6G 23
Chalk End. Bas —9H 119
Chalk Farm La. Newp —8D 204
Chalk Hill. Chelm —7C 72
Chalklands. Saf W —2L 205
Chalklands. S'don —8L 75
Chalk La. H'low —9M 53
(Harlow)
Chalk La. H'low —9N 53 (6K 21)
(Hobbs Cross)
Chalk Rd. Can I —8G 136
Chalk Rd. Grav —4J 49
Chalk Rd. High —4K 49
Chalks Av. Saw —1J 53
Chalk's Rd. Wthm —4C 214
Chalkstone Way. H'hll —2J 7
Chalk St. Ret C —9N 89 (6C 34)
Chalkwell. —5G 138 (5H 43)
Chalkwell Av. Wclf S —7G 139 (5H 43)
Chalkwell Bay Flats. Lgh S —6F 138
(off Undercliff Gdns.)
Chalkwell Esplanade. Wclf S
—6F 138 (5H 43)
Chalkwell Lodge. Wclf S —5H 139
Chalkwell Pk. Dri. Lgh S —5E 138
Chalky La. Chris —6H 5
Challacombe. Sth S —5G 141
Challacombe Clo. Hut —7L 99
Challenge Way. Colc —9B 168
Challinor. H'low —3K 57
Challis Grn. Barr —1E 4
Challis La. Brain —7H 193 (1D 24)
Challock Lees. Bas —1K 135
Chalmers Ho. E17 —9B 108
Chalvedon. —9J 119 (3B 42)
Chalvedon Av. Pits —8J 119
Chalvedon Sq. Pits —9H 119
Chamberlain Av. Can I —1J 153
Chamberlain Av. Corr —9B 134
Chamberlain Av. W on N —7L 183
Chamberlain Clo. H'low —3H 57
Chamberlains Ride. S Fer —2K 105
Chamomile Ct. E17 —1A 124
(off Yunus Khan Clo.)
Champion Clo. Stan H —2N 149
Champion Clo. W'fd —1L 119
Champion Pk. SE5 —3B 46
Champion Rd. Upm —4M 129
Champions Grn. Hod —2A 54
Champions Way. Hod —2A 54
Champions Way. S Fer —9J 91
Champlain Av. Can I —9F 136
Chance Clo. Grays —1J 157
Chancel Clo. Ben —9C 120
(in two parts)
Chancel Clo. Lain —8L 117
Chancel Clo. T'ham —3E 36
Chancellor Rd. Sth S —7N 139 (5K 43)
Chancery Gro. B'hth —6A 176
Chancery La. WC2 —7A 38
Chancery Pl. Writ —1K 73
Chandler Rd. Lou —9A 80
Chandlers Clo. Clac S —1F 190
Chandlers Clo. W Mer —2K 213
Chandlers Corner. (Junct.)
—4G 144 (6B 40)
Chandlers Corner. Rain —3G 144
Chandlers Ct. W Mer —2K 213
Chandlers Dri. Eri —2B 154
Chandlers Row. Colc —1C 176
Chandlers Wlk. Kel H —7B 84
Chandlers Way. Romf —9C 112
Chandlers Way. Sth S —1L 139
Chandlers Way. S Fer —1L 105
Chandos Av. E17 —6A 108
Chandos Clo. Buck H —8H 93
Chandos Pde. Ben —3M 137
Chandos Rd. E15 —7D 124
Chaney Rd. W'hoe —4G 177
Chanlock Path. S Ock —7E 146
Channing Clo. Horn —2K 129
Chanterelle. H'wds —4B 168
Chanton Clo. Lgh S —8C 122
Chantree Gdns. Colc —2G 174
Chantree Way. Tol —7J 211
Chantress Clo. Dag —1A 144
Chantreywood. Brtwd —9K 99
Chantry Chase. Bill —6K 101
Chantry Clo. Clac S —6J 187
Chantry Cres. Stan H —4L 149
Chantry Dri. Ing —6D 86
Chantry La. Lain —8L 117
Chantry, The. E4 —7C 92
Chantry, The. Colc —8K 167
Chantry, The. H'low —1F 56
Chantry Way. Bill —6K 101
Chantry Way. Rain —2B 144
Chant Sq. E15 —9D 124
Chant St. E15 —9D 124
Chapel Clo. Grays —4E 156
Chapel Ct. A'lgh —9L 163
Chapel Ct. Bill —6K 101
Chapel Croft. Ing —5D 86
Chapel Cut. Mis —4M 165
Chapel Dri. L Walt —6K 59
Chapel End. —5A 108
Chapel End. Broxt —6D 12
Chapel End. Hod —6A 54
Chapel End. Stamb —6A 8
Chapel End Way. Stamb —6A 8
Chapel Fields. H'low —5H 57
Chapelfields. Kir X —8H 183
Chapel Green. —1C 10
Chapel High. Brtwd —8F 98
(off High St. Brentwood,)
Chapel High Shop. Cen. Brtwd —8F 98
Chapel Hill. Bel W —5F 9
Chapel Hill. Brain —6K 193 (7D 14)
Chapel Hill. H'std —4J 199 (3F 15)
Chapel Hill. Stans —2D 208 (6A 12)
Chapel La. Ben —4J 137
Chapel La. Boxt —5A 162
Chapel La. Chig —9E 94
Chapel La. Cook G —1B 72
Chapel La. C Hth —5H 169 (5G 17)
Chapel La. Elms —9N 169
Chapel La. Gt Bro —1F 178
Chapel La. Gt W —2M 141
Chapel La. H'low —5H 57
Chapel La. Hey B —9N 203
Chapel La. H Grn —4G 35
Chapel La. Kir X —8D 182
Chapel La. Let G —6A 20
Chapel La. L Bad —8J 63 (1D 34)
Chapel La. L Cor —6K 9
Chapel La. L Had —1G 21
Chapel La. Newp —8D 204
Chapel La. Romf —2J 127
Chapel La. St O —9M 185
Chapel La. Ten —6C 18
Chapel La. Thorr —9F 178
Chapel La. T'ham —3E 36
Chapel La. W Ber —4F 166 (5D 16)
Chapel Lodge. Rain —4E 144
Chapel Path. E11 —1G 125
(off Woodbine Pl.)
Chapel Rd. SE27 —5A 46
Chapel Rd. Beau —6D 18
Chapel Rd. Boxt —5A 162 (3F 17)
Chapel Rd. B'sea —7F 184 (3K 27)
Chapel Rd. Bur C —4M 195
Chapel Rd. Epp —9E 66
Chapel Rd. Fing —1G 27
Chapel Rd. Gt Tot —5J 25
Chapel Rd. Ilf —5N 125 (4G 39)
Chapel Rd. L'ham —4C 162 (3F 17)
Chapel Rd. Ridg —5B 8
Chapel Rd. Rhdge —9F 176
Chapel Rd. Shoe —8J 141
Chapel Rd. S'way —9D 166 (6C 16)
Chapel Rd. Tip —7D 212 (4A 26)
Chapel Rd. Tol D —5B 26
Chapel Rd. W Ber —4F 166 (5C 16)
Chapel Rd. W'hoe —6H 177
Chapel Row. Bill —6K 101
Chapel St. Bill —6J 101 (7J 33)
Chapel St. Dux —2J 5
Chapel St. H'std —4K 199
Chapel St. Rhdge —6F 176
Chapel St. Stpl B —2D 210 (5K 7)
Chapel St. Stoke C —4B 8
Chapel St. N. Colc —9M 167
Chapel St. S. Colc —9M 167
Chapel Ter. Lou —3L 93
Chapel Wood Rd. As & Sev —7E 48
Chaplaincy Gdns. Horn —3J 129
Chaplemount Rd. Wfd G —3M 109
Chaplin Clo. Bas —6N 117
Chaplin Clo. Chelm —8C 74
Chaplin Dri. Colc —6D 168
Chaplin Rd. Dag —9K 127
Chaplins. Kir X —7J 183
Chapman Ct. Can I —3L 153
(off Seaview Rd.)
Chapman Rd. E9 —5D 38
Chapman Rd. Can I —2N 153
Chapman Rd. Clac S —1K 191
Chapmans Clo. Lgh S —5A 138
Chapmans La. W Mer —1N 213 (4G 27)
Chapmans Wlk. Lgh S —5A 138
Chapmore End. —3B 20
Chappel. —4K 15
Chappel Hill. Chap —4K 15
Chappel Rd. For —4B 16
Chappel Rd. Gt Tey —1E 172 (5K 15)
Chappel Rd. M Bur —3A 16
Charfleets Clo. Can I —2D 152
Charfleets Farm Ind. Est. Can I —2D 152
Charfleets Farm Way. Can I —2D 152
Charfleets Ind. Est. Can I —2C 152
Charfleets Rd. Can I —2C 152
Charfleets Service Rd. Can I —2D 152
Charing Cross Rd. WC2 —7A 38
Charity Farm Chase. Bill —5H 101
Charity La. Cock C —1L 91
Charlbury Clo. Romf —3G 112
Charlbury Cres. Romf —3G 112
Charlbury Gdns. Ilf —4E 126
Charlecote Rd. Bla N —1C 198
Charlecote Rd. Dag —5K 127
Charles Clo. Wclf S —1F 138
Charles Ct. Eri —4C 154
Charles Ct. S'way —9E 166
Charles Ct. W'hoe —3J 177
Charles Pell Rd. Colc —9E 168
Charles Pl. Colc —9C 168
Charles Rd. E7 —9J 125
Charles Rd. B'sea —7E 184
Charles Rd. Dag —8B 128
Charles Rd. Romf —1J 127
Charles St. Colc —9A 168
Charles St. Epp —2F 80
Charles St. Grays —4L 157
Charleston Av. Bas —6K 119
Charleston Ct. Bas —6K 119
Charlie Brown's Roundabout. (Junct.)
—6J 109 (2F 39)
Charlieville Rd. Eri —5A 154
Charlotte Av. W'fd —8K 103
Charlotte Ct. Ilf —1M 125
Charlotte Ct. S Fer —2K 105
Charlotte Dri. Kir X —8H 183
Charlotte Gdns. Romf —3N 111
Charlotte M. Sth S —5L 139
Charlotte Pl. Grays —4E 156
Charlotte Rd. Dag —8N 127
Charlotte Way. Wthm —5E 214
Charlton. —2F 47
Charlton Athletic F.C. —1F 47
Charlton Chu. La. SE7 —1F 47
Charlton Clo. Hod —5A 54
Charlton Clo. Pits —8K 119
Charlton Cres. Bark —2E 142
Charlton House (Library). —2F 47
Charlton Mead La. Hod —6D 54
Charlton Pk. La. SE7 —2F 47
Charlton Pk. Rd. SE7 —2F 47
Charlton Rd. SE3 & SE7 —2F 47
Charlton St. Grays —4G 157
Charlton Way. SE10 —2E 46
Charlton Way. Hod —5A 54 (7D 20)
Charnock Clo. Kir X —8J 183
Charnwood Av. Chelm —1N 73
Charnwood Dri. E18 —7H 109
Charnwood Wlk. Ben —2L 137
Charter Av. Ilf —3C 126
Charter Ct. H'wds —1C 168
Charterhouse. Bas —1D 134
Charter Ho. Mal —6K 203
Charterhouse St. EC1 —7A 38
Charteris Rd. Wfd G —4H 109
Charter Rd., The. Wfd G
—3E 108 (2E 38)
Charters Cross. H'low —6C 56
Charters Rd. Wfd G —2F 39
Charters, The. D'mw —6L 197
Charter Way. Brain —7L 193
Chartfield Dri. Kir S —6G 183
Chartwell Clo. Brain —1G 193
Chartwell Clo. Wal A —3E 78
Chartwell Ct. Wfd G —4F 108
Chartwell N. Sth S —6M 139
(off Victoria Plaza Shop. Cen.)
Chartwell Sq. Sth S —6M 139
(off Victoria Plaza Shop. Cen.)
Chartwell W. Sth S —6M 139
(off Victoria Plaza Shop. Cen.)
Chase Clo. Ben —1F 136
Chase Ct. Colc —8E 168
Chase Cross. —3C 112 (2A 40)
Chase Cross Rd. Romf
—4A 112 (2A 40)
Chase Dri. S Fer —9J 91
Chase End. Ray —5M 121
Chase Gdns. E4 —1A 108
Chase Gdns. Wclf S —3J 139
Chase Ho. Gdns. Horn —9K 113
Chase La. Chig —9E 94
Chase La. Har —5G 201
Chase La. Ilf —9C 110
(in two parts)
Chase Nature Reserve, The.
—5C 128 (4A 40)
Chase Rd. N14 —7A 30
Chase Rd. Brtwd —9F 98
Chase Rd. Corr —2B 150
Chase Rd. Sth S —6A 140
Chase Rd. E. Gt Bro —8G 171 (6K 17)
Chase Rd. W. Gt Bro —9F 170
Chase Side. —6A 30
Chase Side. N14 —7A 30
Chase Side. Enf —6B 30
Chaseside. Ray —7L 121
Chaseside Clo. Romf —3C 112
Chase, The. E12 —6K 125
Chase, The. Aldh —6A 16
Chase, The. Barns —2H 23
Chase, The. Bas —3N 133
Chase, The. Ben —1F 136
Chase, The. Bill —6L 101
Chase, The. Bla N —1H 193 (2K 13)
Chase, The. Boc —3C 198
Chase, The. Bore —3F 62
Chase, The. Bran —5J 165
Chase, The. Brtwd —9G 99
Chase, The. Chad H —1K 127
Chase, The. Chig —1B 110
Chase, The. Colc —8B 168
(East St.)
Chase, The. Colc —8D 168
(Greenstead Rd.)
Chase, The. Ded —4N 163
Chase, The. Elms —9A 170
Chase, The. Fou I —1G 45
Chase, The. Fox —3G 9
Chase, The. Gt Bad —4G 75
Chase, The. Gt Tey —2E 172
Chase, The. G Est —8E 168
Chase, The. Hen —4C 12
Chase, The. Hol S —8B 188
Chase, The. Ingve —2M 115
Chase, The. K'dn —8C 202
Chase, The. Lex H —9F 166
Chase, The. L Bur —5K 117
Chase, The. Rain —1G 144
Chase, The. Ray —6M 121 (2F 43)
Chase, The. R'fd —9G 107
Chase, The. Romf —7C 112
Chase, The. Runw —5A 104
Chase, The. Rush G —5C 128
Chase, The. S'min —7L 207
Chase, The. S Stif —4G 156
Chase, The. S Fer —9J 91
Chase, The. Stpl B —2C 210
Chase, The. Tol —7K 211
Chase, The. Upm —5B 130
Chase, The. War —1E 114
Chase, The. W Mer —3K 213
Chase, The. W'fd —9H 103
(Belmont Av.)
Chase, The. W'fd —3M 119
(Fieldway)
Chaseville Pk. Rd. N21 —7A 30
Chaseway. Bas —2G 135
Chaseway End. Bas —3G 135
Chaseways. Saw —4H 53
Chaseways Vs. Romf —5L 111
Chaseway, The. Brain —6L 193
Chase Way, The. Colc —7H 167
(in two parts)
Chaseway, The. Stock —9B 88 (6A 34)
Chaters Hill. Saf W —3L 205 (6C 6)
Chatfield Way. Bas —8K 119
Chatham Green. —1L 59 (4A 24)
Chatham Hall La. Gt Walt
—2J 59 (4A 24)
Chatham Pavement. Bas —8K 119
Chatham Rd. E18 —6F 108
Chatley Rd. Gt L —1M 59
Chatsworth. Ben —9F 120
Chatsworth Gdns. Clac S —2H 191
Chatsworth Gdns. Hock —1C 122
Chatsworth Rd. E5 —4C 38
Chatsworth Rd. E15 —7F 124
Chatsworth Rd. Dart —9G 155
Chatsworth Rd. W Mer —2K 213
Chatter End. —6J 11
Chatterford End. Bas —8B 118
Chatteris Av. Romf —3G 113
Chatton Clo. W'fd —2M 119
Chaucer Clo. Jay —3E 190
Chaucer Clo. Mal —8K 203
Chaucer Clo. Til —7E 158
Chaucer Cres. Brain —8J 193
Chaucer Ho. Sth S —4M 139
Chaucer Rd. E7 —8G 125
Chaucer Rd. E11 —1G 124
Chaucer Rd. E17 —6C 108
Chaucer Rd. Chelm —1E 74
Chaucer Rd. Romf —4F 112
Chaucer Wlk. W'fd —2L 119
Chaucer Way. Colc —9G 166
Chaucer Way. Dart —9L 155
Chaucer Way. Hod —1A 54
Cheapside. —2F 11
Cheapside E. Ray —3J 121
Cheapside W. Ray —3G 121
Cheddar Av. Wclf S —1F 138
Chedington. Shoe —5G 140
Cheelson Rd. S Ock —2F 146
Cheldon Barton. Sth S —5G 140
Chelmer Av. L Walt —7K 59
Chelmer Av. Ray —6J 121
Chelmer Clo. Kir X —7H 183
Chelmer Clo. L Tot —6K 25
Chelmer Cres. Bark —2G 142
Chelmer Dri. D'mw —8M 197
Chelmer Dri. Hut —5A 100
Chelmer Dri. S Ock —7F 146
Chelmer Ho. Grays —3C 158
(off River View)
Chelmer Ind. Pk. Chelm —7L 61
Chelmer Lea. Chelm —3F 74
Chelmer Pl. Chelm —8L 61
Chelmer Rd. Brain —7L 193
Chelmer Rd. Chelm —1E 74 (1A 34)

Church La.—Clovelly Gdns.

Church La. Romf —8C 112 (6J 31)
Church La. Srng —5A 22
Church La. S Han —9K 89 (6C 34)
Church La. S'way —1B 174 (6C 16)
Church La. Stfrd —3A 20
Church La. Stap A —3A 96
Church La. Stow M —5G 35
Church La. Tak —8B 210
Church La. Thor —2J 21
Church La. Top —7B 8
Church La. Wee H —7E 180
Church La. Wen —6H 145
Church La. W Han —4H 89
Church La. Writ —1K 73
Church La. Cotts. Ong —3M 69
Church Langley. —4J 57 (7J 21)
Church Langley Way. H'low —3H 57 (7J 21)
Church Leys. H'low —4E 56
Church Mnr. Bis S —9A 208
Church Manorway. Eri —2B 154
Church Mead. Roy —2H 55
Church Mead. Whi N —2E 24
Church Meadow. Bulm —6H 9
Church M. Bas —8K 117
Church Pde. Can I —1E 152
Church Pk. Rd. Pits —1J 135
Church Path. E11 —9G 109
Church Path. E17 —8B 108
Church Path. Bark —1B 142
Church Path. Bas —2J 135
Church Path. Grays —4J 157
Church Path. Romf —9C 112
Church Path. Saf W —3K 205
Churchponds. Cas H —3C 206
Church Rd. E10 —3A 124 (4D 38)
Church Rd. E12 —7L 125 (5G 39)
Church Rd. SE19 —6B 46
Church Rd. Alr —7A 178 (1J 27)
Church Rd. Bark —8B 126
Church Rd. Bas —7D 118 (3A 42)
Church Rd. Ben —9B 120
Church Rd. Bexh —3K 47
Church Rd. Bill —5E 102
Church Rd. Bla N —2F 198 (1C 24)
Church Rd. Bore —3F 62 (7C 24)
Church Rd. Boxt —3L 161 (2E 16)
Church Rd. B'wll —7F 15
Church Rd. B'sea —3C 184 (2J 27)
Church Rd. Buck H —7H 93
Church Rd. Bulm —5H 9
Church Rd. Bulp —6B 132 (5G 41)
(in two parts)
Church Rd. Bur C —2L 195 (6C 36)
Church Rd. Chris —6H 5
Church Rd. Clac S —2K 191
Church Rd. Cob —6H 49
Church Rd. Cop —4M 173 (7B 16)
Church Rd. Corr —2C 150 (6A 42)
Church Rd. Cres —1H 207 (1E 24)
Church Rd. Dun —1E 132 (3H 41)
Church Rd. Elms —9N 169 (6J 17)
Church Rd. Eri —3B 154
Church Rd. Fing —9F 176 (1G 27)
Church Rd. For —2A 166 (4B 16)
Church Rd. Frat —3C 178 (7J 17)
Church Rd. Gosf —4D 14
Church Rd. Gt Hal —2A 22
Church Rd. Gt Tot —6J 25
Church Rd. Gt W —3B 44
Church Rd. Gt Yel —7C 198 (6C 8)
Church Rd. Had —3L 137 (3D 42)
Church Rd. H'low —6H 57
Church Rd. H Wood —5L 113
Church Rd. Hart —7F 49
Church Rd. Hat P —2K 63 (6E 24)
Church Rd. Hpstd —7G 7
Church Rd. H Bee —2G 92 (6F 31)
Church Rd. Hock —7A 106 (1G 43)
Church Rd. Ilf —1D 126
Church Rd. K'dn —8C 202
Church Rd. Kel H —7N 83 (5D 32)
Church Rd. Lain —6N 117
(in three parts)
Church Rd. Lay H —2D 26
Church Rd. L Ben —7L 171 (6A 18)
Church Rd. L Berk —1A 30
Church Rd. L Bro —3F 170 (5K 17)
Church Rd. L Map —2F 15
Church Rd. More —1B 32
Church Rd. Mount —9A 86 (6G 33)
Church Rd. Nave —1H 97 (6B 32)
Church Rd. Noak H —7G 97 (7B 32)
Church Rd. N Fam —1F 106
Church Rd. Ong —3G 83 (4B 32)
Church Rd. Patt —6F 15
Church Rd. Pel —3E 26
Church Rd. Pits —1L 135 (3C 42)
Church Rd. Rams H —4D 102 (7A 34)
Church Rd. Raw —9C 104 (1D 42)
Church Rd. Ray —5L 121
Church Rd. Riven —2G 25
Church Rd. R'fd —9H 107
Church Rd. Shoe —8G 140
Church Rd. Short —6E 46
Church Rd. Shudy C —3G 7
Church Rd. Sth S —7M 139
Church Rd. Stamb —6A 8
Church Rd. Stans —3E 208
Church Rd. Stut —1C 18
Church Rd. S at H —5C 48
Church Rd. Swan —7A 48
(Crockenhill)
Church Rd. Swan —6B 48
(Swanley Village)
Church Rd. Terl —4D 24
Church Rd. Thorr —7F 178 (1K 27)
Church Rd. Til —6B 158 (2J 49)
Church Rd. Tip —5C 212 (3K 25)
Church Rd. Tol M —6A 26
Church Rd. T'std —7H 9
Church Rd. Ult —7F 25
Church Rd. W on N —6M 183 (1H 29)
Church Rd. W Han —5G 88 (5B 34)
Church Rd. W Mer —3J 213
Church Rd. W Til —4G 158
Church Rd. W Bis —7J 213 (5G 25)
Church Rd. Wick P —7G 9
Church Rd. Wmgfd —3B 16
Church Rd. Wrab —3D 18
Church Rd. Almshouses. E10 —4B 124
(off Church Rd.)
Church Rd. Ind. Est. E10 —3A 124
Church Rd. Residential Pk. Corr —2D 150
Church Sq. Bures —7D 194
Church Sq. St O —9M 185
Church Street. —4F 9
Church St. CO5 —2H 25
Church St. E16 —8A 142
Church St. N9 —7B 30
Church St. Bel P —4E 8
Church St. Bill —2K 117 (1J 41)
Church St. B'more —1H 85
Church St. Boxt —1N 161 (2E 16)
Church St. Brain —2M 193 (6C 14)
Church St. Bunt —4D 10
Church St. Chelm —9K 61
Church St. Clare —3D 8
Church St. Cogg —8L 195 (7H 15)
Church St. Colc —8M 167
Church St. Coln E —3H 15
Church St. Croy —7B 46
Church St. Dag —8N 127
Church St. D'mw —6L 197 (7G 13)
Church St. Enf —6B 30
Church St. Gest —6F 9
Church St. Gold —7A 26
Church St. Grays —4M 157
Church St. Gt Bad —4G 75 (2B 34)
Church St. Gt Che —3L 197 (4A 6)
Church St. Gt Map —1F 15
Church St. Har —1M 201
Church St. H'hll —2H 7
Church St. Hen —4C 12
Church St. Hund —1B 8
Church St. I'tn —1H 197 (4K 5)
Church St. K'dn —8B 202
Church St. Lit —4A 4
Church St. Mal —6L 203
Church St. Newp —7D 204 (3B 12)
Church St. Ray —5K 121
Church St. Rhdge —6F 176
Church St. Saf W —3K 205
Church St. Saw —2K 53
Church St. Sib H —6B 206 (1D 14)
Church St. Stpl B —2C 210 (5J 7)
Church St. Sud —5J 9
Church St. Thri —2H 5
Church St. Tol —8K 211 (6C 26)
Church St. Tol D —6B 26
Church St. Wal A —3C 78
Church St. Whad —2C 4
Church St. Wthm —2C 214
Church Ter. Stoke C —4A 8
Church Trad. Est., The. Eri —5D 154
Church View. A'lgh —9L 163
Church View. Ave —9N 145
Church View. Upm —4M 129
Church View Rd. Ben —9E 120
Church Wlk. Bas —9B 118
Church Wlk. Brtwd —6E 98
Church Wlk. Colc —8M 167
Church Wlk. Ked —4K 7
Church Wlk. L'bry —1J 205
Church Wlk. Mal —5J 203
(off Bull La.)
Church Wlk. R'fd —6K 123
Church Wlk. Saw —2L 53
Church Wlk. S'ly —1G 19
Church Way. Ben —4M 137
Churchwell Av. Ethpe —7J 173
Churchwood Gdns. Wfd G —1G 109
Churnwood Clo. Colc —6D 168
Churnwood Rd. Colc —6D 168
Chuzzlewit Dri. Chelm —4G 60
Cillocks Clo. Hod —4A 54
Cimarron Clo. S Fer —1K 105
Cinque Port Rd. B'sea —6E 184
Circle, The. Til —6C 158
Circular Rd. E. Colc —1N 175
Circular Rd. N. Colc —1M 175
Circular Rd. S. Colc —2M 175
(in two parts)
Circular Rd. W. Colc —1L 175
Cistern Yd. Colc —8M 167
City. —7B 38
City Rd. EC1 —6A 38
City Rd. W Mer —3H 213
Civic Sq. H'low —3C 56
Civic Sq. Til —7C 158
Civic Way. Ilf —8B 110
Clachar Clo. Chelm —8B 62
Clacton Airfield. —4C 28
Clacton-on-Sea. —2K 191 (4E 28)
Clacton-on-Sea Tourist Information Cen. —2J 191 (4D 28)
Clacton Rd. E13 —6F 39
Clacton Rd. Colc —1H 177 (6G 17)
Clacton Rd. Elms —1N 177 (6J 17)
Clacton Rd. Hol S —7C 188 (3F 29)
Clacton Rd. L Oak —9D 200 (4F 19)
Clacton Rd. Mann —5J 165 (3A 18)
Clacton Rd. Sto G —5D 18
Clacton Rd. St O —9M 185 (4B 28)
Clacton Rd. Thorr —9E 178 (1K 27)
Clacton Rd. Wee H —7D 180 (1C 28)
Clacton Rd. Wix —4D 18
Claire Clo. Ingve —1J 115
Claire Rd. Kir X —8E 182
Claire Rd. Ind. Est. Kir X —8E 182
Clairmont Clo. Brain —6H 193
Clairmont Rd. Colc —1F 174
Clairs M. Ong —5L 69
Clairvale. Horn —2J 129
Clandon Rd. Ilf —4D 126
Clanver End. —7K 5
Clapgate. —6H 11
(nr. Bishop's Stortford)
Clapgate. —4B 84 (4D 32)
(nr. Stondon Massey)
Clapgate Dri. L Cla —3G 187
Clapham. —3A 46
Clapham Common. (Junct.) —3A 46
Clapham Comn. N. Side. SW4 —3A 46
Clapham Comn. S. Side. SW4 —3A 46
Clapham High St. SW4 —3A 46
Clapham Park. —3A 46
Clapham Pk. Rd. SW4 —3A 46
Clapham Rd. SW9 —3A 46
Clap La. Dag —4N 127
Claps Ga. La. E6 —4A 142
Clapton Comn. N16 —4B 38
Clapton Hall La. D'mw —1G 23
Clapton Park. —5C 38
Clara James Cotts. Can I —2G 153
(off Kitkatts Rd.)
Clara Reeve Clo. Colc —2G 174
Clare. —3D 8
Clare Ancient House Museum. —3D 8
Clare Av. W'fd —6L 103
Clare Castle. —3D 8
Clare Clo. H'std —7J 199
Clare Ct. Thax —2J 211
Clare Gdns. E7 —6G 124
Clare Gdns. Bark —8E 126
Claremont Clo. Grays —1M 157
Claremont Cres. Dart —9C 154
Claremont Dri. Bas —2H 135
Claremont Gdns. Ilf —4D 126
Claremont Gdns. Upm —3A 130
Claremont Gro. Wfd G —3J 109
Claremont Heights. Colc —6M 167
Claremont Rd. E7 —7H 125
Claremont Rd. E11 —5D 124
Claremont Rd. Bas —7L 117
Claremont Rd. Horn —1E 128
Claremont Rd. Wclf S —5J 139
Claremont Rd. W'hoe —6J 177
Claremont St. N18 —2C 38
Clarence Av. Ilf —1N 125
Clarence Av. Upm —4L 129
Clarence Clo. Ben —2D 136
Clarence Clo. Chelm —7B 62
Clarence Ct. Grays —4L 157
(off Clarence Rd.)
Clarence Rd. E12 —7K 125
Clarence Rd. Bas —8N 119
Clarence Rd. Ben —3D 136
Clarence Rd. Corr —1D 150
Clarence Rd. Grays —4K 157 (2F 49)
Clarence Rd. Pil H —5E 98
Clarence Rd. Ray —7N 121 (3G 43)
Clarence Rd. Sth S —7M 139
Clarence Rd. Stans —2D 208
Clarence Rd. N. Ben —2D 136
Clarence St. Sth S —7M 139
Clarendon Gdns. Ilf —2M 125
Clarendon Pk. Clac S —8M 187
Clarendon Rd. E11 —3D 124
Clarendon Rd. E17 —1B 124
Clarendon Rd. E18 —7G 108
Clarendon Rd. Bas —8K 119
Clarendon Rd. Can I —1J 153
Clarendon Rd. Hock —7E 106
Clarendon Rd. L Can —8E 210
Clarendon Way. Colc —6M 167
Clare Priory. —3D 8
Clare Rd. E11 —1D 124
Clare Rd. Ben —9A 120
Clare Rd. Brain —6F 192
Clare Rd. Clare —2D 8
Clare Rd. Hund —1C 8
Clare Way. Clac S —8F 186
Claridge Rd. Dag —3J 127
Clarissa Rd. Romf —2J 127
Clarkia Clo. Eri —6E 154
Clarkebourne Dri. Grays —4N 157
Clarke Mans. Bark —9E 126
(off Upney La.)
Clarke Rise. Cold N —4H 35
(off Latchingdon Rd.)
Clarkesmead. Tip —7C 212
Clarke's Rd. Har —4H 201
Clark Gro. Stan H —9A 134
Clarkhill. H'low —6D 56
Clarkia Wlk. Colc —8D 168
Clark Rd. Hock —2D 122
Clarks Farm Rd. Dan —2F 76
Clarks La. Colc —9M 173
Clarks La. Epp —1E 80
Clarksons, The. Bark —2B 142
Clarks Rd. Ilf —4C 126
Clark Way. Broom —2K 61
Claston Clo. Dart —9C 154
Claters Clo. Sth S —4D 140
Clatterbury La. Clav —2J 11
Clatterfield Gdns. Wclf S —4F 138
Clatterford End. —6N 69 (3D 32)
(nr. High Ongar)
Clatterford End. —9F 68 (3B 32)
(nr. North Weald Bassett)
Claude Rd. E10 —4C 124
Claudian Way. Grays —1D 158
Claud Ince Av. Cres —2D 194
Claudius Rd. Colc —1A 176
Claudius Way. Wthm —7B 214
Claughton Way. Hut —5N 99
Claverhambury. —3F 31
Claverhambury Rd. Wal A —7G 64 (3F 31)
Clavering. —3J 11
Clavering. Bas —2G 135
Clavering Castle. —3J 11
Clavering Ct. Ray —4G 121
Clavering Gdns. W H'dn —1N 131
Clavering Rd. E12 —3K 125
Clavering Rd. Brain —2H 193
Clavering Rd. Man —5K 11
Clavering Way. Hut —5M 99
Claverton St. SW1 —1A 46
Claybrick Av. Hock —2C 122
Clayburn Circ. Bas —9E 118
Clayburn End. Bas —9E 118
Clayburn Gdns. S Ock —7E 146
Clayburn Side. Bas —9E 118
Claybury B'way. Ilf —7L 109
Claybury Hospital Woods Nature Reserve. —4N 109 (2G 39)
Claybury Rd. Wfd G —4L 109
Clay Ct. E17 —7D 108
Claydon Cres. Bas —8D 118
Claydons La. Ben —8J 121
Claydons La. Ray —7J 121
Clay End. Walk —6A 10
Claygate Clo. Horn —6E 128
Claygate La. Wal A —9E 64
(in two parts)
Clayhall. —6M 109 (2G 39)
Clayhall Av. Ilf —7L 109 (2G 39)
Clayhall Rd. Clac S —8L 187
Clay Hill. —5B 30
Clay Hill. Enf —5A 30
Clay Hill. Gt Hen —7J 9
Clay Hill La. Bas —3C 134
Clay Hill Rd. Bas —1C 134 (3A 42)
Clay La. St O —8N 185 (3B 28)
Clay La. Gro. Colc —3D 168
Claypit Hill. Stans —4K 209
Claypit Hill. Tye G —6C 12
Claypit Hill. Wal A —6J 79 (5F 31)
Clay Pit Piece. Saf W —7L 205
Claypits. Brain —5M 193
Claypits Av. Bures —8E 194
Claypits La. Fox —3G 9
Claypits Rd. Bore —2G 62
Claypits Vs. Thax —3L 211
Claypole Ct. E17 —1A 124
(off Yunus Khan Clo.)
Clay Ride. Lou —9K 79
Clayshotts Dri. Wthm —7E 214
Clayside. Chig —2B 110
Clays La. E15 —7B 124
Clay's La. Lou —9N 79 (6G 31)
Clays La. Clo. E15 —7B 124
Clays Meadow. L'bry —1H 205
Clayspring Clo. Hock —9C 106
Clays Rd. W on N —6K 183
Clayton Av. Upm —7M 129
Clayton Rd. R'sy —5E 200
Clayton Rd. Romf —3A 128
Clayton Way. Mal —8K 203
Clay Tye Rd. Upm —4F 130 (4E 40)
Claywall Bri. Stpl B —2C 210
Cleall Av. Wal A —4C 78
Clear Bay Pk. St O —9E 184
Clearwater. Colc —2B 176
Cleeborn St. S Fer —2H 105
Cleland Path. Lou —9A 80
Clematis Clo. Romf —4G 113
Clematis Gdns. Wfd G —2G 109
Clematis Tye. Chelm —4N 61
Clematis Way. Colc —8E 168
Clemence Clo. Dag —1A 144
Clementhorpe Rd. Dag —8H 127
Clements Ct. Ilf —5A 126
Clements Gdns. Hock —1F 122
Clements Grn. La. S Fer —9K 91
Clements Hall La. Hock —1F 122
Clements Hall Way. H'wl —3F 122
Clement's La. H'hll —3J 7
Clements La. Ilf —5A 126
Clements Pl. S Fer —9K 91
Clements Rd. E6 —9L 125
Clements Rd. Ilf —5A 126
Clement St. Swan & Dart —5B 48
Clement Way. Upm —5K 129
Clerkenwell. —6A 38
Clerkenwell Rd. EC1 —6A 38
Clerk's Piece. Lou —2M 93
Clevedon Clo. Bla N —1C 198
Cleveland Clo. H'wds —3C 168
Cleveland Dri. Wclf S —3J 139
Cleveland Pk. Av. E17 —8A 108
Cleveland Pk. Cres. E17 —8A 108
Cleveland Rd. E18 —7G 109
Cleveland Rd. Bas —9D 118
Cleveland Rd. Can I —3H 153
Cleveland Rd. Ilf —5A 126
Clevelands, The. Bark —8B 126
Cleveland St. W1 —6A 38
Cleves Av. Brtwd —7E 98
Cleves Clo. Lou —5L 93
Cleves Ct. Bore —2F 62
Cleves Wlk. Ilf —4B 110
Clevis Dri. S Fer —3M 105
Clewer Ct. E10 —3A 124
(off Leyton Grange Est.)
Clewer Ho. SE2 —9J 143
(off Wolvercote Rd.)
Clicket Hill. Bures —8F 194 (2A 16)
Clickett End. Bas —9D 118
Clickett Hill. Bas —9D 118
Clickett Side. Bas —9D 118
(in two parts)
Clieveden Rd. Sth S —8D 140
Cliff Av. Lgh S —6F 138
Cliff Av. Wclf S —5K 139
Cliff Gdns. Lgh S —6F 138 (5H 43)
Cliffield. Shalf —4B 14
Clifford Av. Ilf —5A 110
Clifford Clo. Lain —1M 133
Clifford Rd. E17 —6C 108
Clifford Rd. SE25 —6C 46
Clifford Rd. Chaf H —1J 157
Cliff Pde. Lgh S —6D 138 (5H 43)
Cliff Pde. W on N —2M 183
Cliff Pl. S Ock —3G 146
Cliff Rd. Har —4L 201 (3H 19)
Cliff Rd. Hol S —8B 188
Cliff Rd. Lgh S —6F 138
Cliffsea Gro. Lgh S —5E 138
Clifftown. —7L 139
Clifftown Pde. Sth S —7L 139 (5J 43)
Clifftown Rd. Sth S —7M 139
Cliff Way. Frin S —9L 183
Clifton Av. Ben —2B 136
Clifton Clo. Ben —2D 136
Clifton Ct. Wfd G —3G 109
Clifton Dri. Wclf S —7J 139
Clifton Gro. Alr —7A 178
Clifton Hatch. H'low —6F 56
Clifton Ho. E11 —4E 124
Clifton M. Lou —3A 94
Clifton M. Sth S —7M 139
Clifton Rd. E7 —8K 125
Clifton Rd. Bas —8N 119
Clifton Rd. Can I —2H 153
Clifton Rd. Horn —1E 128
Clifton Rd. Ilf —1C 126
Clifton Rd. Lou —3L 93
Clifton Rd. R'fd —9H 107
Clifton Ter. Ing —5E 86
Clifton Ter. Sth S —7M 139
Clifton Ter. W'hoe —6H 177
Clifton Wlk. Ben —2D 136
Clifton Way. Ben —2C 136
Clifton Way. Hut —7N 99
Climmen Rd. Can I —9H 137
Clinton Clo. E Han —2C 90
Clinton Cres. Ilf —3D 110
Clinton Rd. E7 —6G 125
Clinton Rd. Can I —2D 152
Clipped Hedge. Hat H —2C 202
Clipper Boulevd. Dart —9B 156
Clipper Boulevd. W. Dart —8A 156
Clitheroe Rd. Romf —2A 112
Cliveden Clo. Chelm —8G 60
Cliveden Clo. Shenf —6J 99
Clivedon Rd. E4 —2E 108
Clive Rd. Colc —1N 175
Clive Rd. Gt War —4F 114 (2E 40)
Clive Rd. Romf —9F 112
Clobbs Yd. Broom —3K 61
Clockhall La. Hund —1B 8
Clock Ho. E17 —8D 108
(off Wood St.)
Clock Ho. Lain —9K 117
Clockhouse Av. Bark —1B 142
Clockhouse La. N Stif —8G 147 (1F 49)
(in two parts)
Clockhouse La. Romf —4N 111 (2K 39)
Clock Ho. Rd. Beck —6D 46
Clock Ho. Rd. L Bur —2G 117 (1J 41)
Clockhouse Way. Brain —6K 193
Clodmore Hill. A'den —1J 11
Cloes La. Clac S —8F 186 (3C 28)
Cloister Clo. Rain —4F 144
Cloisters. Stan H —3N 149
Cloisters, The. Brain —3J 193
Cloisters, The. K'dn —9B 202
Cloisters, The. Lain —9L 117
Clopton Grn. Bas —8C 118
Close, The. E4 —4C 108
Close, The. Ben —6D 136
(High St. Benfleet)
Close, The. Ben —7H 121
(Kingsley La.)
Close, The. Brtwd —9G 98
Close, The. Cres —2E 194
Close, The. Deb —2C 12
Close, The. D'mw —9M 197
Close, The. Frin S —9H 183
Close, The. Grays —9M 147
Close, The. Gt Hol —2D 188
Close, The. Har —4J 201
Close, The. Hat H —2C 202
Close, The. Hock —7B 106
Close, The. Ilf —1D 126
Close, The. Jay —5F 190
Close, The. Romf —1K 127
Cloudberry Rd. Romf —3H 113
Clouded Yellow Clo. Bla N —8G 192
Cloudesley Rd. Eri —6D 154
Clough Ho. Wclf S —2H 139
Clough Rd. Colc —1D 168
Clova Rd. E7 —8F 124
Clova Rd. Lgh S —4E 138
Clovelly Ct. Horn —4L 129
Clovelly Gdns. Romf —5N 111

Clovelly Gdns.—Coombe Rd.

Clovelly Gdns. W'fd —7K 103
Clover Clo. E11 —4D 124
Clover Clo. Bas —3F 134
Clover Ct. Grays —4N 157
Clover Ct. S'way —1E 174
Clover Dri. Thorr —9F 178
Cloverfield. H'low —6F 56
Cloverlands. Colc —5C 168
Clover Leas. Epp —8E 66
Cloverley Rd. Ong —9L 69
Cloverleys. Lou —4K 93
Clover Way. A'lgh —2H 169
Clover Way. Bas —3F 134
Cluff Ct. War —2F 114
Clunas Gdns. Romf —7H 113
Cluny Sq. Sth S —3A 140
Clusters, The. Sth S —5L 139
Clyde. E Til —2L 159
Clyde Cres. Chelm —7F 60
Clyde Cres. Ray —7J 121
Clyde Cres. Upm —1B 130
Clyde Pl. E10 —2B 124
Clyde Rd. Hod —7D 54
Clydesdale Ho. Eri —9K 143
(off Kale Rd.)
Clydesdale Rd. Brain —6G 192
Clydesdale Rd. Horn —2D 128
Clyde Way. Romf —4C 112
Clydon Clo. Eri —4C 154
Clynes Ho. Dag —5M 127
(off Uvedale Rd.)
Coach Ho. Way. Wthm —5D 214
Coach La. Mal —5J 203
Coach M. Bill —3M 101
Coach Rd. Alr —7A 178 (1J 27)
Coach Rd. Gt Hork —8F 160 (4D 16)
Coach Rd. Hpstd —6G 7
Coal Ct. Grays —5K 157
Coalhill. —9M 89 (6C 34)
Coalhouse Fort & Thameside Aviation Mus. —6N 159 (2K 49)
Coalport Clo. H'low —4H 57
Coal Rd. Til —2H 159
Coan Av. Clac S —3H 191
Coaster Steps. Sth S —7A 140
(off Kursaal Way)
Coast Rd. W Mer —2H 213 (5F 27)
Coates Clo. H'bri —4L 203
Coates Quay. Chelm —9M 61
Coats Hutton Rd. Colc —3J 175
Cobbetts Av. Ilf —9K 109
Cobbinsbank. Wal A —3D 78
Cobbins Chase. Bur C —1J 195
Cobbins Clo. Bur C —1L 195
Cobbinsend Rd. Wal A —7K 65
Cobbins Gro. Bur C —1J 195
Cobbins, The. Bur C —1L 195
Cobbins, The. Wal A —3E 78
Cobbins Way. H'low —8K 53
Cobbles, The. Brtwd —8H 99
Cobbles, The. Upm —2C 130
Cobbold Rd. E11 —5F 124
Cobbold Rd. Felix —1K 19
Cobbs Fenn. —8B 206 (2E 14)
Cobbs Pl. Chelm —8M 61
Cobden Rd. E11 —5E 124
Cobden Wlk. Bas —8K 119
(in two parts)
Cobham. —6J 49
(nr. Henley Street)
Cobham. —6J 49
(nr. Meopham)
Cobham. Grays —9L 147
Cobhambury Rd. Cob —6J 49
Cobham Hall. —6K 49
Cobham Ho. Bark —1B 142
(in two parts)
Cobham Ho. Eri —5D 154
Cobham Mans. Wclf S —6H 139
(off Station Rd.)
Cobham Rd. E17 —5C 108
Cobham Rd. Ilf —4D 126
Cobham Rd. Wclf S —7H 139
Cobill Clo. Horn —8G 113
Cobler's Green. —2K 23
Coborn Rd. E3 —6D 38
Coburg Gdns. Ilf —6K 109
Coburg La. Bas —2H 133
Coburg Pl. S Fer —1K 105
Cochrane Ct. E10 —3A 124
(off Leyton Grange Est.)
Cockabourne Ct. H Wood —6L 113
(off Archibald Rd.)
Cockaynes La. Alr —6N 177 (1J 27)
Cock Clarks. —8M 77 (3F 35)
Cockerell Clo. Bas —6J 119
Cockethurst Clo. Wclf S —2F 138
Cockett Wick La. St O —3A 190 (4B 28)
Cock Green. —2K 23
Cock Grn. H'low —5A 56
Cock Hill. Ked —2A 8
Cock La. F End —3H 11
Cock La. Gt Bro —6G 170
Cock La. Hghwd —8B 72 (3G 33)
(in two parts)
Cock La. Hod —6A 54 (1C 30)
Cockmannings La. Orp —7J 47
Cockmannings Rd. Orp —7J 47
Cockrell's Rd. L Hork —4B 160 (3C 16)
Cock Rd. L Map —1G 15
Cocksure La. Sidc —4K 47
Codenham Grn. Bas —2C 134
Codenham Straight. Bas —2C 134
Codham Hall La. Gt War —8E 114
Coeur De Lion. Colc —5N 167
Coggeshall. —8L 195 (7H 15)
Coggeshall Grange Barn. —9K 195 (7H 15)
Coggeshall Hamlet. —1H 25
Coggeshall Heritage Museum. —8K 195 (7H 15)
Coggeshall Pieces. H'std —4M 199
Coggeshall Rd. Brain —5H 193 (7C 14)
Coggeshall Rd. Cogg & M Tey —3A 172 (7J 15)
Coggeshall Rd. Ded —6M 163 (3H 17)
Coggeshall Rd. E Col —4D 196 (6H 15)
Coggeshall Rd. Fee —9M 195 (7J 15)
Coggeshall Rd. Gt Tey —2D 172 (6J 15)
Coggeshall Rd. K'dn —6B 202 (1H 25)
Coggeshall Way. H'std —4M 199
Cogmore. Dud E —7J 5
Cohort Dri. Colc —4H 175
Cokefield Av. Sth S —3A 140
Coker Rd. Can I —3D 152
Cokers Clo. Bla N —3C 194
Coke St. Har —2M 201
Colam La. L Bad —7J 63 (1D 34)
Colbert Av. Sth S —7D 140
Colbourne Clo. Stan H —2A 150
Colchester. —8M 167 (6E 16)
Colchester Arts Centre. —8M 167 (6E 16)
Colchester Av. E12 —5M 125
Colchester Bus. Pk. Colc —1C 168
Colchester By-Pass. Colc —7J 167
Colchester By-Pass Rd. Colc —6A 168
Colchester By-Pass Rd. G Est —9E 168
Colchester Castle. —8N 167 (6E 16)
Colchester Clo. Sth S —4L 139
Colchester Natural History Museum. —8N 167 (6E 16)
Colchester Rd. E10 —2C 124
Colchester Rd. E17 —1A 124
Colchester Rd. A'lgh —9K 163 (4H 17)
Colchester Rd. Bures —8C 194 (2A 16)
Colchester Rd. Cogg —8M 195 (7H 15)
Colchester Rd. Colc —4F 168 (5G 17)
Colchester Rd. C Hth —4M 169 (5J 17)
Colchester Rd. Ded —3L 163 (2H 17)
Colchester Rd. E Col & Whi C —2E 196 (4J 15)
Colchester Rd. Elms —9L 169 (6H 17)
Colchester Rd. Frat & Wee —3F 178 (7K 17)
Colchester Rd. Gt Tot —8N 213 (5J 25)
Colchester Rd. H'std —4L 199 (3F 15)
Colchester Rd. H'bri —3L 203 (7H 25)
Colchester Rd. Hol S —8N 187
Colchester Rd. Hor X & Wix —5B 18
Colchester Rd. L'hoe —8B 176 (2F 27)
Colchester Rd. Law —5G 165 (3K 17)
Colchester Rd. Romf & S Wea —5H 113 (2B 40)
Colchester Rd. Sth S —4L 139
Colchester Rd. Spri —6B 62 (7B 24)
Colchester Rd. Sto G —5C 18
Colchester Rd. St O —5L 185 (3A 28)
Colchester Rd. T Sok —4F 180 (7C 18)
Colchester Rd. Tip —4D 212 (3K 25)
Colchester Rd. Tol D —5C 26
Colchester Rd. Vir & Gt Wig —4C 26
Colchester Rd. Wak C —4K 15
Colchester Rd. W Ber —2F 166 (4D 16)
Colchester Rd. W Mer —1L 213 (5F 27)
Colchester Rd. Wthm —5D 214 (4G 25)
Colchester Rd. W'hoe —1G 177 (6G 17)
Colchester Rd. Wmgfd —7B 160 (3C 16)
Colchester Tourist Information Centre. —8N 167 (6E 16)
Colchester United F.C. —2K 175 (7E 16)
Colchester Zoo. —6D 174 (1C 26)
Coldblow. —4A 48
Cold Christmas. —3E 20
Cold Christmas La. Thun —3C 20
Cold Hall Chase. Elms —9D 170
Coldhall La. Chelm —6G 73
Coldharbour La. SW9 & SE5 —3A 46
Coldharbour La. Rain —6C 144
Coldharbour Rd. H'low —4M 55
Coldharbour Rd. N'fleet —4G 49
Coldnailhurst Av. Brain —4G 193
Cold Norton. —4H 35
Colebrooke Dri. E11 —2H 125
Colebrook Gdns. Lou —1A 94
Colebrook La. Lou —1A 94
Colebrook Path. Lou —1A 94
Cole Clo. SE28 —8G 143
Cole Ct. Il Hill —2J 113
Cole End. —7D 6
Cole End Rd. Sew E —7D 6
Colegrave Rd. E15 —7D 124
Cole Green. —3G 11
Cole Grn. By-Pass. Col G & Hert —5A 20
Cole Hill. Gt L —3B 24
Colehills Clo. Clav —2J 11
Coleman Rd. Dag —8K 127
Coleman's Av. Wclf S —2J 139
Colemans La. Dan —3D 76
Coleman St. Sth S —5M 139
Colenso Rd. Ilf —3D 126
Coleridge Av. E12 —8L 125
Coleridge Ct. Chelm —6H 61
Coleridge Rd. Dart —9M 155
Coleridge Rd. Mal —7K 203
Coleridge Rd. Romf —4F 112
Coleridge Rd. Til —7E 158
Coleridge Wlk. Hut —6M 99
Coles Clo. Ong —5L 69
Coles Grn. Lou —9N 79
Coles La. W on N —6K 183
Coles Oak La. Ded —2H 163 (2G 17)
Colet Rd. Hut —4M 99
Colinton Rd. Ilf —4G 127
Collard Av. Lou —1B 94
Collard Grn. Lou —1B 94
Collards Almshouses. E17 —9C 108
(off Maynard Rd.)
College Av. Grays —2L 157
College Clo. Grays —2M 157
College Ct. Mann —4H 165
College Gdns. E4 —6B 92
College Gdns. Ilf —9L 109
College Pl. E17 —8E 108
College Pl. They B —6B 80
College Point. E15 —8F 124
College Rd. E17 —9C 108
College Rd. SE21 & SE19 —4B 46
College Rd. Brain —6G 192
College Rd. Brom —6F 47
College Rd. Chesh —3C 30
College Rd. Clac S —1L 191
College Rd. Grays —2M 157
College Rd. Ing —6A 48
College Sq. H'low —3C 56
College St. NW1 —5A 38
College Way. Sth S —6M 139
Coller Rd. Pkstn —2H 201
Colles Brook Rd. Gt Ben —1L 185 (2A 28)
Collett Rd. Ware —4C 20
Colletts Chase. Wmgfd —4A 160
Colley Bri. La. Ing —2N 71
Colley Rd. Chelm —4H 75
Collier Clo. E6 —7A 142
Collier Row. —4N 111 (2K 39)
Collier Row La. Romf —4N 111 (2K 39)
Collier Row Rd. Romf —5L 111 (2K 39)
Colliers End. —1D 20
Colliers Hatch. —1N 81 (3A 32)
Colliers, The. Hey B —8N 203
Collier St. Hat O —2C 22
Colliers Water La. T Hth —7A 46
Collindale Clo. Can I —1K 153
Collindale Gdns. Clac S —8N 187
Collingwood. Ben —2E 136
Collingwood Clo. Brain —3L 193
Collingwood Rd. E17 —1A 124
Collingwood Rd. Bas —2E 134
Collingwood Rd. Clac S —3H 191
Collingwood Rd. Colc —9F 166
Collingwood Rd. S Fer —2M 105
Collingwood Rd. Wthm —5C 214 (4F 25)
Collingwood Ter. Bas —2E 134
Collingwood Wlk. Bas —1E 134
Collingwood Way. Shoe —5K 141
Collins Clo. Brain —6H 193
Collins Clo. Stan H —3N 149
Collins Cross. Bis S —8A 208
Collins Hill. They B —6C 80
Collins Ho. Stan H —1A 150
Collins La. Wthm —5D 214
Collins Meadow. H'low —3A 56
Collins Rd. Horn —2L 129
Collins Rd. L Map —1G 15
Collins Way. Hut —4B 100
Collins Way. Lgh S —9F 122
Collinwood Gdns. Ilf —9M 109
Collops Rd. Steb —7J 13
Colman Clo. Stan H —2M 149
Colmore Rd. Enf —6C 30
Colne. E Til —1L 159
Colne Bank Av. Colc —7L 167 (6E 16)
Colne Causeway. Colc —1D 176 (6F 17)
Colne Chase. Wthm —5B 214
Colne Clo. S Ock —7F 146
Colne Clo. S Fer —1L 105
Colne Ct. Brain —7L 193
Colne Ct. E Til —1L 159
Colne Dri. Romf —3K 113
Colne Dri. Shoe —5J 141
Colne Engaine. —3H 15
Colne Engaine Rd. Whi C —3J 15
Colneford Hill. Whi C —2E 196 (4J 15)
Colne Ho. H'bri —3L 203
Colneis Rd. Felix —1K 19
Colne Pk. Rd. Whi C —1E 196 (4J 15)
Colne Pl. Bas —2D 134
Colne Rise. Rhdge —6F 176
Colne Rd. B'sea —7D 184 (3K 27)
Colne Rd. Bures —9A 194 (2A 16)
Colne Rd. Clac S —2K 191
Colne Rd. Cogg —6L 195 (6H 15)
(in two parts)
Colne Rd. H'std —4L 199 (3G 15)
Colne Rd. Peb & Coln E —2H 15
Colne Rd. Sib H —7C 206
Colne Springs. Ridg —5B 8
Colne Ter. W'hoe —6H 177
Colne Valley. Upm —1B 130
Colne Valley Clo. H'std —4J 199
Colne Valley Nature Reserve. —2E 196 (4J 15)
Colne Valley Railway & Museum. —2A 206 (7D 8)
Colne View. St O —4K 27
Colne View Retail Pk. Colc —6A 168
Colne Wlk. Brain —7M 193
Colne Way. P Bay —9D 184 (4K 27)
Colombo Rd. Ilf —2B 126
Colson Gdns. Lou —3A 94
Colson Grn. Lou —4A 94
Colson Path. Lou —3N 93
Colson Rd. Lou —3A 94
Colston Rd. E7 —8K 125
Colt Hatch. H'low —2A 56
Colthorpe Rd. Clac S —5K 187
Coltishall Clo. W'fd —1B 120
Coltishall Rd. Horn —8G 128
Coltsfield. Stans —1D 208
Coltsfoot Ct. Colc —5K 167
Coltsfoot Ct. Grays —4N 157
Coltsfoot Path. Romf —4G 113
(in three parts)
Columbia Rd. E2 —6B 38
Columbia Wharf Rd. Grays —4K 157
Columbine Gdns. W on N —7L 183
Columbine M. S'way —8D 166
Columbine Way. Romf —5J 113
Columbus Ct. Eri —5D 154
Columbus Sq. Eri —4D 154
Colvers. Mat G —6B 22
Colville Clo. Bla N —2C 198
Colville Clo. Corr —9A 134
Colville M. Bill —3H 101
Colville Rd. E11 —5C 124
Colvin Chase. Gall —9C 74
Colvin Clo. Colc —8G 167
Colvin Gdns. E4 —9C 92
Colvin Gdns. E11 —8H 109
Colvin Gdns. Ilf —5B 110
Colvin Rd. E6 —9L 125
Colwall Gdns. Wfd G —2G 109
Colworth Clo. Ben —2K 137
Colworth Rd. E11 —1E 124
Colyers Clo. Eri —6B 154
Colyers La. Eri —6A 154 (2A 48)
Colyers Reach. Chelm —9B 62
Colyers Wlk. Eri —6C 154
Colyton Rd. SE22 —3C 46
Comely Bank Rd. E17 —9C 108
Comet Clo. E12 —6K 125
Comet Clo. Purf —2L 155
Comet Way. Sth S —9G 122
Comet Way Ind. Est. Sth S —9G 122
Comfrey Ct. Grays —4N 157
Comma Clo. Brain —8G 193
Commerce Pk. Colc —2D 176
Commerce Way. Colc —2D 176
Commercial Rd. E1 & E14 —7C 38
Commercial Rd. Wclf S —2J 139
Commercial St. E1 —6B 38
Commercial Way. SE5 —2B 46
Common App. Ben —9G 120
Commonfields. H'low —2D 56
Commonhall La. Ben —3K 137
Common Hill. Saf W —3K 205 (6B 6)
Common La. Ben —8G 121
Common La. Dart —4B 48
Common La. Gt Eas —6E 12
Common La. L Bad —9M 63
(in two parts)
Common La. Stock —7N 87
Common La. Wdhm W —1E 34
Common Rd. Gt W —2M 141
Common Rd. Ingve —2M 115
Common Rd. Stock —6N 87
Common Rd. Wal A —9L 55 (1G 31)
Commonside E. Mitc —6A 46
Commonside Rd. H'low —7D 56 (1H 31)
Commons, The. Colc —1G 175 (6D 16)
Common, The. Ben —8G 120
Common, The. Dan —4E 76 (2E 34)
Common, The. E Han —1B 90 (4D 34)
Community Rd. E15 —7D 124
Como St. Romf —9B 112
Compasses Rd. Patt —6F 15
Compasses Row. Chelm —7J 61
Compass Gdns. Bur C —2K 195
Compton Av. Hut —7M 99
Compton Av. Romf —7G 112
Compton Ct. Can I —3K 153
Compton Pl. Eri —4D 154
Compton Rd. N21 —7A 30
Compton Rd. Colc —7B 168
Compton Ter. W'fd —9M 103
Compton Wlk. Bas —8K 117
Comyns Pl. Writ —1K 73
Comyns Rd. Dag —9M 127
Conan Doyle Clo. Brain —8J 193
Concorde Ho. Horn —8F 128
(off Astra Clo.)
Concord Rd. Can I —9F 136
Conder Way. Colc —2C 176
Condor Wlk. Horn —9F 128
Conduct La. Gt Hor —3F 11
Conduit La. N18 —1C 38
Conduit La. Hod —5A 54 (7D 20)
Conduit La. Wdhm M —4K 77 (2F 35)
Conduit La. E. Hod —5B 54
Conduit St. W1 —7A 38
Conduit St. Chelm —9K 61
(off High St. Chelmsford,)
Coney Burrows. E4 —8E 92
Coney Byes La. W Ber —9D 160 (4C 16)
Coney Grn. Saw —1J 53
Coney Hall. —7E 46
Coney Hill Rd. W Wick —7E 46
Conference Clo. E4 —8C 92
Congreve Rd. Wal A —3E 78
Conies Rd. H'std —6J 199
Conifer Av. Romf —2N 111
Conifer Clo. Alr —7M 177
Conifer Clo. Colc —7D 168
Conifer Dri. War —2G 114
Conifers. Ben —3L 137
Coningsby Gdns. E4 —3B 108
Coniston. Sth S —8F 122
Coniston Av. Bark —9D 126
Coniston Av. Upm —6N 129
Coniston Clo. Bark —9D 126
Coniston Clo. Bexh —6A 154
Coniston Clo. Brain —2D 198
Coniston Clo. Eri —5C 154
Coniston Clo. Ray —5L 121
Coniston Ct. Epp —1F 80
Coniston Gdns. Ilf —8L 109
Coniston Rd. Ben —8E 120
Coniston Rd. Bexh —6A 154
Coniston Rd. Can I —2G 152
Coniston Way. Horn —7E 128
Connaught Av. E4 —6D 92
Connaught Av. Frin S —9J 183 (1G 29)
Connaught Av. Grays —9L 147
Connaught Av. Lou —3K 93
Connaught Bri. E16 —7F 39
Connaught Clo. Clac S —1M 191
Connaught Ct. E17 —8B 108
(off Orford Rd.)
Connaught Dri. S Fer —1J 105
Connaught Gdns. N13 —1A 38
Connaught Gdns. Brain —4K 193
Connaught Gdns. Shoe —8G 141
Connaught Gdns. E. Clac S —9M 187
Connaught Gdns. W. Clac S —9M 187
Connaught Hill. Lou —3K 93
Connaught La. Ilf —4B 126
Connaught Rd. E4 —6E 92
Connaught Rd. E11 —3D 124
Connaught Rd. E17 —9A 108
Connaught Rd. Horn —5H 129
Connaught Rd. Ilf —4C 126
Connaught Rd. Ray —7N 121
(in two parts)
Connaught Rd. Wee H —9G 180
Connaught Wlk. Ray —7N 121
Connaught Way. Bill —3J 101
Connington Cres. E4 —9D 92
Connor Rd. Dag —6L 127
Conqueror Ct. H Hill —4H 113
Conquerors Clo. Hat P —3M 63
Conrad Clo. Grays —9L 147
Conrad Gdns. Grays —9L 147
Conrad Rd. Stan H —3N 149
Conrad Rd. Wthm —2B 214
Consort Clo. War —2F 114
Constable Av. Clac S —7F 186
Constable Clo. Law —4G 164
Constable Clo. M End —3M 167
Constable Clo. W Mer —2L 213
Constable Gdns. Ilf —3N 125
Constable Ho. Brain —5G 192
Constable M. Dag —6G 127
Constable M. Ded —1M 163
Constable Row. Ded —2N 163
Constable View. Chelm —5A 62
Constable Way. Shoe —6K 141
Constance Clo. Broom —9J 59
Constance Clo. Wthm —7E 214
Constantine Rd. Colc —1L 175
Constantine Rd. Wthm —7B 214
Constitution Hill. Ben —3D 136
Convent Clo. Lain —9L 117
Convent Hill. Brain —3J 193 (6D 14)
Convent La. Brain —3J 193
Convent Rd. Can I —2H 153
Con Way. Ben —3D 136
Conway Av. Gt W —3L 141
Conway Clo. H'std —6J 199
Conway Clo. Rain —9E 128
Conway Clo. W'hoe —6J 177
Conway Cres. Romf —1H 127
Conway Gdns. Grays —5L 157
Conways Rd. Ors —2C 148 (6H 41)
Conybury Clo. Wal A —2G 79
Conyer Clo. Mal —8J 203
Conyers Clo. Wfd G —3E 108
Conyers, The. H'low —1B 56
Conyers Way. Lou —2A 94
Cook Clo. Har —6H 201
Cook Ct. Eri —5D 154
Cook Cres. Colc —8E 168
Cookes Clo. E11 —4F 124
Cook Ga. Thax —3K 211
Cookham Ct. Shoe —4J 141
Cookham Rd. Swan —6K 47
Cookhill Rd. SE2 —9G 142
Cook La. Tip —7C 212
Cook Pl. Chelm —8A 62
Cook Rd. Dag —1K 143
Cooks Clo. H'std —6L 199
Cook's Clo. Romf —5A 112
Cook's Green. —2M 187 (2E 28)
Cooks Grn. Bas —6K 119
Cooks Hall Rd. W Ber —4D 166
Cooks Hill. Boxt —1A 162 (2F 17)
Cooks Hill. Tak —8A 210 (1C 22)
Cook's La. Gt Bar —3J 13
Cooksmill Green. —1B 72 (1G 33)
Cook Sq. Eri —5D 154
Cooks Spinney. H'low —1F 56
Coolgardie Av. E4 —2D 108
Coolgardie Av. Chig —9N 93
Coolyne Way. Clac S —6M 187
Coombe Dri. Bas —5L 133
Coombe Ho. E4 —3A 108
Coombe Rise. Chelm —4K 61
Coombe Rise. Shenf —7J 99
Coombe Rise. Stan H —3N 149
Coombe Rd. Romf —7K 113
Coombe Rd. S'min —7L 207
Coombe Rd. Ther —6A 4

Coombes Clo.—Crispe Ho.

Coombes Clo. Bill —4H 101
Coombes Corner. Lgh S —1D 138
Coombes Gro. R'fd —5M 123
Coombes Rd. Dag —1L 143
Coombewood Dri. Ben —1E 136
Coombe Wood Dri. Romf —1L 127
Cooper Ct. E15 —7B 124
Cooper Ct. Brain —8G 193
Cooper Dri. Brain —4F 192
Coopers. Bore —3F 62
Coopersale Clo. Wfd G —4J 109
Coopersale Common. —8J 67 (3J 31)
Coopersale Comn. Coop —8J 67 (3J 31)
Coopersale La. They B —7F 80 (5J 31)
Coopersales. Bas —9J 117
Coopersale Street. —1H 81 (4J 31)
Coopersale St. Epp —2H 81
Coopers Av. H'bri —3M 203
Coopers Beach Holiday Pk. E Mer —5H 27
Coopers Clo. Chig —8G 95
Coopers Clo. Dag —8N 127
Coopers Cres. W Ber —3G 167
Coopers Dri. Bill —1L 117
Coopers End Rd. Stan Apt —6M 209
Coopers Hill. Ong —8L 69 (3C 32)
Coopers La. E10 —3B 124
Coopers La. Clac S —1G 190
Cooper's La. Ded —3M 163
Coopers La. Gt L —1M 59
(in two parts)
Cooper's La. W Til —5F 158 (2H 49)
Coopers La. Rd. Pot B —4A 30
Coopers M. Ong —8L 69
Cooper's Row. Chelm —7J 61
Coopers Wlk. E15 —7E 124
Coopers Way. Sth S —1M 139
Cooper Wlk. Colc —7D 168
Coote Gdns. Dag —5L 127
Coote Rd. Dag —5L 127
Copdoek. Bas —8D 118
Copeland Rd. E17 —1B 124
Copelands. R'fd —1J 123
Copeman Rd. Hut —6N 99
Copenhagen St. N1 —6A 38
Copford. —2M 173 (7B 16)
Copford Av. Ray —6M 121
Copford Clo. Bill —6L 101
Copford Clo. Wfd G —3L 109
Copford Green. —4M 173 (7B 16)
Copford Rd. Bill —6L 101
Copford St Michael & All Angels Church. —4A 174 (7B 16)
Copland Clo. Broom —2J 61
Copland Clo. Gt Bad —2G 74
Copland Rd. Stan H —4M 149
Coploe Rd. I'tn —2H 197 (4K 5)
Coppen Rd. Dag —2L 127
Coppens Grn. W'fd —1M 119
Copperas Rd. B'sea —8E 184
Copperas Wood Nature Reserve. —3A 200 (3F 19)
Copper Beech Clo. Ilf —5M 109
Copper Beech Ct. Lou —9N 79
Copper Beeches. Ben —8J 121
Copper Beeches. S'way —1E 174
Copper Beech Rd. S Ock —3F 146
Copper Ct. Saw —2K 53
Copperfield. Bill —1M 117
Copperfield. Chig —2C 110
Copperfield App. Chig —3C 110
Copperfield Gdns. Brtwd —7E 98
Copperfield Rd. SE28 —6H 143
Copperfield Rd. Chelm —4F 60
Copperfields. Bas —8L 117
Copperfields Way. Romf —5H 113
Coppergate Ct. Wal A —4G 79
(off Farthingale La.)
Coppice Clo. D'mw —7L 197
Coppice End. H'wds —4B 168
Coppice Hatch. H'low —5C 56
Coppice La. Bas —6A 118
Coppice Path. Chig —1G 110
Coppice Rd. Alr —6A 178
Coppice Row. They B —6B 80 (5G 31)
Coppice, The. Kel H —6B 84
Coppice Way. E18 —8F 108
Coppingford End. Cop —1M 173
Coppings, The. Hod —2A 54
Coppins Clo. Chelm —7N 61
Coppins Rd. Clac S —9G 186 (4D 28)
Copse Hill. H'low —6A 56
Copse, The. E4 —7F 92
Copse, The. Bill —4J 101
Copse, The. Bis S —9B 208
Copse, The. Colc —4N 167
Copse, The. Fels —1K 23
Coptfold Clo. Sth S —5D 140
Coptfold Hall La. Marg —8F 72
Coptfold Rd. Brtwd —8F 98
Copthall Green. —3L 79 (4F 31)
Copt Hall La. L Wig —4D 26
Copthall La. Thax —3K 211 (3F 13)
Copt Hall Rd. Cob —6H 49
Copt Hill. Dan —4E 76 (2E 34)
Copthorne Av. Ilf —3A 110
Copthorne Gdns. Horn —9L 113
Copy Hill. Hel B —4J 7
Coral Clo. Romf —8H 111
Coral Clo. S Fer —9J 91
Coralin Wlk. S'way —9D 166
Coralline Wlk. SE2 —9H 143
Coram Grn. Hut —5N 99
Corasway. Ben —1J 137
Corbets Av. Upm —7M 129
Corbets Tey. —7N 129 (5D 40)
Corbets Tey Rd. Upm —6M 129 (4C 40)
Corbett Rd. E11 —1J 125
Corbett Rd. E17 —7C 108
Corbett W. E11 —1J 125
Corbicum. E11 —2E 124
Corcorans. Pil H —5F 98
Cordelia Cres. Ray —4J 121
Cordwainers, The. Sth S —1M 139
Cordy's La. T Mary —1J 19
Corfe Clo. Pits —1J 135
Corhaven Ho. Eri —5C 154
Coriander Rd. Tip —7C 212
Cories Clo. Dag —4J 127
Corinthian Manorway. Eri —2B 154
Corinthian Rd. Eri —2B 154
Coriolanus Clo. Colc —3H 175
Corkers Path. Ilf —4B 126
Corkscrew Hill. W Wick —7E 46
Cormorant Rd. E7 —7F 124
Cormorant Wlk. Chelm —5D 74
Cormorant Wlk. Horn —8F 128
Cornard Rd. Sud —5J 9
Cornard Tye. —5K 9
Cornec Av. Lgh S —9A 122
Cornec Chase. Lgh S —9B 122
Cornel Clo. Wthm —3A 214
Cornelia Pl. Eri —4C 154
Cornells La. Widd —3C 12
Cornell Way. Romf —2M 111 (1K 39)
Corner Pk. Saf W —2L 205
Corner Rd. Cray H —2E 118
Cornerways. Dodd —8G 84
Cornfields. S Fer —9J 91
Cornflower Clo. S'way —8D 166
Cornflower Dri. Chelm —6A 62
Cornflower Gdns. Bill —4H 101
Cornflower Rd. Jay —5E 190
Cornflower Way. Romf —5J 113
Cornford Way. Law —4G 165
Cornhill. Chelm —9K 61
Cornhill Av. Hock —9D 106
Cornish Gro. S Fer —2L 105
Cornish Hall End. —7J 7
Cornish Hall End Rd. Stamb —6K 7
Cornmill. Wal A —3B 78
Corn Mill Ct. Saf W —5L 205
Cornshaw Rd. Dag —3J 127
Cornsland. Brtwd —9G 98
Cornsland Ct. Brtwd —9G 98
Cornwall Clo. Bark —8E 126
Cornwall Clo. Horn —8L 113
Cornwall Clo. Law —5G 164
Cornwall Cres. Chelm —4J 61
Cornwall Gdns. Brain —4K 193
Cornwall Gdns. R'fd —2H 123
Cornwall Ga. Purf —2A 154
Cornwallis Clo. Eri —4D 154
Cornwallis Dri. S Fer —1M 105
Cornwallis Pl. Saf W —3L 205
Cornwallis Rd. Dag —6J 127
Cornwall Rd. Bas —8N 119
Cornwall Rd. Dart —8K 155
Cornwall Rd. Pil H —4E 98
Cornwalls Dri. M Tey —3G 173
Corn Way. E11 —5D 124
Cornwell Cres. E7 —6J 125
Cornwell Cres. Stan H —2N 149
Cornworthy. Shoe —6G 141
Cornworthy Rd. Dag —7H 127
Corona Rd. Bas —3K 133
Corona Rd. Can I —9K 137
Coronation Av. Brain —6H 193
Coronation Av. Colc —5A 176
Coronation Av. E Til —2K 159
Coronation Clo. Gt W —2K 141
Coronation Clo. Ilf —8B 110
Coronation Ct. E15 —8F 124
Coronation Ct. E Til —2L 159
(off Coronation Av.)
Coronation Ct. Eri —5B 154
Coronation Dri. Horn —7F 128 (5B 40)
Coronation Hill. Epp —9E 66
Coronation Rd. Bur C —4L 195
Coronation Rd. Clac S —1G 191
Coronation Way. Cres —2D 194
Corporation Rd. Chelm —7J 61
Corran Way. S Ock —7E 146
Corriander Dri. Else —7D 196
Corringham. —6A 42
Corringham Clo. Corr —2B 150
Corringham Rd. Stan H & Corr (in two parts) —4M 149 (6K 41)
Corsel Rd. Can I —2L 153
Cortoncroft Clo. Kir X —7J 183
Corton Trad. Est. Ben —8D 120
Corve La. S Ock —7E 146
Cory Dri. Hut —6L 99
Coryton. —3K 151 (6B 42)
Coryton Wharves. —5N 151
Cosgrove Av. Lgh S —3A 138
Cossington Rd. Wclf S —6K 139
Costead Mnr. Rd. Brtwd —7E 98
Cosway Cvn. Pk. E Mer —4J 27
Coteford Clo. Lou —1A 94
Cotelands. Bas —3G 134
Cotesmore Gdns. Dag —6H 127
Cotleigh Rd. Romf —1B 128
Cotman Av. Law —3G 164
Cotman M. Dag —7H 127
(off Highgrove Rd.)
Cotman Rd. Clac S —7H 187
Cotman Rd. Colc —1H 175
Coton St. E14 —7E 38
Cotswold Av. Ray —4K 121
Cotswold Clo. Bexh —7C 154
Cotswold Ct. H'wds —3C 168
Cotswold Cres. Chelm —5F 60
Cotswold Gdns. Hut —6A 100
Cotswold Gdns. Ilf —2C 126
Cotswold Lodge. Hut —6A 100
Cotswold Rd. Clac S —8K 187
Cotswold Rd. Romf —6K 113
Cotswold Rd. Wclf S —6J 139
Cottage Dri. Colc —3C 176
Cottage Grn. Clac S —7G 186
Cottage Gro. Clac S —7G 186
Cottage M. Horn —8G 112
Cottage Pl. Chelm —8K 61
Cottages, The. Shoe —7K 141
Cottage, The. Bas —3F 134
(off London Rd.)
Cottage Wlk. Clac S —7G 186
Cottered. —4A 10
Cottered Rd. Thro —3B 10
Cottered Warren. —4B 10
Cottesmore Av. Ilf —6N 109
Cottesmore Clo. Can I —3H 153
Cottesmore Ct. Lgh S —4N 137
Cottesmore Gdns. Lgh S —5N 137
Cottey Ho. Gall —8C 74
Cottis Clo. Bas —3J 133
Cottis La. Epp —9E 66
Cotton La. Dart & Grnh —3D 48
Cottons App. Romf —9B 112
Cottons Ct. Romf —9B 112
Cottonwood Clo. Colc —4L 175
Couchmore Av. Ilf —6M 109
Coulde Dennis. E Han —2B 90
Coulsdon Clo. Clac S —7G 186
Coulson Clo. Dag —3H 127
Countess Cross. —3J 15
Counting Ho. La. D'mw —7L 197
County Gdns. Bark —2D 142
County Pl. Chelm —1C 74
County Rd. E6 —5A 142
Coupals Rd. H'hll —3K 7
Courage Clo. Horn —1G 128
Courage Ct. Hut —5M 99
Courage Wlk. Hut —5N 99
Courtauld Clo. SE28 —8F 142
Courtauld Clo. H'std —5L 199
Courtauld Rd. Bas —6H 119 (2B 42)
Courtauld Rd. Brain —4J 193 (7D 14)
Court Av. Romf —4L 113
Courtenay Dri. Chaf H —1J 157
Courtenay Gdns. Upm —3N 129
Courtenay Rd. E11 —5F 124
Courtfield Clo. Brox —8A 54
Court Gdns. Romf —3L 113
Courthill Rd. SE13 —3E 46
Courtland Av. E4 —8F 92
Courtland Av. Ilf —4M 125
Courtland Dri. Chig —9A 94
Courtland Gro. SE28 —7J 143
Courtland M. Mal —8J 203
Courtland Pl. Mal —8J 203
Courtlands. Bill —6G 101
Courtlands. Chelm —5J 61
Courtlands. Lgh S —8A 122
(off Musket Gro.)
Court La. SE21 —3B 46
Courtney Pk. Rd. Bas —1K 133
Courtney Rd. Grays —9E 148
Court Rd. SE9 —4G 47
Court Rd. Broom —8J 59 (6A 24)
Court Rd. Orp —7J 47
Courtsend. —1G 45
Courts, The. Ray —4L 121
Court St. Nay —1D 16
Court View. Ing —8B 86
Court Way. Ilf —7B 110
Court Way. Romf —6J 113
Court Way. Wfd G —2J 109
Coval Av. Chelm —8J 61
Coval La. Chelm —9J 61 (1A 34)
Covelees Wall. E6 —6A 142
Covenbrook. Brtwd —9L 99
Coventry Clo. Colc —7A 168
Coventry Clo. Hull —7M 105
Coventry Hill. Hull —7L 105 (7F 35)
Coventry Rd. Ilf —4A 126
Coverdales, The. Bark —2C 142
Coverley Clo. Gt War —3F 114
Covert Rd. Ilf —2E 110
Coverts, The. Hut —7K 99
Coverts, The. W Mer —3L 213
Coverts, The. Writ —1K 73
Cowbridge. Hert —5B 20
Cowbridge La. Bark —9A 126
Cowdray Av. Colc —6M 167 (5E 16)
Cowdray Cen., The. Colc —6N 167
Cowdray Cres. Colc —8N 167
Cowdray Way. Horn —6D 128
Cowell Av. Chelm —6G 61
Cowels Farm La. Lndsl —4G 13
Cowey Green. —7F 170 (6K 17)
Cow La. Gt Che —2M 197 (4A 6)
Cow La. St O —4A 28
Cowley La. E11 —5E 124
Cowley Rd. E11 —9H 109
Cowley Rd. Ilf —2M 125
Cowley Rd. Romf —4F 112
Cowlins. H'low —8J 53
Cowpar M. Brain —8J 193
Cowper Av. E6 —9J 125
Cowper Av. Til —6D 158
Cowper Rd. Rain —4E 144
Cowslip Ct. S'way —8D 166
Cowslip Mead. Bas —9C 118
Cowslip Rd. E18 —6H 109
Cow Watering La. Writ —1J 33
Cow Watering Rd. Writ —9A 60
Coxbridge Ct. Bill —6J 101
Coxes Clo. Stan H —2M 149
Coxes Farm Rd. Bill —8N 101 (1K 41)
Cox Hill. —6E 12
Cox Ley. Hat H —2C 202
Cox Rd. Alr —6A 178
Coxs Clo. S Fer —9L 91
Cox's Hill. Law —5F 164 (3K 17)
Coxtie Green. —4A 98 (7D 32)
Coxtie Grn. Rd. Brtwd —3L 97 (7C 32)
Crabb's Green. —4H 11
Crabbs Grn. Hat O —3C 22
Crabb's Hill. Hat P —4K 63 (6E 24)
Crabtree. Kir S —6F 182
Crabtree Av. Romf —8J 111
Crabtree Ct. E15 —7B 124
Crabtree Hill. —6L 95
Crabtree La. W Ber —6D 160 (3C 16)
Crabtree Manorway N. Belv —9A 144
Crabtree Manorway S. Belv —1A 154
Cracknell Clo. W'hoe —4H 177
Cradle End. —1J 21
Craftsmans Sq. Sth S —1M 139
Craigdale Rd. Horn —1D 128
Craigfield Av. Clac S —7K 187
Craig Gdns. E18 —6F 108
Craig's End. —7A 8
Craig's Hill. M Bur —2K 15
Craigs La. M Bur —2A 16
Craiston Way. Chelm —5G 74
Crammavill St. Grays —8K 147 (7F 41)
Crammerville Wlk. Rain —4F 144
Cramphorn Wlk. Chelm —8H 61
Cramwell Gdns. Bis S —8B 208
Cranborne Gdns. Upm —4M 129
Cranborne Rd. Bark —1C 142
Cranborne Rd. Hod —4B 54
Cranbourne Av. E11 —8H 109
Cranbourne Dri. Hod —1C 54
Cranbourne Gdns. Ilf —7B 110
Cranbourne Rd. E12 —7L 125
Cranbourne Rd. E15 —6C 124
Cranbrook. —3M 125 (4G 39)
Cranbrook Av. Ben —2J 137
Cranbrook Dri. Romf —8F 112
Cranbrook Ho. Eri —5D 154
(off Boundary St.)
Cranbrook Rise. Ilf —1M 125
Cranbrook Rd. Ilf —2N 125 (3G 39)
Crane Clo. Dag —8M 127
Cranell Grn. S Ock —8E 146
Cranes. —5G 118 (2B 42)
Cranes Clo. Bas —5G 119
Cranes Ct. Bas —7D 118
Cranes Farm Rd. Bas —7A 118 (3K 41)
Cranes La. Bas —7D 118
Crane's La. K'dn —2H 25
Cranfield Ct. W'fd —8K 103
Cranfield Pk. Av. N Ben —5M 119
Cranfield Pk. Rd. W'fd —3L 119 (2C 42)
Cranford Clo. Frin S —9H 183
Cranham. —3B 130 (4D 40)
Cranham Gdns. Upm —3B 130
Cranham Marsh Nature Reserve. —6A 130 (5D 40)
Cranham Rd. Broxt —5D 12
Cranham Rd. Horn —1F 128
Cranham Rd. L Walt —6N 59 (5B 24)
Cranleigh Clo. Clac S —7F 186
Cranleigh Dri. Lgh S —4D 138 (4H 43)
Cranleigh Gdns. Bark —9C 126
Cranleigh Gdns. Hull —7K 105
Cranleigh Gdns. Lou —5M 93
Cranley Av. Wclf S —5J 139
Cranley Dri. Ilf —2B 126
Cranley Gardens. —3A 38
Cranley Gdns. N10 —3A 38
Cranley Gdns. Shoe —8G 141
Cranley Rd. Ilf —1B 126
Cranley Rd. Wclf S —6J 139
Cranmer Clo. Bill —2K 101
Cranmere Ct. Colc —8A 168
Cranmer Gdns. Dag —6A 128
Cranmer Ho. Chelm —3A 74
Cranmer Rd. E7 —6H 125
Cranmore Clo. Else —7C 196
Cranmoregreen La. L Mel —2H 9
Cranston Av. Wclf S —1J 139
Cranston Gdns. E4 —3B 108
Cranston Pk. Av. Upm —6M 129
Cranston Rd. SE23 —4D 46
Cranworth Cres. E4 —7D 92
Craven Av. Can I —2G 152
Craven Clo. R'fd —2J 123
Craven Ct. Romf —1K 127
Craven Dri. Colc —4C 168
Craven Gdns. Bark —2D 142
Craven Gdns. Col R —2M 111
Craven Gdns. H Wood —3N 113
Craven Gdns. Ilf —6C 110 (2H 39)
Crawford Av. Grays —8L 147
Crawford Chase. W'fd —2M 119
Crawford Clo. Bill —3L 101
Crawford Compton Clo. Horn —8G 129
Crawley Clo. Corr —9B 134
Crawley End. —5H 5
Crawley Rd. E10 —3B 124
Craxe's Grn. B'ch —2C 26
Cray Av. Orp —7J 47
Cray Clo. Dart —9E 154
Craydene Rd. Eri —6D 154
Crayfields. D'mw —7L 197
Crayford. —3A 48
Crayford Clo. Mal —8H 203
Crayford High St. Dart —9C 154
Crayford Rd. Dart —3A 48
Crayford Way. Dart —9E 154 (3A 48)
Craylands. Bas —8G 118
(in two parts)
Craylands La. Swans —3E 48
Craymill Sq. Dart —7D 154
Cray Rd. Sidc —5J 47
Cray Rd. Swan —7A 48
Crays Hill. —2E 118 (2A 42)
Crays Hill. Bill —3C 118 (2A 42)
Crays Hill Rd. Cray H —2D 118
Crayside Ind. Est. Dart —9F 154
Crays View. Bill —8K 101
Crealock Gro. Wfd G —2F 108
Creasen Butt Clo. H'bri —4K 203
Creasey Clo. Horn —4F 128
Creasy Ct. Bas —9G 118
Credon Clo. Clac S —6K 187
Credon Dri. Clac S —6K 187
Credo Way. Grays —4E 156
Creekhurst Clo. B'sea —7F 184
Creekmouth. —4F 142 (6H 39)
Creek Rd. SE8 & SE10 —2D 46
Creek Rd. Bark —3E 142
Creek Rd. Can I —1K 153
Creeksea. —3H 195 (6B 36)
Creeksea Ferry Rd. Cwdn —1A 44
Creeksea La. Bur C —2H 195 (6B 36)
Creekside. Rain —4C 144
Creek View. Bas —3F 134
Creek View Av. Hull —5J 105
Creekview Rd. S Fer —1M 105
Creek Way. Rain —5C 144
Creephedge La. E Han —4C 90 (4D 34)
Cree Way. Romf —4C 112
Creffield Rd. Colc —9L 167 (6E 16)
Creighton Rd. N17 —2B 38
Crepping Hall Rd. Wak C —4A 16
Crescent Av. Grays —3N 157
(in two parts)
Crescent Av. Horn —4D 128
Crescent Clo. Bill —4H 101
Crescent Clo. D'mw —7K 197
Crescent Ct. Grays —3N 157
Crescent Ct. H'bri —3J 203
Crescent Ct. Lgh S —5A 138
Crescent Dri. Shenf —7H 99
Crescent Gdns. Bill —4H 101
Crescent Rd. E4 —6E 92
Crescent Rd. E10 —4B 124
Crescent Rd. E18 —5J 109
Crescent Rd. Ave —9N 145
Crescent Rd. Ben —4D 136
Crescent Rd. Bill —4H 101
Crescent Rd. Can I —2K 153
(in two parts)
Crescent Rd. Chelm —3H 75
Crescent Rd. Dag —5N 127
Crescent Rd. Eri —4D 154
Crescent Rd. Felix —1K 19
Crescent Rd. H'bri —2J 203
Crescent Rd. Lgh S —5A 138
Crescent Rd. Tol —8L 211
Crescent Rd. W on N —6M 183
Crescent Rd. War —1E 114 (1E 40)
Crescent, The. Ben —3M 137
Crescent, The. Clac S —6M 187
Crescent, The. Colc —1B 168 (4F 17)
Crescent, The. Epp —2E 80
Crescent, The. Frin S —9J 183
Crescent, The. Gt Hol —1D 188
Crescent, The. Gt Hork —7J 161
Crescent, The. Gt L —3B 24
Crescent, The. H'low —6H 53
Crescent, The. Ilf —1N 125
Crescent, The. Lou —5L 93
Crescent, The. M Tey —3J 173
Crescent, The. T Sok —4K 181
Crescent, The. Upm —2C 130
Crescent, The. W Ber —2F 166
Crescent View. Lou —5K 93
Crescent Wlk. Ave —9N 145
Crescent Way. Ave —8A 146
Cressage Clo. Fels —1K 23
Cress Croft. Brain —7M 193
Cressells. Bas —9A 118
Cressing. —1H 207 (1E 24)
Cressing Rd. Brain —5K 193 (7D 14)
Cressing Rd. Wthm —1A 214
Cressing Temple Barn. —2E 24
Crest Av. Bas —9K 119
Crest Av. Grays —5L 157
Cresthill Av. Grays —2M 157
Crestlands. Alr —7A 178
Crest, The. Lgh S —9C 122
Crest, The. Saw —2J 53
Crest View. Grnh —9E 156
Creswick Av. Ray —4J 121
Creswick Ct. Ray —4J 121
Crews Hill. —5A 30
Crichton Gdns. Romf —2M 127
Cricketers Clo. Broom —2L 61
Cricketers Clo. Eri —3C 154
Cricketers La. Heron —4N 115
Cricketers Row. Heron —4N 115
Cricketers Way. Bas —5H 119
Cricketfield Gro. Lgh S —4E 138
Cricketfield La. Bis S —1J 21
Cricketfield Rd. E5 —5C 38
Crickhollow. S Fer —3J 105
Cricklade Av. Romf —3H 113
Cringle Lock. S Fer —3L 105
Cripple Corner. —1H 15
Cripplegate. —6M 207
Cripplegate. S'min —6M 207 (4D 36)
Cripsey Av. Ong —5K 69
Crispe Ho. Bark —2C 142

Crispin Ct.—Darenth Hill

Crispin Ct. Colc —8M 167
Crispins. Sth S —6E 140
Crittall Clo. Sil E —3M 207
Crittall Dri. Brain —4F 192
Crittall Rd. Wthm —4E 214
Crittall's Corner. (Junct.) —5J 47
Crix Grn. Fels —1A 24
Croasdaile Rd. Stans —1D 208
Croasdale Clo. Stans —1D 208
Crockenhill. —7A 48
Crockenhill La. Swan & Eyns —7B 48
Crockenhill Rd. Orp & W Wick —7J 47
Crocklands. G'std G —5G 15
Crockleford Heath. —5H 169 (5H 17)
Crockleford Rd. Elms —9M 169 (6H 17)
Crocus Clo. Clac S —9G 187
Crocus Way. Chelm —4N 61
Croft Clo. Ben —1C 136
Croft Clo. Brain —5J 193
Croft Clo. Lgh S —2D 138
Croft Ct. Chelm —3N 61
Crofters. Saw —1K 53
Crofters End. Saw —1K 53
Croft Ho. E17 —8B 108
Croft La. Ples —1B 58
Croft Lodge Clo. Wfd G —3H 109
Crofton. —7H 47
Crofton Av. Corr —1A 150
Crofton Gro. E4 —1D 108
Crofton La. Orp —7H 47
Crofton Rd. Grays —9A 148
Crofton Rd. Orp —7G 47
Croft Rd. Ben —1B 136
Croft Rd. Clac S —9H 187
Croft Rd. K'dn —8B 202
Crofts, The. Gt W —2J 141
Croft, The. E4 —8E 92
Croft, The. Bures —7D 194
Croft, The. E Col —3B 196
Croft, The. Else —8C 196
Croft, The. Gt Yel —7D 198
Croft, The. Lou —1N 93
Croft, The. Ray —7M 121
Croft Way. Wthm —4D 214
Crombie Clo. Ilf —9M 109
Crome Clo. Colc —1H 175
Cromer. —4A 10
Cromer Av. Bas —7K 117
Cromer Clo. Bas —7K 117
Crome Rd. Clac S —7H 187
Cromer Postmill. —4A 10
Cromer Rd. E10 —2D 124
Cromer Rd. Chad H —1K 127
Cromer Rd. Horn —2H 129
Cromer Rd. Romf —1A 128
Cromer Rd. Sth S —6N 139
Cromer Rd. Wfd G —1G 109
Crompton Av. Lain —7M 117
Crompton Clo. Bas —7A 118
Crompton Pl. Eri —4D 154
Crompton St. Chelm —2A 74
Cromwell Av. Bill —5J 101
Cromwell Av. Chesh —3C 30
Cromwell Cen. Wthm —5E 214
Cromwell Cen., The. Dag —2L 127
(off Selinas La.)
Cromwell Clo. Bore —3E 62
Cromwell Hill. Mal —5J 203
Cromwell La. Mal —5J 203
Cromwell Rd. E7 —9J 125
Cromwell Rd. E17 —9C 108
Cromwell Rd. Colc —9N 167
Cromwell Rd. Grays —2K 157
Cromwell Rd. Hock —1D 122
Cromwell Rd. Saf W —6L 205
Cromwell Rd. Sth S —3M 139
Cromwell Rd. War —1E 114
Cromwells Mere. Romf —3B 112
Cromwell Way. Wthm —5B 214
Crondon. —4K 33
Crondon Pk. La. Stock —4N 87 (5K 33)
Crooked Billet. (Junct.) —5A 108 (2D 38)
Crooked Elms. Har —4K 201
Crooked Mile. Wal A —3C 78 (3E 30)
Crooked Way. Naze —1E 64
Crook Log. Bexh —3J 47
Croom's Hill. SE10 —2E 46
Cropenburg Wlk. Can I —9H 137
Croppath Rd. Dag —6M 127
Croquet Gdns. W'hoe —5J 177
Crosbie Ho. E17 —7C 108
(off Prospect Hill)
Crosby Ct. Chig —9F 94
Crosby Ho. E7 —8G 124
Crosby Rd. E7 —8G 124
Crosby Rd. Dag —2N 143
Crosby Rd. Wclf S —6G 139
Cross Av. W'fd —1K 119
Crossbow Ct. Ong —8L 69
Crossbow Rd. Chig —2E 110
Crossbrook St. Chesh —4C 30
Crossby Clo. Mount —9A 86
Cross Cotts. Boxt —2B 162
Cross End. —2H 15
Crossfell Rd. Ben —8F 120
Crossfield Rd. Clac S —1J 191
Crossfield Rd. Hod —3B 54
Crossfield Rd. Sth S —4B 140
Crossfields. Lou —4A 94
Cross Field Way. Boxt —2B 162
Crossfield Way. Kir X —8E 182
Cross Grn. Bas —1A 134
Cross Hill. Gt Oak —5E 18
Crossing House Garden. —2E 4
Crossing Rd. Epp —2F 80
Cross La. W Mer —2N 213
Cross La. E. Grav —4H 49
Cross La. W. Grav —4H 49
Cross Lees. More —1C 32
Crossley Av. Jay —5C 190
Crossness Footpath. Eri —8L 143
Crossness La. SE28 —7J 143
Crossness Rd. Bark —3E 142
Cross Pk. Rd. W'fd —4K 119
Cross Rd. E4 —7E 92
Cross Rd. Bas —8N 119
Cross Rd. Ben —3H 137
Cross Rd. Brom —7G 47
Cross Rd. Chad H —2H 127
Cross Rd. Mal —7K 203 (1H 35)
Cross Rd. Mawn —8M 111
Cross Rd. Wthm —2C 214
Cross Rd. Wfd G —3M 109
Cross Roads. Lou —1H 93 (6F 31)
Cross St. N1 —6A 38
Cross St. Eri —4C 154
Cross St. Saf W —4K 205
Cross St. Sud —5J 9
Cross Ter. Wal A —4E 78
(off Stonyshotts)
Crosstree Wlk. Colc —3A 176
Crossway. SE28 —7H 143 (7J 39)
Crossway. Dag —5H 127
Crossway. Stan H —2A 150
Cross Way. W Mer —2M 213
Cross Way. Wfd G —1J 109
Crossways. Can I —1E 152
Crossways. Chelm —3D 74
Crossways. Coln E —3H 15
Crossways. Jay —4D 190 (5C 28)
Crossways. Lou —4N 93
Crossways. Romf —7F 112
Crossways. Shenf —5K 99
Crossways 25 Bus. Pk. Dart —9N 155
Crossways Boulevd. Dart —9N 155 (3D 48)
Crossways Hill. L Bad —1E 34
Crossways, The. Wclf S —6F 138
Crossway, The. Bill —5M 101
Crossway, The. W'fd —4M 119
Crouch Av. Bark —2G 143
Crouch Av. Hull —7L 105
Crouch Beck. S Fer —1K 105
Crouch Cvn. Pk. Hull —4L 105
Crouch Ct. Brain —7M 193
Crouch Ct. H'low —1B 56
Crouch Dri. W'fd —8L 103
Crouch Dri. Wthm —5B 214
Crouch End. —3A 38
Crouch End Hill. N8 —4A 38
Crouch Grn. Cas H —4B 206
Crouch Hill. N8 & N4 —3A 38
Crouch La. Chesh —3B 30
Crouchmans. Shoe —5K 141
Crouchmans Av. Gt W —3L 141
Crouchman's Farm Rd. Ult —7F 25
Crouch Meadow. Hull —4L 105
Crouch Rd. Bur C —3L 195
Crouch Rd. Grays —3C 158
Crouch St. Bas —6N 117
Crouch St. Colc —9M 167
(in two parts)
Crouch Valley. Upm —2B 130
Crouchview Clo. W'fd —9B 104
Crouch View Cotts. Ret C —3C 104
Crouch View Cres. Hock —8F 106
Crouch View Gro. Hull —5K 105
Crouch Way. Shoe —7H 141
Crowborough Rd. Sth S —4L 139
Crowden Way. SE28 —7H 143
Crow Green. —2D 98 (6E 32)
Crow Grn. La. Pil H —4D 98
Crow Grn. Rd. Pil H —4C 98 (7E 32)
Crowhall La. Brad —3B 18
Crowhurst Ct. Colc —8M 167
Crowhurst Rd. Colc —8M 167
Crowland Rd. H'hll —3J 7
Crowlands. —4K 39
Crowlands Av. Romf —1N 127
Crow La. Reed —7D 4
Crow La. Romf —2L 127 (4K 39)
Crow La. Wee —4D 180 (7C 18)
Crown Av. Bas —9K 119
Crown Bays Rd. Colc —7C 168
Crown Bldgs. E4 —7D 92
Crown Clo. Bas —9K 119
Crown Clo. Srng —4A 22
Crown Cotts. Romf —5L 111
Crown Ct. Til —7C 158
Crown Dale. SE19 —5A 46
Crowndale Rd. NW1 —6A 38
Crownfield. Brox —9A 54
Crownfield Av. Ilf —1D 126
Crownfield Rd. E15 —6D 124 (5E 38)
Crown Gdns. Ray —5J 121
Crown Ga. H'low —3C 56
Crown Ga. H'wds —1D 168
Crown Hill. A'dn —5E 6
Crown Hill. Ray —5J 121 (2F 43)
Crown Hill. Wal A —3L 79 (4G 31)
Crownhill Rd. Wfd G —4L 109
Crown La. SW16 —5A 46
Crown La. Brom —7F 47
Crown La. Shorne —5K 49
Crown La. Ten —4B 180 (7B 18)
Crown La. N. A'lgh —9E 162 (4G 17)
Crown La. S. A'lgh —3G 168
Crown Meadow. Brain —4M 193
Crownmead Way. Romf —8N 111
Crown Rd. Bill —6K 101
Crown Rd. Clac S —3G 191
Crown Rd. Cold N —4H 35
Crown Rd. Grays —4K 157 (2F 49)
Crown Rd. Hock —2A 122
Crown Rd. Ilf —8C 110
Crown Rd. Kel H —7N 83 (5D 32)
Crown Rd. N'side —9A 84 (6D 32)
Crown St. Brtwd —8F 98
Crown St. Cas H —3C 206
Crown St. Dag —8A 128
(in two parts)
Crown St. Ded —2M 163 (2H 17)
Crown St. Gt Bar —3J 13
Crown Way. S'min —7J 207
Crown Yd. Bill —7J 101
Crow Pond Rd. Terl —4D 24
Crows Field Cotts. W Han —5G 88
Crow's Green. Bar S —6K 13
Crowsheath La. D'ham —3F 102 (6B 34)
Crowsheath Wood Nature Reserve. —2F 102 (6B 34)
Crows La. Wdhm F —3H 91 (4E 34)
Crows Rd. Epp —9E 66
Crowstone Av. Wclf S —7H 139
Crowstone Clo. Wclf S —5J 139
Crowstone Rd. Grays —9M 147
Crowstone Rd. Wclf S —6H 139
Crow St. Hen —4C 12
Croxford Way. Romf —3B 128
Croxon Way. Bur C —1L 195
Croxted Rd. SE24 & SE24 —4B 46
Croydon. —1A 4
Croydon Hill. Cydn —1A 4
Croydon Rd. SE20 —6C 46
Croydon Rd. Arr —1A 4
Croydon Rd. Beck —7C 46
Croydon Rd. Mitc & Croy —7A 46
Croydon Rd. W Wick & Brom —7E 46
Cruce Way. St O —4K 27
(off New Way)
Crucible Clo. Romf —1G 127
Cruick Av. S Ock —6F 146
Cruikshank Rd. E15 —6E 124
Crummock Clo. Brain —2C 198
Crunch Croft. Stur —3K 7
Crusader Bus. Pk. Clac S —5L 187
Crusader Clo. Purf —2L 155
Crusader Way. Brain —6M 193
Crushes Clo. Hut —5A 100
Crusoe Rd. Eri —3B 154
Crutches La. Roch & Strd —6K 49
Crystal Av. Horn —6J 129
Crystal Palace. —5B 46
Crystal Palace F.C. —6B 46
Crystal Pal. Pde. SE19 —5B 46
Crystal Pal. Pk. Rd. SE26 —5C 46
Crystal Steps. Sth S —7A 140
(off Beresford Rd.)
Crystal Way. Dag —3H 127
Cubitt Town. —1E 46
Cuckingstool End. —8D 204
Cuckoo Corner. Sth S —2K 139
Cuckoo Hill. Bures —7D 194 (1A 16)
Cuckoo Hill. Sib H —2D 14
Cuckoo La. N Stif —8J 147
(in two parts)
Cuckoos La. Gt Can —2E 22
Cuckoo Tye. —3J 9
Cuckoo Way. Bla N —2B 198
Cudmore Grove Country Park. —4J 27
Cuffley. —3A 30
Cuffley Hill. Chesh —3A 30
Culford Rd. Grays —9M 147
Cullen Sq. S Ock —8F 146
Cullings Ct. Wal A —3F 78
Culmley Rd. Toot —9C 68
Culpeper Clo. Ilf —3A 110
Culver Arc. Colc —8M 167
Culverdown. Bas —9B 118
Culver Rise. S Fer —1L 105
Culver Shop. Cen. Colc —8M 167
Culver Sq. Colc —8M 167
(off Culver Shop. Cen.)
Culver St. E. Colc —8N 167
Culver St. W. Colc —8M 167
Culvert Clo. Cogg —9K 195
Culver Wlk. Colc —8N 167
Cumberland Av. Ben —3C 136
Cumberland Av. Horn —5J 129
Cumberland Av. Mal —7H 203
Cumberland Av. Sth S —4A 140
Cumberland Clo. Brain —4K 193
Cumberland Clo. Horn —5J 129
Cumberland Clo. Ilf —5B 110
Cumberland Ct. Hod —4A 54
Cumberland Cres. Chelm —4J 61
Cumberland Dri. Bas —9J 117
Cumberland Rd. E12 —6K 125
Cumberlow Green. —3A 10
Cumbrian Av. Bexh —7C 154
Cumming Rd. D'ham —6H 103
Cummings Hall La. Noak H —9G 97
Cunningham Clo. Colc —2A 176
Cunningham Clo. Romf —9H 111
Cunningham Clo. Shoe —5K 141
Cunningham Dri. W'fd —2N 119
Cunningham Rise. N Wea —4A 68
Cunnington Rd. Brain —5L 193
Cunobelin Way. Colc —4G 175 (7D 16)
Cupid's Chase. Gt W —4N 141
Cuppers Clo. Wthm —6B 214
Curds Rd. E Col —4B 196 (4H 15)
Curfew Ho. Bark —1B 142
Curlew Av. May —3D 204
Curlew Clo. SE28 —7J 143
Curlew Clo. Clac S —7K 187
Curlew Clo. H'bri —3M 203
Curlew Clo. Ilf —7N 109
Curlew Clo. K'dn —8D 202
Curlew Cres. Bas —3C 134
Curlew Croft. Colc —7F 168
Curlew Dri. Ben —4C 136
Curling La. Badg D —3J 157
Curling Tye. Bas —8E 118
Curling Tye Green. —1G 35
Curling Tye La. Wdhm W —1F 35
Curling Wlk. Bas —8E 118
Currants Farm Rd. Brain —3G 193
Currents La. Har —1N 201
Currier Av. Lou —2B 94
Curtain Rd. EC2 —6B 38
Curteys. H'low —7J 53
Curtis Clo. Clac S —1F 190
Curtismill Green. —3D 96 (6A 32)
Curtis Mill La. Nave —1A 96
Curtis Rd. Horn —3K 129
Curtis Way. SE28 —7G 143
Curtisway. Ray —3L 121
Curwen Av. E7 —6H 125
Curzon Cres. Bark —2E 142
Curzon Dri. Grays —5M 157
Curzon Way. Chelm —9A 62
Cusack Rd. Chelm —8A 62
Custerson Ct. Saf W —4K 205
Custom House. —7F 39
Custom Ho. La. Har —1M 201
Cut-a-Thwart La. Mal —1G 35
Cutforth Rd. Saw —1K 53
Cuthbert Rd. E17 —7C 108
Cut Hedge. Bla N —2C 198
Cuthedge La. Cogg —1G 25
Cutlers Green. —3E 12
Cutlers Rd. S Fer —9L 91
Cutmore Pl. Chelm —2A 74
Cuton Hall La. Spri —6B 62 (7B 24)
Cutter Ridge Rd. Ludd —7J 49
Cut, The. SE1 —1A 46
Cut, The. Gt Ben —6K 179
Cut, The. Tip —6C 212
Cut Throat Rd. Wthm —4D 214
Cutting Dri. H'std —5K 199
Cutty Sark. —2E 46
Cuxton. —7K 49
Cygnet Ct. Sib H —6C 206
Cygnet View. W Thur —2C 156
Cymbeline Way. Colc —8G 166 (6D 16)
Cypress Clo. Clac S —6J 187
Cypress Clo. Wal A —4D 78
Cypress Dri. Chelm —4D 74
Cypress Gro. Colc —7E 168
Cypress Gro. Ilf —3D 110
Cypress M. W Mer —2J 213
Cypress Path. Romf —4H 113
Cypress Rd. Wthm —3D 214 (4G 25)
Cyprus. —7A 142
Cyprus Pl. E6 —7A 142
Cyril Child Clo. Colc —8E 168
Cyril Dowsett Ct. Mal —6H 203

Daarle Av. Can I —2G 152
Dabbling Clo. Eri —4F 154
Dack La. Ded —5M 163
Dacre Av. Ave —8A 146
Dacre Av. Ilf —6N 109
Dacre Clo. Chig —1B 110
Dacre Cres. Ave —8A 146
Dacre Gdns. Chig —1B 110
Dacre Rd. E11 —3F 124
Daen Ingas. Dan —3C 76
Daffodil Av. Pil H —4E 98
Daffodil Gdns. Ilf —7A 126
Daffodil Way. Chelm —4N 61
Dagenham. —8M 127 (5K 39)
Dagenham Av. Dag —1K 143 (6K 39)
(in two parts)
Dagenham Rd. Dag & Romf —6N 127
Dagenham Rd. Rain —9B 128
Dagenham Rd. Romf —2B 128 (4A 40)
Dagmar Rd. Dag —9A 128
Dagnam Pk. Clo. Romf —2L 113
Dagnam Pk. Dri. Romf —2J 113 (1C 40)
Dagnam Pk. Gdns. Romf —3L 113
(in two parts)
Dagnam Pk. Sq. Romf —3M 113
Dagnets La. Brain —4C 198 (2C 24)
Dagwood La. Dodd —8E 84 (5E 32)
Dahlia Clo. Chelm —6A 62
Dahlia Clo. Clac S —9G 186
Dahlia Gdns. Ilf —8A 126
Dahlia Wlk. Colc —8D 168
Daiglen Dri. S Ock —7D 146 (7E 40)
Daimler Av. Jay —6B 190
Daines Clo. E12 —5M 125
Daines Clo. Sth S —6F 140
Daines Clo. S Ock —4D 146
Daines Rd. Bill —6L 101
Daines Way. Sth S —5E 140
Dairy Farm La. Ing —3G 84
Dairy Farm Rd. Alth —5B 36
Dairyhouse La. Brad —4C 18
Dairy Rd. Spri —7A 62
Daisley Rd. Lndsl —5H 13
Daisleys La. L Walt —4B 24
Daisy Ct. Chelm —5B 62
Daisy Rd. E18 —6H 109
Dakyn Clo. Stock —6M 87
Dakyn Dri. Stock —7M 87
Dale Clo. Elms —9N 169
Dale Clo. S Ock —6D 146
Dale Clo. S'way —8C 166
Dale Ct. Saw —3J 53
Dale Gdns. Wfd G —1H 109
Dalen Av. Can I —2G 153
Dale Rd. Lgh S —5A 138
Dale Rd. S'fleet —5F 49
Daleside Gdns. Chig —9B 94
Dales, The. Har —6H 201
Dales, The. R'fd —4J 123
Dalestone M. Romf —3F 112
Dale, The. Ben —2G 136
Dale, The. Wal A —4E 78
Dale, The. W'hoe —6J 177
Dale View. Eri —7D 154
Dale View Av. E4 —8C 92
Daleview Av. Wix —4D 18
Dale View Cres. E4 —8C 92
Dale View Gdns. E4 —9D 92
Dalewood Clo. Horn —2K 129
Dalkeith Rd. Ilf —5B 126
Dallwood Way. Brain —5K 193
Dalmatia Rd. Sth S —5B 140
Dalmeny. Bas —2K 133
Dalroy Clo. S Ock —6D 146
Dalrymple Clo. Chelm —8M 61
Dalston. —5B 38
Dalston La. E8 —5B 38
Daltes La. St O —1A 190 (4B 28)
Daltons Fen. Pits —7K 119
Daltons Rd. Orp & W Wick —7A 48
Dalwood. Shoe —5H 141
Dalwood Gdns. Ben —2L 137
Daly Ct. E15 —7B 124
Dalys Rd. R'fd —5K 123 (2J 43)
Damant's Farm La. T Sok —6A 182 (1E 28)
Damases La. Bore —6D 24
Damask Rd. S'way —8D 166
Dames Rd. E7 —5G 124 (4F 39)
Dampier Rd. Cogg —7K 195
Danacre. Bas —8K 117
Danbury. —4D 76 (2E 34)
Danbury Clo. Lgh S —2E 138
Danbury Clo. M Tey —3H 173
Danbury Clo. Pil H —4C 98
Danbury Clo. Romf —7J 111
Danbury Clo. S Ock —6E 146
Danbury Common. —2E 34
Danbury Common Nature Reserve. —5E 76 (2E 34)
Danbury Country Park. —4C 76 (2D 34)
Danbury Down. Bas —7E 118
Danbury Mans. Bark —9A 126
(off Whiting Av.)
Danbury Rd. Lou —6L 93
Danbury Rd. Rain —1D 144
Danbury Rd. Ray —4H 121
Danbury Vale. Dan —4G 76
Danbury Way. Wfd G —3J 109
Dancing Dick's La. Wthm —4E 24
Dandies Chase. Lgh S —8D 122
Dandies Clo. Lgh S —8C 122
Dandies Dri. Lgh S —8C 122
Danebridge Rd. M Hud —2G 21
Dane End. —1C 10
(nr. Buntingford)
Dane End. —1B 20
(nr. Ware)
Dane End Rd. H Cro —2C 20
Danehurst Gdns. Ilf —9L 109
Danemead. Hod —2A 54
Dane Rd. Chelm —9G 61
Dane Rd. Ilf —7B 126
Danes Av. Shoe —9K 141
Danescroft Clo. Lgh S —2D 138
Danescroft Dri. Lgh S —2C 138
Danesfield. Ben —4B 136
Danesleigh Gdns. Lgh S —2C 138
Danes Rd. Romf —2A 128
Dane St. Bis S —1K 21
(in two parts)
Dane St. Shoe —8L 141
Danes Way. Pil H —4D 98
Danette Gdns. Dag —4M 127
Dangan Rd. E11 —1G 124
Daniel Clo. Chaf H —9H 147
Daniel Clo. Grays —1D 158
Daniel Cole Rd. Colc —2N 175
Daniell Clo. Clac S —7G 187
Daniell Dri. Colc —4J 175
Daniel Way. Sil E —3M 207
Dannatts. Gt Walt —5H 59
Dansie Ct. Colc —7C 168
Danson Interchange. (Junct.) —3J 47
Danson La. Well —3J 47
Danson Rd. Bex & Bexh —3J 47
(in two parts)
Dantells Ho. W Ber —3G 167
Danyon Clo. Rain —2G 144
Daphne Clo. Bla N —1C 198
Daphne Gdns. E4 —9C 92
Darby Dri. Wal A —3C 78
D'Arcy Av. Mal —7L 203
D'Arcy Clo. Bur C —2M 195
Darcy Clo. Hut —6L 99
Darcy Clo. Kir X —8J 183
Darcy Gdns. Dag —1L 143
D'Arcy Heights. Colc —3C 176
Darcy Rise. L Bad —1E 76
D'Arcy Rd. Colc —3C 176
D'Arcy Rd. St O —8N 185
D'Arcy Rd. Tip —8F 212 (4A 26)
Darcy Way. B'sea —6D 184
D'Arcy Way. Tol D —6B 26
Dare Ct. E10 —2C 124
Dare Gdns. Dag —5K 127
Darell Way. Bill —7M 101
Darenth. —5D 48
Darenth Hill. Dart —5C 48

Dorewards Av. *Brain* —1H **193**
Dorian Rd. *Horn* —3E **128**
Doric Av. *R'fd* —2J **123**
Doris Av. *Eri* —6A **154**
Doris Rd. *E7* —9G **125**
Dorking Cres. *Clac S* —7G **187**
Dorking Gdns. *H Hill* —2H **113**
Dorking Glen. *H Hill* —1H **113**
Dorking Rise. *Romf* —1H **113**
Dorking Rd. *Romf* —2H **113**
Dorking Tye. —1A **16**
Dorking Wlk. *Chelm* —3F **74**
Dorking Wlk. *Romf* —1H **113**
Dorkins Way. *Upm* —2B **130**
Dormer Clo. *E15* —8F **124**
Dorothy Curtice Ct. *Cop* —1N **173**
Dorothy Farm Rd. *Ray* —6N **121**
Dorothy Gdns. *Ben* —1F **136**
Dorothy Gdns. *Dag* —6G **127**
Dorothy L. Sayers Centre. —5D **214** (4G **25**)
Dorothy Sayers Dri. *Wthm* —2C **214**
Dorrington Gdns. *Horn* —3H **129**
Dorset Av. *Chelm* —3E **74**
Dorset Av. *Romf* —7B **112**
Dorset Clo. *Chelm* —4F **74**
Dorset Clo. *Hol S* —7B **188**

Dorset Gdns.—E. Ham and Barking By-Pass

Dorset Gdns. Linf —9J 149
Dorset Gdns. R'fd —2H 123
Dorset Pl. E15 —8D 124
Dorset Rd. E7 —9J 125
Dorset Rd. Bur C —4M 195
Dorset Rd. Mal —7J 203
Dorset Way. Bill —3J 101
Dorset Way. Can I —9G 137 (off Hilton Rd.)
Dorvis La. A'dn —4E 6
Doubleday Corner. Cogg —8K 195
Doubleday Dri. H'bri —3J 203
Doubleday Gdns. Brain —3K 193
Doubleday Rd. Lou —2B 94
Doublegate La. Raw —2B 120
Doublet M. Bill —3M 101
Douglas Av. E17 —5A 108
Douglas Av. Romf —6J 113
Douglas Clo. Chaf H —1H 157
Douglas Clo. Chelm —7E 74
Douglas Dri. W'fd —2L 119
Douglas Gro. Wthm —5A 214
Douglas Rd. E4 —6E 92
Douglas Rd. Ben —3M 137
Douglas Rd. Clac S —9G 186
Douglas Rd. Har —4K 201
Douglas Rd. Horn —1D 128
Douglas Rd. Ilf —2F 126
Douglas Wlk. Chelm —2B 74
Doug Siddons Ct. Grays —4M 157
Doulton Way. R'fd —1H 123
Dounsell Ct. Pil H —5D 98
Dove Clo. Stans —2D 208
Dovecote. Shoe —5J 141
Dovecourt Bay. —4M 201
Dove Cres. Har —6F 200
Dovedale. Can I —9K 137
Dovedale Av. Ilf —6N 109
Dovedale Clo. Bas —2J 133
Dovedale Gdns. Hol S —7N 187
Dove Dri. Ben —4B 136
Dovehouse Croft. H'low —1F 56
Dove Ho. Gdns. E4 —8A 92
Dovehouse Mead. Bark —2C 142
Dove La. Chelm —4B 74
Dovercliff Rd. Can I —2L 153
Dover Clo. Brain —2G 193
Dover Clo. Clac S —4H 191
Dover Clo. Romf —6A 112
Dovercourt. —4K 201 (3H 19)
Dovercourt By-Pass. Pkstn —3J 201 (3H 19)
Dovercourt Haven Cvn. Pk. Har —7J 201
Dover Rd. E12 —4J 125
Dover Rd. B'sea —5E 184 (in two parts)
Dover Rd. N'fleet —4G 49
Dover Rd. Romf —1K 127
Dover Rd. E. Grav —4G 49
Dovers Corner. (Junct.) —3E 144 (6B 40)
Dovers Corner. Rain —3E 144
Dovers Corner Ind. Est. Rain —3D 144
Dovervelt Rd. Can I —9H 137
Dover Way. Pits —1J 135
Doves Cotts. Chig —9F 94
Dovesgate. Ben —2B 136
Doves La. D'mw —2F 23
Doves M. Lain —6M 117
Dove Wlk. Horn —8F 128
Dowches Dri. K'dn —7C 202
Dowches Gdns. K'dn —7C 202
Dow Ct. S'min —7K 207
Dowding Clo. Colc —2K 176
Dowding Way. Horn —9F 128
Dowland Clo. Stan H —2L 149
Dowland Wlk. Bas —8L 117
Dowling Rd. M Bur —3A 16
Downbank Av. Bexh —6B 154
Downer Rd. Ben —2D 136
Downer Rd. N. Ben —1E 136
Downesway. Ben —3D 136
Downey Clo. Bas —8D 118
Downfield Rd. Hert H —6C 20
Downhall. Brad S —1F 37
Downhall Clo. Ray —3K 121
Downhall Pk. Way. Ray —1J 121
Downhall Rd. Mat G —5B 22
Downhall Rd. Ray —4J 121 (2F 43)
Downham. —4F 102 (7B 34)
Downham Clo. Romf —4M 111
Downham Rd. N1 —6B 38
Downham Rd. Can I —2G 153
Downham Rd. Rams H —4D 102 (6A 34)
Downham Rd. Stock —5B 88 (5A 34)
Downham Rd. W'fd —6K 103
Downham Way. Brom —5E 46
Downhills Pk. Rd. N17 —3B 38
Downing Rd. Dag —9L 127
Downlands. Wal A —4E 78
Downleaze. S Fer —9L 91
Downs Cres. D'mw —7K 197
Downsell Rd. E15 —6C 124
Downs Footpath. Mal —5K 203
Downs Gro. Bas —3E 134
Downshall Av. Ilf —1D 126
Downshills Way. N17 —2B 38
Downsland Dri. Brtwd —9F 98
Downs Rd. Enf —6B 30
Downs Rd. Grav —5G 49
Downs Rd. Mal —5K 203
Downs, The. D'mw —7L 197 (7G 13)
Downs, The. H'low —3D 56
Downs, The. Mal —5K 203
Downs, The. Steb —6H 13
Downsview Rd. SE19 —5B 46
Downsway. Chelm —5M 61
Downton Wlk. Tip —5D 212
Dowsett La. Rams H —9C 88 (6A 34)
Dowsett Rd. N17 —2C 38
Doyle Clo. Eri —6C 154
Doyle Way. Til —7E 158
Dragon Clo. Bur C —3K 195
Dragons Grn. Sew E —6D 6
Drake Av. May —3D 204
Drake Clo. Ben —2J 137
Drake Clo. War —2H 115
Drake Ct. Bas —1G 134 (off Beech Rd.)
Drake Ct. Eri —5D 154 (off Frobisher Rd.)
Drake Cres. SE28 —6H 143
Drake Gdns. Brain —4L 193
Drake M. Horn —9E 128
Drake Rd. Chaf H —9H 147
Drake Rd. Lain —9M 117
Drake Rd. Wclf S —6H 139
Drakes App. Jay —3E 190
Drake's Corner. Gt Wig —4D 26
Drakes La. L Walt —5B 24
Drakes, The. Shoe —6J 141
Drakes Way. Ray —3L 121
Drapers Chase. H'bri —4N 203
Drapers Chase. Rayne —1A 24
Draper's La. Hel B —4H 7
Drapers Rd. E15 —6D 124
Drapers Rd. Enf —6A 30
Drapers Rd. S Fer —9L 91
Draycot Rd. E11 —1H 125
Dray Ct. W Ber —3G 167
Drayson Clo. Wal A —2E 78
Drayton Av. Lou —6M 93
Drayton Clo. Ilf —3C 126
Drayton Clo. Mal —7K 203
Drayton Ho. E11 —3D 124
Drayton Pk. N5 —5A 38
Drayton Rd. E11 —3D 124
Drewstead Rd. SW16 —4A 46
Drewsteignton. Shoe —6H 141
Dreys, The. Sew E —7D 6
Driberg Way. Brain —7J 193
Driffield Clo. Fee —6D 202
Drift, The. Ded —1M 163
Drift, The. Stut —1D 18
Driftway. Bas —3G 135
Driftway. Reed —1D 10
Drive, The. E4 —6E 92
Drive, The. E17 —8B 108
Drive, The. E18 —7G 108
Drive, The. Bark —9E 126
Drive, The. Buck H —6J 93
Drive, The. Chelm —5J 61
Drive, The. Clac S —6M 187
Drive, The. Col R —4B 112
Drive, The. Gt War —3F 114 (2E 40)
Drive, The. H'low —2D 56
Drive, The. H Wood —5K 113
Drive, The. Har —5K 201 (3H 19)
Drive, The. Hod —3A 54
Drive, The. Hull —5K 105
Drive, The. Ilf —2M 125 (3G 39)
Drive, The. Lou —2L 93 (in two parts)
Drive, The. May —2C 204 (3A 36)
Drive, The. Ray —7A 122 (in two parts)
Drive, The. Riven —3H 25
Drive, The. R'fd —5L 123
Drive, The. Saw —2K 53
Drive, The. Sidc —4J 47
Drive, The. S Fer —9H 91
Drive, The. Stap A —6A 96
Drive, The. Thax —2J 211
Drive, The. Wclf S —5G 138
Driveway, The. E17 —1B 124 (off Hoe St.)
Driveway, The. Can I —3H 153
Droitwich Av. Sth S —5B 140
Dronfield Gdns. Dag —7H 127
Drood Clo. Chelm —5H 61
Drovers Way. Bore —4C 62
Droveway. Lou —1A 94
Druce, The. Clav —3J 11
Druid St. SE1 —1B 46
Drummond Av. Romf —8B 112
Drummond Clo. Eri —6C 154
Drummond Ct. Brtwd —6F 98
Drummond Pl. W'fd —2M 119
Drummond Rd. E11 —1J 125
Drummond Rd. Romf —8B 112
Drummonds, The. Buck H —8H 93
Drummonds, The. Epp —9F 66
Drury La. WC2 —7A 38
Drury La. Ayt R —4E 22
Drury La. Brain —5H 193
Drury La. Ridg —5B 8
Drury Rd. Colc —1K 175 (6E 16)
Dryden Av. Sth S —4N 139
Dryden Clo. Ilf —3E 110
Dryden Clo. Mal —8K 203
Dryden Pl. Til —6D 158
Drysdale Av. E4 —6B 92
Dry Street. —4K 41
Dry St. Bas —4L 133 (4K 41)
Drywoods. S Fer —3K 105
Duarte Pl. Grays —1J 157
Dubarry Clo. Ben —1F 136
Du Cane Pl. Wthm —5D 214
Duce Ter. Dag —7G 127
Duchess Gro. Buck H —8H 93
Duck End. —8D 208 (7A 12)
Duck End. F'fld —2K 13
Duckend Farm La. Lndsl —4G 13
Duckend Green. —5A 192 (7B 14)
Ducketts Mead. Cwdn —1M 107
Ducketts Mead. Roy —2H 55
Ducking Stool Ct. Romf —8C 112
Duck La. Thorn —5H 67 (2J 31)
Duckling La. Saw —2K 53
Duck St. L Eas —6F 13
Duck St. Wen A —7A 6
Duck Wood Community Nature Reserve. —2M 113 (1C 40)
Dudbrook Rd. Kel C —8J 83 (5C 32)
Duddenhoe End. —7H 5
Duddery Hill. H'hll —3J 7
Dudley Clo. Bore —2F 62
Dudley Clo. Chaf H —9H 147
Dudley Clo. Colc —2A 176
Dudley Gdns. Romf —3H 113
Dudley Rd. E17 —6A 108
Dudley Rd. Clac S —1H 191
Dudley Rd. E Col —2A 196
Dudley Rd. Fing —2G 27
Dudley Rd. Ilf —6A 126
Dudley Rd. Romf —3H 113
Duffield Dri. Colc —8E 168
Duffield Rd. Chelm —4E 74
Duffries Clo. Gt Walt —5G 59
Duffs Hill. Glem —1G 9
Dugard Av. Colc —2F 174 (7D 16)
Duggers La. Brain —7J 193
Dugmore Av. Kir S —6F 182
Duke Gdns. Ilf —8C 110
Duke Pl. Lain —7N 117
Duke Rd. Ilf —8C 110
Duke's Av. N10 —3A 38
Dukes Av. Grays —1K 157
Dukes Av. S'min —8L 207
Dukes Av. They B —5D 80
Dukes Clo. N Wea —6N 67
Dukes Farm Clo. Bill —3L 101
Dukes Farm Rd. Bill —4K 101
Dukes La. Chelm —7A 62
Dukes La. Will —7E 22
Dukes Orchard. Hat O —3C 22
Dukes Orchard. Writ —2K 73
Dukes Pk. Ind. Est. Chelm —7A 62
Duke's Pas. E17 —8C 108
Duke's Pl. Brtwd —7F 98
Dukes Rd. Bill —4L 101
Dukes Rd. Brain —3G 193
Duke St. B'sea —7D 184
Duke St. Chelm —8J 61 (1A 34)
Duke St. Hod —4A 54 (7D 20)
Dulverton Av. Wclf S —2F 138
Dulverton Clo. Wclf S —1F 138
Dulverton Rd. Romf —3H 113
Dulwich. —4B 46
Dulwich Comn. SE21 —4B 46
Dulwich Rd. SE24 —3A 46
Dulwich Rd. Hol S —9N 187
Dulwich Village. —4B 46
Dulwich Village. SE21 —3B 46
Dulwich Wood Pk. SE19 —5B 46
Dumney La. Gt L —2B 24
Dumont Av. St O —4K 27
Dunbar Av. Dag —5M 127
Dunbar Gdns. Dag —7M 127
Dunbar Pl. W'fd —2M 119
Dunbar Rd. E7 —8G 125
Dunbar Rd. N22 —2A 38
Dunbridge St. E2 —6C 38
Duncan Clo. W'fd —2M 119
Duncan Rise. Gt Yel —7C 198
Duncan Rd. Colc —2J 175
Dundee Av. Lgh S —4A 138
Dundee Clo. Lgh S —4B 138
Dundonald Dri. Lgh S —5E 138
Dunedin Rd. E10 —5B 124
Dunedin Rd. Ilf —3B 126
Dunedin Rd. Rain —3D 144
Dunfane. Bill —3L 101
Dungannon Chase. Sth S —8F 140
Dungannon Dri. Sth S —8F 140
Dunkeld Rd. Dag —4G 127
Dunkellin Gro. S Ock —6D 146
Dunkellin Way. S Ock —6D 146
Dunkery Rd. SE12 —5F 47
Dunkin Rd. Dart —9L 155
Dunkirk Rd. Bur C —4M 195
Dunlin Clo. Mal —2M 203
Dunlin Clo. S Fer —8K 91
Dunlin Ct. K'dn —8C 202
Dunlop Rd. Til —6B 158
Dunmill St. Har —2M 201
Dunmore Rd. Chelm —8B 62
Dunmow Clo. Lou —5L 93
Dunmow Clo. Romf —9H 111
Dunmow Dri. Rain —1D 144
Dunmow Gdns. W H'dn —1N 131
Dunmow La. Gt Walt —1E 58
Dunmow Rd. E15 —6D 124
Dunmow Rd. Ayt R —4E 22
Dunmow Rd. Bis S —9C 208 (1K 21)
Dunmow Rd. Brain —7A 192
Dunmow Rd. Fels —7K 13
Dunmow Rd. Fyf —1D 32
Dunmow Rd. Gt Bar —4J 13
Dunmow Rd. Gt Eas —6F 13
Dunmow Rd. Hat H —2D 202
Dunmow Rd. N End —3J 23
Dunmow Rd. Steb —6H 13
Dunmow Rd. Tak —8B 210 (1C 22)
Dunmow Rd. Thax —3K 211 (3F 13)
Dunning Clo. S Ock —6D 146
Dunningford Clo. Horn —7D 128
Dunnings La. W H'dn & Bulp —4L 131 (4F 41)
Dunnock Way. Colc —8F 168
Dunoon Clo. Brain —4M 193
Dunsmure Rd. N16 —4B 38
Dunspring La. Ilf —6A 110
Dunstable Clo. Romf —3H 113
Dunstable Rd. Romf —3H 113
Dunstable Rd. Stan H —2M 149
Dunstalls. H'low —7M 55
Dunstan View. Dun —1G 132
Dunster Av. Wclf S —1F 138
Dunster Clo. Romf —6A 112
Dunster Cres. Horn —4L 129
Dunthorne Rd. Colc —5E 168
Dunthorpe Rd. Clac S —7H 187
Dunton Pk. Cvn. Site. Dun —1G 132
Dunton Rd. E10 —2B 124
Dunton Rd. SE1 —1B 46
Dunton Rd. Bill & Bas —6F 116 (2H 41)
Dunton Rd. Dun —4C 116 (2H 41)
Dupont Clo. Clac S —7H 187
Dupre Clo. Chaf H —1H 157
Durants Rd. Enf —6C 30
Durants Wlk. W'fd —1L 119
Durban Ct. E7 —9K 125
Durban Gdns. Dag —9A 128
Durban La. Bas —5A 118
Durban Rd. Ilf —3D 126
Durdans, The. Bas —2K 133
Durell Gdns. Dag —7J 127
Durell Rd. Dag —7J 127
Durham Av. Romf —8G 113
Durham Av. Wfd G —2K 109
Durham Clo. Gt Bar —3J 13
Durham Clo. Saw —3H 53
Durham Ho. Bark —9F 126 (off Margaret Bondfield Av.)
Durham Ho. Dag —7A 128
Durham Pl. Ilf —6B 126
Durham Rd. E12 —6K 125
Durham Rd. Dag —7A 128
Durham Rd. Lain & Bas —9G 117 (3J 41)
Durham Rd. R'fd —2G 122
Durham Rd. Sth S —4B 140
Durham Sq. Colc —8A 168
Durham Wlk. Bas —8G 118
Durham Way. Ray —2K 121
Duriun Way. Eri —5F 154
Durley Av. W'fd —8G 102
Durley Clo. Ben —2E 136
Durnell Way. Lou —3N 93
Durninge Wlk. Grays —7L 147
Durnsford Rd. N22 —2A 38
Durrants Clo. Rain —2G 145
Durrington Clo. Bas —1D 134
Dury Falls Clo. Horn —3L 129
Dury Falls Ct. Romf —6A 112
Dutch Cottage Museum. —1C 152 (6D 42)
Dutch Cottage, The. —5J 121 (2F 43)
Dutch Quarter. —8M 167
Dutch Village. —1D 152 (6D 42)
Duton Hill. —2F 13
Duxford. —2J 5
Duxford. W'fd —1A 120
Duxford Airfield. —3J 5
Duxford Clo. Horn —8G 128
Duxford Ho. SE2 —9J 143 (off Wolvercote Rd.)
Duxford Imperial War Museum. —2J 5
Duxford Rd. Hxtn —3K 5
Duxford Rd. I'tn —3K 5
Duxford Rd. Whitt —1J 5
Dyer's End. —6B 8
Dyer's Green. —3C 4
Dyers Hall Rd. E11 —4E 124
Dyers Rd. Mal —6K 203
Dyer's Rd. S'way —3D 174 (7C 16)
Dyers Way. Romf —4F 112
Dyke Cres. Can I —1D 152
Dykes Chase. Mal —5H 203
Dymchurch Clo. Ilf —6N 109
Dymoke Rd. Horn —2D 128
Dymokes Way. Hod —2A 54
Dyne's Hall Rd. H'std —1J 199 (2F 15)
Dynevor Gdns. Lgh S —5A 138
Dyson Rd. E11 —1E 124
Dyson Rd. E15 —8F 124
Dytchleys La. N'side —3L 97 (6C 32)
Dytchleys Rd. Brtwd —3K 97 (6C 32)

Eagle Av. Romf —1K 127
Eagle Av. W on N —5N 183
Eagle Clo. Horn —8F 128
Eagle Clo. Wal A —4G 78
Eagle Ct. E11 —8G 109
Eagle Ga. Colc —8A 168
Eagle La. E11 —8G 108
Eagle La. Brain —3H 193
Eagle La. Kel H —7B 84
Eagles Rd. Grnh —9D 156
Eagle Ter. Wfd G —4H 109
Eagle Way. Gt War —3E 114 (2E 40)
Eagle Way. Shoe —5J 141
Eagle Wharf Rd. N1 —6B 38
Eardemont Clo. Dart —9D 154
Eardley Rd. SW16 —5A 46
Earleswood. Ben —2D 136
Earlham Gro. E7 —7F 124
Earlhams Clo. Har —6H 201
Earl Mountbatten Dri. Bill —5H 101
Earl Rd. N'fleet —4G 49
Earls Colne. —3C 196 (4J 15)
Earls Colne Ind. Pk. E Col —5H 15
Earls Colne Rd. Gt Tey —5J 15
Earlsdown Ho. Bark —2C 142
Earlsfield Dri. Chelm —8A 62
Earls Hall Av. Sth S —3J 139
Earls Hall Dri. Clac S —8C 186
Earls Hall Pde. Sth S —2K 139
Earls Mead. Wthm —4C 214
Earl's Path. Lou —1J 93 (6F 31)
Earl's Wlk. Dag —6G 126
Earlswood. Ben —2D 136
Earlswood Gdns. Ilf —7N 109
Earlswood Way. Colc —4L 175
Easebourne Rd. Dag —7H 127
Easedale Dri. Horn —7E 128
Easington Way. S Ock —5D 146
East Av. E12 —9L 125 (5G 39)
East Av. E17 —8B 108
East Bay. Colc —8B 168
E. Beach Cvn. Pk. Shoe —7L 141
East Bergholt. —1J 17
East Bergholt Lodge Gardens. —1J 17
E. Boundary Rd. E12 —5M 125
Eastbourne Gro. Wclf S —3H 139
E. Bridge Rd. S Fer —9K 91
Eastbrook Av. Dag —6A 128
Eastbrook Dri. Romf —4C 128
Eastbrook Rd. Wal A —3E 78
Eastbrooks. Pits —8J 119
Eastbrooks M. Pits —8J 119
Eastbrooks Pl. Pits —8J 119
Eastbury Av. Bark —1D 142
Eastbury Av. R'fd —3J 123
Eastbury Ct. Bark —1D 142
Eastbury Manor House & Museum. (off Blake Av.) —1E 142 (6H 39)
Eastbury Rd. Romf —1B 128
Eastbury Sq. Bark —1E 142
Eastby Clo. Saf W —5M 205
Eastcheap. Ray —3J 121
Eastcliff Av. Clac S —9M 187
East Clo. Rain —4F 144
East Colne Rd. Gt Tey —1D 172
Eastcote Gro. Sth S —3B 140
East Cres. Can I —1F 152
E. Dene Dri. H Hill —2H 113
E. Dock Rd. Pkstn —1H 201
East Dri. Saw —3K 53
East Dulwich. —3C 46
E. Dulwich Gro. SE21 —3B 46
E. Dulwich Rd. SE22 & SE15 —3B 46
East End. —5H 11
(nr. Furneux Pelham)
Eastend. —2L 55 (7F 21)
(nr. Harlow)
Eastend La. Else —1N 209
Eastend Rd. Brad S —1F 37
E. End Rd. E End —1A 18
Easten Greene. Wmgfd —3B 16
E. Entrance. Dag —2N 143
Easter Av. Grays —2D 48
Easterford Rd. K'dn —8C 202
Easterford Watermill. —8D 202 (2J 25)
Easterling Clo. Har —3J 201
Eastern App. Spri —6A 62
Eastern Av. E11 & Ilf —1H 125 (3F 39)
Eastern Av. Ave —9N 145
Eastern Av. Ben —1C 136
Eastern Av. Sth S —3M 139 (4K 43)
Eastern Av. W Thur —3C 156
Eastern Av. E. Romf —7B 112 (2A 40)
Eastern Av. W. Romf —8K 111 (3J 39) (in two parts)
Eastern Clo. Sth S —3M 139
Eastern Cres. Chelm —6H 61
Eastern Esplanade. Can I —4J 153 (6F 43)
Eastern Esplanade. Sth S —8A 140 (5K 43)
Eastern Ind. Est. Eri —9M 143
Eastern Path. Horn —1G 144
Eastern Promenade. P Bay —4K 27 (off New Way)
Eastern Rd. E17 —9C 108
Eastern Rd. B'sea —7D 184
Eastern Rd. Bur C —2M 195
Eastern Rd. Grays —2N 157
Eastern Rd. Ray —6H 121
Eastern Rd. Romf —9C 112
Easternville Gdns. Ilf —1B 126
Eastern Way. SE28 —9F 142 (1J 47)
Eastern Way. Grays —4K 157
East Essex Aviation & Forties Museum. —9B 184 (4K 27)
E. Ferry Rd. E14 —1D 46
Eastfield Gdns. Dag —6M 127
Eastfield Rd. E17 —8A 108
Eastfield Rd. Brtwd —8G 98
Eastfield Rd. Can I —9K 137
Eastfield Rd. Dag —6M 127
Eastfield Rd. Enf —5C 30
Eastfield Rd. Lain —5A 118
Eastgate. Bas —1C 134
East Ga. Gt Che —3L 197
East Ga. H'low —2C 56
Eastgate Cen. Bas —1C 134
Eastgate Clo. SE28 —6J 143
Eastgates. Colc —8B 168
Eastgate St. Har —1M 201
East Gores. —2C 172 (7K 15)
E. Gores Rd. Cogg —1B 172 (6J 15)
E. Hall La. Wen —6H 145 (7B 40)
E. Hall Rd. Orp —7K 47
East Ham. —6G 39
E. Ham and Barking By-Pass. Bark —2D 142

Eastham Cres.—Endsleigh Gdns.

Eastham Cres. Brtwd —1K 115
East Hanningfield. —2B 90 (4D 34)
E. Hanningfield Rd. How G & E Han —7L 75 (3C 34)
E. Hanningfield Rd. Ret C —8A 90 (5D 34)
East Hatley. —1A 4
East Haven. Clac S —8J 187
East Hill. Colc —8A 168 (6F 17)
East Hill. Dart —4C 48
East Hill. S Dar —6D 48
East Holme. Eri —6B 154
East Horndon. —8A 116
Easthorpe. —7J 173 (1A 26)
Easthorpe Rd. Ethpe & Cop —7D 172 (1K 25)
Easthorpe Rd. Mess —9H 173 (2A 26)
E. India Dock Rd. E14 —7D 38
East La. Ded —3N 163 (2J 17)
Eastleigh Rd. Ben —5E 136
Eastleigh Rd. Bexh —8A 154
Eastley. Bas —2A 134
E. Lodge La. Enf —5A 30
E. Mayne. Bas —8G 119 (3B 42)
East Mersea. —4J 27
E. Mersea Rd. W Mer —4F 27
East Mill. H'std —4L 199
E. Milton Rd. Grav —4H 49
Easton End. Bas —9J 117
Easton Rd. Wthm —4D 214
Easton Way. Frin S —8L 183
East Pk. H'low —9H 53
East Pk. Saw —3K 53
E. Park Clo. Romf —9J 111
E. Ridgeway. Cuff —3A 30
East Rd. EC1 —6B 38
East Rd. Chad H —9K 111
East Rd. Chelm —8J 61
East Rd. E Mer —4H 27
East Rd. H'low —8G 52
East Rd. Rush G —2B 128
East Rd. W Mer —2L 213 (5F 27)
E. Rochester Way. Sidc —3H 47
East Row. E11 —1G 124
East Side. Boxt —4A 162
E. Smithfield. E1 —7B 38
East Sq. Bas —9C 118
E. Stockwell St. Colc —8N 167 (in three parts)
East St. Bark —1B 142
East St. Brain —5J 193
East St. Cogg —8L 195 (7H 15)
East St. Colc —8B 168 (6F 17)
East St. Grays —4M 157
East St. Har —3M 201
East St. Lgh S —6D 138
East St. R'fd —5L 123 (2J 43)
East St. Saf W —4L 205 (6C 6)
East St. Sth S —4L 139 (4J 43)
East St. S Stif —4H 157
East St. Sud —5J 9
East St. Tol —8K 211 (6C 26)
East St. W'hoe —7H 177
East Ter. W on N —5N 183
E. Thorpe. Bas —9D 118
E. Thurrock Rd. Grays —4M 157 (2G 49)
East Tilbury. —5M 159 (1J 49)
E. Tilbury Rd. Linf —9J 149 (1J 49)
East View. E4 —2C 108
East View. Tak —7C 210
East View. Writ —1H 73 (1J 33)
E. View Clo. R'ter —7F 7
Eastview Dri. Ray —2K 121
East Wlk. Bas —9C 118
East Wlk. H'low —2C 56
E. Ward M. Colc —8C 168
Eastway. E9 —5D 38
East Way. E11 —9H 109
Eastway Commercial Cen. E9 —7A 124
Eastway Cycle Circuit. —7B 124 (5D 38)
Eastway Ind. Est. Wthm —3E 214
Eastways. Can I —9F 136
Eastways. Wthm —4D 214
Eastwick. —8A 52 (6G 21)
Eastwick Hall La. E'wck —5G 21
East Wickham. —2J 47
Eastwick Rd. H'low —8A 52 (6G 21)
Eastwood. —1D 138 (3H 43)
Eastwood Boulevd. Wclf S —3F 138 (4H 43)
Eastwoodbury. —9H 123 (3J 43)
Eastwoodbury Clo. Sth S —9J 123
Eastwoodbury Cotts. Sth S —9H 123
Eastwoodbury Cres. Sth S —9K 123 (3J 43)
Eastwoodbury La. Sth S —9G 122 (3H 43)
Eastwood Clo. E18 —6G 109
Eastwood Dri. H'wds —3B 168
Eastwood Dri. Rain —6F 144
Eastwood Ind. Est. Lgh S —9B 122
Eastwood La. S. Wclf S —4G 138
Eastwood Old Rd. Ben & Lgh S —8M 121
Eastwood Pk. Clo. Lgh S —9D 122
Eastwood Pk. Dri. Lgh S —8D 122
Eastwood Rise. Lgh S —8A 122
Eastwood Rd. E18 —6G 109
Eastwood Rd. Ilf —2F 126
Eastwood Rd. Lgh S —4C 138 (4G 43)
Eastwood Rd. Ray —5K 121 (2F 43)
Eastwood Rd. N. Lgh S —2B 138 (4G 43)
Eatington Rd. E10 —9D 108
Eaton Clo. Bill —3J 101
Eaton Dri. Romf —4N 111
Eaton Gdns. Dag —9K 127
Eaton Ho. Bis S —9A 208
Eaton M. Colc —3B 176
Eaton Rise. E11 —9J 109
Eaton Rd. Enf —6B 30
Eaton Rd. Lgh S —4B 138
Eatons Mead. E4 —8A 92
Eaton Way. Gt Tot —5J 25
Ebenezer Clo. Wthm —2B 214
Ebony Clo. Colc —4L 175
Eccles Rd. Can I —2L 153
Eccleston Cres. Romf —2G 126
Eccleston Gdns. Bill —3J 101
Echo Heights. E4 —7B 92
Eckersley Rd. Chelm —8L 61
Eddy Clo. Romf —1N 127
Eden Clo. Wthm —4B 214
Edendale Rd. Bexh —6B 154
Eden Grn. S Ock —5E 146
Eden Gro. E17 —9B 108
Edenhall Clo. Romf —2G 113
Edenhall Glen. Romf —2G 112
Edenhall Rd. Romf —2G 113
Eden Park. —7D 46
Eden Pk. Av. Beck —6D 46 (in two parts)
Eden Rd. E17 —9B 108
Edenside. Kir X —7H 183
Eden Way. Chelm —6E 60
Edgar Ho. E11 —2G 125
Edgar Rd. Romf —2J 127
Edgecotts. Bas —2N 133
Edgefield Av. Bark —9E 126
Edgefield Av. Law —5G 164
Edgefield Ct. Bark —9E 126 (off Edgefield Av.)
Edgehill Gdns. Dag —6M 127
Edgington Way. Sidc —5J 47
Edgware Rd. Clac S —8H 187
Edinburgh Av. Corr —9A 134
Edinburgh Av. Lgh S —4A 138
Edinburgh Clo. Ray —2H 121
Edinburgh Clo. Wthm —7D 214
Edinburgh Ct. Eri —5B 154
Edinburgh Dri. Romf —8A 112
Edinburgh Gdns. Brain —4K 193
Edinburgh M. Til —7D 158
Edinburgh Pl. H'low —8F 52
Edinburgh Rd. E17 —9A 108
Edinburgh Way. H'low —9C 52 (6H 21)
Edinburgh Way. Pits —9J 119
Edison Av. Horn —3D 128
Edison Clo. E17 —9A 108
Edison Clo. Brain —7H 193
Edison Clo. Horn —3D 128
Edison Gdns. Colc —6C 168
Edison Gro. SE18 —2H 47
Edison Rd. SE18 & Well —2H 47
Edison Rd. Hol S —7B 188
Edith Cavell Way. Stpl B —3C 210
Edith Clo. Can I —2E 152
Edith Rd. E6 —9K 125
Edith Rd. E15 —7D 124
Edith Rd. Can I —2D 152
Edith Rd. Clac S —2J 191
Edith Rd. Kir S —6G 183
Edith Rd. Romf —2J 127
Edith Rd. Sth S —4L 139
Edith Way. Corr —9B 134
Edmonton. —1C 38
Edmund Grn. Gosf —4E 14
Edmund Rd. Rain —2C 144
Edmund Rd. Wthm —7B 214
Edmund's Tower. H'low —3B 56
Edney Common. —5E 72 (2H 33)
Edridge Clo. Horn —7H 129
Edward Av. E4 —3B 108
Edward Av. B'sea —6E 184
Edward Bright Clo. Mal —6K 203
Edward Clo. Bill —3H 101
Edward Clo. L Cla —9J 181
Edward Clo. R'fd —1H 123
Edward Clo. Romf —7G 112
Edward Ct. Wal A —3F 78
Edward Dri. Chelm —3D 74
Edward Gdns. W'fd —8L 103
Edward Mans. Bark —9E 126 (off Upney La.)
Edward Marke Dri. L'hoe —8B 176
Edward Rd. Romf —1K 127
Edward Rd. T Sok —7K 181
Edwards Clo. Hut —5A 100
Edward St. SE14 & SE8 —2D 46
Edward St. Har —2G 201
Edwards Wlk. Mal —5J 203
Edwards Way. Hut —5A 100
Edward Temme Av. E15 —9F 124
Edward Ter. Wee H —9J 181
Edwina Gdns. Ilf —9L 109
Edwin Clo. Rain —3D 144
Edwin Hall View. S Fer —8J 91
Edwin's Hall Rd. S Fer —5F 35
Edwin's Hall Rd. Wdham F —6J 91
Effra Rd. SW2 —3A 46
Egbert Gdns. W'fd —7L 103
Egbwerts Way. E4 —7C 92
Egerton Ct. E11 —2D 124
Egerton Dri. SE10 —2D 46
Egerton Dri. Lang H —1G 133
Egerton Gdns. Ilf —5E 126
Egerton Grn. Rd. Colc —3H 175
Egg Hall. Epp —8F 66
Eggshell La. Corn H —6K 7
Eglantine La. F'ham —7C 48
Eglington Rd. E4 —6D 92
Egremont St. Glem —2G 9
Egremont Way. S'way —2D 174
Egret Cres. Colc —7G 168
Ehringshausen Way. H'hll —3J 7
Eider Clo. E7 —7F 124
Eight Acre La. Colc —4K 175
Eight Ash Green. —7B 166 (6C 16)
Eighth Av. E12 —6M 125
Eisenhower Rd. Bas —9J 117
Elan Rd. S Ock —5D 146
Eldbert Clo. Sth S —4C 140
Eldeland. Bas —8N 117
Eldenhall Ind. Est. Dag —3L 127
Elder Av. W'fd —1J 119
Elderberry Clo. Bas —1K 133
Elderberry Gdns. Wthm —3E 214
Elder Field. Bla N —3B 198
Elderfield. H'low —8J 53
Elderfield Wlk. E11 —9H 109
Elderflower Way. E15 —9E 124
Elder Rd. SE27 —5B 46
Elderstep Av. Can I —2L 153
Elder Street. —1D 12
Elderton Rd. Wclf S —6J 139
Elder Tree Rd. Can I —1J 153 (6F 43)
Elder Way. Rain —3H 145
Elder Way. W'fd —1K 119
Eld La. Colc —8N 167
Eldon Clo. Colc —6E 168
Eldon Rd. Hod —7D 54
Eldon Wall Est. Dag —3L 127
Eldon Way. Hock —1C 122
Eldon Way Ind. Est. Hock —1D 122
Eldred Av. Colc —3J 175
Eldred Gdns. Upm —2B 130
Eldred Rd. Bark —1D 142
Eleanor Chase. W'fd —9K 103
Eleanor Clo. Tip —5D 212
Eleanor Cross Rd. Wal X —4A 78 (4D 30)
Eleanor Gdns. Dag —4L 127
Eleanor Rd. E15 —8F 124
Eleanor Wlk. Tip —5D 212
Eleanor Way. War —2G 115
Electric Av. Wclf S —5H 139
Electric Pde. E18 —6G 108
Electric Pde. Ilf —4K 126
Elephant & Castle. (Junct.) —1A 46
Eleven Acre Rise. Lou —2M 93
Eleventh Av. Stans —7G 209
Elgar Clo. Bas —7M 117
Elgar Clo. Ben —9B 120
Elgar Clo. Buck H —8K 93
Elgar Gdns. Til —6C 158
Elgin Av. Chelm —9J 61
Elgin Av. Romf —4M 113
Elgin Ho. War —1G 114
Elgin Rd. Ilf —3D 126
Elham Dri. Pits —1K 135
Elianore Rd. Colc —8J 167
Eliot Clo. W'fd —2K 119
Eliot M. Sth S —4N 139
Eliot Rd. Dag —6J 127
Eliot Way. Mal —7K 203
Elizabeth Av. Ilf —4C 126
Elizabeth Av. Ray —6J 121
Elizabeth Av. Wthm —7D 214
Elizabeth Clo. H'wds —3C 168
Elizabeth Clo. Hock —3D 122
Elizabeth Clo. Naze —2D 64
Elizabeth Clo. Romf —5N 111
Elizabeth Clo. Saf W —3M 205
Elizabeth Clo. Til —7D 158
Elizabeth Ct. Eri —5B 154 (off Valence Rd.)
Elizabeth Ct. Wfd G —4J 109
Elizabeth Dri. They B —6D 80
Elizabeth Dri. W'fd —8J 103
Elizabeth Ho. Grays —8L 147
Elizabeth Rd. E6 —9K 125
Elizabeth Rd. Grays —9J 147 (1F 49)
Elizabeth Rd. H'low —2G 56
Elizabeth Rd. Har —4J 201
Elizabeth Rd. Pil H —5E 98
Elizabeth Rd. Rain —5F 144
Elizabeth Rd. Sth S —8B 140
Elizabeth Tower. Sth S —5L 139 (off Baxter Av.)
Elizabeth Vs. Tip —9F 212
Elizabeth Way. Ben —2D 137
Elizabeth Way. B'sea —7E 184
Elizabeth Way. H'std —4K 199
Elizabeth Way. H'low —4M 55 (7G 21)
Elizabeth Way. Hat P —2L 63
Elizabeth Way. H'bri —3K 203
Elizabeth Way. Lain —1M 133
Elizabeth Way. Saf W —3M 205 (6C 6)
Elizabeth Way. W'hoe —3J 177
Elkin's Green. —1J 85 (4F 33)
Elkins, The. Romf —6C 112
Ellenbrook Clo. Lgh S —3D 138
Ellen Ct. E4 —7C 92 (off Ridgeway, The)
Ellen Way. Brain —1C 198
Ellen Wilkinson Ho. Dag —5M 127
Ellerman Rd. Til —7B 158
Ellerton Gdns. Dag —9H 127
Ellerton Rd. Dag —9H 127
Ellesmere Clo. E11 —9F 108
Ellesmere Gdns. Ilf —9L 109
Ellesmere Rd. Can I —2E 152
Ellesmere Rd. R'fd —7H 107
Ellingham Rd. E15 —6D 124
Elliot Clo. E15 —9E 124
Elliot Clo. S Fer —2M 105
Elliot Dri. Brain —5E 192
Elliots Dri. W on N —6L 183
Elliott Gdns. Romf —5F 112
Ellis Av. Rain —5E 144
Ellis Clo. Ors —6F 148
Ellis Rd. Boxt —4N 161 (3E 16)
Ellis Rd. Brad —4B 18
Ellis Rd. Clac S —2J 191
Ellmore Clo. Romf —5F 112
Ellswood. Lain —6M 117
Elm Av. H'bri —3L 203
Elm Av. Upm —5M 129
Elm Bank Pl. Horn H —1H 149
Elmbridge. H'low —9L 53
Elmbridge Rd. Ilf —3F 110 (2J 39)
Elm Bungalows. Brain —4F 192
Elm Clo. E11 —1H 125
Elm Clo. Alr —6A 178
Elm Clo. Broom —3J 61
Elm Clo. Buck H —8K 93
Elm Clo. Else —7C 196
Elm Clo. Gt Bad —4G 74
Elm Clo. Gt Ben —6K 179
Elm Clo. Ray —4K 121
Elm Clo. Romf —5N 111
Elm Clo. Shoe —7J 141
Elm Clo. Sib H —5B 206
Elm Clo. Tak —8C 210
Elm Clo. Tip —4C 212
Elm Clo. Wal A —4D 78
Elm Clo. Extension. Tak —8C 210
Elm Cotts. Bill —9N 101
Elm Cotts. Wclf S —4L 139 (off Howards Chase)
Elm Ct. Elm —6J 5
Elm Cres. Colc —8D 168
Elmcroft. Elms —9N 169
Elmcroft Av. E11 —9H 109
Elmcroft Clo. E11 —8H 109
Elmdale Dri. Mann —5J 165
Elmden Ct. Clac S —8J 187
Elmdene Av. Horn —9K 113
Elmdon. —6J 5
Elmdon Rd. S Ock —5D 146
Elm Dri. B'sea —6C 184
Elm Dri. H'std —5L 199
Elm Dri. Har —4L 201
Elm Dri. Ray —4K 121
Elmer App. Sth S —6M 139
Elmer Av. Hav —9C 96
Elmer Av. Sth S —6M 139
Elmer Clo. Rain —9E 128
Elmer Gdns. Rain —9E 128
Elmers End. —6D 46
Elmers End Rd. SE20 & Beck —6C 46
Elmfield Clo. Hol S —6B 188
Elmfield Rd. E4 —8C 92
Elm Gdns. N Wea —5N 67
Elm Grn. Bas —1H 135
Elm Grn. Bill —6N 101
Elm Grn. La. Dan —2C 76 (2D 34)
Elm Gro. Clac S —7K 187
Elm Gro. Eri —5B 154
Elm Gro. Horn —1J 129
Elm Gro. Hull —6K 105
Elm Gro. Kir X —8F 182
Elm Gro. Saf W —4K 205
Elm Gro. Sth S —6E 140
Elm Gro. W'hoe —5H 177
Elm Gro. Wfd G —2F 108
Elmgrove Ho. Saf W —4K 205
Elm Hall Gdns. E11 —1H 125 (in two parts)
Elm Hatch. H'low —4E 56
Elmhurst Av. Ben —2B 136
Elmhurst Dri. E18 —6G 109
Elmhurst Dri. Horn —3G 128
Elmhurst Rd. E7 —9H 125
Elmhurst Rd. Har —4L 201
Elmhurst Way. Lou —6M 93
Elm La. Fee & M Tey —6C 172 (1K 25)
Elm La. Rox —7G 23
Elmore Rd. E11 —5C 124
Elmores. Lou —3N 93
Elm Pde. Horn —6F 128
Elm Park. —7F 128 (5B 40)
Elm Pk. Av. Horn —6E 128 (5A 40)
Elm Rise. Wthm —2C 214
Elm Rd. E7 —8F 124
Elm Rd. E11 —4D 124
Elm Rd. E17 —9C 108
Elm Rd. Ave —8A 146
Elm Rd. Ben —4K 137
Elm Rd. Bis S —1K 21
Elm Rd. Can I —2J 153
Elm Rd. Chelm —2B 74 (2A 34)
Elm Rd. E Ber —1M 17
Elm Rd. Eri —6E 154
Elm Rd. Grays —4M 157
Elm Rd. Lgh S —5D 138 (5H 43) (in two parts)
Elm Rd. L Cla —2D 28
Elm Rd. Pits —6M 119
Elm Rd. Romf —6N 111
Elm Rd. Shoe —7J 141 (5B 44)
Elm Rd. Sidc —5J 47
Elm Rd. S Fer —9J 91
Elm Rd. W'fd —8L 103
Elms Dri. Chelm —7J 61
Elms Farm Rd. Horn —7G 128
Elms Gdns. Dag —6L 127
Elms Hall Rd. Coln E —1A 196 (4G 15)
Elms Ind. Est. H Wood —4M 113
Elmsleigh Dri. Lgh S —3D 138 (4H 43)
Elmslie Clo. Wfd G —3M 109
Elmstead. —6N 169 (6J 17)
Elmstead Clo. Corr —9C 134
Elmstead Heath. —3M 177 (7J 17)
Elmstead La. Chst —5G 47
Elmstead Market. —1N 177 (6H 17)
Elmstead Rd. Colc —9D 168 (6F 17)
Elmstead Rd. Eri —6C 154
Elmstead Rd. Ilf —4D 126
Elmstead Rd. W'hoe —3J 177 (7H 17)
Elms, The. E12 —8K 125
Elms, The. Gt Che —2M 197
Elms, The. Lou —1F 92
Elms, The. Ong —9L 69
Elms, The. Wal A —5J 79 (off Woodbine Clo.)
Elm Ter. Grays —4E 156
Elm Tree Av. Frin S —8J 183 (1G 29)
Elmtree Av. Kel H —7C 84
Elmtree Clo. Frin S —8J 183
Elmtree Rd. Bas —2G 135
Elm View Rd. Ben —3B 136
Elm Wlk. Rayne —6B 192
Elm Wlk. Romf —7E 112
Elm Way. Bore —2F 62
Elm Way. Brtwd —1D 114
Elmway. Grays —7M 147
Elmwood. Saw —3L 53
Elmwood Av. Colc —4K 175
Elmwood Av. Hock —3D 122
Elmwood Ct. E10 —3A 124 (off Goldsmith Rd.)
Elmwood Dri. Bex —4J 47
Elmwood Dri. W Mer —3L 213
Elounda Ct. Ben —2D 136
Elrick Clo. Eri —4C 154
Elrington Rd. Wfd G —2G 109
Elronds Rest. S Fer —2J 105
Elsdale St. E9 —5C 38
Elsden Chase. S'min —7L 207
Elsenham. —8C 196 (5B 12)
Elsenham Ct. Ray —4H 121
Elsenham Cres. Bas —9G 119
Elsenham Cross. —8D 196
Elsenham Rd. E12 —7N 125
Elsenham Rd. Stans —2E 208 (6A 12)
Elsham Dri. Bla N —2B 198
Elsham Rd. E11 —5E 124
Elsinor Av. Can I —8F 136
Elstow Gdns. Dag —1K 143
Elstow Rd. Dag —1K 143
Elstree Gdns. Ilf —7B 126
Eltham. —3G 47
Eltham High St. SE9 —3G 47
Eltham Hill. SE9 —3F 47
Eltham Place. —4G 47
Eltham Rd. SE12 & SE9 —3E 46
Elthorne Pk. Clac S —8H 187
Eltisley Rd. Ilf —6A 126
Elton Wlk. Tip —5D 212
Elverston Clo. Lain —7M 117
Elvet Av. Romf —8G 113
Elwes Clo. Colc —6D 168
Elwick Ct. Dart —9E 154
Elwick Rd. S Ock —6F 146
Elwin Rd. Tip —6D 212
Elwood. H'low —4K 57
Ely Clo. Eri —7D 154
Ely Clo. S'min —7L 207
Ely End. Bas —8G 118
Ely Gdns. Dag —5A 128
Ely Gdns. Ilf —2L 125
Ely Pl. Wfd G —3N 109
Ely Rd. E10 —1C 124
Ely Rd. Sth S —4N 139
Elysian Gdns. Tol —8J 211
Ely Way. Bas —8F 118
Ely Way. Ray —3J 121
Emanuel Rd. Bas —2K 133
Embankment, The. Hock —7C 106
Embassy Ct. Mal —6K 203
Emberson Ct. Chelm —7A 62
Emberson Way. N Wea —5A 68
Ember Way. Bur C —2K 195
Emblems. D'mw —6K 197
Embroidery Bus. Cen. Wfd G —6K 109 (off Southend Rd.)
Emerald Gdns. Dag —3M 127
Emerson Dri. Horn —2H 129
Emerson Park. —1J 129 (3C 40)
Emerson Pk. Ct. Horn —2H 129
Emerson Rd. Ilf —2N 125
Emes Rd. Eri —5A 154
Emily White Ct. W'fd —8N 103
Emmanuel Ct. E10 —2B 124
Emmanuel Rd. SW12 —4A 46
Emmaus Way. Chig —2N 109
Emmott Av. Ilf —9B 110
Empire Rd. Har —4M 201
Empire Wlk. Chelm —9L 61 (off Springfield Rd.)
Empress Av. E4 —4B 108
Empress Av. E12 —4J 125
Empress Av. Ilf —4M 125
Empress Av. W Mer —2L 213
Empress Av. Wfd G —4F 108
Empress Dri. W Mer —3L 213
Empress Pde. E4 —4B 108
Emson Clo. Saf W —3K 205
Emsworth Rd. Ilf —6A 110
Enborne Grn. S Ock —5D 146
Endean Ct. W'hoe —4G 177
Endeavour Clo. Tol —7K 211
Endeavour Way. Bark —2F 142
Endell St. WC2 —7A 38
Endlebury Rd. E4 —8C 92 (1E 38)
Endsleigh Ct. Colc —8K 167
Endsleigh Gdns. Ilf —4M 125

Endway—Farthingale Ct.

Endway. Ben —4K 137
Endway, The. Alth —5B 36
Endway, The. Gt Eas —6F 13
Endway, The. Stpl B —1D 210 (5K 7)
Endwell Rd. SE4 —2D 46
Endymion Rd. N4 —4A 38
Enfield. —6B 30
Enfield Highway. —6C 30
Enfield Ho. H Hill —4J 113
(off Leyburn Cres.)
Enfield Lock. —5D 30
Enfield Rd. Enf —6A 30
Enfield Rd. W'fd —9C 104
Enfield Town. —6B 30
Enfield Wash. —5C 30
Engayne Gdns. Upm —3M 129
Englands La. Lou —1N 93 (6G 31)
Englefield Clo. Hock —3F 122
Englefield Rd. N1 —5B 38
Engleric. Chris —6H 5
Enid Way. Colc —5L 167
Ennerdale Av. Brain —2C 198
Ennerdale Av. Horn —7E 128
Ennismore Gdns. Sth S —3M 139
Enterprise Cen., The. Bas —5F 118
Enterprise Ct. Brain —6K 193
Enterprise Ct. Wthm —4D 214
Enterprise Ho. Bark —3E 142
Enterprise Trading Est. Brain —7B 192
Enterprise Way. W'fd —1N 119
Enville Way. H'wds —3B 168
Epping. —9F 66 (3J 31)
Epping Clo. Chelm —1N 73
Epping Clo. Clac S —5K 187
Epping Clo. Lgh S —8D 122
Epping Clo. Romf —7N 111
Epping Forest. —7L 79
Epping Forest. —5F 92
Epping Forest Conservation Centre. —9J 79 (6F 31)
Epping Forest District Museum. —3C 78 (4E 30)
Epping Forest Nature Reserve. —9J 79 (6F 31)
Epping Glade. E4 —5C 92
Epping Green. —3A 66 (2G 31)
Epping New Rd. Buck H & Lou —8H 93 (1F 39)
Epping Rd. Abr —1G 94
Epping Rd. Epp —7H 67 (3J 31)
(Epping)
Epping Rd. Epp —6M 79 (5G 31)
(Epping Forest)
Epping Rd. N Wea —3C 68
Epping Rd. Ong —2A 32
Epping Rd. Roy & Epp G —3H 55 (7F 21)
Epping Rd. Toot —3A 32
Epping Rd. Wal A & H'low —7L 55
Epping Upland. —4C 66 (2G 31)
Epping Way. E4 —5B 92
Epping Way. Wthm —6B 214
Epsom Clo. Bill —3M 101
Epsom Clo. Clac S —7G 187
Epsom M. S'min —7M 207
Epsom Rd. E10 —1C 124
Epsom Rd. Ilf —1E 126
Epsom Way. Horn —6K 129
Epstein Rd. SE28 —8F 142
Erica Wlk. Colc —8D 168
Eric Clarke La. Bark —4A 142
Eric Clo. E7 —6G 124
Erick Av. Chelm —4K 61
Eric Rd. E7 —6G 124
Eric Rd. Bas —9N 119
Eric Rd. Romf —2J 127
Eridge Clo. Chelm —4M 61
Erith. —3C 154 (1A 48)
Erith Ct. Purf —2L 155
Erith Cres. Romf —5A 112
Erith High St. Eri —3C 154 (2A 48)
Erith Library & Museum. —3C 154
Erith Museum. —1A 48
(off Walnut Tree Rd.)
Erith Rd. Belv & Eri —3A 154 (1K 47)
Erith Rd. Bexh & N Hth —6A 154 (3K 47)
Erith Small Bus. Cen. Eri —4D 154
Erle Havard Rd. W Ber —3F 166
Ermine St. Thun —3C 20
Ermine Way. Arr —1B 4
Ernalds Clo. E Col —2C 196
Ernan Clo. S Ock —5D 146
Ernan Rd. S Ock —5D 146
Ernest Rd. Horn —1J 129
Ernest Rd. W'hoe —5H 177
Ernulph Wlk. Colc —8A 168
Erriff Dri. S Ock —5D 146 (7E 40)
Errington Clo. Grays —1D 158
Errington Rd. Colc —1L 175
Erroll Rd. Romf —8D 112
Erskine Pl. W'fd —1M 119
Erwarton. —1F 19
Erwarton Wlk. Erw —1G 19
Esdaile Gdns. Upm —2A 130
Esher Av. Romf —1A 128
Esher Rd. Ilf —5D 126
Eskley Gdns. S Ock —5E 146
Esk Way. Romf —4B 112
Esmond Clo. Rain —9F 128
Esplanade. Frin S —2J 189 (2G 29)
Esplanade. May —2A 204
Esplanade Ct. Sth S —8C 140
Esplanade Gdns. Wclf S —6G 138
Esplanade, The. Hol S —7C 188
Esplanade, The. Hull —5J 105
Essex Av. Chelm —4J 61
Essex Av. Jay —6C 190
Essex Clo. Bas —9K 117
Essex Clo. Can I —3G 152
Essex Clo. Ray —6M 121
Essex Clo. Romf —8N 111
Essex County Cricket Ground. —1C 74 (1A 34)
Essex Ct. Romf —4H 113
Essex Gdns. Horn —9L 113
Essex Gdns. Lgh S —2D 138
Essex Gdns. Linf —9J 149
Essex Hall Rd. Colc —6M 167
Essex Hill. Elm —6J 5
Essex Mans. E11 —2D 124
Essex Regiment Way. L Walt —1H 59 (5A 24)
Essex Rd. E4 —7E 92
Essex Rd. E10 —1C 124 (3E 38)
Essex Rd. E12 —7L 125
Essex Rd. E18 —6H 109
Essex Rd. N1 —6A 38
Essex Rd. Bark —9C 126
Essex Rd. Brain —4K 193
Essex Rd. Bur C —3M 195
Essex Rd. Can I —1J 153
Essex Rd. Chad H —2H 127
Essex Rd. Dag —7A 128
Essex Rd. Grays —4D 156
Essex Rd. Hod —4B 54 (7D 20)
(in two parts)
Essex Rd. Mal —7J 203
Essex Rd. Romf —8N 111
Essex Rd. S. E11 —2D 124 (4E 38)
Essex Showground. —2B 24
Essex St. E7 —7G 124
Essex St. Colc —9M 167
Essex St. Sth S —6M 139
Essex Way. Ben —5D 136 (4E 42)
Essex Way. Ded —1K 163
Essex Way. Gt War —3F 114
Essex Way. L'ham —1D 162
Essex Way. Tye G —4F 194
Essex Yeomanry Way. S'way —9C 166 (6C 16)
Estate Rd. Ben —3M 137
Estate Way. E10 —3A 124
Estella Mead. Chelm —4G 60
Esther Rd. E11 —2E 124
Estuary Clo. Bark —3G 143
Estuary Clo. M End —3M 167
Estuary Ct. Tol —7K 211
(off Hunts Farm Clo.)
Estuary Cres. Clac S —1H 191
Estuary Gdns. Gt W —4N 141
Estuary M. Shoe —8J 141
Estuary M. Tol —7K 211
Estuary Pk. Rd. W Mer —3M 213
Etchingham Rd. E15 —6C 124
Ethelbert Gdns. Ilf —9M 109
Ethelbert Rd. Eri —5A 154
Ethelbert Rd. R'fd —7H 107
Ethelburga Rd. Romf —5K 113
Etheldore Av. Hock —8D 106
Ethelred Gdns. W'fd —7L 103
Ethel Rd. Ray —7A 122
Etheridge Grn. Lou —2B 94
Etheridge Rd. Lou —1A 94
Etloe Rd. E10 —4A 124
Eton Clo. Can I —9H 137
Eton Mnr. Ct. E10 —4A 124
(off Leyton Grange Est.)
Eton Rd. Clac S —9K 187
Eton Rd. Frin S —9K 183
Eton Rd. Ilf —6B 126
Eton Wlk. Shoe —4J 141
Eton Way. Dart —9G 154
Etton Clo. Horn —4J 129
Euclid Way. W Thur —3C 156
Eudo Rd. Colc —2K 175
Eugene Clo. Romf —8G 112
Europa Trad. Cen. Grays —3F 156
Europa Trad. Est. Eri —3B 154
Europa Way. Har —3H 201
Eustace Rd. Romf —2J 127
Euston Rd. NW1 —6A 38
Euston Underpass. (Junct.) —6A 38
Evansdale. Rain —3D 144
Evanston Av. E4 —4C 108
Evanston Gdns. Ilf —1L 125
Eva Rd. Romf —2H 127
Evelina Rd. SE15 —3C 46
Evelyn Rd. E17 —8C 108
Evelyn Rd. Gt L —2A 24
Evelyn Rd. Hock —2D 122
Evelyn Sharp Clo. Romf —7H 113
Evelyn Sharp Ho. Romf —7H 113
Evelyn St. SE8 —1C 46
Evelyn Wlk. Gt War —3F 114
Evelyn Wood Rd. Cres —2E 194
Evenlode Ho. SE2 —9H 143
Everall Clo. S'min —7K 207
Everall Ct. Hod —4A 54
Everard Rd. Bas —7H 119
Everest. Ray —2K 121
Everest Rise. Bill —7H 101
Everest Way. H'bri —3L 203
Evergreen Ct. W'fd —1K 119
Evergreen Dri. Colc —3D 168
Evering Rd. N16 & E5 —4B 38
Everitt Rd. Saf W —3M 205
Everitt Way. Sib H —5C 206
Eve Rd. E11 —6E 124
Eversholt St. NW1 —6A 38
Eversleigh Gdns. Upm —3A 130
Eversley. —9L 119 (3C 42)
Eversley Av. Bexh —7B 154
Eversley Ct. Ben —8C 120
Eversley Cross. Bexh —7C 154
Eversley Lodge. Hod —5A 54
Eversley Pk. Rd. N21 —7A 30
Eversley Rd. Bas —1L 135
Eversley Rd. Ben —8B 120
Everson Av. W Mer —2M 213
Eves Corner. —1L 195
Eves Corner. Dan —3E 76
Eves Ct. Har —6F 200
Eves Cres. Chelm —6J 61
Evesham Av. E17 —6A 108
Evesham Rd. E15 —9F 124
Evesham Way. Ilf —7N 109
Ewan Clo. Lgh S —3N 137
Ewan Clo. S'way —9D 166
Ewanrigg Ter. Wfd G —2J 109
Ewan Rd. H Wood —6H 113
Ewan Way. Lgh S —3N 137
Ewan Way. S'way —9D 166
Ewell Hall Chase. K'dn —9C 202
Ewellhurst Rd. Ilf —6L 109
Exchange St. Romf —9C 112
Exchange, The. Ilf —4A 126
Exchange Way. Chelm —9K 61
Exell St. Dart —9M 155
Exeter Clo. Bas —8G 118
Exeter Clo. Brain —3K 193
Exeter Clo. Gt Hork —9J 161
Exeter Clo. Shoe —5K 141
Exeter Dri. Colc —8A 168
Exeter Gdns. Ilf —3L 125
Exeter Ho. Bark —9F 126
(off Margaret Bondfield Av.)
Exeter Ho. Shoe —5J 141
Exeter Rd. E17 —9A 108
Exeter Rd. Chelm —6N 61
Exeter Rd. Dag —8N 127
Exford Av. Wclf S —2F 138
Exhibition La. Gt W —3K 141
Exley Clo. Ing —5D 86
Exmoor Clo. Chelm —1M 73
Exmoor Clo. Ilf —5A 110
Exmouth Dri. Ray —2K 121
Exmouth Rd. Grays —4L 157
Express Dri. Ilf —3G 126
Exton Gdns. Dag —7H 127
Eyhurst Av. Horn —5E 128
Eynsford. —7C 48
Eynsford Castle. —7C 48
Eynsford Rd. F'ham —7C 48
Eynsford Rd. Ilf —4D 126
Eynsford Rd. Swan —7A 48
Eynsham Dri. SE2 —9G 143 (1J 47)
Eynsham Way. Bas —6H 119
Eyre Clo. Romf —8F 112

Faber Rd. Wthm —7B 214
Fabians Clo. Cogg —7L 195
Factory Hill. Tip —7D 212 (4A 26)
Factory La. E. H'std —4K 199
Factory La. W. H'std —5K 199
Factory Rd. E16 —1G 47
Factory Ter. H'std —4K 199
Faggoters La. Mat T —6A 22
Faggot Yd. Brain —3H 193
Fagus Av. Rain —3H 145
Fair Clo. B'sea —7F 184
Fairclough Av. Clac S —1F 190
Fair Cross. —7D 126 (5H 39)
Faircross Av. Bark —8B 126
Faircross Av. Romf —4B 112
Faircross Pde. Bark —8D 126
Fairfax Av. Bas —7K 119
Fairfax Dri. Wclf S —4G 139 (4J 43)
Fairfax Mead. Chelm —9A 62
Fairfax Rd. Colc —9N 167
Fairfax Rd. Grays —3L 157
Fairfax Rd. Til —6B 158
Fairfax Way. H'std —6L 199
Fairfield. Gt W —3L 141
Fairfield. Ing —5E 86
Fairfield Av. Grays —7M 147
Fairfield Av. Upm —5N 129
Fairfield Chase. Mal —6J 203
Fairfield Clo. Horn —3E 128
Fairfield Cres. Lgh S —8E 122
Fairfield Gdns. Colc —7C 168
Fairfield Gdns. Lgh S —9E 122
Fairfield Rise. Bill —8H 101
(in two parts)
Fairfield Rd. E3 —6D 38
Fairfield Rd. Brain —6H 193 (7C 14)
Fairfield Rd. Brtwd —9F 98
Fairfield Rd. Chelm —5J 61
Fairfield Rd. Clac S —9J 187
Fairfield Rd. Croy —7B 46
Fairfield Rd. Epp —8G 66
Fairfield Rd. Hod —3A 54
Fairfield Rd. Ilf —8A 126
Fairfield Rd. Lgh S —8D 122
Fairfield Rd. Ong —8K 69
Fairfield Rd. Wfd G —3G 108
Fairfields. Mal —6J 203
Fairford Av. Bexh —6B 154
Fairford Clo. Romf —3M 113
Fairford Way. Romf —3M 113
Fairham Av. S Ock —7D 146
Fairhaven Av. W Mer —2M 213
Fairhead Rd. N. Colc —7C 168
Fairhead Rd. S. Colc —7C 168
Fairholme Av. Romf —9E 112
Fairholme Gdns. Upm —2C 130
Fairholme Rd. Ilf —2M 125
Fairkytes Av. Horn —3H 129
Fairland Clo. Ray —2L 121
Fairland Rd. E15 —8F 124
Fairlands Av. Buck H —8G 93
Fairlawn Dri. Wfd G —4G 109
Fairlawn Gdns. Sth S —1K 139
Fairlawns. Brtwd —9D 98
Fairlawns. Epp —8G 66
Fairlawns. Sth S —7D 140
Fairlawns Clo. Horn —2K 129
Fairleads. Dan —2F 76
Fair Leas. Saf W —2L 205
Fairleigh Av. Bas —1L 135
Fairleigh Dri. Lgh S —5C 138
Fairleigh Rd. Bas —1L 135
Fairlight Av. E4 —8D 92
Fairlight Av. Wfd G —3G 109
Fairlight Clo. E4 —8D 92
Fairlight Rd. Ben —3J 137
Fairlop. —5E 110 (2H 39)
Fairlop Av. Can I —1G 153
Fairlop Clo. Clac S —5K 187
Fairlop Clo. Horn —8F 128
Fairlop Ct. E11 —3D 124
Fairlop Gdns. Bas —9E 118
Fairlop Gdns. Ilf —4B 110
Fairlop Rd. E11 —2D 124 (4E 38)
Fairlop Rd. Ilf —6B 110
Fairmead. Bas —7D 118
Fairmead. Ray —3H 121
Fairmead Av. Ben —1L 137
Fairmead Av. Wclf S —5N 139
Fairmead Gdns. Ilf —9L 109
Fairmead Rd. Lou —4H 93 (7F 31)
Fairmeads. Lou —1A 94
Fairmeadside. Lou —4J 93
Fairoak Gdns. Romf —6C 112
Fairstead. —3D 24
Fairstead Hall Rd. F'std —3C 24
Fairstead Rd. F'std —3D 24
Fairsted. Bas —9B 118
Fairview. Bill —7J 101
Fairview. Can I —9F 136
Fair View. D'mw —8L 197
Fairview. Eri —5D 154
Fairview Av. Hut —6A 100
Fairview Av. Rain —2H 145
Fairview Av. Stan H —4L 149
Fairview Chase. Stan H —5L 149
Fairview Clo. Ben —8C 120
Fairview Clo. Chig —1D 110
Fairview Cres. Ben —8C 120
Fairview Dri. Chig —2D 110
Fairview Dri. Wclf S —2H 139
Fairview Gdns. Lgh S —4B 138
Fairview Gdns. Wfd G —5H 109
Fairview Ind. Pk. Rain —5B 144
Fair View Lodge. Lgh S —4B 138
Fairview Rd. Bas —9E 118
(in two parts)
Fairview Rd. Chig —1D 110
Fairview Vs. E4 —4B 108
Fairview Wlk. Ben —8C 120
Fairville M. Wclf S —4H 139
Fairway. Chelm —3E 74
Fairway. Grays —8L 147 (7F 41)
Fairway. Orp —7H 47
Fairway. Saw —2K 53
Fairway. W'fd —4M 119
Fair Way. Wfd G —2J 109
Fairway Dri. Bur C —3L 195
Fairway Gdns. Ilf —7B 126
Fairway Gdns. Lgh S —1B 138
Fairway Gdns. Clo. Lgh S —1B 138
Fairways. E17 —8C 108
Fairways. B'wck —4J 167
Fairways. Sth S —6D 140
Fairways. Wal A —4E 78
Fairways, The. Cold N —4H 35
Fairway, The. Bas —4L 133
Fairway, The. Ben —8C 120
Fairway, The. H'low —5F 56
Fairway, The. Lgh S —1B 138 (3G 43)
Fairway, The. Upm —2A 130
Fairycroft Rd. Saf W —4L 205 (6B 6)
Fairy Hall La. Rayne —8B 192
(in two parts)
Falbro Cres. Ben —2K 137
Falcon Av. Grays —5L 157
Falcon Clo. Lgh S —1E 138
Falcon Clo. Ray —4H 121
Falcon Clo. Saw —3H 53
Falcon Clo. Wal A —4G 78
Falcon Ct. E18 —7H 109
(off Albert Rd.)
Falcon Cres. Colc —1B 176
Falconer Rd. Ilf —2G 111
Falconers Pk. Saw —3J 53
Falcon Fields. Mal —8J 203
Falcon M. Mal —8J 203
Falcon Rd. S'min —7K 207
Falcon Sq. Cas H —3D 206
Falcon Way. E11 —8G 109
Falcon Way. Bas —2D 134
Falcon Way. Chelm —4B 74
Falcon Way. Clac S —7K 187
Falcon Way. Horn —9E 128
Falcon Way. Shoe —5J 141
Falconwood. —3H 47
Falconwood. (Junct.) —3H 47
Falcon Yd. W'hoe —6H 177
Fal Dri. Wthm —5B 214
Falkenham End. Bas —8D 118
Falkenham Path. Bas —8D 118
Falkenham Rise. Bas —8D 118
Falkenham Row. Bas —8D 118
Falkirk Clo. Horn —3L 129
Falkland Clo. Bore —3F 62
Falkland Ct. Brain —4K 193
Falkland Grn. Wdhm M —4L 77
Falklands Dri. Mann —4J 165
Falklands Rd. Bur C —3L 195
Falkner Clo. Stock —6A 88
Fallaize Av. Ilf —6A 126
Fallow Clo. Chig —2E 110
Fallowden La. A'dn —5D 6
Fallowfield. Shoe —5H 141
Fallowfield Clo. Har —4H 201
Fallowfield Rd. Colc —4K 175
Fallow Fields. Lou —5J 93
Fallows, The. Can I —8F 136
Falmer Rd. E17 —7B 108
Falmouth Av. E4 —2D 108 (1E 38)
Falmouth Gdns. Ilf —8K 109
Falmouth Rd. Chelm —6N 61
Falmouth St. E15 —7D 124
Falstones. Bas —9M 117
Fambridge Chase. Whi N —2E 24
Fambridge Clo. Mal —7K 203
Fambridge Ct. Romf —9B 112
(off Marks Rd.)
Fambridge Dri. W'fd —1M 119
Fambridge Rd. Alth —5K 35
Fambridge Rd. Dag —3M 127
Fambridge Rd. Mal —6J 203 (1H 35)
Fambridge Rd. N Fam —1G 106
Fambridge Rd. R'fd —4F 106 (7H 35)
Fancett Hill. Van —2H 135
Fancett Pl. Gall —8D 74
Fane Rd. Ben —7D 120
(in two parts)
Fanhams Hall Rd. Ware —4D 20
Fanner's Green. —7E 58 (5J 23)
Fanns Rise. Purf —2L 155
Fanny's La. Wee H —3B 186
Fanshawe Av. Bark —8B 126 (5H 39)
Fanshawe Cres. Dag —7K 127
Fanshawe Cres. Horn —1H 129
Fanshawe Rd. Grays —1C 158
Fanton Av. W'fd —4N 119
Fanton Chase. W'fd —1A 120
Fanton Gdns. W'fd —1B 120
Fanton Hall Cotts. W'fd —5A 120
Fanton Wlk. W'fd —9B 104
Faraday Av. Sidc —4J 47
Faraday Clo. Brain —7H 193
Faraday Clo. Clac S —5L 187
Faraday Rd. E15 —8F 124
Faraday Rd. Lgh S —9B 122
Faringdon Av. H Hill —5G 113
Faringdon Av. Romf —2B 40
Faringford Rd. E15 —9E 124
Farley Dri. Ilf —3D 126
Farmadine. Saf W —4L 205
Farmadine Ct. Saf W —4L 205
Farmadine Gro. Saf W —4L 205
Farmadine Ho. Saf W —4L 205
Farmbridge End. —6G 23
Farm Clo. Buck H —9J 93
Farm Clo. Dag —9A 128
Farm Clo. Hut —6M 99
Farm Cres. Bat —4E 104
Farm Dri. Grays —7M 147
Farm End. E4 —4E 92
Farmer Rd. E10 —3B 124
Farmers Ct. Wal A —3G 78
Farmers Way. Clac S —1F 190
Farmfield Rd. Gt Tey —1D 172
Farm Hill Rd. Wal A —3D 78 (4E 30)
Farmilo Rd. E17 —2A 124
Farm La. Thri —2G 5
Farmleigh Av. Clac S —5J 187
Farm Pl. Dart —9E 154
Farm Rd. N21 —7B 30
Farm Rd. Can I —9H 137
Farm Rd. E Til —2L 159
Farm Rd. Gt Oak —5E 18
Farm Rd. Ors —9B 148
Farm Rd. Rain —3G 144
Farm View. Ray —2K 121
Farm Wlk. B'sea —5D 184
Farm Way. Ben —9H 121
Farm Way. Buck H —1J 109 (1F 39)
Farmway. Dag —5H 127
Farm Way. Horn —6G 128
Farnaby Rd. Brom —6E 46
Farnaby Way. Stan H —2L 149
Farnan Av. E17 —6A 108
Farnborough Comn. Orp —7G 47
Farnes Av. W'fd —1K 119
Farnes Dri. Romf —6G 113
Farnham. —6J 11
Farnham Clo. Saw —3H 53
Farnham Green. —6J 11
Farnham Rd. Ilf —2E 126
Farnham Rd. Romf —2H 113
Farningham. —7C 48
Farnley Rd. E4 —6E 92
Farnol Rd. Dart —9L 155
Farquhar Rd. SE19 —5B 46
Farrance Rd. Romf —2K 127
Farr Av. Bark —2F 142
Farriers Dri. Bill —3J 101
Farriers End. S'way —1E 174
Farriers Way. Sth S —1L 139
Farringdon Rd. EC1 —6A 38
Farringdon Service Rd. Sth S —6M 139
Farrington Way. Law —5F 164
Farrow Gdns. Grays —8L 147
Farrow Rd. Chelm —3N 73
Farther Howegreen. —4H 35
Farthingale Ct. Wal A —4G 78

Farthingale La. *Wal A* —4G **78**
  (in two parts)
Farthingale Wlk. *E15* —9D **124**
Farthing Clo. *Brain* —4M **193**
Farthing Clo. *Dart* —9K **155**
Farthings Clo. *E4* —9E **92**
Far Thorpe Green. —4G **180**
Fastnet. *Sth S* —8F **122**
Faulds Wlk. *Colc* —3A **176**
Faulkbourne. —3E **24**
Faulkbourne Rd. *Wthm* —3A **214** (3F **25**)
Faulkner Clo. *Dag* —2J **127**
Fauna Clo. *Romf* —1H **127**
Fauners. *Bas* —1K **135**
Faversham Av. *E4* —7E **92**
Faversham Clo. *Chig* —8G **95**
Fawcett Dri. *Lain* —6N **117**
Fawkham. —7E **48**
Fawkham Green. —7E **48**
Fawkham Grn. Rd. *Fawk* —7E **48**
Fawkham Rd. *Long* —6E **48**
Fawkner Clo. *Chelm* —9A **62**
Fawkon Wlk. *Hod* —5A **54**
Fawn Rd. *Chig* —2E **110**
Fawters Clo. *Hut* —5N **99**
Faymore Gdns. *S Ock* —6D **146**
Fearns Mead. *War* —2F **114**
Fears Grn. *Kel* —1B **10**
Featherbed La. *Romf* —6K **95**
Featherby Way. *R'fd* —6M **123**
Feathers Hill. *Hat O* —3C **22**
Feeches Rd. *Sth S* —1H **139**
Feedhams Clo. *W'hoe* —3J **177**
Feenan Highway. *Til* —7D **158** (2H **49**)
Feering. —9A **172** (1J **25**)
Feeringbury Manor Garden. —1J **25**
Feering Dri. *Bas* —1G **135**
Feering Grn. *Bas* —1G **135**
Feering Hill. *Fee* —7D **202** (2J **25**)
Feering & Kelvedon Local
  History Museum. —9B **202** (2H **25**)
Feering Rd. *Bill* —6L **101**
Feering Rd. *Cogg* —8M **195** (7H **15**)
Feering Row. *Bas* —1G **134**
Felbridge Rd. *IIf* —4E **126**
Felhurst Cres. *Dag* —6N **127**
Felicia Way. *Grays* —2D **158**
Felipe Rd. *Chaf H* —1F **156**
Felix Ct. *E17* —9B **108**
Felixstowe. —2K **19**
Felixstowe Clo. *Clac S* —9E **186**
Felixstowe 'Q' Tower. —1K **19**
Fell Christy. *Chelm* —6K **61**
Fellcroft. *Pits* —9H **119**
Fell Rd. *New E* —4A **8**
Felmongers. *H'low* —1G **56**
Felmore. —7J **119** (3B **42**)
Felmore Ct. Pits —7J **119**
  (off Felmores End)
Felmores. *Bas* —7H **119**
Felmores End. *Pits* —7J **119**
Fels Clo. *Dag* —5N **127**
Fels Farm Av. *Dag* —5A **128**
Felstead Av. *IIf* —5N **109**
Felstead Clo. *Ben* —2D **136**
Felstead Clo. *Colc* —6A **176**
Felstead Clo. *Hut* —5M **99**
Felstead Rd. *E11* —2G **125**
Felstead Rd. *Ben* —2D **136**
Felstead Rd. *Lou* —6L **93**
Felstead Rd. *Romf* —4A **112**
Felsted. —1J **23**
Felsted Rd. *Bill* —6L **101**
Felsted Vineyard. —1A **24**
Felton Gdns. *Bark* —1D **142**
Felton Rd. *Bark* —2D **142**
Fencepiece Rd. *Chig* —2B **110** (1H **39**)
Fen Chase. *Elms* —1L **177**
Fen Clo. *Bulp* —6B **132**
Fen Clo. *Shenf* —3M **99**
Fengates. *S Fer* —9J **91**
Fen La. *A'lgh* —7K **163** (3H **17**)
Fen La. *E Mer* —4H **27**
Fen La. *N Ock* —7F **130**
Fen La. *Ors* —4A **148** (7G **41**)
Fen La. *Upm* —5E **40**
Fen La. *W Horn* —2L **131** (4F **41**)
Fenman Ct. *Else* —7C **196**
Fenman Gdns. *IIf* —3G **126**
Fenn Clo. *Frat* —3F **178**
Fenn Clo. *S Fer* —9J **91**
Fennel Clo. *Tip* —6C **212**
Fennells. *H'low* —8B **56**
Fenner Rd. *Grays* —2F **156** (1E **48**)
Fenners Way. *Bas* —5J **119**
Fennes Rd. *Brain* —1M **193** (5C **14**)
Fennfields Rd. *S Fer* —9H **91**
Fennings Chase. *Colc* —8A **168**
Fenno Clo. *Colc* —2F **174**
Fenn Rd. *H'std* —4M **199** (3G **15**)
Fenny La. *Meld* —2D **4**
Fen Rd. *Bass* —3A **4**
Fenstead End. —1F **9**
Fentiman Rd. *SW8* —2A **46**
Fentiman Way. *Horn* —3J **129**
Fenton Grange. *H'low* —3H **57**
Fenton Way. *Bas* —8H **117** (3J **41**)
Fenwick Way. *Can I* —8G **137**
Ferdinand Wlk. *Colc* —8F **168**
Ferguson Av. *Romf* —6G **113**
Ferguson Ct. *Romf* —6H **113**
Ferme Pk. Rd. *N8 & N4* —3A **38**
Fermoy Rd. *Sth S* —7E **140**
Fernbank. *Bill* —7H **101**
Fernbank. *Buck H* —7H **93**
Fernbank Av. *Horn* —6G **128**

Fernbrook Av. *Sth S* —6B **140**
Fern Clo. *Bill* —4K **101**
Fern Clo. *Eri* —6F **154**
Fern Ct. *Stan H* —2M **149**
Ferndale Av. *E17* —9D **108**
Ferndale Clo. *Bas* —9K **117**
Ferndale Clo. *Clac S* —6K **187**
Ferndale Cres. *Can I* —3H **153**
Ferndale Rd. *E7* —9H **125**
Ferndale Rd. *E11* —4E **124**
Ferndale Rd. *Har* —2M **201**
Ferndale Rd. *Ray* —1K **143**
Ferndale Rd. *Romf* —6A **112**
Ferndale Rd. *Sth S* —4A **140**
Ferndale St. *E6* —7A **142**
Fernden Way. *Romf* —1N **127**
Ferndown. *Horn* —1K **129**
Ferndown Rd. *Frin S* —9H **183**
Ferndown Way. *Hat P* —2M **63**
Fernhall Dri. *IIf* —9K **109**
Fernhall La. *Wal A* —1K **79** (4F **31**)
Fern Hill. —1G **9**
Fern Hill. *Bas* —2L **133**
Fern Hill. *Glem* —1G **9**
Fernhill. *H'low* —7D **56**
Fernhill Ct. *E17* —6D **108**
Fern Hill La. *H'low* —7D **56**
Fernie Clo. *Chig* —2F **110**
Fernie Rd. *Brain* —6F **192**
Fernie Way. *Chig* —2F **110**
Fernlea. *Colc* —5K **167**
Fernlea Rd. *SW12* —1A **46**
Fernlea Rd. *Ben* —3E **136**
Fernlea Rd. *Bur C* —3L **195**
Fernlea Rd. *Man* —2M **201**
Fernleigh Ct. *Romf* —9A **112**
Fernleigh Dri. *Lgh S* —5F **138**
Fernside. *Buck H* —7H **93**
Fernside Clo. *Corr* —9C **134**
Ferns Rd. *E15* —8F **124**
Fern Wlk. *Can I* —2F **152**
Fern Wlk. *Lang H* —2G **133**
Fern Way. *Jay* —5D **190**
Fernways. *IIf* —6A **126**
Fernwood. *Ben* —2L **137**
Fernwood Av. *Hol S* —8C **188**
Ferrers Rd. *S Fer* —9H **91**
Ferriers La. *Bures* —8A **194**
Ferris Av. *Cold N* —4H **35**
Ferris Steps. *Sth S* —7A **140**
  (off Prospect Clo.)
Ferro Rd. *Rain* —4E **144**
Ferry La. *N17* —3C **38**
Ferry La. *Rain* —6C **144** (7A **40**)
Ferry La. Ind. Est. *Rain* —5D **144**
Ferrymead. *Can I* —3H **153**
Ferry Rd. *Ben* —6D **136** (5D **42**)
Ferry Rd. *Bur C* —4H **195** (7B **36**)
Ferry Rd. *Felix* —1K **19**
Ferry Rd. *Fing* —8H **177** (1G **27**)
Ferry Rd. *Hull* —7K **105** (7F **35**)
Ferry Rd. *N Fam* —1F **106** (6H **35**)
Ferry Rd. *Til* —8C **158** (3G **49**)
Ferryby Rd. *Grays* —1D **158**
Feryings Clo. *H'low* —8J **53**
Fesants Croft. *H'low* —9G **53**
Festival Clo. *Eri* —7L **154**
Festival Gdns. *Tol D* —6B **26**
Festival Leisure Pk. *Bas* —6C **118**
Fetherston Rd. *Stan H* —3M **149**
Fetter La. *EC4* —7A **38**
Feverills Rd. *L Cla* —1G **187**
Fiat Av. *Jay* —6B **190**
Fiddlers Clo. *Grnh* —9E **156**
Fiddlers Folly. *For H* —5B **16**
Fiddlers Hamlet. *2H* **81** (4J **31**)
Fiddlers Hill. *For & For H*
  —6A **166** (5B **16**)
Fiddlers La. *E Ber* —1J **17**
Field Clo. *E4* —3B **108**
Field Clo. *Abr* —2G **94**
Field Clo. *Buck H* —9G **93**
Fielders, The. *Can I* —3G **152**
Fieldfare. *Bill* —8L **101**
Fieldfare Rd. *SE28* —7H **143**
Fieldgate Dock. *B'sea* —8D **184**
Field Ga. La. *Ugley* —6A **196**
Fieldhouse Clo. *E18* —5H **109**
Fielding Av. *Til* —6D **158**
Fielding Way. *Hut* —5M **99**
Field Point. *E7* —6G **124**
Field Rd. *E7* —6F **124**
Field Rd. *Ave* —8N **145**
Fields Clo. *Wee* —8D **180**
Fields Farm Rd. *Lay H* —2D **26**
Fieldside. *Saf W* —6L **205**
Fields Pk. Cres. *Romf* —9J **111**
Field View Dri. *L Tot* —5K **25**
Field Wlk. *W on N* —6K **183**
Fieldway. *Dag* —5H **127**
Fieldway. *Grays* —8K **147**
Field Way. *Hod* —1C **54**
Fieldway. *Pits* —2K **135**
Fieldway. *W'fd* —1C **124**
Field Way. *W'hoe* —4J **177**
Fiennes Clo. *Dag* —3H **127**
Fifth Av. *E12* —6M **125**
Fifth Av. *Ben* —9G **121**
Fifth Av. *Can I* —1E **152**
Fifth Av. *Chelm* —5J **61**
Fifth Av. *Frin S* —9H **183**
Fifth Av. *Grays* —4D **156**
Fifth Av. *H'std* —5N **199**
Fifth Av. *H'low* —8B **52** (6H **21**)
Fifth Av. *W'fd* —1A **120**
Filey Rd. *S'min* —9H **207**

Fillebrook Av. *Lgh S* —4F **138**
Fillebrook Rd. *E11* —3E **124**
Fillioll Clo. *E Han* —3B **90**
Filston Rd. *Eri* —6J **154**
Finchdale. *Colc* —3A **154**
Finch Dri. *Brain* —3F **192**
Finch Dri. *Gt Ben* —5J **179**
Finches Clo. *Corr* —9D **134**
Finches, The. *Ben* —8G **121**
Finchfield. *Ray* —6K **121**
Finch Hill. *Bulm* —5H **9**
Finchingfield. —2K **13**
Finchingfield Av. *Wfd G* —4J **109**
Finchingfield Guildhall Museum. —2K **13**
Finchingfield Rd. *Gt Sam* —1H **13**
Finchingfield Rd. *Hpstd* —6H **7**
Finchingfield Rd. *Stpl B* —3D **210** (5K **7**)
Finchingfield Rd. *Weth & Stamb* —1A **14**
Finchingfields, The. *Kel H* —7B **84**
Finchingfield Way. *Colc* —6A **176**
Finchingfield Way. *W'fd* —2K **119**
Finchland View. *S Fer* —2K **105**
Finch La. *Elms* —1A **178**
Finchley Av. *Chelm* —2B **74**
Finchley Rd. *Grays* —4L **157**
Finchley Rd. *Wclf S* —6J **139**
Finchmoor. *H'low* —6C **56**
Finch's. *W Bis* —6L **213**
Finden Rd. *E7* —7J **125**
Findon Gdns. *Rain* —5E **144**
Finer Clo. *Clac S* —8G **187**
Fingringhoe. —9F **176** (1G **27**)
Fingringhoe Rd. *Colc* —4D **176** (7F **17**)
Fingringhoe Rd. *L'hoe* —8B **176** (2F **27**)
Fingrith Hall La. *Ing* —6H **71** (3F **33**)
  (in two parts)
Finham Clo. *Colc* —8F **168**
Finkle Green. —6A **8**
Finnymore Rd. *Dag* —9K **127**
Finsbury. —6A **38**
Finsbury Park. —4A **38**
Finsbury Pl. *H'std* —4L **199**
Finucane Gdns. *Rain* —8E **128**
Firbank Rd. *Romf* —2N **111** (1K **39**)
Firecrest Rd. *Chelm* —5D **74**
Firfield Rd. *Ben* —9H **121**
Firham Pk. Av. *Romf* —4L **113**
Firle, The. *Bas* —3L **133**
Firle Wlk. *Colc* —4A **176**
Firmans. *Bas* —3K **133**
Firmins Ct. *W Ber* —3E **166**
Fir Pk. *H'low* —6A **56**
Firs Cvn. Pk. *L Cla* —3H **187**
Firs Chase. *W Mer* —3H **213** (5F **27**)
Firs Chase Cvn. Pk. *W Mer* —2H **213**
Firs Dri. *Lou* —9N **79**
Firs Dri. *Writ* —1K **73**
Firsgrove Cres. *War* —1E **114**
Firsgrove Rd. *War* —1E **114**
Firs Hamlet. *W Mer* —3H **213**
Firs La. *N21 & N21* —7B **30**
Firs Rd. *Tip* —7D **212**
Firs Rd. *W Mer* —3J **213** (5F **27**)
First Av. *E12* —6L **125**
First Av. *E17* —9A **108**
First Av. *Bas* —2F **132**
First Av. *Ben* —9G **121**
First Av. *Bill* —9G **101**
First Av. *Can I* —1D **152**
First Av. *Chelm* —6J **61**
First Av. *Clac S* —9M **187**
First Av. *Dag* —2N **143**
First Av. *Enf* —7B **30**
First Av. *Frin S* —1H **189**
First Av. *Grays* —4D **156**
First Av. *H'std* —5N **199**
First Av. *H'low* —2C **56** (6H **21**)
First Av. *Har* —4L **201**
First Av. *Hook E* —4F **84**
First Av. *Hull* —7M **105**
First Av. *Stan Apt* —7G **208**
First Av. *Romf* —9H **111**
First Av. *Stan H* —2M **149** (6K **41**)
First Av. *Wal A* —9H **65**
First Av. *W on N* —3N **183**
First Av. *Wee* —5D **180**
First Av. *Wclf S* —6G **139** (5H **43**)
First Av. *W'fd* —1A **120**
Firs, The. *E6* —9L **125**
Firs, The. *Can I* —9F **136**
Firs, The. *Grays* —8M **147**
Firs, The. *Lay H* —8H **175**
Firs, The. *Pil H* —5D **98**
Firs, The. Wal A —5J **79**
  (off Woodbine Clo.)
Firstore Dri. *Colc* —8F **166**
Firs Wlk. *Wfd G* —2G **108**
Fir Tree Clo. *Grays* —9N **157**
Fir Tree Clo. *Hos* —3B **168**
Fir Tree Clo. *Romf* —7B **112**
Fir Tree Rise. *Chelm* —4B **74**
Fir Trees. *Abr* —2G **95**
Fir Trees. *Epp* —8G **66**
Fir Tree Wlk. *Dag* —5A **128**
Fir Tree Wlk. *Mal* —3M **203**
Fir Wlk. *Can I* —9F **136**
Fir Way. *Jay* —6E **190**
Firwood's Rd. *H'std* —6K **199**
Fishermans Wlk. *SE28* —9D **142**
Fishers Clo. *Wal X* —4A **78**
Fishers Green. —8B **64** (3D **30**)
Fishers Hatch. H'low —2D **56**
  (off St Michaels Clo.)
Fisher's La. *Orw* —1C **4**
Fishers Way. *Belv* —8A **144**

Fisher Way. *Brain* —4L **193**
Fishmarket St. *Thax* —3K **211**
Fishpits La. *Bures* —2J **15**
Fishponds Hill. *L Hork* —3F **160** (2D **16**)
Fishponds La. *Holb* —1D **18**
Fish St. *Gold* —7A **26**
Fisin Wlk. *Colc* —3F **174**
Fiske Ct. *Bark* —2C **142**
Fitch's Cres. *Mal* —7L **203**
Fitch's M. *Mal* —7L **203**
Fitzgerald Rd. *Law* —4G **165**
Fitzgerald Ct. E10 —3B **124**
  (off Leyton Grange Est.)
Fitzgerald Rd. *E11* —9G **109**
Fitzgilbert Rd. *Colc* —2K **175**
Fitzilian Av. *Romf* —5K **113**
Fitzpiers. *Saf W* —3L **205**
Fitzroy Clo. *Bill* —4J **101**
Fitzstephen Rd. *Dag* —7G **126**
Fitzwalter Clo. *Dan* —4D **76**
Fitzwalter Pl. *Chelm* —8G **61**
Fitzwalter Pl. *D'mw* —8L **197**
Fitzwalter Rd. *Bore* —3G **62**
Fitzwalter Rd. *Colc* —9J **167**
Fitzwarren. *Shoe* —4H **145**
Fitzwilliam Rd. *Ben* —4J **137**
Fitzwilliam Rd. *Colc* —8J **167**
Fitzwilliams Ct. *H'low* —8L **53**
Five Acres. *Dan* —7F **76**
Five Acres. *H'low* —6D **56**
Five Acres. *Stans* —1D **208**
Five Acres La. *Chig* —3K **111**
Fiveways. (Junct.) —4G **47**
Five Ways. *S'way* —2E **174**
Flack Ct. *E10* —2B **124**
Flack's Green. —4D **24**
Fladgate Rd. *E11* —1E **124**
Flag Hill. *Gt Ben* —4L **185** (2A **28**)
Flagstaff Clo. *Wal A* —3B **78**
Flagstaff Rd. *Colc* —9N **167**
Flagstaff Rd. *Wal A* —3B **78**
Flail Clo. *Elms* —9M **169**
Flambird's Chase. *Wdham F* —3M **91**
Flamboro Clo. *Lgh S* —9C **122**
Flamboro Wlk. *Lgh S* —9C **122**
Flamingo Wlk. *Horn* —8E **128**
Flamstead End. —3C **30**
Flamstead End Relief Rd. *Chesh &*
  Wal X —3B **30**
Flamstead End Rd. *Chesh* —3C **30**
Flamstead Gdns. *Dag* —9H **127**
Flamstead Rd. *Dag* —9H **127**
Flamsted House. —2E **46**
Flanders Clo. *Brain* —3G **192**
Flanders Field. *Colc* —3B **176**
Flanders Green. —4B **10**
Flatford Bridge Cottage &
  Information Centre. —1C **164** (2J **17**)
Flatford Dri. *Alr* —3K **59**
Flatford Granary Bygones Collection.
  (off Flatford Rd.) —1C **164** (2J **17**)
Flatford Mill Field Centre.
  —1C **164** (2J **17**)
Flatford Rd. *E Ber* —1J **17**
Flaxen Clo. *E4* —9B **92**
Flaxen Rd. *E4* —9B **92**
Flax La. *Glem* —2G **9**
Flecks La. *Shin W* —2A **4**
Fleece Yd. *H'std* —4K **199**
Fleet Av. *Upm* —1A **130**
Fleet Clo. *Upm* —1A **130**
Fleet Downs. —4D **48**
Fleethall Gro. *Grays* —8K **147**
Fleethall Rd. *R'fd* —7M **123**
Fleet Rd. *Ben* —4D **136**
Fleet St. *EC4* —7A **38**
Fleetway. *Bas* —2G **134**
Fleetwood. *Can I* —3L **153**
Fleetwood Av. *Hol S* —6A **188**
Fleetwood Av. *Wclf S* —5H **139**
Fleetwood Clo. *Hol S* —6B **188**
Fleming Clo. *Brain* —7H **193**
Fleming Gdns. *H Wood* —6H **113**
Fleming Gdns. *Til* —6E **158**
Fleming Rd. *Chaf H* —2E **110**
Flemings. *Gt War* —3F **114**
Flemings Farm Rd. *Lgh S* —7C **122**
Fleming Way. *SE28* —7J **143**
Flemming Av. *Lgh S* —3C **138**
Flemming Cres. *Lgh S* —3C **138**
Fletcher Clo. *E6* —7A **142**
Fletcher Dri. *W'fd* —1M **119**
Fletcher La. *E10* —2C **124**
Fletcher Rd. *Chig* —2E **110**
Fletchers. *Bas* —3N **133**
Fletchers Sq. *Sth S* —1M **139**
Flex Meadow. *H'low* —4L **55**
Flint Clo. *Lang H* —1H **133**
Flint Cross. —4F **5**
Flint St. *Grays* —4E **156**
Flintwich Mnr. *Broom* —4G **60**
Flitch Ind. Est., The. *D'mw* —9L **197**
Flitch La. *D'mw* —9M **197**
Flitch Way. *Brain* —6C **192**
Flitch Way. *D'mw* —8J **197**
Flitch Way. *Tak* —8E **210**
Flitch Way Visitor Centre.
  —7B **192** (7B **14**)
Flixton Clo. *Clac S* —9E **186**
Flora Gdns. *Romf* —1H **127**

Flora Rd. *Wthm* —3A **214** (4F **25**)
Florence Clo. *Ben* —3K **137**
Florence Clo. *Grays* —4H **157**
Florence Clo. *H'low* —5H **57**
Florence Clo. *Horn* —4J **129**
Florence Ct. *E11* —8H **109**
Florence Gdns. *Ben* —3J **137**
Florence Neale Ho. Can I —2G **153**
  (off Kitkatts Rd.)
Florence Rd. *SE14* —2D **46**
Florence Rd. *Can I* —1J **153**
Florence Rd. *W on N* —4N **183**
Florence Way. *Lain* —1K **133**
Florie's Rd. *Gt Tey* —6J **15**
Flowers Way. *Jay* —5E **190**
Flux's La. *Epp* —3F **80**
Fobbing. —6A **42**
Fobbing Farm Clo. *Bas* —3B **134**
Fobbing Rd. *Corr* —1C **150** (6A **42**)
Fodderwick. *Bas* —9B **118**
Foksville Rd. *Can I* —2J **153** (6F **43**)
Foldcroft. *H'low* —2N **55**
Fold, The. *Bas* —9C **118**
Folkards La. *B'sea* —5E **184**
Folkes La. *Upm* —9C **114**
Folkestone Rd. *E6* —3A **142**
Folkestone Rd. *E17* —8B **108**
Folley, The. *Lay H* —8H **175** (1D **26**)
Folley, The. *S'way* —1E **174**
Folly Chase. *Hock* —1A **122**
Folly Green. *Stis* —6F **15**
Folly La. *Hock* —1A **122** (1G **43**)
Folly Mill La. *Thax* —4F **13**
Folly Rd. *Gt Wal* —4K **9**
Folly Rd. *Hun* —1C **8**
Folly, The. *Tip* —9F **212**
Fontayne Av. *Chig* —1B **110**
Fontayne Av. *Rain* —9C **128**
Fontayne Av. *Romf* —6C **112**
Font Clo. *Lain* —9L **117**
Fonteyn Clo. *Bas* —7L **117**
Fonteyne Gdns. *Wfd G* —6K **109**
Fonthill Rd. *N4* —4A **38**
Fontwell Pk. Gdns. *Horn* —6J **129**
Foots Cray. —5J **47**
Foots Cray La. *Sidc* —4J **47**
Footscray Rd. *SE9* —3G **47**
Forbes Clo. *Horn* —3F **128**
Ford Clo. *Lain* —9J **117**
Ford Clo. *Romf* —9D **128**
Ford End. —3J **23**
Ford End. *Clav* —3H **11**
Ford End. *H'low* —8A **54**
Ford End Rd. *Ples* —2C **58** (4J **23**)
Fordham. —2A **166** (4B **16**)
Fordham Clo. *Horn* —2L **129**
Fordham Heath. —5A **166** (5B **16**)
Fordham Rd. *Wak C* —3A **16**
Fordham Rd. *W Ber* —9C **160** (4C **16**)
Fordham Rd. *Wmgfd* —3B **16**
Fordhams Row. *Ors* —5D **148**
Ford Hill. *L Had* —1G **21**
Ford Ind. Pk. *Dag* —4N **143**
Ford La. *Alr* —3A **184** (2J **27**)
Ford La. *Colc* —3K **167**
  (in two parts)
Ford La. *Rain* —9D **128** (5A **40**)
Ford Pl. *S Ock* —7G **146**
Ford Rd. *Clac S* —1H **191**
Ford Rd. *Dag* —9J **127**
Ford Rd. Ind. Est. *Clac S* —1H **191**
Fords Gro. *N21* —7B **30**
Fordson Rd. *Chelm* —5C **62**
Ford Street. —5B **16**
Ford St. *Aldh* —5B **16**
Ford St. *Brau* —6E **10**
Fordstreet Hill. *Aldh* —5B **16**
Fordwater Clo. *New E* —4A **8**
Fordwich Rd. *B'sea* —4D **184**
Fordyce Clo. *Horn* —2K **129**
Fordyke Rd. *Dag* —4L **127**
Forebury Av. *Saw* —2L **53**
Forebury Cres. *Saw* —2L **53**
Forebury, The. *Saw* —2K **53**
  (in two parts)
Fore Field. *Brain* —5M **193**
Forefield Grn. *Chelm* —4A **62**
Forelands Pl. *Saw* —2K **53**
Foremark Rd. *IIf* —3E **110**
Foresight Rd. *Colc* —4D **176**
Forest App. *E4* —6E **92**
Forest App. *Wfd G* —4F **108**
Forest Av. *E4* —6E **92**
Forest Av. *Chig* —2N **109**
Forest Av. *Sth S* —3N **139**
Forest Clo. *E11* —9G **108**
Forest Clo. *Wal A* —7H **79**
Forest Clo. *Wfd G* —9H **93**
Forest Ct. *E4* —7F **92**
Forest Ct. *E11* —8E **108**
Forest Dri. *E12* —5M **125** (4F **39**)
Forest Dri. *Chelm* —1N **73**
Forest Dri. *They B* —6D **80**
Forest Dri. *Wfd G* —4D **108**
Forest Dri. E. *E11* —2D **124**
Forest Dri. W. *E11* —2C **124**
Forest Edge. *Buck H* —1J **109** (1F **39**)
Forester Ct. *Bill* —5H **101**
Forester's Ct. *W'hoe* —5H **177**
Foresters Dri. *E17* —3D **108**
Forest Gate. —7H **125** (5F **39**)
Forest Glade. *E4* —1E **108**
Forest Glade. *E11* —1E **124**
Forest Glade. *Lang H* —2H **133**
Forest Glade. *N Wea* —6K **67**

Foresthall Rd.—Garbutt Rd.

Foresthall Rd. Stans —5C 208 (7A 12)
Forest Hill. —4C 46
Forest Hill Rd. SE22 & SE23 —3C 46
Forest Ind. Pk. Ilf —5D 110
Forest La. E15 & E7 —8E 124 (5E 38)
Forest La. Chig —2N 109 (1G 39)
Forest Mt. Rd. E4 —4D 108
Forest Park Av. Clac S —6K 187
Forest Point. E7 —7H 125
(off Windsor Rd.)
Fore St. N18 & N9 —2C 38
Fore St. Bas —5N 117
Fore St. H'low —8H 53
Forest Rise. E17 —7D 108
(in two parts)
Forest Rd. E7 —6G 125
Forest Rd. E11 —2D 124
Forest Rd. N17 & E17 —7A 108 (3C 38)
Forest Rd. Colc —8D 168
Forest Rd. Eri —6E 154
Forest Rd. Ilf —6C 110 (2H 39)
Forest Rd. Lou —2K 93 (6F 31)
Forest Rd. Romf —7N 111
Forest Rd. Wthm —1D 214 (3G 25)
Forest Rd. Wfd G —9G 92
Forest Side. E4 —6F 92 (7E 30)
Forest Side. E7 —6H 125
Forest Side. Buck H —7J 93
Forest Side. Epp —3C 80
Forest Side. Wal A —6J 79 (5F 31)
Forest St. E7 —7G 125
Forest Ter. Chig —2N 109
Forest, The. E11 —8E 108
Forest View. E4 —6D 92
Forest View. E11 —2F 124
Forest View Av. E10 —9D 108
Forest View Dri. Lgh S —3N 137
Forest View Rd. E12 —6L 125
Forest View Rd. E17 —5C 108
Forest View Rd. Lou —3K 93
Forest Way. Epp Up —6M 65
Forest Way. Lou —2L 93
Forest Way. Wfd G —1H 109
Forfar Clo. Lgh S —4A 138
Forfields Way. Cres —2E 194
Forge Cres. B'wll —7F 15
Forge La. High —5K 49
Forge La. Hort K —6D 48
Forge La. Shorne —5K 49
Forge St. Ded —2N 163
Formby Rd. Hall —7K 49
Forres Clo. Hod —3A 54
Forres Ho. War —2F 114
Forrest Clo. S Fer —1J 105
Forrey's Green. —2D 14
Forsters Clo. Romf —1L 127
Forsyth Dri. Brain —8J 193
Forsythia Clo. Chelm —4N 61
Forsythia Clo. Ilf —7A 126
Forterie Gdns. Ilf —5F 126
Fortescue Chase. Sth S —5D 140
Fortess Rd. NW5 —5A 38
Forth Rd. Upm —1A 130
Fortinbras Way. Chelm —3C 74
Fortin Clo. S Ock —7D 146
Fortin Path. S Ock —7D 146
Fortin Way. S Ock —7D 146
Fort Rd. Til —9D 158 (3H 49)
Fort Rd. W Til —6E 158
Fortune Clo. Gt L —1N 59
Fortune Steps. Sth S —7A 140
(off Kursaal Way)
Fortunes, The. H'low —5E 56
Fort William Rd. Van —4C 134
Forty Hall. —5B 30
Forty Hill. —5B 30
Forty Hill. Enf —5B 30
Fosset Lodge. Bexh —6A 154
Fossetts La. For —2A 166 (5B 16)
Fossetts Way. Sth S —3A 140
Fossway. Dag —4H 127
Fostal Clo. Lgh S —3D 138
Foster Ct. Wthm —5D 214
Foster Rd. Can I —1J 153
Foster Rd. Gt Tot —8M 213
Foster Rd. Har —2G 201
Fosters Clo. E18 —5H 109
Fosters Clo. Writ —1H 73
Foster Street. —4L 57 (7K 21)
Foster St. H'low —5K 57 (7K 21)
Foulgar Clo. S Fer —9L 91
Founder Clo. E6 —6A 142
Foundry Ct. Mann —4H 165
Foundry La. Bur C —3K 195
Foundry La. Cop —1M 173
Foundry La. E Col —3C 196 (4H 15)
Fountain Dri. SE19 —5B 46
Fountain Farm. H'low —5E 56
Fountain La. Cop —6N 173 (1B 26)
Fountain La. Hock —2A 122 (1G 43)
Fountain Pl. Wal A —3C 78
Four Acres. Gt Che —2L 197
Four Acres. Saf W —4L 205
Four Acres, The. Saw —3L 53
Four Ash Hill. Ridg —5B 8
Four Oaks. Brtwd —9H 99
Four Sisters. —1J 17
Four Sisters Clo. E'wd —1E 138
Four Sisters Way. E'wd —9E 122
Fourth Av. E12 —6M 125 (5G 39)
Fourth Av. Bas —3G 132
Fourth Av. Ben —9G 121
Fourth Av. Chelm —6J 61
Fourth Av. Clac S —9N 187
Fourth Av. Frin S —9J 183 (1G 29)
Fourth Av. Grays —4D 156
Fourth Av. H'std —5N 199
Fourth Av. H'low —3M 55 (7G 21)
Fourth Av. Hull —8M 105
Fourth Av. Romf —3B 128
Fourth Av. Stan H —9N 133
Fourth Av. W'fd —1A 120
Fourth Wlk. Can I —1E 152
Four Wantz. —6F 23
Four Wantz, The. Ong —6L 69
Fourways. Else —8C 196
Fourways Ct. Hod —4A 54
Four Wents, The. E4 —7D 92
Fowey Av. Ilf —9K 109
Fowler Clo. Sth S —6A 140
Fowler Ct. Chelm —6B 74
Fowler Rd. E7 —6G 124
Fowler Rd. Ilf —3G 111
Fowley Clo. Wal X —4A 78
Fowley Mead Pk. Wal X —4A 78
Fowlmere. —3F 5
Fowlmere Aerodrome. —3F 5
Fowlmere Rd. Foxt & Fow —1F 5
Fowlmere Rd. Hey —5G 5
(in two parts)
Fowlmere Rd. Mel —2E 4
Fowlmere Rd. Shepr —2E 4
Fowlmere Rd. Thri —2G 5
Foxash Estate. —7B 164 (3J 17)
Foxborough Chase. Stock —4B 88
Fox Burrow Rd. Chig —1J 111
Fox Burrows La. Writ —9D 60
Fox Clo. Ben —9F 120
Fox Clo. Romf —2N 111
Fox Cres. Chelm —7H 61
Foxden. Riven —3G 25
(off Fox Mead)
Foxearth. —3G 9
Foxendale Folly. S'way —8D 166
Foxendown. —7H 49
Foxendown La. Meop —7H 49
Foxes Grn. Ors —9C 148
Foxes Grn. Hut —6D 100
Foxfield Clo. Hock —1F 122
Foxfield Dri. Stan H —9N 133
Foxglove Clo. Wthm —4A 214
Foxglove Gdns. E11 —8J 109
Foxglove Rd. S Ock —6F 146
Foxgloves, The. Bill —4H 101
Foxglove Wlk. Colc —8E 168
Foxglove Way. Chelm —5A 62
Foxgrove La. Felix —1K 19
Foxhall Rd. Stpl —4B 36
Foxhall Rd. Upm —7N 129
Fox Hatch. —8B 84 (5D 32)
Fox Hatch. Kel H —8B 84
Foxhatch. W'fd —1M 119
Fox Hatch Ho. Kel H —7B 84
Fox Hills Rd. Grays —8N 147
Foxholes Rd. Chelm —4G 74
Foxhounds La. S'fleet —4F 49
Foxhunter Wlk. Bill —2M 101
Foxlands Cres. Dag —7A 128
Foxlands La. Dag —7B 128
Foxlands Rd. Dag —7A 128
Fox La. N13 —1A 38
Foxleigh. Bill —8J 101
Foxleigh Clo. Bill —8J 101
Foxley Clo. Lou —1A 94
Foxley Dri. Bis S —9A 208
Foxley Rd. SW9 —2A 46
Fox Mnr. Way. Grays —4E 156
Foxmead. Riven —3G 25
Fox Meadows. Ben —9F 120
Fox Rd. Mash —5H 23
Fox's Rd. Ashen —4C 8
Fox Street. —3G 168 (5G 17)
Foxton. —1F 5
Foxton Rd. Grays —4G 157
Foxton Rd. Hod —5A 54
Foxwood Clo. Law —6B 164
Foxwood Ct. Lgh S —4B 138
Foxwood Pl. Lgh S —4C 138
Foyle Dri. S Ock —5D 146 (7E 40)
Foys Wlk. Bill —9L 101
Frambury La. Newp —9C 204
Frame, The. Bas —8M 117
Framlingham Ct. Ray —6J 121
Framlingham Way. Bla N —1C 198
Frampton Rd. Bas —6H 119
Frampton Rd. Epp —7F 66
Frances Av. Chaf H —2F 156
Frances Clo. W'hoe —4H 177
Frances Cottee Lodge. Ray —7N 121
Frances Ct. E17 —1A 124
Frances Gdns. S Ock —6C 146
Frances Rd. E4 —3A 108
Frances St. SE18 —1G 47
Francis Av. Ilf —4C 126
Francis Clo. Horn H —2H 149
Francis Clo. Tip —7C 212
Francis Ct. Bas —1G 134
Francis Ct. Sil E —2K 207
Francis Greene Ho. Wal A —3B 78
(off Grove Ct.)
Francis M. Mal —8L 203
Francis Rd. E10 —3C 124 (4E 38)
Francis Rd. Brain —6F 192
Francis Rd. Ilf —4C 126
Francis St. E15 —7E 124
Francis St. B'sea —8E 184
Francis St. Ilf —4C 126
Francis Wlk. Ray —5K 121
Francis Way. Colc —6D 168
Francis Way. Sil E —2K 207
Francombe Gdns. Romf —9E 112
Frank Bailey Wlk. E12 —8N 125
Frank Clater Clo. Colc —7B 168
Frankel Dri. Chelm —7G 61
Frank Foster Ho. They B —7D 80
Frankland Clo. Wfd G —2J 109
Frankland Rd. E4 —2A 108
Franklin Rd. Horn —8G 129
Franklin Rd. N Fam —6H 35
Franklins Rd. Colc —3D 176
Franklins Way. W'fd —8M 103
Franklyn Gdns. Ilf —3C 110
Frank Naylor Ct. Colc —8N 167
(off E. Stockwell St.)
Franks La. Hort K —7C 48
Franks Wood Av. Orp —7G 47
Franmil Rd. Horn —3E 128
Frant Rd. T Hth —7A 46
Fraser Clo. Chelm —2D 74
Fraser Clo. Lain —9H 117
Fraser Clo. Shoe —5K 141
Fraser Ho. Kel H —7B 84
Fraser Rd. E17 —9B 108
Fraser Rd. Eri —3B 154 (1A 48)
Frating. —5D 178 (7K 17)
Frating Abbey Farm Rd. Frat —7G 178 (1K 27)
Frating Ct. Brain —7M 193
Frating Cres. Wfd G —3H 109
Frating Green. —3F 178 (7K 17)
Frating Hill. Frat —3C 178 (7J 17)
Frating Pk. Cvn. Site. Frat —3E 178
Frating Rd. A'lgh —1M 169 (4H 17)
Frating Rd. Frat —9E 170 (6K 17)
Frating Rd. Thorr —6F 178 (1K 27)
Frayes Chase. Beau R —6E 22
Frazer Clo. Romf —2D 128
Frederica Rd. E4 —6D 92
Frederick Andrews Ct. Grays —4N 157
Frederick Rd. Rain —2B 144
Fred Leach Ho. Can I —2G 153
Freeborne Gdns. Rain —8E 128
Freebournes Ct. Wthm —5D 214
Freebournes Rd. Wthm —4E 214
Freebournes Rd. Ind. Est. Wthm —4E 214
Freeland Rd. Clac S —3J 191
Freelands. B'sea —7G 185
Freelands Rd. Brom —6F 47
Freeland Way. Eri —6E 154
Freeman Ct. Stan H —2A 150
Freeman Way. Horn —1K 129
Freemasons Rd. E16 —7F 39
Freewood La. Elm —6J 5
Freezy Water. —5D 30
Freightmaster Est. Rain —6C 144
Fremantle. Shoe —9H 141
Fremantle Clo. S Fer —8K 91
Fremantle Ho. Til —6B 158
Fremantle Rd. Colc —5B 176
Fremantle Rd. Ilf —6A 110 (2G 39)
Fremnells, The. Bas —8E 118 (3A 42)
Frenches Green. —1A 24
French Rd. N Fam —5H 35
French's Sq. Chelm —9L 61
(off Meadows Shop. Cen., The)
French's Wlk. Chelm —9L 61
(off Meadows Shop. Cen., The)
Frendsbury Rd. SE4 —3C 46
Frensham Clo. S'way —8E 166
Frere Way. Fing —8H 177
Frerichs Clo. W'fd —2M 119
Freshfields. Dov —6H 201
Freshfields Av. Upm —7M 129
Freshwater Cres. H'bri —4L 203
Freshwater Dri. Bas —3G 135
Freshwater Rd. Dag —3J 127
Freshwaters. H'low —2D 56
Freshwell Av. Romf —8H 111
Freshwell Gdns. Saf W —3J 205
Freshwell Gdns. W H'dn —1N 131
Freshwell St. Saf W —4J 205
Fresh Wharf Rd. Bark —1A 142
Fresian Clo. Brain —6E 192
Frettons. Bas —1F 134
Friars Av. Shenf —7K 99 (7F 33)
Friars Clo. E4 —9C 92
Friars Clo. Clac S —7J 187
Friars Clo. Colc —5C 168
Friars Clo. Lain —9L 117
Friar's Clo. Shenf —6K 99
Friars Clo. Sib H —5A 206
Friars Clo. W'hoe —6J 177
Friars Ct. Colc —3C 176
Friarscroft. Brox —8A 54
Friars Ga. Clo. Wfd G —1G 108
Friars Ho. Shoe —5K 141
Friars La. Brain —4H 193
Friars La. Mal —6J 203
Friars Rd. Brau —6E 10
Friars Rd. Hat H —4D 202
Friars St. Shoe —7K 141
Friars St. Sud —5J 9
Friars, The. Chig —1D 110
Friars, The. H'low —5N 55
Friars Wlk. Chelm —1C 74
Friars Wood. Bis S —9B 208
Friary Fields. Mal —6K 203
Friary La. Wfd G —1G 108
Friday Hill. —8E 92 (1E 38)
Friday Hill. E4 —8E 92 (1E 38)
Friday Hill E. E4 —9E 92
Friday Hill W. E4 —8E 92
Friday Rd. Eri —3B 154
Friday Wood Grn. Colc —6N 175
Friedberg Av. Bis S —1J 21
Friends Field. Bures —7D 194
Friends Wlk. Saf W —6K 205
Friern Gdns. W'fd —9J 103
Friern Pl. W'fd —1J 119
Friern Wlk. W'fd —9J 103
Frietuna Rd. Kir X —8H 183
Frimley Av. Horn —3L 129
Frimley Rd. Ilf —5D 126
Frinsted Rd. Eri —5B 154
Frinton Ct. Frin S —2J 189
Frinton Dri. Wfd G —4D 108
Frinton M. Ilf —1N 125
Frinton-on-Sea. —1J 189 (2H 29)
Frinton Rd. Hol S —8N 187 (3E 28)
Frinton Rd. Kir X —8E 182 (1F 29)
Frinton Rd. Romf —4L 111
Frinton Rd. T Sok —5M 181 (7E 18)
Friston Path. Chig —2D 110
Frith Rd. E11 —6C 124
Frith Rd. Croy —7B 46
Frithwood Clo. Bill —9H 101
Frithwood La. Bill —8H 101
Frizlands La. Dag —4N 127 (4K 39)
Frobisher Clo. Lain —9M 117
Frobisher Clo. Mal —8K 203
Frobisher Dri. Jay —3D 190
Frobisher Rd. Eri —5D 154
Frobisher Rd. Har —6H 201
Frobisher Way. Brain —4L 193
Frobisher Way. Grnh —9E 156
Frobisher Way. Shoe —5J 141
Froden Brook. Bill —9L 101
Froden Clo. Bill —9L 101
Froden Ct. Bill —1L 117
Frog End. Shepr —2E 4
Frogge St. I'tn —1H 197 (4K 5)
Frog Hall Clo. Fing —8H 177
Froghall La. Chig —1C 110
Frogmore Ind. Pk. W Thur —3D 156
Frognal Av. Sidc —5J 47
Frognal Corner. (Junct.) —5H 47
Frog St. Kel H —9B 84 (6D 32)
Frome. E Til —2L 159
Fronk's Av. Har —5L 201
Fronk's Rd. Har —4J 201 (3H 19)
Front La. Upm —4B 130 (4D 40)
Frowick La. St O —5L 185
Fry Art Gallery, The. —3K 205 (6B 6)
Fryatt Av. Har —3J 201
Fry Clo. Romf —2M 111
Fryerning. —4C 86 (4H 33)
Fryerning La. Ing —4C 86 (4G 33)
Fryerning (Mill Green) Postmill. —3B 86 (4G 33)
Fryerns. —7E 118 (3B 42)
Fry Ho. E6 —9J 125
Fry Rd. E6 —9K 125
Fryth, The. Bas —7F 118
Fuchsia Way. Clac S —8G 186
Fulbourne Rd. E17 —5C 108 (2E 38)
Fulbrook La. S Ock —7C 146
Fulcher Av. Spri —8A 62
Fulfen Way. Saf W —6K 205
Fulford Dri. Lgh S —9F 122
Fullarton Cres. S Ock —6C 146
Fullbridge. Mal —5K 203 (1H 35)
Fuller Rd. Dag —5G 127
Fullers Av. Wfd G —4F 108
Fuller's Clo. K'dn —8B 202
Fullers Clo. Romf —4A 112
Fullers Clo. Wal A —3G 78
Fullers Ct. Else —8D 196
Fuller's End. —9D 196 (6B 12)
Fullers La. Romf —4A 112
Fullers Mead. H'low —4H 57
Fullers Rd. E18 —5F 108
Fuller's Rd. Colc —4D 176
Fuller Street. —4C 24
Fullwell Av. Ilf —5M 109
Fullwell Cross. —2G 39
Fullwell Cross. Ilf —6C 110 (2H 39)
Fulmar Clo. Colc —7G 168
Fulmar Rd. Horn —9E 128
Fulmar Way. W'fd —2A 120
Fulready Rd. E10 —9D 108
Fulton Cres. Bis S —9B 208
Fulton Rd. Ben —8D 120
Fulwell Cross. —6B 110
Furlongs. Bas —2E 134
Furlongs, The. Ing —5C 86
Furneaux La. Fing —9F 176 (1G 27)
Furner Clo. Dart —8D 154
Furness Clo. Grays —3D 158
(in two parts)
Furness Way. Horn —7E 128
Furneux Pelham. —4G 11
Furrow Clo. S'way —1F 174
Furrowfelde. Bas —3B 134
Further Ford End. —2H 11
Further Meadow. Writ —2J 73
Furtherwick Rd. Can I —1H 153 (6E 42)
Furze Cres. Alr —7N 177
Furze Farm Clo. Romf —6K 111
Furze Glade. Bas —2K 133
Furze La. Gt Bro —1F 178
Furze La. Stock —9B 88 (6A 34)
Fusedale Way. S Ock —7C 146
Fyfield. —1D 32
Fyfield Av. W'fd —2K 119
Fyfield Clo. W H'dn —1N 131
Fyfield Ct. E7 —8G 125
Fyfield Dri. S Ock —7C 146
Fyfield Path. Ray —4G 121
Fyfield Rd. E17 —7D 108
Fyfield Rd. More —1C 32
Fyfield Rd. Ong —5L 69 (2C 32)
Fyfield Rd. Rain —1D 144
Fyfield Rd. Will —1E 32
Fyfield Rd. Wfd G —4J 109
Fyfields. Pits —8K 119

Gabion Av. Purf —2A 156
Gablefields. S'don —4K 75
Gables, The. Bark —8B 126
Gables, The. Bas —7J 119
Gables, The. Else —8C 196
Gables, The. Grays —2J 157
Gables, The. Har —4M 201
Gables, The. Lgh S —9N 121
Gables, The. Saw —2K 53
Gabriel Clo. Chaf H —1F 156
Gabriel Clo. Romf —4A 112
Gaces Acre. Newp —7D 204
Gadsden Clo. Upm —1B 130
Gadshill. —5K 49
Gadwall Reach. K'dn —8D 202
Gadwall Way. SE28 —9C 142
Gafzelle Dri. Can I —2L 153
Gager Dri. Tip —6E 212
Gage's Rd. Bel P —5E 8
Gaiger Clo. Chelm —4M 61
Gainsborough Av. E12 —7N 125
Gainsborough Av. Can I —2L 153
Gainsborough Av. Til —6C 158
Gainsborough Clo. Bill —7K 101
Gainsborough Clo. Clac S —7F 186
Gainsborough Clo. W Mer —3L 213
Gainsborough Ct. Brtwd —1F 114
(off Gt. Eastern Rd.)
Gainsborough Cres. Chelm —8N 61
Gainsborough Dri. Law —4G 165
Gainsborough Dri. Wclf S —3K 139
Gainsborough Ho. Dag —6G 126
(off Gainsborough Rd.)
Gainsborough Pl. Chig —9E 94
Gainsborough Pl. Hut —7N 99
Gainsborough Rd. E11 —2E 124 (4E 38)
Gainsborough Rd. Colc —1H 175
Gainsborough Rd. Dag —6G 126
Gainsborough Rd. Rain —1E 144
Gainsborough Rd. Sud —5J 9
Gainsborough Rd. Wfd G —3L 109
Gainsborough's House Museum. —5J 9
Gainsborough St. Sud —5J 9
Gains Clo. Can I —1K 153
Gainsfield Ct. E11 —5D 124
Gainsford Av. Clac S —9M 187
Gainsford End. —1B 14
Gainsford End Rd. Top —7B 8
Gainsthorpe Rd. Ong —2G 69 (2B 32)
Gaitskell Ho. E17 —7B 108
Gaitskell Ho. Grays —8L 147
(off Crammavill St.)
Galadriel Spring. S Fer —2J 105
Galahad Clo. Bur C —3L 195
Galeborough Av. Wfd G —4D 108
Gale St. Dag —7H 127 (5J 39)
Gales Way. Wfd G —4L 109
Galey Grn. S Ock —6E 146
Gall End La. Stans —2E 208
Galleon Boulevd. Dart —9A 156
Galleon Clo. Eri —2B 154
Gallery Rd. SE21 —4B 46
Galleydene. Ben —3J 137
Galleydene Av. Chelm —7D 74
Galleyend. —7E 74 (3B 34)
Galley Grn. Hail —1A 54
Galley Hill. Wal A —9F 64
Galley Hill Rd. Swans & N'fleet —3F 49
Galleyhill Rd. Wal A —3E 78 (4E 30)
Galley Roundabout. Brain —7M 193
Galleywood. —7C 74 (3A 34)
Galleywood Cres. Romf —3B 112
Galleywood Rd. Chelm —4B 74 (2A 34)
Galleywood Rd. Gt Bad —6E 74 (2A 34)
Galliard Rd. N9 —7C 30
Galliford Rd. H'bri —4K 203
Galliford Rd. Ind. Est. H'bri —3K 203
Gallions Clo. Bark —3F 142
Gallions Entrance. E16 —8B 142
Gallions Rd. E16 —7A 142
Gallops, The. Bas —1K 133
Galloway Dri. L Cla —2G 187
Gallows Corner. (Junct.) —5G 113 (2B 40)
Gallows Corner. —6G 112
Gallows Green. —5B 16
Gallows Grn. Rd. Lndsl —5G 13
Gallows Hill. Saf W —6J 205
Galpins Rd. T Hth —6A 46
Galsworthy Av. Romf —2G 126
Galsworthy Clo. SE28 —8G 142
Galsworthy Clo. Brain —1A 194
Galsworthy Rd. Til —6E 158
Galton Rd. Wclf S —6G 139
Gamble's Green. —4D 24
Gambleside. Bas —3F 134
Gamuel Clo. E17 —1A 124
Gandalfs Ride. S Fer —2J 105
Gandhi Clo. E17 —1A 124
Gandish Rd. E Ber —1J 17
Ganels Clo. Bill —9L 101
Ganels Rd. Bill —9L 101
Gangies Hill. Saw —1E 52 (4H 21)
Ganley Clo. Bill —6K 101
Gant Ct. Wal A —4F 78
Gants Hill. —1N 125 (3H 39)
Gants Hill. (Junct.) —1N 125 (3G 39)
Gantshill Cres. Ilf —9N 109
Gants Hill Cross. Ilf —1N 125 (3G 39)
Gap, The. A'den —1K 11
Gap, The. Hol S —7D 188
Garbutt Rd. Upm —4N 129

Golfe Rd.—Green Rd.

Golfe Rd. Ilf —5C 126
Golf Grn. Rd. Jay —4E 190 (5C 28)
Golf Ride. Ben —3D 136
Goodall Rd. E11 —5C 124
Goodchild Way. Gt Yel —7D 198
Good Easter. —5G 23
Gooderham Ho. Grays —9D 148
Goodfellow Gdns. H'std —4J 199
Goodfellows Chase. Tilty —6F 13
Goodge St. W1 —7A 38
Goodlake Clo. Har —5H 201
Goodliffe Pk. Bis S —7A 208
Goodman Rd. E10 —2C 124
Goodmans. Gt W —3M 141
Goodmans La. Gt L —3B 24
Goodmayes. —3F 126 (4J 39)
Goodmayes Av. Ilf —3F 126
Goodmayes La. Ilf —6F 126 (4J 39)
Goodmayes Rd. Ilf —3F 126 (4J 39)
Goodmayes Wlk. W'fd —1L 119
Goods Way. NW1 —6A 38
Goodview Rd. Bas —5B 118
Goodwins Clo. L'bry —2H 205
Goodwood Av. Horn —6J 129
Goodwood Av. Hut —5B 100
Goodwood Clo. Ben —8G 121
Goodwood Clo. Hod —4A 54
Goojerat Rd. Colc —1L 175
Goor Av. Can I —1K 153
Gooseberry Green. —5H 101 (7J 33)
Gooseberry Grn. Bill —5H 101
Goose Cotts. W'fd —7E 104
Goose Green. —7C 20
(nr. Hoddesdon)
Goose Green. —5C 18
(nr. Horsley Cross)
Goose Green. —6C 18
(nr. Tendring)
Goose La. L Hall —3A 22
Gooseley La. E6 —3A 142
Gooshays Dri. Romf —2J 113 (1C 40)
Gooshays Gdns. Romf —3J 113
Gordon Av. E4 —3E 108
Gordon Av. Horn —4D 128
Gordon Clo. E17 —1A 124
Gordon Clo. Bill —5H 101
Gordon Clo. E Til —5M 159
Gordon Hill. Enf —6B 30
Gordon Pl. Sth S —6L 139
Gordon Rd. E4 —6E 92
Gordon Rd. E11 —1G 124
Gordon Rd. E15 —6C 124
Gordon Rd. E18 —5H 109
Gordon Rd. Bark —1D 142
Gordon Rd. Bas —1E 134
Gordon Rd. Belv —2A 154
Gordon Rd. Chelm —4B 74
Gordon Rd. Corr —6K 41
Gordon Rd. Grays —9A 148
Gordon Rd. Har —5K 201
Gordon Rd. Horn H —2H 149
Gordon Rd. Ilf —5C 126
Gordon Rd. Lgh S —4A 138
Gordon Rd. Romf —1L 127
Gordon Rd. Shenf —7K 99
Gordon Rd. Sth S —6L 139
Gordon Rd. Stan H —1A 150
Gordon Rd. Wal A —4A 78
Gordons. Bas —1H 135
Gordon Sq. WC1 —6A 38
Gordon Way. Har —5K 201
Gorefield Rd. Tak —5N 209
Gore La. H Cro —2D 20
Gore La. Rayne —6C 192
Gore Pit. —6E 202 (2J 25)
Gore Rd. Dart —4D 48
Gore Rd. Rayne —6C 192 (7B 14)
Goresbrook Rd. Dag —1G 143 (6J 39)
Gore, The. Bas —9B 118
Goring Clo. Romf —5A 112
Goring Gdns. Dag —6H 127
Goring Rd. Colc —6C 168
Goring Rd. Dag —8B 128
Gorse Hill. F'ham —7C 48
Gorse La. Clac S —3E 28
Gorse La. Tip —7D 212
Gorse La. Ind. Est. Clac S —5M 187
Gorse Rd. Orp —7K 47
Gorse Wlk. Colc —8D 168
(in two parts)
Gorse Way. Jay —5D 190
Gorseway. Romf —3C 128
Gorse Way. S'way —2E 174
Gosbecks Rd. Colc —3H 175 (7D 16)
Gosbeck's View. Colc —4H 175
Gosfield. —4E 14
Gosfield Clo. Ray —4G 120
Gosfield Hall. —4D 14
Gosfield Hall Dri. Gosf —4D 14
Gosfield Rd. Colc —6A 176
Gosfield Rd. Dag —4M 127
Gosfield Rd. Gosf —5D 14
Gosfield Rd. Weth —3B 14
Gosford Gdns. Ilf —9M 109
Goshawk Dri. Chelm —5C 74
Gosland Green. —1D 8
Goslings. Sil E —2K 207
Goslings, The. Shoe —7L 141
Gosport Dri. Horn —8G 128
Gosport Rd. E17 —3D 38
Gosset St. E2 —6C 38
Gossetts, The. The Mar R —6F 23
Goss Hill. Swan —5B 48
Goswell Rd. EC1 —6A 38
Gough Rd. E15 —6F 124
Gould Clo. More —1B 32
Gouldings Av. W on N —6L 183
Goulds Cotts. Abr —2G 94
Goulds Rd. Alph —1J 15
Goul La. Saf W —4K 205
Goulton Rd. Chelm —2J 61
Gourney Gro. Grays —7L 147
Government Row. Enf —8A 78
Govier Clo. E15 —9E 124
Gowan Brae. Ben —1B 136
Gowan Clo. Ben —1B 136
Gowan Ct. Ben —1B 136
Gower Ho. E17 —7A 108
Gower Rd. E7 —8G 125
Gowers Av. Chelm —4F 74
Gowers La. Ors —9B 148
Gowers, The. H'low —1F 56
Gower St. WC1 —6A 38
Goya Rise. Shoe —6L 141
Goy Av. Rain —4G 144
Goy Grn. W'hoe —3J 177
Goy Rd. Corr —2C 150
Grace Clo. Ilf —3E 110
Graces Clo. Wthm —8D 214
Graces La. L Bad —1B 76 (1D 34)
Graces Wlk. Frin S —8K 183
Grace's Wlk. L Bad —9F 62
Graften Pl. Chelm —7B 62
Grafton Gdns. Dag —4K 127
Grafton Rd. Can I —3J 153
Grafton Rd. Dag —4K 127
Grafton Rd. Har —3M 201
Graham Clo. Bill —3K 101
Graham Clo. Hock —9D 106
Graham Clo. Hut —4M 99
Graham Clo. Stan H —1N 149
Grahame Ho. Sth S —3A 140
Graham Mans. Bark —9F 126
(off Lansbury Av.)
Graham Rd. E8 —5C 38
Grainger Clo. Sth S —4M 139
Grainger Rd. Sth S —5M 139
Grainger Rd. Ind. Est. Sth S —5M 139
Gramer Clo. E11 —4D 124
Grampian. Wclf S —5K 139
Grampian Gro. Chelm —5F 60
Granaries, The. Wal A —4E 78
Granary Clo. Latch —4K 35
Granary Ct. D'mw —9L 197
Granary Ct. Saw —2K 53
Granary Meadow. Wy G —6H 85
Granary, The. Roy —2H 55
Granchester Ct. H'wds —3C 168
Grand Ct. W. Lgh S —6E 138
(off Grand Dri.)
Grand Depot Rd. SE18 —1G 47
Grand Dri. Lgh S —6E 138 (5H 43)
Grand Pde. N4 —3A 38
Grand Pde. Lgh S —6E 138 (5H 43)
Grandview Rd. Ben —8F 120
Grange Av. Ben —1N 137
Grange Av. May —4E 204 (4A 36)
Grange Av. W'fd —1J 119
Grange Av. Wfd G —3G 108
Grange Clo. H'std —7K 199
Grange Clo. Ingve —2M 115
Grange Clo. Lgh S —3D 138
Grange Clo. W on N —7K 183
Grange Clo. Wfd G —4G 108
Grange Ct. Chelm —3A 74
Grange Ct. Lou —4K 93
Grange Ct. Wal A —4C 78
Grange Cres. SE28 —6H 143
Grange Cres. Chig —2C 110
Grange Farm Av. Felix —1K 19
Grange Farm Rd. Colc —2D 176
Grange Gdns. Ray —4H 121
Grange Gdns. Sth S —6N 139
Grange Grn. Tilty —5E 12
Grange Hill. —2C 110 (2H 39)
Grange Hill. Cogg —9K 195 (7H 15)
Grange Hill. G'std G —5G 15
Grange Ho. Eri —7E 154
Grange La. D'ham —4H 103
Grange La. Hart —7F 49
Grange La. L Dun —1H 23
Grange La. Roy —3J 55
Grange Pde. Bill —9L 101
Grange Park. —7A 30
Grange Pk. E10 —4B 124
Grange Pk. Dri. Lgh S —4E 138
Grange Pk. Rd. E10 —3B 124
Granger Av. Mal —7J 203
Grange Rd. E10 —3A 124
Grange Rd. E16 —6E 38
Grange Rd. SE1 —1B 46
Grange Rd. Ave —8N 145
Grange Rd. Bas —7M 119
Grange Rd. Ben —7E 120
(in two parts)
Grange Rd. Bill —9L 101 (1K 41)
Grange Rd. Dux —4H 5
Grange Rd. Felix —1K 19
Grange Rd. Grays —4L 157
Grange Rd. Gt Hork —9J 161
Grange Rd. Har —5J 201
Grange Rd. I'tn —5J 5
Grange Rd. Ilf —6A 126
Grange Rd. Law —1C 170 (4J 17)
Grange Rd. Lgh S —5C 138
Grange Rd. Ples —2A 58 (4J 23)
Grange Rd. Romf —3F 112
Grange Rd. T Hth & SE19 —6B 46
Grange Rd. T'ham —3E 36
Grange Rd. Tip —5A 212 (4J 25)
Grange Rd. W'fd —6K 103
Grange Rd. W Bis —8J 213 (6G 25)
Granger Pl. Can I —3K 153
Granger Way. Romf —1E 128
Grange, The. Hod —6A 54
Grangeway. Ben —9G 121
Grange Way. Colc —2D 176
Grange Way. Eri —5L 154
Grange Way. Wfd G —1J 109
Grange Way Bus. Pk. Colc —3D 176
Grangeway Gdns. Ilf —9L 109
Grangewood. Ben —1D 136
Grangewood Av. Grays —1A 158
Grangewood Av. Rain —4G 144
Grangewood Clo. Brtwd —9J 99
Granites Chase. Cray H —1A 118
Granleigh Rd. E11 —4E 124
Gransmore Green. —7K 13
Granta Clo. Gt Che —4L 197
Grant Clo. W'fd —2M 119
Grant Ct. E4 —7C 92
(off Ridgeway, The)
Grantham Ct. Colc —8A 168
Grantham Ct. Romf —2L 127
Grantham Gdns. Romf —1L 127
Grantham Rd. E12 —6N 125
Grantham Rd. Gt Hork —9J 161
Grantham Way. Grays —8K 147
Grantley Clo. Cop —1M 173
Grantock Rd. E17 —5D 108
Granton Av. Upm —5K 129
Granton Rd. Ilf —3F 126
Granville Clo. Ben —2E 136
Granville Clo. Bill —3H 101
Granville Clo. W Ber —4F 166
Granville Gdns. Hod —1A 54
Granville Rd. E17 —1B 124
Granville Rd. E18 —6H 109
Granville Rd. Clac S —1K 191
Granville Rd. Colc —1B 176
Granville Rd. Epp —8G 66
Granville Rd. Hock —7E 106
Granville Rd. Ilf —3A 126
Granville Ter. Bur C —4M 195
Granville Way. B'sea —6F 184
Grapnells. Bas —2G 135
Grasby Clo. W'hoe —4H 177
Grasmead Av. Lgh S —4E 138
Grasmere Av. Hull —5J 105
Grasmere Clo. Brain —2C 198
Grasmere Clo. Lou —1M 93
Grasmere Gdns. Ilf —9L 109
Grasmere Gdns. Kir X —7J 183
Grasmere Rd. Ben —9E 120
Grasmere Rd. Bexh —7A 154
Grasmere Rd. Can I —2E 152
Grassfields. Kir X —8H 183
Grass Green. —6B 8
Grassmere. H'wds —2B 168
Grassmere Rd. Horn —8K 113
Grass Rd. H'std —8J 199
Grass Rd. Til —4K 159
Gratmore Grn. Bas —3F 134
Gravel Clo. Chig —8F 94
Gravel Hill. Bexh —3K 47
Gravel Hill. Lou —8G 78 (5F 31)
Gravel Hill. Nay —1D 16
Gravel Hill Way. Har —6H 201
Gravel La. Chig —8F 94 (7J 31)
Gravelly La. Brau —6E 10
Gravel Pit Hill. Thri —3H 5
Gravel Rd. Brom —7G 47
Gravel Rd. Lgh S —7A 122
Gravel, The. Cogg —8K 195 (7H 15)
Gravesend. —6G 11
Gravesend Rd. High —5K 49
Gravesend Rd. Shorne —5K 49
Graves Hall Rd. Sib H —4A 206 (1D 14)
Gray Av. Dag —3L 127
Gray Gdns. Rain —8E 128
Graylands. Grays —4H 157
Graylands. They B —7C 80
Grayling Clo. Brain —8G 192
(in two parts)
Grayling Dri. Colc —6F 168
Gray Rd. Colc —9L 167
Grays. —3K 157 (2F 49)
Grays Av. Bas —5L 133
Grays Clo. W Mer —3K 213
Grays Cottage. Colc —8B 168
Grays Ct. Dag —9N 127
Gray's End Clo. Grays —1K 157
Gray's Inn Rd. WC1 —6A 38
Gray's La. Weth —2B 14
Grays Mead. Sib H —5B 206
Graysons Clo. Ray —5L 121
Grays Wlk. Hut —6N 99
Great Abington. —1B 6
Great Amwell. —5D 20
Great Baddow. —3G 75 (2B 34)
Great Bardfield. —3J 13
Great Bardfield Cage. —3J 13
Great Bardfield 'Gibraltar' Towermill. —3K 13
Great Bentley. —6K 179 (7A 18)
Gt. Bentley Rd. Frat —3F 178 (1K 27)
Great Berry. —3J 41
Gt. Berry Farm Chase. Bas —2J 133
Gt. Berry La. Bas —2J 133
(in two parts)
Gt. Blunts Cotts. Stock —2L 101
Great Braxted. —4J 25
Gt. Brays. H'low —4F 56
Great Bromley. —6D 170 (5K 17)
Gt. Burches Rd. Ben —8G 120
Great Burstead. —2L 117 (1K 41)
Great Cambridge Junction. (Junct.) —1B 38
Gt. Cambridge Rd. N9 —1B 38
Gt. Cambridge Rd. N17 & N18 —2B 38
Gt. Cambridge Rd. Enf & Wal X —7B 30
Great Canfield. —2E 22
Gt. Canfield Rd. Tak —8D 210 (1D 22)
Great Chesterford. —3L 197 (4A 6)
Great Chishill. —6G 5
Great Chishill Postmill. —6F 5
Great Clacton. —9J 187 (3D 28)
Great Cob. Chelm —6N 61
Great Cornard. —5K 9
Gt. Cullings. Romf —4C 128
Gt. Dover St. SE1 —1B 46
Great Dunmow. —8L 197 (7G 13)
Gt. Eastern Av. Sth S —5M 139
Gt. Eastern Rd. E15 —9D 124 (5E 38)
Gt. Eastern Rd. Brtwd —1F 114
Gt. Eastern Rd. Hock —2D 122
Gt. Eastern St. EC2 —6B 38
Great Easton. —6F 13
Greate Ho. Farm Rd. Lay H —9H 175
Greatfields Rd. Bark —1C 142
Gt. Fleete Way. Bark —2H 143
Gt. Fox Meadow. Kel H —8C 84
Gt. Galley Clo. Bark —3H 143
Gt. Gardens Rd. Horn —1F 128
Gt. Gibcracks Chase. S'don —8A 76
Gt. Godfreys. Writ —1H 73
Gt. Gregorie Bas —1A 134
Gt. Gregories La. Epp —3D 80
Gt. Hadham Rd. M Hud —2H 21
Great Hallingbury. —2A 22
Gt. Harrods. W on N —7K 183
Gt. Hays. Lgh S —1B 138
Great Henny. —7J 9
Great Holland. —2D 188 (2F 29)
Great Holland Common. —3A 188 (2F 29)
Gt. Holland Comn. Rd. Hol S —3A 188 (2E 28)
Great Holland Pits Nature Reserve. —2B 188 (2F 29)
Great Horkesley. —7J 161 (3D 16)
Great Hormead. —4F 11
Greathouse Chase. Fob —8D 134
Gt. Knightleys. Bas —9M 117 (3K 41)
Gt. Lawn. Ong —6L 69
Great Leighs. —1M 59 (3B 24)
Gt. Leighs Way. Bas —6K 119
Gt. Leylands. H'low —4F 56
Great Maplestead. —1F 15
Gt. Marlborough St. W1 —7A 38
Gt. Mead. Shoe —5J 141
Gt. Meadow. Brox —1A 64
Gt. Mistley. Bas —1D 134
Great Munden. —7C 10
Gt. Nelmes Chase. Horn —9K 113
Great Notley. —1B 198 (1C 24)
Gt. Notley Av. Bla N —3C 198
Gt. Oak Ct. Gt Yel —8D 198
Great Oakley. —5E 18
Gt. Oaks. Bas —9B 118
Gt. Oaks. Chig —1B 110
Gt. Oaks. Hut —5L 99
Gt. Owl Rd. Chig —9N 93
Gt. Oxcroft. Bas —9K 117
Great Oxney Green. —1H 73 (1J 33)
Great Parndon. —5A 56 (7G 21)
Gt. Plumtree. H'low —1E 56
Gt. Portland St. W1 —7A 38
Gt. Prestons La. Stock —8C 88 (5A 34)
Gt. Queen St. WC2 —7A 38
Gt. Ranton. Pits —7K 119
Gt. Ropers La. War —3D 114 (2E 40)
Great Saling. —6A 14
Gt. Saling. W'fd —1A 120
Great Sampford. —1G 13
Gt. Smails. S Fer —2J 105
Gt. Spenders. Bas —7E 118
Great Sq. Brain —5H 193
Great Stambridge. —2K 43
Great Tey. —2E 172 (5K 15)
Gt. Tey Rd. L Tey —6K 15
Great Thurlow. —1J 7
Great Totham. —7N 213
Great Totham North. —5J 25
Gt. Totham Rd. W Bis —7L 213 (5H 25)
Great Totham South. —6H 25
Great Wakering. —2L 141 (4C 44)
Great Waldingfield. —4K 9
Great Waltham. —4H 59 (5K 23)
Great Waltham Guildhall. —5H 59 (5K 23)
Great Warley. —5D 114 (2E 40)
Gt. Warley St. Gt War —5D 114 (2E 40)
Gt. Wheatley Rd. Ray —5G 120
Great Wigborough. —4D 26
Great Wood Nature Reserve. —2M 137 (4F 43)
Great Wratting. —1K 7
Great Yd. H'std —6K 199
Great Yeldham. —8D 198 (6D 8)
Gt. Yeldham Rd. Top —7C 8
Greaves Clo. Bark —9C 126
Grebe Clo. E7 —7F 124
Grebe Clo. May —3D 204
Grebe Crest. W Thur —2D 156
Greding Wlk. Hut —8L 99
Greenacre Gdns. E17 —8C 108
Greenacre La. Stock —9N 87
Greenacre M. Lgh S —4D 138
Greenacres. Ben —3L 137
Greenacres. Clac S —8L 187
Green Acres. Cogg —9K 195
Greenacres. Colc —4M 167
Greenacres. Epp —8E 66
Greenacres Clo. Rain —3J 145
Green Acres Rd. Lay H —9G 175
Green Av. Can I —2E 152
Greenaway Cvn. Pk. Stans —5F 208
(off Old Burylodge La.)
Green Bank Clo. E4 —8C 92
Greenbank Clo. Romf —9H 97
Greenbanks. Lgh S —4F 138
Green Banks. Upm —4B 130
Green Clo. Chelm —7M 61
Green Clo. Epp G —3A 66
Green Clo. Hat P —3N 63
Green Clo. Writ —1K 73
Greencotes. Else —8C 196
(off Robin Hood Rd.)
Green Ct. Rd. Swan —7A 48
Green Dragon La. N21 —7A 30
Greendyke. Can I —9F 136
Green End La. Gt Hol —9D 182
Greene View. Brain —8K 193
Green Farm La. Shorne —4K 49
Green Farm Rd. Coln E —3H 15
Greenfield. Wthm —6D 214
Greenfield Dri. Gt Tey —2D 172
Greenfield Gdns. Dag —1J 143
Greenfield Houses. B'ch —8C 174
Greenfield Rd. Dag —1H 143
Greenfields. Bill —8J 101
Greenfields. Frin S —7J 183
Greenfields. Gosf —4E 14
Greenfields. Lou —3N 93
Greenfields. Stans —2D 208
Greenfields Clo. Bill —8J 101
Greenfields Clo. Gt War —3F 114
Greenfields Clo. Lou —3N 93
Greenfield St. Wal A —4C 78
Greenfinch End. Colc —7F 168
Greenford Rd. Clac S —1G 191
Greengates Home Pk. Wee H —1G 186
Greengate St. E13 —6F 38
Green Glade. They B —7D 80
Green Glades. Horn —1K 129
Greenheys Dri. E18 —7F 108
Greenhill. Buck H —7J 93
Greenhill Gro. E12 —6L 125
Greenhills. H'low —3D 56
Greenhithe. —9E 156 (3E 48)
Greenhurst Rd. B'sea —7F 184
Greenlands. R'fd —3J 123
Green La. E4 —9E 78
Green La. SE9 & Chst —4G 47
Green La. SE20 —5C 46
Green La. SW16 & T Hth —5A 46
Green La. Aldh —6A 16
Green La. Alth —4A 36
Green La. A'lgh —9K 163
Green La. Bas —2N 133
Green La. B'more —1G 85
Green La. Boxt —3L 161 (2E 16)
Green La. Brtwd —7D 98
Green La. Brox —2B 64
Green La. Bur C —6B 36
Green La. Can I —2F 152
Green La. Chig —7B 94
Green La. Colc —4E 168
(in two parts)
Green La. C Hth —6H 169 (5H 17)
Green La. D'mw —7K 197
Green La. Gt Hork —1K 167
Green La. Gt Walt —8E 58
Green La. Gt War —4D 114
Green La. Ilf & Dag —4C 126 (4H 39)
Green La. Kel H —6D 32
Green La. Lgh S —8C 122
Green La. L Bur —3E 116
(Botney Hill)
Green La. L Bur —5J 117
(Chase, The)
Green La. L Tot —6K 25
Green La. Meop —7H 49
Green La. Mis —5J 165
Green La. N'side —1N 97
Green La. Ors —5M 147
Green La. Pil H —4F 98
Green La. Rox —1H 33
(in two parts)
Green La. S Fer —9K 91
Green La. Strat M —1H 17
Green La. Thr B —4M 57 (7K 21)
Green La. Tip —5D 212
Green La. Upm —1A 146
Green La. Wal A —4J 79
Green La. W on N —4N 183
Green La. Wee H —8E 180
Green La. Whi N —2C 24
Green Lanes. N4 & N16 —3A 38
Green Lanes. N8 —3A 38
Green Lanes. N13 & N21 —2A 38
Greenlawns. L Cla —3G 187
Greenleafe Dri. Ilf —7A 110
Greenleaf Rd. E17 —7A 108
Greenleas. Ben —9H 121
Greenleas. Wal A —4E 78
Green Man La. L Brax —5H 25
Green Mnr. Way. Grav —9J 157
Green Man Roundabout. (Junct.) —2F 124 (3E 38)
Green Mead. S Fer —1J 105
Green Meadows. Dan —4G 77
Green Oaks Clo. Ben —3E 136
Greenock Way. Romf —4C 112
Green Point. E15 —8E 124
Green Ride. Epp —5A 80
Green Ride. Lou —3J 93
Green Rd. Ben —5D 136
Green Rd. Dart —5E 48

Green Rd.—Halstead Rd.

Green Rd. H'std —9H 199
Greens Clo., The. Lou —1N 93
Greens Farm La. Bill —6L 101 (7K 33)
Greenshaw. Brtwd —7D 98
Green Side. Dag —3H 127
Greenslade Rd. Bark —9C 126
Greensmill. Law —3G 165
Greenstead. —7E 168 (6F 17)
Greenstead. Saw —3K 53
Greenstead Av. Wfd G —4J 109
Greenstead Clo. Hut —6A 100
Greenstead Clo. Wfd G —3J 109
Greenstead Ct. Colc —9D 168
Greenstead Gdns. Wfd G —3J 109
Greenstead Green. —9M 199 (5G 15)
Greenstead Rd. Colc —8C 168 (6F 17)
Greenstead Roundabout. Colc —9D 168
Greensted. —8H 69 (3B 32)
Greensted Clo. Bas —1G 135
Greensted Green. —7E 68 (3B 32)
Greensted Rd. Lou —6L 93
Greensted Rd. Ong —7E 68 (3B 32)
Greensted Saxon Wooden Church. —8H 69 (3B 32)
Greensted, The. Bas —1G 134
Greenstone M. E11 —1G 124
Green Street. —7H 11 (nr. Bishop's Stortford)
Green Street. —4M 85 (5G 33) (nr. Mountnessing)
Green St. E7 & E13 —8H 125 (5F 39)
Green St. Dart —4C 48
Green St. Else —2M 209
Green St. Enf —6C 30
Green St. Gt Can —2D 22
Green St. Ing —3M 85 (4G 33)
Green Street Green. —5E 48
Greensward La. Hock —1D 122 (1H 43)
Green's Yd. Colc —8M 167
Green, The. —4C 194 (2D 24)
Green, The. E4 —7D 92 (7E 30)
Green, The. E11 —1H 125
Green, The. E15 —8F 124
Green, The. N9 —1C 38
Green, The. N14 —1A 38
Green, The. N21 —7A 30
Green, The. B'more —1H 85 (4F 33)
Green, The. Buck H —7H 93
Green, The. Chelm —7H 61
Green, The. Chig S —3B 60
Green, The. Fee —9A 172
Green, The. Har —5G 201
Green, The. Hat P —3N 63
Green, The. Hav —9C 96
Green, The. Lgh S —8D 122
Green, The. Mis —4L 165
Green, The. Noak H —9G 97
Green, The. Ors —5C 148
Green, The. Saf W —2K 205
Green, The. Sidc —5J 47
Green, The. S Ock —3G 146
Green, The. Stan H —4M 149
Green, The. Ten —2F 190
Green, The. They B —6C 80 (5H 31)
Green, The. Til —2H 49
Green, The. Wal A —4C 78
Green, The. Wen —7J 145
Green, The. W Til —4G 158
Green, The. Widd —4A 12
Green, The. Wfd G —2G 109
Green, The. Writ —1K 73 (1J 33)
Green Trees. Epp —1F 80
Grn. Trees Av. Cold N —4H 35
Green Tye. —2H 21
Greenview. Can I —9F 136 (off Helmsdale)
Green View Pk. Clac S —7L 187
Green Wlk. Dart —9D 154
Green Wlk. Lou —6L 93
Green Wlk. Ong —9K 69
Green Wlk. Wfd G —3L 109 (2G 39)
Green Wlk., The. E4 —7D 92
Greenway. Bill —7M 101
Green Way. Coln E —3H 15
Greenway. Dag —4H 127
Greenway. Frin S —9J 183
Greenway. H'low —3L 55
Greenway. Hut —6K 99
Greenway. Romf —3M 113
Green Way. Wfd G —2J 109
Greenway Av. E17 —8D 108
Greenway Clo. Clac S —6M 187
Greenway Gdns. Brain —1D 198
Greenways. Ben —4C 136
Greenways. Can I —9F 136
Greenways. Chelm —5K 61
Greenways. Fee —7D 202
Greenways. Gosf —4E 14
Greenways. Mal —6J 203
Greenways. R'fd —5L 123
Greenways. Saf W —6L 205
Greenways. Sth S —7C 140
Greenways Ct. Horn —1H 129
Greenways, The. Cogg —7L 195
Greenway, The. Clac S —6M 187
Greenway, The. Runw —5K 103
Greenwich. —2E 46
Greenwich Borough Museum. —1H 47 (off Speranza St.)
Greenwich High Rd. SE8 —2D 46
Greenwich Park. —2E 46
Greenwich S. St. SE10 —2E 46
Greenwood Av. Ben —5E 136
Greenwood Av. Dag —6N 127
Greenwood Dri. E4 —2D 108
Greenwood Gdns. Ilf —4B 110
Greenwood Gro. Colc —4C 168
Greenwood Mans. Bark —9F 126 (off Lansbury Av.)
Greenwood Rd. Chig —1G 110
Greenyard. Wal A —3C 78
Greg Clo. E10 —1C 124
Gregory Clo. Hock —3E 122
Gregory Rd. Romf —8J 111
Gregory St. Sud —5J 9
Gregson's Ride. Lou —8N 79
Grendel Way. Hol S —7C 188
Grenfell Av. Hol S —6B 188
Grenfell Av. Horn —3D 128
Grenfell Clo. Colc —6C 168
Grenfell Gdns. Ilf —9E 110
Grennan Clo. Ingve —3N 115
Grenville Gdns. Wfd G —5J 109
Grenville Rd. Brain —6G 193
Gresham Clo. Brtwd —9F 98
Gresham Ct. Brtwd —9F 98
Gresham Dri. Romf —9G 110
Gresham Lodge. E17 —9B 108
Gresham Rd. Brtwd —9F 98
Gresley Clo. Colc —5N 167
Grevatt Lodge. Pits —1J 135
Greville Clo. W on N —2M 183
Greville Rd. E17 —8C 108
Greyfriars. Hut —6L 99
Greygoose Pk. H'low —6N 55
Greyhound Hill. L'ham —4E 162 (3G 17)
Greyhound La. SW16 —5A 46
Greyhound La. Ors —9C 148
Greyhound Retail Pk. Sth S —5M 139
Greyhound Ter. SW16 —6A 46
Greyhound Way. Sth S —5M 139
Grey Ladys. Chelm —8C 74
Greys Hollow. R Grn —3A 12
Greystone Gdns. Ilf —6B 110
Greystone Path. E11 —2F 124 (off Mornington Rd.)
Greystones Clo. Colc —3H 175
Grey Towers. Horn —2G 129
Grey Towers Av. Horn —3H 129
Grey Towers Gdns. Horn —2G 129
Gridiron Pl. Upm —4M 129
Grieves Ct. S'way —2D 174
Griffin Av. Can I —9J 137
Griffin Av. Hat P —3L 63
Griffin Av. Upm —1B 130
Griffin Rd. SE18 —1H 47
Griffins, The. Grays —9L 147
Griffith Clo. Dag —3H 127
Grifon Rd. Chaf H —2F 156
Griggs App. Ilf —4B 126 (4H 39)
Griggs Gdns. Horn —7G 129
Griggs Rd. E10 —1C 124
Grimshaw Way. Romf —9D 112
Grimstone Clo. Romf —3N 111
Grimston Rd. Bas —7G 119
Grimston Rd. Colc —2A 176
Grimston Way. W on N —7L 183
Grinstead La. L Hall —3A 22
Grip, The. Lin —2C 6
Groom Pk. Clac S —9J 187
Groom Side. Brain —6J 193
Grooms La. Sil E —3M 207
Grosvenor Av. N5 —5B 38
Grosvenor Clo. Chelm —3E 74
Grosvenor Clo. Lou —9A 80
Grosvenor Clo. Tip —6D 212
Grosvenor Ct. E10 —3B 124
Grosvenor Ct. Sth S —4L 139
Grosvenor Ct. Wclf S —7H 139
Grosvenor Dri. Horn —3G 128
Grosvenor Dri. Lou —1A 94
Grosvenor Gdns. Bill —4J 101
Grosvenor Gdns. Upm —3A 130
Grosvenor Gdns. Wfd G —3G 109
Grosvenor Ho. Bis S —9A 208
Grosvenor Mans. Wclf S —6H 139 (off Grosvenor Rd.)
Grosvenor M. Wclf S —7H 139
Grosvenor Pk. Rd. E17 —9A 108
Grosvenor Path. Lou —9A 80
Grosvenor Rise E. E17 —9B 108
Grosvenor Rd. E7 —8H 125
Grosvenor Rd. E10 —3C 124
Grosvenor Rd. E11 —9H 109
Grosvenor Rd. N10 —2A 38
Grosvenor Rd. SW1 —2A 46
Grosvenor Rd. Ben —6E 136
Grosvenor Rd. Dag —3L 127
Grosvenor Rd. Ilf —5B 126
Grosvenor Rd. Ors —6F 148
Grosvenor Rd. Romf —2B 128
Grosvenor Rd. Wclf S —7H 139
Grove Av. N10 —2A 38
Grove Av. Bas —3K 133
Grove Av. W on N —6L 183
Grove Av. W Mer —4K 213
Grovebury Clo. Eri —4B 154
Grovebury Rd. SE2 —9G 143
Grove Clo. Ray —5M 121
Grove Cotts. Cop —4M 173
Grove Ct. D'mw —9M 197
Grove Ct. Ray —6N 121
Grove Ct. Wal A —3B 78
Grove Ct. Wclf S —3G 139
Grove Cres. E18 —6F 108
Grove Cres. Rd. E15 —8D 124
Grove End. E18 —6F 108
Grove Farm Rd. Tip & Tol M —4K 25
Grove Field. Brain —5D 14
Grove Flats, The. W on N —6L 183
Grove Gdns. E15 —8E 124
Grove Gdns. Dag —5A 128
Grove Grn. Rd. E10 & E11 —4E 38
Grove Grn. Rd. E11 —5C 124
Groveherst Rd. Dart —8K 155
Grove Hill. E18 —6F 108
Grove Hill. Ded —4K 163
Grove Hill. L'ham —4F 162 (3G 17)
Grove Hill. Lgh S —8A 122
Grove Hill. Stans —2E 208 (6A 12)
Grove Ho. War —1E 114
Grovelands Rd. W'fd —1L 119
Grovelands Way. Grays —3J 157
Grove La. SE5 —2B 46
Grove La. Chig —9E 94
Grove La. Epp —9F 66
Grove La. Hark —1F 19
Grove Orchard. Brain —5D 14
Grove Park. —4F 47
Grove Pk. E11 —1H 125
Grove Pk. Av. E4 —4B 108
Grove Pk. Rd. SE12 —4F 47
Grove Pk. Rd. Rain —1E 144
Grove Pl. Bark —1B 142
Grove Rd. E4 —1C 108
Grove Rd. E9 —6C 38
Grove Rd. E11 —2F 124
Grove Rd. E17 —1B 124 (3D 38)
Grove Rd. E18 —6F 108
Grove Rd. Ben —4D 136
Grove Rd. B'ley —1A 18
Grove Rd. Bexh —9A 154
Grove Rd. Bill —6H 101
Grove Rd. Can I —1J 153
Grove Rd. Chelm —1C 74
Grove Rd. Felix —1K 19
Grove Rd. Grays —4L 157
Grove Rd. L Cla —9H 181
Grove Rd. L Hth —2G 127
Grove Rd. Mitc —6A 46
Grove Rd. Ray —5M 121 (2F 43)
Grove Rd. Romf —4J 39
Grove Rd. Stan H —5M 149
Grove Rd. Tip —6D 212 (3K 25)
Grover Wlk. Corr —2A 150
Groves Clo. S Ock —7C 146
Groveside Rd. E4 —8E 92
Grove St. SE8 —1D 46
Grove, The. (Junct.) —4C 46
Grove, The. E15 —8E 124 (5E 38)
Grove, The. Bick —9F 76
Grove, The. Bill —4L 101
Grove, The. Brtwd —1C 114
Grove, The. Clac S —2K 191
Grove, The. E Col —3C 196
Grove, The. Sth S —4N 139
Grove, The. Stan H —5M 149
Grove, The. Upm —7M 129
Grove, The. Wthm —5D 214 (4G 25)
Grove Vale. SE22 —3B 46
Grove Vs. Gt Sal —6A 14
Grove Wlk. Shoe —7J 141
Groveway. Dag —5J 127
Grovewood Av. Lgh S —8A 122
Grovewood Clo. Lgh S —8A 122
Grovewood Pl. Wfd G —3M 109
Grubb St. —6E 48
Grymes Dyke Ct. S'way —9F 166
Gryme's Dyke Way. S'way —3F 174
Guardian Bus. Cen. H Hill —4H 113
Guardian Clo. Horn —3F 128
Guardsman Clo. War —2G 115
Gubbins La. Romf —4K 113 (2C 40)
Guelph's La. Thax —2K 211
Guernsey Ct. Mal —6J 203
Guernsey Gdns. W'fd —7L 103
Guernsey Rd. E11 —3D 124
Guernsey Way. Brain —6F 192
Guildford Gdns. Romf —3J 113
Guildford Rd. E17 —5C 108
Guildford Rd. Colc —7A 168
Guildford Rd. Ilf —4D 126
Guildford Rd. Romf —3J 113
Guildford Rd. Sth S —5M 139
Guildhall Way. A'dn —5D 6
Guild Rd. Eri —5D 154
Guild Way. S Fer —1L 105
Guilfords. H'low —7J 53
Guilford St. WC1 —6A 38
Guinea Clo. Brain —4M 193
Guithavon Rise. Wthm —5C 214
Guithavon Rd. Wthm —6C 214
Guithavon St. Wthm —5C 214
Guithavon Valley. Wthm —5C 214 (4F 25)
Gulls Croft. Brain —5M 193
Gull's La. Ded —5N 163
Gull Wlk. Horn —9F 128
Gulpher Rd. Felix —1K 19
Gumley Rd. Grays —4G 157
Gunfleet. Shoe —7G 141
Gunfleet Clo. W Mer —2J 213
Gun Hill. Ded —1H 163 (2G 17)
Gun Hill. W Til —4F 158 (2H 49)
Gun Hill Pl. Bas —1D 134
Gunners Gro. E4 —9C 92
Gunners Rd. Shoe —7L 141
Gurdon Rd. Colc —3N 175
Gurenne Ct. E4 —7C 92
Gurney Benham Clo. Colc —2J 175
Gurney Clo. E15 —7E 124
Gurney Clo. Bark —8A 126
Gurney Rd. E15 —7E 124
Gurton Rd. Cogg —7L 195
Gustedhall La. Hock —5D 122 (2H 43)
Gutteridge Hall La. Wee —7B 180 (1C 28)
Gutteridge La. Stap A —5A 96
Gutters La. Broom —4K 61
Guys Farm Rd. S Fer —1K 105
Guysfield Clo. Rain —1E 144
Guysfield Dri. Rain —1E 144
Guys Retreat. Buck H —6J 93
Gwendalen Av. Can I —1K 153
Gwyn Clo. Bore —2F 62
Gwynne Pk. Av. Wfd G —3M 109
Gwynne Rd. Har —3M 201
Gyllyngdune Gdns. Ilf —4E 126
Gypsy Farm Rd. Fee —7E 172
Gypsy La. Gt Amw —6D 20

Haarlem Rd. Can I —1D 152
Haarle Rd. Can I —3K 153
Haase Clo. Can I —8G 137
Habgood Rd. Lou —2L 93
Hackamore. Ben —1H 137
Hackman's La. Cock C —7L 77 (3F 35)
Hackney. —5C 38
Hackney Rd. E2 —6B 38
Hackney Wick. —8A 124 (5D 38)
Hackney Wick. (Junct.) —5D 38
Hackney Wick Stadium. —8A 124 (5D 38)
Hacks Dri. Ben —8H 121
Hacton. —7K 129 (5C 40)
Hacton Dri. Horn —6H 129
Hacton La. Horn & Upm —4K 129 (4C 40)
Hacton Pde. Horn —5K 129
Haddon Clo. Ray —3G 120
Haddon Mead. S Fer —3K 105
Haddon Pk. Colc —9C 168
Hadfelda Sq. Hat P —2L 63
Hadfield Rd. Stan H —4M 149
Hadham Cross. —2G 21
Hadham Ford. —1G 21
Hadham Rd. Bis S —1J 21
Hadham Rd. Stdn —7E 10
Hadleigh. —3L 137 (4F 43)
Hadleigh Castle. —6K 137 (4F 43)
Hadleigh Castle Country Park. —6K 137 (5F 43)
Hadleigh Ct. E4 —6E 92
Hadleigh Ct. Brtwd —9D 98
Hadleigh Ct. Saf W —3M 205 (off Carnation Dri.)
Hadleigh Hall Ct. Lgh S —5B 138 (off Hadleigh Rd.)
Hadleigh Pk. Av. Ben —3J 137
Hadleigh Rd. Clac S —9F 186
Hadleigh Rd. E Ber —1J 17
Hadleigh Rd. Frin S —9J 183
Hadleigh Rd. Hghm —1G 17
Hadleigh Rd. Hol M —1J 17
Hadleigh Rd. Lgh S —5B 138 (4G 43)
Hadleigh Rd. Wclf S —7K 139
Hadley Clo. Brain —5D 14
Hadley Grange. H'low —4H 57
Hadley Rd. Cockf & Enf —5A 30
Hadley Way. N21 —7A 30
Hadrian Clo. Colc —1B 168
Hadrians Clo. Wthm —7B 214
Hadstock. —3D 6
Hadstock Common. —4C 6
Haggars La. Frat —3E 178
Hagger Ct. E17 —7D 108
Haggers Clo. Gt Che —3L 197
Haggerston. —6B 38
Ha Ha Rd. SE18 —2G 47
Haig Ct. Chelm —1B 74
Haig Rd. Grays —1C 158
Haigville Gdns. Ilf —8A 110
Hailes Wood. Else —7D 196
Hailes Wood Clo. Else —8D 196
Hailey. —1A 54 (6D 20)
Hailey Av. Hod —1A 54
Hailey La. Hail —1A 54 (6C 20)
Hailey Rd. Eri —9M 143
Hailmores. Brox —7A 54
Hailsham Clo. Romf —2G 113
Hailsham Cres. Bark —7E 126
Hailsham Gdns. Romf —2G 112
Hailsham Rd. Romf —2G 112
Hainault. —2F 110 (2J 39)
Hainault Av. R'fd —3H 123
Hainault Av. Wclf S —4J 139
Hainault Clo. Ben —2L 137
Hainault Ct. E17 —8D 108
Hainault Forest Country Park. —9J 95 (1J 39)
Hainault Gore. Romf —9K 111
Hainault Gro. Chelm —1N 73
Hainault Gro. Chig —1B 110
Hainault Ind. Est. Ilf —2H 111
Hainault Rd. E10 —4E 38
Hainault Rd. E11 —3C 124
Hainault Rd. Chad H —1L 127
Hainault Rd. Chig —9A 94 (1G 39)
Hainault Rd. Col R —6A 112
Hainault Rd. L Hth —4G 110
Hainault Rd. N Fam —5H 35
Hainault Rd. Romf —2J 39
Hainault St. Ilf —4B 126
Halbutt Gdns. Dag —5L 127
Halbutt St. Dag —6L 127
Halcyon Cvn. Pk. Hull —4M 105
Halcyon Way. Horn —3K 129
Haldane Rd. SE28 —7J 143
Haldan Rd. E4 —3C 108
Haldon Clo. Chig —2D 110
Hale Clo. E4 —9C 92
Hale End. —3D 108 (2E 38)
Hale End. Romf —3F 112
Hale End Rd. E4 & Wfd G —4D 108 (2E 38)
Hale End Rd. E17 —5D 108
Hale Ho. Horn —1E 128 (off Benjamin Clo.)
Hale Rd. N17 —3C 38
Hale Rd. Hert —5B 20
Halesworth Clo. Romf —4J 113
Halesworth Rd. Romf —3J 113
Hale, The. E4 —4D 108
Halfacre La. Har —5J 201
Halfacres. Wthm —8D 214
Halfhide La. Chesh —3C 30
Halfhides. Wal A —3D 78
Half Moon La. SE24 —3B 46
Half Moon La. Epp —1E 80
Halford Rd. E10 —9D 108
Halfpence La. Cob —6J 49
Halfway Ct. Purf —2L 155
Halfway St. Sidc —4H 47
Halidon Rise. Romf —3M 113
Hallam Clo. Dodd —6E 84
Hallam Ct. Bill —4H 101
Hall Av. Ave —8N 145
Hall Barns, The. Epp —1M 79
Hall Bri. Rise. H'bri —4L 203
Hall Chase. M Tey —3K 173
Hall Clo. Gt Bad —4H 75
Hall Clo. Hen —4C 12
Hall Clo. Romf —4F 112
Hall Clo. Stan H —1N 149
Hall Cotts., The. Cop —4N 173
Hall Cres. Ave —9N 145
Hall Cres. Ben —3J 137
Hall Cres. Hol S —7C 188
Hallcroft Chase. H'wds —3C 168
Hall Cut. B'sea —7E 184
Hall Est. Gold —7A 26
Hallet Rd. Can I —2L 153
Halley Rd. E7 & E12 —8J 125
Hall Farm Clo. Ben —5D 136
Hall Farm Clo. Fee —6D 202
Hall Farm Rd. Ben —4D 136
Hall Green. —6E 8
Hall Grn. L Hall —3A 22
Hall Grn. La. Hut —6M 99 (7G 33)
Halliford St. N1 —5B 38
Hallingbury Clo. L Hall —2K 21
Hallingbury Ct. E17 —7B 108
Hallingbury Rd. Bis S —1K 21
Hallingbury Rd. Saw —1M 53 (4K 21)
Hallingbury Street. —2B 22
Halling Hill. H'low —1D 56 (in two parts)
Hall Lane. (Junct.) —1C 38
Hall La. E4 —1A 108 (1D 38)
Hall La. Har —5J 201 (3H 19)
Hall La. H Grn —5L 75
Hall La. Ing —7D 86 (6H 33)
Hall La. Ridg —5B 8
Hall La. S'don —4K 75
Hall La. Shenf —6J 99 (6F 33)
Hall La. S Ock —2G 146
Hall La. T Sok —6M 181
Hall La. Upm —6N 113 (4D 40)
Hall La. W on N —4N 183 (7H 19) (in two parts)
Hall La. W Han —4D 88
Hallowell Down. S Fer —2L 105
Hall Pk. Av. Wclf S —6G 138
Hall Pk. Rd. Upm —7N 129
Hall Pk. Way. Wclf S —6G 138
Hall Place. —3A 48
Hall Rise. Wthm —7C 214
Hall Rd. E11 —5E 38
Hall Rd. E15 —6D 124
Hall Rd. Ashel —4D 36
Hall Rd. Ave —9N 145
Hall Rd. Bel W —5G 9
Hall Rd. Bor —4H 9
Hall Rd. Chad H —1H 127
Hall Rd. Cop —3N 173
Hall Rd. Dart —9K 155
Hall Rd. Else —8D 196 (5B 12)
Hall Rd. For —2A 166
Hall Rd. Gid P —7F 112
Hall Rd. Gt Bro —4A 170 (5J 17)
Hall Rd. Gt Tot —8N 213 (6H 25)
Hall Rd. H'bri —4L 203
Hall Rd. Hock & R'fd —4F 122 (2H 43)
Hall Rd. Hund —1C 8
Hall Rd. Ked —1A 8
Hall Rd. M Bur —3A 16
Hall Rd. N'fleet —4G 49
Hall Rd. Pan —1B 192 (6B 14)
Hall Rd. S'min —7M 207 (5D 36)
Hall Rd. Tip —7C 212 (4K 25)
Hall Rd. Tol —8K 211
Hall Rd. W Ber —2D 166 (4C 16)
Hall Rd. Cotts. W Ber —1E 166
Hall Rd. Ind. Est. S'min —8N 207
Hallsford Bri. Ind. Est. Ong —1N 83
Halls Green. —6J 55 (7F 21)
Hall St. Chelm —1C 74
Hall St. L Mel —3J 9
Hall Ter. Ave —9A 146
Hall Ter. Romf —4L 113
Hall View Rd. Gt Ben —7K 179
Hallwood Cres. Shenf —6H 99
Halstead. —4K 199 (3F 15)
Halstead Hill. Chesh —3B 30
Halstead Ho. Romf —3H 113 (off Dartfields)
Halstead Rd. E11 —9G 109
Halstead Rd. N21 —7B 30

Halstead Rd.—Hawbush Green

Halstead Rd. Aldh & Eig G —6A 166 (5B 16)
Halstead Rd. Brain —5E 14
Halstead Rd. E Col —2A 196 (4H 15)
Halstead Rd. Eri —6C 154
Halstead Rd. For —5A 16
Halstead Rd. Gosf —3E 14
Halstead Rd. Kir X —8E 182 (1F 29)
Halstead Rd. Lex H —8C 166 (6C 16)
Halstead Rd. Sib H —9D 206 (2E 14)
Halstead Way. Hut —5M 99
Halston Ct. Corr —1C 150
Halston Pl. Mal —8J 203
Halstow Way. Pits —1K 135
Halt Dri. Linf —2J 159
Halton Rd. Grays —1E 158
Halt Robin Rd. Belv —2A 154
(in two parts)
Haltwhistle Rd. S Fer —9J 91
Halyard Reach. S Fer —3L 105
Hamberts Rd. S Fer —8K 91
Hamble Clo. Wthm —5B 214
Hamble La. S Ock —5C 146
Hamble Way. Bur C —2K 195
Hamboro Gdns. Lgh S —5A 138
Hambro Av. Ray —3K 121
Hambro Clo. Ray —3L 121
Hambro Hill. Ray —2L 121 (1F 43)
Hambro Ho. Shenf —5L 99
(off Rayleigh Rd.)
Hambro Rd. Brtwd —8G 98
Hamden Cres. Dag —5N 127
Hamel Way. Widd —3B 12
Hamford Clo. W on N —4N 183
Hamford Dri. Gt Oak —5E 18
Hamfrith Rd. E15 —8F 124
Hamilton Av. Hod —3A 54
Hamilton Av. Ilf —8A 110
Hamilton Av. Romf —6B 112
Hamilton Clo. Lgh S —4N 137
Hamilton Ct. Chelm —4F 60
Hamilton Ct. Eri —5D 154
(off Frobisher Rd.)
Hamilton Ct. S Fer —2L 105
Hamilton Cres. War —1F 114
Hamilton Dri. Romf —6J 113
Hamilton Gdns. Hock —9D 106
Hamilton M. Ray —4M 121
Hamilton M. Saf W —3M 205
Hamilton Rd. Colc —1L 175
Hamilton Rd. Felix —1K 19
Hamilton Rd. Gt Hol —9D 182
Hamilton Rd. Ilf —6A 126
Hamilton Rd. L Can —7F 210
Hamilton Rd. Romf —9F 112
Hamilton Rd. W'hoe —6H 177
Hamilton St. Har —2H 201
Hamilton Wlk. Eri —5D 154
Hamlet Clo. Romf —4M 111
Hamlet Ct. Bures —8C 194
Hamlet Ct. M. Wclf S —5K 139
Hamlet Ct. Rd. Wclf S —6J 139 (5J 43)
Hamlet Dri. Colc —8F 168
Hamlet Hill. Roy —7G 54 (1E 30)
Hamlet Ho. Eri —5C 154
Hamlet Ind. Est. E9 —9A 124
Hamlet International Ind. Est. Eri —2B 154
Hamlet Rd. SE19 —5B 46
Hamlet Rd. Chelm —1C 74
Hamlet Rd. H'hll —3J 7
Hamlet Rd. Romf —4M 111
Hamlet Rd. Sth S —7L 139
Hamley Clo. Ben —9B 120
Hammarskjold Rd. H'low —2B 56
Hammond Ct. E10 —4B 124
Hammonds Clo. Dag —5H 127
Hammonds La. Bill —1L 117
Hammonds La. Gt War —3E 114
Hammonds Rd. Hat O —3C 22
Hammonds Rd. S'don & L Bad —1L 75 (2C 34)
Hammond Street. —3B 30
Hammondstreet Rd. Chesh —2A 30
Hammond Way. SE28 —7G 142
Ham Pk. Rd. E15 & E7 —9F 124
Hampden Clo. N Wea —6M 67
Hampden Cres. War —1F 114
Hampden Rd. Grays —3L 157
Hampden Rd. Romf —4N 111
Hampden Way. N14 —7A 30
Hamperden End. —3D 12
Hampit Rd. A'den —1J 11
Hampshire Gdns. Linf —9J 149
Hampshire Rd. Horn —8L 113
Hampstead Av. Clac S —8H 187
Hampstead Clo. SE28 —8G 142
Hampstead Gdns. Chad H —9G 110
Hampstead Gdns. Hock —9E 106
Hampstead Rd. NW1 —6A 38
Hampton Clo. Sth S —2K 139
Hampton Ct. Hock —1B 122
Hampton Gdns. Saw —5G 53
Hampton Gdns. Sth S —1K 139
Hampton Ho. Chelm —4E 74
Hampton Mead. Lou —2A 94
Hampton Rd. E4 —2A 108
Hampton Rd. E7 —7H 125
Hampton Rd. E11 —3D 124
Hampton Rd. Chelm —4F 74
Hampton Rd. Ilf —6A 126
Hamstel Rd. H'low —2A 56
Hamstel Rd. Sth S —3B 140 (4K 43)
Hanbury Gdns. H'wds —2B 168
Hanbury Rd. Chelm —2N 73
Hance La. Rayne —6B 192
Hanchet End. —2H 7
Hanchetts Orchard. Thax —2K 211
Handcroft Rd. Croy —7A 46
Handel Cres. Til —5C 158
Handel Rd. Can I —3K 153
Handel Wlk. Colc —9E 168
Handforth Rd. Ilf —5A 126
Hand La. Saw —3H 53
Handley Green. —1G 86 (4H 33)
Handley Grn. Bas —1L 133
Handleys Chase. Lain —5A 118
Handleys Ct. Lain —5A 118
Handley's La. W Bis —7L 213
(in two parts)
Handsworth Av. E4 —3D 108
Handtrough Way. Bark —2A 142
Handy Fisher Ct. Colc —2J 175
Hanford Rd. Ave —8N 145
Hangboy Slade. Lou —7M 79
Hanging Hill La. Hut —1F 41
Hanging Hill La. Ingve —9L 99
Hangings, The. Har —3K 201
Hankin Av. Dov —6E 200
Hanlee Brook. Gt Bad —5G 74
Hanley Rd. N4 —4A 38
Hanmore Bldgs. E4 —7D 92
Hannah Clo. Can I —8G 137
Hannards Way. Ilf —2G 110
Hannett Rd. Can I —2L 153
Hanningfield Clo. Ray —4G 120
Hanningfield Reservoir Bird Sanctuary. —8H 89 (5B 34)
Hanningfield Way. H'wds —2B 168
Hanover Clo. Bas —1F 134
Hanover Ct. Har —4L 201
Hanover Ct. Hod —4A 54
Hanover Ct. Wal A —3C 78
(off Quakers La.)
Hanover Ct. W on N —6K 183
Hanover Ct. Wthm —6D 214
Hanover Dri. Bas —9F 118
Hanover Gdns. Ilf —4B 110
Hanover M. Hock —1C 122
Hanover Pk. SE15 —2C 46
Hanover Pl. Saf W —4J 205
Hanover Sq. Fee —8B 172
Hansells Mead. Roy —3H 55
Hanson Clo. Lou —1B 94
Hanson Ct. E17 —1B 124
Hanson Dri. Lou —1B 94
Hanson Grn. Lou —1B 94
Hanwell Clo. Clac S —8H 187
Harberts Rd. H'low —3A 56 (7G 21)
Harberts Way. Ray —2J 121
Harbet Rd. N18 & E4 —2C 38
Harborough Hall La. Mess —2K 25
Harborough Hall Rd. Mess —1D 212
Harbour Cres. Har —2N 201
Harbourer Clo. Ilf —2G 110
Harbourer Rd. Ilf —2G 110
Harcamlow Way. Newp —7F 204
Harcamlow Way. Saf W —2M 205
Harcamlow Way. Thax —4J 211
Harcourt Av. E12 —6M 125
Harcourt Av. Har —3J 201
Harcourt Av. Sth S —5L 139
Harcourt Ho. Sth S —5L 139
Hardie Rd. Dag —5A 128
Hardie Rd. Stan H —3M 149
Harding Rd. Grays —1C 158
Hardings Clo. Aldh —5A 16
Hardings Elms Rd. Cray H —3C 118 (2A 42)
Harding's La. Ing —2B 86
Hardings Reach. Bur C —4M 195
Hardley Cres. Horn —8H 113
Hardwick Clo. Ray —6K 121
Hardwick Ct. Eri —4B 154
Hardwick Ct. Sth S —3K 139
Hardwicke St. Bark —1B 142
Hardy. Shoe —9H 141
Hardy Clo. Brain —8J 193
Hardy Ct. Eri —5D 154
Hardy Gro. Dart —9L 155
Hardy's Green. —8N 173 (1B 26)
Hardy's Way. Can I —8G 136
Harebell Clo. Bill —4H 101
Harebell Clo. H'wds —4B 168
Harebell Dri. Wthm —4B 214
Harebell Way. Romf —4H 113
Hare & Billet Rd. SE10 & SE10 —2E 46
Harefield. H'low —2F 56
Hare Green. —9F 170 (6K 17)
Hare Hall La. Romf —8F 112
Hares Chase. Bill —5H 101
Haresfield Rd. Dag —8M 127
Haresland Clo. Ben —9M 121
Hare Street. —4E 10
(nr. Buntingford)
Hare Street. —3A 56 (7G 21)
(nr. Harlow)
Hare Street. —4H 83 (5C 32)
(nr. Little End)
Hare St. H'low —3A 56
Hare St. Rd. Bunt —4D 10
Hare St. Springs. H'low —3B 56
Harewood Av. R'fd —2H 123
Harewood Dri. Ilf —6M 109
Harewood Hill. They B —5D 80
Harewood Rd. Chelm —1N 73
Harewood Rd. Pil H —5E 98
Harford Clo. E4 —6B 92
Harford Rd. E4 —6B 92
Harfred Av. Hey B —8N 203
Hargrave Clo. Stans —1D 208
Harkilees Way. Brain —3H 193
Harkness Clo. Romf —2K 113
Harknett's Gate. —9L 55
Harkstead. —1E 18
Harkstead Rd. Holb —1D 18
Harlech Clo. Pits —1J 135
Harlequin Rd. H'low —3G 57
Harlequin Steps. Sth S —7A 140
(off Hawtree Clo.)
Harlesden Clo. Romf —4K 113
Harlesden Rd. Romf —3K 113
Harlesden Wlk. Romf —4K 113
Harley Ct. E11 —2G 124
Harleyford Rd. SE11 —2A 46
Harley Ho. E11 —2D 124
Harley St. Lgh S —5B 138
Harlings Gro. Chelm —8K 61
Harlow. —2C 56 (7H 21)
Harlow Bus. Pk. H'low —3L 55
Harlow Comn. H'low —6H 57 (7J 21)
Harlow Gdns. Romf —3A 112
Harlow Mans. Bark —9A 126
(off Whiting Av.)
Harlow Museum. —5B 56 (7H 21)
Harlow Rd. Mat T —6A 22
Harlow Rd. More —7B 22
Harlow Rd. Rain —1D 144
Harlow Rd. Roy —7F 21
Harlow Rd. Saw —5H 53 (5J 21)
Harlow Rd. Srng —5N 53 (5K 21)
Harlow Seedbed Cen. H'low —4N 55
(off Lovet Rd.)
Harlow Study & Visitors Centre.
(off Tendring Rd.) —4E 56 (7H 21)
Harlow Tye. —9N 53
Harlton Ct. Wal A —4F 78
Harman Av. Wfd G —3F 108
Harman Clo. E4 —1D 108
Harman Wlk. Clac S —8G 187
Harmer St. Grav —3H 49
Harness Clo. Chelm —4N 61
Harness Rd. SE28 —9F 142
Harnham Dri. Bla N —1C 198
Harold Clo. H'std —5L 199
Harold Clo. H'low —4M 55
Harold Ct. H Wood —4M 113
Harold Ct. Rd. Romf —3M 113
Harold Cres. Wal A —2C 78
Harold Gdns. W'fd —7M 103
Harold Gro. Frin S —1J 189
Harold Hill. —2J 113 (1C 40)
Harold Hill Ind. Est. H Hill —4H 113
Harold Park. —3M 113 (2C 40)
Harold Rd. E4 —1C 108
Harold Rd. E11 —3E 124
Harold Rd. SE19 —5B 46
Harold Rd. Brain —5G 192
Harold Rd. Clac S —1K 191
Harold Rd. Frin S —1J 189
Harold Rd. Wfd G —5G 109
Harold's Bridge. —3C 78 (4E 30)
Harolds Rd. H'low —4M 55
Harold View. Romf —6K 113
Harold Way. Frin S —1J 189
Harold Wilson Ho. SE28 —8G 143
Harold Wood. —5K 113 (2C 40)
Harold Wood Hall. H Hill —5H 113
(off Widecombe Clo.)
Haron Clo. Can I —2H 153
Harpenden Rd. E12 —4J 125
Harper Rd. SE1 —1B 46
Harper's Hill. Nay —1D 16
Harpers La. Dodd —7G 84
Harper Way. Ray —4J 121
Harpour Rd. Bark —8B 126
Harrap Chase. Badg D —3J 157
Harridge Clo. Lgh S —3D 138
Harridge Rd. Lgh S —3D 138
Harrier Clo. Horn —8F 128
Harrier Clo. Shoe —5J 141
Harrier M. SE28 —9C 142
Harrier Way. Wal A —4G 78
Harriescourt. Wal A —2G 78
Harringay. —3A 38
Harrington Rd. E11 —3E 124
Harris Clo. W'fd —2N 119
Harrison Clo. Hut —4N 99
Harrison Dri. Brain —7J 193
Harrison Dri. N Wea —5N 67
Harrison Gdns. Hull —6K 105
Harrison Rd. Colc —3N 175
Harrison Rd. Dag —8N 127
Harrisons. Bchgr —7C 208
Harrison Vs. Lou —2K 93
Harris Rd. Dag —7L 127
Harrods Ct. Bill —6M 101
Harrogate Dri. Hock —8E 106
Harrogate Rd. Hock —9E 106
Harrold Rd. Dag —7G 127
Harrow Clo. Hock —2F 122
Harrow Cres. Romf —4F 112
Harrowcross. —8A 206 (2D 14)
Harrow Dri. Horn —1F 128
Harrow Gdns. Hock —2F 122
Harrow Grn. E11 —5E 124
Harrow Hill. Top —7B 8
Harrow Mnr. Way. SE2 —9H 143
Harrow Mnr. Way. SE28 —1J 47
Harrow Rd. E11 —5E 124 (4E 38)
Harrow Rd. Bark —9C 126
Harrow Rd. Can I —9H 137
Harrow Rd. Clac S —9K 187
Harrow Rd. Ilf —6B 126
Harrow Rd. N Ben —5N 119 (2C 42)
Harrow Way. Chelm —4H 75
Harsnett Rd. Colc —1B 176
Harston. —1G 5
Harston Rd. New —1G 5
Hart Clo. Ben —9G 120
Hart Ct. E6 —9N 125
Hart Cres. Chig —2E 110
Hartford Clo. Ray —3G 121
Hartford End. —3K 23
Hartford End. Bas —1H 135
Hartington Pl. Sth S —7N 139
Hartington Rd. Sth S —7N 139
Hartland Clo. Lgh S —8C 122
Hartland Rd. E15 —9F 124
Hartland Rd. Epp —1F 80
Hartland Rd. Horn —4E 128
Hartland Way. Croy —7C 46
Hartley. —6F 49
Hartley Bottom Rd. Sev & Hart —7F 49
Hartley Clo. Chelm —7B 62
Hartley Green. —7E 48
Hartley Hill. —7F 49
Hartley Hill. Hart —7F 49
Hartley Rd. E11 —3F 124
Hartley Rd. Long —6F 49
Hart Rd. Ben —9F 120 (3E 42)
Hart Rd. H'low —7H 53
Harts Gro. Wfd G —2G 108
Hart's La. A'gh —7F 162 (3G 17)
Harts La. Bark —9A 126
Hartslock Dri. SE2 —9J 143
Hart St. Brtwd —8F 98
Hart St. Chelm —1B 74
Hartswood Clo. War —1H 115
Hartswood Rd. War & L War —1H 115 (1E 40)
Hartwell Dri. E4 —3C 108
Harty Clo. Grays —8L 147
Harvard Ct. Colc —3B 168
Harvard Ct. Ray —3H 121
Harvard Wlk. Horn —8G 128
Harvest Clo. S Fer —1K 105
Harvest Ct. Fee —6E 202
Harvest Ct. Gt Hork —7J 161
Harvest End. S'way —1E 174
Harvesters Way. Gt Tey —2D 172
Harvest Rd. Can I —9H 137
Harvest Way. Elms —9M 169
Harvey. Grays —9L 147
Harvey Cen. H'low —3B 56
Harvey Cen. App. H'low —3C 56
Harvey Clo. Law —4G 165
Harvey Clo. Pits —6J 119
Harvey Ct. E17 —9A 108
Harvey Cres. S'way —2D 174
Harveyfields. Wal A —4C 78
Harvey Gdns. E11 —3F 124
Harvey Gdns. Lou —2A 94
Harvey Ho. Romf —8J 111
Harvey Rd. E11 —3E 124
Harvey Rd. Bas —5J 119
Harvey Rd. Colc —4J 175
Harvey Rd. Gt Tot —8M 213
Harvey Rd. Ilf —7A 126
Harvey Rd. W'hoe —5H 177
Harveys La. Romf —4B 128
Harvey St. H'std —4L 199
Harvey Way. Hpstd —6G 7
Harvey Way. Saf W —3M 205
Harwater Dri. Lou —1M 93
Harwich. —2N 201 (3H 19)
Harwich Electric Palace Cinema.
(off Kings Quay St.) —1N 201 (2J 19)
Harwich Guildhall. —1M 201 (2H 19)
(off Church St.)
Harwich High Lighthouse. —2N 201 (2J 19)
Harwich Ind. Est. Pkstn —2H 201
Harwich Low Lighthouse. —2J 19
Harwich Low Lighthouse & Maritime Museum. —2N 201 (2J 19)
Harwich Maritime Museum. —2J 19
Harwich Redoubt. —2N 201 (2J 19)
Harwich Rd. A'gh —8L 163 (4H 17)
Harwich Rd. Beau & Gt Oak —6D 18
Harwich Rd. Brad —3C 18
Harwich Rd. Colc —7C 168 (6F 17)
Harwich Rd. C Hth —3H 169 (4G 17)
Harwich Rd. Frat —9C 170 (6J 17)
Harwich Rd. Gt Oak —5E 18
Harwich Rd. L Ben —5L 171
Harwich Rd. L Oak —8D 200 (4F 19)
Harwich Rd. Mis —5M 165 (3B 18)
Harwich Rd. T Sok —1M 181 (1D 28)
Harwich Rd. Wee H —1G 187
Harwich Rd. Wix —4D 18
Harwich Rd. Wrab —3D 18
Harwich Tourist Information Centre. —3J 201 (3H 19)
Harwich Treadmill Crane, The. —2N 201 (2J 19)
Harwood Av. Horn —7J 113
Harwood Clo. Colc —2A 176
Harwood Hall La. Upm —8M 129 (5C 40)
Haselbury Rd. N18 & N9 —1B 38
Haselfoot Rd. Bore —3G 62
Haskard Rd. Dag —6J 127
Haskell M. Brain —8J 193
Haskins. Stan H —2A 150
Haslemere Est., The. Hod —6D 54
Haslemere Gdns. Kir X —7J 183
Haslemere Pinnacles Est., The. H'low —4N 55
Haslemere Rd. Ilf —4E 126
Haslemere Rd. W'fd —6K 103
Hasler Clo. SE28 —7G 143
Hasler Rd. Tol —7K 211
Haslers Ct. Ing —5E 86
Haslers La. D'mw —8L 197
Haslewood Av. Hod —5A 54
Haslingfield Rd. Barr —1E 4
Hassell Rd. Can I —2K 153
Hassenbrook Rd. Stan H —3M 149
Hastings Av. Clac S —4G 191
Hastings Av. Ilf —8B 110
Hastings Clo. Grays —4H 157
Hastings Pl. B'sea —5E 184
Hastings Rd. Brom —7G 47
Hastings Rd. Colc —2H 175
Hastings Rd. Romf —9F 112
Hastings Rd. Sth S —6N 139
Hastings, The. W'fd —7L 103
Hastingwood. —7K 57 (1K 31)
Hastingwood Ct. E17 —9B 108
Hastingwood Ct. Ong —5K 69
Hastingwood Rd. H'wd —8J 57 (1K 31)
Hatchard Ct. Wthm —7C 214
Hatchcroft Gdns. Elms —9N 169
Hatches Farm Rd. L Bur —2F 116 (1H 41)
Hatchfields. Gt Walt —5H 59
Hatch Grn. L Hall —3A 22
Hatch Gro. Romf —8K 111
Hatch La. E4 —1D 108 (1E 38)
(in two parts)
Hatch Rd. Pil H —4D 98 (7E 32)
Hatch Side. Chig —2N 109
Hatchwood Clo. Wfd G —1F 108
Hatfield Broad Oak. —3C 22
Hatfield Clo. Horn —7H 129
Hatfield Clo. Hut —6N 99
Hatfield Clo. Ilf —7A 110
Hatfield Dri. Bill —6M 101
Hatfield Gro. Chelm —1M 73
(in two parts)
Hatfield Heath. —2C 202 (4B 22)
Hatfield Heath Rd. Hat H —2A 202 (4K 21)
Hatfield Heath Rd. Saw —1M 53 (4K 21)
Hatfield Peverel. —2L 63 (6E 24)
Hatfield Rd. E15 —7E 124
Hatfield Rd. Col G —6A 20
Hatfield Rd. Dag —8K 127
Hatfield Rd. Lang —7G 25
Hatfield Rd. L Bad —7D 24
Hatfield Rd. Ray —4H 121 (2E 42)
Hatfield Rd. Terl —4D 24
Hatfield Rd. W Bis —6F 25
Hatfield Rd. Wthm —9A 214 (5F 25)
Hatfields. Lou —2A 94
Hathaway Cres. E12 —8M 125
Hathaway Gdns. Grays —1K 157
Hathaway Gdns. Romf —9J 111
Hathaway Rd. Grays —1L 157 (1F 49)
Hatherleigh Way. Romf —5H 113
Hatherley Ct. Saf W —3L 205
Hatherley Gdns. E6 —6F 39
Hatherley Ho. E17 —8A 108
Hatherley M. E17 —8A 108
Hatherley Rd. E17 —8A 108
Hatherley, The. Bas —8E 118
Hatley Av. Ilf —8B 110
Hatley Gdns. Ben —1B 136
Hatterill. Lain —9L 117 (3K 41)
Hatton Garden. EC1 —7A 38
Haubourdin Ct. H'std —4M 199
Haultwick. —7C 10
Havana Clo. Romf —9C 112
Havana Dri. Ray —1H 121
Havant Rd. E17 —7C 108
Havelock Rd. N17 —2C 38
Havelock St. Ilf —4A 126
Haven Av. Hol S —7D 188
Haven Clo. Bas —3F 134
Haven Clo. Can I —2E 152
Havencourt. Chelm —8K 61
Haven Ct. Hat P —2K 63
Havengore. Bas —7K 119
Havengore. Chelm —6N 61
Havengore Clo. Gt W —3N 141
Haven Pl. Grays —9M 147
Haven Rise. Bill —1M 117
Haven Rd. Can I —4C 152 (6D 42)
Haven Rd. Colc —1D 176 (6F 17)
Havenside. Gt W —1J 141
Haven, The. Grays —3C 158
Haven, The. Har —4H 201
Havenwood Clo. Gt War —3F 114
Haverhill. —3K 7
Haverhill By-Pass. H'hll —2H 7
Haverhill & District Local History Museum. —3J 7
Haverhill Rd. E4 —7C 92
Haverhill Rd. Cas C —4G 7
Haverhill Rd. H'hll —2J 7
Haverhill Rd. Hel B —5H 7
Haverhill Rd. H'hth —2F 7
Haverhill Rd. Stpl B —1C 210 (4J 7)
Havering-atte-Bower. —9C 96 (1A 40)
Havering Clo. Clac S —6J 187
Havering Clo. Colc —6B 168
Havering Clo. Gt W —2M 141
Havering Country Park. —1A 112 (1A 40)
Havering Dri. Romf —8C 112
Havering Gdns. Romf —9H 111
Havering Park. —2N 111
Havering Rd. Romf —7B 112 (2A 40)
Haverings Grove. —6E 100 (7H 33)
Havering Way. Bark —3G 142
Havers La. Bis S —1K 21
Havisham Way. Chelm —4G 60
Havis Rd. Stan H —1N 149
Hawbridge Rd. E11 —3D 124
Hawbush Grn. Bas —6J 119
Hawbush Green. —3F 194

Hawbush Grn.—High Bank

Hawbush Grn. Cres —3F 194 (1E 24)
Hawes La. E4 —8C 78
Hawfinch Rd. Lay H —9H 175
Hawfinch Wlk. Chelm —5C 74
Hawk Clo. Wal A —4G 78
Hawkdene. E4 —5B 92
Hawkenbury. H'low —5A 56
Hawkendon Rd. Clac S —9E 186
Hawkesbury Bush La. Van —4B 134
Hawkesbury Clo. Can I —3F 152
Hawkesbury Rd. Can I —2E 152
Hawkes Clo. Grays —4L 157
Hawkes Rd. Cogg —7K 195
Hawkes Way. Clac S —7K 187
Hawk Hill. Bat —5C 104 (7D 34)
Hawkhurst Clo. Chelm —9G 60
Hawkhurst Gdns. Romf —2B 112
Hawkinge Way. Horn —8G 128
Hawkins. Shoe —8H 141
Hawkins Clo. Cock C —8L 77
Hawkins Hill. —2J 13
Hawkins Rd. Alr —6A 178
Hawkins Rd. Colc —9D 168
Hawkins Way. Brain —4L 193
Hawk La. Bat —6D 104
Hawkridge. Shoe —6G 141
Hawkridge Clo. Romf —1H 127
Hawks Clo. Dan —5G 76
Hawks La. Hock —2D 122
Hawksmoor Grn. Hut —4N 99
(in two parts)
Hawksmouth. E4 —6C 92
Hawkspur Green. L Bar —3H 13
Hawkstone Rd. SE16 —1C 46
Hawksway. Bas —2C 134
Hawkswood Rd. D'ham —9D 88 (6A 34)
Hawk Ter. S Stif —3G 157
Hawkwell. —3E 122 (2H 43)
Hawkwell Chase. Hock —2D 122
Hawkwell Ct. E4 —9C 92
Hawkwell Pk. Dri. Hock —2E 122
Hawkwell Rd. Hock —1D 122
Hawkwood Clo. S Fer —8L 91
Hawkwood Cres. E4 —5B 92
Hawkwood Rd. Sib H —7B 206
Hawley. —5C 48
Hawley Rd. NW1 —5A 38
Hawley Rd. Dart —4C 48
Hawlmark End. M Tey —3G 173
Hawsted. Buck H —6H 93
Hawthorn Av. Brtwd —9J 99
Hawthorn Av. Colc —7E 168 (6G 17)
Hawthorn Av. Rain —4F 144
Hawthorn Clo. Chelm —4D 74
Hawthorn Clo. Hock —2E 122
Hawthorn Clo. Tak —8C 210
Hawthorne Gdns. Hock —1A 122
Hawthorne Rd. E17 —7A 108
Hawthorne Rd. Corr —1A 150
Hawthornes. Pur —3G 35
Hawthorn Pl. Eri —3A 154
Hawthorn Rise. Wthm —2D 214
Hawthorn Rd. Buck H —1K 109
Hawthorn Rd. Can I —2J 153
Hawthorn Rd. Clac S —6J 187
Hawthorn Rd. Hat P —1L 63
Hawthorn Rd. Hod —3B 54
Hawthorns. Ben —2C 136
Hawthorns. Frin S —7J 183
Hawthorns. H'low —7E 56
Hawthorns. Lgh S —2D 138
Hawthorns. Sib H —5B 206
Hawthorns. Wfd G —9G 92
Hawthorns, The. Corr —1D 150
Hawthorns, The. Dan —3G 77
Hawthorns, The. Lou —3N 93
Hawthorn Wlk. S Fer —8L 91
Hawthorn Way. Ray —6M 121
Hawtree Clo. Sth S —7A 140
Hayburn Way. Horn —3D 128
Hay Clo. E15 —9E 124
Haycocks La. W Mer —4G 27
Haydens. Steb —7H 13
Haydens Rd. H'low —3B 56 (7H 21)
Hayden Way. Romf —6A 112
Haydock Clo. Horn —6K 129
Haydon Rd. Dag —4H 127
Haye La. Fing —1F 27
Hayes. —7F 47
Hayes Barton. Sth S —6G 140
Hayes Chase. Bat —3F 104
(in two parts)
Hayes Clo. Chelm —1C 74
Hayes Clo. Grays —4F 156
Hayes Dri. Rain —9F 128
Hayes Farm Cvn. Pk. Bat —4G 105
Hayes Hill Farm. —7C 64 (3E 30)
Hayes Hill Rd. Brom —7E 46
Hayes La. Beck —6E 46
Hayes La. Brom —7F 47
Hayes La. Can I —2F 152
Hayes Rd. Brom —6F 47
Hayes Rd. Clac S —2J 191
Hayes St. Brom —7F 47
Hay Green. —5J 85 (4F 33)
Hay Green. Dan —2F 76
Hay Grn. La. Hook E & B'more —5G 84 (5E 32)
Hayhouse Rd. E Col —4B 196 (4H 15)
Hay La. Brain —5L 193
Hayle. E Til —1L 159
Hayllar Ct. Hod —5A 54
Haymarket. SW1 —7A 38
Haynes Grn. Rd. Lay M —2F 212 (2A 26)
Haynes Rd. Horn —8H 113
Hayrick Clo. Bas —2J 133
Haysoms Clo. Romf —8C 112
Hay Street. —5E 10
Hayter Ct. E11 —4H 125
Haytor Clo. Brain —6L 193
Haywain, The. S'way —1E 174
Hayward Ct. Colc —8C 168
Hayward Rd. Hod —3C 54
Haywards Clo. Chad H —9G 111
Haywards Clo. Hut —5A 100
Haywood Ct. Wal A —4F 78
Haywood La. Ther —7C 4
Haywood Pl. Grays —9E 148
Hazelbank Rd. SE6 —4E 46
Hazelbrouck Gdns. Ilf —4C 110
Hazel Clo. Ben —4M 137
Hazel Clo. Horn —5F 128
Hazel Clo. Lain —5A 118
Hazel Clo. Lgh S —4B 138
Hazel Clo. Thorr —9F 178
Hazel Clo. Wthm —3D 214
Hazel Ct. Lou —2M 93
Hazel Cres. Romf —5N 111
Hazeldene. Ray —3K 121
Hazeldene Rd. Ilf —4G 126
Hazeldon Clo. L Walt —6L 59
Hazel Dri. Eri —6F 154
Hazel Dri. S Ock —3G 146
Hazeleigh. —6M 77 (3G 35)
Hazeleigh. Brtwd —9L 99
Hazeleigh Gdns. Wfd G —2L 109
Hazeleigh Hall La. Wdhm M —2G 35
Hazel End. —3A 208 (6K 11)
Hazelend Rd. Bis S —4A 208 (6K 11)
Hazel Gdns. Grays —1A 158
Hazel Gdns. Saw —3L 53
Hazel Gro. Brain —7G 192
Hazel Gro. Romf —7K 111
Hazell Av. Colc —3H 175
Hazellville Rd. N19 —4A 38
Hazelmere. Pits —2H 135
Hazelmere Gdns. Horn —9G 112
Hazel Rise. Horn —1G 128
Hazel Rd. E15 —7F 124
Hazel Rd. Eri —6E 154
Hazel Shrub. B'ley —1A 18
Hazel Stub. —3H 7
Hazelton Rd. Colc —6D 168
Hazelville Clo. Har —6G 201
Hazelwood. Ben —8B 120
Hazelwood. Hock —3E 122
Hazelwood. Linf —2J 159
Hazelwood. Lou —4K 93
Hazelwood Ct. H'bri —2L 203
Hazelwood Cres. L Cla —4G 187
Hazelwood Gdns. Pil H —5D 98
Hazelwood Gro. Lgh S —1D 138
Hazelwood La. N13 —1A 38
Hazelwood Pk. Clo. Chig —2D 110
Hazlemere Rd. Ben —1D 136
Hazlemere Rd. Hol S —9N 187
Headcorn Clo. Bas —1K 135
Headgate. Colc —9M 167 (6E 16)
Headingley Clo. Ilf —3E 110
Head La. Gt Cor —5K 9
Headley App. Ilf —9A 110
Headley Chase. War —1F 114
Headley Dri. Ilf —1A 126
Headley Rd. Bill —4L 101
Head St. Colc —8M 167 (6E 16)
Head St. Gold —7A 26
Head St. H'std —4L 199 (3F 15)
Head St. Rhdge —6G 176 (1G 27)
Heard's La. Corn H —7K 7
Heards La. Shenf —2J 99
Hearn Av. Bexh —8A 154
Hearn Rd. Romf —1D 128
Hearsall Av. Chelm —4K 61
Hearsall Av. Stan H —3N 149
Heath Clo. Bill —7H 101
Heath Clo. Romf —7E 112
Heathclose Rd. Dart —4B 48
Heathcote Av. Ilf —6M 109
Heathcote Ct. Ilf —6M 109
Heathcote Gro. E4 —9C 92
Heath Dri. Chelm —4C 74
Heath Dri. Romf —5E 112
Heath Dri. They B —6D 80
Heather Av. Romf —6B 112
Heather Bank. Bill —6L 101
Heather Clo. E6 —6A 142
Heather Clo. Clac S —6M 187
Heather Clo. Lay H —9G 175
Heather Clo. Pil H —4E 98
Heather Clo. Romf —5B 112
Heather Ct. Chelm —6A 62
Heathercroft Rd. W'fd —1A 120
Heather Dri. Ben —4N 137
Heather Dri. Colc —1G 175
Heather Dri. Romf —6B 112
Heatherfield Pk. Dri. Romf —9G 110
Heather Gdns. Romf —6B 112
Heather Glen. Romf —6B 112
Heatherley Dri. Ilf —7L 109
Heather Way. Romf —6B 112
Heatherwood Clo. E12 —4J 125
Heathfield. —2H 5
Heathfield. E4 —9C 92
Heathfield. Ben —9J 121
Heathfield. Ray —6K 121
Heathfield La. Chst —5G 47
Heathfield Rd. Chelm —3K 61
Heathfields. Eig G —7B 166
Heathfield Ter. W on N —6L 183
Heathgate. W Bis —6J 213
Heathlands. Thorr —9F 178
Heath La. Dart —4B 48
Heath La. W Bis —6M 213 (5H 25)
Heathleigh Dri. Bas —2K 133
Heath Park. —1E 128 (3B 40)
Heath Pk. Ct. Romf —9E 112
Heath Pk. Rd. Romf —9E 112 (3B 40)
Heath Rd. Alr —6A 178
Heath Rd. Brad —4B 18
Heath Rd. Colc —1G 174
Heath Rd. For H —6A 166 (5B 16)
Heath Rd. Grays —8B 148 (7G 41)
Heath Rd. Hor X & Ten —4M 171 (5B 18)
Heath Rd. Ing —5H 71
Heath Rd. Mis —6N 165 (3B 18)
Heath Rd. Rams H —4N 101 (7K 33)
Heath Rd. Romf —2J 127
Heath Rd. Rhdge —6F 176
Heath Rd. S'way —2E 174 (6D 16)
Heath Rd. St O —4B 186 (2B 28)
Heath Rd. W'hoe —4H 177
Heath Row. Bis S —8A 208
Heath, The. —3C 202 (4B 22)
Heath, The. B'ley —1B 18
Heath, The. Ded —4N 163 (3J 17)
Heath, The. Gt Wal —4K 9
Heath, The. Hat H —2C 202
Heath, The. Lay H —8H 175
Heath View Gdns. Grays —9M 147
Heath View Rd. Grays —9M 147
Heathway. (Junct.) —1M 143 (6K 39)
Heathway. Dag —5L 127 (5K 39)
Heath Way. Eri —6A 154
Heath Way. Wfd G —2J 109
Heathway Ind. Est. Dag —6N 127
Heatley Way. Colc —7F 168
Heaton Av. Romf —4F 112
Heaton Clo. E4 —9C 92
Heaton Clo. Romf —4G 112
Heaton Grange Rd. Romf —6D 112
Heaton Way. Romf —4G 112
Heaton Way. Tip —5D 212
Hebing End. —7A 10
Heckfordbridge. —6B 174 (1C 26)
Heckfords Rd. Gt Ben —6K 179 (7A 18)
Heckworth Clo. Colc —1C 168
Hedge Dri. Colc —3J 175
Hedgehope Av. Ray —3K 121
Hedgelands. Cop —1M 173
Hedge La. N13 —1A 38
Hedge La. Ben —2K 137
Hedgemans Rd. Dag —9J 127 (5J 39)
Hedgemans Way. Dag —8A 127
Hedge Pl. Rd. Grnh —3D 48
Hedgerow Ct. Lain —5A 118
Hedgerows. Saw —2L 53
Hedgerows Bus. Pk. Spri —5B 62
Hedgerow, The. Bas —2E 134
Hedgers Clo. Lou —3N 93
Hedgewood Gdns. Ilf —9N 109
Hedgley. Ilf —8M 109
Hedingham Castle —3D 206 (1E 14)
Hedingham Ho. Ray —6J 121
Hedingham Rd. Bulm —7G 9
Hedingham Rd. Dag —7G 126
Hedingham Rd. Gosf & Sib H —9D 206 (3E 14)
Hedingham Rd. H'std —1J 199 (3F 15)
Hedingham Rd. Horn —3L 129
Hedingham Rd. Wick P —7G 9
Hedley Av. Grays —5F 156
Heenan Clo. Bark —8B 126
Heeswyk Rd. Can I —9K 137
Heideburg Rd. Can I —9K 137
Heideck Gdns. Hut —9L 99
Heigham Rd. E6 —9L 125
Heighams. H'low —6M 55
Heights, The. Dan —3C 76
Heights, The. Lou —1M 93
Heights, The. Naze —4H 65
Heilsburg Rd. Can I —9K 137
Helden Av. Can I —9H 137
Helena Clo. Hock —2E 122
Helena Ct. S Fer —2K 105
Helena Rd. E17 —9A 108
Helena Rd. Ray —5L 121
Helen Rd. Horn —7H 113
Helford Ct. S Ock —7E 146
Helford Ct. Wthm —5A 214
Helford Way. Upm —1A 130
Helham Green. W'side —4F 21
Helions Bumpstead. —5H 7
Helions Bumpstead Rd. H'hll —4J 7
Helions Rd. H'low —3A 56
Helions Rd. Stpl B —2B 210 (5J 7)
Helleborine. Badg D —3J 157
Hellendoorn Rd. Can I —3K 153
Hellman's Cross. —2E 22
Helm Clo. Gt Hork —9K 161
Helmons La. W Han —5H 89
Helmore Ct. Bas —9H 117
Helmores. Bas —9H 117
Helmsdale. Can I —9F 136
Helmsdale Clo. Romf —4C 112
Helmsdale Rd. Romf —4C 112
Helpeston. Bas —9E 118
Helston Rd. Chelm —6N 61
Hemingway Rd. Wthm —2C 214
Hemley Rd. Ors —6F 148
Hemlock Clo. Wthm —3D 214
Hemmells. Bas —7K 117
Hemmings Ct. Mal —8H 203
Hemnall St. Epp —1E 80
Hemp's Green. —4A 16
Hempstalls. Bas —1A 134
Hempstead. —6G 7
Hempstead Clo. Buck H —8G 92
Hempstead Rd. E17 —6D 108
Hempstead Rd. Hpstd & Stpl B —4A 210 (6G 7)
Hempstead Rd. R'ter —7F 7
Hemsted Rd. Eri —5C 154
Henbane Path. Romf —4H 113
Henderson Clo. Horn —4F 128
Henderson Dri. Dart —9K 155 (3C 48)
Henderson Gdns. W'fd —2M 119
Henderson Ho. Dag —5M 127
(off Kershaw Rd.)
Henderson Rd. E7 —8J 125
Hendon Clo. Clac S —8H 187
Hendon Clo. W'fd —1L 119
Hendon Gdns. Romf —3A 112
Hendy Mt. S Fer —9J 91
Hengist Gdns. W'fd —7L 103
Hengist Rd. Eri —5A 154
Henham. —4C 12
Henham Clo. Bill —6M 101
Henham Ct. Romf —6A 112
Henham Rd. Deb G —3D 12
Henham Rd. Else —8D 196 (5C 12)
Henhurst. —6J 49
Henhurst Rd. Sole S —6H 49
Henley Ct. Colc —9G 166
Henley Cres. Wclf S —2J 139
Henley Gdns. Romf —9K 111
Henley Rd. Ilf —6B 126
Henley Street. —7J 49
Henley St. Ludd —7J 49
Henniker Gdns. E6 —6F 39
Henniker Ga. Chelm —7B 62
Henniker Rd. E15 —7D 124
Henny Back Rd. Alph —1J 15
Henny Rd. Lmsh —7K 9
Henny Street. —6J 9
Henrietta Clo. W'hoe —3J 177
Henrietta St. E15 —7C 124
Henry Clo. Clac S —2G 191
Henry Dixon Rd. Riven —3G 25
Henry Dri. Lgh S —4N 137
Henry Rd. Chelm —7K 61
Henrys Av. Wfd G —2F 108
Henrys Rd. Wfd G —2E 38
Henry's Ter. Ston M —4E 84
Henry St. Grays —4M 157
Henry's Wlk. Ilf —4C 110
Henshawe Rd. Dag —5J 127
Henson Av. Can I —2L 153
Henwood Side. Wfd G —3M 109
Hepscott Rd. E9 —8A 124
Hepworth Gdns. Bark —7F 126
Heralds Way. S Fer —1L 105
(off Guild Way.)
Herbage Pk. Rd. Wdhm M —1J 77 (1F 35)
Herbert Gdns. Romf —2J 127
Herbert Gro. Sth S —7N 139
Herbert Rd. E12 —6L 125
Herbert Rd. SE18 —2G 47
Herbert Rd. Can I —1J 153
Herbert Rd. Clac S —1J 191
Herbert Rd. Horn —2J 129
Herbert Rd. Ilf —4D 126
Herbert Rd. Shoe —8G 141
Herd La. Corr —1D 150
Hereford Ct. Clac S —8B 188
Hereford Ct. Gt Bad —5H 75
Hereford Gdns. Ilf —2L 125
Hereford Rd. E11 —9H 109
Hereford Rd. Colc —8A 168
Hereford Rd. Hol S —8B 188
Hereford Wlk. Bas —8G 118
Herent Dri. Ilf —8L 109
Hereward Clo. Wal A —2D 78
Hereward Clo. W'hoe —3J 177
Hereward Gdns. W'fd —7L 103
Hereward Grn. Lou —9B 80
Hereward Way. Weth —3A 14
Herga Hyll. Ors —5C 148
Herington Gro. Hut —6K 99
Heriot Av. E4 —8A 92
Heriot Way. Gt Tot —8N 213
Heritage Way. R'fd —5K 123
Hermes Dri. Bur C —3L 195
Hermes Way. Shoe —6K 141
Hermitage Av. Ben —2G 137
Hermitage Clo. E18 —8F 108
Hermitage Clo. Ben —2G 137
Hermitage Ct. E18 —8G 108
Hermitage Dri. Lain —9L 117
Hermitage La. SW16 —6A 46
Hermitage Rd. N4 & N15 —4A 38
Hermitage Rd. SE19 —5B 46
Hermitage Rd. Wclf S —6K 139
Hermitage Wlk. E18 —8F 108
Hermit Rd. E16 —6E 38
Hermon Hill. E11 & E18 —9G 109 (3F 39)
Herne Hill. —3B 46
Herne Hill. SE24 —3B 46
Herne Hill Rd. SE24 —3B 46
Hernen Rd. Can I —9J 137
Hernshaw. Heron —4N 115
Heron Av. W'fd —1N 119
Heron Chase. Heron —4A 116
Heron Clo. Buck H —7G 93
Heron Clo. Saw —3J 53
Heron Ct. Heron —5A 116
Heron Dale. Bas —9E 118
Heron Flight Av. Horn —9E 128
Heron Gdns. Ray —4H 121
Herongate. —4N 115 (2G 41)
Herongate. Ben —2B 136
Herongate. Shoe —6J 141
Herongate Rd. E12 —4J 125
Heron Glade. Clac S —6K 187
Heron Hill. Belv —1K 47
Heron Ho. E6 —9L 125
Heron M. Ilf —4A 126
Heron Retail Pk. Bas —7N 117
Heron Rd. K'dn —8D 202
Heronsgate. Frin S —8J 183
Heronsgate Trad. Est. Bas —5G 119
Herons La. Fyf —1N 69 (1D 32)
(in two parts)
Herons, The. E11 —1F 124
Herons Wood. H'low —1A 56
Heronswood. Wal A —4E 78
Heron Way. Frin S —8H 183
Heron Way. Grays —3E 156 (1E 48)
Heron Way. H'bri —3M 203
Heronway. Hut —7L 99
Heron Way. May —3D 204
Heron Way. Upm —3B 130
Heron Way. Wfd G —1J 109
Herrick Pl. Colc —9H 167
Herring's Way. For —1A 166
Herschell Rd. Lgh S —4B 138
Hertford. —5B 20
Hertford Dri. Fob —5D 134
Hertford Heath. —6C 20
Hertford La. Chris —5H 5
Hertford Museum. —5B 20
Hertford Rd. N9 —1C 38
Hertford Rd. Bark —9N 125
Hertford Rd. Can I —2F 152
Hertford Rd. Enf —6C 30
Hertford Rd. Hod —4A 54 (7C 20)
Hertford Rd. Ilf —1D 126
Hertford Rd. Ware —5C 20
Hertingfordbury. —6A 20
Hertingfordbury Rd. Hert —6A 20
(in two parts)
Hervilly Way. W on N —7L 183
Hesketh Rd. E7 —5G 124
Hesselyn Dri. Rain —9F 128
Hester Ho. H'low —1B 56
Hester Pl. Bur C —3M 195
Hetherington Clo. Colc —6A 176
Hetzand Rd. Can I —2M 153
Hever Clo. Hock —1C 122
Hever Ct. Rd. Grav —5H 49
Hewes Clo. Colc —8F 168
Hewett Rd. Dag —6J 127
Hewins Clo. Wal A —2E 78
Hewitt Rd. R'sy —6E 200
Hewitt Wlk. Wthm —5D 214
Hexagon Ho. Romf —9D 112
(off Mercury Gdns.)
Hextable. —5B 48
Heybridge. —8C 86 (5G 33)
(nr. Ingatestone)
Heybridge. —2L 203 (7H 25)
(nr. Maldon)
Heybridge App. H'bri —2J 203 (7H 25)
Heybridge Basin. —8N 203 (1J 35)
Heybridge Dri. Ilf —6C 110
Heybridge Dri. W'fd —9M 103
Heybridge Ho. Ind. Est. Mal —4L 203
Heybridge Rd. Ing —8B 86
Heybridge St. H'bri —3L 203 (7H 25)
Heycroft Dri. Cres —2D 194
Heycroft Rd. Hock —2E 122
Heycroft Rd. Lgh S —9E 122
Heycroft Way. Chelm —5G 75
Heycroft Way. Tip —5D 212
Heydon. —5G 5
Heydon La. Elm —6H 5
Heydon La. Hey —5G 5
Heydon Rd. Gt Chi —6G 5
Heygate Av. Sth S —7M 139 (5K 43)
Heynes Rd. Dag —6H 127
Heythrop, The. Chelm —7M 61
Heythrop, The. Ing —6C 86
Heywood Ct. H'bri —2L 203
Heywood Way. H'bri —3L 203
Heyworth Rd. E15 —6F 124
Hibernia Point. SE2 —9J 143
(off Wolvercote Rd.)
Hickbush. Gt Hen —7J 9
Hickford Hill. Bel P —3D 8
Hickling Clo. Lgh S —9A 122
Hickling Rd. Ilf —7A 126
Hickman Av. E4 —3C 108
Hickman Rd. Romf —2H 127
Hickory Av. Colc —8D 168
Hicks Ct. Dag —5N 127
Hickstars La. Bill —9L 101 (1K 41)
Hicks Way. Stur —3K 7
Hidcote Way. Bla N —1B 198
Hides, The. H'low —2C 56
Higham. —5K 49
(nr. Shorne)
Higham. —1G 17
(nr. Stratford St Mary)
Higham Hill. —2D 38
Higham Hill Rd. E17 —2D 38
Higham Marsh. Stoke N —1G 17
Higham Pk. Ind. Est. E4 —3C 108
Higham Rd. Hghm —1G 17
Higham Rd. Wfd G —3G 108
Highams Chase. Gold —7A 26
Highams Ct. E4 —9D 92
Highams Park. —3D 108 (1E 38)
Highams Rd. Hock —2D 122
Higham Sta. Av. E4 —3A 108
Highams, The. E17 —5C 108
Higham View. N Wea —5N 67
High Ash Clo. Linf —1J 159
High Bank. Bas —2H 133

Highbank—Hillway, The

Highbank. Hull —4L 105
Highbank Clo. Lgh S —1E 138
High Barrets. Bas —1H 135
High Beech. —8H 79 (5F 31)
High Beeches. Ben —3B 136
High Beech Rd. Lou —3K 93
Highbirch Rd. Wee H —3B 186 (2B 28)
Highbridge Retail Pk. Wal A —4B 78
Highbridge Rd. Bark —1A 142
High Bri. Rd. Chelm —1D 74 (1A 34)
Highbridge St. Wal A —3B 78 (4D 30)
(in two parts)
Highbury. —5A 38
Highbury Av. Hod —3A 54
Highbury Corner. (Junct.) —5A 38
Highbury Gdns. Ilf —4D 126
Highbury Gro. N5 —5A 38
Highbury Pk. N5 —5A 38
Highbury Ter. H'std —4L 199
High Chelmer. Chelm —9K 61
High Chelmer Shop. Cen. Chelm —9K 61
(off Market Rd.)
Highclere Rd. Bla N —2B 198
Highclere Rd. H'wds —3B 168
Highcliff Cres. R'fd —9J 107
High Cliff Dri. Lgh S —6E 138
Highcliffe Clo. W'fd —8N 103
Highcliffe Dri. W'fd —8G 102
Highcliffe Gdns. Ilf —9L 109
Highcliffe Rd. W'fd —9N 103
Highcliffe Way. W'fd —9N 103
Highcliff Rd. Ben —5E 136
High Cloister. Bill —6K 101
High Croft. Coln E —3H 15
High Cross. —2D 20
Highcross La. L Can —2E 22
Highcross Rd. S'fleet —5E 48
High Easter. —4G 23
High Easter Rd. Barns —2G 23
High Easter Rd. Lea R —5E 22
High Elms. Chig —1D 110
High Elms. Upm —3B 130
High Elms. Wfd G —2G 108
High Elms La. Wat S —1A 20
High Elms Rd. Hull —7L 105
High Farm Cotts. Bill —1E 118
Highfield. H'low —4F 56
Highfield. Hull —5L 105
Highfield. Saw —1K 53
Highfield App. Bill —8M 101
Highfield Av. Ben —2H 137
Highfield Av. Eri —4A 154
Highfield Av. Har —4K 201 (3H 19)
Highfield Cloisters. Lgh S —5B 138
(off Hadleigh Rd.)
Highfield Clo. Brain —2J 193
Highfield Clo. Dan —4D 76
Highfield Clo. Romf —3A 112
Highfield Clo. Wclf S —4J 139
Highfield Cres. Horn —4K 129
Highfield Cres. Ray —5K 121
Highfield Cres. Wclf S —4J 139 (4J 43)
Highfield Dri. Colc —9K 167
Highfield Dri. Wclf S —3J 139
Highfield Gdns. Grays —9N 147
Highfield Gdns. Wclf S —3J 139 (4J 43)
Highfield Grn. Epp —1D 80
Highfield Gro. Wclf S —3J 139
Highfield Link. Romf —3A 112
Highfield Pl. Epp —1D 80
Highfield Rise. Alth —5A 36
Highfield Rd. Bill —9M 101
Highfield Rd. Chelm —7F 60
Highfield Rd. Dart —4B 48
Highfield Rd. Felix —1K 19
Highfield Rd. Horn —4K 129
Highfield Rd. Romf —4A 112
Highfield Rd. Wfd G —4L 109
Highfields. Deb —2C 12
High Fields. D'mw —8K 197
Highfields. Gt Yel —7D 198
Highfields. H'std 6K 199
Highfields. Saf W —3L 205
Highfields. Wthm —4F 25
Highfields La. K'dn —3J 25
Highfields Mead. E Han —1B 90
Highfields Rd. Wthm —4B 214
Highfield Stile Rd. Brain —2J 193
Highfield Towers. Romf —2B 112
Highfield Way. Horn —4K 129
Highfield Way. Wclf S —3J 139
High Gables. Lou —4K 93
High Garrett. —5D 14
High Garrett. Brain —5D 14
Highgate Hill. N6 & N19 —4A 38
Highgate Rd. N6 & NW5 —5A 38
Highgrove. Pil H —5E 98
Highgrove Houses. Brtwd —8F 98
(off Regency Ct.)
Highgrove M. Grays —3M 157
Highgrove Rd. Dag —7H 127
High Holborn. WC1 —7A 38
High Ho. Est. H'low —8L 53
High Ho. La. W Til —1F 158
Highland Av. Brtwd —7F 98
Highland Av. Dag —5A 128
Highland Av. Lou —5L 93
Highland Ct. E18 —5H 109
Highland Gro. Bill —6K 101
Highland Rd. Fob —5C 134
(in two parts)
Highland Rd. Naze —1E 64
Highlands. Gosf —3E 14
Highlands Av. Bas —2E 134
(in two parts)
Highlands Boulevd. Lgh S —3N 137
Highlands Chalet Pk. Clac S —6L 187
Highlands Ct. Lgh S —4A 138
Highlands Cres. Bas —9N 119
Highlands Dri. Mal —6H 203
Highlands Gdns. Ilf —3M 125
Highlands Hill. May —4B 36
Highlands Hill. Swan —6B 48
Highlands Rd. Bas —9N 119
Highlands Rd. Raw —6H 105
High La. Srng —5A 22
High La. Stans —1E 208 (6A 12)
High Laver. —7B 22
High Laver Rd. Mat G —6B 22
High Leigh. Dodd —6F 84
High Mead. Chig —8B 94
High Mead. Hock —2D 122
Highmead. Ray —5H 121
Highmead. Stans —1D 208
Highmead Ct. Brtwd —7G 98
Highmead Ct. Ray —5H 121
High Meadow. Bill —6L 101
High Meadow. D'mw —8K 197
High Meadows. Chig —2C 110
High Oak Rd. Ware —4C 20
High Oaks. Bas —3K 133
High Ongar. —7A 70 (3D 32)
High Ongar Rd. Ong —6L 69 (3C 32)
High Park Corner. —8H 177 (1G 27)
High Pasture. L Bad —8L 63
High Pastures. Srng —4A 22
High Pavement. Bas —9B 118
High Rd. E18 —5G 108 (2E 38)
High Rd. N15 & N17 —3B 38
High Rd. N22 —2A 38
High Rd. Ben —1B 136 (3D 42)
High Rd. Buck H & Lou —8H 93
High Rd. Chesh —2D 30
High Rd. Chig —2N 109 (1G 39)
High Rd. Dart —4B 48
High Rd. Epp —3A 80 (4G 31)
High Rd. Fob —5D 134
High Rd. Hock —3M 121 (2G 43)
High Rd. Horn H —1H 149 (5A 42)
High Rd. Ilf & Romf —5A 126 (4H 39)
(in five parts)
High Rd. Lang H & Lain
(in two parts) —5K 133 (4J 41)
High Rd. Lay H —9G 175
High Rd. L'hth —1C 16
High Rd. N Stif —8G 147 (7E 40)
High Rd. N Wea —5N 67 (3K 31)
High Rd. Ors —6A 148 (7G 41)
High Rd. Ray —7J 121 (2F 43)
High Rd. Shin W —2A 4
High Rd. Stan H —4A 150 (6J 41)
High Rd. Thorn —6G 67 (2J 31)
High Rd. T Mary —1J 19
High Rd. Van & Bas —2G 134 (4B 42)
High Rd. Wat S —2A 20
High Rd. Wfd G —3F 108 (1F 39)
High Rd. Worm & Brox —2D 30
High Rd. E. Felix —1K 19
High Rd. Leyton. E10 & E15
—1B 124 (4E 38)
High Rd. Leytonstone. E11 & E15
—6E 124 (5E 38)
High Rd. N. Lain —6L 117 (2K 41)
High Rd. Turnford. Chesh —2D 30
High Rd. W. Felix —1K 19
High Rd. Woodford Grn. Wfd G & E18
—2E 38
High Roding. —3F 23
High Silver. Lou —3K 93
Highstead Cres. Eri —6C 154
High Stile. D'mw —8K 197
Highstone Av. E11 —1G 124
Highstone Ct. E11 —1F 124
(off New Wanstead)
High St. Abington Pigotts, Ab P —3A 4
High St. Acton, Act —3K 9
High St. Aveley, Ave —8N 145 (7D 40)
High St. Babraham, Bab —1A 6
High St. Balsham, B'shm —1E 6
High St. Barkingside, B'side
—7B 110 (3H 39)
High St. Barkway, B'wy —1E 10
High St. Barley, Bar —6E 4
High St. Barrington, Barr —1E 4
High St. Bassingbourn, Bass —4B 4
High St. Bean, Bean —4E 48
High St. Beckenham, Beck —6D 46
High St. Benfleet, Ben —5D 136 (4D 42)
High St. Billericay, Bill —7J 101 (7J 33)
High St. Bishop's Stortford, Bis S
—1K 21
High St. Bradwell on Sea, Brad S
—1F 37
High St. Braintree, Brain
—6G 193 (7C 14)
High St. Brentwood, Brtwd
—8F 98 (1E 40)
High St. Brightlingsea, B'sea
—7E 184 (3K 27)
High St. Bromley, Brom —6F 47
High St. Buntingford, Bunt —4D 10
High St. Bures, Bures —7D 194 (1A 16)
High St. Burnham-on-Crouch, Bur C
—4L 195 (7C 36)
High St. Canewdon, Cwdn
—1M 107 (7K 35)
High St. Canvey Island, Can I
—1J 153 (6F 43)
High St. Castle Camps, Cas C —4G 7
High St. Cavendish, Caven —2F 9
High St. Chelmsford, Chelm —9K 61
High St. Cheshunt, Chesh —3C 30
High St. Chipping Ongar, Ong
—6L 69 (3C 32)
High St. Chislehurst, Chst —5G 47
High St. Chrishall, Chris —6H 5
High St. Clacton-on-Sea, Clac S
—2K 191 (4D 28)
High St. Clare, Clare —3D 8
High St. Clavering, Clav —3J 11
High St. Colchester, Colc
—8M 167 (6E 16)
High St. Crayford, Cray —3A 48
High St. Croydon, Cydn —1A 4
High St. Dartford, Dart —4C 48
High St. Debden, Deb —2C 12
High St. Dedham, Ded —2L 163 (2H 17)
High St. Dovercourt, Dov —3H 19
High St. Earls Colne, E Col
—3C 196 (4H 15)
High St. Elmdon, Elm —6J 5
High St. Elsenham, Else
—8C 196 (5B 12)
High St. Epping, Epp —1E 80 (4H 31)
High St. Eynsford, Eyns —7C 48
High St. Farningham, F'ham —7C 48
High St. Felixstowe, Felix —1K 19
High St. Fowlmere, Fow —2F 5
High St. Foxton, Foxt —1F 5
High St. Grays, Grays —4K 157
(in two parts)
High St. Great Abington, Gt Ab —1B 6
High St. Great Baddow, Gt Bad
—3G 75 (2B 34)
High St. Great Bardfield, Gt Bar —3J 13
High St. Great Chesterford, Gt Che
—3L 197 (4A 6)
High St. Great Dunmow, D'mw
—8L 197 (1G 23)
High St. Great Oakley, Gt Oak —5E 18
High St. Great Sampford, Gt Sam
—1H 13
High St. Great Wakering, Gt W
—2K 141 (4B 44)
High St. Great Yeldham, Gt Yel
—8D 198 (6D 8)
High St. Greenhithe, Grnh
—9E 156 (3E 48)
High St. Hadleigh, Had —3K 137 (4F 43)
High St. Halstead, H'std
—4K 199 (3F 15)
High St. Harlow, H'low —8H 53 (6J 21)
(in two parts)
High St. Harwich, Har —3M 201
High St. Hatfield Broad Oak, Hat O
—3C 22
High St. Haverhill, H'hll —3J 7
High St. Hempstead, Hpstd —7G 7
High St. Henham, Hen —4C 12
High St. Heydon, Hey —5G 5
High St. Hinxton, Hxtn —3K 5
High St. Hoddesdon, Hod
—5A 54 (1D 30)
High St. Hornchurch, Horn
—3H 129 (4B 40)
High St. Hornsey, N8 —3A 38
High St. Hunsdon, Hun —4F 21
High St. Ingatestone, Ing
—7C 86 (5H 33)
High St. Kelvedon, K'dn —9B 202 (2J 25)
High St. Langham, L'ham
—4C 162 (3F 17)
High St. Layer de la Haye, Lay H —1D 26
High St. Leigh-on-Sea, Lgh S —6B 138
High St. Linton, Lin —2C 6
High St. Littlebury, L'bry —1J 205 (6A 6)
High St. Little Chesterford, L Ches
—5A 6
High St. Long Melford, L Mel —2J 9
High St. Maldon, Mal —5J 203 (1H 35)
High St. Manningtree, Mann
—4J 165 (3A 18)
High St. Melbourn, Mel —3E 4
High St. Meldreth, Meld —2D 4
High St. Mersea, W Mer —5F 27
High St. Mistley, Mis —4L 165 (3A 18)
High St. Much Hadham, M Hud —2G 21
High St. Nayland, Nay —1D 16
High St. Newport, Newp —1B 12
High St. Northfleet, N'fleet —3F 49
High St. Orpington, Orp —7J 47
High St. Orwell, Orw —1D 4
High St. Pampisford, Pam —1K 5
High St. Penge, SE20 —5C 46
High St. Ponders End, Enf —7C 30
High St. Puckeridge, Puck —7E 10
High St. Purfleet, Purf —3L 155
High St. Rayleigh, Ray —5J 121 (2F 43)
High St. Reed, Reed —7D 4
High St. Romford, Romf —9C 112
High St. Rowhedge, Rhdge —6G 176
High St. Roydon, Roy —2H 55 (6F 21)
High St. Saffron Walden, Saf W
—3K 205 (6B 6)
High St. St Mary Cray, St M —7J 47
High St. Sawston, Saws —1K 5
High St. Shoeburyness, Shoe
—8K 141 (5C 44)
High St. Sidcup, Sidc —5J 47
High St. Southend-on-Sea, Sth S
—6M 139 (5K 43)
High St. Southgate, N14 —1A 38
High St. Southminster, S'min
—7L 207 (5C 36)
High St. South Norwood, SE25 —6B 46
High St. Standon, Stdn —7E 10
High St. Stanford-le-Hope, Stan H
—4L 149 (6K 41)
High St. Stanstead Abbots, Stan A
—6E 20
High St. Stebbing, Steb —6H 13
High St. Stock, Stock —7N 87 (5K 33)
High St. Stratford, E15 —6E 38
High St. Swanley, Swan —6A 48
High St. Swanscombe, Swans —3F 49
High St. Thornton Heath, T Hth —6B 46
High St. Thorpe-le-Soken, T Sok
—4J 181 (7D 18)
High St. Tollesbury, Tol —8J 211 (6C 26)
High St. Walkern, Walk —5A 10
High St. Waltham Cross, Wal X —4C 30
High St. Walthamstow, E17 —8A 108
High St. Walton-on-the-Naze, W on N
—6M 183 (1H 29)
High St. Wanstead, E11
—9G 108 (3F 39)
High St. Ware, Ware —4C 20
High St. Watton at Stone, Wat S —2A 20
High St. West Ham, E13 —6F 39
High St. West Mersea, W Mer —3J 213
High St. West Wickham, W Wick
(nr. Bromley) —7D 46
High St. West Wickham, W W'ck —1F 7
(nr. Colchester)
High St. Wethersfield, Weth —3A 14
High St. Whittlesford, Whitt —1J 5
High St. Wickford, W'fd
—9L 103 (1C 42)
High St. Widdington, Widd —3B 12
High St. Widford, Wid —4G 21
High St. Wivenhoe, W'hoe
—6H 177 (1G 27)
High St. Woolwich, SE18 —1G 47
Highstreet Green. —1D 14
High St. N. E12 & E6 —7L 125 (5G 39)
High St. N. W Mer —5F 27
High St. S. E6 —6G 39
High, The. —7H 21
High Tree La. W on N —4N 183
High Trees. Stock —7M 87
Hightrees Ct. War —1F 114
High View. Bchgr —6B 208
High View. St La —2C 36
(off Mountview Cres.)
High View Av. Clac S —7J 187
High View Av. Grays —3M 157
Highview Av. Lang H —1H 133
High View Clo. Clac S —7J 187
High View Clo. Lou —4J 93
Highview Ct. Lou —4K 93
Highview Cres. Hut —5M 99
High View Gdns. Grays —3M 157
Highview Gdns. Upm —4M 129
Highview Ho. Romf —8K 111
High View Rise. Cray H —2D 118
High View Rd. E18 —6F 108
Highview Rd. Ben —8G 120
Highway, The. E1 —7C 38
Highwood. —6B 72 (2G 33)
Highwood Clo. Brtwd —6E 98
Highwood Clo. Lgh S —2E 138
Highwood Gdns. Ilf —9M 109
Highwood La. Lou —4N 93
Highwood Rd. Hghwd & Ed C
(in two parts) —6A 72 (3G 33)
High Wood Rd. Hod —2A 54
Highwood Rd. Writ —2H 73
Highwoods. —3B 168 (5F 17)
(nr. Colchester)
High Woods. —8B 72 (3G 33)
(nr. Highwood)
Highwoods App. Colc —3B 168
High Woods Country Park &
Visitors Centre. —5N 167 (5E 16)
Highwoods Sq. H'wds —4B 168
High Wych. —3F 52 (4J 21)
High Wych La. H Wych —2F 52 (4J 21)
High Wych Rd. Saw —6D 52 (5H 21)
Hilary Clo. E11 —9G 108
Hilary Clo. Eri —6A 154
Hilary Clo. Horn —7H 129
Hilary Clo. R'fd —2K 123
Hilary Cres. Ray —5L 121
Hilbery Rd. Can I —2J 153
Hilda Rd. E6 —9K 125
Hildaville Dri. Wclf S —5H 139
Hilden Dri. Eri —5F 154
Hildersham. —1C 6
Hildersham Rd. Abgtn —1B 6
Hillary Clo. Chelm —7M 61
Hillary Clo. H'bri —3L 203
Hillary Mt. Bill —7H 101
Hill Av. W'fd —9N 103
Hillboro Ct. E11 —2D 124
Hillborough Mans. Wclf S —3J 139
Hillborough Rd. Wclf S —3J 139
Hill Clo. Ben —2E 136
Hill Ct. Romf —8D 112
Hill Cres. Chelm —9M 61
Hill Cres. Horn —1G 129
Hillcrest. Clac S —7L 187
Hillcrest. Kir S —6G 182
Hillcrest. May —2D 204
Hillcrest Av. Bas —2G 133
Hillcrest Av. Grays —4D 156
Hillcrest Av. Hull —7L 105
Hillcrest Clo. Horn H —1H 149
Hillcrest Cotts. L'ham —2E 162
Hillcrest Ct. Har —4L 201
Hillcrest Ct. Horn H —2H 149
(off Hillcrest Rd.)
Hillcrest Ct. Romf —5A 112
Hillcrest Rd. E17 —6D 108
Hillcrest Rd. E18 —6G 108
Hillcrest Rd. Hock —2D 122
Hillcrest Rd. Horn —2E 128
Hillcrest Rd. Horn H —2G 149
Hillcrest Rd. Lou —5K 93
Hillcrest Rd. Sth S —6N 139
Hillcrest Rd. S Fer —1J 105
Hillcrest Rd. Toot —9C 68
Hillcrest View. Bas —3E 134
Hillcrest Way. Epp —1F 80
Hillcroft. Lou —1N 93
Hillcroft Rd. E6 —5A 142
Hilldene Av. Romf —3G 112 (2B 40)
Hilldene Clo. H Hill —2H 113
Hill Farm Rd. Whitt —2J 5
Hillfoot Av. Romf —5A 112
Hillfoot Rd. Romf —5A 112
Hill Green. —2K 11
Hill Gro. Romf —7C 112
Hillgrove Bus. Pk. Naze —1C 64
Hillhouse. Wal A —3F 78
Hillhouse Clo. Bill —4K 101
Hillhouse Ct. Bill —4K 101
Hill Ho. Ct. B'sea —6F 184
Hillhouse Dri. Bill —4K 101
Hillhouse La. T Sok —3E 180 (7C 18)
Hill Ho. Pk. Mal —5J 203
Hilliards Rd. Gt Bro —5G 170 (5K 17)
Hillie Bunnies. E Col —2C 196
Hilliers La. Croy —7A 46
Hillingdon Rd. Bexh —7A 154
Hillington Gdns. Wfd G —6K 109
Hill La. Hock —2E 122
Hill La. Stur —4K 7
Hillman Av. Jay —6C 190
Hillman Clo. Horn —7H 113
Hillmarton Rd. N7 —5A 38
Hillreach. SE7 —1G 47
Hillridge. H'wds —4B 168
Hill Rise. Upm —4L 129
Hillrise Rd. Romf —3A 112
Hill Rd. Ben —3E 136
Hill Rd. Brtwd —9D 98
Hill Rd. Chelm —9M 61
Hill Rd. Clac S —7J 187
Hill Rd. Cogg —8M 195
Hill Rd. Har —3L 201
Hill Rd. Hpstd —7G 7
Hill Rd. Sth S —3L 139
Hill Rd. They B —8D 80
Hill's Chase. War —1F 114
Hills Clo. Brain —4H 193
Hills Cres. Colc —1H 175
Hillside. —2A 154
Hillside. Eri —2B 154
Hillside. Frin S —1H 189
Hillside. Grays —2N 157
Hillside. H'low —5H 57
Hillside. H Hill —1H 113
Hillside. Mal —5K 203
Hillside. Saws —1K 5
Hillside Av. Hock —2E 122
Hillside Av. Wfd G —3J 109 (2F 39)
Hillside Clo. Bill —7K 101
Hillside Clo. Wfd G —2J 109
Hillside Cotts. W'fd —6A 104
Hillside Cres. Hol S —7N 187
Hillside Cres. Lgh S —6F 138
Hillside Gdns. E17 —7D 108
Hillside Gdns. Brain —7H 193
Hillside Gro. Chelm —4B 74
Hillside M. Chelm —3B 74
Hillside Rd. Ben —5D 136
(in two parts)
Hillside Rd. Bill —7K 101 (7J 33)
Hillside Rd. Brom —6E 46
Hillside Rd. Bur C —3L 195
Hillside Rd. E'wd —7B 122
Hillside Rd. Hock —2A 122
Hillside Rd. Lgh S —6D 138
Hillside Rd. S'min —7K 207
Hillside Wlk. Brtwd —9C 98
Hills Rd. Buck H —7H 93
Hills Rd. Sib H —7B 206
Hillston Clo. Colc —4B 176
Hill St. Saf W —4K 205 (6B 6)
Hill Ter. Corr —1D 150
Hill, The. H'low —8H 53
Hill, The. N'fleet —3G 49
Hilltop. E17 —7B 108
Hill Top. Lou —1N 93
Hill Top Av. Ben —4F 136
Hilltop Av. Hull —7L 105
Hilltop Clo. Colc —2D 176
Hill Top Clo. Lou —2N 93
Hilltop Clo. Ray —6J 121
Hill Top Ct. Wfd G —3M 109
Hilltop Cres. Wee —5D 180
Hill Top La. Saf W —6L 205
Hill Top Pl. Lou —2N 93
Hill Top Rise. Lang H —2H 133
Hilltop Rise. Wee —5C 180
Hilltop Rd. Bas —8M 117
Hilltop Rd. Grays —4E 156
Hill Top View. Wfd G —3M 109
Hill Tree Clo. Saw —3J 53
Hillview. Bick —9F 76
Hillview Av. Horn —1G 129
Hillview Clo. Rhdge —6F 176
Hill View Cres. Ilf —1M 125
Hillview Gdns. Stan H —9A 134
Hill View Rd. Chelm —7L 61
Hillview Rd. Ray —4J 121
Hillway. Bill —6M 101 (7K 33)
Hillway. Wclf S —6F 138
Hillway, The. Ing —9A 86
(in two parts)

Hillwood Clo.—Howbridge Rd.

Hillwood Clo. Hut —7L 99
Hillwood Gro. Hut —7L 99
Hillwood Gro. W'fd —9M 103
Hilly Field. H'low —7E 56
Hillyfields. Lou —1N 93 (6G 31)
Hilly Rd. Lain —8M 117
Hilton Clo. Mann —4J 165
Hilton Rd. Can I —9G 136
Hilton Wlk. Can I —9G 137
Hilton Wlk. Sib H —7C 206
Hilton Way. Sib H —7C 206
Hilversum Way. Can I —9H 137
Hind Clo. Chig —2E 110
Hind Cres. N Hth —4B 154
Hindles Rd. Can I —1K 153
Hindmans Way. Dag —4L 143
Hines Clo. Aldh —6A 16
Hinguar St. Shoe —8K 141
Hinksey Path. SE2 —9J 143
Hinton Ct. E10 —4B 124
(off Leyton Grange Est.)
Hinton Rd. SW9 —3A 46
Hintons. H'low —7N 55
Hinxton. —3A 6
Hinxton Rd. Dux —3K 5
Hinxton Watermill. —3K 5
Hitcham Rd. Cogg —7K 195
Hitch Comn. Rd. Newp —8C 204
Hitchin Clo. Romf —1G 113
Hitchin M. Brain —8K 193
Hither Blakers. S Fer —9K 91
Hitherfield Rd. Dag —4K 127
Hither Green. —3E 46
Hither Grn. La. SE13 —3E 46
Hitherwood Clo. Horn —6H 129
Hitherwood Rd. Colc —4K 175
Hive Clo. Brtwd —9D 98
Hobart Clo. Chelm —6G 60
Hobart Rd. Dag —6J 127
Hobart Rd. Ilf —6B 110
Hobart Rd. Til —6C 158
Hobbiton Hill. S Fer —2J 105
Hobbs Cross. —6J 81 (5J 31)
(nr. Epping)
Hobbs Cross. —2M 57 (6K 21)
(nr. Harlow)
Hobbs Cross. H'low —9L 53
Hobbs Cross Rd. H'low —2M 57 (6K 21)
Hobbs Cross Rd. Stap T & They G —4H 81
Hobbs Dri. Boxt —3A 162
Hobbs La. Glem —2G 9
Hobbs M. Ilf —4E 126
Hobhouse Rd. Stan H —1M 149
Hobleythick La. Wclf S —3J 139 (4J 43)
Hoblongs Ind. Est. D'mw —1G 23
Hobtoe Rd. H'low —2N 55
Hockenden. —6K 47
Hockenden La. Swan —6K 47
Hockerill. —1K 21
Hockerill St. Bis S —1K 21
Hockley. —1D 122 (1H 43)
Hockley Clo. Bas —9E 118
Hockley Clo. Brad S —1F 37
Hockley Ct. E18 —5G 108
Hockley Dri. Romf —6F 112
Hockley Grn. Bas —9F 118
Hockley Mobile Homes. Hock —6B 106
Hockley Rise. Hock —2D 122
Hockley Rd. Bas —9E 118
Hockley Rd. Brad S —1F 37
Hockley Rd. Ray —5K 121 (2F 43)
Hoddesdon. —5A 54 (7D 20)
Hoddesdon Bus. Cen. Hod —5A 54
Hoddesdon Rd. Stan A —1B 54 (6E 20)
Hodgkin Clo. SE28 —7J 143
Hodgson Ct. W'fd —2A 120
Hodgson Way. W'fd —1N 119 (1C 42)
Hodings Rd. H'low —2A 56
Hoecroft. Naze —1F 64
Hoe Dri. Colc —1H 175
Hoe La. Abr —2G 94 (6J 31)
Hoe La. Caven —3F 9
Hoe La. Enf —5C 30
Hoe La. Gt Walt —6G 58
Hoe La. Naze —1F 64 (1E 30)
Hoe La. Ret C —2N 103 (6D 34)
Hoe La. Ware —5C 20
Hoe Mill Rd. Wdhm W —1F 35
Hoestock Rd. Saw —2J 53
Hoe St. E17 —8A 108 (3D 38)
Hoe St. Rox —1H 33
Hoe, The. Bill —3K 117
Hoffmanns Way. Chelm —7K 61
Hofford Rd. Grays & Stan H —2F 158
Hogarth Av. Brtwd —9H 99
Hogarth Clo. W Mer —3L 213
Hogarth Dri. Shoe —6L 141
Hogarth End. Kir X —7H 183
Hogarth Reach. Lou —4M 93
Hogarth Rd. Dag —7G 127
Hogarth Rd. Grays —8K 147
Hogarth Way. R'fd —1H 123
Hogges Clo. Hod —5A 54
Hogg La. Grays —9K 147 (1F 49)
Hog Hill Rd. Romf —4L 111 (2K 39)
Hog's La. Chris —6H 5
Hog's La. E Ber —1D 164
Hogwell Chase. S Fer —5G 35
Holbech Rd. Bas —7G 119
Holbeck La. Chesh —2B 30
Holbein Ter. Dag —6H 127
(off Marlborough Rd.)
Holbek Rd. Can I —2L 153
Holborn. —7A 38
Holborn. EC1 —7A 38
Holborn Viaduct. EC1 & EC4 —7A 38
Holborough Clo. Colc —8F 168
Holbrook. —1D 18
Holbrook Clo. Bill —6M 101
Holbrook Clo. Clac S —9F 186
Holbrook Clo. S Fer —1K 105
Holbrook Rd. Hark —1E 18
Holbrook Rd. Stut —1C 18
Holbrook Way. Brom —7G 47
Holcombe Rd. Ilf —2N 125
Holdbrook. —4D 30
Holdbrook Way. Romf —6K 113
Holden Clo. Dag —5G 127
Holden Gdns. Bas —6G 118
Holden Gdns. War —2G 115
Holden Rd. Bas —6G 118
Holden Rd. Colc —5N 167
Holden Wlk. Bas —6G 118
Holden Way. Upm —3A 130
Holder's Green. —4G 13
Holecroft. Wal A —4E 78
Hole Farm La. Gt War —6D 114
Holgate. Bas —7K 119
Holgate Ct. Romf —9C 112
(off Western Rd.)
Holgate Gdns. Dag —8M 127
Holgate Rd. Dag —7M 127
Holiday Hill. W Han —5F 88 (5B 34)
Holkham Av. S Fer —3K 105
Holland Av. Can I —9D 136
Holland Clo. Romf —9A 112
Holland Ct. E17 —8C 108
(off Evelyn Rd.)
Holland Haven Country Park. —5E 188 (3F 29)
Holland Ho. E4 —1D 108
Holland-on-Sea. —8A 188 (3F 29)
Holland Pk. Clac S —9L 187
Holland Pk. Av. Ilf —1D 126
Holland Rd. E6 —9N 125
Holland Rd. Clac S —2K 191 (4E 28)
(in two parts)
Holland Rd. Frin S —2H 189
Holland Rd. Kir X —8E 182
Holland Rd. L Cla —3H 187 (2D 28)
Holland Rd. Wclf S —7J 139
Hollands Rd. H'hll —3J 7
Holland Wlk. Bas —4E 134
Holledge Cres. Kir X —8H 183
Holley Gdns. Bill —5K 101
Hollidge Way. Dag —9N 127
Hollies Rd. B'wll —7F 15
Hollies, The. E11 —9G 108
(off New Wanstead)
Hollies, The. Stan H —4L 149
Hollies, The. Wal A —5J 79
(off Woodbine Clo.)
Holliland Croft. Gt Tey —2E 172
Hollingtons Gro. B'ch —8D 174
Hollis Lock. Chel V —8B 62
Hollis Pl. Grays —2K 157
Holliwell Clo. S'way —9E 166
Holloway. —4A 38
Holloway Clo. Lea R —5E 22
Holloway Cres. Lea R —5E 22
Holloway Rd. E11 —5D 124
Holloway Rd. N19 & N7 —4A 38
Holloway Rd. H'bri —2J 203 (7H 25)
Hollow Cotts. Purf —3L 155
Hollowfield Av. Grays —2N 157
Hollow La. Broom —4F 60 (7K 23)
Hollow La. Bures —1A 16
Hollow Rd. Ashen —4C 8
Hollow Rd. Chris —6H 5
Hollow Rd. Elm —6J 5
Hollow Rd. Fels —2A 24
Hollow Rd. K'dn —8A 202 (2H 25)
Hollow Rd. Widd —3B 12
Hollow, The. Wfd G —1F 108
Holly Bank. Bas —2H 133
Hollybank. Wthm —6C 214
Hollybush Clo. E11 —9G 108
Hollybush Hill. E11 —1F 124 (3E 38)
Hollybush Hill. Gt Ben —2K 185 (2A 28)
Holly Clo. Buck H —9K 93
Holly Clo. Bur C —3L 195
Holly Clo. Colc —4K 175
Holly Ct. Bill —6J 101
Holly Cres. Wfd G —4D 108
Hollycroft. Gt Bad —4J 75
Hollycross Rd. Stan A —5D 20
Hollydown Way. E11 —5D 124 (4E 38)
Holly Dri. E4 —6B 92
Holly Dri. S Ock —4G 147
Holly Field. H'low —6B 56
Hollyford. Bill —3M 101
(in two parts)
Holly Gro. Bas —1H 133
Holly Gro. Rd. B'fld —4A 20
Holly Hill Rd. Belv & Eri —3A 154
Hollyhock Rd. Saf W —3L 205
Holly Ho. Brtwd —7G 99
Holly La. Gt Hork —4K 161 (3E 16)
Hollymead. Corr —1N 149
Hollymead Clo. Colc —4N 167
Holly Oaks. Wmgfd —3B 16
Holly Rd. E11 —2F 124
Holly Rd. S'way —1D 174
Hollytree Ct. Colc —3K 175
Hollytree Gdns. Ray —7H 121
Hollytrees Museum. —8N 167 (6E 16)
Holly View Clo. Ten —1D 180
Holly Wlk. Can I —1F 152
Holly Wlk. Wthm —2E 214
(in two parts)
Holly Way. Chelm —3E 74
Holly Way. Elms —9M 169
Hollyway. Tip —6C 212
Hollywood Clo. Chelm —4F 74
Hollywood Way. Eri —5F 154
Hollywood Way. Wfd G —4D 108
Holman Cres. Colc —2H 175
Holman Rd. H'std —6K 199
Holmans. Bore —3F 62
Holmbrook Way. Frin S —9H 183
Holmcroft Ho. E17 —8B 108
Holmer Ct. Colc —9M 167
Holme Rd. Horn —3L 129
Holmes Clo. Horn H —2H 149
Holmes Ct. Can I —1K 153
(off High St. Canvey Island,)
Holmesdale Hill. S Dar —6D 48
Holmesdale Rd. S Dar —6D 48
Holmes Meadow. H'low —9A 56
Holmes Rd. H'std —6K 199
Holm Oak. Colc —3A 176
Holmsdale Clo. Wclf S —3H 139
Holmsdale Rd. Bexh —7C 154
Holmswood. Can I —9L 137
Holmwood Av. Shenf —5K 99
Holmwood Clo. Clac S —7F 186
Holmwood Rd. Ilf —4D 126
Holness Rd. E15 —8F 124
Holst Av. Bas —7L 117
Holst Clo. Stan H —2L 149
Holstock Rd. Ilf —4B 126
Holsworthy. Shoe —6H 141
Holsworthy Ho. H Hill —5H 113
Holt Clo. SE28 —7G 143
Holt Clo. Chig —2E 110
Holt Ct. E15 —7C 124
Holt Dri. Colc —7A 176
Holt Dri. W Bis —7K 213
Holt Farm Way. R'fd —3J 123
Holton Rd. Can I —2M 153
Holton Rd. Ray —6N 121
Holton St Mary. —1H 17
Holt's Rd. L Hork —5C 160 (3C 16)
Holt, The. Ilf —3B 110
Holt Way. Chig —2E 110
Holtwhite's Hill. Enf —6A 30
Holtynge. Ben —2C 136
Holybread La. L Bad —7J 63 (1D 34)
Holy Cross Hill. Worm —2C 30
Holyfield. —8D 64 (3E 30)
Holyfield Rd. Wal A —8C 64 (3E 30)
Holyoak La. Hock —3D 122
Holyrood. Har —5H 201
Holyrood Dri. Wclf S —4G 138
Holyrood Gdns. Grays —2E 158
Homebridge. Gt Sam —1H 13
Homebush Ho. E4 —6B 92
Home Clo. H'low —3E 56
Home Clo. Stpl B —2D 210
Homecove Ho. Wclf S —7J 139
(off Holland Rd.)
Homecroft Gdns. Lou —3A 94
Home Farm Clo. Gt W —2M 141
Home Farm La. A'lgh —7N 163 (4J 17)
Home Farm Rd. L War —5H 115 (2F 41)
Homefield. S'min —6M 207
Homefield. Wal A —2G 78
Homefield Av. Ilf —9D 110
Homefield Clo. Bill —1M 117
Homefield Clo. Chelm —6F 60
Homefield Clo. Epp —9F 66
Homefield Rd. Brom —6F 47
Homefield Rd. Colc —5K 175
Homefield Rd. H'hll —3J 7
Homefield Rd. Wthm —3D 214
Homefields Av. Ben —1B 136
Homefield Way. E Col —2C 196
Homefield Way. Tye G —1D 194
Home Gdns. Dag —5A 128
Home Gdns. Dart —3C 48
Homehurst Ho. Brtwd —7G 98
Homelands Gro. Rams H —4D 102
Homelands Retail Pk. Chelm —6B 62
Home Mead. Bas —7K 117
Home Mead. Gall —8D 74
Home Mead. Writ —1J 73
Home Meadows. Bill —6J 101
Homer Clo. Bexh —6A 154
Homeregal Ho. Ray —5K 121
(off Bellingham La.)
Homerton. —5C 38
Homerton Clo. Clac S —5K 187
Homerton High St. E9 —5C 38
Homerton Rd. E9 —6A 124 (5D 38)
Homesdale Clo. E11 —9G 108
Homesdale Rd. Brom —6F 47
Homestall Rd. SE22 —3C 46
Homestead. Broom —4K 61
Homestead Ct. Ben —3K 137
Homestead Dri. Bas —4L 133
Homestead Gdns. Ben —4K 137
Homestead Gdns. Clac S —7J 187
Homestead Rd. Bas —9M 119
Homestead Rd. Ben —4K 137
Homestead Rd. Dag —4L 127
Homestead Rd. Rams B —8E 102
Homestead Way. Ben —4K 137
Homeway. Romf —3M 113
Homing Rd. L Cla —1G 186
Honey Brook. Wal A —3E 78
Honey Clo. Chelm —4D 74
Honey Clo. Dag —8N 127
Honey Clo. Hook E —5G 84
Honeycroft. Law —5G 165
Honeycroft. Lou —3A 94
Honeyhill. H'low —7D 56
Honey La. Clav —3H 11
Honey La. Wal A —3E 78 (4E 30)
Honey La. Ho. Wal A —4G 78
Honeymeade. Saw —5H 53
(in two parts)
Honeypot La. Bas —7C 118
(in two parts)
Honeypot La. Brtwd —9D 98 (1E 40)
Honeypot La. Chelm —4A 58
Honeypot La. Gt Bro —7G 171
Honey Pot La. Pur —5G 35
Honeypot La. Stock —8L 87 (5K 33)
Honeypot La. Tol K —4A 26
Honeypot La. Wal A —4J 79
Honeypot La. Wee H —1E 186
Honeypot La. Wix —5C 18
Honeypots. Chelm —4D 74
Honeysuckle Clo. Pil H —4E 98
Honeysuckle Clo. Romf —3G 113
Honeysuckle Path. Chelm —5A 62
Honeysuckle Way. Colc —7E 168
Honeysuckle Way. Thorr —9F 178
Honeysuckle Way. Wthm —3A 214
Honeytree Ct. Lou —1A 94
Honey Tye. —1C 16
Honeywood Av. Cogg —7L 195
Honeywood Rd. H'std —3L 199
Honiley Av. W'fd —4M 119
Honington Clo. W'fd —1B 120
Honiton Rd. Romf —1B 128
Honiton Rd. Sth S —6A 140
Honorius Dri. H'wds —1B 168
Honor Oak. —3C 46
Honor Oak Park. —4D 46
Honor Oak Pk. SE23 —3C 46
Honor Oak Rd. SE23 —4C 46
Honywood Clo. M Tey —3G 172
Honywood Rd. Bas —5G 118
Honywood Rd. Colc —9L 167
Honywood Way. Kir X —7J 183
Hood Clo. W'fd —1M 119
Hood Gdns. Brain —4L 193
Hood Rd. Rain —2D 144
Hood Wlk. Romf —5N 111
Hook End. —5F 84 (5E 32)
Hook End La. Hook E —5F 84 (4E 32)
Hook End Rd. Hook E —5E 84 (5E 32)
Hook Field. H'low —5D 56
Hook Green. —5F 49
(nr. Gravesend)
Hook Green. —7H 49
(nr. Meopham)
Hook Grn. La. Dart —4A 48
Hook Grn. Rd. Meop —5F 49
Hook La. Romf —5L 95 (7K 31)
Hook La. Well —3J 47
Hookshall Dri. Dag —5A 128
Hookstone Way. Wfd G —4K 109
Hooley Dri. Ray —1J 121
Hoo, The. H'low —7H 53
Hoover Dri. Bas —9H 117
Hope Av. Stan H —9N 133
Hope Clo. Chad H —8H 111
Hope Clo. Mount —9A 86
Hope Clo. Wfd G —3J 109
Hope End Green. —1D 22
Hope Rd. Ben —5D 136
Hope Rd. Can I —2K 153
Hope Rd. Cray H —2D 118
Hope Rd. Stan H —5M 149
Hope's Green. —4C 136 (4D 42)
Hopes La. Ing —1L 87
Hop Gdns. La. Wdhm W —1F 35
Hop Grounds, The. F'fld —2K 13
Hopkins Clo. Kir X —8J 183
Hopkins Clo. Romf —7G 112
Hopkins Mead. Chelm —9A 62
Hopkirk Clo. Dan —2F 76
Hoppers Rd. N13 —1A 38
Hopper Wlk. Colc —9D 168
Hoppet, The. Ing —5E 86
Hoppett Rd. E4 —8E 92
Hopping Jacks La. Dan —3F 76 (2E 34)
Hoppit Mead. Brain —7H 193
Hoppit Rd. Wal A —2B 78
Hoppits, The. More —1B 32
Horace Av. Romf —3A 128
Horace Rd. E7 —6H 125
Horace Rd. Bill —4L 101
Horace Rd. Ilf —7B 110
Horace Rd. Sth S —7N 139
Hordle Pl. Har —3M 201
Hordle St. Har —3M 201
Horham Hall. —4E 12
Horkesley Hill. Nay —1H 161 (2D 16)
Horkesley Rd. Boxt —8L 161 (4E 16)
Horkesley Way. W'fd —1M 119
Horksley Gdns. Hut —5M 99
Horley Clo. Clac S —7G 187
Hornbeam Av. Upm —6L 129
Hornbeam Clo. Brtwd —9L 99
Hornbeam Clo. Buck H —9K 93
Hornbeam Clo. Chelm —4B 74
Hornbeam Clo. Colc —4L 175
Hornbeam Clo. They B —7C 80
Hornbeam Gro. E4 —9E 92
Hornbeam Ho. Buck H —9K 93
Hornbeam La. E4 —4E 92
Hornbeam La. Bexh —7A 154
Hornbeam Rd. Buck H —9K 93
Hornbeam Rd. They B —7C 80
Hornbeams. Ben —7B 120
Hornbeams, The. H'low —1B 56
Hornbeams, The. L Oak —8D 200
Hornbeam Wlk. Wthm —3D 214
Hornbeam Way. Lain —5L 117
Hornby Av. Wclf S —1H 139
Hornby Clo. Wclf S —1J 139
Hornchurch. —3J 129 (4B 40)
Hornchurch Clo. W'fd —1A 120
Hornchurch Rd. Horn —3E 128 (4A 40)
Horndon Clo. Romf —5A 112
Horndon Grn. Romf —5A 112
Horndon Ind. Pk. W H'dn —1M 131
Horndon on the Hill. —2H 149 (6J 41)
Horndon Rd. Horn H —4J 149 (6J 41)
Horndon Rd. Romf —5A 112
Horne Row. —5D 76
Horne Row. Dan —4D 76
Horner Pl. Wthm —5D 214
Horne's Green. —2K 15
Hornestreet. —3D 162 (3G 17)
Hornet Way. Bur C —3L 195
Hornfair Rd. SE7 —2F 47
Hornford Way. Romf —2C 128
Horn Hill. Sib H —9A 206 (2D 14)
Horn & Horseshoe La. H'low —5K 57
Horniman Museum. —4C 46
Horn La. Cogg —8L 195
Horn La. Wfd G —3G 109
Hornminster Glen. Horn —4L 129
Hornsby La. Ors —9C 148
Hornsby Sq. Bas —8G 117
(in two parts)
Hornsby Way. Bas —8H 117 (3J 41)
Horns Cross. —3D 48
Hornsey. —3A 38
Hornsey La. N6 —4A 38
Hornsey Pk. Rd. N8 —3A 38
Hornsey Rise. N19 —4A 38
Hornsey Rd. N19 & N7 —4A 38
Hornsey Vale. —3A 38
Hornsland Rd. Can I —2L 153
Horns Mill Rd. Hert —6B 20
Horns Rd. Ilf —9B 110 (3H 39)
Horrocks Clo. Colc —2A 176
Horsa Rd. Eri —5A 154
Horse and Groom La. Chelm —8B 74
Horsebridge Clo. Dag —1K 143
Horsecroft Pl. H'low —4L 55
Horsecroft Rd. H'low —4L 55
Horseferry Rd. SW1 —1A 46
Horseheath. —2F 7
Horseheath Rd. Lin —2D 6
Horseheath Rd. Wthfld —2H 7
Horseman Ct. Kel H —7C 84
Horseman Side. —3J 97 (6C 32)
Horseman Side. N'side —6F 96 (7B 32)
Horse Ride. Epp —5A 80
Horseshoe Barracks. Shoe —8K 141
Horseshoe Clo. Bill —3J 101
Horseshoe Clo. Elm —6J 5
Horseshoe Clo. Wal A —3J 79
Horseshoe Hill. Gt Hor —4F 11
Horseshoe Hill. Wal A —4F 31
Horseshoe La. L Hor —4E 10
Horseshoe Lawns. Hull —4L 105
Horsey Rd. Kir S —6F 182
Horsley Cross. —4N 171 (5B 18)
Horsley Cross. Bas —8C 118
Horsleycross Street. —2M 171 (4B 18)
Horsley Rd. E4 —8C 92
Horton Kirby. —6D 48
Horton Rd. Hort K —6D 48
Hortus Rd. E4 —8C 92
Hospital App. Broom —9K 59 (6A 24)
Hospital La. Colc —9L 167
Hospital Rd. Colc —9L 167
Hospital Rd. Shoe —8K 141
Houblon Dri. Chelm —8D 74
Houblons Hill. Coop —1H 81 (4J 31)
Houchin Dri. Fyf —1D 32
Houchin's La. Cogg —3A 172 (7J 15)
Houndsden Rd. N21 —7A 30
Hounslow Green. —2H 23
House on the Hill Toy Museum. —3E 208 (6A 12)
Housham Tye. —6A 22
Hove Clo. Grays —4K 157
Hove Clo. Hut —8M 99
Hovefields Av. Bas —5L 119
Hovefields Av. W'fd —4L 119
Hovefields Dri. W'fd —4L 119
Hoveton Rd. SE28 —7H 143
Howard Av. Har —5H 201
Howard Bus. Pk. Wal A —4D 78
Howard Chase. Bas —7A 118
Howard Clo. Brain —5K 193
Howard Clo. Lou —5L 93
Howard Clo. Wal A —4D 78
Howard Ct. Bark —1C 142
Howard Cres. Bas —1K 135
Howard Dri. Chelm —9B 62
Howard Lodge Rd. Kel C —7N 83 (5C 32)
Howard Pl. Can I —3H 153
Howard Rd. E11 —5E 124
Howard Rd. E17 —7A 108
Howard Rd. Bark —1C 142
Howard Rd. Grays —1F 156
Howard Rd. Hol S —9N 187
Howard Rd. Ilf —6A 126
Howard Rd. Saf W —3L 205
Howard Rd. Upm —4N 129
Howards Chase. Wclf S —4K 139
Howards Clo. Bore —3F 62
Howards Croft. Colc —2L 167
Howard Vyse Ct. Clac S —8J 187
Howard Way. H'low —9E 52 (6H 21)
Howbridge Hall Rd. Wthm —8C 214
(in two parts)
Howbridge Rd. Wthm —7C 214 (5F 25)

Howbury La. Eri —7E 154 (2A 48)
Howden Clo. SE28 —7J 143
Howe Chase. H'std —2K 199
Howe Clo. Colc —8D 168
Howe Clo. Romf —5M 111
Howe Green. —8L 75 (3C 34)
Howe Green. Gt Hal —2A 22
Howe Grn. Rd. Pur —4G 35
Howe La. Gt Sam —7H 7
Howell Clo. Romf —9J 111
Howell Ct. E10 —3B 124
Howell Rd. Corr —8A 134
Howe Street. —2H 59 (4K 23)
Howe St. F'fld —2K 13
Howfield Grn. Hod —2A 54
Howlett End. —1E 12
Hows Mead. N Wea —3B 68
Hoxton. —6B 38
Hoxton Clo. Clac S —8H 187
Hoylake Gdns. Romf —4L 113
Hoynors. Dan —3G 76
Hubbards Chase. Horn —9L 113
Hubbards Chase. W on N —6L 183
Hubbards Clo. Horn —9L 113
Hubert Rd. Brtwd —9E 98
Hubert Rd. Colc —7J 167
Hubert Rd. Rain —3D 144
Hucklesbury Av. Hol S —6B 188
Hucknall Clo. Romf —3K 113
Huddlestone Rd. E7 —6F 124
Hudson Clo. Clac S —8G 186
Hudson Clo. Har —6D 199
Hudson Ct. Lgh S —9D 122
(off Hudson Cres.)
Hudson Cres. Lgh S —9D 122
Hudson Rd. Lgh S —9C 122
Hudsons Clo. Stan H —2M 149
Hudson's Hill. Weth —3A 14
Hudsons La. Thor S —1F 17
Hudson Way. Can I —8G 137
Hughan Rd. E15 —7D 124
Hugh Dickson Rd. Colc —5M 167
Hughendon Ter. E15 —6C 124
Hughes Rd. Grays —1C 158
Hughes Stanton Way. Law —4G 164
Hugo Gdns. Rain —8E 128
Hullbridge. —5L 105 (7F 35)
Hullbridge Rd. Ray —7K 105 (1F 43)
Hullbridge Rd. S Fer —8J 91 (6F 35)
(in two parts)
Hullett's La. Pil H —2B 98
Hull Grn. Mat G —6B 22
Hull Gro. H'low —8N 55
Hull La. Terl —4D 24
Hull's La. S'don —4M 75 (2C 34)
Hulse Av. Bark —8C 126
Hulse Av. Romf —5N 111
Hulton Clo. Bore —3F 62
Humber Av. Jay —6C 190
Humber Av. S Ock —6C 146
Humber Clo. Ray —6J 121
Humber Dri. Upm —1A 130
Humber Rd. Chelm —6L 61
Humber Rd. Wthm —5A 214
Hume Av. Til —8D 158 (3H 49)
Hume Clo. Til —8C 158
Humphrey Clo. Ilf —5M 109
Humphrey Lodge. Thax —2K 211
Humphrey's Farm La. Chelm
—5E 58 (5K 23)
Humphries Clo. Dag —6L 127
Hundon. —1C 8
Hundon Rd. Ked —2A 8
Hundred La. Boxt —4B 162
Hungerdown. E4 —7C 92
Hungerdown La. A'lgh
—9B 164 (4J 17)
Hunnable Rd. Brain —5G 192
Hunsdon. —4F 21
Hunsdonbury. —5G 21
Hunsdon Clo. Dag —8K 127
Hunsdon Rd. Stan A —6E 20
Hunsdon Rd. Wid —4F 21
Hunt Av. H'bri —3L 203
Hunt Clo. Fee —6D 202
Hunt Dri. Clac S —8H 187
Hunter Av. Shenf —5K 99
Hunter Dri. Horn —6G 129
Hunter Dri. Law —5G 164
Hunter Dri. W'fd —2M 119
Hunter Rd. Brain —6L 193
Hunter Rd. Ilf —7A 126
Hunters Av. Bill —9K 101
Hunter's Chase. A'lgh —3H 17
Hunters Chase. Hut —7E 100
Hunters Corner. Colc —1G 174
Hunters Ct. Else —7C 196
Hunters Gro. Romf —2N 111
Hunters Hall Rd. Dag —6M 127
Hunters Ridge. H'wds —3B 168
Hunters Sq. Dag —6M 127
Hunters Way. Chelm —4A 62
Hunters Way. Saf W —6K 205
Hunters Yd. Saf W —4K 205
Huntingdon Rd. Sth S —6B 140
Huntingdon Way. Clac S —7J 187
Hunting Ga. Colc —8C 168
Huntings Farm. Ilf —5C 126
Huntings Rd. Dag —8M 127
Huntland Clo. Rain —5F 144
Hunt Rd. E Col —3B 196
Hunt's Clo. Writ —2K 73
Hunt's Dri. Writ —2K 73
Hunts Farm Clo. Tol —7K 211
Hunts Hill. Glem —2G 9
Huntsman La. Fox —3G 9
Huntsman Rd. Ilf —3F 110
Huntsmans Dri. Upm —7N 129
Hunts Mead. Bill —7H 101
Hunts Rd. Dux —3J 5
Hunts Slip Rd. SE21 —4B 46
Hunt Way. Kir X —8H 183
Hunwicke Rd. Colc —8E 168
Hurdleditch Rd. New W —1C 4
Hurlock Rd. Bill —6K 101
Hurnard Dri. Colc —8H 167
Hurrell Down. Bore —2G 62
Hurrell Down. H'wds —3A 168
Hurrells La. L Bad —8F 62 (1C 34)
Hurricane Clo. W'fd —2B 120
Hurricane Ho. W'fd —2A 120
Hurricane Way. N Wea —6M 67
Hurricane Way. W'fd —2A 120
Hurry Clo. E15 —9E 124
Hursley Rd. Chig —2E 110
Hurst Av. E4 —1A 108
Hurstbourne Gdns. Bark —8D 126
Hurst Clo. E4 —9A 92
Hurst Clo. B'sea —7F 184
Hurstcombe. Buck H —8G 93
Hurst Green. —7F 184 (3K 27)
Hurst Ho. Ben —8H 121
Hurstlands Clo. Horn —2G 128
Hurstleigh Gdns. Ilf —5M 109
Hurst Pk. Av. Horn —6J 129
Hurst Rd. E17 —7B 108
Hurst Rd. Buck H —7K 93
Hurst Rd. Eri —6A 154
Hurst Rd. Sidc & Bex —4J 47
Hurst Way. Chelm —9A 62
Hurst Way. Lgh S —2E 138
Hurstwood Av. E18 —8H 109
Hurstwood Av. Eri & Bexh —6C 154
Hurstwood Av. Pil H —6E 98
Hurstwood Ct. Upm —3N 129
Huskards. Upm —4M 129
Hutchins Clo. E15 —9C 124
Hutchins Clo. Horn —5J 129
Hutchinson Ct. Romf —8J 111
Hutson Ter. Purf —4A 156
Hutton. —4M 99 (7G 33)
Hutton Clo. Wfd G —3H 109
Hutton Ct. Hut —6B 100
Hutton Dri. Hut —6M 99
Hutton Ga. Hut —6L 99
Hutton Mount. —7L 99 (7F 33)
Hutton Rd. Shenf —6J 99 (7F 33)
Hutton Village. Hut —6A 100 (7G 33)
Huxley Dri. Romf —2G 126
Huxley Rd. E10 —4C 124
Huxtable La. For H —6B 166
Hyacinth Clo. Clac S —9G 186
Hyacinth Clo. Tol —8L 211
Hyacinth Ct. Chelm —4N 61
Hyams Way. Colc —9N 167
Hycliffe Gdns. Chig —1B 110
Hydaway Ho. Kel H —7B 84
Hyde Chase. Wdhm M —6K 77
Hyde Farm Chase. Dan —6H 77
Hyde Grn. Dan —3H 77
Hyde Hall Gardens. —6E 90 (5E 34)
Hyde Hall La. Gt Walt —2J 59 (4A 24)
Hyde Hall Rd. Ret C —5D 90
Hyde La. Dan —3G 77 (2E 34)
Hyde La. Gt Sal —5A 14
Hyde Mead. Naze —2E 64
Hyde Mead Ho. Naze —2E 64
Hyderbad Way. E15 —9E 124
Hyder Rd. Grays —1E 158
Hyde, The. Bas —2L 133
Hyde Vale. SE10 —2E 46
Hydeway. Ben —1F 136
Hyde Way. W'fd —1L 119
Hyde Wood La. Cwdn —8L 107 (1J 43)
Hydewood Rd. L Yel —6E 198
Hyland Clo. Horn —2F 128
Hylands Clo. Barns —2H 23
Hylands Park Gardens. —5L 73 (2K 33)
Hylands Rd. E17 —6D 108
Hylands, The. Hock —2C 122
Hyland Way. Horn —2F 128
Hyll Clo. Gt Che —2L 197
Hyndman Ho. Dag —5M 127
(off Kershaw Rd.)
Hynton Rd. Dag —4H 127
Hythe Clo. Brain —2G 193
Hythe Clo. Clac S —4H 191
Hythe Gro. B'sea —4D 184
Hythe Hill. Colc —9C 168 (6F 17)
Hythe Quay. Colc —9C 168 (6F 17)
Hythe Sta. Rd. Colc —9C 168 (6F 17)
Hythe, The. —1C 176 (6F 17)
Hythe, The. Mal —6L 203

Ian Rd. Bill —4H 101
Ibbetson Path. Lou —2A 94
Ibrox Ct. Buck H —8J 93
Ibscott Clo. Dag —8A 128
Iceni Way. Colc —3J 175
Ickleton. —1H 197 (3K 5)
Ickleton Rd. Dux —3J 5
Ickleton Rd. Elm —6J 5
Ickleton Rd. Gt Che —3K 197 (4A 6)
Ickleton Rd. I'tn —3K 5
Ickleton St Mary Church.
—1H 197 (4K 5)
Icknield Clo. I'tn —2H 197
Icknield Dri. Ilf —9A 110
Idleigh Ct. Rd. Meop —7F 49
Idmiston Rd. E15 —6F 124
Ilchester Rd. Dag —7G 126
Ilderton Rd. SE16 & SE15 —1C 46
Ilex Clo. Colc —4L 175
Ilford. —5A 126 (4H 39)
Ilford Hill. Ilf —5N 125 (4G 39)
Ilford La. Ilf —5A 126 (5G 39)
Ilford Trad. Est. Bas —5F 118
Ilfracombe Av. Bas —1L 135
Ilfracombe Av. Sth S —6B 140
Ilfracombe Cres. Horn —6G 129
Ilfracombe Gdns. Romf —2G 126
Ilfracombe Rd. Sth S —5A 140
Ilgars Rd. W'fd —7M 103
Ilmington Dri. Bas —6H 119
Imogen Clo. Colc —8F 168
Imperial Av. May —2A 204 (3A 36)
Imperial Av. Wclf S —5G 139
Imperial Ct. Wclf S —7J 139
(off Westcliff Pde.)
Imperial Lodge. Wclf S —5H 139
Imphal Clo. Colc —5K 175
Inchbonnie Rd. S Fer —2J 105 (6F 35)
Ingarfield Rd. Hol S —7B 188
Ingatestone. —6D 86 (5H 33)
Ingatestone By-Pass. Ing
—7B 86 (5G 33)
Ingatestone Hall. —7E 86 (5H 33)
Ingatestone Rd. E12 —3J 125
Ingatestone Rd. B'more —2J 85 (4F 33)
Ingatestone Rd. Hghwd —6A 72 (3G 33)
Ingatestone Rd. Ing —7G 87 (5J 33)
Ingatestone Rd. Stock —5J 33
Ingatestone Rd. Wfd G —4H 109
Ingaway. Bas —1A 134
Ingelrica Av. Hat P —3M 63
Ingels Mead. Epp —8E 66
Ingestre Rd. E7 —6G 124
Ingestre St. Har —3M 201
Ingleby Gdns. Chig —9G 94
Ingleby Rd. Dag —8N 127
Ingleby Rd. Grays —1D 158
Ingleby Rd. Ilf —3A 126
Inglefield Rd. Fob —7D 134
Ingleglen. Horn —2L 129
Inglehurst Gdns. Ilf —9M 109
Inglenook. Clac S —6L 187
Ingleside Ct. Saf W —4K 205
Inglewood Clo. Horn —6H 129
Inglewood Clo. Ilf —3E 110
Inglewood Rd. Bexh —9B 154
Inglis Rd. Colc —9L 167
Ingram M. Brain —8K 193
Ingram Rd. Grays —2M 157
Ingram Rd. T Hth —6B 46
Ingrams Piece. A'lgh —8L 163
Ingram's Well Rd. Sud —5J 9
Ingrave. —3M 115 (1G 41)
Ingrave Clo. W'fd —1M 119
Ingrave Common. —1K 115
Ingrave Rd. Brtwd —8G 99 (1E 40)
Ingrave Rd. Romf —8C 112
Ingrebourne Gdns. Upm —3N 129
Ingrebourne Rd. Rain —4F 144 (6B 40)
Ingresbourne Ct. E4 —9B 92
Ingress Ter. Grnh —9E 156
Ingreway. Romf —3M 113
Inkerpole Pl. Chelm —7A 62
Inks Grn. E4 —2B 108
Inmans Row. Wfd G —1G 109
Innes Clo. W'fd —2M 119
Innham Hill. Sib H —9A 206 (2D 14)
Inworth Wlk. Colc —5A 176
Inskip Clo. E10 —4B 124
Inskip Dri. Horn —3J 129
Inskip Rd. Dag —3J 127
Institute Rd. Coop —8J 67
Instone Rd. Dart —4C 48
Integer Gdns. E11 —2D 124
International Bus. Pk. Can I —2D 152
Inverclyde Gdns. Romf —8H 111
(in two parts)
Inverness Av. Wclf S —4J 139
Inverness Clo. Colc —7A 168
Inverness Dri. Ilf —3D 110
Invicta Ct. Bill —5G 101
Inworth. —9F 202 (3J 25)
Inworth La. Wak C —3K 15
Inworth Rd. Fee —6E 202 (2J 25)
Inworth Wlk. W'fd —8A 104
Iona Way. W'fd —2N 119
Ipswich M. Lain —1H 133
Ipswich Rd. Bran —3G 164 (1A 18)
Ipswich Rd. Colc & L'ham
—8B 168 (6F 17)
Ipswich Rd. Ded & Strat M
—1H 163 (2G 17)
Ipswich Rd. Hark —1E 18
Ipswich Rd. Holb —1D 18
Ipswich Rd. Hol S —7A 188
Ipswich Rd. Mann —2K 17
Ireton Pl. Grays —2K 157
Ireton Rd. Colc —1L 175
Iris Clo. Chelm —6A 62
Iris Clo. Pil H —4E 98
Iris Path. Romf —4G 113
Iron Latch La. S'way —7D 166
Iron Latch Meadow Nature Reserve.
—7D 166 (6C 16)
Iron Mill La. Dart —9C 154 (3A 48)
Iron Mill Pl. Dart —9D 154
Irons Way. Romf —4A 112
Ironwell La. Hock & R'fd —4F 122
Irvine Gdns. S Ock —6C 146
Irvine Pl. W'fd —2N 119
Irvine Rd. Colc —2K 175
Irvine Way. Bill —7J 101
Irvington Clo. Lgh S —2C 138
Irvon Hill Rd. W'fd —9K 103
Isabel Evans Ct. Stan H —9A 134
Isbell Gdns. Romf —4C 112
Isbourne Rd. Colc —8F 168
Ishams Chase. Wthm —8F 214
Isis Dri. Upm —1B 130
Island La. Kir S —6H 183
Island Rd. Frin S —2H 183
Isledon Rd. N7 —4A 38
Islington. —6A 38
Islington Pk. St. N1 —5A 38
Ismailia Rd. E7 —9H 125
Istead Rise. —6G 49
Italstyle Bldgs. Saw —6H 53
Ive Farm Clo. E10 —4A 124
Ive Farm La. E10 —4A 124
Iver Rd. Pil H —5E 98
Ives Gdns. Romf —8D 112
Ivinghoe Rd. Dag —7G 126
Ivor Brown Ct. H'wds —3B 168
Ivy Barn La. Marg —1C 86 (3H 33)
Ivybridge. Brox —7A 54
Ivy Chimneys. —2E 80 (4H 31)
Ivy Chimneys Rd. Epp —2D 80 (4H 31)
Ivydale Rd. SE15 —3C 46
Ivyhouse Rd. Dag —8J 127
Ivy La. E Mer —4J 27
Ivy Lodge La. H Wood —5M 113
Ivy Lodge Rd. Gt Hork —8K 161 (4E 16)
Ivy Rd. E17 —1A 124
Ivy Rd. Ben —9A 120
Ivy Ter. Hod —3C 54
Ivy Todd Hill. Deb —2C 12
Ivy Wlk. Can I —1F 152
Ivy Wlk. Dag —8K 127

Jacaranda Clo. Chelm —5A 62
Jack Andrews Dri. H'wds —2C 168
Jack Cook Ho. Bark —9A 126
Jack Cornwell St. E12 —6N 125
Jackdaw Clo. Bill —8L 101
Jackdaw Clo. Shoe —6J 141
Jack Evans Ct. S Ock —6D 146
Jack Hatch Way. W'hoe —3G 177
Jacklin Grn. Wfd G —1G 108
Jacks Clo. W'fd —9N 103
Jack's Green. —7E 210
Jack's Hatch. —9N 55
Jack's La. Tak —8D 210
Jackson Ct. E7 —8H 125
Jackson Ho. H'wds —1B 168
Jackson Pl. Chelm —4E 74
Jackson Rd. Bark —1C 142
Jackson Rd. Clac S —2J 191
Jacksons Clo. Ong —8K 69
Jacksons La. Bill —5K 101 (7J 33)
Jackson's La. Gt Che —3L 197 (4A 6)
Jackson's La. Reed —7D 4
Jacksons M. Bill —6L 101
Jackson's Sq. Gt Che —2L 197
Jackson Wlk. Colc —2B 176
Jack Stevens Clo. H'low —5H 57
Jacob Ho. Eri —9J 143
Jacobs Av. H Wood —6J 113
Jacobs Clo. Dag —6N 127
Jacquard Way. Brain —6J 193
Jacqueline Ct. Colc —8H 167
(off Lexden Rd.)
Jacqueline Gdns. Bill —4K 101
Jacqueline Vs. E17 —9C 108
(off Shernhall St.)
Jade Clo. Dag —3H 127
Jade Ho. Rain —4E 144
Jaffe Rd. Ilf —3C 126
Jaggard's Rd. Cogg —7K 195
Jakapeni Rare Breeds Farm.
—8M 105 (1F 43)
Jamaica Rd. SE1 & SE16 —1B 46
James Av. Dag —3L 127
James Carter Rd. Colc —3F 174
James Clo. Romf —9E 112
James Clo. W'hoe —3J 177
James Croft. Gall —8C 74
James Gdns. St O —8N 185
James La. E10 & E11 —2C 124 (3E 38)
Jameson Rd. Clac S —1G 191
James Rd. Clac S —2G 191
James Sq. Bill —6N 101
James St. Bark —9B 126
James St. B'sea —7E 184
James St. Colc —9A 168
James St. Epp —7F 66
James Yd. E4 —3D 108
Janette Av. Can I —2E 152
Janice M. Ilf —4A 126
Janke's Green. —4A 16
Janmead. Hut —6L 99
Janmead. Wthm —4D 214
Janson Clo. E15 —7E 124
Janson Rd. E15 —7E 124
Japan Rd. Romf —1J 127
Jardine Rd. Bas —7K 119
Jarmin Rd. Colc —7N 167
Jarndyce. Chelm —5H 61
Jarrah Cotts. Purf —4A 156
Jarrow Rd. Romf —1H 127
Jarvis Field. L Bad —6L 63
Jarvis Rd. Ben —2E 136
Jarvis Rd. Can I —8G 136
Jarvis Way. H Wood —6J 113
Jasmine Clo. Chelm —4N 61
Jasmine Clo. Colc —7D 168
Jasmine Clo. Ilf —7A 126
Jasmine Clo. Lang H —2H 133
Jasmine Way. Jay —5E 190
Jason Clo. Can I —9H 137
Jason Clo. Ors —6G 148
Jasons Clo. Brtwd —1C 114
Jasper's Green. Shalf —5B 14
Jay Ct. H'low —2D 56
Jays La. M Tey —3H 173
Jays, The. H'wds —4B 168
Jaywick. —4E 190 (5C 28)
Jaywick La. Clac S —9E 186 (4C 28)
Jeffcut Rd. Chelm —9N 61
Jefferson Av. Lain —9J 117
Jefferson Clo. Colc —1F 174
Jefferson Clo. Ilf —9A 110
Jeffery Rd. Chelm —3H 75
Jeffrey Clo. Colc —1G 175
Jeffrey's Rd. Cres —2D 194
Jeffries Way. Stan H —2A 150
Jekylls La. L Lon —1K 13
Jellicoe Way. Brain —4L 193
Jena Clo. Shoe —7J 141
Jenkins Dri. Else —6C 196
Jenkin's Hill. Mis —3B 18
Jenkins La. Bark —2B 142
Jenner Clo. Brain —7H 193
Jenner Mead. Chelm —8B 62
Jenningham Dri. Grays —8K 147
Jennings Clo. Colc —9C 168
Jenningtree Rd. Eri —5F 154
Jenningtree Way. Belv —9A 144
Jenny Hammond Clo. E11 —5F 124
Jenny Path. Romf —4H 113
Jephson Rd. E7 —9J 125
Jericho Pl. B'more —1H 85
Jermayns. Bas —9N 117
Jermyn St. SW1 —7A 38
Jerningham Av. Ilf —6A 110
Jerounds. H'low —5A 56
Jersey Clo. Hod —4A 54
Jersey Gdns. W'fd —8L 103
Jersey Rd. E11 —3D 124
Jersey Rd. Ilf —6A 126
Jersey Rd. Mal —7L 203
Jersey Rd. Rain —9E 128
Jersey Way. Brain —6E 192
Jervis Ct. Dag —8N 127
Jeskyns Rd. Meop & Grav —6H 49
Jesmond Dene. They B —6C 80
Jesmond Rd. Can I —3H 153
Jesmond Rd. Grays —8N 147
Jessel Dri. Lou —9B 80
Jesse Rd. E10 —3C 124
Jessett Clo. Eri —2B 154
Jessica Clo. Colc —8F 168
Jessop Ct. Wal A —4F 78
Jetty Wlk. Grays —4K 157
Jewel Rd. E17 —7A 108
Jim Desormeaux Bungalows. H'low
—1D 56
Joan Gdns. Dag —4K 127
Joanna Ct. Grays —4N 157
Joan Rd. Dag —4K 127
Jocelyns. H'low —8H 53
Jodrell Rd. E3 —5D 38
Jodrell Way. Water P —3C 156
Joes Rd. Gt Cor —5K 9
John Ball Wlk. Colc —8N 167
John Barnes Wlk. E15 —8F 124
John Belcher Wlk. Colc —9E 168
John Burns Dri. Bark —9D 126
John Clay Gdns. Grays —7L 147
John Ct. Hod —2A 54
John Dane Player Ct. Saf W —4L 205
John Eliot Clo. Naze —9E 54
John English Av. Brain —4G 192
John Harper St. Colc —7M 167
John Islip St. SW1 —1A 46
John Kent Av. Colc —4J 175
John Parker Clo. Dag —9N 127
John Raven Ct. Fee —7D 202
John Ray Gdns. Bla N —3B 194
John Ray St. Brain —5K 193
Johnson Clo. Brain —1F 198
Johnson Clo. R'fd —2J 123
Johnson Clo. W'fd —2M 119
Johnson Rd. Chelm —5H 75
Johnson Rd. St O —9N 185
Johnsons Ct. Saf W —3K 205
Johnson's Dri. Elms —9N 169
Johnsons Yd. Saf W —3K 205
John's Ter. Romf —3M 113
Johns, The. Ong —6L 69
Johnston Clo. H'std —6L 199
Johnston Clo. Hol S —8B 188
Johnstone Rd. Sth S —7E 140
Johnston Rd. Wfd G —2G 108
Johnston Way. Mal —8K 203
John St. B'sea —7E 184
John St. Grays —4M 157
John St. Shoe —8L 141
John Strype Ct. E10 —4B 124
John Tibauld Ct. Stpl B —3C 210
John Wilson St. SE18 —1G 47
Joint, The. Reed —7C 4
Jollyboys La. S. Fels —2K 23
Jones Clo. Sth S —3K 139
Jones Corner. Lgh S —8C 122
Jones Rd. Chesh —3A 30
Jonquil Way. Colc —5K 167
Jordan Clo. Dag —6N 127
Jordans, The. Sth S —4M 139
Jordans Way. Rain —2H 145
Joseph Gdns. Sil E —3M 207
Joseph Lister Ct. E7 —9G 125
Joseph Ray Rd. E11 —4E 124
Joseph Way. Saw —2L 53
Joslin Rd. Purf —3A 156

Josselin Clo.—Kings M.

Josselin Clo. E Col —2C 196
Josselin Ct. Bas —5K 119
Josselin Rd. Burnt M —5K 119
Jotmans La. Ben —4N 135
Journeymans Way. Sth S —1L 139
Joyce Ct. Wal A —4D 78
Joyce Dawson Way. SE28 —7F 142
Joyce Green. —9K 155 (3C 48)
Joyce Grn. La. Dart —9K 155
Joyce Grn. Wlk. Dart —9K 155
Joyces Chase. Gold —7A 26
Joydens Wood. —5A 48
Joydon Dri. Romf —1G 126
Joyes Clo. Romf —1H 113
Joyners Clo. Dag —6L 127
Joyners Field. H'low —7B 56
Jubilee Av. E4 —3C 108
Jubilee Av. Broom —1J 61
Jubilee Av. Clac S —6J 187
Jubilee Av. Romf —9N 111
Jubilee Clo. Har —5G 201
Jubilee Clo. Hock —2D 122
Jubilee Clo. Romf —9N 111
Jubilee Ct. D'mw —7K 197
Jubilee Ct. Sib H —7C 206
Jubilee Ct. Wal A —3F 78
Jubilee Dri. W'fd —8K 103
Jubilee End. Law —3H 165
Jubilee La. A'lgh —4J 169 (5H 17)
Jubilee Rise. Dan —4G 76
Jubilee Rd. Cray H —3D 118
Jubilee Rd. Grays —4E 156
Jubilee Rd. Ray —5L 121 (2F 43)
Jubilee St. E1 —7C 38
Jubilee Ter. Chelm —7J 61
Jubilee Way. Frin S —8J 183
Judd St. WC1 —6A 38
Judith Anne Ct. Upm —4B 130
Judith Av. Romf —3N 111
Julia Ct. E17 —9B 108
Julia Gdns. Bark —2J 143
Julian Av. Colc —1B 168
Julian Clo. Chelm —2K 61
Julie Ho. Hod —3C 54
Julien Ct. Rd. Brain —4J 193
Juliers Clo. Can I —2K 153
Juliers Rd. Can I —2K 153
Juliette Way. S Ock —9K 145
Junction Rd. N19 —4A 38
Junction Rd. Bas —2J 135
Junction Rd. Cold N —4H 35
Junction Rd. Romf —8D 112
Junction Rd. War —1F 114
Junction Rd. E. Romf —2K 127
Junction Rd. W. Romf —2K 127
Juniper Clo. Bill —4L 101
Juniper Clo. H'std —6J 199
Juniper Ct. Brtwd —9J 99
(off Beech Av.)
Juniper Cres. Wthm —3D 214
Juniper Dri. Chelm —4C 74
Juniper Rd. Bore —3F 62
Juniper Rd. Ilf —5N 125
Juniper Rd. Lgh S —2E 138
Juniper Rd. S'way —1D 174
Juniper Way. Colc —7D 168
Juniper Way. Romf —5J 113
Juno M. Colc —5K 175
Jupes Hill. Ded —3B 164 (2J 17)
Jupe's Hill. Wak C —3K 15
Jupp Rd. E15 —9D 124
Jurgens Rd. Purf —4A 156
Jutsums Av. Romf —1N 127
Jutsums Ct. Romf —1N 127
Jutsums La. Romf —1N 127 (3K 39)
Juvina Clo. Wthm —8C 214

Kale Croft. S'way —1E 174
Kale Rd. Ben —2E 136
Kale Rd. Eri —9K 143
Kamerwyk Av. Can I —1J 153
Kandlewood. Hut —6L 99
Kangles, The. Lang U —1H 11
Karen Clo. Ben —6D 136
Karen Clo. Brtwd —6F 98
Karen Clo. Rain —2C 144
Karen Clo. Stan H —3L 149
Karen Clo. W'fd —1K 119
Karen Cres. Wfd G —4D 108
Karen Ter. E11 —4F 124
Kate's La. A'dn —5E 6
Katherine Clo. Ray —6N 121
Katherine Gdns. Ilf —4B 110
Katherine Rd. E7 & E6 —7J 125 (5F 39)
Katherine Rd. Bas —8M 119
Katherines. —6N 55 (7G 21)
Katherines Hatch. H'low —5N 55
(off Brookside)
Katherines Ho. H'low —5N 55
(off Brookside)
Katherine's Way. H'low —6N 55 (7G 21)
Kathleen Clo. Stan H —1N 149
Kathleen Dri. Lgh S —4E 138
Kathleen Ferrier Cres. Bas —7L 117
Katie Gdns. Dart —9L 155
Katonia Av. May —2C 204
Kavanaghs Rd. Brtwd —9D 98 (1E 40)
Kavanaghs Ter. Brtwd —9E 98
Kay Clo. Gt L —1N 59
Kay St. E15 —9D 124
Keable Rd. M Tey —3G 173
Keating Clo. Law —4G 165
Keatings, The. Kel H —7B 84
Keats Av. Brain —8H 193
Keats Av. Romf —4F 112
Keats Clo. E11 —9H 109
Keats Clo. Chig —3B 110
Keats Clo. Mal —8K 203
Keats Gdns. Til —7D 158
Keats Ho. Sth S —4N 139
Keats Rd. Belv —1A 154
Keats Rd. Colc —9G 166
Keats Sq. S Fer —2L 105
Keats Wlk. Hut —6N 99
Keats Wlk. Ray —5N 121
Keats Way. W'fd —9K 103
Kebbel Ter. E7 —7H 125
(off Claremont Rd.)
Keble Clo. Colc —9L 167
Keddington Hill. L Cor —6K 9
Kedington. —2A 8
Keeble Clo. Tip —6E 212
Keeble Ct. Gt Ben —7K 179
Keeble Pk. Mal —8J 203
Keeble Way. Brain —5J 193
Keefield. H'low —8A 56
Keegan Pl. Can I —1J 153
Keelars La. W'hoe —5K 177 (7H 17)
Keelers Way. Gt Hork —9J 161
Keelings La. Deng —4E 36
Keelings Rd. Deng —4E 36
Keene Memorial Homes. Chelm —7J 61
Keene Way. Chelm —7C 74
Keepers Cotts. Bill —3N 101
Keepers Grn. B'wck —4J 167
Keer Av. Can I —3K 153
Keeres Green. —4E 22
Keighley M. Shoe —4H 141
Keighley Rd. Romf —4J 113
Keir Hardie Way. Bark —9F 126
Keith Av. W'fd —7L 103
Keith Clo. Clac S —5M 187
Keith Rd. Bark —2C 142
Keith Way. Horn —2J 129
Keith Way. Sth S —1K 139
Kelburn Way. Rain —3E 144
Keller Cres. E12 —6K 125
Kellington Rd. Can I —9J 137
(in two parts)
Kelly Rd. Bas —9M 119
Kelly Way. Romf —9K 111
Kelsall St. Kel —7B 4
Kelshall. —7B 4
Kelsie Way. Ilf —3D 110
Kelso Clo. Gt Hork —1K 167
Kelston Rd. Ilf —6A 110
Kelvedon. —8C 202 (2J 25)
Kelvedon Clo. Bill —6L 101
Kelvedon Clo. Chelm —5J 61
Kelvedon Clo. Hut —5A 100
Kelvedon Clo. Ray —4G 121
Kelvedon Common. —9A 84 (5D 32)
Kelvedon Grn. Kel H —7B 84
Kelvedon Hall La. Kel H —6M 83 (5C 32)
Kelvedon Hatch. —7B 84 (5D 32)
Kelvedon Rd. Bill —6L 101
Kelvedon Rd. Cogg —1H 25
Kelvedon Rd. K'dn —8F 202
Kelvedon Rd. Mess —1B 212 (2J 25)
Kelvedon Rd. Riven —4H 25
Kelvedon Rd. Tol D —5A 26
Kelvedon Rd. W Bis —6L 213 (5H 25)
Kelvedon Wlk. Rain —1D 144
Kelvedon Way. Wfd G —3M 109
Kelvin Ct. Frin S —2J 189
Kelvin Rd. Ben —8D 120
Kelvin Rd. Til —7C 158
Kelvinside. Stan H —1N 149
Kembles. Ray —2L 121
Kempe Rd. F'fld —2K 13
Kemp Ho. E6 —8N 125
Kempley Ct. Grays —4N 157
Kemp Rd. Dag —3J 127
Kempton Av. Horn —6K 129
Kempton Clo. Ben —8H 121
Kempton Clo. Eri —4A 154
Kemsley Rd. E Col —3B 196
Ken Cooke Ct. Colc —8N 167
Kencot Way. Eri —9L 143
Kendal Av. Bark —1D 142
Kendal Av. Epp —9F 66
Kendal Clo. Hull —7L 105
Kendal Clo. Ray —5L 121
Kendal Clo. Wfd G —8F 92
Kendal Ct. W'fd —2A 120
Kendal Croft. Horn —7E 128
Kendale. Grays —1D 158
Kendall Lodge. Epp —9F 66
Kendall Rd. Colc —9A 168
Kendall Rd. Folley. Colc —9A 168
Kendall Ter. Colc —9A 168
Kendal Way. Lgh S —8D 122
Kender St. SE14 —2C 46
Kendon Clo. E11 —9H 109
Kenholme. Lgh S —2D 138
Kenilworth Av. E17 —6A 108
Kenilworth Av. Romf —3M 113
Kenilworth Clo. Bill —6G 101
Kenilworth Gdns. Horn —5G 129
Kenilworth Gdns. Ilf —4E 126
Kenilworth Gdns. Lou —5M 93
Kenilworth Gdns. Ray —4H 121
Kenilworth Gdns. Wclf S
—3F 138 (4H 43)
Kenilworth Gro. T Sok —4L 181
Kenilworth Pl. Bas —6N 117
Kenilworth Rd. Hol S —7B 188
Kenley Clo. W'fd —1B 120
Kenley Gdns. Horn —4K 129
Kenmore Clo. Can I —3L 153
Kennard Rd. E15 —9D 124
Kennedy Av. Bas —9H 117
Kennedy Clo. Ben —8B 120
Kennedy Clo. Ray —7N 121
Kennedy Rd. Bark —1D 142
Kennedy Way. Clac S —8L 187
Kennel La. Bill —9K 101 (1J 41)
Kennel La. Pil H —9B 84
Kennet Clo. Upm —1B 130
Kennet Grn. S Ock —7E 146
Kenneth Av. Ilf —6A 126
Kenneth Gdns. Stan H —9A 134
Kenneth More Rd. Ilf —5A 126
Kenneth Rd. Bas —8K 119
Kenneth Rd. Ben —9F 120 (3E 42)
Kenneth Rd. Romf —2J 127
Kennet Rd. Dart —8E 154
Kennet Way. Chelm —6F 60
Kenninghall. (Junct.) —2C 38
Kenninghall Rd. E5 —4C 38
Kenning Rd. Hod —3A 54
Kennington. —2A 46
Kennington Av. Ben —1C 136
Kennington La. SE11 —1A 46
Kennington Oval. (Junct.) —2A 46
Kennington Oval. SE11 —2A 46
Kennington Pk. Rd. SW9 —2A 46
Kennington Rd. SE1 & SE11 —1A 46
Kennylands Rd. Ilf —4F 110
Kensington Av. E12 —8L 125
Kensington Av. T Hth —6A 46
Kensington Ct. Grays —4M 157
Kensington Dri. Wfd G —6K 109
Kensington Gdns. Bill —4J 101
Kensington Gdns. Ilf —3M 125
Kensington Rd. Pil H —5D 98
Kensington Rd. Romf —1A 128
Kensington Rd. Sth S —6B 140
Kensington Way. Hock —1B 122
(off Mey Wlk.)
Kent Av. Can I —9H 137
Kent Av. Dag —4M 143
Kent Av. Lgh S —4E 138
Kent Clo. Bas —9K 117
Kent Clo. B'sea —6E 184
Kent Dri. Horn —6H 129
Kent Elms Clo. Sth S —1E 138
Kent Elms Corner. Lgh S —1E 138
(off Rayleigh Rd.)
Kent Gdns. Brain —4K 193
Kent Grn. Clo. Hock —2E 122
Kent Ho. La. Beck —5D 46
Kent Ho. Rd. SE20 & SE26 —5C 46
Kentings, The. Brain —6G 193
Kentish Town Rd. NW1 & NW5 —5A 38
Kentish Way. Brom —6F 47
Kentmere. Colc —4E 168
Kenton Rd. E9 —5C 38
Kenton Way. Bas —1H 133
Kent Rd. Dag —7N 127
Kent Rd. Grays —4M 157
Kent Rd. Orp —7J 47
Kent's Av. Hol S —7B 188
Kents Farm La. W Han —5E 88 (5A 34)
Kents Grass. Tol —7K 211
Kents Hill Rd. Ben —3D 136 (4D 42)
Kents Hill Rd. N. Ben —1D 136
Kents La. N Wea —1A 32
Kent's La. Stdn —7E 10
Kents Yd. L'bry —1J 205
Kent View. Ave —9N 145
Kent View. Wen —7H 145
Kent View Av. Lgh S —6F 138
Kent View Gdns. Ilf —4D 126
Kent View Rd. Bas —1G 134
Kent Way. Ray —7N 121
Kentwell Ct. Ben —3C 136
Kentwell Hall. —2J 9
Kenway. Rain —3H 145
Kenway. Romf —6A 112
Kenway. Sth S —4M 139
Kenway Clo. Rain —3G 145
Kenway Wlk. Rain —3H 145
Kenwood Gdns. E18 —7H 109
Kenwood Gdns. Ilf —8N 109
Kenwood Rd. Corr —1C 150
Kenworthy Rd. E9 —5D 38
Kenworthy Rd. Brain —6G 193
Keogh Rd. E15 —8E 124
Keppel Rd. E6 —9M 125
Keppel Rd. Dag —6K 127
Kerby Rise. Chelm —9A 62
Kernow Clo. Horn —4J 129
Kerridge's Cut. Mis —4M 165
Kerril Croft. H'low —2N 55
Kerry Av. Ave —9L 145
Kerry Clo. Upm —2C 130
Kerry Ct. Colc —8C 168
Kerry Dri. Upm —2C 130
Kerry Rd. Grays —8N 147
Kersbrooke Way. Corr —9C 134
Kersey Dri. Clac S —8F 186
Kersey Gdns. Romf —4J 113
Kershaw Rd. Dag —5M 127
Kesteven Clo. Ilf —3E 110
Kestner Ind. Est. Grnh —9D 156
Keston Mark. —7G 47
Kestrel Clo. Horn —9F 128
Kestrel Clo. Ilf —1G 111
Kestrel Gro. Ray —4H 121
Kestrel Rd. Wal A —4G 78
Kestrel Wlk. Chelm —6C 74
Kestrel Way. Clac S —7K 187
Keswick Av. Hol S —7N 187
Keswick Av. Horn —3H 129
Keswick Av. Hull —6L 105
Keswick Clo. Kir X —7J 183
Keswick Clo. Ray —5L 121
Keswick Gdns. Ilf —8L 109
Keswick Ho. Romf —3H 113
(off Dartfields)
Keswick Rd. Ben —9E 120
Ketleys. Chelm —7D 74
Ketleys View. Pan —1C 192
Kettering Rd. Romf —4J 113
Kettlebury Way. Ong —9K 69
Kettle Green. —2F 21
Kevan Ct. E17 —8B 108
Kevin Clo. Bill —9M 101
Kevington. —7K 47
Kew La. Gt Hol —1D 188
Keyes Clo. Shoe —5J 141
Keyes Rd. Dart —9K 155
Keyes Way. Brain —4L 193
Keymer Way. Colc —2G 174
Keynes Way. Har —6H 201
Keynsham Av. Wfd G —1E 108
Key Rd. Clac S —1J 191
Keysers Estate. —1B 64 (1D 30)
Keysers Rd. Brox —1A 64
Keysland. Ben —9H 121
Khartoum Rd. Ilf —7A 126
Kibcaps. Bas —2A 134
Kidbrooke. —2F 47
Kidbrooke Pk. Rd. SE3 —2F 47
Kidder Rd. Rayne —7B 192
Kielder Clo. Ilf —3E 110
Kier Hardie Ho. Grays —8A 148
Kilbarry Wlk. Bill —2M 101
Kilburn Gdns. Clac S —8H 187
Kildermorie Clo. Colc —4D 168
Kildowan Rd. Ilf —3F 126
Kilhams Green. —1G 11
Kilmaine Rd. Har —6H 201
Kilmarnock Gdns. Dag —5H 127
Kilmartin Rd. Ilf —4F 126
Kilmartin Way. Horn —7F 128
Kilmington Clo. Hut —8L 99
Kiln Barn Av. Clac S —6K 187
Kiln Cotts. Ded —2M 163
Kiln Field. Hook E —5G 84
Kilnfield. Ong —8K 69
Kiln La. H'low —4H 57 (7J 21)
Kiln Rd. Ben —2F 136 (4E 42)
Kiln Rd. N Wea —6M 67
Kiln Shaw. Bas —2L 133
Kilns Hill. Cogg —6H 15
Kiln Way. Badg D —3J 157
Kilnwood Av. Hock —2C 122
Kiln Wood La. Romf —2B 112
Kilowan Clo. Lang H —3H 133
Kilsby Wlk. Dag —8G 126
Kilworth Av. Shenf —5K 99
Kilworth Av. Sth S —6N 139
Kimberley Av. SE15 —3C 46
Kimberley Av. Ilf —2C 126
Kimberley Av. Romf —1A 128
Kimberley Dri. Bas —5A 118
Kimberley Rd. E4 —7E 92
Kimberley Rd. E11 —4D 124
Kimberley Rd. Ben —3C 136
Kimberley Rd. Colc —1B 176
Kimberley Rd. Gt W —3B 44
Kimberley Way. E4 —7E 92
Kimpton Av. Brtwd —6E 98
Kimpton's Clo. Ong —5K 69
Kincaid Rd. St O —9M 185
Kinder Clo. SE28 —7H 143
Kinfauns Av. Horn —1G 128
Kinfauns Rd. Ilf —3F 126
Kingaby Gdns. Rain —9E 128
King Alfred Rd. Romf —6K 113
King Charles Rd. W Mer —3L 213
King Coel Rd. Colc —8E 166 (6C 16)
King Ct. E10 —2B 124
King Edward Av. Bur C —2L 195
King Edward Av. Rain —2H 145
King Edward Dri. Grays —9A 148
King Edward Quay. Colc —1D 176
King Edward Rd. E10 —3C 124
King Edward Rd. Bas —7K 117
King Edward Rd. Brtwd —9F 98
King Edward Rd. Romf —1D 128
King Edwards Rd. Bark
—1C 142 (6H 39)
King Edward's Rd. S Fer —9J 91
King Edward's Rd. Stan H —5M 149
King Edward's Rd. Ware —4D 20
King Edward Ter. Lain —7K 117
King Edward VI's Almhouses. Saf W
—4K 205
King Edward Way. Wthm —7B 214
Kingfisher Clo. SE28 —7H 143
Kingfisher Clo. Colc —7F 168
Kingfisher Clo. H'bri —3M 203
Kingfisher Clo. Hut —6K 99
Kingfisher Clo. Shoe —5J 141
Kingfisher Dri. Ben —4C 136
Kingfisher Gdns. Ray —4H 121
Kingfisher Ga. Brain —3J 193
Kingfisher Lodge. Gt Bad —4G 74
Kingfisher Rd. Upm —3C 130
Kingfishers. Bas —2D 134
Kingfishers. Clac S —7K 187
Kingfishers. Ing —5E 86
Kingfisher Way. K'dn —8C 202
King George Av. Ilf —9C 110
King George Clo. Romf —7A 112
King George Rd. Colc —2N 175
King George Rd. Wal A —4C 78
King George's Av. Har —3K 201
King George's Clo. Ray —6K 121
King George VI Av. E Til —2K 159
King George's Pl. Mal —6K 203
(off High St. Maldon,)
King Georges Rd. Pil H —5E 98
King Harold Ct. Wal A —3C 78
(off Sun St.)
King Harold Rd. Colc —2H 175
King Harolds Way. Bexh —2J 47
King Henry's Dri. R'fd —8L 123
King Henry's M. Enf —7A 78
(off Mollison Av.)
Kingley Clo. W'fd —9J 103
Kingley Dri. W'fd —9J 103
Kingsacre. Cogg —8K 195
Kings Arms Yd. Romf —9C 112
King's Av. SW12 & SW4 —4A 46
King's Av. Buck H —8K 93
Kings Av. Hol S —8N 187 (3E 28)
Kings Av. Romf —1L 127
King's Av. Wfd G —3H 109 (2F 39)
Kingsbridge Cir. Romf —3J 113
Kingsbridge Clo. Brain —2M 193
Kingsbridge Clo. Romf —3J 113
Kingsbridge Rd. Bark —2C 142
Kingsbridge Rd. Romf —3J 113
Kingsbury Clo. M Tey —3H 173
King's Chase. Brtwd —9F 98
Kings Chase. Wthm —6D 214
Kings Clo. E10 —2B 124
Kings Clo. Can I —2C 152
King's Clo. Dart —9C 154
Kings Clo. Law —4H 165
Kings Clo. Ray —5L 121
King's Clo. St O —4B 28
Kings Ct. Buck H —8K 93
Kings Ct. Bur C —4L 195
Kings Ct. D'mw —7L 197
Kings Ct. Har —4K 201
Kings Ct. Tip —4C 212
Kings Cres. Bas —6K 117
Kings Croft. S'min —7L 207
Kings Cross. (Junct.) —6A 38
King's Cross Rd. WC1 —6A 38
Kingsdale Ct. Wal A —4G 79
(off Lamplighters Clo.)
Kingsdon La. H'low —4H 57
Kingsdown Clo. Bas —9K 119
Kingsdown Rd. E11 —5E 124
Kingsdown Wlk. Can I —9G 136
Kings Farm. —4H 49
Kings Farm. E17 —5B 108
Kings Farm. Ray —2L 121
Kingsfield. Hod —3A 54
Kings Gdns. Ilf —3C 126
Kings Gdns. Upm —2B 130
Kings Grn. Lou —2L 93
Kings Gro. Romf —9E 112
Kings Hall Rd. Beck —5D 46
Kingshawes. Ben —9H 121
Kings Head Ct. Colc —7N 167
Kings Head Ct. Saw —2K 53
Kings Head Hill. E4 —6B 92 (7D 30)
King's Head St. Har —1M 201
Kings Head Wlk. Chelm —9L 61
(off Can Bri. Way)
King's Highway. SE18 —2H 47
Kings Hill. Gt Cor —5K 9
Kings Hill. Ked —2A 8
King's Hill. Lou —1L 93
Kingshill Av. Romf —3A 112
Kings Holiday Pk. Can I —1L 153
Kingsland. H'low —5B 56
Kingsland. —5B 38
Kingsland Beach. W Mer —4K 213
Kingsland Clo. W Mer —4K 213
Kingsland High St. E8 —5B 38
Kingsland Rd. E2 & E8 —6B 38
Kingsland Rd. W Mer —4K 213 (5F 27)
King's La. Elm —6J 5
Kings La. Stis —4N 193 (7E 14)
Kingsleigh Pk. Homes. Ben —9H 121
Kingsley Clo. Dag —6N 127
Kingsley Ct. Romf —1F 128
Kingsley Cres. Ben —7H 121
Kingsley Gdns. E4 —2A 108
Kingsley Gdns. Horn —8H 113
Kingsley La. Ben —7H 121
Kingsley Rd. E7 —9G 125
Kingsley Rd. E17 —6C 108
Kingsley Rd. Hut —6N 99
Kingsley Rd. Ilf —5B 110
Kingsley Rd. Lou —2C 94
Kingsley Wlk. Grays —2C 158
Kings Lodge. Ben —3J 137
Kings Lynn Clo. H Hill —3H 113
Kings Lynn Dri. Romf —3H 113
Kings Lynn Path. H Hill —3H 113
Kingsman Dri. Clac S —8G 186
Kingsman Dri. Grays —7L 147
Kingsman Rd. Stan H —4K 149
Kingsmans Farm Rd. Hull
—5M 105 (7F 35)
Kings Mead. Peb —2H 15
Kingsmead. Saw —3K 53
Kingsmead Av. Romf —1D 128
Kingsmead Cvn. Pk. Brain —4L 193
Kingsmead Clo. Roy —4H 55
Kingsmead Hill. —4H 55
Kingsmead Mans. Romf —1D 128
(off Kingsmead Av.)
Kings Meadow Ct. Wal A —4G 79
(off Horseshoe Clo.)
Kings Meadow Rd. Colc —7N 167
Kingsmead Pk. Brain —5L 193
Kingsmere. Ben —1H 137
Kingsmere Clo. W Mer —3L 213
Kings M. Chig —8B 94

Latton Hall Clo.—Lingfield Av.

Latton Hall Clo. H'low —2F 56
Latton Ho. H'low —6G 56
Latton St. H'low —2F 56
(in four parts)
Launceston Clo. Colc —5B 176
Launceston Clo. Romf —5G 113
Launder's La. Rain —5J 145 (6C 40)
Laundry La. L Eas —7F 13
Laundry La. Mount —9N 85
Laundry La. Naze —3E 64 (2E 30)
Launds Farm La. Ashen —4C 8
Laura Clo. E11 —9J 109
Laurel Av. Har —5H 201
Laurel Av. W'fd —9K 103
Laurel Clo. Clac S —6M 187
Laurel Clo. Hut —4L 99
Laurel Clo. Ilf —3B 110
Laurel Clo. Lgh S —6C 138
Laurel Ct. Hut —5M 99
(off Spinney, The)
Laurel Cres. Romf —3C 128
Laurel Dri. S Ock —4G 146
Laurel Gdns. E4 —6B 92
Laurel Gro. Chelm —2B 74
Laurel La. Horn —4J 129
Laurels, The. Buck H —7J 93
Laurels, The. Ray —7M 121
Laurels, The. S Fer —9K 91
Laurel Way. E18 —8F 108
Laurence Av. Wthm —7D 214 (5G 25)
Laurence Clo. Elms —9M 169
Laurence Ct. E10 —2B 124
Laurence Croft. Writ —1K 73
Laurence Ind. Est. Sth S —9G 123
Laurie Wlk. Romf —9C 112
Lauriston Rd. E9 —5C 38
Lausanne Rd. SE15 —2C 46
Lavel's Green. —6J 11
Lavender Av. Pil H —5E 98
Lavender Clo. H'low —2D 56
Lavender Clo. Romf —4H 113
Lavender Clo. Tip —7C 212
Lavender Clo. Wthm —3B 214
Lavender Ct. Chelm —6A 62
Lavender Dri. S'min —8K 207
Lavender Field. Saf W —3M 205
Lavender Gdns. Enf —6A 30
Lavender Gro. Wclf S —3J 139
Lavender Hill. Enf —6A 30
Lavender M. Wclf S —3J 139
Lavender Pl. Ilf —7A 126
Lavender Sq. E11 —5D 124
Lavender St. E15 —8E 124
Lavender Wlk. Jay —5E 190
Lavender Way. Colc —5K 167
Lavender Way. W'fd —9K 103
Lavenha Ct. Brtwd —7G 98
Lavenham. —1K 9
Lavenham Clo. Clac S —9F 186
Lavers, The. Ray —4L 121
Lawford. —5G 165 (3A 18)
Lawford Clo. Horn —6G 129
Lawford La. Writ —1K 73
(in three parts)
Law Ho. Bark —2F 142
Lawling Av. H'bri —3M 203
Lawlinge Rd. Latch —4K 35
Lawn Av. Sth S —4N 139
Lawn Chase. Wthm —6C 214
Lawn Dri. E7 —6K 125
Lawn Farm Gro. Romf —8K 111
Lawn Hall Chase. N End —3H 23
Lawn La. Chelm —4M 61 (7A 24)
Lawns Clo. W Mer —2K 213
Lawnscourt. Ben —8B 120
Lawns Cres. Grays —4N 157
Lawns Pl. Grays —4N 157
Lawns, The. E4 —2A 108
Lawns, The. Ben —8C 120
Lawns, The. Chelm —7M 61
Lawns, The. War —2H 115
Lawnsway. Romf —4A 112
Lawn, The. H'low —9G 52
Lawrence Av. E12 —6N 125
Lawrence Av. Saw —1L 53
Lawrence Cres. Dag —5N 127
Lawrence Gdns. Til —5D 158
Lawrence Hill. E4 —8A 92
Lawrence Ho. Saw —5K 53
Lawrence Moorings. Saw —3L 53
Lawrence Rd. N15 —3B 38
Lawrence Rd. Bas —7N 119
Lawrence Rd. Romf —9F 112
Lawrie Pk. Av. SE26 —5C 46
Lawrie Pk. Rd. SE26 —5C 46
Laws Clo. Saf W —6K 205
Lawshall's Hill. Coln E —1E 196 (4J 15)
Lawson Gdns. Dart —9H 155
Lawson Rd. Dart —9H 155
Lawton Rd. E10 —3C 124
Lawton Rd. Lou —1A 94
Laxton Ct. Colc —2H 175
Laxton Gro. Gt Hol —1D 188
Laxton Rd. Alr —6A 178
Laxtons. Stan H —2M 149
Laxtons, The. R'fd —2J 123
Layborne Av. Noak H —8G 97
Laybrook Lodge. E18 —8F 108
Layer Breton. —2C 26
Layer Breton Hill. Lay B —2C 26
Layer Ct. Colc —2L 175
Layer Cross. Lay H —9G 175
Layer-de-la-Haye. —9G 174 (2D 26)
Layer Marney. —3B 26
Layer Marney Tower. —3B 26
Layer Rd. Abb —2E 26
Layer Rd. Gt Wig —4C 26
Layer Rd. L'hoe —8A 176 (2F 27)
Layer Rd. Lay H —8J 175 (1D 26)
Leabank Sq. E9 —8A 124
Lea Bridge. —4C 38
Lea Bri. Rd. E5, E10 & E17
—2A 124 (4C 38)
Leach Clo. Chelm —3J 75
Lea Clo. Bis S —8A 208
Lea Clo. Brain —7M 193
Lea Ct. E4 —8C 92
Leadale Av. E4 —8A 92
Leaden Clo. Lea R —5E 22
Leaden Roding. —5E 22
Leader Av. E12 —7N 125
Leafy Way. Hut —7N 99
Lea Gro. Bis S —8A 208
Lea Gro. Hat P —6F 25
Lea Hall Gdns. E10 —3A 124
Lea Hall Rd. E10 —3A 124
Lea Interchange. (Junct.)
—7A 124 (5D 38)
Lea La. Gt Br —4H 25
Leam Clo. Colc —8F 168
Leamington Av. E17 —9A 108
Leamington Clo. E12 —7L 125
Leamington Clo. Romf —3L 113
Leamington Gdns. Ilf —4E 126
Leamington Rd. Hock —9E 106
Leamington Rd. Romf —2L 113 (1C 40)
Leamington Rd. Sth S —6A 140
Leander Dri. Grav —5J 49
Leapingwell Clo. Chelm —8B 62
Lea Rd. Ben —1C 136
Lea Rd. Grays —3C 158
Lea Rd. Hod —3C 54
Lea Rd. Wal A —4A 78
Lea Rd. Ind. Pk. Wal A —4A 78
Leas Clo. Wclf S —6G 138
Leas Gdns. Wclf S —6G 138
Leaside. Ben —9B 120
Lea Side. W Mer —3L 213
Leas La. Lay H —8E 174
Leasowes Rd. E10 —3A 124
Leas Rd. Clac S —3G 191 (4D 28)
Leas Rd. Colc —5K 175
Leas, The. Bur C —2M 195
Leas, The. Frin S —8L 183
Leas, The. Ing —7C 86
Leas, The. Upm —2A 130
Leas, The. Wclf S —7H 139 (5J 43)
Leasway. Brtwd —9G 98
Leasway. Grays —8M 147
Leasway. Ray —5J 121
Leasway. Upm —5N 129
Leasway. Wclf S —6G 138
Leasway. W'fd —1J 119
Leat Clo. Saw —1L 53
Leathart Clo. Horn —9F 128
Leatherbottle Hill. Stock —7B 88
Leather La. Brain —5H 193
(off Great Sq.)
Leather La. Gt Yel —8D 198 (6D 8)
Leather La. Horn —3H 129
Leather La. Sth S —6M 139
Lea Vale. Dart —9B 154
Lea Valley Rd. Enf & E4 —5A 92 (7D 30)
Lea Valley Viaduct. N18 & E4 —1C 38
Leavenheath. —1C 16
Leaview. Wal A —3B 78
Leaway. Bill —8K 101
Le Cateau Rd. Colc —9M 167
Lechmere App. Wfd G —6J 109
Lechmere Av. Chig —1B 110
Lechmere Av. Wfd G —6K 109
Leconfield Wlk. Horn —8G 128
Lede Rd. Can I —1H 153
Lee. —3E 46
Lee Av. Romf —1K 127
Lee Chapel La. Bas —3L 133
Lee Chapel North. —3K 41
Lee Chapel South. —3A 134 (4K 41)
Leech's La. Colc —3L 167
Leecon Way. R'fd —4J 123
Leeds Rd. Ilf —3C 126
Lee Gdns. Av. Horn —3L 129
Lee Green. (Junct.) —3E 46
Lee Gro. Chig —8A 94
Lee High Rd. SE13 & SE12 —3E 46
Lee Lotts. Gt W —2L 141
Lee-over-Sands. —5A 28
Lee Rd. SE3 —3E 46
Lee Rd. Bas —9N 119
Lee Rd. Har —4L 201
Leeside Rd. N17 —2C 38
Leeson's Hill. Chst & Orp —6H 47
Lee Ter. SE3 —3E 46
Lee Valley Cvn. Pk. Hod —7C 54
Lee Wlk. Bas —1N 133
Leeward Rd. S Fer —3L 105
Leeway, The. Dan —3F 76
Lee Wick La. St O —4A 28
Lee Wootens La. Bas —4A 42
Lee Wootens La. Bas —1B 134
(in two parts)
Leez La. Har E —2K 23
Legg St. Chelm —8K 61
Legon Av. Romf —3A 128
Leicester Av. R'fd —7L 123
Leicester Clo. Colc —7A 168
Leicester Clo. Jay —3D 190
Leicester Ct. Sil E —4L 207
Leicester Gdns. Ilf —2D 126
Leicester Rd. E11 —9H 109
Leicester Rd. Til —6B 158
Leige Av. Can I —8G 137
Leigham Ct. Dri. Lgh S —5E 138
Leigham Ct. Rd. SW16 —4A 46
Leighams Rd. E Han —4E 90 (4E 34)
Leigh Av. Ilf —8K 109
Leigh Beck. —3L 153 (6F 43)
Leigh Beck La. Can I —3L 153
Leigh Beck Rd. Can I —2M 153
Leigh Cliff Rd. Lgh S —6E 138
Leighcroft Gdns. Lgh S —2C 138
Leigh Dri. Else —8C 196
Leigh Dri. Romf —1H 113
Leigh Dri. W Bis —7J 213
Leigh Fells. Pits —9K 119
Leighfields. Ben —9H 121
Leighfields Av. Lgh S —9C 122
Leighfields Rd. Lgh S —9C 122
Leigh Gdns. Lgh S —5B 138
Leigh Hall Rd. Lgh S —5D 138
Leigh Heath Ct. Lgh S —4N 137
Leigh Heights. Ben —3M 137
Leigh Heritage Centre & Museum.
—6C 138 (5G 43)
Leigh Hill. Lgh S —6D 138 (5H 43)
Leigh Hill Clo. Lgh S —6D 138
Leigh Ho. Lgh S —6D 138
Leighlands Rd. S Fer —1K 105
Leigh-on-Sea. —5C 138 (4G 43)
Leigh Pk. Clo. Lgh S —5B 138
Leigh Pk. Rd. Lgh S —6C 138
Leigh Rd. E6 —8N 125
Leigh Rd. E10 —2C 124
Leigh Rd. Can I —3H 153
Leigh Rd. Lgh S —5E 138 (4H 43)
Leighs Rifleman. Bill —1H 153
Leighs Rd. L Walt —6N 59 (5B 24)
Leighton Av. E12 —7N 125
Leighton Av. Lgh S —5E 138
Leighton Gdns. Til —5C 158
Leighton Rd. NW5 —5A 38
Leighton Rd. Ben —8C 120
Leigh View Dri. Lgh S —2D 138
Leighville Gro. Lgh S —5C 138
Leighwood Av. Lgh S —1C 138
Leinster Rd. Bas —8L 117 (3K 41)
Leitrim Av. Shoe —8G 140
Lekoe Rd. Can I —8F 136
Leman St. E1 —7C 38
Lemna Rd. E11 —2E 124
Lena Kennedy Clo. E4 —3C 108
Lenham Way. Pits —9K 119
Lenmore Av. Grays —1M 157
Lennard Rd. SE20 & Beck —5C 46
Lennard Row. Ave —8A 146
Lennox Bus. Cen. E10 —4A 124
Lennox Clo. Romf —1D 128
Lennox Dri. W'fd —2N 119
Lennox Gdns. Ilf —3M 125
Lennox Rd. E17 —1A 124
Lennox Rd. Grav —4G 49
Lens Rd. E7 —9J 125
Lenthall Av. Grays —9K 147
Lenthall Rd. Lou —3C 94
Leonard Av. Romf —3B 128
Leonard Davis Ho. N Wea —6M 67
Leonard Dri. Ray —3G 121
Leonard M. Brain —8K 193
Leonard Rd. E4 —3A 108
Leonard Rd. E7 —6G 124
Leonard Rd. SW16 —6A 46
Leonard Rd. Van —4C 134
Leonard Rd. Wclf S —7J 139
Leonard Robbins Path. SE28 —7G 142
(off Tawney Rd.)
Leonard Way. Brtwd —1B 114
Leon Dri. Van —3E 134
Leopold Rd. E17 —9A 108
Leopold Rd. Felix —1K 19
Les Bois. Lay H —9H 175
Leslie Clo. Lgh S —9C 122
Leslie Dri. Lgh S —9C 122
Leslie Gdns. Ray —6M 121
Leslie Newnham Ct. Mal —7K 203
Leslie Pk. Bur C —4M 195
Leslie Pk. Rd. Croy —7B 46
Leslie Rd. E11 —6C 124
Leslie Rd. Ray —6L 121
Lesney Farm Est. Eri —5B 154
Lesney Gdns. R'fd —4J 123
Lesney Pk. Eri —4B 154
Lesney Pk. Rd. Eri —4B 154
Lessingham Av. Ilf —7N 109
Lessington Av. Romf —1A 128
Lessness Heath. —2K 47
Leston Clo. Rain —3F 144
Letfield La. Ples —4B 58
Lethe Gro. Colc —6N 175
Lettons Chase. S Fer —2K 105
Lett Rd. E15 —9D 124
Letty Green. —6A 20
Letzen Rd. Can I —1G 153
Leveller Row. Bill —5H 101
Levens Green. —7D 10
Levens Way. Brain —2C 198
Lever La. R'fd —5L 123
Lever Sq. Grays —2B 158
Lever St. EC1 —6A 38
Leverton Way. Wal A —3C 78 (4E 30)
Leveson Rd. Grays —1D 158
Levett Gdns. Ilf —6E 126
Levett Rd. Bark —8D 126
Levett Rd. Stan H —3N 149
Levine Gdns. Bark —2J 143
Lewes Clo. Grays —4K 157
Lewes Rd. Romf —1H 113
Lewes Rd. Sth S —3A 140
Lewes Way. Ben —8H 121
Lewin Pl. Bore —3F 62
Lewis Av. E17 —5A 108
Lewis Clo. Shenf —6J 99
Lewis Ct. D'mw —7L 197
Lewis Dri. Chelm —4C 74
Lewisham. —3D 46
Lewisham High St. SE13 —3D 46
Lewisham Hill. SE13 —2E 46
Lewisham Rd. SE13 —2E 46
Lewisham Way. SE14 & SE4 —2D 46
Lewis Rd. Grav —6G 49
Lewis Rd. Horn —1G 129
Lewis Wlk. W'fd —2N 119
Lewis Way. Dag —8N 127
Lexden. —9F 166 (6D 16)
Lexden Ct. Colc —8K 167
Lexden Dri. Romf —1G 126
Lexden Earthworks. —5E 174 (7C 16)
Lexden Gro. Colc —9G 167
Lexden Rd. Colc —6D 16
Lexden Rd. W Ber —4E 166 (5C 16)
Lexden Ter. Wal A —4C 78
(off Sewardstone Rd.)
Lexham Houses. Bark —1C 142
(off St Margarets)
Lexington Way. Upm —1C 130
Leybourne Dri. Chelm —4M 61
Leybourne Rd. E11 —3F 124
Leyburn Clo. E17 —8B 108
Leyburn Cres. Romf —4J 113
Leyburn Rd. Romf —4J 113
Leycroft Clo. Lou —4N 93
Leycroft Gdns. Eri —6F 154
Leydenhatch La. Swan —6A 48
Leyd Rd. Can I —1H 153
Ley Field. M Tey —3G 172
Ley Field. Tak —8C 210
Leyfields. Rayne —7B 192
Leyland Gdns. Wfd G —2J 109
Leys Av. Dag —1A 144
Leys Clo. Dag —9B 128
(in two parts)
Leysdown Av. Bexh —9A 154
Leys Dri. L Cla —4G 187
Leyside. Rayne —6B 192
Leysings. Bas —2N 133
Leyspring Rd. E11 —3F 124
Leys Rd. W'hoe —3J 177
Leys, The. Bas —2D 134
Leys, The. Chelm —6A 62
Ley St. Ilf —4A 126 (4H 39)
Leyswood Dri. Ilf —9D 110
Ley, The. Brain —7M 193
Leyton. —5C 124 (4D 38)
Leyton Bus. Cen. E10 —4A 124
Leyton Ct. Clac S —5K 187
Leyton Cross Rd. Dart —4A 48
Leyton Grange Est. E10 —4A 124
Leyton Grn. Rd. E10 —1C 124 (3E 38)
Leyton Orient F.C. —5B 124 (4D 38)
Leyton Pk. Rd. E10 —5C 124
Leyton Rd. E15 —7C 124 (5E 38)
Leytonstone. —3E 124 (4E 38)
Leytonstone Rd. E15 —6E 124 (5E 38)
Leyton Way. E11 —2E 124
Leywood Clo. Brain —6M 193
Liberty II Cen. Romf —8D 112
Liberty, The. Romf —9C 112
Libra Ct. E4 —1A 108
Library Hill. Brtwd —8G 98
Lichfield Clo. Chelm —7G 61
Lichfield Clo. Colc —7A 168
Lichfield Rd. Dag —6G 127
Lichfield Rd. Wfd G —1E 108
Lichfields, The. Bas —8G 118
Lichfield Ter. Upm —4B 130
Lifchild Clo. Wthm —8D 214
Lifeboat Museum. —1N 201 (2J 19)
Lifstan Way. Sth S —6C 140 (5A 44)
Lilac Av. Can I —9J 137
Lilac Av. W'fd —1K 119
Lilac Clo. Chelm —4D 74
Lilac Clo. Pil H —4E 98
Lilac Ct. W'hoe —4G 177
Lilac Gdns. Romf —3C 128
Lilac Rd. Hod —3B 54
Lilac Tree Ct. Colc —7E 168
Lilford Rd. SW9 —2A 46
Lilford Rd. Bill —4L 101
Lilian Cres. Hut —8M 99
Lilian Gdns. Wfd G —5H 109
Lilian Rd. Bur C —3L 195
Lillechurch Rd. Dag —8G 127
Lilley Clo. Brtwd —1C 114
Lilley's La. A'lgh —3B 170 (5J 17)
Lillian Pl. Ray —7N 121
Lilliard Clo. Hod —2B 54
Lillies, The. Brain —5D 14
Lilliput Rd. Romf —2B 128
Lily Clo. Chelm —5A 62
Lily Rd. E17 —1A 124
Lilystone Clo. Stock —8M 87
Lilyville Wlk. Ray —6N 121
Limbourne Av. Dag —2L 127
Limbourne Dri. H'bri —3N 203
Limburg Rd. Can I —1D 152
Lime Av. Brtwd —9J 99
Lime Av. Colc —7D 168
Lime Av. Har —4K 201
Lime Av. Lgh S —4B 138
Lime Av. Upm —6L 129
Limebrook Way. Mal —8H 203 (2H 35)
Lime Clo. Buck H —8K 93
Lime Clo. Clac S —1G 190
Lime Clo. Romf —8A 112
Lime Clo. S Ock —3F 146
Lime Clo. Wthm —2D 214
Lime Ct. E11 —4E 124
(off Trinity Clo.)
Lime Ct. E17 —9C 108
Lime Ct. Har —4K 201
Limefields. Saf W —2K 205
Lime Gro. Dodd —7F 84
Lime Gro. Ilf —3E 110
Limeharbour. E14 —1D 46
Limehouse. —7D 38
Limekiln La. Stans —3B 208 (6A 12)
Lime Lodge. Lgh S —4B 138
Lime Meadow. Sew E —6D 6
Lime Pl. Lain —6L 117
Limerick Gdns. Upm —2C 130
Lime Rd. Ben —2E 136
(in two parts)
Limes Av. E11 —8H 109
Limes Av. E12 —5L 125
Limes Av. Chig —2B 110
Limes Ct. Brtwd —7G 99
Limes Ct. Hod —5A 54
Limeslade Clo. Corr —1B 150
Limes, The. Brtwd —9J 99
Limes, The. Gall —8C 74
Limes, The. Gosf —4E 14
Limes, The. Ing —5E 86
Limes, The. Purf —3L 155
Limes, The. Ray —6M 121
Limestone Wlk. Eri —9J 143
Lime St. B'sea —8E 184
Limetree Av. Ben —2B 136
Lime Tree Cotts. D'mw —6L 197
Limetree Ct. Saf W —3K 205
(off Church St.)
Limetree Rd. Can I —1K 153
Lime Wlk. Chelm —4C 74
Lime Way. Bur C —2K 195
Limewood Ct. Ilf —9M 109
Limewood Rd. Eri —5A 154
Lincefield. Bas —3K 133
Lincewood Pk. Dri. Bas —2J 133
Lincoln Av. Jay —6B 190
Lincoln Av. Romf —4B 128
Lincoln Chase. Sth S —3C 140
Lincoln Clo. Eri —7D 154
Lincoln Clo. Horn —9L 113
Lincoln Gdns. Ilf —2L 125
Lincoln La. Gt Hork —7K 161
Lincoln Rd. E7 —8K 125
Lincoln Rd. E18 —5F 108
Lincoln Rd. Bas —8G 118
Lincoln Rd. Enf —6B 30
(in two parts)
Lincoln Rd. Eri —7D 154
(in two parts)
Lincoln Rd. R'fd —1G 123
Lincolns Field. Epp —9E 66
Lincolns La. Brtwd —4N 97 (7D 32)
Lincoln St. E11 —4E 124
Lincoln Way. Can I —1E 152
Lincoln Way. Colc —8A 168
Lincoln Way. Ray —2J 121
Linda Gdns. Bill —4G 100
Linden Clo. Ben —9C 120
Linden Clo. Chelm —3D 74
Linden Clo. Colc —6E 168
Linden Clo. Law —5G 164
Linden Clo. Purf —4N 155
Linden Clo. Ray —6M 121
Linden Ct. Lgh S —4F 138
(off London Rd.)
Linden Cres. Wfd G —3H 109
Linden Dri. Clac S —7J 187
Linden Gro. SE15 —3C 46
Linden Leas. Ben —9C 120
Linden Rise. War —2G 114
Linden Rd. Ben —1C 136
Lindens, The. E17 —8B 108
(off Prospect Hill)
Lindens, The. Bas —1J 133
Lindens, The. Brain —7J 193
Lindens, The. Lou —4M 93
Lindens, The. Stock —7A 88
Lindens, The. Wal A —5J 79
(off Woodbine Clo.)
Linden St. Romf —8B 112
Linden Way. Can I —1F 152
Linde Rd. Can I —1H 153
Lindfield Rd. Romf —2J 113
Lindhurst Dri. Rams H —4D 102
Lindisfarne Av. Lgh S —4F 138
Lindisfarne Ct. Mal —8H 203
Lindisfarne Rd. Dag —5H 127
Lindley Rd. E10 —4C 124
Lindon Rd. W'fd —5K 103
Lindsell. —5H 13
Lindsell Grn. Bas —1F 134
Lindsell La. Bas —1F 134
Lindsell La. Lndsl —5H 13
Lindsey Clo. Brtwd —1D 114
Lindsey Ct. Ray —4G 120
Lindsey Ct. W'fd —2M 119
Lindsey Rd. Dag —6H 127
Lindsey Rd. Gt W —2M 141
Lindsey St. Epp —7C 66 (3H 31)
Lindsey Way. Horn —9G 113
Linfold Clo. Brain —4M 193
Linford. —9J 149 (1J 49)
Linford Clo. H'low —5A 56
Linford Dri. Bas —9F 118
Linford End. H'low —5B 56
Linford M. Mal —8H 203
Linford Rd. E17 —7C 108
Linford Rd. Grays —2D 158 (1H 49)
Lingcroft. Bas —2B 134
Lingfield Av. Upm —5K 129

Lingfield Dri.—Longview Vs.

Lingfield Dri. *R'fd* —5M 123
Lingmere Clo. *Chig* —8B 94
Ling Rd. *Eri* —4A 154
Lingrove Gdns. *Buck H* —8H 93
Ling's La. *Chel* —1E 18
Lingwood Clo. *Dan* —3E 76
Lingwood Common Nature Reserve. —2D 76 (2D 34)
Link Clo. *Colc* —3M 167
Linkdale. *Bill* —8K 101
Link Pl. *Ilf* —3E 110
Link Rd. *Bis S* —1K 21
Link Rd. *B'sea* —7F 184
Link Rd. *Can I* —2E 152 (6E 42)
Link Rd. *Clac S* —2H 191
Link Rd. *Dag* —2N 143
Link Rd. *H'std* —6J 199
Link Rd. *Ray* —4K 121
Link Rd. *Stan H* —2M 149
Links Av. *Romf* —6F 112
Links Ct. *Sth S* —7C 140 (in two parts)
Links Dri. *Chelm* —3A 74
Links Ho. *Dodd* —5E 84
Linkside. *Chig* —2B 110
Links Rd. *Cres* —1F 25
Links Rd. *Wfd G* —2G 108
Links, The. *Bill* —4G 100
Links Way. *Beck* —7D 46
Links Way. *Ben* —3M 137
Linksway. *Lgh S* —2B 138
Linkway. *Bas* —9C 118
Linkway. *Dag* —6H 127
Linkway. H'low —2B 56 (off Kitson Way)
Link Way. *Horn* —3J 129
Linkway Rd. *Brtwd* —9C 98
Linley Clo. *E Til* —5M 159
Linley Cres. *Romf* —7N 111
Linley Gdns. *Clac S* —2H 191
Linne Rd. *Can I* —9J 137
Linnet Clo. *SE28* —7H 143
Linnet Clo. *Shoe* —6J 141
Linnet Dri. *Ben* —4C 136
Linnet Dri. *Chelm* —5B 74
Linnets. *Bas* —3B 134
Linnets. *Clac S* —7K 187
Linnets, The. *Kir X* —8E 182
Linnett Clo. *E4* —1C 108
Linnetts La. *Stur* —4A 8
Linnet Way. *Gt Ben* —6J 179
Linnet Way. *Purf* —3M 155
Linroping Av. *Can I* —2M 153
Linsdell Rd. *Bark* —1B 142
Linsey Ct. E10 —3A 124 (off Grange Rd.)
Linstead Clo. *Clac S* —9E 186
Linton. —2D 6
Linton Clo. *Saf W* —5M 205
Linton Ct. *Romf* —6C 112
Linton Rd. *B'shm* —1D 6
Linton Rd. *Bark* —9B 126
Linton Rd. *Gt Ab* —1B 6
Linton Rd. *Hads* —3C 6
Linton Rd. *H'hth* —2F 7
Linton Rd. *Shoe* —8J 141
Lintons, The. *Bark* —9B 126
Lintons, The. *S'don* —4L 75
Linton Zoo. —2C 6
Linwood. *Saw* —2K 53
Lionel Oxley Ho. Grays —4L 157 (off New Rd.)
Lionel Rd. *Can I* —2G 153
Lionfield Ter. *Chelm* —8M 61
Lion Hill. *Fob* —1E 150 (6A 42)
Lion La. *Bill* —6J 101
Lion Meadow. *Stpl B* —2C 210
Lion Rd. *Glem* —1G 9
Lion Wlk. *Colc* —8N 167
Lion Wlk. Shop. Cen. *Colc* —8N 167
Liphook Clo. *Horn* —6D 128
Lippits Hill. *Bas* —3L 133
Lippitts Hill. *Lou* —9E 78 (6E 30)
Lipton Clo. *SE28* —7H 143
Lisa Clo. *Bill* —2K 101
Lisle Pl. *Grays* —1K 157
Lisle Rd. *Colc* —1A 176
Lister Av. *H Wood* —6H 113
Lister Rd. *E11* —3E 124
Lister Rd. *Brain* —8H 193
Lister Rd. *Til* —7C 158
Lister Wlk. *SE28* —7J 143
Liston. —3H 9
Liston Garden. —3H 9
Liston La. *L Mel* —3H 9
Liston Way. *Wfd G* —4J 109
Listowel Rd. *Dag* —5M 127
Litchborough Pk. *Dan* —2F 76
Litchfield. *Har* —5G 201
Litchfield Av. *E15* —8E 124
Litchfield Clo. *Clac S* —8J 187
Litchfield Ct. *E17* —1A 124
Litlington. —4A 4
Litlington Rd. *Stpl N* —4A 4
Littell Tweed. *Chelm* —8B 62
Little Abington. —1B 6
Lit. Aston Rd. *Romf* —4K 113
Lit. Baddon Rd. *Dan* —3E 76
Little Baddow. —7L 63 (1E 34)
Little Baddow Heath Nature Reserve. —1F 76 (1E 34)
Lit. Baddow Rd. *Dan* —2E 34
Lit. Baddow Rd. *Wdhm W* —1E 34
Lit. Bakers. *W on N* —7K 183
Little Bardfield. —3H 13
Lit. Belhus Clo. *S Ock* —4D 146
Little Bentley. —8L 171 (6B 18)
Lit. Bentley. *Bas* —8C 118
Lit. Bentley Rd. *L Ben* —6N 171 (5B 18)
Little Berkhamsted. —1A 30
Lit. Berry La. *Lang H* —2J 133
Little Braxted. —5F 214 (4G 25)
Lit. Braxted La. *Riven* —4F 214 (4G 25)
Lit. Brays. *H'low* —4F 56
Little Bromley. —1G 170 (4K 17)
Lit. Bromley Rd. *A'lgh* —9M 163 (4J 17)
Lit. Bromley Rd. *Gt Bro* —4D 170 (5K 17)
Lit. Bromley Rd. *L Ben* —6K 171 (5A 18)
Littlebrook Bus. Cen. *Dart* —7M 155
Littlebrook Interchange. (Junct.) —3C 48
Littlebrook Mnr. Way. *Dart* —9M 155 (3C 48)
Lit. Brook Rd. *Roy* —3J 55
Little Burstead. —3H 117 (1J 41)
Littlebury. —2L 83 (4C 32) (nr. Marden Ash)
Littlebury. —1J 205 (6A 6) (nr. Saffron Walden)
Littlebury Ct. *Bas* —7H 119
Littlebury Ct. *Kel H* —7C 84
Littlebury Gdns. *Colc* —2C 176
Littlebury Green. —6K 5
Littlebury Grn. *Bas* —7H 119
Littlebury Grn. Rd. *L'bry* —2H 205 (6K 5)
Little Cambridge. —5G 13
Little Canfield. —1E 22
Lit. Cattins. *H'low* —7M 55
Lit. Charlton. *Bas* —9K 119
Little Chesterford. —4A 6
Little Chishill. —7G 5
Lit. Chishill Rd. *Bar* —7F 5
Lit. Chittock. *Bas* —9F 118
Little Clacton. —3H 187 (2D 28)
Lit. Clacton By-Pass. *Wee* —5B 180 (7B 18)
Lit. Clacton Rd. *Clac S* —6F 186 (3C 28)
Lit. Clacton Rd. *Gt Hol* —3A 188 (2E 28)
Little Common. —8B 192
Little Cornard. —6K 9
Littlecotes. *M End* —3L 167
Littlecroft. *S Fer* —2K 105
Lit. Dodden. *Bas* —2A 134
Lit. Dorrit. *Chelm* —4G 61
Lit. Dragons. *Lou* —3K 93
Little Dunmow. —1H 23
Little Easton. —7F 13
Little End. —4J 83 (4C 32)
Littlefield Clo. *Colc* —4K 175
Littlefield Rd. *Colc* —4K 175
Lit. Fields. *Dan* —3G 76
Lit. Fretches. *Lgh S* —2D 138
Lit. Friday Rd. *E4* —8E 92
Lit. Garth. *Bas* —1H 135
Lit. Gaynes Gdns. *Upm* —6M 129
Lit. Gaynes La. *Upm* —6K 129 (5C 40)
Lit. Gearies. *Ilf* —8A 110
Lit. Gerpins La. *Upm* —1K 145 (6C 40)
Lit. Goldings Est. *Lou* —9N 79
Lit. Gregories La. *They B* —5C 80
Little Gro. Field. *H'low* —3B 56
Lit. Gypps Clo. *Can I* —1F 152
Lit. Gypps Ct. *Can I* —1F 152
Lit. Gypps Rd. *Can I* —2F 152
Little Hadham. —7H 11
Little Hallingbury. —2A 22
Lit. Harrods. *W on N* —7K 183
Lit. Hayes Chase. *N Fam* —5G 35
Lit. Hays. *Lgh S* —9A 122
Little Heath. —8G 110 (3J 39)
Lit. Heath. *SE7* —1G 47
Lit. Heath. *Hat H* —2B 202
Lit. Heath. *L Hth* —8G 111
Lit. Heath Rd. *Bexh* —2K 47
Little Henham. —3B 12
Lit. Holt. *E11* —9G 108
Little Horkesley. —3F 160 (2C 16)
Lit. Horkesley Rd. *Wmgfd* —4A 160 (3C 16)
Little Hormead. —4F 11
Littlehurst La. *Bas* —5A 118
Lit. Hyde Clo. *Gt Yel* —7D 198
Lit. Hyde La. *Ing* —3D 86 (4H 33)
Lit. Hyde Rd. *Gt Yel* —7D 198
Little Ilford. —6N 125 (5G 39)
Lit. Ilford La. *E12* —6M 125 (5G 39)
Lit. Kingston. *Bas* —4M 133
Lit. Larchmount. *Saf W* —5K 205
Little Laver. —7C 22
Lit. Laver Rd. *Mat G* —6C 22
Lit. Laver Rd. *More* —1C 32
Little Leighs. —3A 24
Little London. —4K 11 (nr. Berden)
Little London. —6E 202 (nr. Kelvedon)
Lit. London Hill. *F'fld* —2K 13
Lit. London La. *Wdhm W* —1F 35
Lit. Lullaway. *Bas* —8N 117
Lit. Malgraves Ind. Est. *Bulp* —5H 133
Little Maplestead. —2G 15
Lit. Maplestead Rd. *Gest* —7F 9
Lit. Meadow. *Writ* —1J 73
Lit. Meadows. *Wdhm M* —4L 77
Littlemoor Rd. *Ilf* —5C 126
Littlemore Rd. *SE2* —9F 142
Lit. Nell. *Chelm* —4G 61
Lit. Norsey Rd. *Bill* —4L 101
Little Oakley. —8D 200 (4G 19)
Lit. Oxcroft. *Bas* —9K 117
Little Oxney Green. —2G 73 (2J 33)
Little Parndon. —2A 56 (6G 21)
Lit. Pastures. *Brtwd* —1C 114
Lit. Pluckett's Way. *Buck H* —7K 93
Littlepound. *Dodd* —6F 84
Lit. Pynchons. *H'low* —6F 56
Lit. Russets. *Hut* —6A 100
Little St Mary's. *L Mel* —3J 9
Little Sampford. —2H 13
Lit. Searles. *Pits* —8J 119
Lit. Spenders. *Bas* —7E 118
Little Sq. Brain —5H 193 (off Great Sq.)
Lit. Stambridge Hall La. *R'fd* —5N 123 (2K 43)
Lit. Stile. *Writ* —2J 73
Littlestone Ct. *Clac S* —4H 191
Little Tey. —7K 15
Lit. Tey Rd. *Fee* —7B 172 (1J 25)
Lit. Thorpe. *Bas* —2G 134
Lit. Thorpe. *Sth S* —5E 140
Little Thurlow. —1K 7
Little Thurrock. —2N 157 (1G 49)
Littleton Av. *E4* —7F 92
Little Totham. —6K 25
Lit. Totham Rd. *Gold* —6K 25
Little Wakering. —3B 44
Lit. Wakering Hall La. *Gt W* —1L 141
Lit. Wakering Rd. *Gt W* —3B 44
Little Walden. —5C 6
Lit. Walden Rd. *Saf W* —3K 205 (6B 6)
Little Wlk. *H'low* —2C 56
Little Waltham. —6L 59 (5A 24)
Lit. Waltham Rd. *Spri* —2M 61
Little Warley. —6J 115 (2F 41)
Lit. Warley Hall La. *L War* —6H 115 (2F 41)
Lit. Wheatley Chase. *Ray* —4G 120 (2E 42)
Little Wigborough. —4E 26
Lit. Wood. *Kir X* —8H 183
Little Wratting. —2K 7
Little Yeldham. —6E 8
Lit. Yeldham Rd. *Gt Yel* —6D 8
Lit. Yeldham Rd. *L Yel* —7E 198
Littley Green. —3K 23
Liverpool Rd. *E10* —1C 124
Liverpool Rd. *N7 & N1* —5A 38
Livingstone Clo. *Ong* —8L 69
Livingstone College Towers. *E10* —1C 124
Livingstone Ct. *E10* —1C 124
Livingstone Rd. *E17* —1B 124
Livingstone Ter. *Rain* —1C 144
Llewellyn Clo. *Chelm* —8M 61
Lloyd Pk. Ho. *E17* —7A 108
Lloyd Rd. *Dag* —9L 127
Lloyd Wise Clo. *Sth S* —3B 140
Loampit Vale. (Junct.) —3E 46
Loampit Hill. *SE4* —2D 46
Loampit Vale. *SE13* —3D 46
Loamy Hill Rd. *Tip & Tol M* —4J 25
Loates Pasture. *Stans* —1C 208
Lobelia Clo. *Chelm* —5B 62
Locarno Av. *Runw* —7M 103
Locke Clo. *Rain* —8D 128
Locke Clo. *Stan H* —2L 149
Lockhart Av. *Colc* —8K 167
Lock Hill. *Hey B* —9N 203
Lockram La. *Wthm* —5C 214 (in two parts)
Lock Rd. *H'std* —6K 199
Locksbottom. —7G 47
Locks Hill. *R'fd* —6L 123
Locksley Clo. *Sth S* —4D 140
Lock View. *Saw* —2L 53
Lockwood Wlk. *Romf* —9C 112
Lockyer Rd. *Purf* —4N 155
Lodge Av. *Chelm* —3G 74
Lodge Av. *Dag* —1F 142 (6J 39)
Lodge Av. *Romf* —8E 112
Lodge Clo. *Ben* —1G 136
Lodge Clo. *Chig* —9F 94
Lodge Clo. *Clac S* —9J 187
Lodge Clo. *L Oak* —7E 200
Lodge Clo. *Ray* —6L 121
Lodge Ct. *Horn* —4J 129
Lodge Ct. *W Ber* —3G 166
Lodge Cres. *Bore* —4F 62
Lodge Farm Clo. *Lgh S* —1C 138
Lodge Farm La. *St O* —9B 186 (4B 28)
Lodge Hall. *H'low* —7D 56
Lodge Hill. *Ilf* —8L 109
Lodge Hill. *Well* —2J 47
Lodgelands Clo. *Ray* —6M 121
Lodge La. *A'lgh* —1G 168 (4G 17) (in two parts)
Lodge La. *B'sea* —6C 184
Lodge La. *Grays* —9K 147 (1F 49)
Lodge La. *L'hoe* —9C 176 (2F 27)
Lodge La. *L'ham* —8C 162
Lodge La. *Pel* —3E 26
Lodge La. *Pur* —3G 35
Lodge La. *Romf* —4M 111 (2K 39)
Lodge La. *Ten* —6C 18
Lodge La. *Wal A* —5D 78
Lodge Rd. *Brain* —7H 193
Lodge Rd. *B'sea* —6D 184
Lodge Rd. *E Han* —3E 90 (4E 34)
Lodge Rd. *Epp* —4N 79 (4G 31)
Lodge Rd. *Haz* —6N 77
Lodge Rd. *L Cla* —8K 181 (2E 28)
Lodge Rd. *L Oak* —7E 200
Lodge Rd. *Mal* —5J 203
Lodge Rd. *Mess* —2K 25
Lodge Rd. *Pur* —3G 35
Lodge Rd. *Thri* —2G 5
Lodge Rd. *Writ* —2H 73 (2J 33)
Lodge Vs. *Wfd G* —3F 108
Lodwick. *Shoe* —9G 141
Loewen Rd. *Grays* —1C 158
Loftin Way. *Chelm* —3E 74 (2A 34)
Logan Link. *W'fd* —2N 119
Logs Hill. *Brom* —6G 47
Loman Path. *S Ock* —6C 146
Lombard Av. *Ilf* —3D 126
Lombard Ct. Romf —8A 112 (off Poplar St.)
Lombard Roundabout. (Junct.) —7A 46
Lombards Chase. *W H'dn* —1N 131
Lombards, The. *Horn* —2K 129
Lombard St. *F'fld* —3A 14
Lombard St. *Hort K* —7D 48
Lombardy Clo. *Pits* —9K 119
Lombardy Pl. *Chelm* —8K 61
Lonbarn Hill. *Brad* —3C 18
London Bri. *SE1* —7B 38
London City Airport. —7G 39
Londonderry Pde. *Eri* —5B 154
London Gas Museum. —6E 38
London Hill. *Ray* —4K 121 (2F 43)
London Ind. Pk., The. *E6* —5A 142
London La. *Brom* —5E 46
London Master Bakers Almshouses. *E10* —1B 124
London Rd. *SE1* —1A 46
London Rd. *SE23* —4C 46
London Rd. *SW16 & T Hth* —6A 46
London Rd. *Abr* —3E 94 (6J 31)
London Rd. *Ave* —8K 145 (1C 48)
London Rd. *Bark* —9A 126
London Rd. *B'wy* —1E 10
London Rd. *Bar* —6E 4
London Rd. *Bas* —1K 135
London Rd. *Ben* —1B 136
London Rd. *Bill* —7H 33
London Rd. *Bis S* —1K 21
London Rd. *Brtwd* —1C 114 (1D 40)
London Rd. *Brom* —5E 46
London Rd. *Bunt* —4D 10
London Rd. *Chad H* —3K 39
London Rd. *Clac S* —3D 28
London Rd. *Colc* —9D 166 (6C 16)
London Rd. *Cray* —3A 48
London Rd. *Cray H & W'fd* —1E 118 (1A 42)
London Rd. *Croy* —7A 46
London Rd. *Ethpe* —5F 172
London Rd. *Enf* —7B 30
London Rd. *Fow* —4F 5
London Rd. *Grays* —4B 156
London Rd. *Gt Che* —3K 197 (4A 6)
London Rd. *Gt Hork & L Hork* —8F 160 (4D 16)
London Rd. *Gt L & Brain* —4B 198 (2B 24)
London Rd. *Had* —3J 137 (4F 43)
London Rd. *H'low* —9H 53 (6J 21) (Old Harlow)
London Rd. *H'low* —6H 57 (7J 21) (Potter Street)
London Rd. *H'low* —1G 67 (2J 31) (Thornwood)
London Rd. *Hat P* —6D 24
London Rd. *Hert H* —5B 20
London Rd. *K'dn* —6E 202 (2J 25)
London Rd. *Lgh S* —4N 137
London Rd. *L'bry* —2J 205 (6A 6)
London Rd. *L Cla* —3H 187 (2D 28)
London Rd. *Mal* —5H 203 (1G 35)
London Rd. *M Tey & S'way* —2L 173 (7B 16)
London Rd. *Newp* —8D 204 (2B 12)
London Rd. *N'fleet* —3G 49
London Rd. *Ong* —7E 82
London Rd. *Pam* —1K 5
London Rd. *Pits & Ben* —3C 42
London Rd. *Purf* —3L 155 (1D 48)
London Rd. *Raw* —9C 104 (1D 42)
London Rd. *Ray* —3F 120
London Rd. *Riven* —3G 25
London Rd. *Romf* —1M 127
London Rd. *R'ton* —5C 4
London Rd. *Saf W* —5K 205 (7B 6)
London Rd. *Saw* —4K 21
London Rd. *Stan H* —4K 149 (6J 41)
London Rd. *Stap A & Ong* —5A 32
London Rd. *Stap T* —1A 96
London Rd. *Stone & Grnh* —3D 48
London Rd. *Swan & Dart* —6A 48 (in four parts)
London Rd. *Swans* —3E 48
London Rd. *Thor* —2K 21
London Rd. *Til* —7D 158
London Rd. *Van* —4D 134 (4A 42)
London Rd. *Ware* —5D 20
London Rd. *Wen A* —7A 6
London Rd. *Wclf S* —5G 138
London Rd. *W Thur & Grays* —4C 156 (2D 48)
London Rd. *Wid* —4N 73 (2K 33)
London Rd. *Wthm* —3F 214
Londons Clo. *Upm* —7N 129
London Southend Airport. *Sth S* —8K 123
London-Southend Airport. —3J 43
London-Stansted Airport. —7C 12
London Wall. *EC2* —7B 38
Londs La. *Thor S* —1F 17
Lonesome. —6A 46
Long Acre. *WC2* —7A 38
Longacre. *Bas* —9D 118
Longacre. *Chelm* —2M 73
Longacre. *Colc* —5M 167
Longacre. *H'low* —8G 53
Longacre Rd. *E17* —5D 108
Longacre Rd. *Cres* —2E 194
Long Acres. *Brain* —7J 193
Long Acres. *Fee* —8B 172
Longaford Way. *Hut* —7M 99
Long Banks. *H'low* —7C 56
Long Border Rd. *Stan Apt* —8K 209
Longborough Clo. *Bas* —6H 119
Longbow. *Sth S* —4C 140
Long Brandocks. *Writ* —1H 73
Longbridge Ho. Dag —6G 126 (off Gainsborough Rd.)
Longbridge Rd. *Bark & Dag* —9B 126 (5H 39)
Long Clo. *Fow* —3G 5
Long Comn. *H'bri* —3J 203
Long Ct. *Purf* —2L 155
Long Croft. *Stans* —1C 208
Longcroft. *Tak* —8C 210
Long Croft Dri. *Wal X* —4A 78
Longcroft Rise. *Lou* —4N 93
Longcroft Rd. *Colc* —7C 168
Longcrofts. *Wal A* —4E 78
Long Deacon Rd. *E4* —7E 92
Longdon Ct. *Romf* —9D 112
Longdryve. *Colc* —2K 175
Longfellow Dri. *Hut* —6M 99
Longfellow Rd. *Mal* —7K 203
Longfield. —6F 49
Longfield. *H'low* —5F 56
Longfield. *Lou* —4K 93
Longfield. *Wthm* —2B 214
Longfield Av. *Horn* —2D 128
Longfield Clo. *W'fd* —9A 104
Longfield Hill. —6G 49
Longfield La. *Chesh* —3C 30
Longfield Rd. *Chelm* —3F 74
Longfield Rd. *Long & Grav* —7G 49
Longfield Rd. *S Fer* —9K 91
Longfield Rd. *W'fd* —9A 104
Longfields. *Mal* —6K 203
Long Fields. *Ong* —8L 69
Longfields. *St O* —9N 185
Long Gages. *Bas* —8C 118 (in two parts)
Long Gardens. —1H 15
Long Grn. *Chig* —1D 110
Long Grn. *Cres* —8M 193 (1E 24)
Long Grn. *M Tey* —3F 172
Long Grn. La. *Bar S* —5K 13
Long Gro. *H Wood* —6J 113
Longhams Dri. *S Fer* —9K 91
Longhayes Av. *Romf* —8J 111
Longhayes Ct. *Romf* —8J 111
Longhedges. *Saf W* —4L 205
Long Horse Croft. *Saf W* —6L 205
Longhouse Rd. *Grays* —1D 158
Longlands. —4H 47
Longlands Rd. *Sidc* —4H 47
Long La. *SE1* —1B 46
Long La. *A'den* —1K 11
Long La. *Bexh* —2J 47
Long La. *Brain* —8B 192
Long La. *Croy* —7C 46
Long La. *Frin S* —2F 188
Long La. *Grays* —9K 147 (7F 41)
Long La. *Hull* —7M 105 (7F 35)
Long La. *L Walt* —4B 24
Longleaf Dri. *Brain* —8H 193
Longleat Clo. *Chelm* —4H 61
Longleigh La. *SE2 & Bexh* —2J 47
Long Ley. *H'low* —3E 56
Long Leys. *E4* —3B 108
Long Lynderswood. *Bas* —9A 118
Longmans. Shoe —8L 141 (off Rampart St.)
Longmead. *Pits* —7K 119
Longmead Av. *Gt Bad* —2G 74
Longmead Clo. *Shenf* —7H 99
Long Meadow. *Bill* —4J 101 (in two parts)
Long Meadow. *Bla N* —3B 198
Long Meadow. *Hut* —8M 99
Long Meadow. *Noak H* —8G 97
Long Meadow Dri. *W'fd* —8M 103
Long Meadows. *Har* —5G 201
Longmeads. *W Bis* —7K 213
Longmeads Clo. *Writ* —1J 73
Long Melford. —3J 9
Long Melford By-Pass. *L Mel* —4J 9
Longmore Av. *Chelm* —2F 74
Longport Clo. *Ilf* —3F 110
Longreach Ct. *Bark* —2C 142
Long Reach Rd. *Bark* —4E 142
Longreach Rd. *Eri* —5F 154
Longridge. *Colc* —6F 168 (6G 17)
Long Riding. *Bas* —9C 118 (in two parts)
Long Ridings Av. *Hut* —4L 99 (7F 33)
Longrise. *Bill* —8K 101
Long Rd. *SW4* —3A 46
Long Rd. *Can I* —2E 152 (6E 42)
Long Rd. *Law* —5G 164 (3K 17)
Long Rd. E. *Ded* —5N 163 (3J 17)
Long Rd. W. *Ded* —5K 163 (3H 17)
Longsands. *Shoe* —7H 141
Longshaw Rd. *E4* —9D 92
Longship Way. *Mal* —8H 203
Longshots Clo. *Chelm* —2J 61
Longstomps Av. *Chelm* —4B 74 (2A 34)
Longstraw Clo. *S'way* —9E 166
Long St. *Wal A* —2L 79 (3G 31)
Longtail. *Bill* —3L 101
Longtown Clo. *Romf* —2G 112
Longtown Rd. *Romf* —2G 112
Longview Vs. *Romf* —5L 111

Malford Gro.—Marshall's La.

Malford Gro. E18 —8F 108
Malgraves. Bas & Pits —8J 119
Malgraves Pl. Bas & Pits —8J 119
Mallard Clo. Bla N —3C 198
Mallard Clo. K'dn —7C 202
Mallard Clo. Lay H —9H 175
Mallard Clo. Tol —7K 211
Mallard Clo. Upm —2C 130
Mallard Ct. E17 —7D 108
Mallard Rd. Chelm —5B 74
Mallards. E11 —2G 125
(off Blake Hall Rd.)
Mallards. May —3D 204
Mallards. Shoe —5J 141
Mallards Rise. Chu L —3J 57
Mallards Rd. Wfd G —4H 109
Mallard Way. Hut —6L 99
Mallinson Clo. Horn —7G 129
Mallion Ct. Wal A —3F 78
Mallories, The. H'low —1E 56
Mallory Way. Bill —7J 101
Mallow Ct. Grays —4N 157
Mallow Gdns. Bill —3H 101
Mallows Field. H'std —4L 199 (3F 15)
Mallows Grn. H'low —8N 55
Mallows Grn. Man —5J 11
Mallows Grn. Rd. Man —5J 11
Mallows, The. Mal —8K 203
Mall, The. E15 —9D 124
Mall, The. Dag —8M 127
Mall, The. Grays —4K 157
Mall, The. Horn —3F 128
Malmesbury Rd. E18 —5F 108
Malmsmead. Shoe —6G 141
Malpas Rd. SE4 —2D 46
Malpas Rd. Dag —8J 127
Malpas Rd. Grays —1E 158
Malta Rd. E10 —3A 124
Malta Rd. Til —7B 158
Maltbeggar's La. M Tey —2A 172
Maltese Rd. Chelm —8J 61
Malthouse Rd. Mann —4J 165
Malthus Path. SE28 —8H 143
Malting Farm La. A'lgh —6J 163 (3H 17)
Malting Green. —9J 175
Malting Grn. Rd. Lay H —9G 175
Malting La. Brau —6E 10
Malting La. Kir S —5F 182
Malting La. M Hud —2G 21
Malting La. Ors —4C 148
Malting Rd. Colc —5K 175
Malting Rd. Pel —3E 26
Maltings Chase. Ing —6D 86
Maltings Clo. Bures —7C 194
Maltings Ct. Wthm —7C 214
Maltings Dri. Epp —8F 66
Maltings Hill. More —1B 32
Maltings Ind. Est., The. S'min —7M 207
Maltings La. Epp —8F 66 (3J 31)
Maltings La. Stpl B —1F 210 (5K 7)
Maltings La. Wthm —7B 214 (5F 25)
Maltings Pk. Rd. W Ber —3G 167
Maltings Rd. Bat —6D 104
Maltings Rd. B'sea —5D 184
Maltings Rd. Chelm —5H 75
Maltings, The. D'mw —7L 197
Maltings, The. Rayne —6C 192
Maltings, The. S'min —7M 207
Maltings, The. Thax —3K 211
Maltings View. Brain —5J 193
Malting Vs. Rd. R'fd —5L 123
Malting Yd. W'hoe —6H 177
Maltling Grn Rd. Lay H —1D 26
Malton La. Meld —1D 4
Malton Rd. Orw —1D 4
Malvern. Sth S —5N 139
(off Coleman St.)
Malvern Av. E4 —4D 108
Malvern Av. Can I —2D 152
Malvern Clo. Chelm —5F 60
Malvern Clo. Ray —4K 121
Malvern Dri. Ilf —6E 126
Malvern Dri. Wfd G —2J 109
Malvern Gdns. Lou —5M 93
Malvern Rd. E11 —4E 124
Malvern Rd. Grays —2A 158
Malvern Rd. Hock —8E 106
Malvern Rd. Horn —1E 128
Malvern Way. Gt Hork —9J 161
Malwood Dri. Ben —1B 136
Malwood Rd. Ben —1B 136
Malyon Ct. Clo. Ben —2H 137
Malyon Rd. Wthm —7C 214
Malyons. Bas —7J 119
Malyons Clo. Bas —7J 119
Malyons Grn. Bas —7J 119
Malyons La. Hull —6K 105
Malyons M. Bas —8J 119
Malyons Pl. Bas —7J 119
Malyons, The. Ben —2H 137
Manbey Gro. E15 —8E 124
Manbey Pk. Rd. E15 —8E 124
Manbey Rd. E15 —8E 124
Manbey St. E15 —8E 124
Manchester Dri. Lgh S —4C 138 (4H 43)
(in two parts)
Manchester Rd. E14 —1E 46
Manchester Rd. Hol S —7B 188
Manchester Way. Dag —6N 127
Mandeville Clo. H'low —5H 57
Mandeville Rd. M Tey —3G 172
Mandeville Rd. Saf W —5K 205
Mandeville St. E5 —4C 38
Mandeville Wlk. Hut —5A 100
Mandeville Way. Ben —8C 120
Mandeville Way. Broom —9K 59
Mandeville Way. Kir X —7J 183
Mandeville Way. Lain —9G 117 (3J 41)
Mandrake Way. E15 —9E 124
Manfield. H'std —4L 199
Manfield Gdns. St O —8N 185
Manford Clo. Chig —1F 110
Manford Cross. Chig —2F 110
Manford Ind. Est. Eri —4F 154
Manford Way. Chig —1D 110 (1H 39)
Mangapp Chase. Bur C —1H 195
Mangapps Farm Railway Museum. —5C 36
Mangrove La. Hert —6B 20
Mangrove Rd. Hert —5B 20
Manilla Rd. Sth S —7A 140
Mannering Gdns. Wclf S —3F 138
Manners Corner. Sth S —1K 139
Manners Way. Sth S —9K 123 (3J 43)
Manning Gro. Bas —2L 133
Manning Rd. Dag —8M 127
Mannings Clo. Saf W —6L 205
Manning St. Ave —8N 145
Manningtree. —4J 165 (3A 18)
Manningtree Museum. —4J 165 (3A 18)
Manningtree Rd. Ded —2N 163 (2J 17)
Manningtree Rd. E Ber —1K 17
Manningtree Rd. Stut —1C 18
Mannin Rd. Romf —2G 126
Mannock Dri. Lou —1B 94
Mannock Rd. Dart —8K 155
Manns Way. Ray —2J 121
Manor Av. E7 —6J 125
Manor Av. Bas —8K 119
Manor Av. Horn —9G 112
Manor Clo. SE28 —7H 143
Manor Clo. Ave —8N 145
Manor Clo. Cray —9B 154
Manor Clo. Dag —8B 128
Manor Clo. Gt Hork —9K 161
Manor Clo. Rams H —5D 102
Manor Clo. Ray —7K 121
Manor Clo. Romf —9E 112
Manor Clo. S. Ave —8N 145
Manor Ct. E4 —7E 92
Manor Ct. E10 —3B 124
Manor Ct. Bark —9E 126
Manor Ct. Ben —8C 120
Manor Ct. Sth S —7A 140
Manor Cres. Horn —9G 113
Manor Cres. L Walt —7K 59
Manor Dene. SE28 —6H 143
Manordene Rd. SE28 —6J 143
Manor Dri. Chelm —3G 75
Manor Farm Dri. E4 —9E 92
Manor Gdns. Colc —8L 167
Manorhall Gdns. E10 —3A 124
Manor Hatch Clo. H'low —4G 56
Manor House. (Junct.) —4B 38
Manor Ho. Way. B'sea —6D 184
Manor La. SE13 & SE12 —3E 46
Manor La. Fawk & Sev —7E 48
Manor La. Gt Che —3L 197
Manor La. Har —5J 201
(in two parts)
Manor Links. Bis S —9C 208
Manor Park. —6L 125 (5F 39)
Manor Pk. Eri —4E 154
Manor Pk. Rd. E12 —6K 125
Manor Pk. Rd. Chst —6H 47
Manor Pk. Rd. W Wick —7D 46
Manor Rd. E10 —2A 124
Manor Rd. E16 & E15 —6E 38
Manor Rd. N16 —4B 38
Manor Rd. SE25 —6C 46
Manor Rd. Abr —8H 95 (7J 31)
Manor Rd. Bark —9E 126
Manor Rd. Bas —8K 117
Manor Rd. Beck —6D 46
Manor Rd. Ben —9C 120
Manor Rd. Chad H —1J 127
Manor Rd. Chelm —1C 74
Manor Rd. Colc —8L 167
Manor Rd. Dag —8A 128
Manor Rd. Dart —9C 154 (3A 48)
Manor Rd. Deng —3E 36
Manor Rd. Eri —4D 154 (2A 48)
Manor Rd. Grays —4M 157
Manor Rd. Gt Hol —2D 188 (2F 29)
Manor Rd. H'low —7H 53
Manor Rd. Har —4J 201
Manor Rd. Hat P —5N 63
Manor Rd. H Bee —9H 79 (5F 31)
Manor Rd. Hock —1B 122
Manor Rd. Hod —4A 54
Manor Rd. L Eas —6F 13
Manor Rd. Long —7G 49
Manor Rd. Lou —5H 93 (7F 31)
Manor Rd. Mitc —6A 46
Manor Rd. Romf —9E 112
Manor Rd. S Fer —9J 91
Manor Rd. Stan H —4M 149
Manor Rd. Stans —4D 208
Manor Rd. Swans —4E 48
Manor Rd. Til —7C 158
Manor Rd. Ult —7F 25
Manor Rd. Wal A —3D 78
Manor Rd. W Ber —2F 166
Manor Rd. Wclf S —7J 139
Manor Rd. W Thur —4F 156
Manor Rd. Wthm —3D 214
Manor Rd. W'hoe —5J 177
Manor Rd. Wfd G & Chig —3M 109 (2G 39)
Manor Sq. Dag —4H 127
Manors, The. Sil E —3L 207
Manor St. Brain —5H 193 (7C 14)
Manors Way. Sil E —3K 207
Manor Trad. Est. Ben —8D 120
Manor Vineyards. —2F 9
Manor Way. E4 —1D 108
Manor Way. Bas —5L 135
Manor Way. Bexh —8B 154
Manor Way. Brtwd —9D 98
Manor Way. Clac S —7D 188
(in two parts)
Manor Way. Grav —9K 157
Manor Way. Grays —5L 157
Manor Way. Rain —4C 144 (6A 40)
Manor Way. Stan H —3B 150
Manor Way. Swans —9G 157
Manor Way. Wfd G —2J 109
Manor Way Bus. Cen. Rain —5B 144
Manorway, The. Stan H —3L 149 (6K 41)
Manpreet Ct. E12 —7M 125
Mansard Clo. Horn —4E 128
Man's Cross. —6C 8
Manse Chase. Mal —7K 203
Mansel Clo. Lgh S —9D 122
Mansel Gro. E17 —5A 108
Mansell St. EC3 —7B 38
Manser Rd. Rain —3C 144
Mansfield. H Wych —3F 52
Mansfield Gdns. Horn —4M 129
Mansfield Hill. E4 —6B 92 (7D 30)
Mansfield Rd. E11 —1H 125
Mansfield Rd. Ilf —4N 125
Mansfields. Writ —1H 73
Manstead Gdns. Rain —6F 144
Mansted Clo. Dun —1G 132
Mansted Gdns. R'fd —2J 123
Mansted Gdns. Romf —2H 127
Manston Dri. Bis S —8A 208
Manston Rd. H'low —3D 56
Manston Way. Horn —8F 128
Mantle Rd. SE4 —3D 46
Mantle Way. E15 —9E 124
Manuden. —5K 11
Manwood Green. —5C 22
Manwood Rd. SE4 —3D 46
Maple Av. Brain —6F 192
Maple Av. H'bri —2M 203
Maple Av. Lgh S —6E 138
Maple Av. Upm —5M 129
Maple Clo. Brtwd —9J 99
Maple Clo. Buck H —9K 93
Maple Clo. Clac S —1F 190
Maple Clo. H'std —4M 199
Maple Clo. Har —4L 201
Maple Clo. Horn —5F 128
Maple Clo. Ilf —2D 110
Maple Clo. They B —7C 80
Maplecroft La. Naze —9E 54
Mapledene Av. Hull —6L 105
Maple Dri. Chelm —4C 74
Maple Dri. Kir X —8G 183
Maple Dri. Ray —9J 105
Maple Dri. S Ock —4G 146
Maple Dri. Wthm —2D 214
Maple End. —7E 6
Mapleford Sweep. Bas —2E 134
Maple Ga. Lou —1N 93
Maple Ho. E17 —7B 108
Maple La. Tye G —1E 12
Maple Leaf. Tip —4C 212
Mapleleaf Clo. Hock —9F 106
Mapleleafe Gdns. Ilf —7A 110
Mapleleaf Gdns. W'fd —1J 119
Maple Mead. Bill —8L 101
Maple Rd. E11 —1E 124
Maple Rd. SE20 —6C 46
Maple Rd. Grays —4M 157
Maples. Stan H —3N 149
Maplescombe La. F'ham & Sev —7C 48
Maplesfield. Ben —2K 137
Maple Springs. Wal A —3G 78
Maple Sq. Sth S —4N 139
Maplestead. Bas —7E 118
Maplestead Rd. Dag —1G 142
Maplestead Rd. L Map —1G 15
Maples, The. H'low —8A 56
Maples, The. Wal A —5J 79
Maples, The. W'fd —2K 119
Maple St. Romf —8A 112
Mapleton Rd. E4 —9C 92
Maple Tree La. Bas —1H 133
Mapletree La. Ing —2L 85
Maple Way. Bur C —2K 195
Maple Way. Can I —2E 152 (6E 42)
Maple Way. Colc —2A 176
Maple Way. Wal A —8H 65
Maplin Clo. Ben —8C 120
Maplin Ct. Shoe —8L 141
(off Rampart Ter.)
Maplin Gdns. Bas —1F 134
Maplin Ho. Sth S —9J 143
(off Wolvercote Rd.)
Maplin M. Shoe —8J 141
Maplin Way. Sth S —7G 140 (5B 44)
Maplin Way N. Sth S —6G 140 (5B 44)
Mapperley Clo. E11 —1F 124
Mapperley Dri. Wfd G —4E 108
Maran Way. Eri —9J 143
Marasca End. Colc —7A 176
Maraschino Cres. Colc —7A 176
Marchant Rd. E11 —4D 124
Marchmant Clo. Horn —5G 129
Marconi Bungalows. N Wea —4B 68
Marconi Rd. E10 —3A 124
Marconi Rd. Chelm —8K 61
Marcos Rd. Can I —2K 153
Marcus Av. Sth S —8F 140
Marcus Chase. Sth S —7F 140
Marcus Gdns. Sth S —7F 140
Marden Ash. —9L 69 (3C 32)
Marden Ash. Bas —9J 117
Marden Clo. Chig —8G 94
Marden Rd. Romf —1C 128
Mardyke Rd. H'low —1F 56
Mardyke Wlk. Grays —8K 147
Mare Hill. Hund —1B 8
Marennes Cres. B'sea —6D 184
Maresby Ho. E4 —8B 92
Mare St. E8 —6C 38
Mareth Rd. Colc —4K 175
Margaret Av. E4 —5B 92
Margaret Av. Shenf —5K 99
Margaret Bondfield Av. Bark —9F 126
Margaret Clo. B'sea —7F 184
Margaret Clo. Epp —8E 66
Margaret Clo. Romf —9F 112
Margaret Clo. Wal A —3D 78
Margaret Dri. Horn —3K 129
Margaret Rd. Colc —7M 167
Margaret Rd. Epp —8F 66
Margaret Rd. Romf —9F 112
Margaret Roding. —5F 23
Margaret's Ho. K'dn —8C 202
Margaret St. Thax —2K 211
Margaretting. —1J 87 (4J 33)
Margaretting Rd. E12 —3J 125
Margaretting Rd. Gall —9N 73 (3K 33)
Margaretting Rd. Writ —8L 73 (3J 33)
Margaretting Tye. —2L 87 (4K 33)
Margaret Way. Ilf —1L 125
Margaret Way. Saf W —4K 205
Margarite Way. W'fd —8J 103
Margery Pk. Rd. E7 —8G 124
Margery Rd. Dag —5J 127
Margery St. WC1 —6A 38
Margeth Rd. Bill —4L 117
Margherita Pl. Wal A —4F 78
Margherita Rd. Wal A —4G 78
Margraten Av. Can I —3K 153
Marguerite Dri. Lgh S —5E 138
Mariam Gdns. Horn —4K 129
Marian Clo. N Stif —8H 147
Maria St. Har —2M 201
Marigold Av. Clac S —8G 187
Marigold Clo. Chelm —5A 62
Marigold Clo. Colc —7E 168
Marigold La. Stock —9N 87 (5K 33)
Marigold Pl. H'low —8G 53
Marina Av. Ray —4J 121
Marina Clo. Sth S —2K 139
Marina Gdns. Clac S —8N 187
Marina Gdns. Romf —1N 127
Marina M. W on N —6M 183
Marina Rd. Hat P —2L 63
Marine App. Can I —3H 153
Marine Av. Can I —3L 153
Marine Av. Lgh S —5C 138
Marine Av. Wclf S —7K 139 (5J 43)
Marine Clo. Lgh S —5N 137
Marine Ct. Eri —5D 154
Marine Ct. Frin S —1J 189
Marine Pde. Can I —3M 153
Marine Pde. Har —4L 201 (3H 19)
Marine Pde. Lgh S —5N 137 (4G 43)
Marine Pde. May —2B 204 (3A 36)
Marine Pde. Sth S —7N 139 (5K 43)
Marine Pde. E. Clac S —2K 191 (4D 28)
Marine Pde. W. Clac S —4H 191 (4D 28)
Mariner Rd. E12 —6N 125
Mariners Ct. Gt W —3N 141
Mariners Ct. Grnh —9E 156
Mariners Wlk. Eri —4D 154
Mariners Way. Mal —8K 203
Marion Av. Clac S —7J 187
Marion Clo. Ilf —4C 110
Marionette Steps. Sth S —7A 140
(off Kursaal Way)
Marion Gro. Wfd G —2E 108
Marisco Clo. Grays —2D 158
Mariskals. Bas —1H 135
Maritime Av. Hey B —8N 203
Marjorams Av. Lou —1N 93
Mark Av. E4 —5B 92
Market Av. W'fd —8K 103
Market End. Cogg —8K 195 (7H 15)
Market Gro. Gt Yel —8D 198
Market Hill. Clare —3D 8
Market Hill. Cogg —8K 195
Market Hill. H'std —4K 199
Market Hill. H'hll —3J 7
Market Hill. Mal —5K 203 (1H 35)
Market Hill. R'ton —5C 4
Market Hill. Saf W —3K 205
Market Hill. Sud —5J 9
Market Ho. H'low —2C 56
(off Post Office Rd.)
Market Link. Romf —8C 112
Market Pde. E10 —1C 124
(off High Rd. Leyton)
Market Pavement. Bas —9B 118
Market Pavilion. E10 —5A 124
Market Pl. Abr —2G 94 (6J 31)
Market Pl. Brain —5H 193
Market Pl. D'mw —7L 197 (7G 13)
Market Pl. Ing —5D 86
Market Pl. Romf —9C 112
Market Pl. Saf W —3K 205
(off Market St.)
Market Pl. Sth S —7M 139
Market Pl. Til —7C 158
Market Rd. N7 —5A 38
Market Rd. Chelm —9K 61 (1A 34)
Market Rd. W'fd —9K 103
Market Row. Saf W —4K 205
Market Sq. Bas —1B 134
Market Sq. Brom —6F 47
Market Sq. R'fd —5L 123
Market Sq. Wal A —3C 78
Market St. Brain —5H 193
Market St. Dart —4C 48
Market St. H'low —8H 53
Market St. Har —1N 201
Market St. Saf W —3K 205
Market Wlk. Saf W —4K 205
(off Market Row.)
Markfield Gdns. E4 —6B 92
Mark Hall Cycle Museum. —1G 56 (6J 21)
Mark Hall Gardens. —1G 56 (6J 21)
Mark Hall Moors. H'low —9G 52
Mark Hall North. —9F 52 (6J 21)
Mark Hall South. —1F 56 (6J 21)
Markham Ho. Dag —5M 127
(off Uvedale Rd.)
Markhams. Stan H —2A 150
Markhams Chase. Bas —8M 117 (3K 41)
Markhouse Rd. E17 —3D 38
Markings Field. Saf W —3L 205
Markland Clo. Chelm —7D 74
Markland Dri. Mal —7H 203
Marklay Dri. S Fer —1J 105
Mark Rd. T'ham —2E 36
Mark's Av. Ong —6L 69
Marks Clo. Bill —4G 101
Marks Clo. Ing —8B 86
Marks Ct. Sth S —7A 140
Marks Gdns. Brain —6L 193
Marks Gate. —6K 111 (2K 39)
Marks Hall Estate. —6G 15
Marks Hall La. Mar R —6F 23
Marks Hall Rd. Cogg —6H 15
(in two parts)
Marks Hill Nature Reserve. —2M 133 (4K 41)
Marks La. S Han —9N 89
Marks Lodge. Romf —9B 112
Marks Rd. Romf —9A 112
Marks Roundabout. Brain —5M 193
Marks Tey. —7A 16
Marks Tey Roundabout. M Tey —2J 173
Mark St. E15 —9E 124
Mark Ter. Clac S —7F 186
Markwells. Else —7C 196
Markwell Wood. H'low —9A 56
Markyate Rd. Dag —7G 127
Marlands Rd. Ilf —7L 109
Marlborough Av. T'ham —3E 36
Marlborough Clo. Ben —8D 120
Marlborough Clo. Clac S —1G 191
Marlborough Clo. Grays —9M 147
Marlborough Clo. Upm —3B 130
Marlborough Ct. Buck H —8J 93
Marlborough Dri. Ilf —7L 109
Marlborough Gdns. Upm —3A 130
Marlborough Rd. E4 —3B 108
Marlborough Rd. E7 —9J 125
Marlborough Rd. E15 —6E 124
Marlborough Rd. E18 —6G 109
Marlborough Rd. N19 —4A 38
Marlborough Rd. Brain —4J 193
Marlborough Rd. Chelm —2B 74
Marlborough Rd. Dag —6G 126
Marlborough Rd. Pil H —5D 98
Marlborough Rd. Romf —8M 111
Marlborough Rd. Sth S —6B 140
Marlborough Wlk. Hock —1B 122
Marlborough Way. Bill —3J 101
Marle Gdns. Wal A —2C 78
Marler Ho. Eri —7D 154
Marlescroft Way. Lou —4A 94
Marlin Clo. Ben —9L 121
Marlow Av. Purf —2L 155
Marlowe Clo. Bill —3K 101
Marlowe Clo. Brain —1A 194
Marlowe Clo. Ilf —5B 110
Marlowe Clo. Mal —8K 203
Marlowe Gdns. Romf —5G 113
Marlowe Rd. E17 —8C 108
Marlowe Rd. Jay —3E 190
Marlowes, The. Dart —9B 154
Marlowe Way. Colc —9G 167
Marlow Gdns. Sth S —2K 139
Marlow Rd. SE20 —6C 46
Marlpits Rd. Wdhm M & Pur —5K 77 (2F 35)
Marlyon Rd. Ilf —2G 111
Marmion App. E4 —1A 108
Marmion Av. E4 —1A 108
Marmion Clo. E4 —1A 108
Marne Rd. Colc —2M 175
Marney Clo. Chelm —2F 74
Marney Dri. Bas —1G 135
Marney Way. Frin S —8L 183
Marquis Ct. Bark —7D 126
Marram Clo. S'way —9C 166
Marram Ct. Grays —4A 158
Marriots, The. H'low —7H 53
Mar Rd. S Ock —4F 146
Marshall Clo. Fee —6D 202
Marshall Clo. Lgh S —3N 137
Marshall Ho. Eri —9J 143
Marshall Path. SE28 —7G 143
Marshalls. R'fd —3J 123
Marshalls Clo. Ray —5M 121
Marshalls Dri. Brain —7G 192
Marshalls Dri. Romf —7C 112
Marshall's La. Sac & H Cro —2C 20

Marshalls Rd.—Merryfields Av.

Marshalls Rd. Brain —7G 193
Marshalls Rd. Romf —8B 112
Marsham Ho. Eri —9J 143
Marsham St. SW1 —1A 46
Marsh Cres. Rhdge —6G 176 (1G 27)
Marsh Farm. —4L 105 (7F 35)
Marsh Farm Country Park. —4L 105 (7F 35)
Marsh Farm La. Alr —7L 177
Marsh Farm La. Gt Ben —3J 185
Marsh Farm Rd. S Fer —4K 105
Marshfoot Rd. Grays —3A 158 (1G 49)
Marshgate La. E15 —9B 124 (5D 38)
Marshgate Trad. Est. E15 —9B 124
Marsh Grn. Rd. Dag —1M 143
Marsh Hill. E9 —5D 38
Marsh Hill. Wal A —6D 64 (3E 30)
Marsh La. Gt Can —3E 22
Marsh La. H'low —7L 53
Marsh La. Har —7H 201
Marsh La. Mount —1B 100
Marsh La. Stan H —8E 134
Marsh Rd. Bur C —2L 195 (6C 36)
Marsh Rd. Shoe —9J 141
Marsh Rd. T'ham —3E 36
Marsh St. Dart —7L 155
(in two parts)
Marsh View Ct. Bas —3F 134
Marsh Wall. E14 —1D 46
Marsh Way. B'sea —7D 184
Marsh Way. Rain —3B 144
(in two parts)
Marston Av. Dag —4M 127
Marston Beck. Chelm —9B 62
Marston Clo. Dag —5M 127
Marston Ho. Grays —4K 157
Marston Rd. Hod —4B 54
Marston Rd. Ilf —5L 109
Martello Cvn. Pk. W on N —5L 183
Martello Holiday Pk. W on N —6M 183
Martello Rd. W on N —6M 183
Martello Tower Est. St O —9D 184
Martello Tower No.1. —9B 184 (4K 27)
Martello Tower No.2. —4H 191 (5D 28)
Martello Tower No.3. —5G 190 (5D 28)
Martello Tower (Seawick). —6B 190 (5B 28)
Marten Rd. E17 —6A 108
Martens Av. Bexh —9A 154
Martens Clo. Bexh —9A 154
Martham Clo. SE28 —7J 143
Martha Rd. E15 —8E 124
Martin Clo. Bill —7K 101
Martindale Av. Bas —5M 117
Martin Dri. Rain —4F 144
Martin End. Lay H —9H 175
Martingale. Ben —1H 137
Martingale Clo. Bill —3M 101
Martingale Dri. Chelm —4A 62
Martingale Rd. Bill —3M 101
Martin Gdns. Dag —6H 127
Martin Rd. Ave —8A 146
Martin Rd. Dag —6H 127
Martins Clo. Stan H —2M 149
Martinsdale. Clac S —7K 187
Martinsfield Clo. Chig —1D 110
Martin's La. Wdham F —6M 91
Martins M. Ben —2C 136
Martin's Rd. H'std —5K 199
Martinstown Clo. Horn —1L 129
Martin Wlk. Hock —3E 122
Martlesham Clo. Horn —7G 128
Martley Dri. Ilf —9A 110
Martock Av. Wclf S —1F 138
Martyns Gro. Wclf S —4G 138
Marvels La. SE12 —4F 47
Marvens. Chelm —7E 74
Marwell Clo. Romf —9E 112
Maryborough Gro. Colc —4B 176
Maryland Ct. Colc —5A 176
Maryland Ho. E15 —8E 124
(off Manbey Pk. Rd.)
Maryland Ind. Est. E15 —7E 124
(off Maryland Rd.)
Maryland Pk. E15 —7E 124
Maryland Rd. E15 —7D 124
Marylands Av. Hock —9C 106
Maryland Sq. E15 —7E 124
Maryland St. E15 —7D 124
Mary La. Hund —1B 8
Mary La. N. Gt Bro —7E 170 (6K 17)
Mary La. S. Gt Bro —8G 170
Marylebone. —6A 38
Mary Macarthur Ho. Dag —5M 127
(off Wythenshawe Rd.)
Mary McArthur Pl. Stans —1D 208
Mary Warner Rd. A'lgh —9L 163
Mascalls Gdns. Brtwd —1C 114
Mascalls La. Gt War —1C 114 (1D 40)
Mascalls, The. Chelm —2F 74
Mascalls Way. Chelm —2F 74
Masefield Clo. Eri —6D 154
Masefield Clo. Romf —5G 112
Masefield Ct. Brtwd —1F 114
Masefield Cres. Romf —5G 112
Masefield Dri. Colc —9G 167
Masefield Dri. Upm —2N 129
Masefield Rd. Brain —8H 193 (1C 24)
Masefield Rd. Grays —9A 148
Masefield Rd. Mal —8K 203
Mashbury. —5H 23
Mashbury Rd. Chig J —3B 60
Mashbury Rd. Gt Wal —5J 23
Mashbury Rd. Mash —6A 58 (5H 23)
Mashey Rd. L Yel —5D 8
Mashiters Hill. Romf —5B 112
Mashiters Wlk. Romf —7C 112
Mason Clo. Colc —3J 175
Mason Dri. H Wood —6J 113
Mason Rd. Clac S —1F 190
Mason Rd. Colc —6N 167
Mason Rd. Wfd G —1E 108
Masons Hill. Brom —6F 47
Mason Way. Wal A —4F 78
Masthead Clo. Dart —9N 155
Matcham Rd. E11 —5E 124
Matching. —6B 22
Matching Field. Kel H —7C 84
Matching Friars La. Hat H —4B 22
Matching Green. —6C 22
Matching Grn. Bas —6F 118
Matching Rd. H'low —8N 53 (6K 21)
Matching Rd. Hat H —3D 202
Matching Tye. —6A 22
Matfield Clo. Chelm —4M 61
Mathews Pk. Av. E15 —8F 124
Matlock Gdns. Horn —5J 129
Matlock Rd. E10 —1C 124
Matlock Rd. Can I —2F 152
Matson Ct. E4 —4E 108
Matthew Ct. E17 —7C 108
Matthews Clo. H'std —3M 199
Matthews Clo. Romf —5K 113
Matthews Wlk. E17 —5A 108
(off Chingford Rd.)
Matthias Rd. N16 —5B 38
Maud Gdns. Bark —2E 142
Maudlyn Rd. Colc —9C 168
Maud Rd. E10 —5C 124
Maugham Clo. W'fd —2L 119
Maund's Hatch. H'low —7C 56
Maurice Ct. Can I —3K 153
(off Maurice Rd.)
Maurice Rd. Can I —3K 153
Maury Rd. N16 —4C 38
Mavis Gro. Horn —4J 129
Mawney. —7N 111 (3K 39)
Mawney Clo. Romf —6N 111
Mawney Rd. Romf —6N 111 (3K 39)
Maxey Gdns. Dag —6K 127
Maxey Rd. Dag —6K 127
Maximfeldt Rd. Eri —3C 154
Maxim Rd. Eri —2C 154
Maya Angelou Ct. E4 —1C 108
Maya Clo. Shoe —7J 141
May Av. Can I —1J 153
(in two parts)
Maybank Av. E18 —6H 109
Maybank Av. Horn —7F 128
Maybank Lodge. Horn —7G 128
Maybank Rd. E18 —5H 109
Maybells Commercial Est. Bark —2J 143
Mayberry Wlk. Colc —3A 176
Maybrick Rd. Horn —1G 128
Maybury Clo. Lou —3A 94
Maybury Clo. M Tey —3H 173
Maybury Rd. Bark —2E 142
Maybush Rd. Horn —2J 129
May Ct. Grays —4A 158
Maycroft Av. Grays —3N 157
Maycroft Gdns. Grays —3N 157
Mayda Clo. H'std —5J 199
Maydells. Bas —1J 135
Maydells Ct. Bas —1J 135
Maydene. S Fer —1K 105
Mayesbrook Rd. Bark —1E 142
Mayesbrook Rd. Ilf & Dag —5F 126
Mayes Clo. Bis S —9C 208
Mayesford Rd. Romf —2H 127
Mayes La. Dan —4E 76 (2E 34)
Mayes La. R'sy —6D 200 (3F 19)
Mayes La. S'don —4M 75 (2C 34)
Mayes Pl. Thax —4F 13
Mayes Rd. N22 —2A 38
Mayfair Av. Bas —7K 119
Mayfair Av. Ilf —4M 125
Mayfair Av. Romf —1J 127
Mayfair Ct. Colc —2C 176
Mayfair Gdns. Wfd G —4G 109
Mayfield. Wal A —4D 78
Mayfield Av. Hull —6L 105
Mayfield Av. Sth S —2K 139
Mayfield Av. Wfd G —3G 108
Mayfield Cen. Bur C —3K 195
Mayfield Clo. Colc —6C 168
Mayfield Clo. H'low —8L 53
Mayfield Ct. Wal A —4G 79
(off Lamplighters Clo.)
Mayfield Gdns. Brtwd —7E 98
Mayfield Rd. E4 —8C 92
Mayfield Rd. Belv —2A 154
Mayfield Rd. Dag —3H 127
Mayfield Rd. Writ —1J 73
Mayfields. Grays —9M 147
Mayflower Av. Har —2N 201
Mayflower Clo. Naze —2E 64
Mayflower Clo. Sth S —9G 122
Mayflower Clo. S Ock —4F 146
Mayflower Clo. S'way —9E 166
Mayflower Ct. H'low —7N 55
Mayflower Ct. Ong —6L 69
Mayflower Dri. Mal —8K 203
Mayflower Ho. Bark —1C 142
(off Westbury Rd.)
Mayflower Ho. Gt War —3F 114
Mayflower Path. Gt War —3F 114
Mayflower Retail Pk. Bas —5E 118
Mayflower Rd. Bill —6K 101
Mayflowers. Ben —8B 120
Mayflower Way. Ong —6L 69
Mayford Way. Clac S —7F 186
Maygreen Cres. Horn —2E 128
Mayhew Clo. E4 —9A 92
Mayland. —4B 36
Mayland Av. Can I —3F 152
Mayland Clo. H'bri —4M 203
Mayland Clo. May —4D 204
Mayland Grn. May —3D 204
Mayland Grn. Ind. Est. May —3E 204
Mayland Hill. May —4B 36
Mayland Mans. Bark —9A 126
(off Whiting Av.)
Mayland Rd. Wthm —5D 214
Maylands Av. Horn —6F 128
Maylands Dri. Brain —8F 192
Maylandsea. —2B 204 (4A 36)
Maylands Way. Romf —3N 113
Maylins Dri. Saw —2J 53
Maynard Clo. D'mw —7L 197
Maynard Clo. Eri —5D 154
Maynard Ct. Wal A —4F 78
Maynard Path. E17 —9C 108
Maynard Rd. E17 —9C 108
Maynards. Horn —2J 129
Maynards La. L Sam —1H 13
Mayne Crest. Chelm —4N 61
Mayow Rd. SE26 & SE23 —5C 46
Mayplace Av. Dart —9E 154
Mayplace Rd. E. Bexh & Dart —8A 154 (3K 47)
Mayplace Rd. W. Bexh —3K 47
Maypole Clo. Saf W —6J 205
Maypole Cres. Eri —4H 155
Maypole Cres. Ilf —4C 110
Maypole Dri. Chig —9F 94
Maypole Dri. St O —9M 185
Maypole Green. —5K 175 (7E 16)
Maypole Grn. Rd. Colc —5K 175
Maypole Rd. Mal & Lang —2J 203 (7H 25)
Maypole Rd. Tip —5C 212 (3K 25)
Maypole Rd. W Bis —7L 213 (6H 25)
Maypole, The. Thax —2J 211
May Rd. E4 —3A 108
Maysent Av. Brain —3H 193
May's La. Ded —5L 163
May St. Gt Chi —6G 5
Mayswood Gdns. Dag —8A 128
Maytree Clo. Rain —2C 144
Maytree Gdns. Else —6B 196
Maytree Wlk. Ben —9C 120
Mayville Rd. E11 —4E 124
Mayville Rd. Ilf —7A 126
May Wlk. Chelm —3D 74
May Wlk. Stans —8A 196
Maywin Dri. Horn —3K 129
Maze Hill. SE10 & SE3 —2E 46
Maze, The. Lgh S —8C 122
Mead Clo. Grays —9L 147
Mead Clo. Lou —1A 94
Mead Clo. Romf —6E 112
Mead Ct. Stans —2C 208
Mead Ct. Wal A —4B 78
Mead Cres. E4 —1C 108
Meade Clo. Bill —3M 101
Meade Rd. Bill —3M 101
Meadgate. Bas —7K 119
Meadgate Av. Chelm —2E 74
Meadgate Av. Wfd G —2L 109
Meadgate Rd. Brox —8C 54
Mead Gro. Romf —7J 111
Meadow Brook Ct. Colc —8B 168
Meadow Clo. E4 —7B 92
Meadow Clo. Ben —9H 121
Meadow Clo. Clac S —6M 187
Meadow Clo. Gt Bro —9F 170
Meadow Clo. H'std —6L 199
Meadow Clo. Linf —1J 159
Meadow Clo. Pan —1C 192
Meadow Ct. H'low —8D 56
Meadow Ct. W'fd —8M 103
Meadowcroft. Stans —2D 208
Meadowcroft Ct. Horn H —2H 149
(off Gordon Rd.)
Meadowcroft Way. Kir X —7J 183
Meadow Dri. Bas —6K 133
Meadow Dri. Sth S —6C 140
Meadowend. —5C 8
Meadowend. Ridg —6C 8
Meadowford. Newp —7C 204
Meadow Ga. Stock —7A 88
Meadow Grass Clo. S'way —9C 166
Meadowland Rd. W'fd —1A 120
Meadowlands. Horn —2J 129
Meadow La. Runw —6M 103
(in two parts)
Meadow La. W Mer —4K 213
Meadow M. S Fer —9H 91
Meadow Rise. Bill —6L 101 (7K 33)
Meadow Rise. B'more —1H 85
Meadow Rd. Bark —9E 126
Meadow Rd. Ben —4L 137
Meadow Rd. Colc —5L 175
Meadow Rd. Dag —8L 127
Meadow Rd. Epp —8E 66
Meadow Rd. Grays —8M 147
Meadow Rd. Gt Che —2L 197
Meadow Rd. Hull —6L 105
Meadow Rd. Lou —4L 93
Meadow Rd. Ret C —3C 104
Meadow Rd. Romf —3A 128
Meadows Clo. E10 —4A 124
Meadows Clo. Ingve —3M 115
Meadowside. Ben —3B 136
Meadowside. Brain —3G 193
Meadowside. Chelm —7K 61
(Rectory La.)
Meadowside. Chelm —8L 61
(Springfield Rd.)
Meadowside. Ray —5K 121
Meadowside Rd. Upm —7N 129
Meadows Shop. Cen., The. Chelm —9L 61
Meadows, The. Chelm —9L 61
(off High St. Chelmsford,)
Meadows, The. Ingve —3M 115
Meadows, The. Saw —2M 53
Meadow View. Lang H —2G 133
Meadow View Clo. S'way —1F 174
Meadow View Wlk. Can I —1E 152
Meadow Wlk. E18 —8G 108
Meadow Wlk. Chelm —9L 61
Meadow Wlk. Dag —8L 127
Meadow Way. Abb —9B 176
Meadow Way. Bla N —3C 194
Meadow Way. Chig —9B 94
Meadow Way. Hock —1D 122
Meadow Way. Jay —4E 190 (5C 28)
Meadow Way. Latch —4K 35
Meadow Way. Saw —3M 53
Meadow Way. Upm —5N 129
Meadow Way. W'fd —4L 119
Meadow Way, The. Bill —6L 101
Mead Pk. Ind. Est. H'low —8E 52
Mead Pastures. Wdhm W —1F 35
Mead Path. Chelm —2A 74
Meads Clo. Ing —5D 86
Meads Ct. E15 —8F 124
Meads La. Ilf —2D 126
Meads, The. Ing —5D 86
Meads, The. Stans —3D 208
Meads, The. Upm —4B 130
Meads, The. Van —2H 135
Meads, The. Wick B —2K 11
Meadsway. Gt War —3E 114
Mead, The. B'sea —5E 184
Mead, The. D'mw —6K 197
Mead, The. Lain —7K 117
Mead, The. Thax —2K 211
Mead Wlk. Ong —9K 69
Meadway. Ben —8C 120
Mead Way. Brom —7E 46
Meadway. Can I —3J 153
Meadway. Gosf —3D 14
Meadway. Grays —2N 157
Meadway. Hod —7A 54
Meadway. Ilf —6D 126
Meadway. Law —5G 164
Meadway. Mal —7L 203
Meadway. Ray —6M 121
Meadway. Romf —6E 112
Mead Way. Wfd G —2J 109
Meadway Ct. Dag —4L 127
Meadway, The. Buck H —7K 93
Meadway, The. Lou —5M 93
Meadway, The. Wclf S —6G 138
Meakins Clo. Lgh S —8E 122
Meanley Rd. E12 —6L 125
Mearns Pl. Chelm —7A 62
Meath Rd. Ilf —5B 126
Medebridge Rd. Grays —7J 147
Mede Way. W'hoe —3J 177
Median Rd. E5 —5C 38
Medick Ct. Grays —4A 158
Medina Ho. Eri —5C 154
Medina Rd. Grays —3N 157
Medlar Clo. Wthm —3D 214
Medlar Rd. Grays —4N 157
Medlar's Mead. Hat O —3C 22
Medlar St. SE5 —2B 46
Medley Rd. Rayne —6B 192
Medoc Clo. Bas —7K 119
Medora Rd. Romf —8B 112
Medway. Bur C —2K 195
(off Maple Way)
Medway Av. Wthm —5A 214
Medway Clo. Chelm —7F 60
Medway Clo. Ilf —7B 126
Medway Cres. Lgh S —5A 138
Medway Rd. Dart —8E 154
Meers, The. Kir X —8H 183
Meesden. —2G 11
Meeson Meadows. Mal —8H 203
Meeson Rd. E15 —9F 124
Meesons La. Grays —2J 157
Meesons Mead. R'fd —4J 123
Meeting La. E Mer —4H 27
Meeting La. Lit —4A 4
Meeting La. Ridg —5B 8
Meggison Way. Ben —3C 136
Meg Way. Brain —6K 193
Meister Clo. Ilf —3C 126
Melba Ct. Writ —1L 73
Melba Gdns. Til —5C 158
Melbourn. —3E 4
Melbourne Av. Chelm —6F 60 (7K 23)
Melbourne Chase. Colc —5B 176
Melbourne Ct. Chelm —6G 61
Melbourne Gdns. Romf —9K 111
Melbourne Pde. Chelm —6G 61
Melbourne Rd. E10 —2B 124
Melbourne Rd. Clac S —9H 187
Melbourne Rd. Ilf —3A 126
Melbourne Rd. Til —6A 158
Melbourn Rd. R'ton —5C 4
Melbourn St. R'ton —5C 4
Melcombe Rd. Ben —3C 136
Meldreth. —2D 4
Meldreth Rd. Shepr —2E 4
Meldreth Rd. Whad —2C 4
Meldrum Rd. Ilf —4F 126
Melford Av. Bark —8D 126
Melford Hall. —2J 9
Melford Pl. Brtwd —7F 98
Melford Rd. E11 —4E 124
Melford Rd. Caven —2F 9
Melford Rd. Ilf —4C 126
Melford Rd. Lav —2K 9
Melford Rd. Sud —4J 9
Melfort Rd. T Hth —6A 46
Melksham Clo. Romf —4K 113
Melksham Dri. Romf —4K 113
Melksham Gdns. Romf —4J 113
Melksham Grn. Romf —4K 113
Melliker La. Meop —7G 49
Mellish Clo. Bark —1E 142
Mellish Flats. E10 —2A 124
Mellish Gdns. Wfd G —2G 109
Mellor Chase. Colc —8F 166
Mellor Clo. Ing —5D 86
Mellow Mead. Bas —7K 117
Mellow Purgess. Bas —9L 117
Mellow Purgess Clo. Bas —9L 117
Mellow Purgess End. Bas —9L 117
Mellows Rd. Ilf —7M 109
Mell Rd. Tol —8K 211 (6D 26)
Melon Rd. E11 —5E 124
Melrose Gdns. Clac S —8N 187
Melrose Rd. W Mer —3K 213
Melstock Av. Upm —6N 129
Melton Clo. Clac S —9E 186
Melton Gdns. Romf —2D 128
Melton St. NW1 —6A 38
Melville Ct. H Hill —4J 113
Melville Dri. W'fd —3L 119
Melville Gdns. N13 —2A 38
Melville Heath. S Fer —2L 105
Melville Rd. Rain —4E 144
Melville Rd. Romf —4N 111
Memory Clo. Mal —9K 203
Mendip Clo. Ray —3K 121
Mendip Clo. W'fd —9M 103
Mendip Cres. Wclf S —1F 138
Mendip Rd. Bexh —6C 154
Mendip Rd. Chelm —5F 60
Mendip Rd. Horn —2E 128
Mendip Rd. Ilf —9D 110
Mendip Rd. Wclf S —2F 138
Mendlesham Clo. Clac S —9F 186
Mendoza Clo. Horn —9J 113
Menin Rd. Colc —2L 175
Menish Way. Chelm —9B 62
Menthone Pl. Horn —2H 129
Mentley La. Gt Mun —7C 10
Mentley La. W. Gt Mun —7D 10
Mentmore. Bas —2K 133
Menzies Av. Bas —9H 117
Meon Clo. Chelm —5L 61
Meopham. —7H 49
Meopham Green. —7H 49
Meopham Station. —7G 49
Meopham Windmill. —7G 49
Meppel Av. Can I —8G 137
Merbury Rd. SE28 —9D 142
Mercer Av. Gt W —2L 141
Mercer Rd. Bill —3M 101
Mercers. H'low —6N 55
Mercers Way. Colc —7M 167
Merchants Lodge. E17 —8A 108
(off Westbury Rd.)
Merchant St. S Fer —1L 105
Mercia Clo. Chelm —5H 75
Mercury Clo. Colc —3H 175
Mercury Clo. W'fd —8N 103
Mercury Gdns. Romf —9C 112 (3A 40)
Meredene. Bas —1G 135
Meredith Rd. Clac S —1J 191
Meredith Rd. Grays —2C 158
Merefield. Saw —3K 53
Meres Clo. Wthm —6C 214
Merewood Rd. Bexh —7A 154
Meriadoc Dri. S Fer —2K 105
Meriden Clo. Ilf —5B 110
Meriden Ct. Clac S —8L 187
Meridian Way. N18 & Enf —1C 38
Merilies Clo. Wclf S —3G 138
Merilies Gdns. Wclf S —3G 138
Merino Clo. E11 —8J 109
Merivale Clo. Law —5G 165
Merivale Rd. Law —5G 165
Merks Hill. D'mw —6N 197
Merlin Clo. Ilf —2H 111
Merlin Clo. Romf —3B 112
Merlin Clo. Wal A —4G 78
Merlin Ct. Can I —1H 153
Merlin End. Colc —6F 168
Merlin Gdns. Romf —3B 112
Merlin Gro. Ilf —4A 110
Merlin Pl. Chelm —6H 61
Merlin Rd. E12 —4K 125
Merlin Rd. Romf —3B 112
Merlin Way. N Wea —5M 67
Merlin Way. W'fd —7L 103
Mermagen Dri. Rain —9F 128
Mermaid Way. Mal —8L 203
Merriam Clo. E4 —2C 108
Merricks La. Bas —4F 134
Merrielands Cres. Dag —2L 143
Merrilees Cres. Hol S —7A 188
Merritt Ho. Romf —2D 128
(off Frazer Clo.)
Merrivale. N14 —7A 30
Merrivale. Ben —4C 136
Merrivale Av. Ilf —8K 109
Merriwigs La. Bas —4F 134
Merrydown. Lain —8J 117
Merryfield. Lgh S —2D 138
Merryfield App. Lgh S —3D 138
Merryfields Av. Hock —9C 106

Merryhill Clo.—Montgomery Clo.

Merryhill Clo. E4 —6B 92
Merrylands. Bas —8J 117
Merrylands Chase. Dun —8F 116
Merrymount Gdns. Clac S —8M 187
Mersea Av. W Mer —3J 213
Mersea Cres. W'fd —1N 119
Mersea Island Museum. —4J 213 (5F 27)
Mersea Rd. B'hth & Lang —6B 176 (1F 27)
Mersea Rd. Colc —9N 167 (6E 16)
Mersea Rd. Pel —3E 26
Mersey Av. Upm —1A 130
Mersey Fleet Way. Brain —7L 193
Mersey Rd. Wthm —5B 214
Mersey Way. Chelm —6E 60
Merstham Dri. Clac S —7G 186
Merten Rd. Romf —2K 127
Merton Ct. Colc —7A 176
Merton Ct. Ilf —1L 125
Merton Pl. Grays —2C 158
Merton Pl. L'bry —1H 205 (5A 6)
Merton Pl. S Fer —2M 105
Merton Rd. E17 —9C 108
Merton Rd. Bark —9E 126
Merton Rd. Ben —2C 136
Merton Rd. Hull —8N 105
Merton Rd. Ilf —2E 126
Merttins Rd. SE15 —3C 46
Messant Clo. H Wood —6J 113
Messines Rd. Colc —2L 175
Messing. —1D 212 (2K 25)
Messing Rd. Tip —4C 212 (3K 25)
Mess Rd. Shoe —9K 141
Meteor Rd. Wclf S —6J 139
Meteor Way. Chelm —9H 61
Methersgate. Bas —8D 118
Metsons La. Hghwd —8N 71
Metz Av. Can I —1G 153
Mews Ct. Chelm —1C 74
Mews Pl. Wfd G —1G 108
Mews, The. Frin S —1J 189
Mews, The. Grays —2M 157
Mews, The. H'low —7D 56
Mews, The. Hock —1B 122
Mews, The. Ilf —9K 109
Mews, The. Romf —8C 112
Mews, The. Saw —1K 53
Mews, The. Stans —2E 208
Meyel Av. Can I —9J 137
Meyer Rd. Eri —4B 154
Meynell Av. Can I —3J 153
Meynell Rd. Romf —4F 112
Meyrick Cres. Colc —1N 175
Mey Wlk. Hock —1B 122
Micawber Way. Chelm —4F 60
Michael Gdns. Horn —8H 113
Michael Rd. E11 —3E 124
Michael's Cotts. Shoe —8H 141
Michaels La. Fawk & Sev —7E 48
Michaels Rd. Bis S —7A 208 (7K 11)
Michaelstowe Clo. Har —5E 200
Michaelstowe Dri. Har —5E 200
Michen Rd. H'low —1E 56
Michigan Av. E12 —6M 125
Mid Colne. Bas —2E 134
Middleborough. Colc —7M 167 (6E 16) (in two parts)
Middle Boy. Abr —2H 95
Middle Cloister. Bill —6K 101
Middle Crockerford. Bas —2F 134
Middle Dri. Stan H —5C 134
Middlefield. H'std —5L 199
Middlefield Av. Hod —3A 54
Middlefield Gdns. Ilf —1A 126
Middlefield Rd. Hod —3A 54 (7D 20)
Middlefield Rd. Mis —5M 165
Middle Grn. Dodd —7F 84
Middle Grn. Wak C —3K 15
Middle King. Brain —7M 193
Middle La. N8 —3A 38
Middle Mead. R'fd —5L 123
Middlemead. S Han —5B 34
Middlemead. W Han —5G 89
Middle Mead. W'fd —8N 103
Middlemead Clo. W Han —5G 89
Middlemill Rd. Colc —7N 167
Middlemoor Rd. Whitt —1J 5
Middle Pk. Av. SE9 —3F 47
Middle Rd. Ingve —2M 115
Middle Rd. Wal A —2B 78
Middlesburg Rd. Can I —9E 136
Middlesex Av. Lgh S —3E 138
Middleside Cvn. Pk. Stans —5F 208 (off Old Burylodge La.)
Middle St. Clav —3J 11
Middle St. Naze —2E 64 (1E 30)
Middle St. Thri —2G 5
Middleton. —6J 9
Middleton Av. E4 —9A 92
Middleton Clo. Clac S —7H 187
Middleton Gdns. Ilf —1A 126
Middleton Hall La. Brtwd —8H 99 (1E 40)
Middleton Rd. Shenf —7H 99
Middleton Rd. Sud —5J 9
Middleton Row. S Fer —2L 105
Middlewick Clo. Colc —5A 176
Midfield Av. Bexh —8A 154
Midfield Pl. Bexh —8A 154
Midfield Way. Orp —6J 47
Midguard Way. Mal —8J 203
Midhurst Av. Wclf S —2J 139
Midhurst Clo. Horn —6E 128
Midland Clo. Colc —2N 175
Midland Rd. E10 —2C 124
Midland Rd. NW1 —6A 38
Midsummer Meadow. Shoe —5J 141
Midway. Jay —6B 190
Midway Rd. Colc —4K 175
Mighell Av. Ilf —9K 109
Milbanke Clo. Shoe —5J 141
Milbourn Ct. R'fd —5L 123
Milburn Cres. Chelm —1M 73
Milch Hill. —1B 24
Mildmayes. Bas —2L 133
Mildmay Gro. N1 —5B 38
Mildmay Ind. Est. Bur C —3L 195
Mildmay Pk. N1 —5B 38
Mildmay Rd. Bur C —3M 195
Mildmay Rd. Chelm —2C 74
Mildmay Rd. Ilf —5A 126
Mildmay Rd. Romf —9A 112
Mildmays. Dan —2C 76
Mildred Rd. Eri —3C 154
Mile Clo. Wal A —3C 78
Mile End. —3M 167 (5E 16)
Mile End Park Stadium. —7D 38
Mile End Rd. E1 & E3 —6C 38
Mile End Rd. Colc —3L 167 (5E 16)
Miles Clo. H'low —4A 56
Miles Clo. S'way —9D 166
Miles Gray Rd. Bas —6N 117 (2K 41)
Milford Clo. W'hoe —5J 177
Milford Rd. Grays —8N 147
Military Rd. Colc —9A 168 (6F 17)
Milk St. E16 —8A 142
Milkwell Gdns. Wfd G —4H 109
Milkwood Rd. SE24 —3A 46
Millais Av. E12 —7N 125
Millais Pl. Til —5C 158
Millais Rd. E11 —6C 124
Millard Ter. Dag —8M 127
Millars Clo. S Fer —9L 91
Millbank. SW1 —1A 46
Millbank Av. Ong —8K 69
Millbank Clo. Ong —8K 69
Mill Bri. H'std —5K 199
Mill Bri. Hert —5B 20
Millbridge Rd. Wthm —5C 214
Millbrook Gdns. Chad H —1L 127
Millbrook Gdns. Gid P —6C 112
Millbrook Rd. St M —6J 47
Mill Causeway. Chris —5H 5
Mill Chase. H'std —4K 199
Mill Chase. Stpl B —4D 210
Mill Clo. Else —8C 196
Mill Clo. Gt Bar —3J 13
Mill Clo. Rox —7H 23
Mill Clo. T'ham —3E 36
Mill Clo. Tip —5C 212
Mill Cotts. Stan H —8E 134
Mill Cotts. W'fd —6D 104
Mill Ct. E10 —5C 124
Mill Ct. Brain —6K 193
Mill Ct. L Can —1E 22
Mill End. —6N 209 (7C 12)
Mill End. Brad S —2E 36
Mill End. Clav —2J 11
Mill End. Thax —3K 211 (3F 13)
Mill End Green. —5F 13
Millennium Dome. —7E 38
Millennium Experience Exhibition Site. —7E 38
Millennium Garden. —6K 203 (1H 35)
Millennium Way. Brain —7L 193 (7D 14)
Miller's Barn Rd. Jay —3E 190
Millers Clo. Barns —2H 23
Millers Clo. Brain —2N 193
Millers Clo. Chig —8G 95
Millers Clo. Gt Hork —9J 161
Millers Clo. S'way —9D 166
Millers Croft. D'mw —7M 197
Millers Croft. Gt Bad —4G 75
Millersdale. H'low —7A 56
Millers Gdns. K'dn —8B 202
Miller's Green. —1E 32
Miller's Grn. Rd. Will —1E 32
Miller's La. Chig —7G 94 (7J 31)
Millers La. S'way —9E 166
Millers Mead. Fee —6E 202
Millers M. Ing —5E 86
Millers Row. Corn H —7K 7
Millers, The. Broom —9J 59
Mill Field. Barns —1H 23
Millfield. Bur C —4L 195
Mill Field. H'low —8H 53
Millfield. H Ong —7N 69
Millfields. Writ —1J 73
Millfield Clo. Ray —4L 121
Millfield La. L Had —1H 21
Millfields. Bur C —4L 195
Mill Fields. Dan —4G 76
Millfields. Lay H —9K 175
Millfields. Saw —1K 53
Millfields. Stans —3D 208
Millfields Cvn. Site. Bur C —4K 195
Millfields Rd. E5 —5C 38
Millfields Way. H'hll —3J 7
Mill Grange. Bur C —1L 195
Mill Green. —2B 86 (4G 33)
Mill Grn. Bas —9H 119
Mill Grn. Bur C —4L 195
Mill Grn. H'hth —2F 7
Mill Grn. Ct. Pits —8J 119
Mill Grn. Pl. Pits —8J 119
Mill Grn. Rd. Ing —4G 33
Mill Grn. Rd. Mill G & Fry —2B 86
Mill Hatch. H'low —8F 52
Millhaven Clo. Romf —1G 127
Millhead Way. R'fd —7N 123
Mill Hill. Ben —6E 136
Mill Hill. Brain —6K 193 (7D 14)
Mill Hill. Bures —2B 16
Mill Hill. Chelm —8A 74 (3K 33)
Mill Hill. Clav —2J 11
Mill Hill. Farnh —6J 11
Mill Hill. Law —4C 164 (3J 17)
Mill Hill. Mann —4H 165 (3A 18)
Mill Hill. Pur —3G 35
Mill Hill. Shenf —6H 99
Mill Hill. Stans —3D 208
Mill Hill. Sud —5J 9
Mill Hill Dri. Bill —3K 101
Mill Hill La. Shorne —5K 49
Mill Ho. Wfd G —2F 108
Millhurst M. H'low —8K 53
Milligans Chase. Gall —9C 74
Milliners Ct. Lou —1N 93
Mill La. E4 —2B 92
Mill La. B'ch —2B 26
Mill La. Bla N —1D 24
Mill La. Brad —3B 18
Mill La. Brain —8A 192
Mill La. Broom —2K 61 (in three parts)
Mill La. Brox —9A 54
Mill La. Caven —3E 8
Mill La. Chaf H & S Stif —2G 156
Mill La. Clav —2J 11
Mill La. Colc —8C 174
Mill La. Coln E —1C 196 (3H 15)
Mill La. Dan —3F 76 (2E 34)
Mill La. Ded —1M 163
Mill La. D'mw —8L 197
Mill La. Fee —5A 172 (7J 15)
Mill La. Felix —1K 19
Mill La. Fry —3C 86
Mill La. Grays —1E 48
Mill La. Gt Bro —3A 170 (5J 17)
Mill La. Gt Hol —2B 188
Mill La. Gt L —3B 24
Mill La. Gt Map —2F 15
Mill La. H'low —8K 53
Mill La. Har E —3K 23
Mill La. Har —3M 201
Mill La. Hat H —1B 202 (in two parts)
Mill La. Hook E —5G 84 (5E 32)
Mill La. Horn H —1H 149
Mill La. I'tn —1J 197
Mill La. Ing —4H 33
Mill La. Ked —2K 7
Mill La. Kel H —7B 84
Mill La. Lay H —9J 175 (in two parts)
Mill La. Lin —2D 6
Mill La. L Bad —8M 63 (1E 34)
Mill La. L'bry —2J 205 (6A 6)
Mill La. L Yel —6D 198
Mill La. Mal —5J 203
Mill La. Mann —4J 165
Mill La. Mee —2G 11
Mill La. More —7B 22
Mill La. Nave —8F 82 (6B 32)
Mill La. Ong —9N 69 (3D 32)
Mill La. Ors —5C 148 (7G 41)
Mill La. Peb —2H 15
Mill La. Pur —3G 35
Mill La. Rams H —2C 102 (in two parts)
Mill La. Rayne —1A 24
Mill La. R'fd —6N 123 (2K 43)
Mill La. Romf —1K 127 (3J 39)
Mill La. Saf W —3M 205
Mill La. Sal —5C 26
Mill La. Saw —1L 53
Mill La. Saws —1J 5
Mill La. Shin W —1A 4
Mill La. Steb —6H 13
Mill La. Stock —7A 88 (5K 33)
Mill La. Terl —4D 24
Mill La. T Sok —5K 181
Mill La. Tol M —6A 26
Mill La. Toot —8C 68 (3A 32)
Mill La. Tye G —1D 194
Mill La. W on N —5M 183
Mill La. Wat S —2A 20
Mill La. Wee H —8D 180 (1C 28)
Mill La. Wen A —7A 6
Mill La. Weth —1K 13
Mill La. Wthm —6C 214 (4F 25)
Mill La. Wfd G —2F 108
Mill La. Clo. Wee H —8E 180
Mill La. N. Fob —6C 134
Mill La. S. Fob —8D 134
Mill Meads. —6E 38
Mill Pk. Av. Horn —4J 129
Mill Pk. Dri. Brain —7J 193
Mill Pl. Dart —9E 154
Mill Pond Rd. Dart —3C 48
Mill Rd. Ave —7N 145 (7D 40)
Mill Rd. Bay E —4B 8
Mill Rd. Bill —1M 117 (1K 41)
Mill Rd. Boxt —4N 161 (3E 16)
Mill Rd. Bur C —1L 195 (6C 36)
Mill Rd. Deb —2C 12
Mill Rd. E Ber —1K 17
Mill Rd. Eri —5A 154
Mill Rd. F'fld —2K 13
Mill Rd. For —2A 166 (5B 16)
Mill Rd. Fow —2F 5
Mill Rd. Fox —3G 9
Mill Rd. Good E —5G 23
Mill Rd. Gt Bar —3J 13
Mill Rd. Gt Tot —5J 25
Mill Rd. Hel B —5H 7
Mill Rd. Hen —6E 196 (5C 12)
Mill Rd. Hund —1B 8
Mill Rd. Ilf —5N 125
Mill Rd. Ked —2A 8
Mill Rd. Mal —7K 203 (1H 35)
Mill Rd. M Tey —2L 173
Mill Rd. May —2E 204
Mill Rd. M End —3M 167 (5E 16)
Mill Rd. N End —2J 23
Mill Rd. Purf —4M 155
Mill Rd. Ridg —5B 8
Mill Rd. R'ton —5C 4
Mill Rd. Stamb —6A 8
Mill Rd. Stock —7N 87 (5K 33)
Mill Rd. T'ham —3E 36
Mill Rd. W Mer —2K 213 (5F 27)
Mill Rd. Wim —1E 12
Mill Row. Thax —3J 211
Mills Ho. E17 —7D 108
Mill Side. Stans —3C 208
Millside Ind. Est. Dart —9H 155
Mills La. Sud —4J 9
Millsmead Way. Lou —1M 93
Millson Bank. Chelm —7B 62
Mill St. B'sea —7F 184 (3K 27)
Mill St. Colc —9A 168
Mill St. H'low —5K 57 (7K 21)
Mill St. Nay —1D 16
Mill St. St O —9L 185
Mills Way. Hut —7M 99
Mill View Ct. R'fd —6L 123
Millview Meadows. R'fd —6L 123
Mill Vue Rd. Chelm —9A 62
Mill Wlk. Tip —5C 212
Millwall. —1D 46
Millwall F.C. —1C 46
Millways. Gt Tot —8N 213
Millwell Cres. Chig —2C 110
Millwrights. Tip —5C 212
Milner Pl. Bill —3H 101
Milner Rd. Dag —4H 127
Milton. —3H 49
Milton Av. E6 —9K 125
Milton Av. Brain —8J 193
Milton Av. Horn —4D 128
Milton Av. Lang H —2G 133
Milton Av. Wclf S —7K 139
Milton Clo. Colc —9G 167
Milton Clo. Ray —5M 121 (in two parts)
Milton Clo. Sth S —5M 139
Milton Ct. Chad H —2H 127
Milton Ct. Wal A —4C 78
Milton Ct. Wclf S —7K 139
Milton Cres. Ilf —2A 126
Milton Cres. Ong —5K 69
Milton Gdns. Til —6D 158
Milton Hall Clo. Gt W —3L 141
Milton Ho. E17 —8A 108
Milton Pl. Chelm —6H 61
Milton Pl. Sth S —7L 139
Milton Rd. E17 —8A 108
Milton Rd. Grav —3H 49 (in two parts)
Milton Rd. Grays —3L 157
Milton Rd. Har —3M 201
Milton Rd. Law —6G 164
Milton Rd. Mal —8K 203
Milton Rd. Romf —1E 128
Milton Rd. Stan H —8A 134
Milton Rd. Swans —3F 49
Milton Rd. War —1F 114
Milton Rd. Wclf S —7K 139 (5J 43)
Milton Rd. Wthm —2C 214
Milton St. Sth S —5M 139
Milton St. Swans —3E 48
Milton St. Wal A —4C 78
Miltsin Av. Can I —9J 137
Milverton Gdns. Ilf —4E 126
Milwards. H'low —7A 56
Mimosa Clo. Chelm —5A 62
Mimosa Clo. Lang H —2H 133
Mimosa Clo. Pil H —4E 98
Mimosa Clo. Romf —4G 113
Mimosa Ct. Colc —7E 168
Minerva Clo. Har —6H 201
Minerva End. Colc —5K 175
Minerva Rd. E4 —4B 108
Minnow End. —6J 59 (5K 23)
Minories. EC3 —7B 38
Minories Art Gallery, The. —8A 168 (6F 17)
Minsmere Dri. Clac S —7G 186
Minster Clo. Ray —6N 121
Minster Ct. Horn —4L 129
Minster Rd. Lain —9L 117
Minster Way. Horn —3K 129
Minster Way. Mal —8H 203
Minton Heights. R'fd —1H 123
Miramar Av. Can I —2E 152
Miramar Way. Horn —7H 129
Miranda Wlk. Colc —8E 168
Mirosa Dri. Mal —7L 203
Mirosa Reach. Mal —8K 203
Mirravale Trad. Est. Dag —2K 127
Mirror Steps. Sth S —7A 140 (off Kursaal Way)
Mistley. —4L 165 (3A 18)
Mistley End. Bas —1D 134
Mistley Heath. —6N 165 (3B 18)
Mistley Path. Bas —1D 134
Mistley Pl. Pk. Animal Rescue Cen. —4K 165 (3A 18)
Mistley Pl. Pk. Environmental Cen. —4K 165 (3A 18)
Mistley Rd. H'low —1F 56
Mistley Side. Bas —1D 134 (in two parts)
Mistley Towers. —4L 165 (2A 18)
Mitcham La. SW16 —5A 46
Mitcham Rd. Croy —7A 46
Mitcham Rd. Ilf —2E 126
Mitchell Av. H'std —6K 199
Mitchell Circ. Weth —2A 14
Mitchell Clo. Belv —1A 154
Mitchell Clo. Rain —2G 145
Mitchells Av. Can I —1K 153
Mitchells Wlk. Can I —1K 153
Mitchell Way. S Fer —9K 91
Mitton Vale. Chelm —9A 62
Moat Clo. Dodd —6F 84
Moat Clo. Rams H —5D 102
Moat Edge Gdns. Bill —4J 101
Moat End. Sth S —5F 140
Moat Farm. Bird —5A 8
Moat Farm Chase. Wthm —4C 214
Moat Field. Bas —7D 118
Moatfields. For —1A 166
Moat Gdns. SE28 —7H 143
Moat La. Alph —1J 15
Moat La. Eri —6E 154
Moat Rise. Ray —6K 121
Moat Rd. Bird —5A 8
Moat Rd. For —1A 166 (4B 16)
Moat St. Gest —7F 9
Moby Dick. (Junct.) —8K 111 (3K 39)
Modlen Rd. W on N —7K 183
Mohmmad Khan Rd. E11 —3F 124
Mole Hall La. Widd —3C 12
Mole Hall Wildlife Park. —3C 12
Molehill Green. —6D 12 (nr. Broxted)
Molehill Green. —1A 24 (nr. Great Notley)
Molesworth. Hod —1A 54
Molesworth St. SE13 —3E 46
Molineaux Ct. Bill —5J 101
Mollands. Bas —2G 134
Mollands Ct. S Ock —4H 147
Mollands La. S Ock —4F 146
Mollison Av. Enf —5A 78 (5D 30)
Molrams La. Gt Bad —2B 34
Molrams La. S'don —4J 75
Momples Rd. H'low —3F 56
Monarch Clo. Til —7D 158
Monarch M. E17 —1B 124
Monarch Pl. Buck H —8J 93
Monarchs Way. Chesh —4D 30
Monastery Rd. Lain —9L 117
Monega Rd. E7 & E12 —8J 125
Monier Rd. E3 —9A 124
Monkchester Clo. Lou —9M 79
Monkdowns Rd. Cogg —7M 195
Monk Gdns. Stan H —2N 149
Monkhams. Wal A —9C 64
Monkham's Av. Wfd G —2H 109
Monkham's Dri. Wfd G —2H 109
Monkham's La. Wfd G —2G 109 (1F 39) (in two parts)
Monklands Ct. H'std —5J 199
Monksbury. H'low —6F 56
Monks Chase. Ingve —2M 115
Monks Clo. Brox —8A 54
Monks Ct. Wthm —4B 214
Monksford Dri. Hull —7K 105
Monks Gdns. Stan H —2N 149
Monksgrove. Lou —4N 93
Monks Haven. Stan H —2N 149
Monks Hill. Saf W —5M 205
Monkside. Bas —8E 118
Monk's La. Ded —3J 163 (2H 17) (in three parts)
Monks Lodge Rd. Gt Map —1F 15
Monks Mead. Bick —8F 76
Monks Orchard. —7D 46
Monks Orchard Rd. Beck —7D 46
Monks Rd. E Col —2C 196
Monk Street. —4F 13
Monkswick Rd. H'low —1E 56
Monkswood Av. Wal A —3D 78
Monkswood Gdns. Ilf —7N 109
Monkwick Av. Colc —4N 175
Monkwood Clo. Romf —9E 112
Monmouth Av. E18 —7H 109
Monmouth M. Lang H —1H 133
Monmouth Rd. N9 —1C 38
Monmouth Rd. Dag —7L 127
Monmouth St. WC2 —7A 38
Monnow Grn. Ave —7N 145
Monnow Rd. Ave —7N 145
Monoux Almshouses. E17 —8B 108
Monoux Clo. Bill —7M 101
Monoux Gro. E17 —5A 108
Mons Av. Bill —6M 101
Mons Rd. Colc —2L 175
Montague Av. Lgh S —4A 138
Montague Bldgs. Sth S —6N 139
Montague Pl. WC1 —7A 38
Montague Pl. Can I —2E 152
Montague Rd. E11 —4F 124
Montague Way. Bill —4J 101
Montagu Rd. N18 & N9 —1C 38
Montalt Rd. Wfd G —2F 108
Montbretia Clo. S'way —9E 166
Montbretia Ct. Clac S —9G 186
Monteagle Av. Bark —8B 126
Montefiore Av. Ray —8J 105
Montfort Av. Corr —1B 150
Montfort Gdns. Ilf —3B 110
Montgomery Clo. Chelm —4N 61
Montgomery Clo. Colc —2B 176
Montgomery Clo. Grays —9M 147

Montgomery Ct.—Neville Rd.

Montgomery Ct. *Shoe* —5J **141**
Montgomery Cres. *Romf* —2G **113**
Montpelier Clo. *Bill* —3J **101**
Montpelier Gdns. *Romf* —2H **127**
Montpelier Row. *SE3* —2E **46**
Montreal Rd. *Ilf* —2B **126**
Montreal Rd. *Til* —8C **158**
Montrose Av. *Romf* —6G **113**
Montrose Clo. *Wfd G* —1G **108**
Montrose Rd. *Chelm* —7A **62**
Montsale. —6F 37
Montsale. *Pits* —7K **119**
Montserrat Av. *Wfd G* —4D **108**
Monument Way. *N15* —3B **38**
Moon Hall Way. *H'hll* —3J **7**
Moons Clo. *R'fd* —9J **107**
Moorcroft. *R'fd* —1J **123**
Moorcroft Av. *Ben* —9L **121**
Moore Av. *Grays* —3H **157**
Moore Av. *Til* —7D **158**
Moore Clo. *Bill* —3M **101**
Moore Cres. *Dag* —1G **142**
Moore Ho. Horn —1E 128
(off Globe Rd.)
Moor End. *Gt Sam* —7G **7**
Moores Av. *Fob* —5D **134**
Moorescroft. *Kel H* —7B **84**
Moore's Pl. *Brtwd* —8G **98**
Moore Wlk. *E7* —6G **125**
Moorfield Rd. *Dux* —2J **5**
Moorfields. *H'low* —8B **56**
Moorgate. *EC2* —7B **38**
Moor Green. —5B 10
Moor Hall La. *Bick* —9E **76**
Moor Hall La. *E Han* —3E **34**
Moor Hall La. *Thor* —2J **21**
Moor Hall Rd. *H'low* —8L **53** (6K **21**)
Moorhen Av. *St La* —2C **36**
Moorhen Clo. *Eri* —5F **154**
Moorland Clo. *Romf* —4N **111**
Moorlands Reach. *Saw* —3L **53**
Moor La. *Upm* —3B **130**
Moor Pk. Clo. *Lgh S* —1B **138**
Moor Pk. Gdns. *Lgh S* —1B **138**
Moor Rd. *Gt Tey* —2E **172** (6K **15**)
Moor Rd. *L'ham* —5D **162** (3F **17**)
Moors Clo. *Fee* —9A **172**
Moors Clo. *Gt Ben* —5K **179**
Moors Farm Chase. *L Tot* —6K **25**
Moorside. *Colc* —8B **168**
Moor's La. *Gt Ben* —5K **179**
Mope La. *W Bis* —6J **213** (5G **25**)
Moran Av. *Chelm* —4K **61**
Morant Gdns. *Romf* —2N **111**
Morant Rd. *Colc* —1B **176**
Morant Rd. *Grays* —1D **158**
Moray Clo. *Romf* —4C **112**
Moray Way. *Romf* —4B **112**
Mordaunt Gdns. *Dag* —9K **127**
Morden Green. —4A 4
Morden Rd. *Romf* —2K **127**
Mordon Rd. *Ilf* —2E **126**
Morebarn Rd. *Gt Bro* —5D **170** (5K **17**)
Morecambe Clo. *Horn* —7F **128**
Moreland Av. *Ben* —9C **120**
Moreland Av. *Grays* —9M **147**
Moreland Clo. *Ben* —9C **120**
Moreland Clo. *Gt W* —2L **141**
Moreland Rd. *W'fd* —6K **103**
Moreland St. *EC1* —6A **38**
Moreland Way. *E4* —9B **92**
Morella Clo. *Gt Ben* —7K **179**
Morello Ct. *Colc* —7A **176**
Moremead. *Wal A* —3D **78**
Mores La. *Pil H* —3N **97** (7D **32**)
Moreton. —1B 32
Moreton Bri. *More* —1H **69** (1B **32**)
Moreton Ct. *Dart* —8D **154**
Moreton Gdns. *Wfd G* —2L **109**
Moreton Mill. —7B 22
Moreton Rd. *Fyf* —1C **32**
Moreton Rd. *More* —3E **68** (1B **32**)
Moreton Rd. *Ong* —1C **32**
Moretons. *Bas* —9H **119**
Moretons. *Gall* —8C **74**
Moretons Ct. *Bas* —9H **119**
Moretons M. *Bas* —9H **119**
Moretons Pl. *Bas* —9H **119**
Morgan Av. *E17* —8D **108**
Morgan Clo. *Dag* —9M **127**
Morgan Cres. *They B* —6C **80**
Morgan Way. *Rain* —3G **145**
Morgan Way. *Wfd G* —3L **109**
Morland Ct. *Gt Hork* —7J **161**
Morland Rd. *Croy* —7B **46**
Morland Rd. *Dag* —9M **127**
Morland Rd. *Ilf* —4A **126**
Morley Av. *E4* —4D **108**
Morley Gro. *H'low* —1B **56**
Morley Hill. *Stan H* —8A **134** (5K **41**)
Morley Link. *Stan H* —9A **134**
Morley Rd. *E10* —3C **124**
Morley Rd. *Bark* —1C **142**
Morley Rd. *H'std* —4L **199**
Morley Rd. *Romf* —9K **111**
Morley Rd. *Tip* —7D **212**
Morley Sq. *Grays* —2C **158**
Morleys Rd. *E Col* —3B **196**
Morning La. *E9* —5C **38**
Mornington Av. *Ilf* —2N **125**
Mornington Av. *R'fd* —5M **123**
Mornington Clo. *Wfd G* —1G **108**
Mornington Cres. *Ben* —3M **137**
Mornington Cres. *Can I* —1J **153**
Mornington Mans. Wclf S —6H 139
(off Station Rd.)
Mornington Rd. *E4* —6D **92**
Mornington Rd. *E11* —2F **124**
Mornington Rd. *Can I* —9H **137**
Mornington Rd. *Lou* —2B **94**
Mornington Rd. *Wfd G* —1F **108**
Morningtons. *H'low* —7B **56**
Morrab Gdns. *Ilf* —5E **126**
Morrells. *Bas* —2A **134**
Morris Av. *E12* —7M **125**
Morris Av. *Bill* —7M **101**
Morris Av. *Jay* —6C **190**
Morris Ct. *E4* —9B **92**
Morris Ct. *Lain* —8K **117**
Morris Ct. *Wal A* —4F **78**
Morris Green. —2C 14
Morris Harp. *Saf W* —2L **205**
Morrison Ho. *Grays* —9N **147**
Morrison Rd. *Bark* —2K **143**
Morris Rd. *E3* —7D **38**
Morris Rd. *E15* —6E **124**
Morris Rd. *Chelm* —9M **61**
Morris Rd. *Dag* —4L **127**
Morris Rd. *Romf* —4F **112**
Morrow La. *A'lgh* —1N **169** (4J **17**)
Morses La. *B'sea* —5E **184**
Morten Rd. *Colc* —7M **167**
Mortimer Rd. *Eri* —4B **154**
Mortimer Rd. *Hat P* —2L **63**
Mortimer Rd. *Ray* —2K **121**
Mortimer St. *W1* —7A **38**
Mortlake Rd. *Ilf* —6B **126**
Mortlock Ct. *E12* —6K **125**
Mortlock St. *Mel* —3E **4**
Morton Rd. *E15* —9F **124**
Morton Rd. *Gt Tot* —8M **213**
Morton Way. *N14* —1A **38**
Morton Way. *H'std* —3M **199**
Morval Rd. *SW2* —3A **46**
Mosbach Gdns. *Hut* —8L **99**
Moseley St. *Sth S* —5B **140**
Moss Bank. *Grays* —3J **157**
Moss Clo. *Bas* —3F **134**
Moss Cres. *Epp* —9F **66**
Moss Dri. *Bas* —3F **134**
Mossfield Clo. *Colc* —9K **167**
Mossford Ct. *Ilf* —6A **110**
Mossford Grn. *Ilf* —7A **110**
Mossford La. *Ilf* —6A **110**
Moss La. *Romf* —1D **128**
Moss La. *Til* —7D **158**
Moss M. *Mal* —2M **203**
Moss Path. *Gall* —7D **74**
Moss Rd. *Dag* —9M **127**
Moss Rd. *S Ock* —5F **146**
Moss Rd. *S'way* —2F **174**
Moss Rd. *Wthm* —4E **214**
Moss Wlk. *Chelm* —4C **74**
Moss Way. *W Ber* —4F **166**
Moss Way. *W'fd* —8N **103**
Mote Hall. —3C **12**
Motehill. *Bas* —2L **133**
Motherwell Way. *Grays* —3D **156** (2E **48**)
Mottingham. —4F 47
Mottingham La. *SE9 & SE9* —4F **47**
Mottingham Rd. *SE9* —4G **47**
Motts Clo. *Brain* —4G **192**
Mott's Green. —3A 22
Mott's La. *M Tey* —2F **172**
Motts La. *Wthm* —3D **214**
(in two parts)
Mott St. *E4 & Lou* —8C **78** (5E **30**)
Moules La. *Hads* —3D **6**
Moulsham. —1C 74 (2A 34)
Moulsham Chase. *Chelm* —2D **74**
Moulsham Dri. *Chelm* —2C **74**
Moulsham Hall La. *Gt L* —2B **24**
Moulsham St. *Chelm* —2B **74** (2A **34**)
(in two parts)
Moulsham Thrift. *Chelm* —4B **74**
Moultrie Way. *Upm* —2B **130**
Mountain Ash Av. *Lgh S* —9A **122**
Mountain Ash Clo. *Colc* —5C **168**
Mountain Ash Clo. *Lgh S* —9A **122**
Mountains Farm Rd. *D'mw* —2G **23**
Mountains Rd. *Gt Tot* —6N **213** (5H **25**)
Mountaintop Ski Centre (Beckton Alps). —6G **39**
Mount Av. *E4* —9A **92**
Mount Av. *Hock* —1C **122**
Mount Av. *Ray* —4J **121**
Mount Av. *Romf* —3N **113**
Mount Av. *Shenf* —6L **99**
Mount Av. *Wclf S* —5F **138**
Mountbatten Ct. *Buck H* —8K **93**
Mountbatten Dri. *Colc* —3B **176**
Mountbatten Dri. *Shoe* —5J **141**
Mountbatten Rd. *Brain* —4K **193**
Mountbatten Way. *Chelm* —4M **61**
Mt. Bovers La. *Hock* —4D **122**
Mount Bures. —2A 16
Mt. Bures Rd. *Wak C* —3A **16**
Mount Clo. *Ray* —5J **121**
Mount Clo. *W'fd* —8M **103**
Mount Cres. *Ben* —2E **136**
Mount Cres. *Hock* —9C **106**
Mount Cres. *War* —1G **114**
Mountdale Gdns. *Lgh S* —2D **138** (4H **43**)
Mount Dri. *Stans* —4D **208**
Mt. Echo Av. *E4* —7B **92**
Mt. Echo Dri. *E4* —7B **92**
Mount End. —2L 81 (4K 31)
Mount End. *They M* —4K **31**
Mountfield Clo. *Stan H* —2N **149**
Mountfields. *Pits* —2J **135**
Mountfitchet Rd. *Stans* —4D **208**
Mountgrove Rd. *N5* —4B **38**
Mount Hill. *H'std* —6H **199** (4F **15**)
Mounthill Av. *Chelm* —8M **61**
Mountjoy Clo. *SE2* —9G **143**
Mt. Lodge Chase. *Gt Tot* —5J **25**
Mountnessing. —9A 86 (6G 33)
Mountnessing. *Ben* —4K **137**
Mountnessing By-Pass. *Mount* —2N **99** (6G **33**)
Mountnessing La. *Dodd* —8G **85** (5E **32**)
Mountnessing Postmill. —9A **86** (5G **33**)
Mountnessing Rd. *Bill* —7H **101** (7J **33**)
Mountnessing Rd. *B'more & Brtwd* —3J **85** (4F **33**)
Mountney Clo. *Ing* —8B **86**
Mt. Pleasant. *H'std* —5K **199**
Mt. Pleasant. *Hund* —2B **8**
Mt. Pleasant. *Ilf* —7B **126**
Mt. Pleasant. *Mal* —6J **203**
Mt. Pleasant. *Wee* —5D **180**
Mt. Pleasant Av. *Hut* —5A **100**
Mt. Pleasant Cotts. *Saf W* —5K **205**
Mt. Pleasant Est. *Gt Tot* —5J **25**
Mt. Pleasant Rd. *N17* —2B **38**
Mt. Pleasant Rd. *Chig* —1C **110**
Mt. Pleasant Rd. *Romf* —3B **112**
Mt. Pleasant Rd. *Saf W* —5K **205** (7B **6**)
Mt. Pleasant Rd. *S Fer* —1K **105**
Mount Rise. *H'std* —5J **199**
Mount Rd. *Ben* —3F **136**
(in two parts)
Mount Rd. *Brain* —5J **193**
Mount Rd. *Cogg* —8M **195**
Mount Rd. *Dag* —3L **127**
Mount Rd. *Ilf* —7A **126**
Mount Rd. *They G* —2J **81** (4J **31**)
Mount Rd. *W'fd* —8M **103**
Mounts Rd. *Grnh* —3E **48**
Mount, The. *Bill* —5N **101**
Mount, The. *Colc* —9G **167**
Mount, The. *Romf* —9G **97**
Mount, The. *Stan H* —2A **150**
Mount, The. *Tol* —8K **211**
Mount View. *Bill* —6N **101**
Mountview Clo. *Van* —3F **134**
Mountview Cres. *St La* —2C **36**
Mt. View Rd. *E4* —6D **92**
Mountview Rd. *Clac S* —8L **187**
Mount Way. *W'fd* —8M **103**
Moverons La. *B'sea* —3B **184** (2J **27**)
Movers Lane. (Junct.) —2D **142** (6H **39**)
Movers La. *Bark* —1C **142** (6H **39**)
Mowbray Rd. *H'low* —1E **56**
Mowbrays Clo. *Romf* —5A **112**
Mowbrays Rd. *Romf* —6A **112**
Mowbrey Gdns. *Lou* —9B **80**
Mowden. —6D 24
Mowden Hall La. *Hat P* —6D **24**
Moyers Rd. *E10* —2C **124**
Moyn's Park. —5K **7**
Moy Rd. *Colc* —5A **176**
Much Hadham. —2G 21
Much Hadham Forge Museum. —2G **21**
Mucking. —6M 149 (7K 41)
Muckingford. —1J 159 (1J 49)
Muckingford Rd. *W Til & Linf* —2F **158** (1H **49**)
Mucking Hall Rd. *Gt W* —3A **44**
Mucking Wharf Rd. *Stan H* —6L **149** (7K **41**)
Mudlands Ind. Est. *Rain* —3D **144**
Muggeridge Rd. *Dag* —6N **127**
Muirway. *Ben* —8B **120**
Mulberry Av. *Colc* —2A **176**
Mulberry Clo. *E4* —8A **92**
Mulberry Clo. *Romf* —8G **112**
Mulberry Ct. *Bark* —9E **126**
Mulberry Dri. *Purf* —2K **155**
Mulberry Gdns. *Bas* —1K **133**
Mulberry Gdns. *Wthm* —3D **214**
Mulberry Grn. *H'low* —8J **53** (6J **21**)
Mulberry Hill. *Shenf* —6J **99**
Mulberry La. *L Bro* —3H **171**
Mulberry Rd. *Can I* —2C **152**
Mulberrys, The. *Sth S* —3M **139**
Mulberry Ter. *H'low* —8G **53**
Mulberry Way. *E18* —6H **109** (2F **39**)
Mulberry Way. *Belv* —9A **144**
Mulberry Way. *Chelm* —7M **61**
Mulberry Way. *Ilf* —8B **110**
Mullein Ct. *Grays* —4N **157**
Mullins Rd. *Brain* —2H **193**
Mullions, The. *Bill* —5H **101**
Mumford Clo. *W Ber* —3F **166**
Mumford Rd. *W Ber* —4E **166**
Mumfords La. *Kir X* —7D **182**
Munden Rd. *D End* —1B **20**
Mundon. —3J 35
Mundon Gdns. *Ilf* —3C **126**
Mundon Rd. *Brain* —7M **193**
Mundon Rd. *Mal* —7K **203** (1H **35**)
Mungo Pk. Rd. *Rain* —7E **128** (5B **40**)
Munnings Dri. *Clac S* —7H **187**
Munnings Rd. *Colc* —1H **175**
Munnings Way. *Law* —3G **165**
Munro Ct. *W'fd* —2M **119**
Munro Rd. *Wthm* —2C **214**
Munsons All. *S'min* —7L **207**
Munsterburg Rd. *Can I* —9K **137**
Murchison Av. *Bex* —4J **47**
Murchison Clo. *Chelm* —6G **60**
Murchison Rd. *E10* —4C **124**
Murchison Rd. *Hod* —2B **54**
Murfitt Way. *Upm* —6L **129**
Muriel Ct. *E10* —2B **124**
Murray Clo. *Brain* —2H **193**
Murrell Lock. *Chelm* —7B **62**
Murrels La. *Hock* —9N **105**
Murthering La. *Romf* —6D **96** (7A **32**)
Murtwell Dri. *Chig* —3B **110**
Muscade Clo. *Tip* —5D **212**
Muscovy Ho. Eri —9K 143
(off Kale Rd.)
Museum of Power. —7G **25**
Museum St. *Colc* —8N **167**
Museum St. *Saf W* —3K **205**
Musgrave Clo. *Dov* —6H **201**
Musk Clo. *S'way* —8E **166**
Musket Gro. *Lgh S* —8A **122**
Muskham Rd. *H'low* —9F **52**
Mussenden La. *Hort K & Dart* —7D **48**
Muswell Hill. —2A 38
Muswell Hill. *N10* —3A **38**
Muswell Wlk. *Clac S* —8H **187**
Mutlow Clo. *Wen A* —7A **6**
Mutlow Hill. *Wen A* —7A **6**
Mutton Row. *Ong* —1G **82** (3B **32**)
Myddelton Av. *Enf* —5B **30**
Myddleton Rd. *N22* —2A **38**
Myddylton Pl. *Saf W* —3K **205**
Mygrove Clo. *Rain* —2H **145**
Mygrove Gdns. *Rain* —2H **145**
Mygrove Rd. *Rain* —2H **145**
Myland Hall Chase. *H'wds* —4B **168**
(in two parts)
Mylne Ct. *Hod* —2A **54**
Myln Meadow. *Stock* —7A **88**
Mynchens. *Bas* —9N **117**
Mynott Ct. *Tip* —6D **212**
Myrtle Clo. *Eri* —5C **154**
Myrtle Gro. *Ave* —9N **145**
Myrtle Gro. *Colc* —1B **176**
Myrtle Rd. *Ilf* —4A **126**
Myrtle Rd. *Romf* —3G **113**
Myrtle Rd. *War* —1F **114**
Mytchett Clo. *Clac S* —7F **186**

Nabbott Rd. *Chelm* —9G **60**
Nagle Clo. *E17* —6D **108**
Nag's Head. (Junct.) —4A **38**
Nags Head La. *Upm & Brtwd* —6N **113** (2D **40**)
Nags Head Rd. *Enf* —6C **30**
Nairn Ct. *Til* —7B **158**
Nalla Gdns. *Chelm* —5J **61**
Namur Rd. *Can I* —1J **153**
Nancy Smith Clo. *Colc* —1N **175**
Nansen Av. *R'fd* —1J **123**
Nansen Rd. *Hol S* —7A **188**
Napier Av. *Jay* —6B **190**
Napier Av. *Sth S* —6L **139**
Napier Clo. *Horn* —3F **128**
Napier Ct. *Chelm* —6G **60**
Napier Cres. *W'fd* —2M **119**
Napier Gdns. *Ben* —9J **121**
Napier Ho. Rain —3D 144
(off Dunedin Rd.)
Napier Rd. *E11* —6E **124**
Napier Rd. *Colc* —9N **167**
Napier Rd. *Ray* —4M **121**
Narboro Ct. *Romf* —9E **112**
Nare Rd. *Ave* —7N **145**
Narvik Clo. *Mal* —8H **203**
Naseby Rd. *Dag* —5M **127**
Naseby Rd. *Ilf* —5M **109**
Nash Bank. *Meop* —6G **49**
Nash Clo. *Colc* —1J **175**
Nash Clo. *Law* —3G **164**
Nash Dri. *Broom* —9J **59**
Nash Ho. *E17* —8B **108**
Nash Rd. *Romf* —8J **111**
Nash Street. —6H 49
Nassau Path. *SE28* —8H **143**
Nassau Rd. *St O* —9N **185**
Nasty. —6C 10
Natal Rd. *Ilf* —6A **126**
Natasha Ct. *Romf* —4G **113**
Nathan Clo. *Upm* —3B **130**
Nathan Ct. *B'hth* —6B **176**
Nathan's La. *Ed C* —5E **72**
Nathan's La. *Hghwd* —2H **33**
Nathan Way. *SE28* —9F **142** (1H **47**)
National Maritime Museum. —2E **46**
National Motorboat Museum. —5J **135** (4B **42**)
National Recreation Centre. —5C **46**
(Crystal Palace)
National Vintage Wireless & T.V. Museum, The. —2N **201** (2J **19**)
Nation Way. *E4* —7C **92**
Nats La. *Wen A* —7A **6**
Naunton Way. *Horn* —5H **129**
Navarre Gdns. *Romf* —2N **111**
Navestock. —1H 97
Navestock Clo. *E4* —9C **92**
Navestock Clo. *Ray* —4G **120**
Navestock Cres. *Wfd G* —4J **109**
Navestock Gdns. *Sth S* —5D **140**
Navestock Heath. —6B 32
Navestock Ho. *Bark* —2G **143**
Navestock Side. —1N 97 (6C 32)
Navestockside. *Brtwd* —1N **97** (6C **32**)
Navigation Pl. *H'bri* —4L **203**
Navigation Rd. *Chelm* —9L **61**
Nayland. —1D 16
Nayland Airfield. —1C **16**
Nayland Clo. *W'fd* —9M **103**
Nayland Dri. *Clac S* —9F **186**
Nayland Ho. Sth S —9K 123
(off Manners Way)
Nayland Rd. *Bures* —8D **194** (2A **16**)
Nayland Rd. *Gt Hork & M End* —9K **161** (4E **16**)
Nayland Rd. *L Hork* —2H **161** (3D **16**)
Nayland Rd. *W Ber* —2E **166** (4C **16**)
Nayling Rd. *Brain* —6E **192**
Naze Ct. *W on N* —1M **183**
Nazeing. —1J 65 (1F 31)
Nazeingbury. *Naze* —1D **64**
Nazeing Comn. *Naze* —3H **65** (2F **31**)
Nazeing Gate. —3J 65
Nazeing Glass Works. —9C **54** (1D **30**)
Nazeing Marsh. —2B 64
Nazeing Mead. —8C 54
Nazeing New Rd. *Brox* —9A **54** (1D **30**)
Nazeing Rd. *Naze* —1C **64** (1E **30**)
Nazeing, The. *Bas* —9F **118**
Nazeing Wlk. *Rain* —9D **128**
Naze Pk. Rd. *W on N* —4N **183** (7H **19**)
Naze, The. —1N 183
Nazing Long Green. —4G 65
Neagle Clo. *E7* —6G **125**
Neal Ct. *Wal A* —3F **78**
Neale Rd. *H'std* —5K **199**
Neasden Av. *Clac S* —8H **187**
Neasham Rd. *Dag* —7G **126**
Neave Cres. *Romf* —5G **113**
Needham Green. —4C 22
Neil Armstrong Way. *Lgh S* —8F **122**
Nelmes Clo. *Horn* —9K **113**
Nelmes Cres. *Horn* —9J **113**
Nelmes Rd. *Horn* —2J **129**
Nelmes Way. *Horn* —8H **113**
Nelson Clo. *Ray* —3M **121**
Nelson Clo. *Romf* —5N **111**
Nelson Clo. *War* —2G **115**
Nelson Ct. *Bur C* —4M **195**
Nelson Ct. Eri —5D 154
(off Frobisher Rd.)
Nelson Cres. *Mal* —8L **203**
Nelson Dri. *Lgh S* —5E **138**
Nelson Gdns. *Brain* —4L **193**
Nelson Gdns. *Ray* —3M **121**
Nelson Gro. *Chelm* —8H **61**
Nelson M. *Sth S* —7M **139**
Nelson Pl. *S Fer* —2L **105**
Nelson Rd. *E4* —3B **108** (2D **38**)
Nelson Rd. *E11* —8G **109**
Nelson Rd. *Bas* —9F **118**
Nelson Rd. *Clac S* —3J **191**
Nelson Rd. *Colc* —9F **166**
Nelson Rd. *Har* —3L **201**
Nelson Rd. *Lgh S* —4F **138**
Nelson Rd. *Ors* —6F **148**
Nelson Rd. *Rain* —2D **144**
Nelson Rd. *Ray* —4M **121**
Nelson Rd. *R'fd* —1J **123**
Nelson Rd. *S Ock* —2F **146**
Nelson St. *B'sea* —8D **184**
Nelson St. *Sth S* —7M **139**
Nelwyn Av. *Horn* —9K **113**
Neptune Ct. *Colc* —9C **168**
Neptune Ct. Eri —5D 154
(off Frobisher Rd.)
Neptune Wlk. *Eri* —2B **154**
Ness Rd. *Eri* —4H **155**
Ness Rd. *Shoe* —7H **141** (5B **44**)
Ness Wlk. *Wthm* —5A **214**
Nesta Rd. *Wfd G* —3E **108**
Nestuda Ho. *Lgh S* —8A **122**
Nestuda Way. *Sth S* —9G **123** (3H **43**)
Nethan Dri. *Ave* —7N **145**
Nether Ct. *H'std* —5M **199**
Netherfield. *Ben* —2G **136**
Netherfield Gdns. *Bark* —9C **126**
Netherfield La. *Stan A* —1E **54**
Nethergate St. *Clare* —3D **8**
Nether Hall. —2F **9**
Netherhall Rd. *Roy* —5F **54**
Nether Hill. *Gest* —6F **9**
Nether Mayne. *Bas* —1B **134** (3A **42**)
Netherpark Dri. *Romf* —6D **112**
Nether Priors. *Bas* —9D **118**
Nether Street. —6E 22
Nether St. *Ab R* —6E **22**
Nether St. *Wid* —3G **21**
Netley Rd. *Ilf* —9C **110**
Netteswell. —1D 56
Netteswell Dri. *H'low* —2C **56**
Netteswell Orchard. *H'low* —2C **56**
Netteswell Rd. *H'low* —1D **56**
Netteswell Tower. *H'low* —2C **56**
Nettleswell. —6H 21
Nevada Rd. *Can I* —9J **137**
Nevedon. —2B 42
Nevell Rd. *Grays* —1D **158**
Nevendon. —3J 119
Nevendon Grange. *W'fd* —1K **119**
Nevendon Rd. *Bas & W'fd* —5H **119** (2B **42**)
(in three parts)
Nevendon Rd. By-Pass. *W'fd* —2L **119** (1C **42**)
Nevern Clo. *Ray* —7M **121**
Nevern Rd. *Ray* —7L **121**
Neville Clo. *E11* —5F **124**
Neville Gdns. *Dag* —5J **127**
Neville Rd. *E7* —9G **125**
Neville Rd. *Dag* —4J **127**
Neville Rd. *Ilf* —5B **110**
Neville Rd. *Saf W* —3L **205**

Neville Shaw—North St.

Neville Shaw. Bas —9B 118
Nevill Way. Lou —5L 93
Nevin Dri. E4 —7B 92
Nevis Clo. Romf —3C 112
Newark Knok. E6 —5A 142
Newarks Rd. Good E —6H 23
New Ash Green. —7F 49
New Av. Bas —2J 133
New Barn. —6G 49
New Barn La. L Hall —2A 22
Newbarn Rd. Gt Tey —1D 172 (5K 15)
New Barn Rd. Long & Grav —6G 49
New Barn Rd. Swan —6A 48
New Barns La. M Hud —2F 21
New Barn St. E13 —6F 39
New Barns Way. Chig —9A 94
New Beckenham. —5D 46
Newberry Side. Bas —9L 117
Newbery Rd. Eri —6D 154
Newbiggen St. Thax —2J 211 (3F 13)
New Bond St. W1 —7A 38
New Bowers Way. Chelm —5A 62 (7B 24)
Newbridge Hill. Colc & W Ber —5E 166 (5C 16)
Newbridge Rd. Tip —6E 212 (3A 26)
New Bri. St. EC4 —7A 38
Newbury Av. Enf —5D 30
Newbury Clo. Romf —3G 113
Newbury Gdns. Romf —3H 113
Newbury Gdns. Upm —5K 129
Newbury Park. —1C 126 (3H 39)
Newbury Rd. E4 —3C 108
Newbury Rd. Ilf —1D 126
Newbury Rd. Romf —2H 113
Newbury Wlk. Romf —2H 113
New Captains Rd. W Mer —3J 213
Newcastle Av. Colc —2F 174
Newcastle Av. Ilf —3F 110
New Cavendish St. W1 —7A 38
New Century Rd. Lain —9J 117
New Charlton. —1F 47
New Chu. Rd. SE5 —2B 46
New Chu. Rd. W Ber —3E 166 (5D 16)
New City Rd. E13 —6F 39
New College of Cobham. —6J 49
Newcomen Rd. E11 —5F 124
Newcomen Way. Colc —1B 168
New Comn. L Hall —1A 202 (4A 22)
New Cotts. Bas —1L 135
Newcourt Bus. Pk. H'low —7B 56
Newcourt Rd. Chelm —8M 61
Newcroft. Saf W —4L 205
New Cross. —2D 46
New Cross. (Junct.) —2D 46
New Cross Gate. —2C 46
New Cross Gate. (Junct.) —2C 46
New Cross Rd. SE14 —2C 46
New Cut. Bures —8C 194
New Cut. Gt Ben —6K 179
New Cut. Lay H —9G 174 (1D 26)
New Dukes Way. Chelm —7A 62
Newell Av. Shoe —6L 141
Newell La. Cro —4A 10
New Eltham. —4H 47
New England. —4A 8
New England Clo. Bick —9F 76
New England Cres. Gt W —4N 141
New England Ind. Est. Bark —2B 142
New Farm Cotts. Shoe —6H 141
New Farm Dri. Abr —2H 95
New Farm Rd. S'way —9E 166
New Ford Rd. Wal X —5A 78
New Forest La. Chig —3N 109
Newgate Street. —2A 30
Newgate St. E4 —9E 92
Newgate St. Chesh —2A 30
Newgate St. W on N —6M 183
Newgatestreet Rd. Chesh —2A 30
Newgate St. Village. Chesh —2A 30
Newhall. R'fd —1H 123
Newhall Ct. Wal A —3F 78
New Hall Dri. Romf —5J 113
New Hall La. Mun —3J 35
New Hall Rd. Hock —7F 106
New Hall Vineyard. —3G 35
Newham Pl. Grays —2C 158
Newham Way. E16 & E6 —3A 142 (7E 38)
Newhouse. —7C 22
(nr. Moreton)
New House. —4G 49
(nr. Northfleet)
Newhouse Av. Romf —7J 111
Newhouse Av. W'fd —9G 103
New Ho. La. A'dn —6E 6
New Ho. La. Grav —4G 49
New Ho. La. N Wea —4A 68
Newhouse La. Ong —1G 69
Newhouse Rd. E Col —4A 196 (5H 15)
Newington. —1B 46
Newington Av. Sth S —4B 140
Newington Butts. SE11 —1A 46
Newington Causeway. SE1 —1A 46
Newington Clo. Sth S —4D 140
Newington Gdns. Clac S —5K 187
Newington Grn. N1 —5B 38
Newington Grn. Rd. N1 —5B 38
New Jubilee Ct. Wfd G —4G 108
New Kent Rd. SE17 —1B 46
New Kiln Rd. Colc —8K 167
Newland Av. Gt Bar —3J 13
Newland End La. A'den —1J 11
Newland Grove Nature Reserve. —1G 63 (6C 24)
Newland Pl. Wthm —6D 214
Newland Precinct. Wthm —5D 214
(off Newland St.)
Newlands. —6F 43
Newlands Clo. Bill —4K 101
Newlands Clo. Hut —6N 99
Newlands Dri. Wthm —5D 214
Newlands End. Bas —7K 117
Newlands Pk. SE26 —5C 46
Newlands Rd. Bill —4K 101
Newlands Rd. Can I —9K 137
(in two parts)
Newlands Rd. W'fd —3L 119
Newlands Rd. Wfd G —8F 92
Newland St. Wthm —6D 214 (4G 25)
New La. Fee —9B 172 (1J 25)
New La. Holb —1D 18
New Lodge Chase. L Bad —8J 63 (1D 34)
New London Rd. Chelm —2B 74 (2A 34)
(in two parts)
New Maltings. Ave —8A 146
Newman Clo. Horn —9J 113
Newman Dri. Boxt —4A 162
Newmans Clo. Lou —2N 93
Newmans Dri. Hut —6M 99
Newman's End. —5A 22
Newman's Green. —4K 9
Newmans La. Lou —3N 93
Newmarket Rd. Gt Che —2K 197 (4A 6)
Newmarket Rd. R'ton —5D 4
Newmarket Way. Horn —6J 129
New Meadgate Ter. Chelm —2E 74
New Mistley. —4N 165 (3B 18)
New Moor Clo. S'min —7M 207
New Moor Cres. S'min —7M 207
New Mt. St. E15 —9D 124
New Nabbotts Way. Chelm —4N 61 (7B 24)
Newney Green. —1H 33
Newnham Clo. Brain —6G 192
Newnham Clo. Lou —5K 93
Newnham Grn. Mal —5H 203
Newnham Ho. Lou —5K 93
New N. Rd. N1 —5B 38
New N. Rd. Ilf —4C 110 (2H 39)
New Orleans Flats. W Mer —4J 213
New Oxford St. WC1 —7A 38
New Pk. Cas H —4D 206
New Pk. Rd. SW2 —4A 46
New Pk. Rd. Ben —1C 136
New Pk. Rd. Hock —8F 106
New Pk. St. Colc —9B 168
Newpiece. Lou —2A 94
New Pier St. W on N —6M 183
New Pl. Gdns. Upm —4A 130
New Plaistow Rd. E15 —6E 38
New Plymouth Ho. Rain —3D 144
(off Dunedin Rd.)
New Pond La. Saf W —4J 205
Newport. —7D 204 (2B 12)
Newport Av. Cold N —4H 35
Newport Clo. Chelm —4J 75
Newport Clo. Har —6J 201
Newport Ct. Ray —3H 121
Newport Dri. Clac S —6L 187
Newport Dri. Quen —3A 12
Newport Pond. —9D 204
Newport Rd. E10 —4C 124
Newport Rd. Deb —2C 12
Newport Rd. Saf W —7J 205 (7B 6)
Newports. Saw —3H 53
Newport Way. Frin S —8K 183
Newpots Clo. Pel —3E 26
Newpots La. Pel —3E 26
New River Clo. Hod —4B 54
New Rd. E1 —7C 38
New Rd. E4 —1B 108 (1D 38)
New Rd. SE2 —1J 47
New Rd. Abr —5J 95 (7J 31)
New Rd. Aldh —5A 16
New Rd. Ben —3K 137 (4F 43)
New Rd. Brtwd —8G 98
New Rd. Broom —2K 61
New Rd. Brox —7A 54
New Rd. Bur C —3M 195
New Rd. Can I —2E 152
New Rd. Dag & Rain —2M 143 (6K 39)
New Rd. Else —7C 196 (5B 12)
New Rd. Gosf —4E 14
New Rd. Grays —4K 157 (2F 49)
(in two parts)
New Rd. Gt Bad —4G 75
New Rd. Gt Chi —4F 5
New Rd. Gt W —3M 141 (4C 44)
New Rd. H'low —8J 53
New Rd. Hat P —2L 63
New Rd. Ilf —4D 126
New Rd. Ing —4E 86
New Rd. K'dn —8B 202
New Rd. Lgh S —6C 138 (5G 43)
New Rd. L Bur —5J 117
New Rd. L Had —1G 21
New Rd. Mann —5J 165 (3A 18)
New Rd. Mel —3E 4
New Rd. Mess —1C 212 (3K 25)
New Rd. Rayne —7B 192 (7B 14)
New Rd. Saf W —4L 205 (3K 5)
New Rd. Saws —1K 5
New Rd. Shudy C —3F 7
New Rd. S'way —9E 166
New Rd. Stpl M —3A 4
New Rd. Terl —4D 24
New Rd. Tip —6D 212 (3K 25)
New Rd. Tol —7K 211
New Rd. Ware —4C 20
Newsells. —7E 4
New Spitalfields Mkt. E10 —5B 124
New Sq. Hock —7B 106
Newstead Ho. Romf —1H 113
(off Troopers Dri.)
Newstead Rd. Gt W —2M 141
New St. Brain —5H 193
(in two parts)
New St. B'sea —8E 184 (3K 27)
New St. Chelm —9K 61 (1A 34)
New St. D'mw —8L 197
New St. Glem —1G 9
New St. H'std —5J 199
New St. Mal —6J 203
New St. Saw —1K 53
New St. Fields. D'mw —8L 197
New St. Pass. D'mw —8L 197
New St. Rd. Meop & Sev —7G 49
Newsum Gdns. Ray —4G 120
Newteswell Dri. Wal A —2D 78
New Thorpe Av. T Sok —4L 181
New Thundersley. —8D 120 (3D 42)
Newton. —1H 5
Newton Clo. Brain —8H 193
Newton Clo. Corr —9B 134
Newton Clo. Hod —1B 54
Newton Dri. Saw —3J 53
Newton Grn. D'mw —7K 197
Newton Gro. D'mw —7J 197
Newton Hall Chase. D'mw —6J 197
Newton Hall Gdns. R'fd —1J 123
Newton Ho. E17 —7B 108
(off Prospect Hill)
Newton Ind. Est. Romf —8J 111
Newton Pk. Rd. Ben —8H 121
Newton Rd. E15 —7D 124
Newton Rd. Chig —2G 110
Newton Rd. Har —4J 201
Newton Rd. New —1G 5
Newton Rd. Sud —5J 9
Newton Rd. Til —8C 158
Newton Rd. Whitt —1H 5
Newtons Clo. Rain —9D 128
Newtons Ct. Dart —9A 156
Newton Way. St O —8M 185
Newtown. —6C 202
New Town Rd. Colc —9A 168
New Town Rd. T Sok —4K 181
New Village. Bran —1H 165
New Wanstead. E11 —1F 124 (3F 39)
New Waverley Rd. Bas —6N 117
New Way. P Bay —4K 27
New Way La. Thr B —4N 57 (7A 22)
New Writtle St. Chelm —1B 74
New Zealand Way. Rain —3D 144
Nicholas Clo. S Ock —3F 146
Nicholas Clo. Writ —2K 73
Nicholas Ct. Chelm —5F 60
(Darnay Rise)
Nicholas Ct. Chelm —1B 74
(Up. Bridge Rd.)
Nicholas Ct. Wthm —5C 214
Nicholas Rd. Dag —4L 127
Nicholas Wlk. Grays —9D 148
Nicholl Rd. Bas —8L 117
Nicholl Rd. Epp —1E 80
Nicholls Field. H'low —4F 56
Nichols Clo. Law —5G 165
Nicholson Cres. Ben —3H 137
Nicholson Gro. W'fd —2N 119
Nicholson Pl. E Han —2B 90
Nicholson Rd. Ben —3H 137
Nicholsons Gro. Colc —9A 168
Nickelby Clo. SE28 —6H 143
Nickleby Rd. Chelm —4F 60
Nicola M. Ilf —4A 110
Nien-Oord. Clac S —9F 186
Nigel M. Ilf —6A 126
Nigel Rd. E7 —7J 125
Nightingale Av. E4 —2E 108
Nightingale Av. Upm —3C 130
Nightingale Clo. E4 —1D 108
Nightingale Clo. Clac S —8K 187
Nightingale Clo. Colc —7G 168
Nightingale Clo. Har —6H 201
Nightingale Clo. Sth S —9K 123
Nightingale Clo. Wthm —7B 214
(Epping Way)
Nightingale Clo. Wthm —6D 214
(Newland St.)
Nightingale Corner. Mal —7K 203
Nightingale Gro. Dart —9L 155
Nightingale Hall Rd. E Col —4G 15
Nightingale Hill. L'ham —2F 162 (2G 17)
Nightingale La. E11 —9G 109
Nightingale La. Brom —6F 47
Nightingale La. W Horn —9B 116
Nightingale M. Saf W —3M 205
Nightingale Pl. SE18 —1G 47
Nightingale Rd. N9 —7C 30
Nightingale Rd. Can I —2J 153
Nightingales. Bas —1H 133
Nightingales. Wal A —4E 78
Nightingale Way. Clac S —8K 187
Nineacres. Brain —7J 193
Nine Acres Clo. E12 —7L 125
Nine Ashes. —8F 70 (3E 32)
Nine Ashes Rd. B'more —8F 70 (3E 32)
Nine Ashes Rd. Ston M —3E 84
Nine Elms. —2A 46
Nine Elms La. SW8 —2A 46
Ninefields. Wal A —3F 78
Nipsells Chase. May —1C 204
Nita Rd. War —2F 114
Niton Ct. Stan H —5L 149
Niven Clo. W'fd —2M 119
Noak Bridge. —5A 118 (2K 41)
Noakes Av. Chelm —5F 74
Noakes La. L Walt —5C 24
Noak Hill. —8J 97 (1C 40)
(nr. Harold Hill)
Noak Hill. —4L 117 (2K 41)
(nr. Steeple View)
Noak Hill Clo. Bill —3K 117
Noak Hill Rd. Bill & Bas —1J 117 (1J 41)
Noak Hill Rd. Romf —1G 112 (1B 40)
Nobel Sq. Burnt M —5K 119
Nobland Green. —3F 21
Noblesgreen. —8D 122 (3H 43)
Nobles Grn. Clo. Lgh S —8D 122
Nobles Grn. Rd. Lgh S —8D 122
Noel Park. —2A 38
Noel Sq. Dag —6H 127
Nonsuch Clo. Ilf —3A 110
Nook, The. W'hoe —6J 177
Norbury. —6A 46
Norbury Av. SW16 & T Hth —6A 46
Norbury Clo. M Tey —3H 173
Norbury Cres. SW16 —6A 46
Norbury Gdns. Romf —9J 111
Norbury Rd. E4 —2A 108
Nordenfeldt Rd. Eri —3B 154
Nordland Rd. Can I —1K 153
Nordmann Pl. S Ock —4G 146
Noredale. Shoe —8H 141
Nore Rd. Lgh S —7B 122
(in two parts)
Nore View. Lang H —3H 133
Norfolk Av. Clac S —7B 188
Norfolk Av. Lgh S —3E 138
Norfolk Av. W Mer —2L 213
Norfolk Clo. Bas —9J 117
Norfolk Clo. Can I —9G 137
Norfolk Clo. Mal —7H 203
Norfolk Cres. Colc —6B 168
Norfolk Dri. Chelm —4J 61
Norfolk Gdns. Brain —4K 193
Norfolk Rd. Bark —9D 126
Norfolk Rd. Dag —7N 127
Norfolk Rd. Ilf —3D 126
Norfolk Rd. Mal —7H 203
Norfolk Rd. Romf —1A 128
Norfolk Rd. Upm —5L 129
Norfolk St. E7 —7G 125
Norfolk Way. Can I —9F 136
Norlington Rd. E10 & E11 —3C 124
Norman Clo. M Tey —3G 172
Norman Clo. Romf —5N 111
Norman Clo. St O —9M 185
Norman Clo. Wal A —3D 78
Norman Ct. Ilf —2C 126
Norman Ct. Stans —2D 208
Norman Cres. Brtwd —9K 99
Norman Cres. Ray —2L 121
Normandie Way. Bures —8C 194
Normandy Av. Bur C —3M 195
Normandy Av. Colc —3A 176
Normandy Way. Eri —6C 154
Norman Harris Ho. Sth S —7N 139
Norman Hill. Terl —4D 24
Normanhurst. Hut —5M 99
Norman Pl. Lgh S —6D 138
(off Church Hill)
Norman Rd. E11 —4D 124
Norman Rd. SE8 —2D 46
Norman Rd. Belv —9N 143 (1K 47)
Norman Rd. Clac S —6A 188
Norman Rd. Horn —2E 128
Norman Rd. Ilf —7A 126
Norman Rd. Mann —4J 165
Normansfield. D'mw —9M 197
Normanshire Av. E4 —1C 108
Normanshire Dri. E4 —1A 108
Normans Rd. Can I —1K 153
Norman's Way. Stans —2D 208
Norman Ter. Lgh S —6D 138
(off Leigh Hill)
Normanton Pk. E4 —8E 92
Norman Way. Colc —9J 167
(Lexden Rd.)
Norman Way. Colc —1J 175
(Shrub End Rd.)
Norman Way. P Bay —4K 27
(off New Way)
Norris Clo. Brain —3L 193
Norris La. Hod —4A 54
Norris Rise. Hod —4A 54
Norris Rd. Hod —5A 54
Norris Way. Dart —8D 154
Norseman Clo. Ilf —3G 127
Norsey Clo. Bill —5K 101
Norsey Ct. Bill —5K 101
Norsey Dri. Bill —5L 101
Norsey Rd. Bill —6K 101 (7J 33)
Norsey View Dri. Bill —2K 101
Norsey Wood Nature Reserve. —5M 101 (7K 33)
Northallerton Way. Romf —2H 113
Northall Rd. Bexh —7A 154 (2A 48)
Northampton Gro. Lang H —2H 133
Northampton Meadow. Gt Bar —3J 13
N. Ash Rd. New Ash —7F 49
North Av. Can I —1F 152
North Av. Chelm —6H 61
North Av. Sth S —5N 139 (4K 43)
Northaw Rd. E. Cuff —4A 30
Northbank Rd. E17 —6C 108
North Barn. Brox —9B 54
North Benfleet. —7N 119 (3C 42)
N. Benfleet Hall Rd. N Ben —6N 119
N. Birkbeck Rd. E11 —5D 124 (4E 38)
Northbourne Rd. Clac S —1K 191
North Brook End. —3A 4
N. Brook End. Stpl M —4A 4
Northbrook Rd. Ilf —4N 125 (4G 39)
Northbrooks. H'low —4B 56
N. Circular Rd. E18 —6J 109
N. Circular Rd. N13 —1A 38
North Clo. Chig —2F 110
North Clo. Dag —1M 143
N. Colchester Rd. W Mer —2K 213
N. Colne. Bas —2E 134
Northcote Rd. Croy —7B 46
North Ct. Ing —6D 86
North Cray. —5K 47
N. Cray Rd. Sidc & Bex —5J 47
North Cres. Sth S —1H 139
North Cres. Stpl B —2C 210
North Cres. W'fd —9L 103
N. Crockerford. Bas —2F 134
N. Cross Rd. Ilf —8B 110
North Dell. Chelm —4M 61
Northdene. Chig —2C 110
Northdown Gdns. Ilf —9D 110
Northdown Rd. Horn —2F 128
North Dri. Chelm —3G 74
North Dri. Hut —5D 100
North Dri. May —1C 204
North Dri. Romf —7G 112
North End. —5D 154 (2A 48)
(nr. Erith)
Northend. —6M 207
(nr. Southminster)
North End. Bass —3B 4
North End. Buck H —6J 93
North End. Meld —2D 4
North End. Noak H —8G 97
North End. S'min —6L 207 (4D 36)
Northend. War —2F 114
N. End Rd. Arr —1B 4
Northend Rd. Eri —5D 154 (2A 48)
N. End Rd. Hxtn —3K 5
N. End Rd. L Yel —6E 8
Northend Trad. Est. Eri —6C 154
Northern Av. Ben —1C 136
Northern Precinct. W Thur —2C 156
Northern Rd. Sud —5K 9
Northfalls Rd. Can I —2M 153
North Fambridge. —1F 106 (6H 35)
Northfield. Gt Bar —3J 13
Northfield. Lou —3K 93
Northfield Clo. Bill —6L 101
Northfield Cres. Gt W —2L 141
Northfield Gdns. Dag —6L 127
Northfield Gdns. H'wds —3A 168
Northfield Ho. Sth S —5L 139
Northfield Path. Dag —4L 127
Northfield Rd. E6 —9M 125
Northfield Rd. Dag —6L 127
Northfield Rd. Saf W —5L 205
Northfields. Grays —2M 157
Northfleet. —3G 49
Northfleet Green. —5G 49
Northfleet Grn. Rd. S'fleet —5G 49
Northfleet Ind. Est. N'fleet —9J 157
North Ga. H'low —2B 56
Northgate End. Bis S —1K 21
Northgate St. Colc —8M 167
North Grn. H'low —4F 56
N. Gunnels. Bas —9C 118
North Halling. —7K 49
N. Hall Rd. Quen & Ugley —3B 12
North Hill. Colc —6E 16
North Hill. Horn H —8H 133 (5J 41)
North Hill. L Bad —7D 24
N. Hill Dri. Romf —1H 113 (1B 40)
N. Hill Grn. Romf —1H 113
Northlands App. Bas —5L 133
Northlands Clo. Stan H —9N 133
Northlands Pavement. Bas & Pits —1J 135
North La. M Tey —1K 173 (6A 16)
N. Market St. D'mw —7G 13
North Ockendon. —7E 130 (5E 40)
Northolme Clo. Grays —1M 157
Northolt Av. Bis S —8A 208
Northolt Way. Horn —8G 128
Northover. Brom —4E 46
North Pl. H'low —7G 52
North Pl. Wal A —3B 78
North Rd. N7 —5A 38
North Rd. Bel W —5F 9
North Rd. Belv —9N 143
North Rd. Brtwd —7F 98
North Rd. B'sea —6E 184
North Rd. Chad H —9K 111
North Rd. Clac S —7J 187 (3D 28)
North Rd. Cray H —2E 118
North Rd. Gt Yel —7C 198 (6D 8)
North Rd. Hav —9C 96 (1A 40)
North Rd. Hert —5A 20
North Rd. Hod —4A 54
North Rd. Ilf —4D 126
North Rd. Purf —2N 155
North Rd. S Ock —9G 130 (6E 40)
North Rd. Tak —7C 210
North Rd. Tol —7J 211 (6C 26)
North Rd. Wclf S —4K 139
North Rd. Whitt —1J 5
N. Road Av. Brtwd —7F 98
North Rd. Ind. Area. Wclf S —5K 139
N. Service Rd. Brtwd —8F 98
(in two parts)
North Shoebury. —4H 141 (4B 44)
N. Shoebury Rd. Shoe —5H 141 (4B 44)
North Side. Wal A —9H 65
N. Station Rd. Colc —6M 167 (5E 16)
North Stifford. —8H 147 (7F 41)
North St. SW4 —3A 46

North St.—Orchard Clo.

North St. Bark —8A 126
North St. Bis S —1K 21
North St. D'mw —7L 197 (7G 13)
North St. Gt W —2M 141
North St. Horn —3H 129 (4B 40)
North St. Lgh S —6D 138
North St. Mal —6L 203
North St. Mann —4J 165
North St. Naze —1E 64 (1E 30)
North St. R'fd —5L 123 (2J 43)
North St. Romf —7B 112 (3A 40)
North St. S'min —7L 207 (5C 36)
North St. Stpl B —2C 210 (5J 7)
North St. T'ham —3E 36
North St. Tol D —5B 26
North St. W on N —5M 183
Northumberland Av. E12 —3J 125
Northumberland Av. WC2 —7A 38
Northumberland Av. Bas —1L 133
Northumberland Av. Horn —9G 113
Northumberland Av. Sth S —7A 140
Northumberland Clo. Brain —4K 193
Northumberland Clo. Eri —5A 154
Northumberland Ct. Chelm —7A 62
Northumberland Cres. Sth S —7B 140
Northumberland Heath. —5A 154 (2A 48)
Northumberland Pk. N17 —2C 38
Northumberland Pk. Eri —5A 154
Northumberland Rd. E17 —2A 124
Northumberland Rd. Linf —9H 149
Northumberland Way. Eri —6A 154
N. View Av. Til —6C 158
Northview Dri. Wclf S —5H 139
Northview Dri. Wfd G —6K 109
Northville Dri. Wclf S —2H 139
North Weald Airfield. —2K 31
North Weald Airfield Memorial Museum. —6L 67 (3K 31)
North Weald Bassett. —5N 67 (2A 32)
N. Weald Clo. W'fd —1B 120
Northwick. —6C 42
Northwick Rd. Can I —1N 151 (6C 42)
Northwold Rd. N16 & E5 —4B 38
Northwood. Grays —9D 148
Northwood Av. Horn —6E 128
Northwood Gdns. Ilf —8N 109
Northwood Rd. T Hth & SE19 —6A 46
North Woolwich. —7G 39
North Woolwich Railway Museum. —1G 47
N. Woolwich Rd. E16 —7F 39
Norton Av. Can I —2L 153
Norton Clo. E4 —2A 108
Norton Clo. Corr —1B 150
Norton End. —1A 12
Norton Heath. —5H 71 (2E 32)
Norton Heath Rd. Will —2G 71 (2E 32)
Norton La. H Ong —4D 70 (2E 32)
Norton Mandeville. —4C 70 (2E 32)
Norton Rd. Chelm —8J 61
Norton Rd. Dag —8B 128
Norton Rd. Ing —5D 86
Norvic Ho. Eri —5D 154
Norway Cres. Har —4H 201
Norway Wlk. Rain —4G 144
Norwich Av. Sth S —3A 140
Norwich Clo. Clac S —7H 187
Norwich Clo. Colc —7A 168
Norwich Clo. Sth S —4A 140
Norwich Cres. Ray —2J 121
Norwich M. Ilf —3F 126
Norwich Rd. E7 —7G 124
Norwich Rd. Dag —2M 143
Norwich Wlk. Bas —8G 118
Norwood. —5B 46
Norwood Av. Clac S —8M 187
Norwood Av. Romf —2C 128
Norwood Dri. Ben —5E 136
Norwood End. —7D 22
Norwood End. Bas —8E 118
Norwood End. Fyf —7D 22
Norwood High St. SE27 —5A 46
Norwood La. Meop —7H 49
Norwood New Town. —5B 46
Norwood Rd. SE27 & SE24 —4A 46
Norwood Way. W on N —7K 183
Nosterfield End. Cas C —3G 7
Notley Grn. Bla N —2B 198
Notley Rd. Brain —6H 193 (7C 14)
Nottage Clo. Corr —1A 150
Nottage Clo. W'hoe —6J 177
Nottingham Rd. E10 —1C 124
Nottingham Rd. Clac S —7B 182
Nottingham Way. Lang H —1H 133
Nounsley. —5M 63 (6F 25)
Nounsley Rd. Hat P —5M 63 (6E 24)
Nuneaton Rd. Dag —9K 127
Nunhead. —3C 46
Nunhead La. SE15 —3C 46
Nunnery St. Cas H —3B 206 (1D 14)
Nunn's Rd. Colc —8M 167
Nunns Way. Grays —2N 157
Nuns Meadow. Gosf —4E 14
Nuns Wlk. Gt Yel —8C 198
Nunty's La. Patt —6F 15
Nuper's Hatch. —6C 96 (7A 32)
Nursery Clo. Ray —6K 121
Nursery Clo. Romf —1J 127
Nursery Clo. S Ock —4F 146
Nursery Clo. S'way —1D 174
Nursery Clo. Wfd G —2H 109
Nursery Dri. Brain —3J 193
Nursery Fields. Saw —2J 53
Nursery Gdns. Lain —7L 117
Nursery La. E7 —8G 125
Nursery La. Dan —2F 76
Nursery Rise. D'mw —9L 197
Nursery Rd. Chelm —2C 74
Nursery Rd. H Bee —9J 79
Nursery Rd. Hod —2B 54
Nursery Rd. Hook E —4F 84
Nursery Rd. Lou —4J 93 (6F 31)
Nursery Rd. Naze —1D 64
Nursery Rd. Stan H —2N 149
Nursery, The. Eri —5D 154
Nursery Wlk. Romf —2B 128
Nurstead Chu. La. Meop —6G 49
Nurstead La. Long —6G 49
Nutberry Av. Grays —9K 147
Nutberry Clo. Grays —9K 147
Nutbrowne Rd. Dag —1L 143
Nutcombe Cres. R'fd —3J 123
Nutfield Gdns. Ilf —4E 126
Nutfield Rd. E15 —6C 124
Nuthampstead. —1F 11
Nuthampstead Airfield. —1F 11
Nuthatch Clo. Bill —8L 101
Nuthatch Gdns. SE28 —9C 142
Nutter La. E11 —1J 125
Nuxley Rd. Belv —2K 47
Nyssa Clo. Wfd G —3M 109
Nyth Clo. Upm —1A 130

Oakapple Clo. Colc —5L 175
Oak Av. Cray H —3D 118
(in two parts)
Oak Av. Upm —5M 129
Oak Av. W'fd —9C 104
Oakbank. Hut —4A 100
Oak Bungalows. Brain —5G 192
Oak Chase. W'fd —9H 103
Oak Clo. Dart —9D 154
Oak Clo. Mal —8L 203
Oak Clo. T Sok —5L 181
Oak Clo. Wal A —4D 78
Oak Clo. W Ber —3F 166
Oak Ct. Ben —4L 137
Oak Ct. S Ock —2F 146
Oakdale Ct. E4 —2C 108
Oakdale Gdns. E4 —2C 108
Oakdale Rd. E7 —9H 125
Oakdale Rd. E11 —4D 124
Oakdale Rd. E18 —6H 109
Oakdene. Romf —6K 113
Oakdene Av. Eri —4A 154
Oakdene Clo. Horn —1F 128
Oakdene Rd. Pits —7K 119
Oak Dri. Saw —4H 53
Oak End. H'low —5E 56
Oakenden Rd. Ludd —7H 49
Oaken Grange Dri. Sth S —1K 139
Oakenholt Ho. SE2 —8J 143
Oaker Hill. Gt Yel —6C 8
Oak Fall. Wthm —2D 214
Oak Farm Rd. Wdhm W —1L 77 (1F 35)
Oakfield. E4 —2B 108
Oakfield Clo. Ben —3C 136
Oakfield Dri. Boxt —3A 162
Oakfield La. Dart —4A 48
Oakfield La. Terl —4D 24
Oakfield Lodge. Ilf —5A 126
(off Albert Rd.)
Oakfield Rd. SE20 —5C 46
Oakfield Rd. Ben —3C 136
Oakfield Rd. Croy —7B 46
Oakfield Rd. Hock —8F 106
Oakfield Rd. Ilf —5A 126
Oakfields. Lou —4N 93
Oak Glade. Coop —8J 67
Oak Glen. Horn —7J 113
Oak Grn. Bill —7M 101
Oakhall Ct. E11 —1H 125
Oak Hall Rd. E11 —1H 125
Oakham Clo. Lain —1H 133
Oak Haven. Har —6H 201
Oak Hill. Bla E —4B 14
Oak Hill. Wfd G —4D 108 (2E 38)
Oak Hill Clo. Wfd G —4D 108
Oak Hill Ct. Wfd G —4E 108
Oak Hill Cres. Wfd G —4D 108
Oak Hill Gdns. Wfd G —5E 108
Oakhill Rd. Purf —3M 155
Oak Hill Rd. Stap A —6B 96 (7A 32)
Oakhurst Clo. E17 —8E 108
Oakhurst Clo. Ilf —5B 110
Oakhurst Clo. W'fd —1K 119
Oakhurst Dri. W'fd —1J 119
Oakhurst Gdns. E4 —2F 108
Oakhurst Gdns. E17 —8E 108
Oakhurst Rd. Ray —7M 121
Oakhurst Rd. Sth S —4M 139
Oak Ind. Pk. D'mw —9N 197
Oakland Gdns. Hut —4M 99
Oakland Pl. Buck H —8G 93
Oakland Rd. E15 —6D 124
Oakland Rd. Har —4L 201
Oaklands Av. Colc —1F 174
Oaklands Av. Romf —7C 112
Oaklands Clo. Bis S —7A 208
Oaklands Clo. Brain —8F 192
Oaklands Cres. Chelm —2C 74
Oaklands Dri. Bis S —7A 208
Oaklands Dri. H'low —4H 57
Oaklands Dri. S Ock —5F 146
Oaklands M. R'fd —3H 123
Oaklands Pk. Bis S —7A 208
Oaklands Pk. Av. Ilf —4B 126
Oaklands Way. L Bad —9M 63
Oak La. Cray H —4D 118
(in two parts)
Oak La. Wfd G —1F 108
Oaklea Av. Chelm —7N 61
Oakleafe Gdns. Ilf —7A 110
Oakleigh Av. Hull —6L 105
Oakleigh Av. Sth S —6B 140
Oakleigh Pk. Dri. Lgh S —5D 138
Oakleigh Rise. Epp —2F 80
Oakleigh Rd. Clac S —5K 187
Oakleighs. Ben —2C 136
Oakley Av. Bark —9E 126
Oakley Av. Ray —4F 120
Oakley Clo. E4 —9C 92
Oakley Clo. Grays —4F 156
Oakley Ct. Lou —1N 93
Oakley Dri. Bill —3H 101
Oakley Dri. Romf —2L 113
Oakley Rd. Brain —1H 193
Oakley Rd. Brom —7G 47
Oakley Rd. Har —7E 200 (3G 19)
Oakley Rd. Wix —4D 18
Oakley Sq. NW1 —6A 38
Oak Lodge. E11 —1G 124
Oak Lodge Av. Chig —2C 110
Oak Lodge Tye. Spri —5B 62
Oakmead Rd. St O —4K 27
Oakmoor Way. Chig —2D 110
Oak Piece. N Wea —4A 68
Oak Ridge. L Oak —8D 200
Oak Rise. Buck H —9K 93
Oak Rd. Bill —4C 118
Oak Rd. Can I —2J 153
Oak Rd. Chap —5K 15
Oak Rd. Cray H —2A 42
Oak Rd. Epp —9E 66
Oak Rd. Eri —7E 154
Oak Rd. Grays —4M 157
Oak Rd. H'std —6J 199 (4F 15)
Oak Rd. H'bri —2L 203
Oak Rd. L Map —2G 15
Oak Rd. N Hth —5A 154
Oak Rd. Peb —1H 15
Oak Rd. Rams H —3E 102
Oak Rd. Riven —1F 214 (3G 25)
Oak Rd. R'fd —5K 123
Oak Rd. Romf —5K 113
Oak Rd. Tip —4B 212 (3K 25)
Oak Rd. N. Ben —4L 137
Oak Rd. S. Ben —4L 137
Oakroyd Av. D'mw —8M 197
Oakroyd Ho. D'mw —8M 197
Oaks Av. Romf —6A 112
Oaks Cotts. Bore —3F 62
Oaks Dri. Colc —8L 167
Oaks Gro. E4 —8E 92
Oaks La. Ilf —9D 110
Oaks Pl. Colc —4M 167
Oaks Retail Pk., The. H'low —9E 52
Oaks, The. E4 —4E 108
Oaks, The. Bill —1L 117
Oaks, The. Kir X —8J 183
Oaks, The. Wal A —5J 79
(off Woodbine Clo.)
Oak St. Romf —9A 112
Oakthorpe Rd. N13 —1A 38
Oaktree Clo. Brtwd —9J 99
Oak Tree Clo. Lou —9B 80
Oaktree Gro. Ilf —7C 126
Oak Tree Rd. Alr —6A 178
Oakview. Har —6H 201
Oak Wlk. Ben —7B 120
in two parts)
Oak Wlk. Hock —9D 106
Oak Wlk. Lgh S —2C 138
Oak Wlk. Saw —4J 53
Oak Wlk. Sib H —5B 206
Oakway. Grays —8L 147
Oakwood. —7A 30
Oakwood. Wal A —4E 78
Oakwood Av. Beck —6E 46
Oakwood Av. Clac S —7B 188
Oakwood Av. Hut —5A 100
Oakwood Av. Lgh S —2D 138
Oakwood Av. W Mer —2L 213
Oakwood Bus. Pk. Clac S —4L 187
Oakwood Chase. Horn —1K 129
Oakwood Clo. Ben —1B 136
Oakwood Clo. Kir X —8H 183
Oakwood Clo. Wfd G —3L 109
Oakwood Ct. E6 —9L 125
Oakwood Ct. Alth —5A 36
Oakwood Dri. Bexh —9B 154
Oakwood Dri. W Mer —2L 213
Oakwood Est. H'low —8G 52
Oakwood Gdns. Ilf —4E 126
Oakwood Gdns. W Mer —2L 213
Oakwood Gro. Bas —9J 119
Oakwood Hill. Lou —5M 93 (7G 31)
Oakwood Hill Ind. Est. Lou —4B 94
Oakwood Rd. Corr —1C 150
Oakwood Rd. Ray —3J 121
Oak Yd. H'std —4K 199
Oasthouse Ct. Saf W —4K 205
Oast Way. R'fd —5L 123
Oates Rd. Romf —2N 111
Oatfield Clo. S'way —9E 166
Oatlands. Elms —9M 169
Oban Ct. W'fd —2A 120
Oban Ho. Bark —2C 142
Oban Rd. Sth S —5A 140
Oberon Clo. Colc —8F 168
Observer Way. K'dn —6C 202
Occupation La. Roy —3H 55
Ockelford Av. Chelm —6H 61
Ockendon Rd. Upm & N Ock —7N 129 (5D 40)
Ockendon Way. W on N —6K 183
Octavia Dri. Wthm —8B 214
Octavia Way. SE28 —7G 143
Oddcroft. Coln E —3H 15
Oddmark Rd. Bark —2C 142
Odessa Rd. E7 —5F 124
Odessa Rd. Can I —2J 153
O'Donaghue Houses. Stan H —3N 149
Odsey. —6A 4
Office La. L Tot —5K 25
Offord Rd. N1 —5A 38
Ogard Rd. Hod —3C 54
Ogilvie Ct. W'fd —2M 119
Oglethorpe Rd. Dag —5M 127
O'Grandy Ho. E17 —7B 108
Okehampton Cres. Well —2J 47
Okehampton Rd. H Hill —3G 112
Okehampton Sq. Romf —3G 112
Old Barn La. Ret C —8N 89
(in two parts)
Old Barn Rd. M Bur —2A 16
Old Barns La. Ing —5L 71
Old Barn Way. Bexh —9B 154
Old Bell Clo. Stans —3C 208
Old Bell La. Ret C —8B 90
Old Bethnal Grn. Rd. E2 —6C 38
Old Bexley. —4K 47
Old Bexley La. Bex & Dart —4A 48
(in two parts)
Oldbury Av. Chelm —3G 74
Old Burylodge La. Stans —5F 208
Old Chapel Rd. Swan —7A 48
Oldchurch Gdns. Romf —2B 128
Old Chu. Hill. Lang H —5H 133 (4J 41)
Old Chu. La. Bulm —6H 9
Old Chu. La. Mount —2B 100 (6G 33)
Old Chu. La. Thun —3D 20
Old Chu. La. W Ber —1E 166
Oldchurch Rise. Romf —2C 128
Old Chu. Rd. E4 —1A 108 (1D 38)
Old Chu. Rd. Brtwd —2E 100
Old Chu. Rd. E Han —3B 90 (4D 34)
Old Chu. Rd. Mount —1B 100 (6H 33)
(in three parts)
Old Chu. Rd. Pits —1N 135
Oldchurch Rd. Romf —2B 128 (3A 40)
Old Coach Rd. Colc —8B 168
Old Ct. Rd. Chelm —8M 61
Old Croft Clo. Good E —5G 23
Old Crown La. Kel H —9A 84
Old Dover Rd. SE3 —2F 47
Olde Forge. B'sea —4D 184
Oldegate Ho. E6 —9K 125
Old Farm Ct. Bill —4J 101
Oldfields. War —1F 114
Old Ford. —6D 38
Old Ford. Junct. —6D 38
Old Ford Rd. E2 & E3 —6C 38
Old Forge Ct. Wal A —4G 79
(off Lamplighters Clo.)
Old Forge Rd. Bore —3F 62
Old Forge Rd. Lay H —9G 175
Old Fortune Cotts. Bas —6M 117
Old Hall Clo. Stpl B —2D 210
Old Hall Ct. Gt W —2L 141
Old Hall Green. —7D 10
Old Hall La. Tol D —6C 26
Old Hall La. W on N —1M 183
Old Hall Rise. H'low —3K 57
Old Hall Rd. S'ly —1G 19
Old Hall Rd. Stpl B —4E 210 (5K 7)
Old Harlow. —8H 53 (6J 21)
Old Heath. —7F 17
Old Heath Rd. Colc —1B 176 (6F 17)
Old Heath Rd. May & S'min —8H 207 (5B 36)
Old Highway. Hod —2B 54 (6D 20)
Old Hill. Chst —6G 47
Old Hill Av. Lang H —6H 133
Old House Council Offices, The. —6L 123 (2J 43)
Oldhouse Croft. H'low —1D 56
Old Ho. La. Boxt —6N 161
Old Ho. La. Naze —2F 64
(in two parts)
Old Ho. La. Roy —6K 55
Old Ho. Rd. Gt Hork —8G 161 (4D 16)
Old House, The. —2J 43
Oldhouse Vs. Tak —7C 210
Old Ipswich Rd. A'lgh —9E 162 (4G 17)
Old Jenkins Clo. Stan H —4K 149
Old Kent Rd. SE1 & SE15 —1B 46
Old La. Patt —6F 15
Old Leigh Rd. Lgh S —5F 138
Old London Rd. H'low —9H 53 (7J 21)
Old London Rd. Raw —1D 120 (1D 42)
Old London Rd. Wdhm M —2K 77 (1F 35)
Old Macdonalds Educational Farm Park. —7K 97 (7C 32)
Old Maidstone Rd. Sidc —5K 47
Old Mnr. Way. Bexh —7B 154
Old Mead. —5B 12
Old Mead. Sth S —8F 122
Oldmead Ho. Dag —8N 127
Old Mead La. Hen —5B 12
Old Mead Rd. Hen —6C 196 (4B 12)
Old Mill Clo. E18 —7J 109
Old Mill Clo. Mal —5K 203
Old Mill La. L Hall —3K 21
Old Mill Pde. Romf —9D 112
Old Mill Pl. Romf —1B 128
Old Mill Rd. L'ham —3C 162 (2F 17)
Old Mill Rd. Saf W —5L 205
Old Nazeing Rd. Brox —9A 54 (1D 30)
Old N. Rd. R'ton —5C 4
Old N. Rd. Whad & Bass —3C 4
Old Oaks. Wal A —2E 78
Old Orchard. H'low —5C 56
Old Pk. Av. Enf —7B 30
Old Pk. Ridings. N21 —7A 30
Old Parsonage Way. Frin S —9J 183
Old Pier St. W on N —6M 183
Old Rectory Ct. Sth S —6C 140
Old Rectory La. Wthm —1D 214 (3G 25)
Old Rectory Rd. Ong —4F 82 (4B 32)
Old Rd. Clac S —1J 191 4D 28)
Old Rd. Cogg & Fee —4A 172 (7J 15)
Old Rd. Dart —9B 154 (3A 48)
Old Rd. Frin S —1J 189
Old Rd. H'low —6H 53 (5J 21)
Old Rd. Nave —1H 97 (6B 32)
Old Rd. Patt —6F 15
Old Rd. Wick P —7G 9
Old Rd. E. Grav —4H 49
Old Rd. W. Grav —4G 49
Old Rose Garden. M End —4L 167
Old Roxwell Rd. Writ —7B 60 (1J 33)
Old Royal Observatory. —2E 46
Old School Ct. B'sea —7D 184
Old School Ct. Hat P —3M 63
Old School La. Elms —9N 169
Old School Meadow. Gt W —2J 141
Old School Yd. Saf W —4K 205
Old Ship La. R'fd —5L 123
Old Shire La. Wal A —5G 79
Old Southend Rd. H Grn —9L 75 (3C 34)
Old Southend Rd. Sth S —7N 139
Old Sta. Rd. Lou —4L 93 (7G 31)
Old Street. Junct. —6B 38
Old St. EC1 —6B 38
Old St. Hill. Hat H —1D 202 (4B 22)
Old Sungate Cotts. Romf —5L 111
Old Town. SW4 —3A 46
Old Town. Croy —7A 46
Old Vicarage Rd. Har & Dov —4K 201
Old Watling St. Roch —6K 49
Old Way. Frin S —1J 189
Old Wickford Rd. S Fer —9H 91
Old Wimpole Rd. Arr —1C 4
Oldwyk. Bas —2F 134
Olive Av. Lgh S —4N 137
Olive Gro. Colc —4L 175
Oliver Clo. Grays —5C 156
Oliver Pl. Wthm —5E 214
Oliver Rd. E10 —4B 124 (4D 38)
Oliver Rd. E17 —9C 108
Oliver Rd. Grays —6C 156 (2E 48)
Oliver Rd. Rain —1D 144
Oliver Rd. Shenf —4K 99
Olivers Clo. Clac S —9J 187
Olivers Ct. Clac S —9J 187
Olivers Cres. Gt W —2L 141
Olivers Dri. Wthm —8D 214
Olivers La. Colc —7F 174 (1D 26)
Olivers Rd. Clac S —9J 187 (4D 28)
Oliver Way. Chelm —5G 61
Olive St. Romf —9B 112
Oliveswood Rd. D'mw —9L 197
Olivia Dri. Lgh S —4E 138
Ollard's Ct. Lou —4K 93
Ollard's Gro. Lou —3K 93
Olmstead Green. —5G 7
Olympic Bus. Cen. Bas —5G 119
Omnibus Way. E17 —6A 108
One Tree Hill. Stan H —4A 134 (4K 41)
One Tree Hill Country Park. —6N 133 (5K 41)
Ongar Castle. —8L 69 (3C 32)
Ongar Clo. Clac S —9F 186
Ongar Clo. Romf —9H 111
Ongar Greensted Saxon Wooden Church. —3B 32
Ongar Pl. Brtwd —8G 98
Ongar Rd. Abr —2G 95 (6J 31)
Ongar Rd. D'mw —9M 197 (1G 23)
Ongar Rd. Fyf —3M 69 (2C 32)
Ongar Rd. Ing & Cook G —4K 71 (2G 33)
Ongar Rd. Kel H & Brtwd —2M 83 (4C 32)
Ongar Rd. Mar R —6E 22
Ongar Rd. Ston M —9N 69 (4D 32)
Ongar Rd. Writ —2G 73 (1J 33)
Ongar Rd. Trading Est. D'mw —9M 197
Ongar Way. Rain —1C 144
Onra Rd. E17 —2A 124
Onslow Clo. E4 —8C 92
Onslow Cres. Colc —6A 176
Onslow Gdns. E18 —7H 109
Onslow Gdns. Ong —6L 69
Opal M. Ilf —4A 126
Ophir Rd. B'sea —8E 184
Orange Gro. E11 —5E 124
in two parts)
Orange Rd. Can I —1K 153
Orange St. Thax —3K 211
Orange Tree Clo. Chelm —4D 74
Orange Tree Hill. Hav —2B 112 (1A 40)
Orbital Cen., The. Wfd G —6K 109
Orchard Av. Bill —3L 101 (6K 33)
Orchard Av. Brtwd —9J 99
Orchard Av. Croy —7D 46
Orchard Av. H'std —5J 199
Orchard Av. Hock —9D 106
Orchard Av. Rain —4G 144
Orchard Av. Rams B —6E 102
Orchard Av. Ray —7J 121
Orchard Clo. E4 —1A 108
Orchard Clo. E11 —8H 109
Orchard Clo. Abr —2G 95
Orchard Clo. Chelm —5D 74
Orchard Clo. Clac S —8G 186

Orchard Clo.—Park Rd.

Orchard Clo. Cop —4M 173
Orchard Clo. Elms —9N 169
Orchard Clo. Gt Oak —5E 18
Orchard Clo. Gt W —2L 141
Orchard Clo. Hat P —2L 63
Orchard Clo. Hock —9E 106
Orchard Clo. Mal —6J 203
Orchard Clo. Newp —8C 204
Orchard Clo. R'sy —5C 200
Orchard Clo. Ridg —5B 8
Orchard Clo. Saf W —6K 205
Orchard Clo. Srng —5A 22
Orchard Clo. S'min —7L 207
Orchard Clo. S Ock —4F 146
Orchard Clo. Tol —8L 211
Orchard Clo. Writ —1K 73
Orchard Cotts. Bore —1H 63
Orchard Cotts. L'ham —5F 162
Orchard Ct. E10 —3B 124
Orchard Croft. H'low —1F 56
Orchard Dri. Brain —7J 193
Orchard Dri. Grays —9K 147
Orchard Dri. Gt Hol —1D 188
Orchard Dri. May —2D 204
Orchard Dri. Roy —4H 55
Orchard Dri. They B —6D 80
Orchard Gdns. Colc —7B 168
Orchard Gdns. Wal A —4C 78
Orchard Gro. Lgh S —9E 122
Orchard Ho. Eri —6D 154
Orchard La. H'low —8K 53
Orchard La. Pil H —4C 98
Orchard La. Wfd G —1J 109
Orchard Lea. Saw —3H 53
Orchard Mead. Lgh S —1D 138
Orchard Piece. B'more —9H 71
Orchard Pightle. Hads —3D 6
Orchard Rd. Alr —6A 178
Orchard Rd. Ben —8B 120
Orchard Rd. Bis S —8A 208
Orchard Rd. Bur C —4M 195
Orchard Rd. Colc —7M 167
Orchard Rd. Dag —1M 143
Orchard Rd. K'dn —7C 202
Orchard Rd. Mal —6J 203
Orchard Rd. Romf —5N 111
Orchard Rd. S'min —7L 207
Orchard Rd. S Ock —4F 146
Orchards. Wthm —6C 214
Orchard Side. Lgh S —9E 122
Orchards, The. Epp —2F 80
Orchards, The. Saw —1K 53
Orchard St. Chelm —1C 74
Orchard, The. Brox —8A 54
Orchard, The. W Mer —3L 213
Orchard, The. W'fd —9J 103
Orchard View. Dun —1G 132
Orchard Way. Chig —9F 94
Orchard Way. Croy —7D 46
Orchid Av. Wthm —3B 214
Orchid Clo. Thax —2K 211
Orchid Pl. S Fer —9K 91
Orchill Dri. Ben —2L 137
Orchis Gro. Badg D —3J 157
Orchis Way. Romf —3K 113
Ordnance Cres. SE10 —1E 46
Ordnance Rd. Enf —5C 30
Oregon Av. E12 —6M 125
Oreston Rd. Rain —3H 145
Orford Cres. Chelm —6L 61
Orford Rd. E17 —9A 108
Orford Rd. E18 —7H 109
Organ La. E4 —8C 92
Oriel Gdns. Ilf —7M 109
Orient Ind. Pk. E10 —4A 124
Oriole Way. SE28 —7G 142
Orion Ct. Bas —6G 119
Orion Way. Brain —4K 193
Orkney Gdns. W'fd —2A 120
Orlando Ct. W on N —6M 183
Orlando Dri. Bas —6K 119
Ormesby Chine. S Fer —3J 105
Ormesby Clo. SE28 —7J 143
Ormond Clo. H Wood —6H 113
Ormonde Av. Ben —4N 137
Ormonde Av. R'fd —4K 123
Ormonde Clo. W Ber —3F 166
Ormonde Ct. Horn —2D 128
(off Clydesdale Rd.)
Ormonde Gdns. Lgh S —4N 137
Ormonde Rise. Buck H —7J 93
Ormonds Cres. Wdhm F —5H 91
Ormsby Rd. Can I —3D 152
Orpen Clo. W Ber —3E 166
Orpen's Hill. B'ch —9B 174 (1C 26)
Orpington. —7J 47
Orpington Rd. Chst —6H 47
Orrmo Rd. Can I —2M 153
Orsett. —5C 148 (7G 41)
Orsett Av. Lgh S —1B 138
Orsett End. Bas —8D 118
Orsett Heath. —9C 148 (7H 41)
Orsett Heath Cres. Grays —1C 158
Orsett Rd. Grays —3K 157 (1F 49)
Orsett Rd. Ors & Horn H —4E 148 (6H 41)
Orsett Smockmill. —6A 148 (7G 41)
Orsett Ter. Wfd G —4J 109
Orsino Wlk. Colc —8F 168
Orton Clo. Marg —1J 87
Orvis La. E Ber —1K 17
Orwell. —1D 4
Orwell. E Til —2L 159
Orwell Clo. Colc —6E 168
Orwell Clo. Rain —5B 144
Orwell Ct. W'fd —2B 120
Orwell Rd. Barr —1E 4
Orwell Rd. Clac S —2K 191
Orwell Rd. Felix —1K 19
Orwell Rd. Har —3M 201
Orwell Wlk. Wthm —4B 214
Orwell Way. Bur C —2K 195
Orwell Way. Clac S —8G 186
Osbert Rd. Wthm —7B 214
Osborne Av. Hock —1B 122
Osborne Clo. Clac S —6L 187
Osborne Clo. Horn —1F 128
Osborne Cotts. Mess —1D 212
Osborne Ct. E10 —2B 124
Osborne Rd. E7 —7H 125
Osborne Rd. E10 —5B 124
Osborne Rd. Bas —1D 134
Osborne Rd. Brox —7A 54
Osborne Rd. Buck H —7H 93
Osborne Rd. Dag —7L 127
Osborne Rd. Horn —1F 128
Osborne Rd. Pil H —5D 98
Osborne Rd. Pits —7M 119
Osborne Rd. Wclf S —5K 139
Osborne Rd. W Mer —3M 213
Osborne Sq. Dag —6L 127
Osborne St. Colc —9N 167 (6E 16)
Osea Rd. Hey B —1K 35
Osea Way. Chelm —6A 62
Osidge. —7A 30
Osidge La. N14 —7A 30
Osier Ct. Romf —1B 128
Osier Way. E10 —5B 124
Osney Ho. SE2 —9J 143
Osprey Clo. E11 —8G 109
Osprey Clo. Shoe —5J 141
Osprey Ct. Brtwd —9E 98
Osprey Ct. Wal A —4G 78
Osprey Rd. Wal A —4G 79
Ospreys. Clac S —7K 187
Osprey Way. Chelm —5B 74
Ostend. —6B 36
Osterberg Rd. Dart —9K 155
Osterley Dri. Bas —1H 133
Osterley Pl. S Fer —3K 105
Othello Clo. Colc —7F 168
Othona Roman Fort. (Site of). —7G 27
Otley App. Ilf —1A 126
Otley Dri. Ilf —9A 110
Ottawa Gdns. Dag —9B 128
Ottawa Rd. Til —7C 158
Otten Rd. Bel O —4E 8
Otterbourne Rd. E4 —9D 92
Ottershaw Way. Clac S —7F 186
Oudle La. M Hud —2G 21
Ouida Rd. Can I —2K 153
Oulton Av. Can I —9F 136
Oulton Clo. SE28 —6H 143
Oulton Clo. Har —4H 201
Oulton Cres. Bark —7E 126
Oundle Ho. H Hill —2H 113
(off Montgomery Cres.)
Ouse Chase. Wthm —5A 214
Outing Clo. Sth S —7A 140
Outing's La. Dodd —5E 84 (5E 32)
Outpart Eastward. Har —1N 201
Outram Rd. Croy —7B 46
Outwood Comn. Rd. Bill —4N 101 (1K 41)
Outwood Farm Clo. Bill —6N 101
Outwood Farm Rd. Bill —6N 101 (7K 33)
Oval Cricket Ground, The. —2A 46
Oval Gdns. Grays —1M 157
Oval Rd. N. Dag —1N 143 (6K 39)
Oval Rd. S. Dag —2N 143
Overcliff. Wclf S —7J 139
Overcliffe. Grav —3G 49
Overcliff Rd. Grays —2N 157
(in two parts)
Overhall Hill. Coln E —3H 15
Overhall La. A'dn —4E 6
Overmead Dri. S Fer —9L 91
Overton Clo. Ben —9C 120
Overton Ct. E11 —2G 125
Overton Dri. E11 —2G 125 (4F 39)
Overton Dri. Ben —9C 120
Overton Dri. Chad H —2H 127
Overton Rd. Ben —9B 120
Overton Way. Ben —9B 120
Overy St. Dart —3C 48
Ovington. —4D 8
Ovington Gdns. Bill —3J 101
Owen Clo. SE28 —8H 143
Owen Gdns. Wfd G —3L 109
Owen Ward Clo. Colc —3H 175
Owl Cvn. Site, The. Lou —2F 92
Owlets Hall Clo. Horn —7K 113
Owletts. —6J 49
Owl's Hill. Terl —4D 24
Owls Retreat. Colc —7F 168
Oxcroft Ct. Lain —9K 117
Oxendon Dri. Hod —6A 54
Oxen End. L Bar —4J 13
Oxenford Clo. Har —6H 201
Oxestall's Rd. SE8 —1D 46
Oxford Av. Grays —2C 158
Oxford Av. Horn —8L 113
Oxford Clo. Lang H —1H 133
Oxford Ct. Chelm —7N 61
Oxford Ct. Colc —9L 167
Oxford Ct. War —1G 114
Oxford Cres. Clac S —9J 187
Oxford La. Sib H —5A 206
Oxford Meadow. Sib H —5B 206
Oxford Pl. E Col —3C 196
Oxford Rd. E15 —8D 124
(in two parts)
Oxford Rd. Can I —1J 153
Oxford Rd. Clac S —1K 191 (4D 28)
Oxford Rd. Colc —9L 167 (6E 16)
Oxford Rd. Frin S —9K 183
Oxford Rd. H'std —5J 199
Oxford Rd. Horn H —1G 149
Oxford Rd. Ilf —7B 126
Oxford Rd. Mann —4J 165
Oxford Rd. R'fd —3J 123
Oxford Rd. Romf —3K 113
Oxford Rd. Stan H —4K 149
Oxford Rd. Wfd G —2K 109
Oxford St. W1 —7A 38
Oxleas. E6 —6A 142
Oxley Clo. Romf —6G 113
Oxley Gdns. Stan H —9M 133
Oxley Green. —4A 26
Oxley Hill. Abb —2E 26
Oxley Hill. Tol D —4A 26
Oxleys Rd. Wal A —2G 79
Oxleys, The. H'low —8J 53
Oxlip Rd. Wthm —3B 214
Oxlow La. Dag —6L 127 (5K 39)
Oxney Ho. Writ —1H 73
Oxney Mead. Writ —2H 73
Oxney Vs. Fels —1K 23
Oxwich Clo. Corr —1B 150
Oyster Clo. W Mer —2K 213
Oyster Pk. Colc —9D 168
Oyster Pl. Chelm —7A 62
Oyster Tank Rd. B'sea —8D 184
Ozier Ct. Saf W —6L 205
Oziers. Else —7C 196
Ozonia Av. W'fd —2K 119
Ozonia Clo. W'fd —2J 119
Ozonia Wlk. W'fd —2K 119
Ozonia Way. W'fd —2K 119

Paarl Rd. Can I —1G 153
Pace Heath Clo. Romf —3B 112
Packards La. Wmgfd —7A 160 (3B 16)
Packe Clo. Fee —6D 202
Paddock Clo. Bill —9L 101
Paddock Clo. Har —3L 201
Paddock Clo. Lgh S —8D 122
Paddock Clo. Ors —5D 148
Paddock Dri. Chelm —4N 61
Paddock Mead. H'low —8B 56
Paddocks, The. Abb —9A 176
Paddocks, The. Bures —8C 194
Paddocks, The. Gt Ben —9L 179
Paddocks, The. Gt Tot —8M 213
Paddocks, The. High R —3F 23
Paddocks, The. Ing —6D 86
Paddocks, The. Ors —5D 148
Paddocks, The. Ray —5M 121
Paddocks, The. Stap A —5D 96
Paddocks, The. W Mer —3L 213
Paddocks, The. Wthm —5D 214
Paddock, The. Brox —8A 54
Paddock, The. Stock —6N 87
Paddock Way. W'hoe —3J 177
Padgets, The. Wal A —4E 78
Padgetts Way. Hull —5K 105
Padhams Green. —9D 86 (6H 33)
Padham's Grn. Rd. Ing & CM13 —9D 86 (6H 33)
Padnall Ct. Romf —7J 111
Padnall Rd. Chad H —7J 111
Pageant Clo. Til —6E 158
Page Clo. Dag —7K 127
Page Clo. Wthm —7A 214
Page Cres. Eri —5D 154
Page Heath La. Brom —6F 47
Page Rd. Bas —8N 119
Page Rd. Clac S —1J 191
Pages La. Romf —6M 113
Pages La. Tol D —7B 26
Paget Ct. Else —8C 196
Paget Dri. Bill —3J 101
Paget Rd. Ilf —6A 126
Paget Rd. Rhdge —7F 176
Paget Rd. W'hoe —6J 177
(in two parts)
Pagette Way. Badg D —3K 157
Pagles Field. Hut —5M 99
Paglesham Churchend. —1B 44
Paglesham Eastend. —1C 44
Paglesham Rd. Pag —1A 44
Paignton Av. Chelm —6M 61
Paignton Clo. Ray —2K 121
Paines Brook Rd. Romf —3K 113
Paines Brook Way. Romf —3K 113
Painswick Av. Stan H —9A 134
Painters Rd. Ilf —7E 110 (3J 39)
Pakes Way. They B —7D 80
Palace Ct. Sth S —7M 139
Palace Gdns. Buck H —7K 93
Palace Gates Rd. N22 —2A 38
Palace Gro. Lain —7N 117
Palace View Rd. E4 —2B 108
Palamos Rd. E10 —3A 124
Palatine Pk. Lain —9H 117
Pale Green. —4H 7
Paley Gdns. Lou —2A 94
Palins Way. Grays —8K 147
Palliser Dri. Rain —5E 144
Pallister Rd. Clac S —2K 191
Pall Mall. SW1 —7A 38
Pall Mall. Lgh S —5D 138
Palm Clo. E10 —5B 124
Palm Clo. Chelm —4D 74
Palm Clo. Wthm —2D 214
Palmeira Arches. Wclf S —7J 139
Palmeira Av. Wclf S —7J 139
Palmeira Ct. Wclf S —7J 139
Palmeira Pde. Wclf S —7J 139
(off Station Rd.)
Palmer Clo. Lain —9M 117
Palmer Ct. Sth S —6N 139
Palmer Gdns. Epp —1F 80
Palmer Rd. Dag —3J 127
Palmers. Stan H —2A 150
Palmers Av. Grays —3M 157 (1G 49)
Palmers Croft. Chelm —9B 62
Palmers Dri. Grays —2M 157
Palmers Gro. Naze —1F 64
Palmers Hill. Epp —8F 66 (3J 31)
Palmers La. Chris —6H 5
Palmerston Ct. Buck H —8J 93
Palmerstone Rd. Can I —2D 152
Palmerston Gdns. Grays —3G 157
Palmerston Lodge. Gt Bad —3G 74
Palmerston Rd. E7 —8H 125
Palmerston Rd. E17 —3D 38
Palmerston Rd. N22 —2A 38
Palmerston Rd. Buck H —8H 93 (1F 39)
Palmerston Rd. Grays —4G 157
Palmerston Rd. Rain —2G 144
Palmerston Rd. T Sok —4L 181
Palmerston Rd. Wclf S —7J 139
Palm M. Lain —6L 117
Palm Rd. Romf —9A 112
Pampas Clo. Colc —3A 168
Pampisford. —1K 5
Pampisford Rd. Gt Ab —1B 6
Pamplins. Bas —9A 118
Panadown. Bas —9A 118
Pancras Rd. NW1 —6A 38
Pancroft. Abr —2G 95
Panfield. —1C 192 (6B 14)
Panfield La. Brain —4G 192 (6C 14)
Panfield M. Ilf —1N 125
Panfield Rd. SE2 —9G 142
Panfields. Bas —9J 117
Pan La. E Han —4M 89 (4C 34)
Pannel's Ash. —4C 8
Pantile Av. Sth S —3A 140
Pantile Hill. S'min —7K 207 (5C 36)
Pantile Ho. Sth S —3A 140
Pantiles Clo. Wthm —8D 214
Pantiles, The. Bill —4J 101
Panton Cres. Colc —8E 168
Panton M. Brain —8J 193
Pan Wlk. Chelm —6F 60
Papenburg Rd. Can I —8G 136
Papillon Rd. Colc —8L 167
Paprills. Bas —2N 133
Parade, The. Brtwd —9F 98
Parade, The. Chelm —5J 61
Parade, The. Colc —5A 176
Parade, The. Pits —1J 135
Parade, The. Romf —3M 113
Parade, The. W on N —7M 183 (1H 29)
Paradise Centre Gardens. —7K 9
Paradise Rd. Wal A —4C 78
Paradise Rd. Writ —2K 73
Paradise Wildlife Park. —1B 30
Parchmore Rd. T Hth —6A 46
Pargat Dri. Lgh S —8B 122
Pargeters Hyam. Hock —1E 122
Pargeters Sq. Sth S —1M 139
Parham Dri. Ilf —1A 126
Paringdon Rd. H'low —7A 56 (1G 31)
Parish Clo. Horn —4F 128
Parish Cotts. Dag —4M 127
Parish La. SE20 —5C 46
Parish Way. Lain —8L 117
Parkanaur Av. Sth S —8E 140
Park Av. E15 —8E 124
Park Av. N22 —2A 38
Park Av. Bark —8B 126
Park Av. Can I —2M 153
Park Av. Chelm —8H 61
Park Av. Enf —7B 30
Park Av. Grays —4D 156
Park Av. H'low —6H 57
Park Av. Hut —7M 99
Park Av. Ilf —3N 125
Park Av. Lgh S —9D 122
Park Av. Upm —2B 130
Park Av. Wfd G —2H 109
Park Boulevd. Clac S —7B 188
Park Boulevd. Romf —5D 112
Park Chase. Ben —4L 137
Park Chase. St O —8A 186
Park Clo. N Wea —6M 67
Park Clo. W'fd —1K 119
Park Corner Rd. S'fleet —5F 49
Park Cotts. L Hall —1A 202
Park Ct. E4 —8C 92
Park Ct. E17 —9B 108
Park Ct. H'low —1C 56
Park Ct. Sib H —6B 206
Park Cres. Eri —4A 154
Park Cres. Horn —2E 128
Park Cres. Wclf S —6L 139
Park Cres. Rd. Eri —4B 154
Parkdale. Dan —3C 76
Park Dri. Brain —8J 193
Park Dri. B'sea —6D 184
Park Dri. Dag —5A 128
Park Dri. H'std —5K 199
Park Dri. Hat H —3D 202
Park Dri. Ing —5E 86
Park Dri. Mal —7L 203 (1H 35)
Park Dri. Romf —8B 112
Park Dri. Upm —6M 129
Park Dri. W'fd —1K 119
Park End Rd. Romf —8C 112
Parker Av. Til —6E 158
Parker Rd. Chelm —1D 74
Parker Rd. Grays —3J 157
Parker's Farm Rd. Ors —7B 132 (5G 41)
Parker Way. H'std —6K 199
Parkes Rd. Chig —2D 110
Parkeston. —2H 201 (2G 19)
Parkeston Rd. Dov —3H 201
Parkeston Rd. Pkstn —2H 201 (3H 19)
Park Farm Rd. Upm —7K 129 (5C 40)
Parkfields. Ben —2H 137
Park Fields. Roy —3G 55
Parkfields. Sib H —6B 206
Parkfield St. Rhdge —7F 176
Park Gdns. E10 —3A 124
Park Gdns. Eri —2B 154
Park Gdns. Hock —2E 122
Parkgate. Wclf S —6L 139
Park Ga. Rd. Corr —6B 134
Parkgate Rd. Sil E —2G 25
Park Green. —4J 11
Park Gro. Bexh —9A 154
Park Gro. Rd. E11 —4E 124
Park Hall Rd. SE21 —4B 46
Parkhall Rd. Bea E & Gosf —4C 14
Park Hill. H'low —9G 53
Park Hill. Lou —4K 93
Park Hill. Meop —6G 49
Parkhill Clo. Horn —5G 128
Parkhill Rd. E4 —7C 92
Parkhill Rd. Bex —4K 47
Pk. Hill Rd. Croy —7B 46
Park Houses. Stan H —2A 150
Parkhurst Dri. Ray —1J 121
Parkhurst Grn. La. Wak C —3K 15
Parkhurst Rd. E12 —6N 125
Parkhurst Rd. N7 —5A 38
Parkhurst Rd. Bas —1J 135
Parkland Av. Romf —6D 112
Parkland Av. Upm —7M 129
Parkland Clo. Hod —2B 54
Parkland Ct. E15 —7E 124
(off Maryland Pk.)
Parkland Rd. Wfd G —4G 109
Parklands. Bill —5K 101
Parklands. Brain —8J 193
Parklands. Can I —9G 137
Parklands. Chig —9B 94
Parklands. Cogg —8L 195
Parklands. Coop —8J 67
Parklands. R'fd —3J 123
Parklands. Wal A —3C 78 (4E 30)
Parklands Av. Ray —5L 121
Parklands Clo. Chig —9B 94
Parklands Ct. Clac S —1F 190
Parklands Dri. Chelm —8L 61
Parklands Way. Gall —8D 74
Parkland Way. Ong —9K 69
Park La. Ave —8A 146
(in two parts)
Park La. Bar & L'ly —7G 5
Park La. Brox —1D 30
Park La. Bulm —6H 9
Park La. Can I —2M 153
Park La. Cas C —4G 7
Park La. Chad H —1J 127
Park La. Chesh —2B 30
Park La. E Col —3C 196 (4H 15)
Park La. Elm P —8F 128
Park La. Glem —1G 9
Park La. Gosf —4E 14
Park La. H'low —1C 56
Park La. Heron —4N 115
Park La. Horn —1D 128 (3A 40)
Park La. L'ham —5D 162 (3F 17)
Park La. Rams H —4D 102 (7A 34)
Park La. Saf W —4K 205
Park La. Sth S —6A 140
Park La. Tip —6F 212
Park La. Tol K —4A 26
Park La. Top —7B 8
Park La. Wclf S —6L 139
Park La. Clo. E Col —3C 196
Park La. Paradise. Chesh —2C 30
Park Langley. —6E 46
Park Mead. H'low —2A 56
Parkmead. Lou —4N 93
Park Meadow. Dodd —8G 85
Park M. Ave —8A 146
Park M. Rain —8E 128
Parkmill Clo. Corr —1B 150
Parkmore Clo. Wfd G —1G 108
Park Rd. E10 —3A 124
Park Rd. E12 —3H 125
Park Rd. N8 —3A 38
Park Rd. N18 —1C 38
Park Rd. SE25 —6B 46
Park Rd. Ben —9F 120
Park Rd. Brtwd —7E 98
Park Rd. Bur C —4L 195
Park Rd. Can I —2M 153
Park Rd. Chelm —9J 61
Park Rd. Chst —5G 47
Park Rd. Clac S —2H 191
Park Rd. Colc —9K 167
Park Rd. Corr —2B 150
Park Rd. C Hth —4L 169 (5H 17)
Park Rd. Dart —4C 48
Park Rd. E End —1K 17
Park Rd. Else —7D 196
Park Rd. Grays —3L 157
Park Rd. Gt Bro —7H 171 (6A 18)
Park Rd. Gt Che —1L 197 (4A 6)
Park Rd. Har —3M 201
Park Rd. Hod —5A 54
Park Rd. Ilf —5C 126

Park Rd.—Pharos La.

Park Rd. Lgh S —5A 138
Park Rd. L Eas —7F 13
Park Rd. Mal —7J 203
Park Rd. Nay —1K 161 (2D 16)
Park Rd. Ples —1A 58 (4J 23)
Park Rd. Riven —2G 25
Park Rd. Stan H —4K 149
Park Rd. Stans —3D 208
Park Rd. Stoke N —1E 16
Park Rd. Wclf S —7L 139
Park Rd. Wick P —7G 9
Park Rd. W'hoe —2G 176
(Boundary Rd.)
Park Rd. W'hoe —6H 177
(Queen's Rd.)
Park Side. Bas —8H 119
Park Side. Bill —6L 101
Parkside. Buck H —8H 93
Parkside. Grays —1N 157
Parkside. Mat T —6A 22
(off Rainbow Rd.)
Parkside. Saf W —4J 205
Parkside. Steb —6J 13
Park Side. Wclf S —5F 138
Parkside Av. Bexh —7B 154 (2A 48)
Parkside Av. Romf —7B 112
Parkside Av. Til —7D 158 (2H 49)
Parkside Cen. Sth S —1L 139
Parkside Cross. Bexh —7C 154
Parkside Ho. Dag —5A 128
Parkside Lodge. Belv —3A 154
Parkside Rd. Belv —2A 154
Park Sq. Abr —5J 95
Park Sq. E. Jay —3E 190
Park Sq. W. Jay —3D 190
Parkstone Av. Ben —2H 137
Parkstone Av. Horn —1J 129
Parkstone Av. W'fd —8G 103
Parkstone Dri. Sth S —3K 139
Parkstone Rd. E17 —7C 108
Park St. SW8 —2A 46
Park St. Thax —3K 211 (3F 13)
Park St. Wclf S —6L 139
Park Ter. Har —3M 201
Park Ter. Wclf S —6L 139
Park, The. Mann —5J 165
Park Vale Clo. Cas H —3C 206
Park Vale Ct. Brtwd —7F 98
Park View. Ave —8A 146
Park View. Chad H —1J 127
Park View. Hod —5A 54
Park View Ct. Lgh S —9D 122
Park View Cres. Gt Bad —5G 75
Park View Dri. Lgh S —1A 138
Park View Gdns. Bark —2D 142
Park View Gdns. Grays —3L 157
Park View Gdns. Ilf —8M 109
Park View Ho. E4 —2A 108
Park View Rd. N17 —3C 38
Park View Rd. Well —3J 47
Park Vs. Romf —1J 127
Parkway. Chelm —8J 61 (1A 34)
Park Way. Clac S —3H 191
Parkway. Corr —9D 134
Parkway. H'low —3L 55
Park Way. Ilf —5E 126
Parkway. Ors —5C 148
Parkway. Rain —4E 144
Parkway. Ray —7M 121
Parkway. Romf —6D 112
Parkway. Saw —3K 53
Park Way. Shenf —7J 99
Park Way. Wfd G —2J 109
Parkway Clo. Lgh S —8E 122
Parkway, The. Can I —3H 153
Parkwood. Dodd —8G 85
Parkwood Av. W'hoe —5H 177
Park Wood La. L Tot —6K 25
Parnall Rd. H'low —6C 56 (7H 21)
Parndon Ho. Lou —6L 93
Parndon Mill La. H'low —9A 52
Parndon Wood Nature Reserve.
—9C 56 (1H 31)
Parndon Wood Rd. H'low —8B 56
Parnell Clo. Colc —5A 176
Parnell Rd. E3 —6D 38
(in two parts)
Parney Heath. —4H 163 (3H 17)
Parr Clo. Brain —4M 193
Parr Dri. Colc —2F 174
Parrish Pl. Upm —6M 129
Parrish View. Law —4G 165
Parrock Rd. Grav —4H 49
Parrock St. Grav —4H 49
Parrots Field. Hod —4B 54
Parry Clo. Stan H —2M 149
Parry Dri. Clac S —8G 186
Parsloe Rd. Epp G & H'low
—9N 55 (1G 31)
Parsloes Av. Dag —6J 127 (5J 39)
Parsonage Clo. Chelm —2J 61
Parsonage Ct. Lou —2B 94
(off Rectory La.)
Parsonage Downs. —7G 13
Parsonage Downs. D'mw —7G 13
Parsonage Farm La. Gt Sam —1H 13
Parsonage Farm Trad. Est. Stans
—6E 208
Parsonage Field. Dodd —7G 84
Parsonage Green. —3H 61 (6A 24)
Parsonage La. Barns —2H 23
Parsonage La. Bis S —9A 208 (1K 21)
Parsonage La. Enf —6B 30
Parsonage La. Gt Walt —2H 59 (4K 23)
Parsonage La. Lain —9L 117
Parsonage La. L Bad —9L 63
Parsonage La. Marg —2J 87 (4J 33)
Parsonage La. Saw —3J 21
Parsonage La. Sidc —5K 47
Parsonage La. Stans —6D 208
Parsonage La. Ten —6C 18
Parsonage Leys. H'low —3E 56
Parsonage Manorway. Belv —2K 47
Parsonage Rd. Boxt —1N 161 (2F 17)
Parsonage Rd. Grays —4F 156
Parsonage Rd. Rain —2G 144
Parsonage Rd. Tak —6B 210 (7C 12)
Parsonage St. H'std —4L 199 (3F 15)
Parsonon Wlk. Colc —8E 168
Parsons Corner. Shoe —4H 141
Parson's Field. Ded —2M 163
Parson's Heath. —6E 168 (5F 17)
Parson's Heath. Colc —6E 168 (5G 17)
Parson's Hill. Colc —9H 167
Parsons Hill. Gt Bro —7D 170 (6K 17)
Parsons La. Colc —9C 168
(in two parts)
Parsons La. Dart —4B 48
Parsons Lawn. Shoe —5H 141
Parsons Mead. Croy —7A 46
Parsons Rd. Ben —8D 120
Partridge Av. Chelm —6H 61 (7K 23)
Partridge Clo. Gt Oak —5E 18
Partridge Ct. H'low —5D 56
Partridge Dri. For —2A 166
Partridge Green. —6K 23
Partridge Grn. Bas —1H 135
Partridge Rd. H'low —5C 56 (7H 21)
Parvilles. —5B 22
Parvills. Wal A —2D 78
Paschal Way. Chelm —2F 74
Pasfield. Wal A —3D 78
Paslowes. Bas —2G 135
Paslow Wood Common.
—1E 84 (3E 32)
Passfield Path. SE28 —7G 143
Passingford Bridge. —9A 82 (6A 32)
Passingham Av. Bill —1L 117
Passingham Clo. Bill —9L 101
Passmores. —5C 56 (7H 21)
Pasteur Dri. H Wood —6H 113
Paston Clo. S Fer —8L 91
Pasture Rd. Dag —6L 127
Pasture Rd. Wthm —6E 214
Patching Hall La. Chelm
—3H 61 (7K 23)
Paternoster Clo. Wal A —3F 78
Paternoster Hill. Wal A —2F 78 (4E 30)
Paternoster Row. Noak H —7G 97
Paternoster Row. W on N —6M 183
Pathfields Rd. Clac S —9H 187
(in two parts)
Path, The. Gt Ben —6K 179
Pathways. Bas —1F 134
Pathway, The. Kir X —8H 183
Patient End. —5G 11
Patmore End. Ugley —4A 12
Patmore Fields. Ugley —4A 12
Patmore Heath. —5H 11
Patmore Rd. Colc —6D 168
Patmore Rd. Wal A —4E 78
Patmore Way. Romf —2N 111
Patmos Rd. SW9 —2A 46
Patricia Dri. Fob —8D 134
Patricia Dri. Horn —3J 129
Patricia Gdns. Bill —9M 101
Patten Clo. M Tey —3H 173
Patterdale. Ben —8B 120
Pattison Clo. Wthm —7D 214
Pattiswick. —7F 15
Pattiswick Corner. Bas —8F 118
Pattiswick Sq. Bas —8F 118
Pattocks. Bas —9E 118
Pattock's La. Chap —5K 15
Pattrick's La. Har —3L 201
Paula Ter. Pil H —5E 98
Paul Ct. Romf —1A 128
Pauline Clo. Clac S —7M 187
Pauline Gdns. Bill —4H 101
Pauls Ct. Can I —8G 137
Paul's Cres. Elms —1M 177
Pauls La. Hod —5A 54
Paul Spendlove Ct. Colc —6E 168
Paul's Rd. Bas —7L 117
Paul St. E15 —9E 124
Paul St. EC1 —6B 38
Pauls Way. Jay —3E 190
Pavement M. Romf —2J 127
Pavement, The. E11 —3C 124
(off Hainault Rd.)
Pavet Clo. Dag —8N 127
Pavilion Clo. Sth S —5C 140
Pavilion Dri. Lgh S —4E 138
Pavilion Pl. Bill —4H 101
Pavilion Rd. Ilf —2M 125
Pavilions, The. N Wea —4A 68
Pavilions, The. Sth S —7K 139
Pavilion Ter. Ilf —9D 110
Pavitt Meadow. Gall —8D 74
Pawle Clo. Chelm —3H 75
Pawsons Rd. Croy —7B 46
Paxfords. Bas —9H 117
Paxman Av. Colc —3H 175
Paxton Rd. Clac S —5M 187
Paycocke Clo. Bas —5G 118
Paycocke M. Bas —5F 118
Paycocke Rd. Bas —5F 118
Paycocke's. —9K 195 (7H 15)
Paycocke Way. Cogg —7L 195
Paycock Rd. H'low —5N 55
Payne End. S'don —1A 10
Payne Pl. E Han —3B 90
Paynes La. Bore —3D 62
Payne's La. L Bro —4H 171 (5A 18)
(in two parts)
Paynes La. Wal A —4C 64
Paynters Mead. Bas —3F 134
Paynters Ter. H'std —4L 199
Payzes Gdns. Wfd G —2F 108
Peacehaven. Frin S —9K 183
Peace Rd. S'way —9D 166
Peach Av. Hock —8D 106
Peacock Clo. Brain —7G 192
Peacock Clo. Horn —8J 113
Peacock Rd. Stans —4D 208
Peacocks. H'low —5M 55
Peacocks Rd. Caven —2F 9
Peacock Ter. Hod —2B 54
Peacock Wood. Hut —9L 99
Peakes Clo. Tip —7B 212
Peakes La. Chesh —3B 30
Peakes Way. Chesh —3B 30
Peaketon Av. Ilf —8K 109
Pea La. Upm —9D 130 (5E 40)
Peal Rd. Saf W —6M 205
Pearce Mnr. Chelm —2A 74
Pearcroft Rd. E11 —4D 124
Peareswood Rd. Eri —6D 154
Pearl Rd. E17 —7A 108
Pearmain Clo. W'fd —7L 103
Pearmain Way. S'way —2D 174
Pear Rd. E11 —5D 124
Pearsall Ct. Clac S —1L 191
Pearsons. Stan H —2B 150
Pearsons Av. Ray —3H 121
Peartree Bus. Cen. S'way —2F 174
Peartree Clo. Brain —7J 193
Peartree Clo. Dodd —8G 85
Peartree Clo. Eri —6B 154
Peartree Clo. Sth S —3A 140
Peartree Clo. S Ock —2F 146
Pear Tree Ct. E18 —5H 109
Peartree Gdns. Dag —6G 126
Peartree Gdns. Romf —6N 111
Peartree Green. —7G 84 (5E 32)
Peartree Hill. M Bur —3A 16
Peartree La. Bulp —5B 132
Peartree La. Dan —7F 76 (3E 34)
Peartree La. Dodd —7F 84
Peartree La. Shorne & High —5K 49
Pear Tree Mead. H'low —6F 56
Peartree Rd. S'way —2E 174 (7C 16)
Pear Trees. Ben —2F 136
Pear Trees. Ingve —3M 115
Peartree Way. L Cla —3G 187
Pease Clo. Horn —9F 128
Pease Pl. E Han —3B 90
Peaslands Rd. Saf W —5L 205 (7C 6)
Peas Mead Ter. E4 —1C 108
Peawood La. A'lgh —8L 163
Pebmarsh. —2H 15
Pebmarsh Clo. Colc —6A 176
Pebmarsh Dri. W'fd —1M 119
Pebmarsh Rd. Coln E —3H 15
Pebmarsh Rd. Peb & Alph —2J 15
Peckham. —2C 46
Peckham High St. SE15 —2C 46
Peckham Hill St. SE15 —2C 46
Peckham Pk. Rd. SE15 —2C 46
Peckham Rd. SE5 & SE15 —2B 46
Peckham Rye. SE22 & SE22 —3C 46
(in two parts)
Peck's Hill. Naze —9E 54 (1E 30)
Pedder's Clo. Colc —3G 175
Pedlars Clo. Dan —4G 76
Pedlars End. —1B 32
Pedlars La. Ther —7B 4
Pedlars Path. Dan —4G 76
Pedley Rd. Dag —3H 127
Peel Av. Shoe —6L 141
Peel Clo. E4 —8B 92
Peel Cres. Brain —5G 192
Peel Dri. Ilf —7L 109
Peel Pl. Ilf —6L 109
Peel Rd. E18 —5F 108
Peel Rd. Chelm —7N 61
Peel Way. Romf —6K 113
Peerage Way. Horn —2K 129
Peerswood Rd. Colc —4L 175
Pegasus Way. Brain —3G 192
Pegasus Way. Colc —6C 168
Pegelm Gdns. Horn —2K 129
Peggotty Clo. Chelm —5H 61
Peggy's Wlk. L'bry —1H 205
Peg Millar's La. F'std —3D 24
Pegrams Rd. H'low —6B 56
Pegs La. Hert —5B 20
Pegs La. Wid —3F 21
Peldon. —3E 26
Peldon Pavement. Bas —7E 118
Peldon Rd. Gt Wig —4D 26
Peldon Rd. H'low —5N 55
(in two parts)
Peldon Rd. Pel —9A 176 (3E 26)
Pelham Av. Bark —1E 142
Pelham Clo. Har —5H 201
Pelham Pl. Stan H —1N 149
Pelham Rd. E18 —7H 109
Pelham Rd. Brau —6E 10
Pelham Rd. Clav —3J 11
Pelham Rd. Grav —4G 49
Pelham Rd. Ilf —4C 126
Pelham Rd. Sth S —5C 140
Pelham Rd. S. Grav —4G 49
Pelhams La. Colc —8N 167
Pelly Av. Wthm —7D 214
Pelly Ct. Epp —1E 80
Pemberry Hall. Bas —9E 118
Pemberton Av. Ing —5D 86
Pemberton Av. Romf —7F 112
Pemberton Ct. Ing —5D 86
Pemberton Gdns. Romf —9K 111
Pembrey Way. Horn —8G 128
Pembridge La. Brox —1B 30
Pembroke Av. Corr —1B 150
Pembroke Av. Mal —7J 203
Pembroke Bus. Cen. Bas —5F 118
Pembroke Clo. Bill —3J 101
Pembroke Clo. Colc —3C 176
Pembroke Clo. Horn —8K 113
Pembroke Ct. Bas —1J 135
Pembroke Gdns. Clac S —7B 188
Pembroke Gdns. Dag —5N 127
Pembroke Ho. R'fd —8L 123
Pembroke M. Pits —7K 119
Pembroke Pl. Chelm —4K 61
(in two parts)
Pembroke Rd. E17 —9B 108
Pembroke Rd. Eri —3A 154 (1A 48)
Pembroke Rd. Ilf —3E 126
Pembury Rd. E8 —5C 38
Pembury Rd. Wclf S —7H 139
Pendine Clo. Corr —1B 150
Pendle Clo. Bas —6H 119
Pendle Dri. Bas —7G 119
Pendlestone. Ben —2J 137
Pendlestone Rd. E17 —9B 108
Penerley Rd. Rain —5F 144
Penfold Rd. Clac S —2J 191
Penge. —5C 46
Penge Rd. SE25 & SE20 —6C 46
Penhill Rd. Bex —4J 47
Penhurst Av. Sth S —4L 139
Penhurst Rd. Ilf —4A 110
Penistone Wlk. Romf —3G 113
Penlan Hall La. For —5A 16
Penlow Rd. H'low —6C 56
Penn Clo. Ors —4D 148
Penn Gdns. Romf —4M 111
Pennial Rd. Can I —1G 153
Pennine. Sth S —5M 139
(off Coleman St.)
Pennine Rd. Chelm —5F 60
Pennine Way. Bexh —6C 154
Pennington Clo. Romf —2M 111
Pennington La. Stans —1C 208 (6A 12)
Penn M. Brain —8J 193
Pennsylvania La. Tip —5A 212
(in two parts)
Penny Clo. Rain —3F 144
Pennyfields. War —1F 114
Penny La. Stan H —1N 149
Pennymead. H'low —2F 56
Pennypot. Ded —2M 163
Pennyroyal Cres. Wthm —3B 214
Penny Royal Rd. Dan —4D 76 (2D 34)
Penny's La. Marg —1H 87
Penny Steps. Sth S —7A 140
(off Hawtree Clo.)
Pennystone Rd. Saf W —5L 205
Penrhyn Av. E17 —5A 108
Penrhyn Cres. E17 —5A 108
Penrhyn Gro. E17 —5A 108
Penrice Clo. Colc —9E 168
Penrith Cres. Rain —7E 128
Penrith Rd. Ilf —3E 110
Penrith Rd. Romf —3L 113
Penrose Mead. Writ —2K 73
Penshurst. H'low —9G 53
Penshurst Dri. S Fer —3K 105
Penshurst Pl. Bla N —2B 198
Penson's La. G'sted —7F 68
Penticton Rd. Brain —6F 192
Pentire Clo. Upm —1B 130
Pentire Rd. E17 —5D 108
Pentland Av. Chelm —5J 61
Pentland Av. Shoe —8G 141
Pentlow. —3F 9
Pentlow Hill. Pent —3G 9
Pentlow La. Caven —2F 9
Pentlow Way. Buck H —6L 93
Pentney Rd. E4 —7D 92
Penton Ho. SE2 —8J 143
Penton St. N1 —6A 38
Pentonville Rd. N1 —6A 38
Penventon Ct. Til —7C 158
(off Dock Rd.)
Penwood Clo. Bill —2M 101
Penzance Clo. Chelm —6N 61
Penzance Clo. Clac S —4G 191
Penzance Gdns. Romf —3L 113
Penzance Rd. Romf —3L 113
Peony Clo. Pil H —5E 98
Peony Ct. E4 —4E 108
Pepper All. Lou —1F 92
Peppercorn Clo. Colc —5N 167
Pepper Hill. Gt Amw —5D 20
Peppermint Pl. E11 —5E 124
Pepper's Green. —6G 23
Pepper's Rd. Colc —7M 161
Pepples La. Wim —1E 12
Pepys Clo. Dart —9L 155
Pepys Clo. Til —6E 158
Pepys Rd. SE14 —2C 46
Pepys St. Har —2M 201
Percival Gdns. Romf —1H 127
Percival Rd. Horn —1G 129
Percival Rd. Kir S —5G 182
Percival Rd. W on N —4N 183
Percival St. EC1 —6A 38
Percy Cottis Rd. R'fd —4K 123
Percy Rd. E11 —2E 124
Percy Rd. N21 —7B 30
Percy Rd. Ilf —2F 126
Percy Rd. Lgh S —4C 138
Percy Rd. Romf —7N 111
Percy St. Grays —4M 157
Peregrine Clo. Bas —2C 134
Peregrine Clo. Clac S —7K 187
Peregrine Clo. Shoe —5J 141
Peregrine Ct. Colc —7F 168
Peregrine Dri. Ben —4C 136
Peregrine Dri. Chelm —5B 74
Peregrine Gdns. Ray —4H 121
Peregrine Rd. Ilf —2G 111
Peregrine Wlk. Horn —8F 128
Peregrin Rd. Wal A —4G 78
Perkins Rd. Ilf —9C 110
Perriclose. Chelm —4M 61
Perrin Pl. Chelm —1B 74
Perry Clo. Rain —7K 129
Perryfields. Mat G —6B 22
Perry Green. —3G 21
Perry Grn. Bas —7C 118
Perry Grn. B'wll —7F 15
Perry Gro. Dart —9L 155
Perry Hall Rd. Orp —7H 47
Perry Hill. SE23 —4D 46
Perry Hill. Chelm —8M 61
Perry Hill. Naze —2F 64
(in two parts)
Perry La. L'ham —4F 162
Perrymans Farm Rd. Ilf —1C 126
Perry Rise. SE23 —4D 46
Perry Rd. Ben —3B 136
Perry Rd. Dag —5L 143
Perry Rd. H'low —7B 56
Perry Rd. Tip —6B 212
Perry Rd. Wthm —6E 214
Perry Spring. Bas —2E 134
Perry Spring. H'low —5H 57
Perry Street. —4G 49
Perry St. Bill —5H 101 (7J 33)
Perry St. Chst —5H 47
Perry St. Dart —9C 154 (3A 48)
Perry St. N'fleet —4G 49
Perry Vale. SE23 —4C 46
Perry Way. Ave —7N 145
Perry Way. Wthm —6E 214
Persardi Ct. Colc —7A 176
Pershore Clo. Ilf —9A 110
Pershore End. Colc —1F 174
Perth Clo. Colc —5A 176
Perth Ho. Til —7C 158
Perth Rd. N22 —2A 38
Perth Rd. Bark —2C 142
Perth Rd. Ilf —1N 125 (3G 39)
Perth Ter. Ilf —2B 126
Pertwee Clo. B'sea —5D 184
Pertwee Dri. Chelm —4G 74
Pertwee Dri. S Fer —1J 105
Pertwee Way. L'hoe —9B 176
Pesthouse La. Gt Oak —5E 18
Petands Ct. Horn —5H 129
(off Randall Dri.)
Peterborough Av. Upm —3B 130
Peterborough Gdns. Ilf —2L 125
Peterborough Rd. E10 —9C 108
Peterborough Way. Bas —7G 119
Peter Bruff Av. Clac S —8G 187
Peterfield's La. Gosf —4E 14
Peters Clo. Dag —3J 127
Peters Ct. Lain —9K 117
Petersfield. Chelm —5K 61
Petersfield Av. Romf —3J 113 (2C 40)
Petersfield Clo. Romf —3L 113
Peterson Ct. Lou —1N 93
Peterstone Rd. SE2 —9G 143
Peter St. Stock —8A 88
Peterswood. H'low —7C 56
(in two parts)
Petherton Rd. N5 —5B 38
Petit Way. Cres —3H 207 (2E 24)
Petlands. L Wal —5C 6
Peto Av. Colc —5N 167
Petrebrook. Chelm —8B 62
Petre Clo. Ing —7C 86
Petre Clo. W H'dn —1M 131
Petrel Way. Chelm —4D 74
Petresfield Way. W Horn —1M 131
Petrolea Clo. Colc —6N 167
Pett Clo. Horn —4F 128
Pettits Boulevd. Romf —5C 112
Pettits Clo. Romf —6C 112
Pettits La. Dodd —7H 85 (5F 33)
Pettits La. Romf —6C 112 (2A 40)
Pettits La. N. Romf —5B 112 (2A 40)
Pettits Pl. Dag —7M 127
Pettits Rd. Dag —7M 127
Pettley Gdns. Romf —9B 112
Pettman Cres. SE28 —1H 47
Petts La. L Wal —5C 6
Petts Wood. —7H 47
Petts Wood Rd. Orp —7H 47
Petunia Cres. Chelm —5A 62
Petworth Clo. Bla N —1B 198
Petworth Clo. W'hoe —6J 177
Petworth Gdns. Sth S —4D 140
Petworth Way. Horn —6D 128
Pevensey Clo. Pits —9J 119
Pevensey Dri. Clac S —4G 191
Pevensey Gdns. Hull —7M 105
Pevensey Rd. E7 —6F 124
Peverel Av. Hat P —5N 63
Peverel Ho. Dag —4M 127
Peverells. Wim —1D 12
Pewsey Clo. E4 —2A 108
Pharisee Green. —1F 23
Pharisee Grn. D'mw —1F 23
Pharos La. W Mer —3K 213

Pheasanthouse Wood Nature Reserve—Primrose Wlk.

Pheasanthouse Wood Nature Reserve. —3B 58 (4J 23)
Phelips Rd. H'low —8N 55
Philan Way. Romf —3B 112
Philbrick Cres. Ray —4J 121
(in two parts)
Philip Av. Romf —3B 128
Philip Clo. Pil H —5E 98
Philip Clo. Romf —3B 128
Philip Clo. W on N —6K 183
Philip Hill. H'low —4J 57
Philip La. N15 —3B 38
Philippa Way. Grays —2D 158
Philip Rd. Rain —3C 144
Philip Rd. Wthm —7B 214
Philips Clo. Rayne —6B 192
Philips Rd. Rayne —6B 192
Phillida Rd. Romf —6L 113
Phillip Rd. W'hoe —6H 177
Phillips Chase. Brain —3J 193
Philmead Rd. Ben —4B 136
Philpot End. —2F 23
Philpot End La. D'mw —2F 23
Philpot Path. Ilf —5B 126
Philpott Av. Sth S —4B 140
Philpotts Ho. Rayne —5B 192
Phipp Clo. Broom —5G 60
Phipp Ho. Newp —7D 204
Phipps Hatch La. Enf —5B 30
Phoenix Ct. E4 —9B 92
Phoenix Ct. Colc —1D 176
Phoenix Gro. Chelm —2B 74
Phoenix Way. Ray —8J 121
Picardy Manorway. Belv —9N 143 (1K 47)
Picardy Rd. Belv —1K 47
Picardy St. Belv —1K 47
Picasso Way. Shoe —6L 141
Piccadilly. W1 —7A 38
Piccotts La. Gt Sal —6A 14
Pickers Way. Clac S —6B 188
Picketts. Can I —1D 152
Picketts Av. Lgh S —2D 138
Picketts Clo. Lgh S —2D 138
Pickford La. Bexh —2K 47
Pickford Wlk. Colc —8F 168
Pick Hill. Wal A —2F 78
Pickhurst La. W Wick & Brom —7E 46
Picknage Rd. Bar —6F 5
Pickpocket La. Brain —2D 198
(in three parts)
Pickwick Av. Chelm —5F 60
Pickwick Clo. Lain —8M 117
Picton Clo. Ray —6L 121
Picton Gdns. Ray —6L 121
Pier App. Sth S —7M 139
Pier Av. Clac S —1J 191 (4D 28)
Pierce Glade. Tip —6C 212
Piercing Hill. They B —5C 80 (5H 31)
Piercys. Bas —1J 135
Pier Gap. Clac S —3K 191
Pier Hill. Sth S —7M 139
Pierrefitte Way. Brain —5G 193 (7C 14)
Pier Rd. E16 —1G 47
Pier Rd. Eri —4C 154
(in two parts)
Pier Rd. Grnh —9E 156
Pierrot Steps. Sth S —7A 140
(off Kursaal Way)
Pier Wlk. Grays —4K 157
Pier Way. SE28 —9C 142
Piggs Corner. Grays —1M 157
Pightle, The. F'fld —2K 13
Pightle, The. H'hll —3J 7
Pightle Way. W on N —7K 183
Pig La. Bis S —2K 21
Pig Street. —8K 181
Pigstye Green. —2J 71 (2F 33)
Pigstye Grn. Rd. Will —2J 71 (2F 33)
Pike La. Upm —7C 130 (4D 40)
Pike Way. N Wea —6M 67
Pilborough Way. Colc —3F 174
Pilcox Hall La. Ten —6B 18
Pilgrim Clo. Brain —3H 193
Pilgrims Clo. Bill —6K 101
Pilgrims Clo. Gt Che —3L 197
Pilgrim's Clo. Pil H —4C 98
Pilgrims Clo. Sth S —5C 140
Pilgrims' Hatch. —5E 98 (7E 32)
Pilgrims La. N Stif —8F 146 (7E 40)
Pilgrims La. Pil H —3A 98
Pilgrims Rd. Swans —9H 157
Pilgrims Wlk. Bill —6K 101
Pilgrims Way. Ben —3M 137
Pilgrims Way. Cux —7K 49
Pilgrim Way. Lain —9L 117
Pilkingtons. H'low —4J 57
Pilot Clo. W'fd —2A 120
Pimlico. —1A 46
Pimpernel Way. Romf —3H 113
Pinceybrook Rd. H'low —7B 56
Pincey Ga. Stan Apt —6M 209
Pincey Mead. Bas —1H 135
Pincey Rd. Stan Apt —6L 209
Pinchpools Rd. Man —5K 11
Pindar Rd. Hod —4C 54
Pine Av. E15 —7D 124
Pine Clo. E10 —4B 124
Pine Clo. Can I —2E 152
Pine Clo. Gt Ben —6L 179
Pine Clo. Ing —5E 86
Pine Clo. Lgh S —1A 138
Pine Clo. W'fd —2K 119
Pinecourt. Upm —6M 129
Pine Cres. Hut —3N 99
Pinecroft. Gid P —8G 112
Pinecroft. Hut —6L 99
Pinecroft Gdns. H'wds —4B 168
Pine Dri. Ing —5E 86
Pine Gro. W Mer —2J 213
Pine Gro. Wthm —2D 214
Pine Rd. Ben —4K 137
Pines Hill. Stans —4C 208 (6A 12)
Pines Rd. Brom —6G 47
Pines Rd. Chelm —6F 60
Pines, The. Grays —8L 147
Pines, The. Hat P —1L 63
Pines, The. Lain —6L 117
Pines, The. Wfd G —9G 92
Pine Tree Ct. Colc —7E 168
Pinetrees. Ben —3J 137
Pine View Mnr. Epp —9F 66
Pinewood Av. Lgh S —9C 122
Pinewood Av. Rain —4F 144
Pinewood Clo. Clac S —6J 187
Pinewood Clo. H'low —4H 57
Pinewood Clo. Hull —6L 105
Pinewood Clo. Kir X —8G 183
Pinewood Clo. Stan H —1K 159
Pinewood Rd. Hav —1A 112
Pinewood Way. Hut —4N 99
Pinkeneys. Chris —5H 5
Pinkham Dri. Wthm —7C 214
Pinkham Way. N11 —2A 38
Pinkney Clo. Wim —1D 12
Pinkuah La. Pent —3F 9
Pinley Gdns. Dag —1G 142
Pinmill. Bas —9C 118
Pinnacles. —3M 55 (7G 21)
Pinnacles. Wal A —4E 78
Pinnacles Ind. Est. H'low —3M 55
Pinners Clo. Bur C —6B 36
Pintail Cres. Bla N —2C 198
Pintail Rd. Wfd G —4H 109
Pintails. Pits —9K 119
Pintolls. S Fer —2K 105
Pioneer Mkt. Ilf —5A 126
(off Winston Way)
Pioneer Pl. Colc —9A 168
Pipchin Rd. Chelm —5H 61
Piper Rd. Colc —8J 167
Piper's Tye. Chelm —7E 74
Pippin Ct. W'fd —8N 103
Pippins Rd. Bur C —2M 195
Pippins, The. H'std —4J 199
Pipps Hill. —7A 118 (3K 41)
Pipps Hill Ind. Est. Bas —6A 118
Pipps Hill Rd. N. Cray H —4C 118 (2A 42)
Pirie Rd. W Ber —3F 166
Pishiobury Dri. Saw —4H 53
Pishiobury M. Saw —5J 53
Pitcairn Clo. Romf —8M 111
Pitchford St. E15 —9D 124
Pitfield Cres. SE28 —8F 142
Pitfield St. EC1 —6B 38
Pit La. Tip —5C 212
Pitmans Clo. Sth S —6M 139
Pitmire La. Lmsh —7K 9
Pitsea. —1J 135 (4B 42)
Pitsea Hall Country Park. —5J 135 (4B 42)
Pitsea Hall La. Pits —5J 135 (4B 42)
Pitsea Rd. Pits —9H 119 (3B 42)
Pitsea View Rd. Cray H —3E 118
Pitseaville Gro. Bas —2F 134
Pitt Av. Wthm —7D 214
Pitt Chase. Gt Bad —4F 74
Pittfields. Bas —1J 133
Pitt Grn. Wthm —7D 214
Pittman Clo. Ingve —2M 115
Pittman Gdns. Ilf —7B 126
Pittman's Field. H'low —2E 56
Pittwood. Shenf —7K 99
Place Farm La. Dodd —7D 84 (5E 32)
Pladda M. W'fd —2N 119
Plains Farm Clo. A'lgh —1D 168
Plains Field. Brain —7M 193
Plains Rd. Gt Tot —5J 25
Plain, The. Epp —7G 67 (3J 31)
Plaistow. —6E 38
Plaistow Clo. Stan H —3M 149
Plaistow Green. —9J 199 (4F 15)
Plaistow Grn. Rd. H'std —9H 199 (4F 15)
Plaistow La. Brom —5F 47
(in two parts)
Plaistow Rd. E15 & E13 —6E 38
Plane Tree Clo. Bur C —2L 195
Plane Tree Clo. Chelm —4C 74
Plantaganet Pl. Wal A —3B 78
Plantagenet Gdns. Romf —2J 127
Plantagenet Pl. Romf —2J 127
Plantain Gdns. E11 —5D 124
(off Hollydown Way)
Plantation Clo. Saf W —7L 205
Plantation Rd. Bore —3G 63 (7C 24)
Plantation Rd. Eri —6E 154
Planton Way. B'sea —6C 184
Plashet. —8L 125 (5F 39)
Plashet Clo. Stan H —3M 149
Plashet Gdns. Brtwd —1K 115
Plashet Gro. E6 —9K 125 (6F 39)
Plashet Rd. E13 —9J 125 (6F 39)
Plashets. Srng —4A 22
Plashetts. Bas —8E 118
Plas Newydd. Sth S —8C 140
Plas Newydd Clo. Sth S —8C 140
Platford Grn. Horn —8J 113
Plaw Hatch Clo. Bis S —9A 208
Plaxton Ct. E11 —5F 124
Playfield Av. Romf —5A 112
Playhouse Sq. H'low —3B 56
Playle Chase. Gt Tot —8M 213
Plaza Way. Sth S —6B 140
Pleasant Dri. Bill —5G 101
Pleasant M. Sth S —7N 139
Pleasant Rd. Sth S —7N 139
Pleasant Ter. Lgh S —6D 138
(off Church Hill)
Pleasant Valley. Saf W —6K 205 (7B 6)
Pleasant View. Eri —3C 154
Pledgdon Green. —5D 12
Pleshey. —2A 58 (4J 23)
Pleshey Castle. —3B 58 (4J 23)
Pleshey Clo. Sth S —6E 140
Pleshey Clo. W'fd —1M 119
Pleshey Rd. F End —4J 23
Pleshey Rd. Ples —2C 58 (4J 23)
Plevna Rd. N9 —1C 38
Plough Dri. Colc —1H 175
Plough Hill. Cuff —3A 30
Plough La. L'hth —1C 16
Ploughman's Headland. S'way —1E 174
Plough Rise. Upm —2B 130
Plough Rd. Gt Ben —6K 179 (1A 28)
Plough Way. SE16 —1C 46
Plover Clo. Frin S —8H 183
Plover Gdns. Upm —3C 130
Plovers Barron. Hook E —6G 84
Plovers Mead. Wy G —6G 85
Plovers, The. St La —2C 36
Plover Wlk. Chelm —5C 74
Plowmans. Ray —3L 121
Plowman Way. Dag —3H 127
Ployters Rd. H'low —8B 56 (1H 31)
Plumberow. Bas —9N 117
Plumberow Av. Hock —9D 106
Plumberow Mt. Av. Hock —8D 106
Plume Av. Colc —2H 175
Plume Av. Mal —7J 203
Plumleys. Pits —8J 119
Plummers Rd. For —4B 16
Plumpton Av. Horn —6J 129
Plumpton Rd. Hod —3C 54
Plumptre La. Dan —5D 76
Plums La. Bar S —5K 13
Plumstead. —1H 47
Plumstead Common. —2H 47
Plumstead Comn. Rd. SE18 —2G 47
Plumstead High St. SE18 —1H 47
Plumstead Rd. SE18 —1G 47
Plum St. Glem —1F 9
Plumtree Av. Chelm —4G 74
Plumtree Clo. Dag —8N 127
Plumtree Mead. Lou —2N 93
Plymouth Ho. Bark —9F 126
(off Keir Hardie Way)
Plymouth Rd. Chelm —6N 61
Plymouth Rd. Clac S —4H 191
Plymtree. Sth S —5G 140
Pochard Way. Bla N —3C 198
Pocklington Clo. Chelm —7B 62
Pods Brook Rd. Brain —6F 192 (7C 14)
Pods La. Brain —6A 192 (7A 14)
Point Clear. —4K 27
Point Clear Rd. St O —4K 27
Point Clo. Can I —2M 153
Pointer Clo. SE28 —6J 143
Point Rd. Can I —2L 153 (6F 43)
Point Ter. E7 —7H 125
(off Claremont Rd.)
Pointwell La. Cogg —1H 25
Pole Barn La. Frin S —9J 183 (1G 29)
Polecat Rd. Cres —3F 194 (1E 24)
Pole Hill Rd. E4 —6C 92
Pole La. Whi N —2D 24
Polesworth Rd. Dag —9J 127
Poley Rd. Stan H —4L 149
Police Row. Ther —7B 4
Pollard Clo. Chig —2F 110
Pollard Hatch. H'low —6A 56
Pollards Clo. Lou —4J 93
Pollards Clo. R'fd —5K 123
Pollards Grn. Chelm —9A 62
Pollard Wlk. Clac S —8G 187
Polley Clo. Kir X —7H 183
Polstead Clo. Hay —5G 120
Polsteads. Bas —3F 134
Polstead St. Stoke N —1E 16
Polstead Way. Clac S —9F 186
Pomeroy St. SE15 —2C 46
Pomfret Mead. Bas —9B 118
Pompadour Clo. War —2F 114
Pond Chase. Colc —2H 175
Pond Clo. Hull —5L 105
Pond Cross Farm. Newp —8D 204
Pond Cross Way. Newp —8C 204
Ponders End. —7C 30
Ponders Rd. For —2A 166 (5B 16)
Pond Field End. Lou —6K 93
Pondfield La. Brtwd —1K 115 (1F 41)
Pondfield Rd. Colc —6D 168
Pondfield Rd. Dag —7N 127
Pondholton Dri. Wthm —8C 214
Pond La. Hat H —3C 202
Ponds Rd. Chelm —8C 74 (3A 34)
Pond Street. —7J 5
Pond Wlk. Upm —4B 130
Poney Chase. W Bis —7L 213
Pontypool Wlk. Romf —3G 113
Poole Ho. Grays —9E 148
Poole Rd. Horn —2K 129
Pooles La. Dag —2K 143
Pooles La. Hull —5L 105 (7F 35)
Poole St. N1 —6B 38
Poole St. Caven —2F 9
Poole St. Gt Yel —9D 198 (7D 8)
Poolhurst Wlk. Hull —4L 105
(in two parts)
Pool's La. Hghwd —7B 72
Pool Street. —7D 8
Poore St. A'den —2K 11
Poors La. Ben —2L 137
Poors La. N. Ben —1M 137 (3G 43)
Poors Piece Nature Reserve. —1F 76 (1E 34)
Poperinghe Rd. Colc —2N 175
Popes Cres. Bas —1J 135
Pope's La. Colc —8M 167
Popes Rd. Chap —5K 15
Popes Wlk. Ray —5N 121
Poplar. —7D 38
Poplar Clo. B'more —1H 85
Poplar Clo. Chelm —4D 74
Poplar Clo. Clac S —2F 190
Poplar Clo. Gt Yel —8D 198
Poplar Clo. H'std —6L 199
Poplar Clo. Ing —7C 86
Poplar Clo. S Ock —4G 146
Poplar Clo. S Fer —9J 91
Poplar Clo. Wthm —2D 214
Poplar Dri. Hut —5M 99
Poplar Gdns. SE28 —7H 143
Poplar Gro. Bur C —3L 195
Poplar High St. E14 —7D 38
Poplar Mt. Belv —1A 142
Poplar Pl. SE28 —7H 143
Poplar Rd. Can I —2J 153
Poplar Rd. Ray —7M 121
Poplar Row. They B —7D 80
Poplars Av. Hock —3D 122
Poplars Clo. Alr —7A 178
Poplar Shaw. Wal A —3F 78
Poplars Rd. E17 —1B 124
Poplars, The. Abr —2G 94
Poplars, The. Bas —9K 119
Poplars, The. D'mw —6K 197
Poplars, The. Wal A —5J 79
Poplar St. Romf —8A 112
Poplar Way. Ilf —8B 110
Poplar Way. Kir X —8G 182
Poppleton Rd. E11 —1E 124
Poppy Clo. Pil H —4E 98
Poppyfield Clo. Lgh S —9C 122
Poppy Gdns. Colc —3C 176
Poppy Grn. Chelm —5B 62
Porchester Clo. Horn —1J 129
Porchester Rd. Bill —3J 101
Pork Hall La. Gt L —2N 59 (4B 24)
Pork La. Gt Hol —7B 182 (1F 29)
Porlock Av. Wclf S —2F 138
Portal Precinct. Colc —8N 167
Porter Clo. Grays —4F 156
Porters. Bas —7K 119
Porters Av. Dag —8G 126 (5J 39)
Porters Brook Wlk. Colc —5C 168
Porters Clo. Brtwd —7D 98
Porters Clo. For H —5A 166
Porters Cotts. For H —5A 166
Porters Green. —8K 173 (1B 26)
Porters Hall Rd. Steb —7J 13
Porter's La. For H —5A 166
Porters Pk. Bore —1H 63
Porter Way. Clac S —9F 186
Port Hill. Hert —5B 20
Portia Ct. Bark —9F 126
Portland Av. Har —4L 201
Portland Av. Sth S —6N 139
Portland Clo. Brain —5K 193
Portland Clo. Romf —9K 111
Portland Cres. Har —4L 201
Portland Gdns. Romf —9J 111
Portland Pl. W1 —7A 38
Portland Rd. SE25 —6C 46
Portland Rd. Colc —9N 167
Port La. Colc —9B 168
Port La. L Hall —2K 21
Portlight Clo. Mis —4M 165
Portman Dri. Bill —3K 101
Portman Dri. Wfd G —6K 109
Portmeadow Wlk. SE2 —9J 143
Portmore Gdns. Romf —2M 111
Portnoi Clo. Romf —6B 112
Portobello Rd. W on N —6M 183
Port of Felixstowe Rd. Felix —1K 19
Port of Felixstowe, The. —2K 19
Portreath Pl. Chelm —4J 61
Portsea Rd. Til —6E 158
Portsmouth Rd. Clac S —4H 191
Portway. E15 —6E 38
Portway Ct. H'std —3L 199
Posford Ct. Colc —2N 167
Poslingford. —1D 8
Postman's La. L Bad —8M 63
(in two parts)
Post Meadow. Bill —1M 117
Post Office App. E7 —7H 125
Post Office La. L Tot —6K 25
Post Office Rd. Broom —3K 61
Post Office Rd. H'low —2C 56
Post Office Rd. Ing —6D 86
Post Office Rd. Wdhm M —5L 77 (2F 35)
Post Office Wlk. H'low —2C 56
(off Post Office Rd.)
Postway M. Ilf —5A 126
(in two parts)
Potash Rd. Bill —2M 101 (6K 33)
Potash Rd. Mat G —6B 22
Pot Kiln Rd. Gt Cor —5K 9
Potters Clo. Dan —4G 76
Potters Clo. Lou —1L 93
Potters Field. H'low —5J 57
Potter's Green. —1C 20
Potters La. Ret C —7D 90
Potter Street. —5H 57 (7J 21)
Potter St. Bis S —1K 21
Potter St. H'low —4H 57 (7J 21)
Potter St. Sib H —8C 206 (2E 14)
Potters Way. Sth S —1L 139
Pottery La. Cas H —4D 206
Pottery La. Chelm —6J 61
Poulteney Rd. Stans —1D 208
Poulton Clo. Mal —8K 203
Pound Clo. Naze —2E 64
Pound Farm Dri. Har —4H 201
Poundfield Clo. Alr —7A 178
Poundfield Rd. Lou —4N 93
Pound Fields. Writ —2K 73
Pound Ga. Steb —6J 13
Pound Hill. L Dun —1H 23
Pound La. Lain —7M 117
Pound La. Ors —4C 148
Pound La. Pits & N Ben —1N 135 (3C 42)
Pound La. Central. Lain —6M 117
Pound La. N. Lain —6M 117
Pound Wlk. Saf W —3K 205
Poverest. —7J 47
Poverest Rd. Orp —7H 47
Powdermill La. Wal A —3B 78
Powdermill M. Wal A —3B 78
(off Powdermill La.)
Powdermill Way. Wal A —2B 78
Powell Ct. E17 —7B 108
Powell Ct. R'fd —6L 123
Powell Gdns. Dag —6M 127
Powell Rd. Bas —8K 117
Powell Rd. Buck H —6J 93
Power Ind. Est. Eri —6E 154
Powerscroft Rd. E5 —5C 38
Powers Hall End. —4A 214 (4F 25)
Powers Hall End. Wthm —4A 214 (4F 25)
Pownall Cres. Colc —2N 175 (7E 16)
Pownsett Ter. Ilf —7B 126
Powys La. N13 & N14 —1A 38
Poxon Cotts. Gt Tot —8N 213
Poxon Ter. K'dn —8C 202
Poynder Rd. Til —6D 158
Poynders Rd. SW4 —3A 46
Poynings Av. Sth S —5B 140
Poynings Way. H Wood —5J 113
Poyntens. Ray —6J 121
Poynter Pl. Kir X —7J 183
Poynter's Chase. Shoe —5N 141
Poynters La. Shoe —4H 141 (4B 44)
Pratts Farm La. L Walt —8L 59 (6A 24)
(in two parts)
Pratt St. NW1 —6A 38
Prayors Hill. Sib H —5A 206 (1D 14)
Prebend St. N1 —6B 38
Precinct, The. Stan H —4M 149
Premier Av. Grays —9M 147
Prentice Clo. R'fd —5L 123
Prentice Hall La. Tol —9H 211 (7C 26)
Prentice Pl. H'low —5H 57
Prescott. Bas —3L 133
Prescott Clo. Horn —3F 128
Prescott Grn. Lou —2B 94
President Rd. Colc —1F 174
Prestbury Rd. E7 —9J 125
Preston Av. E4 —3D 108
Preston Dri. E11 —9J 109
Preston Gdns. Ilf —1L 125
Preston Gdns. Ray —3K 121
Preston Ho. Dag —5M 127
(off Uvedale Rd.)
Preston Rd. E11 —1E 124
Preston Rd. Clac S —8A 188
Preston Rd. Romf —1H 113
Preston Rd. Wclf S —6J 139
Prestons Rd. Brom —7F 47
Prestwick Dri. Bis S —8A 208
Prestwood Clo. Ben —9F 120
Prestwood Dri. Ben —9G 120
Prestwood Dri. Romf —2A 112
Pretoria Av. Lain —6A 118
Pretoria Cres. E4 —7C 92
Pretoria Ho. Eri —5C 154
Pretoria Rd. E4 —7C 92
Pretoria Rd. E11 —3D 124
Pretoria Rd. N17 & N18 —2B 38
Pretoria Rd. H'std —4L 199 (3F 15)
Pretoria Rd. Ilf —7A 126
Pretoria Rd. Romf —8A 112
Pretoria Rd. N. N18 —2B 38
Prettygate Rd. Colc —1H 175
(in two parts)
Priestley Ct. Grays —2M 157
Priestley Gdns. Romf —1G 126
Priests Av. Romf —6B 112
Priest's Field. Ingve —2M 115
Priests La. Brtwd —8H 99 (1F 41)
Prime's Clo. Saf W —4K 205
Primley La. Srng —4A 22
Primrose Av. Romf —2G 126
Primrose Clo. Bas —2K 133
Primrose Clo. Can I —8G 136
Primrose Ct. Brtwd —9F 98
Primrose Field. H'low —5E 56
Primrose Glen. Horn —8J 113
Primrose Hill. Brtwd —9F 98
Primrose Hill. Chelm —8H 61
Primrose Hill. Wrab —3E 18
Primrose La. R'sy —3E 18
Primrose La. Tip —5C 212
Primrose Pl. Wthm —3B 214
Primrose Rd. E10 —3B 124
Primrose Rd. E18 —6H 109
Primrose Rd. Clac S —7B 188
Primrose Wlk. Colc —7E 168

Ripple Way—Rowan Wlk.

Ripple Way. Colc —6B 168
Risby Clo. Clac S —9E 186
Risdens. H'low —6B 56
Risebridge Chase. Romf —4D 112
Risebridge Rd. Romf —6D 112
Risedale Rd. Bexh —8A 154
Rise Park. —5C 112 (2A 40)
Rise Pk. Bas —9A 118
Rise Pk. Boulevd. Romf —5D 112
Rise Pk. Pde. Romf —6C 112
Rise, The. E11 —9G 108
Rise, The. Buck H —6K 93
Rise, The. Dart —9D 154
Rise, The. Eig G —7B 166
Rise, The. Wal A —9H 65
Riseway. Brtwd —9H 99
Risings Ter. Horn —7K 113
(off Prospect Rd.)
Risings, The. E17 —8D 108
Rising, The. Bill —7M 101
Rivendell Vale. S Fer —2J 105
Rivenhall. —3G 25
Rivenhall. Ray —7H 121
Rivenhall. W'fd —1A 120
Rivenhall End. —3H 25
Rivenhall Gdns. E18 —8F 108
River Av. Hod —4B 54
River Clo. E11 —1J 125
River Clo. H'std —5L 199
River Clo. Rain —5F 144
River Clo. Wal X —4A 78
River Cotts. Bore —3G 63
River Ct. Saw —2L 53
Riverdale. Lgh S —8C 122
Riverdale Rd. Eri —3A 154
Riverdene Rd. Ilf —5N 125
River Dri. Upm —1N 129
Riverfield La. Saw —1K 53
River Mead. Brain —3J 193
Rivermead Ind. Est. Chelm —7K 61
Rivermill. H'low —1B 56
River Rd. Bark —2D 142 (6H 39)
River Rd. Brtwd —1C 114
River Rd. Buck H —7L 93
River Rd. Bus. Pk. Bark —3E 142
Riversdale Rd. Romf —4N 111
Riverside. Chelm —8L 61
Riverside. D'mw —7M 197 (7F 15)
Riverside. Eyns —7B 48
Riverside. Stans —4D 208
Riverside Av. Brox —1A 64
Riverside Av. E. Law —3H 165
Riverside Av. W. Law —3H 165
Riverside Bus. Pk. Stans —3D 208
Riverside Cotts. Bark —2C 142
Riverside Ct. E4 —5A 92
Riverside Ct. H'low —6H 53
Riverside Ho. W'fd —8L 103
(off Lwr. Southend Rd.)
Riverside Ind. Est. Bark —3F 142
Riverside Ind. Est. Dart —9J 155
Riverside Ind. Est. Mal —5J 203
Riverside Ind. Est. R'fd —6L 123
Riverside Pk. Retail Est. Chelm —8L 61
Riverside Rd. Bur C —4M 195
Riverside Wlk. Colc —7M 167
Riverside Wlk. W'fd —8J 103
Riverside Way. K'dn —9C 202
Riverside Works Bark —9A 126
Riversmead. Hod —6A 54
Riverton Dri. St La —1C 36
Rivertons. Bas —2G 134
Riverview. Bas —2H 135
River View. Brain —7G 193
(in two parts)
Riverview. Dart —9L 155
(off Henderson Dri.)
River View. Grays —2C 158 (1G 49)
Riverview. Hull —4L 105
Riverview. Mann —4H 165
River View. Wal A —3B 78
(off Powdermill La.)
River View. Wthm —7D 214
Riverview Cen. Bas —2G 134
(off High Rd.)
River View Clo. Lain —6L 117
Riverview Ct. Van —2F 134
Riverview Gdns. Hull —5J 105
Riverview Park. —5J 49
River View Pk. Cvn. Site. Alth —5A 36
Riverview Rd. Ben —4D 136
River View Ter. Alth —5A 36
River Way. H'low —7F 52
River Way. Lou —5M 93
River Wharf Bus. Pk. Belv —8B 144
Riviera Dri. Sth S —6A 140
Rivington Av. Wfd G —6K 109
Rixsen Rd. E12 —7L 125
Roach. E Til —2L 159
Roach Av. Ray —6J 121
Roach Clo. R'fd —5L 123
Roach Rd. E3 —9A 124
Roach Vale. Colc —6E 168
Roach Vale. Lgh S —8E 122
Roast Green. —2J 11
Robert Clo. Bill —6H 101
Robert Clo. Chig —2E 110
Robert Daniels Ct. They B —7D 80
Robert Leonard Ind. Pk. Sth S —1L 139
Roberts Clo. Romf —5F 112
Roberts Ct. Gt Bad —3G 74
Robert's Hill. M Bur —3A 16
Robertson Ct. Grays —2L 157
(off Hathaway Rd.)
Robertson Dri. W'fd —2M 119
Roberts Rd. E17 —5B 108
Roberts Rd. Bas —8K 117
Roberts Rd. Colc —1A 176
Roberts Rd. N Fam —1F 106
Robert St. E16 —8A 142
Robert St. NW1 —6A 38
Robert Suckling Ct. Stpl B —3C 210
Robert Way. W'fd —1N 119 (1C 42)
Robert Way. W'hoe —3J 177
Robin Clo. Bill —2L 101
Robin Clo. Gt Ben —6J 179
Robin Clo. Romf —4B 112
Robinhood End. —7A 8
Robin Hood Rd. Brtwd —6E 98
Robin Hood Rd. Else —8C 196 (5B 12)
Robinia Clo. Ilf —3D 110
Robinia Clo. Lain —6M 117
Robinia Cres. E10 —4A 124
Robinsbridge Rd. Cogg —8K 195
Robinsdale. Clac S —7K 187
Robin's La. They B —6B 80
Robins Nest Hill. L Berk —7A 20
Robinson Clo. Horn —9F 128
Robinson Rd. B'sea —1R 184 (3K 27)
Robinson Rd. Dag —6M 127
Robinson Rd. Horn H —1F 148
Robins, The. Hook E —5G 85
Robins Way. Wal A —4E 78
Robin Way. Chelm —5B 74
Robjohns Rd. Chelm —3N 73
Robletts Way. Wmgfd —3B 16
Roborough Wlk. Horn —8G 128
Robson Rd. SE27 —4A 46
Rochdale Rd. E17 —2A 124
Rochdale Way. Colc —9E 168
Roche Av. R'fd —5K 123
Rochefort Dri. R'fd —7L 123
Rochehall Way. R'fd —7M 123
Rochelle Clo. Thax —2K 211
Rochester Av. Brom —6F 47
Rochester Clo. Brain —4M 193
Rochester Ct. Saf W —3M 205
Rochester Dri. Wclf S —2H 139
Rochester Gdns. Ilf —2M 125
Rochester M. Wclf S —2H 139
Rochester Rd. Cux —7K 49
(in two parts)
Rochester Rd. Grav —4J 49
Rochester Way. SE3 & SE9 —3F 47
Rochester Way. Bas —8G 119
Rochester Way. Dart —4A 48
Rochester Way Relief Rd. SE3 & SE9 —2F 47
Rocheway. R'fd —5L 123
Rochford. —6K 123 (2K 43)
Rochford Av. Lou —2B 94
Rochford Av. Romf —9H 111
Rochford Av. Shenf —4K 99
Rochford Av. Wal A —3D 78
Rochford Av. Wclf S —5K 139
Rochford Clo. Horn —8F 128
Rochford Clo. Stans —4D 208
Rochford Clo. W'fd —1N 119
Rochford Garden Way. R'fd —4K 123
Rochford Grn. Lou —2B 94
Rochford Hall Clo. R'fd —6L 123
Rochford Hall Cotts. R'fd —6J 123
Rochford Rd. Bis S —8A 208
Rochford Rd. Can I —2K 153
Rochford Rd. Chelm —1D 74
(in two parts)
Rochford Rd. Sth S —2J 139 (3J 43)
Rochford Rd. St O —9N 185
Rochford Way. Frin S —7J 183
Rockall. Sth S —8F 122
Rockchase Gdns. Horn —1J 129
Rock Gdns. Dag —7N 127
Rockhampton Wlk. Colc —5A 176
Rockingham Av. Horn —1F 128
Rockingham Clo. Colc —4D 168
Rockleigh Av. Lgh S —5F 138
Rockleigh Ct. Shenf —6K 99
Rockwell Rd. Dag —7N 127
Rodborough Wlk. Horn —8G 128
Rodbridge Dri. Sth S —6D 140
Rodbridge Hill. L Mel —4H 9
Roddam Clo. Colc —9K 167
Roden Clo. H'low —8L 53
Roden St. Ilf —5N 125
Roden Way. Ilf —5N 125
(off Roden St.)
Roding. Brtwd —7E 98
Roding Av. Wfd G —3L 109
Roding Clo. Fyf —1D 32
Roding Clo. Gt W —2M 141
Roding Dri. Kel H —7C 84
Roding Gdns. Lou —5L 93
Roding La. Buck H & Chig —7K 93 (7G 31)
Roding La. N. Wfd G —3L 109 (2G 39)
Roding La. S. Ilf & Wfd G —8K 109 (3F 39)
Roding Leigh. S Fer —1L 105
Roding Rd. E6 —5A 142
Roding Rd. Lou —4L 93 (7G 31)
Rodings Av. Stan H —1M 149
Rodings, The. Lgh S —8C 122
Rodings, The. Upm —1B 130
Rodings, The. Wfd G —3J 109
Roding Trad. Est. Bark —9A 126
Roding Valley Meadows Nature Reserve. —6N 93 (7G 31)
Roding View. Buck H —7K 93
Roding View. Ong —6M 69
Roding Way. Rain —2H 145
Roding Way. W'fd —1M 119
Rodney Cres. Hod —3A 54
Rodney Gdns. Brain —4L 193
Rodney Rd. E11 —8H 109
Rodney Rd. SE17 —1B 46
Rodney Rd. Ong —8K 69
Rodney Way. Chelm —3N 73
Rodney Way. Romf —5M 111
Roebuck La. Buck H —6J 93
Roebuck Rd. Ilf —2G 111
Roedean Clo. Sth S —5D 140
Roedean Gdns. Sth S —4D 140
Roe Green. —2A 10
Rogation Clo. S'way —1E 174
Roger Reede's Almshouses. Romf —8C 112
Rogers Gdns. Dag —7M 127
Roger's Ho. Dag —5M 127
Rogers Rd. Dag —7M 127
Rogers Rd. Grays —2M 157
Roggel Rd. Can I —3K 153
Rohan Ct. S Fer —2K 105
Rokeby Gdns. Wfd G —5G 109
Rokells. Bas —8B 118
Rokell Way. Kir X —8H 183
Rokescroft. Bas —1H 135
Rokesly Av. N8 —3A 38
Roland La. Can I —1H 153
Roland Rd. E17 —8D 108
Rolands Clo. Broom —4K 61
Roles Gro. Romf —8J 111
Rollesby Way. SE28 —6H 143
Rollestons. Writ —2H 73
Rolley La. K'dn —8C 202
Roll Gdns. Ilf —9N 109
Rolls Pk. Av. E4 —2A 108
Rolls Pk. Rd. E4 —2B 108
Rolls Rd. SE1 —1B 46
Rolph Clo. T Sok —5L 181
Rolphy Green. —4J 23
Romagne Clo. Horn H —2H 149
Romainville Way. Can I —2C 152
Roman. E Til —2L 159
Roman Clo. Rain —2B 144
Roman Ct. Brain —7L 193
Roman Ct. Saf W —6L 205
Roman Hill. B'hth —7B 176 (1F 27)
Roman M. Hod —4A 54
Roman Rise. Saw —2J 53
Roman River Valley Nature Reserve. —8H 175 (1D 26)
Roman Rd. E2 & E3 —6C 38
Roman Rd. Chelm —1C 74
Roman Rd. Colc —7A 168
Roman Rd. Ilf —8A 126
Roman Rd. Ing —7B 86
Roman Rd. L'bry —1J 205
Roman Rd. L Walt —7K 59
Roman Rd. Marg —3G 86
Roman Rd. Mount —2M 99 (6G 33)
Romans Pl. Writ —1K 73
Roman Sq. SE28 —8F 142
Roman St. Hod —4A 54
Romans Way. Writ —1K 73
Roman Vale. H'low —7H 53
Roman Villa Rd. Dart —5D 48
Roman Way. Bill —8J 101
Roman Way. Bur C —1L 195
Roman Way. Colc —5M 175
Roman Way. Croy —7A 46
Roman Way. St O —4K 27
Romany Steps. Sth S —7A 140
(off Beresford Rd.)
Rom Cres. Romf —2D 128
Romeland. Wal A —3C 78
Romford. —9C 112 (3A 40)
Romford Clo. Colc —6B 168
Romford Rd. E15 & E12 —5E 38
Romford Rd. E15, E7 & E12 —9E 124
Romford Rd. Ave —7N 145 (7C 40)
Romford Rd. Chig —9G 94 (1J 39)
Romford Rd. Ong —4C 32
Romford Rd. Romf —4K 111 (2K 39)
Romford Stadium. —1A 128 (3A 40)
Romney Chase. Horn —1L 129
Romney Clo. Brain —2G 193
Romney Clo. B'sea —4D 184
Romney Clo. Clac S —8H 187
Romney Clo. Kir X —7H 183
Romney Ho. R'fd —5L 123
Romney Rd. SE10 —2E 46
Romney Rd. Bill —7H 101
Romsey Clo. Hock —1C 122
Romsey Clo. Stan H —4K 149
Romsey Cres. Ben —1B 136
Romsey Dri. Ben —1B 136
Romsey Gdns. Dag —1J 143
Romsey Rd. Ben —1A 136
Romsey Rd. Dag —1J 143
Romsey Way. Ben —1B 136
Romulus Clo. Colc —2N 167
Rom Valley Way. Romf —1C 128 (4A 40)
Ronald Dri. Ray —3G 121
Ronaldhill Gro. Lgh S —4C 138
Ronald Pk. Av. Wclf S —5H 139
Ronald Rd. H'std —6K 199
Ronald Rd. Romf —5L 113
Roneo Corner. Horn —3D 128
Roneo Link. Horn —3D 128
Ron Leighton Way. E6 —6G 39
Roodegate. Bas —9B 118
Rook Clo. Horn —9E 128
Rook End. —2C 12
Rook End La. Deb —2C 12
Rookeries, The. M Tey —2L 173
Rookery Chase. A'lgh —6K 163
Rookery Clo. Gt Che —2L 197
Rookery Clo. Hat P —2L 63
Rookery Clo. Ray —5J 121
Rookery Clo. Stan H —4K 149
Rookery Ct. Grays —4D 156
Rookery Cres. Dag —9N 127
Rookery Hill. Corr —2C 150 (6A 42)
Rookery La. Grays —3N 157
Rookery La. Gt Tot —5J 25
Rookery La. Tip —4C 212
Rookery La. Wen A —1A 12
Rookery Mead. S Fer —9K 91
Rookery Rd. B'more —8F 70 (3E 32)
Rookery, The. Grays —4D 156
Rookery, The. Law —4H 165
Rookery, The. Stans —1D 208
Rookery View. Grays —3N 157
Rookes. Saf W —1K 205
Rooks Nest La. Ther —7C 4
Rookwood Av. Lou —2B 94
Rookwood Clo. Clac S —6H 187
Rookwood Clo. Grays —3L 157
Rookwood Gdns. E4 —8F 92
Rookwood Gdns. Lou —2B 94
Rookwood Ho. Bark —2C 142
Rookwood Way. H'hll —3J 7
Rookyards. Bas —1F 134
Roosevel Av. Can I —1G 153
Roosevelt Rd. Lain —9J 117
Roosevelt Way. Colc —2B 176
Roosevelt Way. Dag —8B 128
Roos Hill. Saf W —8L 205
Roost End. —4A 8
Roothings, The. H'bri —3L 203
Roots Hall Av. Sth S —4L 139
Roots Hall Dri. Sth S —4K 139
Roots La. W Bis —8K 213 (5H 25)
Ropers Av. E4 —2B 108
Roper's Chase. Writ —3H 73
Rope Wlk. B'sea —8F 184
Rope Wlk. Mal —7K 203
Rosabelle Av. W'hoe —5H 177
Rosalind Clo. Colc —8F 168
Rosalind Ct. Bark —9F 126
(off Meadow Rd.)
Rosary Gdns. Wclf S —2G 139
Rosbach Rd. Can I —2K 153
Rosberg Rd. Can I —2L 153
Rose Acre. Bas —9G 119
Roseacre Clo. Horn —2K 129
Roseacres. Saw —1J 53
Roseacres. Tak —8C 210
Rose Av. E18 —6H 109
Rose Av. S'way —2D 174
Rose Bank. Brtwd —9G 98
Rosebank. Har —4J 201
Rosebank. Wal A —3E 78
Rosebank Av. Horn —7G 128
Rosebank Rd. E17 —1B 124
Rosebank Rd. W Mer —3J 213
Rosebank Vs. E17 —8A 108
Rosebay Av. Bill —3H 101 (6J 33)
Rosebay Clo. Wthm —4A 214
Roseberry Av. Bas —2K 133
Roseberry Av. Ben —9C 120
Roseberry Clo. Upm —1C 130
Roseberry Ct. Ben —8C 120
Roseberry Gdns. Upm —1B 130
Roseberry Wlk. Ben —8C 120
Rosebery Av. E12 —8L 125
Rosebery Av. EC1 —6A 38
Rosebery Av. Colc —8A 168
Rosebery Rd. Chelm —2C 74
Rosebery Rd. Grays —4H 157
Rosebury Ct. Hut —5N 99
Rose Clo. W'fd —2M 119
Rose Ct. Colc —6B 176
Rose Cres. Colc —5L 167
Rosecroft Clo. Bas —2J 133
Rosecroft Clo. Clac S —7J 187
Rose & Crown M. S'min —7L 207
Rose & Crown Wlk. Saf W —3K 205
Rosedale. —3C 30
Rosedale Cotts. S'way —1A 174
Rosedale Gdns. Dag —9G 126
Rosedale Rd. E7 —7J 125
Rosedale Rd. Dag —9G 126
Rosedale Rd. Grays —3N 157
Rosedale Rd. Romf —6A 112
Rosedale Way. Chesh —3C 30
Rosedene Gdns. Ilf —8N 109
Rosedene Ter. E10 —4B 124
Rose Dri. S'min —8L 207
Rose Glen. Chelm —3D 74
Rose Glen. Romf —3C 128
Rose Green. —4K 15
Rosehatch Av. Romf —7J 111
Rose Hill. Brain —6J 193 (7D 14)
Rose Hill. Wthfld —1J 7
Roselaine. Bas —8C 118
Roselands Av. Hod —2A 54
Rose La. Bill —6J 101
Rose La. Gt Che —3M 197
Rose La. Romf —7J 111 (3J 39)
Rose La. Sal —5C 26
Rose La. W'hoe —7H 177
Rosemary Almshouses. S'way —1A 174
Rosemary Av. Brain —4G 193
Rosemary Av. Romf —7D 112
Rosemary Clo. D'mw —7K 197
Rosemary Clo. H'low —8H 53
Rosemary Clo. S Ock —3F 146
Rosemary Clo. Tip —6D 212
Rosemary Cres. Clac S —2K 191
Rosemary Cres. D'mw —7K 197
Rosemary Cres. Tip —6C 212
Rosemary Dri. Ilf —9K 109
Rosemary Gdns. Dag —3L 127
Rosemary La. Cas H —2E 206 (7E 8)
Rosemary La. D'mw —7K 197 (7G 13)
Rosemary La. Steb —6H 13
Rosemary La. Thorr —9G 178
Rosemary Rd. Clac S —2J 191 (4D 28)
Rosemary Rd. W. Clac S —2J 191
Rosemary Way. Jay —5E 190
Rosemead. Ben —8C 120
Rosemead Gdns. Hut —3N 99
Rosemount. H'low —6A 56
Rosemount Clo. Wfd G —3M 109
Rosendale Rd. SE24 —4B 46
Rosepark Ct. Ilf —6M 109
Roserna Rd. Can I —2K 153
Rose Rd. Can I —2G 153
Rosery M. Gt Hol —1D 188
Roses, The. Wfd G —4F 108
Rosetta Clo. W'hoe —4H 177
Rosetti Ter. Dag —6G 127
(off Marlborough Rd.)
Rose Vale. Hod —5A 54
Rose Valley. Brtwd —9F 98
Rose Valley Cres. Stan H —1N 149
Rose Way. R'fd —7M 123
Rosewood Av. Horn —7E 128
Rosewood Clo. H'wds —3A 168
Rosewood Ct. E11 —6D 124
Rosewood Dri. Bas —6M 117
Rosewood La. Shoe —7K 141
Rosher Clo. E15 —9D 124
Rosherville. —3G 49
Rosilian Dri. Hock —7B 106
Roslings Clo. Chelm —5F 60
Roslyn Gdns. Romf —6D 112
Rossall Clo. Horn —1E 128
Ross Av. Dag —3L 127
Ross Clo. Saf W —7L 205
Rossdene Gdns. Lea R —5E 22
Rossendale. Chelm —1N 73
Rossendale Clo. Colc —4D 168
Rosshill Ind. Pk. Sth S —2M 137
Rossiter Rd. Shoe —6M 141
Rosslyn Av. E4 —8F 92
Rosslyn Av. Dag —2L 127
Rosslyn Av. Romf —6J 113
Rosslyn Clo. Hock —9D 106
Rosslyn Rd. E17 —8C 108
Rosslyn Rd. Bark —9C 126
Rosslyn Rd. Bill —6H 101
Rosslyn Rd. Hock —9D 106
Ross Way. Bas —3K 133
Ross Wyld Lodge. E17 —7A 108
(off Forest Rd.)
Rothbury Av. Rain —5F 144
Rothbury Rd. E9 —9A 124 (5D 38)
Rothbury Rd. Chelm —1M 73
Roth Dri. Hut —8L 99
Rotherhithe. —1C 46
Rotherhithe New Rd. SE1 —1C 46
Rothesay Av. Chelm —2B 74
Rothmans Av. Chelm —4F 74
Rothsay Rd. E7 —9J 125
Rothwell Clo. Lgh S —9B 122
Rothwell Gdns. Dag —9H 127
Rothwell Rd. Dag —1H 143
Rotten End. Weth —4B 14
Rotunda, The. Romf —9B 112
(off Yew Tree Gdns.)
Roughtons. Chelm —7D 74
Roundacre. Bas —9B 118 (3K 41)
Roundacre. H'std —6K 199
Roundaway Rd. Ilf —6M 109
Roundbush. —4H 35
Roundbush Green. —4E 22
Roundbush Rd. Lay M —2B 26
Roundbush Rd. Mun —4H 35
Round Clo. Colc —8J 167
Round Coppice Rd. Stan Apt —9F 208 (1B 22)
Round Hill Rd. Ben —6C 137
Roundhills. Wal A —4E 78
Round House, The. —9D 96 (1A 40)
Roundmead Av. Lou —1N 93
Roundmead Clo. Lou —2N 93
Round Street. —6H 49
Round St. Sole S —6H 49
Roundway, The. N17 —2B 38
Roundwood Av. Hut —7K 99
Roundwood Gro. Hut —6L 99
Rounton Rd. Wal A —3E 78
Rous Chase. Gall —9C 74
Rouses La. Clac S —9D 186
Rous Rd. Buck H —7L 93
Rover Av. Ilf —3E 110
Rover Av. Jay —5C 190
Rowallan Clo. Colc —3H 175
Rowallen La. Bill —2H 101
Rowallen Pde. Dag —3H 127
Rowan Chase. Tip —5C 212
Rowan Clo. Clac S —1G 190
Rowan Clo. Gt Ben —6L 179
Rowan Clo. Har —4K 201
Rowan Clo. S'way —2E 174
Rowan Dri. H'bri —3M 203
Rowan Grn. E. Brtwd —9J 99
Rowan Grn. W. Brtwd —9J 99
Rowan Rd. SW16 —6A 46
Rowans, The. Ave —8N 145
Rowans, The. Bill —8M 101
Rowans, The. Wal A —5J 79
(off Woodbine Clo.)
Rowans, The. W'fd —8M 103
Rowans Way. Lou —3M 93
Rowans Way. W'fd —8M 103
Rowan Wlk. Horn —8H 113

Rowan Wlk.—St James Ho.

Rowan Wlk. Lgh S —9C 122
Rowan Wlk. Saw —2K 53
Rowan Way. Cwdn —2N 107
Rowan Way. Hat P —3L 63
Rowan Way. Romf —7H 111
Rowan Way. S Ock —4F 146
Rowan Way. Wthm —2D 214
Rowden Pk. Gdns. E4 —3A 108 (off Chingford Rd.)
Rowden Rd. E4 —3B 108
Rowdowns Rd. Dag —1L 143
Rowe Gdns. Bark —2E 142
Rowenhall. Lain —9H 117
Row Green. —3D 198 (1C 24)
Row Heath. —1E 186 (2C 28)
Rowhedge. —6G 176 (1G 27)
Rowhedge. Brtwd —9K 99
Rowhedge Clo. Bas —5K 119
Rowhedge Rd. Colc & Rhdge —4D 176 (7F 17)
Rowherns La. L Ben —2J 179
Rowland Cres. Chig —1D 110
Rowlands Rd. Dag —4L 127
Rowlands, The. Ben —3E 136
Rowland's Yd. Har —5G 201
Rowland Wlk. Hav —9C 96
Rowley Hill. Stur —3K 7
Rowley Mead. Thorn —4H 67
Rowley Rd. Ors —5C 148 (7H 41)
Rowney Av. Wim —1D 12 (off Broad Oakes Clo.)
Rowney Gdns. Dag —8H 127
Rowney Gdns. Saw —4H 53
Rowney La. Sac —1C 20
Rowney Rd. Dag —8G 127
Rowney Wood. Saw —3H 53
Rowntree Path. SE28 —8G 143
Rowntree Way. Saf W —6K 205
Row, The. Gt Wen —1H 17
Row, The. Hen —4C 12
Roxburgh Av. Upm —5N 129
Roxburghe Rd. Wee —8D 180
Roxwell. —7H 23
Roxwell Av. Chelm —8F 60
Roxwell Gdns. Hut —4M 99
Roxwell Ho. Lou —6L 93
Roxwell Rd. Bark —2F 142
Roxwell Rd. Chelm —6A 60 (1J 33)
Roxwell Way. Wfd G —4J 109
Roxy Av. Romf —2H 127
Royal Albert Way. E16 —7A 142 (7F 39)
Royal Artillery Museum. —1G 47
Royal Artillery Way. Sth S —3B 140 (4A 44)
Royal Clo. Ilf —2F 126
Royal Clo. R'fd —2J 123
Royal Ct. Bas —8K 117
Royal Ct. Colc —6E 168
Royal Ct. Mal —7K 203
Royal Docks Rd. E6 & Bark —5A 142 (7G 39)
Royal Hill. SE10 —2E 46
Royal M. Sth S —7M 139 (in two parts)
Royal Mint St. E1 —7B 38
Royal Oak Dri. W'fd —8A 104
Royal Pde. SE3 —2E 46
Royal Pde. Chst —5H 47
Royal Pde. Dag —8N 127 (off Church St.)
Royal Sq. Ded —1M 163
Royals Shop. Cen., The. Sth S —7M 139
Royal Ter. Sth S —7M 139
Roycraft Av. Bark —2E 142
Roycroft Clo. E18 —5H 109
Roydon. —3H 55 (6F 21)
Roydon Bri. Bas —7E 118
Roydonbury Ind. Est. H'low —3L 55
Roydon Clo. Lou —6L 93
Roydon Hamlet. —7J 55 (1F 31)
Roydon Lodge Chalet Est. Roy —2J 55
Roydon Rd. H'low —2L 55 (6G 21)
Roydon Rd. Stan A —6E 20
Roydon Way. Frin S —8J 183
Royds La. Kel H —9A 84 (6D 32)
Royer Clo. H'wl —3F 122
Roy Gdns. Ilf —8D 110
Royle Clo. Romf —9F 112
Royston. —5C 4
Royston and District Museum. —5C 4
Royston Av. E4 —2A 108
Royston Av. Bas —6M 117
Royston Av. Sth S —3M 139
Royston Gdns. Ilf —1K 125
Royston La. Chris & Elm —4H 5
Royston Pde. Ilf —1K 125
Royston Rd. B'wy —7E 4
Royston Rd. Bar —6E 4
Royston Rd. Foxt —1F 5
Royston Rd. Lit —4A 4
Royston Rd. Mel —4D 4
Royston Rd. Romf —4L 113
Royston Rd. Wen A —7K 5
Royston Rd. Whitt —2J 5
Ruaton Dri. Clac S —9G 186
Rubens Clo. Shoe —6L 141
Rubens Ga. Chelm —4A 62
Rubicon Av. W'fd —8N 103
Ruby M. E17 —7A 108
Ruby Rd. E17 —7A 108
Ruckholt Clo. E10 —5B 124
Ruckholt Rd. E10 —6B 124 (5D 38)
Rudd Ct. Colc —6F 168
Rudkin Rd. Colc —2N 167
Rudland Rd. Bexh —8A 154
Rudley Green. —3G 35
Rudsdale Way. Colc —1G 175
Rue de St Lawrence. Wal A —4C 78
Ruffles Clo. Ray —4L 121
Rugby Gdns. Dag —8H 127
Rugby Rd. Dag —9G 127
Rugged La. Wal A —3K 79
Rugosa Clo. S'way —8D 166
Rumbold Rd. Hod —3C 54
Rumbullion Dri. Bill —5H 101
Rumseys Fields. Dan —3F 76
Rundells. H'low —7F 56
Rundells Wlk. Bas —8F 118
Rundels Cotts. Ben —9G 121 (off Rundels, The)
Rundels, The. Ben —9G 121
Runnacles St. Sil E —2K 207
Running Mare La. Chelm —7B 74
Running Waters. Brtwd —1K 115 (1F 41)
Runnymede Chase. Ben —2G 136
Runnymede Ct. Stan H —4L 149
Runnymede Rd. Can I —2H 153
Runnymede Rd. Stan H —4L 149
Runsell Clo. Dan —3F 76
Runsell Green. —3G 77 (2E 34)
Runsell La. Dan —2E 76 (2E 34)
Runsell View. Dan —2G 76
Runwell. —7M 103 (7C 34)
Runwell Chase. Runw —6A 104
Runwell Gdns. Runw —6L 103
Runwell Rd. W'fd & Runw —8L 103 (7C 34)
Runwell Ter. Sth S —7L 139
Runwood Rd. Can I —2C 152
Rupert Rd. S'min —7K 207
Rural Clo. Horn —3F 128
Rurik Ct. Mal —8J 203
Rushbottom La. Ben —8B 120 (3D 42) (in two parts)
Rush Clo. Ben —9B 120
Rushcroft Rd. E4 —4B 108
Rushden. —3A 10
Rushdene Rd. Bill —7H 101
Rushdene Rd. Brtwd —5F 98
Rushden Gdns. Ilf —6N 109
Rushden Rd. S'don —2A 10
Rushdon Clo. Grays —1K 157
Rushdon Clo. Romf —9E 112
Rushes La. Ashel —3D 36
Rushes Mead. H'low —5D 56
Rushey Grn. SE6 —4D 46
Rushfield. Saw —2K 53
Rush Green. —3B 128 (4A 40) (nr. Beacontree Heath)
Rush Green. —1F 190 (4C 28) (nr. Point Clear)
Rush Grn. Gdns. Romf —3A 128
Rush Grn. Rd. Clac S —2E 190 (4C 28)
Rush Grn. Rd. Romf —3N 127 (4A 40)
Rush La. Else —9C 196
Rushley. Bas —7L 119 (3C 42)
Rushley Clo. Grays —8N 147
Rushley Clo. Gt W —2L 141
Rushleydale. Chelm —6N 61
Rushley Green. —1D 206 (7E 8)
Rushmere Av. Upm —5N 129
Rushmere Clo. W Mer —3L 213
Rusholme Av. Dag —5M 127
Rushton Gro. H'low —3J 57
Ruskin Av. E12 —8L 125
Ruskin Av. Sth S —4M 139
Ruskin Av. Upm —2N 129
Ruskin Av. Wal A —4E 78
Ruskin Clo. Kir X —7H 183
Ruskin Dene. Bill —5J 101
Ruskin Gdns. Romf —4F 112
Ruskin Path. W'fd —2L 119
Ruskin Rd. Chelm —9N 61
Ruskin Rd. Grays —2C 158
Ruskin Rd. Stan H —4L 149
Ruskins, The. Rayne —7B 192
Ruskoi Rd. Can I —9F 136
Rusling Dri. Ben —8C 120
Rusper Rd. Dag —8H 127
Russell Clo. Bas —9K 117
Russell Clo. Brtwd —6E 98
Russell Clo. Dart —9E 154
Russell Ct. E10 —2B 124
Russell Gdns. Chelm —6B 74
Russell Gdns. Ilf —2C 126
Russell Gdns. W'fd —9M 103 (1C 42)
Russell Green. —5C 24
Russell Gro. R'fd —5M 123
Russell Lodge. E4 —8C 92
Russell Rd. E10 —1B 124
Russell Rd. Buck H —7H 93
Russell Rd. Clac S —1L 191
Russell Rd. Enf —5B 30
Russell Rd. Grays —2K 157
Russell Rd. N Fam —5H 35
Russell Rd. Til —6A 158
Russell's Rd. H'std —6H 199 (3E 14)
Russell St. WC1 —7A 38
Russell Way. Chelm —3N 73
Russet Clo. Brain —7J 193
Russet Clo. Stan H —2M 149
Russet Ho. Grays —5M 157
Russets. Chelm —7E 74
Russets Clo. E4 —1D 108
Russetts. Bas —1J 133
Russetts. Horn —8J 113
Russetts, The. R'fd —2J 123
Russet Way. Bur C —2M 195
Russet Way. Hock —8D 106
Rustic Clo. Upm —3B 130
Rustle Ct. H'low —3H 57
Rutherford Clo. Bill —3J 101
Rutherford Clo. Lgh S —9B 122
Rutherford St. Broom —2K 61
Ruthven Clo. W'fd —1M 119
Rutland App. Horn —9L 113
Rutland Av. Colc —3J 175
Rutland Av. Sth S —6C 140
Rutland Clo. Bas —9J 117
Rutland Dri. Horn —9L 113
Rutland Dri. Ray —9H 105
Rutland Gdns. Brain —4J 193
Rutland Gdns. Dag —7H 127
Rutland Gdns. R'fd —2H 123
Rutland Rd. E7 —9K 125
Rutland Rd. E11 —9H 109
Rutland Rd. E17 —1A 124
Rutland Rd. Chelm —5J 61
Rutland Rd. Ilf —5A 126
Rutland Rd. N Fam —1F 106
Rutley Clo. H Wood —6H 113
Ruxley. —5K 47
Rydal Clo. Hull —5K 105
Rydal Clo. Ray —5L 121
Rydal Way. Brain —2C 198
Ryde Av. Clac S —6L 187
Ryde Clo. Lgh S —1A 138
Ryde Dri. Stan H —5L 149
Ryder Ct. E10 —4B 124
Ryder Gdns. Rain —8D 128
Ryder Way. Bas —5L 119
Ryde, The. Lgh S —1A 138
Rye Clo. B'sea —4D 184
Rye Clo. Hat P —3L 63
Rye Clo. Horn —7G 129
Rye Clo. S'way —1F 174
Ryecroft. H'low —3A 56
Ryecroft Av. Ilf —6A 110
Ryedene. Bas —3F 134
Ryedene Clo. Bas —3F 134
Ryedene Pl. Bas —3F 134
Ryefield Clo. Hod —1C 54
Rye Field, The. L Bad —8L 63
Ryegate Rd. Colc —7N 167
Rye Hill. —1D 66 (1H 31)
Rye Hill Rd. H'low —8C 56 (1H 31)
Rye House Gatehouse. —3D 54 (7E 20)
Rye House Marsh Bird Sanctuary. —2C 54 (6E 20)
Rye La. SE15 —2C 46
Rye Mead. Bas —2L 133
Rye Mead Cotts. Hod —3C 54
Rye Mill La. Fee —6D 202
Rye Park. —3B 54 (7D 20)
Rye Rd. Hod —3B 54 (7D 20)
Ryes La. Bulm —6H 9
Ryes La. Hat H —3B 22
Rye St. Bis S —7K 11
Rye Wlk. Ing —7C 86
Rykhill. Grays —1D 158 (in two parts)
Rylands Rd. Sth S —4A 140
Ryle, The. Writ —2J 73
Rylstone Way. Saf W —5M 205
Rysley. L Bad —7L 63

Sabina Rd. Grays —2E 158
Sabine's Green. —2J 97 (6C 32)
Sabine's Rd. Nave & N'side —1H 97 (6B 32)
Sable Ct. Sth B —8H 117
Sable Way. Lain —8H 117
Sackville Clo. Chelm —8G 60
Sackville Cres. Romf —5J 113
Sackville Gdns. Ilf —3M 125
Sackville Rd. Sth S —5C 140
Sackville Way. W Ber —3E 166
Sacombe. —2B 20
Sacombe Green. —2C 20
Sacombe Pound. Sac —2B 20
Sacombe Rd. W'frd —4A 20
Saddle M. S'way —9E 166
Saddle Rise. Chelm —3N 61
Saddleworth Rd. H Hill —3G 113
Saddleworth Sq. Romf —3G 113
Sadler Clo. Colc —2B 176
Sadlers. Ben —9B 120
Sadlers Clo. Bill —3M 101
Sadlers Clo. Kir X —8F 182
Sadlers Mead. H'low —4F 56
Saffory Clo. Lgh S —8B 122
Saffron Bus. Cen. Saf W —3M 205
Saffron Clo. Horn H —2J 149
Saffron Clo. W H'dn —1N 131
Saffron Clo. Weth —3A 14
Saffron Ct. E15 —7E 124 (off Maryland Pk.)
Saffron Ct. Saf W —4K 205
Saffron Ct. Sth B —9H 117
Saffron Gdns. Weth —3A 14
Saffron Rd. Chaf H —2F 156
Saffron Rd. Romf —6B 112
Saffron Walden. —4K 205 (6C 6)
Saffron Walden Castle. —3K 205 (6C 6)
Saffron Walden Hedge Maze. —3K 205 (6B 6)
Saffron Walden Museum. —3K 205 (6B 6)
Saffron Walden Tourist Information Centre. —4K 205 (1B 12)
Saffron Walden Turf Maze. —4L 205 (6C 6)
Saffron Wlk. Bill —6K 101
Saffron Way. Tip —7C 212
Sage Rd. Colc —4A 176
Sages. Hen —5C 12
Sages End Rd. Hel B —5H 7
Sage Wlk. Tip —7C 212
Sailing Rd. Steb —7K 13
Sains. Bas —8M 117
St Agnes Dri. Can I —2D 152
St Agnes Rd. Bill —4L 117
St Aidans Ct. Bark —2G 143
St Alban's Av. Upm —4B 130
St Alban's Cres. Wfd G —4G 108
St Albans Rd. Clac S —1L 191
St Alban's Rd. Colc —8L 167
St Alban's Rd. Coop —8J 67
St Albans Rd. Ilf —3E 126
St Alban's Rd. Wfd G —4G 108
St Andrew's Av. Colc —7C 168 (6F 17)
St Andrew's Av. Horn —7D 128
St Andrews Clo. Alr —7A 178
St Andrews Clo. Can I —1D 152
St Andrews Clo. N Wea —3B 68
St Andrews Gdns. Colc —7B 168
St Andrews Ho. H'low —1E 56 (off Stow, The)
St Andrews La. Lain —8L 117
St Andrews Meadow. H'low —4E 56
St Andrews Pl. B'sea —4D 184
St Andrew's Pl. Shenf —8J 99
St Andrew's Rise. Bulm —5H 9
St Andrew's Rd. E11 —1E 124
St Andrews Rd. Bore —2G 62
St Andrew's Rd. Clac S —1J 191
St Andrews Rd. H'std —4L 199
St Andrew's Rd. Hat P —2L 63
St Andrew's Rd. Ilf —2M 125
St Andrews Rd. R'fd —5K 123
St Andrew's Rd. Romf —1B 128
St Andrew's Rd. Shoe —8G 141
St Andrew's Rd. Til —6A 158 (2G 49)
St Andrew's Rd. Wee —5D 180
St Andrew St. Hert —5B 20
St Annes Clo. Cogg —8M 195
St Annes Clo. Grays —8L 147
St Annes Clo. Lain —8L 117
St Anne's Pk. Brox —8A 54
St Anne's Rd. E11 —4D 124
St Annes Rd. Can I —2K 153
St Annes Rd. Clac S —9J 187
St Annes Rd. Colc —7B 168
St Anne's Rd. Mount —9M 85 (6G 33)
St Annes Ter. Ilf —2D 110
St Ann's. Bark —1B 142
St Ann's Ct. Chelm —8L 61 (off St Ann's Pl.)
St Ann's Pl. Chelm —8L 61
St Ann's Rd. N15 —3A 38
St Ann's Rd. Bark —1B 142
St Ann's Rd. Sth S —5M 139
St Anthony's Av. Wfd G —3J 109
St Anthony's Dri. Chelm —4D 74
St Antony's Rd. E7 —9H 125
St Asaph Rd. SE15 —3C 46
St Augustine M. Colc —8A 168
St Augustine Rd. Grays —2D 158
St Augustine's Av. Sth S —8F 140
St Augustine's Rd. Belv —1K 47
St Austell Rd. Colc —5D 168
St Austin's La. Har —1N 201
St Awdry's Rd. Bark —9C 126
St Awdry's Wlk. Bark —9B 126
St Barbara's Rd. Colc —2L 175
St Barnabas Rd. E17 —1A 124
St Barnabas Rd. Wfd G —5H 109 (2F 39)
St Bartholomew Clo. Colc —4C 168
St Benet's Rd. Sth S —3L 139
St Bernard Rd. Colc —5D 168
St Blaise Av. Brom —6F 47
St Botolph's Chu. Wlk. Colc —9N 167
St Botolph's Cir. Colc —9N 167
St Botolph's Priory. —9A 168 (6F 17)
St Botolph's St. Colc —9N 167
St Botolph's Ter. W on N —6M 183
St Bride Ct. Colc —5D 168
St Brides Clo. Eri —9J 143
St Catharines Clo. Colc —5L 175
St Catherines Clo. W'fd —8N 103
St Catherine's Rd. E4 —8A 92
St Catherine's Rd. Brox —7A 54
St Catherine's Rd. Chelm —9G 60
St Catherines Tower. E10 —2B 124
St Cecilia Rd. Grays —2D 158
St Cedd's Ct. Grays —8L 147
St Chad Clo. Lain —8L 117
St Chad's Gdns. Romf —2K 127
St Chad's Rd. Romf —2K 127
St Chads Rd. Til —6C 158 (2H 49)
St Charles Dri. W'fd —9M 103
St Charles Rd. Brtwd —7E 98
St Christopher Rd. Colc —5D 168 (5F 17)
St Christophers Clo. Can I —1D 152
St Christophers Way. Jay —5E 190
St Clair Clo. Clac S —5K 187
St Clair Clo. Ilf —6H 111
St Clair's Dri. St O —8N 185
St Clair's Rd. St O —8N 185
St Clare Dri. Colc —8H 167
St Clare Meadow. R'fd —4L 123
St Clare Rd. Colc —9H 167
St Clement Rd. Colc —5D 168
St Clements. Thax —3K 211
St Clement's Av. Grays —4E 156
St Clements Av. Lgh S —4D 138
St Clement's Clo. Ben —1C 136
St Clement's Clo. Hock —3F 122
St Clements Ct. Grays —4J 157
St Clements Ct. Lgh S —6C 138
St Clements Ct. Purf —2L 155
St Clements Ct. E. Lgh S —6C 138 (off Broadway W.)
St Clement's Cres. Ben —1D 136
St Clements Dri. Lgh S —3D 138
St Clement's Rd. Ben —1C 136
St Clement's Rd. S Stif —5F 156
St Cleres Cres. W'fd —9N 103
St Clere's Hall La. St O —4B 28
St Cleres Way. Dan —4D 76
St Columbas Ho. E17 —8B 108
St Columb Ct. Colc —5C 168
St Cross Ct. Hod —7A 54
St Cuthbert's Rd. Hod —2C 54
St Cyrus Rd. Colc —5D 168
St Davids Clo. Colc —8C 168
St David's Dri. Lgh S —3N 137
St David's Rd. Bas —2K 133
St Davids Rd. Swan —5A 48
St David's Ter. Lgh S —3N 137
St Davids Wlk. Can I —1D 152
St David's Way. W'fd —9M 103
St Denis Clo. Har —6J 201
St Dominic Rd. Colc —6D 168
St Dunstan's Rd. E7 —8J 125
St Edith's Ct. Bill —7J 101
St Edith's La. Bill —7J 101
St Edmunds Clo. Eri —9J 143
St Edmunds Clo. Har —6J 201
St Edmund's Clo. Sth S —3A 140
St Edmund's Ct. Colc —7C 168
St Edmunds Croft. D'mw —7M 197
St Edmunds Fields. D'mw —6M 197
St Edmund's Hill. L Cor —7K 9
St Edmund's La. Bures —7D 194 (1A 16)
St Edmunds La. D'mw —6M 197 (7G 13)
St Edmund's Rd. Dart —9L 155
St Edmund's Rd. Ilf —1M 125
St Edmund's Way. H'low —8H 53
St Edwards Ct. E10 —2B 124
St Edwards Way. Romf —9B 112 (3A 40)
St Egberts Way. E4 —7C 92
St Elizabeth Ct. E10 —2B 124
St Erkenwald M. Bark —1C 142
St Erkenwald Rd. Bark —1C 142
St Ethelburga Ct. Romf —6L 113
St Fabian's Dri. Chelm —7G 60
St Faith Rd. Colc —5D 168
St Ferndale Rd. Har —2M 201
St Fidelis Rd. Eri —3B 154
St Fillan Rd. Colc —5D 168
St Frances Way. Ilf —6C 126
St Francis Rd. Eri —2B 154
St Francis Way. Grays —1E 158
St Gabriel's Clo. E11 —4H 125
St Gabriels Ct. Bas —1J 135
St George's Av. E7 —9H 125
St George's Av. Grays —2M 157
St George's Av. Har —5L 201
St George's Av. Horn —2K 129
St Georges Clo. Gt Bro —6D 170
St Georges Clo. Hook E —5E 84
St Georges Ct. E17 —9D 108
St George's Ct. Brtwd —6E 98
St George's Dri. SW1 —1A 46
St George's Dri. Wclf S —3K 139
St George's La. Shoe —8K 141
St George's Pk. Av. Wclf S —5G 139
St George's Rd. E7 —9H 125
St George's Rd. E10 —5C 124
St George's Rd. SE1 —1A 46
St George's Rd. Dag —7K 127
St George's Rd. Ilf —2M 125
St George's Sq. E7 —9H 125
St George's Wlk. Ben —9B 120
St George's Wlk. Can I —1D 152
St Giles Av. Dag —9N 127
St Giles Clo. Dag —9N 127
St Giles Clo. Mal —6H 203
St Giles Clo. Ors —4C 148
St Giles Cres. Mal —6H 203
St Giles Leper Hospital (ruins). —7H 203 (1H 35)
St Guiberts Rd. Can I —9E 136
St Helena M. Colc —1L 175
St Helena Rd. Colc —1L 175
St Helens Av. Clac S —6L 187
St Helens Ct. Epp —9F 66
St Helen's Ct. Rain —4E 144
St Helen's Grn. Har —2N 201
St Helens La. Colc —8N 167
St Helen's Rd. Eri —9J 143
St Helen's Rd. Ilf —1M 125
St Helen's Rd. Wclf S —6K 139
St Helens Wlk. Bill —4H 101
St Helier's Rd. E10 —1C 124
St Ives Clo. Clac S —1F 190
St Ives Clo. Romf —4K 113
St Ives Rd. Pel —3E 26
St Ivian's Dri. Romf —7E 112
St James' Av. Ong —9K 69
St James Av. Sth S —8F 140
St James Av. E. Stan H —2N 149
St James Av. W. Stan H —2N 149
St James Cen. H'low —8F 52
St James Clo. Can I —1D 152
St James Clo. Wclf S —3F 138
St James Ct. B'sea —7D 184
St James Ct. Romf —8D 112
St James Ct. Saf W —3M 205 (6C 6) (in two parts)
St James Gdns. Wclf S —3F 138
St James Ga. Buck H —7H 93
St James Ho. Romf —9D 112 (off Eastern Rd.)

St James La.—Scarletts

St James La. Grnh —4D 48
St James M. Bill —6J 101
St James Pk. Chelm —7F 60
St James' Rd. E15 —7F 124
St James Rd. Brain —3H 193
St James Rd. Chesh —3B 30
St James Rd. Van —1E 134
(in two parts)
St James's. —7A 38
St James's Rd. SE1 & SE16 —1C 46
St James's Rd. Brtwd —9F 98
St James's Rd. Croy —7A 46
St James's St. SW1 —7A 38
St James's St. Cas H —3D 206 (1E 14)
St James St. E17 —3D 38
St James Wlk. Hock —1B 122
(off Belvedere Av.)
St James Way. Bis S —1J 21
St Jean Wlk. Tip —5D 212
St John Av. Brain —6H 193
St John's. —2D 46
St John's Abbey Gate. —9N 167 (6E 16)
St John's Av. Chelm —2C 74
St John's Av. Colc —9N 167
St John's Av. H'low —8H 53
St John's Av. War —1G 115
St John's Clo. Colc —3D 168
St Johns Clo. Gt Che —3L 197
St John's Clo. Gt W —3M 141
St Johns Clo. Lain —8L 117
St John's Clo. Rain —9E 128
St Johns Clo. Saf W —6K 205
St John's Ct. Buck H —7H 93
St John's Ct. Eri —3B 154
St Johns Ct. May —3D 204
St John's Ct. Tol —8J 211
St John's Ct. Wclf S —7L 139
St Johns Cres. Can I —1D 152
St John's Cres. Stans —2D 208
St Johns Dri. Ray —3F 120
St John's Grn. Colc —9N 167
St John's Grn. Writ —1K 73
St John's Gro. N19 —4A 38
St John's Jerusalem Garden. —5C 48
St John's La. Stans —2D 208
St John's M. Corr —1A 150
St John's Pl. Colc —9N 167
St John's Rd. E4 —1B 108
St John's Rd. E17 —6B 108
St John's Rd. Bark —1D 142
St John's Rd. Ben —3J 137
St John's Rd. Bill —5K 101
St John's Rd. Chelm —1C 74
St John's Rd. Colc —4C 168 (5F 17)
St John's Rd. Epp —9E 66
St John's Rd. Eri —3B 154
St Johns Rd. Grays —3D 158
St Johns Rd. Gt W —3M 141
St John's Rd. Ilf —2D 126
St John's Rd. Lou —1M 93
St Johns Rd. Romf —2A 112
St John's Rd. Stans —2D 208
St John's Rd. St O & Clac S
—9B 186 (4C 28)
St John's Rd. Wclf S —6K 139
St John's Rd. W'hoe —7J 177
St John's Rd. Writ —1K 73
St John's St. Colc —9M 167 (6E 16)
St Johns St. Dux —2J 5
St John's St. Tol —8J 211
St John's Ter. E7 —8H 125
St John St. EC1 —6A 38
St John's Wlk. Colc —9N 167
St Johns Wlk. H'low —8H 53
St John's Way. N19 —4A 38
St John's Way. Corr —1A 150
St John's Wynd. Colc —9M 167
St Joseph Rd. Colc —4C 168
St Joseph's Ct. E4 —6D 92
St Jude Clo. Colc —5D 168
St Jude Gdns. Colc —5E 168
St Julian Gro. Colc —9A 168
St Katherines Ct. Can I —2E 152
St Katherine's Rd. Eri —9J 143
St Kilda's Rd. Brtwd —6E 98
St Lawrence. —2D 36
St Lawrence Ct. Brain —5H 193
St Lawrence Ct. Lgh S —9D 122
St Lawrence Dri. Stpl —2C 36
St Lawrence Gdns. B'more —1G 85
St Lawrence Gdns. Lgh S —9D 122
St Lawrence Hill. St La —2D 36
St Lawrence Rd. Colc —5D 168
St Lawrence Rd. T'ham —2E 36
St Lawrence Rd. Upm —4N 129
St Leonard's Av. E4 —3D 108
St Leonards Clo. Newp —6D 204
St Leonard's Gdns. Ilf —7B 126
St Leonards Hamlet. —4B 40
St Leonard's Rd. Colc —9C 168
St Leonards Rd. Naze —2E 64 (2E 30)
St Leonard's Rd. Sth S —7N 139
St Leonards Way. Horn —4F 128
St Luke's Av. Ilf —7A 126
St Luke's Chase. Tip —7D 212
St Lukes Clo. Can I —1D 152
St Luke's Clo. Colc —5D 168
St Lukes Ct. E10 —2B 124
(off Capworth St.)
St Luke's Path. Ilf —7A 126
St Luke's Rd. Sth S —4N 139
St Margarets. —6E 20
St Margaret's. Bark —1C 142
St Margaret's Av. Stan H —5L 149
St Margaret's Cross. L'ham —4F 162
St Margaret's Gro. E11 —5F 124
St Margaret's Rd. E12 —4J 125
St Margaret's Rd. Chelm —8N 61
St Margarets Rd. S Dar & Dart
—6D 48
St Margaret's Rd. Stan A —1A 54
St Margaret St. SW1 —1A 46
St Margarets Vicarage. E11 —5F 124
St Mark Dri. Colc —5D 168
St Marks Ct. E10 —2B 124
(off Capworth St.)
St Marks Field. R'fd —5K 123
St Mark's Rd. Ben —3J 137
St Marks Rd. Can I —1D 152
St Marks Rd. Clac S —9J 187
St Marks Rd. Enf —7B 30
St Martin's Clo. Ben —8B 120
St Martins Clo. Clac S —9J 187
St Martin's Clo. Eri —9J 143
St Martin's Clo. Hut —8M 99
St Martin's Clo. Ray —7J 121
St Martins Clo. Whi R —5D 22
St Martins La. WC2 —7A 38
St Martins M. Ong —8L 69
St Martins Sq. Bas —9B 118
St Mary Cray. —6J 47
St Mary Rd. E17 —8A 108
St Mary's. Bark —1C 142
St Mary's App. E12 —7M 125
St Mary's Av. E11 —2H 125
St Mary's Av. Bill —6J 101
St Mary's Av. Shenf —4K 99
St Mary's Clo. Ben —5D 136
St Marys Clo. Grays —4N 157
St Marys Clo. Gt Bad —4G 74
St Mary's Clo. Gt Ben —9L 179
St Mary's Clo. Pan —1D 192
St Mary's Clo. Shoe —4H 141
St Mary's Ct. Sth S —4K 139
St Mary's Cres. Bas —8K 119
St Mary's Dri. Ben —5D 136
St Mary's Dri. Stans —3E 208
St Mary's La. Hert —6A 20
St Mary's La. Mal —6L 203
St Mary's La. Upm & W Horn
—4M 129 (4C 40)
St Mary's Mead. Broom —2J 61
St Mary's M. Tol —7K 211
(off Station Rd.)
St Mary's Path. Bas —8K 119
St Mary's Pl. L Dun —1H 23
St Mary's Rd. E10 —5C 124
St Mary's Rd. Ben —6D 136
St Mary's Rd. Brain —5K 193
St Mary's Rd. Bur C —2L 195
St Mary's Rd. Clac S —9J 187
St Mary's Rd. Frin S —9K 183
St Mary's Rd. Grays —2D 158
St Mary's Rd. Gt Ben —9L 179 (1A 28)
St Mary's Rd. Ilf —4B 126
St Mary's Rd. K'dn —8C 202
St Mary's Rd. Riven —3G 25
St Mary's Rd. Sth S —4L 139
St Marys Rd. W'fd —2J 119
St Mary's Sq. K'dn —9B 202
St Marys Wlk. Stpl B —3C 210
St Mary's Way. Chig —2N 109
St Matthew's Clo. Rain —9E 128
St Matthews Ct. E10 —2B 124
(off Capworth St.)
St Matthews Rd. SW2 —3A 46
St Michaels Av. Bas —2J 135
St Michael's Chase. Cop —4M 173
St Michael's Clo. Ave —7N 145
St Michael's Clo. Grays —9J 143
St Michaels Clo. H'low —2D 56
St Michaels Clo. Latch —4K 35
St Michaels Ct. Mann —4J 165
(off Stour St.)
St Michael's Dri. Rox —7H 23
St Michael's La. Brain —6H 193
St Michael's Rd. Ben —9M 121 (1D 30)
St Michael's Rd. Brain
—6H 193 (7C 14)
St Michael's Rd. Brox —8A 54
St Michaels Rd. Can I —1D 152
St Michael's Rd. Chelm —2C 74
St Michaels Rd. Colc —5K 175
St Michael's Rd. Grays —3D 158
St Michael's Rd. Har —5K 201
St Michael's Rd. T Sok —4K 181
St Michael's Wlk. Chelm —8D 74
St Mildreds Rd. SE12 & SE6 —4E 46
St Mildreds Rd. Chelm —2C 74
St Monance Way. Colc —5D 168
St Nazaire Rd. Chelm —5G 61
St Neots Clo. Colc —5D 168
St Neot's Rd. Romf —4K 113
St Nicholas Av. Horn —5E 128
St Nicholas Clo. Wthm —3C 214
St Nicholas Field. Ber —4J 11
St Nicholas Gro. Ingve —2M 115
St Nicholas La. Bas —8L 117 (3K 41)
St Nicholas Pas. Colc —8N 167
St Nicholas Rd. T'ham —3E 36
St Nicholas Rd. Wthm —3C 214
St Nicholas St. Colc —8N 167
St Nicholas Way. Cogg —7L 195
St Norbert Rd. SE4 —3C 46
St Omer Clo. W'fd —1M 119
St Osyth. —9M 185 (4B 28)
St Osyth Beach Holiday Pk. St O
—6A 190
St Osyth Heath. —4B 186 (2C 28)
St Osyth Priory. —9M 185 (4B 28)
St Osyth Rd. Alr —7A 178 (1J 27)
St Osyth Rd. Clac S —1G 190 (4D 28)
St Osyth Rd. L Cla —4F 186
(in two parts)
St Pancras. —6A 38
St Pancras Way. NW1 —5A 38
St Patrick's Ct. E4 —4E 108
St Patrick's Pl. Grays —2E 158
St Paulinus Ct. Dart —9C 154
(off Manor Rd.)
St Paul's Clo. Ave —7N 145
St Paul's Ct. Wclf S —6K 139
(off Salisbury Av.)
St Paul's Cray. —6J 47
St Paul's Cray Rd. Chst —6H 47
St Paul's Dri. E15 —7D 124
St Pauls Gdns. Bill —4J 101
St Pauls Pl. Ave —7N 145
St Paul's Rd. N1 —5A 38
St Paul's Rd. Bark —1B 142 (6H 39)
St Paul's Rd. Can I —1D 152
St Paul's Rd. Clac S —1L 191
St Paul's Rd. Colc —7M 167
St Paul's Rd. Eri —5A 154
St Pauls Tower. E10 —2B 124
(off Beaumont Rd.)
St Paul's Vs. Romf —1D 128
St Paul's Way. E14 —7D 38
St Pauls Way. Wal A —3D 78
St Paul's Wood Hill. Orp —6H 47
St Peter's Av. E17 —8E 108
St Peter's Av. Mal —6J 203
St Peter's Av. Ong —5K 69
St Peter's Clo. Brain —5H 193
St Peter's Clo. Ilf —8E 110
St Peter's Ct. Colc —7M 167
St Peter's Ct. Wclf S —2H 139
St Peters Field. Bur C —1K 195
St Peter's-in-the Fields. Brain —4H 193
St Peter's Pavement. Bas —6G 119
St Peter's Rd. Brain —4H 193
St Peters Rd. Can I —1D 152
St Peter's Rd. Chelm —9G 60
St Peter's Rd. Cogg —7M 195 (7H 15)
St Peter's Rd. Grays —2D 158
St Peters Rd. Hock —9A 106
St Peter's Rd. War —1E 114
St Peter's Rd. W Mer —3J 213
St Peter's St. Colc —7M 167
St Peter's St. Dux —3J 5
St Peter's Ter. W'fd —9K 103
St Peters Wlk. Bill —4H 101
St Peter's Wlk. Brain —5H 193
St Peter's Way. E Han —2C 90
St Peter's Way. Stock —3K 87
St Ronan's Cres. Wfd G —4G 108
St Runwald St. Colc —8N 167
St Saviour Clo. Colc —5D 168
Saints Dri. E7 —7K 125
St Stephen's Av. E17 —9C 108
St Stephen's Chapel. —7F 194 (1A 16)
St Stephen's Clo. E17 —9B 108
St Stephen's Cres. Brtwd —1K 115
St Stephen's La. Gt Wig —4D 26
St Stephens Pde. E7 —9J 125
St Stephen's Rd. E6 —9J 125
St Stephen's Rd. E17 —9B 108
St Stephens Rd. Cold N —4H 35
Saint's Wlk. Grays —2E 158
St Teresa Wlk. Grays —2D 158
St Theresa Ct. E4 —6D 92
St Thomas Clo. Colc —5E 168
St Thomas Ct. E10 —2B 124
(off Skelton's La.)
St Thomas Gdns. Ilf —8B 126
St Thomas Pl. Grays —4L 157
St Thomas Rd. Belv —9A 144
St Thomas' Rd. Brtwd —8G 98
St Thomas Rd. R'fd —4F 106
St Thomas's Clo. Wal A —3H 79
St Thomas St. SE1 —1B 46
St Valery. Tak —8C 210
St Vincent Chase. Brain —3K 193
St Vincent Rd. Clac S —3H 191
St Vincents Av. Dart —3C 48
St Vincents Hamlet. —7M 97 (7C 32)
St Vincents Rd. Chelm —2C 74
St Vincents Rd. Dart —3C 48
St Vincents Rd. Wclf S —7K 139
St Winefride's Av. E12 —7M 125
St Winifred's Clo. Chig —2B 110
Sairard Clo. Lgh S —8C 122
Sairard Gdns. Lgh S —8C 122
Sakins Croft. H'low —6E 56
Saladin Dri. Purf —2L 155
Salamons Way. Rain —6C 144
Salary Clo. Colc —6E 168
Salcombe Dri. Romf —1L 127
Salcombe Rd. Brain —7L 193
Salcott. —5C 26
Salcott Creek Ct. Brain —7L 193
Salcott Cres. W'fd —9L 103 (1C 42)
Salcott St. Sal —5C 26
Salem Wlk. Ray —3H 121
Salerno Cres. Colc —4K 175
Salerno Way. Chelm —5G 61
Salesbury Dri. Bill —6M 101
Salforal Clo. Ret C —8B 90
Salhouse Clo. SE28 —6H 143
Saling Grn. Bas —5A 118
Saling Hall Garden. —6K 13
Saling Rd. Shalf —5A 14
Salisbury Av. Bark —9C 126
Salisbury Av. Colc —9M 167
Salisbury Av. Stan H —4M 149
Salisbury Av. Wclf S —5K 139
Salisbury Clo. Upm —4B 130
Salisbury Ct. Lgh S —5C 138
Salisbury Gdns. Buck H —8K 93
Salisbury Hall Gdns. E4 —3A 108
Salisbury Rd. E4 —9A 92
Salisbury Rd. E7 —8G 124
Salisbury Rd. E10 —4C 124
Salisbury Rd. E12 —7K 125
Salisbury Rd. E17 —9C 108
Salisbury Rd. Clac S —8N 187
Salisbury Rd. Dag —8N 127
Salisbury Rd. Grays —4M 157
Salisbury Rd. Hod —3C 54
Salisbury Rd. Ilf —4D 126
Salisbury Rd. Lgh S —4B 138
Salisbury Rd. Romf —9F 112
Salisbury Side. Bas —8G 118
Salix Rd. Grays —4N 157
Salmon Clo. Colc —2G 174
Salmonds Gro. Ingve —2M 115
Salmon La. E1 —7D 38
Salmon Rd. Dart —8K 155
Salmon's Corner. —3D 172 (7K 15)
Salmon's La. Cogg —2C 172 (7K 15)
Salmons La. Thorr —9G 178
Saltash Rd. Ilf —4C 110
Saltcoat Maltings. Mal —7N 203
Saltcoats. S Fer —9K 91
Salter Pl. Chelm —9A 62
Salter Rd. SE16 —1C 46
Salters Hill. SE19 —5B 46
Salters Meadow. Tol D —6B 26
Salters Rd. E17 —8D 108
Saltford Clo. Eri —3C 154
Saltings, The. Ben —3K 137
Salvia Clo. Clac S —9G 187
Salway Clo. Wfd G —4G 108
Salway Pl. E15 —8D 124
Salway Rd. E15 —8D 124
Samantha M. Hav —9C 96
Sampford Rd. Corn H —7J 7
Sampford Rd. R'ter —7F 7
Samphire Clo. Wthm —4A 214
Samphire Ct. Grays —4A 158
Sampson's La. Pel —4E 26
Samson Ho. Lain —6K 117
Samsons Clo. B'sea —5D 184
Samson's Rd. B'sea —4D 184 (2K 27)
Samuel Mnr. Chel V —8A 62
Samuel Rd. Bas —2K 133
Samuel's Corner. —4D 44
Samuels Dri. Sth S —6F 140
Sanctuary Garden. Stan H —3N 149
Sanctuary Rd. Lgh S —3N 137
Sandbanks. Ben —4K 137
Sandbanks Hill. Bean —5E 48
Sandcliff Rd. Eri —2B 154
Sanderling Ct. SE28 —7H 143
Sanderling Gdns. H'bri —3M 203
Sanderlings. Ben —4C 136
Sanders Dri. Colc —8J 167
Sanderson Clo. W H'dn —1M 131
Sanderson Ct. Ben —1C 136
Sanderson Gdns. Wfd G —5J 109
Sanderson M. Colc —8N 167
Sanderson Rise. Ilf —1F 110
Sanderson Shaw. SE28 —7J 143
Sanders Rd. Can I —8G 136
Sandford Av. Lou —2B 94
Sandford Clo. W'hoe —6J 177
Sandfordhall Green. —9L 173
Sandford Mill Rd. Chelm —9A 62 (1B 34)
(in three parts)
Sandford Rd. Chelm —8M 61 (1A 34)
Sandgate Clo. Romf —2B 128
Sandhill Rd. Lgh S —7B 122
Sandhurst. Can I —2C 152
Sandhurst Clo. Lgh S —2E 138
Sandhurst Cres. Lgh S —2E 138
Sandhurst Dri. Ilf —6E 126
Sandhurst Rd. SE6 —4E 46
Sandhurst Rd. Til —7E 158
Sandleigh Rd. Lgh S —5F 138
Sandon. —4L 75 (2C 34)
Sandon Clo. Ave —1G 135
Sandon Clo. Gt Hork —9K 161
Sandon Clo. R'fd —4J 123
Sandon Ct. Bas —1G 135
Sandon Hall Bridleway. H Grn —7L 75
Sandon Hill. F End —3J 23
Sandon Pl. Ong —9L 69
Sandon Rd. Bas —1G 135
Sandown Av. Dag —8A 128
Sandown Av. Horn —4H 129
Sandown Av. Wclf S —4G 138
Sandown Clo. Clac S —5L 187
Sandown Clo. W'fd —9N 103
Sandown Rd. Ben —8H 121
Sandown Rd. Ors —5G 149
Sandown Rd. W'fd —9A 104
Sandpiper Clo. Colc —7G 168
Sandpiper Clo. H'bri —3M 203
Sandpiper Clo. Shoe —6J 141
Sandpiper Dri. Eri —5F 154
Sandpipers. Shoe —8L 141
(off Rampart Ter.)
Sandpiper Wlk. Chelm —4D 74
Sandpit La. Brain —5H 193
Sandpit La. Brtwd & Pil H
—7C 98 (7D 32)
Sandpit La. Bur C —3M 195
Sandpit Rd. Dart —9G 155
Sandpit Rd. Shoe —6M 141
Sandpits La. Hghm —1H 17
Sandringham Av. H'low —3L 55
Sandringham Av. Hock —1B 122
Sandringham Clo. Ilf —7B 110
Sandringham Clo. Stan H —2N 149
Sandringham Dri. Colc —2A 176
Sandringham Gdns. Ilf —7B 110
Sandringham Pl. Chelm —9L 61
Sandringham Rd. E7 —7J 125
Sandringham Rd. E8 —5B 38
Sandringham Rd. E10 —1D 124
Sandringham Rd. Bark —8E 126
Sandringham Rd. Lain —7N 117
Sandringham Rd. Pil H —5E 98
Sandringham Rd. Sth S —6B 140
Sands Way. Wfd G —3M 109
Sandwich Clo. Brain —2G 193
Sandwich Rd. B'sea —5E 184
Sandwich Rd. Clac S —4G 191
Sandy Hill. Wmgfd —2B 16
Sandyhill Rd. Ilf —6A 126
Sandy La. Ave —7K 145 (7C 40)
Sandy La. Bean —4E 48
Sandy La. Bulm —5H 9
Sandy La. Grays —4D 158
Sandy La. St M & Sidc —6J 47
Sandy La. W Thur —4E 156
Sanfordhall Green. —1B 26
Sanford St. SE14 —2D 46
Sangley Rd. SE6 —4D 46
Sanity Clo. W'hoe —6J 177
San Remo Pde. Wclf S —7K 139
San Remo Rd. Can I —2K 153
Sansom Rd. E11 —4F 124
Santour Rd. Can I —9E 136
Sappers Clo. Saw —2L 53
Sapphire Clo. Dag —3H 127
Sara Cres. Grnh —9E 156
Sara Ho. Eri —5C 154
Sarah's Wlk. Tak —8B 210
Saran Ct. W'hoe —4G 177
Sarcel. Stis —6F 15
Sargeant Clo. Colc —3B 176
Sargents La. Hads —3C 6
Sark Gro. W'fd —2A 120
Sarre Av. Horn —8G 129
Sarre Way. B'sea —5D 184
Sassoon Way. Mal —7K 203
Satanita Rd. Wclf S —6H 139
Saul's Av. Wthm —8D 214
Sauls Bri. Clo. Wthm —7E 214
Sauls Grn. E11 —5E 124
Saunders Av. Brain —5G 192
Saunders Clo. Else —8C 196
Saunders Ho. Gt War —3F 114
Saunders Way. SE28 —7G 142
Saunton Rd. Horn —4E 128
Savernake Rd. Chelm —1N 73
Saville Clo. Clav —3J 11
Saville Ho. E16 —8A 142
(off Robert St.)
Saville Rd. Romf —1L 127
Saville St. W on N —5M 183
Savill Rd. Colc —4C 176
Savill Row. Wfd G —3F 108
Savoy Clo. Lang H —1J 133
Savoy Wood. H'low —9A 56
Sawbridgeworth. —3K 53 (4J 21)
Sawbridgeworth Rd. Hat H
—2A 202 (4A 22)
Sawbridgeworth Rd. L Hall —3K 21
Sawkins Av. Chelm —4E 74
Sawkins Clo. Chelm —4E 74
Sawkins Clo. L'hoe —9B 176
Sawkins Gdns. Chelm —4E 74
Sawney Brook. Writ —1J 73
Sawpit La. L Lon —4J 11
Sawston. —1K 5
Sawyers Chase. Abr —2G 95
Sawyers Clo. Dag —8A 128
Sawyers Ct. Shenf —6H 99
Sawyers Hall La. Brtwd —6F 98
Sawyer's Rd. L Tot —5K 25
Saxham Rd. Bark —1D 142
Saxlingham Rd. E4 —9D 92
Saxmundham Way. Clac S —9E 186
Saxon Bank. Brain —6K 193
Saxon Clo. E17 —2A 124
Saxon Clo. Brtwd —9K 99
Saxon Clo. Colc —2G 175
Saxon Clo. H'std —4L 199
Saxon Clo. Ray —2L 121
Saxon Clo. Romf —6K 113
Saxon Clo. W'fd —7M 103
Saxon Ct. Ben —1C 136
(in two parts)
Saxon Dri. Wthm —4B 214
Saxon Gdns. Shoe —7G 141
Saxon Rd. Ilf —8A 126
Saxonville. Ben —2B 136
Saxon Way. Ben —4C 136
Saxon Way. Broom —4K 61
Saxon Way. Clac S —7C 188
Saxon Way. Mal —7L 203
Saxon Way. P Bay —4K 27
Saxon Way. Saf W —4J 205
Saxon Way. Wal A —3C 78
Saxted Dri. Clac S —9E 186
Sayers. Ben —9G 120
Sayers Gdns. Saw —2L 53
Sayesbury Av. Saw —1J 53
Sayesbury Rd. Saw —2K 53
Saywell Brook. Chelm —9B 62
Scalby Rd. S'min —9H 207
Scaldhurst. Pits —7K 119
Scarborough Dri. Lgh S —4D 138
Scarborough Rd. E11 —3D 124
Scarborough Rd. S'min —9H 207
Scarfe Way. Colc —9E 168
Scarlets Chase. Gt Hork —1F 166
Scarletts. Bas —7D 118

South Hornchurch—Stansted Rd.

South Hornchurch. —1D 144 (6A 40)
South Ho. Chase. Mal —9M 203
South Lambeth. —2A 46
S. Lambeth Rd. SW8 —2A 46
Southland Clo. Colc —6C 168
Southlands Cotts. W'fd —6A 104
Southlands Rd. Brom —6F 47
Southlands Rd. Cray H —1E 118
S. Lodge Av. Mitc —6A 46
S. Mayne. Bas —9G 119
S. Mayne. Pits —3B 42
Southminster. —7K 207 (5D 36)
Southminster Rd. Alth —5B 36
Southminster Rd. Ashel —4C 36
Southminster Rd. Bur C —1J 195 (6C 36)
Southminster Rd. S'min —9J 207
Southminster Rd. St La —2D 36
South Norwood. —6C 46
S. Norwood Hill. SE25 —6B 46
South Ockendon. —6E 146 (7E 40)
South Pde. Can I —3L 153
South Pde. Wal A —3C 78
S. Park Cres. Ilf —5C 126
S. Park Dri. Ilf & Bark —7D 126 (4H 39)
S. Park Rd. Ilf —5C 126
S. Park Ter. Ilf —5C 126
South Pl. H'low —9F 52
S. Primrose Hill. Chelm —8H 61
S. Ridge. Bill —7L 101
S. Riding. Bas —9F 118
South Rd. Bill —2E 118
South Rd. Bis S —1K 21
South Rd. Chad H —1K 127
South Rd. Eri —5D 154
South Rd. H'low —9F 52
South Rd. L Hth —9H 111
South Rd. Puck —7E 10
South Rd. Saf W —4L 205
South Rd. S Ock —5F 146 (7E 40)
South Rd. Stan H —5D 134
South Rd. Tak —7C 210
Southsea Av. Lgh S —4C 138
Southsea Ho. H Hill —2H 113
(off Darlington Gdns.)
South Side. Til —9A 158
South Side. Wal A —9H 65
South Stifford. —4G 157 (1F 49)
South Strand. Law —3H 165
South St. Bis S —1K 21
South St. Brad S —1F 37
South St. Brain —6H 193 (7C 14)
South St. Brtwd —8F 98
South St. Colc —9M 167
South St. Enf —7C 30
South St. Gt Che —4A 6
South St. Gt Walt —6G 58
South St. Lit —4A 4
South St. Mann —4J 165
South St. Rain —2A 144
South St. R'fd —6L 123 (2J 43)
South St. Romf —9C 112 (3A 40)
South St. T'ham —3E 36
South St. Tol D —6B 26
South Tottenham. —3B 38
South View. Ded —2N 163
South View. D'mw —8K 197
South View. Ors —5D 148
S. View Av. Til —6C 158
S. View Clo. Ray —7M 121
Southview Clo. S Fer —9K 91
Southview Cres. Ilf —1A 126
S. View Dri. E18 —7H 109
Southview Dri. Bas —7L 119
Southview Dri. Clac S —7C 188
S. View Dri. Upm —5L 129
Southview Dri. W on N —7M 183
Southview Dri. Wclf S —5H 139
Southview Pde. Rain —3B 144
S. View Rd. Ben —3C 136
Southview Rd. Dan —4D 76
S. View Rd. Grays —4F 156
Southview Rd. Hock —9E 106
S. View Rd. Lou —5M 93
S. View Rd. Ret C —3C 104
Southview Rd. Van —1F 134
South Wlk. Bas —1B 134
Southwalters. Can I —1F 152
Southwark. —7A 38
Southwark Bri. SE1 —7B 38
Southwark Bri. Rd. SE1 —1A 46
Southwark Pk. Rd. SE16 —1C 46
Southwark Path. Bas —8G 118
Southwark St. SE1 —7A 38
S. Wash Rd. Lain —6N 117
Southway. Bas —5N 133
Southway. B'sea —6E 184
Southway. Colc —9M 167 (6E 16)
South Way. Purf —1B 156
South Way. Wal A —7B 78
South Weald. —8B 98 (7D 32)
S. Weald Dri. Wal A —3D 78
S. Weald Rd. Brtwd —9D 98
Southwell Gro. Rd. E11 —4E 124
Southwell Rd. Ben —2E 136
Southwest Rd. E11 —3D 124
Southwick Gdns. Can I —2F 152
Southwick Rd. Can I —2F 152
Southwold Cres. Ben —1C 136
Southwold Dri. Bark —7F 126
Southwold Way. Clac S —8E 186
Southwood Chase. Dan —6G 77
South Woodford. —6G 109 (3E 38)
S. Woodford to Barking Relief Rd.
E11 & Bark —9K 109 (3F 39)
Southwood Gdns. Ilf —8A 110
Southwood Gdns. Lgh S —7A 122
South Woodham Ferrers.
—1L 105 (6F 35)
Southwood Rd. SE9 —4G 47
Southwood Rd. SE28 —8G 143
Sovereign Clo. Brain —4M 193
Sovereign Clo. R'fd —5K 123
Sovereign Ct. H'low —6A 56
Sovereign Cres. Colc —9K 167
Sovereign Rd. Bark —3H 143
Sowerberry Clo. Chelm —4H 61
Sowley Green. —1A 8
Sowley Grn. Thurl —1K 7
Sowrey Av. Rain —8D 128
Spa Clo. Hock —1D 122
Spa Ct. Hock —1D 122
Spa Hill. SE19 —6B 46
Spains Hall Garden. —1J 13
Spains Hall Pl. Bas —1D 134
Spains Hall Rd. Corn H —1J 13
Spains Hall Rd. Will —1J 71 (1F 33)
Spalding Av. Chelm —6G 61
Spalding Clo. Brain —4G 193
Spalding Way. Chelm —2G 74
Spalt Clo. Hut —8L 99
Spanbeek Rd. Can I —9H 137
Spanbrook. Chig —9A 94
Spansey Ct. H'std —5J 199
Spar Dri. St La —1C 36
Spareleaze Hill. Lou —3M 93
Sparepenny La. Eyns —7B 48
Sparepenny La. N. Gt Sam —1H 13
Sparepenny La. S. Gt Sam —1H 13
Sparkbridge. Lain —9J 117
Sparkey Clo. Wthm —8D 214
Sparks Clo. Dag —4J 127
Sparks La. Ridg —5B 8
Sparling Clo. Colc —4K 175
Sparlings, The. Kir S —6F 182
Spa Rd. Fee —7E 202
Spa Rd. Hock —1C 122 (1H 43)
Spa Rd. Wthm —4F 25
Sparrow Clo. Sib H —7B 206
Sparrow Grn. Dag —5N 127
Sparrows End. —7B 6
Sparrowsend Hill. Saf W —8H 205
Sparrowsend Hill. Wen A —1B 12
Sparrows Herne. Bas —3B 134 (4A 42)
Sparrows Herne. Clac S —7K 187
Sparrows La. Hat H —5C 22
Sparsholt Clo. Bark —1D 142
(off Sparsholt Rd.)
Sparsholt Rd. Bark —1D 142
Spearpoint Gdns. Ilf —9E 110
Speckled Wood Ct. Brain —8G 192
Speedgate Hill. Fawk —7E 48
Speedwell Clo. Wthm —4A 214
Speedwell Ct. Grays —5A 158
Speedwell Rd. Colc —4D 176
Spellbrook. —3K 21
Spellbrook Clo. W'fd —1N 119
Spellbrook La. E. Spel —3K 21
Spellbrook La. W. Spel —3J 21
Spells Clo. S'min —7L 207
Spencer Clo. Else —6C 196
Spencer Clo. Epp —8G 67
Spencer Clo. Mal —8K 203
Spencer Clo. Stans —3D 208
Spencer Clo. Wfd G —2J 109
Spencer Ct. S Fer —1L 105
Spencer Gdns. R'fd —2K 123
Spencer Ho. Lgh S —3D 138
Spencer Rd. E17 —6C 108
Spencer Rd. Ben —1D 136
Spencer Rd. Gt Che —2L 197
Spencer Rd. Ilf —3E 126
Spencer Rd. Rain —3B 144
Spencer Rd. T Sok —4L 181
Spencers. Hock —3E 122
Spencers Ct. W'fd —9K 103
Spencers Croft. H'low —5G 56
Spencers Piece. L'ham —4E 162
Spencer Sq. Brain —2M 193
Spencer St. EC1 —6A 38
Spencer Wlk. Til —7D 158
Spendells Clo. W on N —4N 183
Spenders Clo. Bas —7E 118
Spenlow Dri. Chelm —4F 60
Spennells, The. T Sok —4L 181
Spenser Cres. Upm —2N 129
Spenser Way. Jay —3D 190
Speyside Wlk. W'fd —2M 119
Spey Way. Romf —4C 112
Spicers La. H'low —8H 53
Spielman Rd. Dart —9K 155
Spillbutters. Dodd —6E 84
Spilsby Rd. Romf —4H 113
Spindle Beams. R'fd —6L 123
Spindles. Til —5C 158
Spindle Wood. H'wds —3A 168
Spingate Clo. Horn —7H 129
Spinks La. Wthm —6B 214 (4F 25)
Spinnaker Clo. Clac S —4H 191
Spinnaker Dri. Hey B —8N 203
Spinnakers, The. Ben —2B 136
Spinnaker, The. S Fer —3L 105
Spinnel's Hill. Brad —3C 18
Spinnel's La. Wix —3D 18
Spinney Clo. Rain —2C 144
Spinney Clo. W'fd —9N 103
Spinney Ct. Saw —1K 53
Spinneyfields. Tip —5D 212
Spinney Gdns. Dag —7K 127
Spinneys, The. Hock —2C 122
Spinneys, The. Lgh S —8E 122
Spinneys, The. Ray —6N 121
Spinney, The. Bill —4K 101
Spinney, The. Brain —7L 193
Spinney, The. Hut —5M 99
Spinney, The. Lou —3A 94
Spinney, The. Ong —9K 69
Spinney, The. Ors —4C 148
Spinney, The. Stans —4D 208
Spinneywood. Lain —7J 117
Spinning Wheel Mead. H'low —6F 56
Spire Grn. Cen. H'low —4L 55
Spire Rd. Lain —8L 117
Spires, The. Gt Bad —4G 75
Spitalbrook. —7A 54 (7D 20)
Spitalfields. —7C 38
Spitalfields Market (New).
—5A 124 (4D 38)
Spital La. Brtwd —9C 98
Spital Rd. Mal —2G 35
(Maldon Rd.)
Spital Rd. Mal —7H 203 (1H 35)
(Wyke Hill)
Sporeham La. S'don —6N 75
Sporehams La. Dan —3C 34
Sporhams. Bas —2N 133
Sportsmans La. Hat P —4L 63 (6E 24)
Sportsway. Colc —7N 167
Spots Wlk. Chelm —7E 74
Spout La. L Cor —7K 9
Spratt Hall Rd. E11 —1G 124
Spratts La. L Bro —3F 170 (5K 17)
Spread Eagle Pl. Ing —5E 86
Spriggs Ct. Epp —8F 66
(off Palmers Hill)
Spriggs La. B'more —7J 71 (3F 33)
Spriggs Oak. Epp —8F 66
(off Palmers Hill)
Springbank Av. Horn —7G 128
Springbank Av. Law —5G 164
Spring Chase. B'sea —6D 184 (3K 27)
Spring Chase. W'hoe —4H 177
Spring Clo. Clac S —8G 186
Spring Clo. Dag —3J 127
Spring Clo. H'wds —4C 168
Spring Clo. L Bad —6L 63
Spring Elms La. L Bad —8M 63 (1E 34)
Springfarm Clo. Rain —3H 145
Springfield. —6M 61 (7B 24)
Springfield. Ben —2K 137
Springfield. Epp —2E 80
Springfield Av. Hut —6A 100
Springfield Clo. Ong —5K 69
Springfield Cotts. H'bri —3K 203
Springfield Ct. Ilf —7A 126
Springfield Ct. Ray —3G 121
Springfield Dri. Ilf —9B 110
Springfield Dri. Wclf S —3J 139
Springfield Gdns. Upm —5M 129
Springfield Gdns. Wfd G —4J 109
Springfield Grn. Chelm —7M 61 (7B 24)
Springfield Hall La. Chelm —5L 61
(in two parts)
Springfield Ind. Est. Bur C —3K 195
Springfield Nursery Est. Bur C —2K 195
Springfield Pk. Av. Chelm —9M 61
Springfield Pk. Hill. Chelm —9M 61
Springfield Pk. La. Chelm —8N 61
Springfield Pk. Rd. Chelm —9M 61
Springfield Pl. Chelm —6M 61
Springfield Rd. E4 —7E 92
Springfield Rd. E6 —9M 125
Springfield Rd. Bill —3K 101
Springfield Rd. Bur C —2K 195
Springfield Rd. Can I —2M 153
Springfield Rd. Chelm —9L 61 (1A 34)
(in two parts)
Springfield Rd. Grays —9A 148
Springfield Rd. W'fd —8N 103
Springfields. Bas —3G 134
Springfields. B'sea —7E 184
Springfields. D'mw —8K 197
Springfields. Wal A —4E 78
Springfields Dri. Colc —3H 175
Spring Gdns. Horn —6F 128
Spring Gdns. Ray —5J 121
Spring Gdns. Romf —9A 112
Spring Gdns. Wfd G —4J 109
Spring Gdns. Rd. Wak C —4K 15
Spring Gro. Lou —5K 93
Springhall Ct. Saw —2K 53
Springhall La. Saw —3K 53
Springhall Rd. Saw —2K 53
Springhead Rd. Eri —4D 154
Springhead Rd. N'fleet —4G 49
Spring Hill. A End —6B 6
Springhill. Widd —2B 12
Springhill Clo. Gt Bro —6D 170
Springhill Rd. Saf W —5K 205
Spring Hills. H'low —2N 55
Springhouse La. Corr —2B 150 (6A 42)
Springhouse Rd. Corr —1N 149 (6K 41)
Springlands Way. Sud —4J 9
Spring La. SE25 —7C 46
Spring La. Bass —4B 4
Spring La. Colc —7H 167 (6D 16)
(in two parts)
Spring La. Eig G & For H
—7B 166 (6C 16)
Spring La. Gt Tot —4L 203 (5J 25)
Spring La. Rhdge —8H 177
Spring La. W Ber —3F 166
Spring La. W Bis & Hat P —6F 25
Spring La. W'hoe —4H 177
(in two parts)
Spring La. Roundabout. Colc —8H 167
Springleigh Pl. Wclf S —4J 139
Springmead. Brain —1D 198
Spring Park. —7D 46
Springpond Clo. Chelm —2F 74
Spring Pond Meadow. Hook E —5F 84
Springpond Rd. Dag —7K 127
Spring Rise. Chelm —8D 74
Spring Rd. B'sea —6E 184
Spring Rd. St O —9M 185 (4B 28)
Spring Rd. Tip —7C 212 (4K 25)
Spring Sedge Clo. S'way —8D 166
Springvalley La. A'lgh —3H 169 (5G 17)
Spring Wlk. Worm —1C 30
Springwater Clo. Lgh S —8B 122
Springwater Gro. Lgh S —8B 122
Springwater Rd. Lgh S —7A 122
Spring Way. Sib H —6C 206
Springwell. —5B 6
Springwell Rd. L Ches —5B 6
Springwood Ct. Brain —5F 192
Springwood Dri. Brain —4E 192
Springwood Ind. Est. Brain —5E 192
Springwood Way. Romf —9E 112
Sprowston M. E7 —8G 124
Sprowston Rd. E7 —7G 125
Spruce Av. Colc —7D 168
Spruce Clo. Lain —6L 117
Spruce Clo. W Mer —2J 213
Spruce Clo. Wthm —3D 214
Spruce Hill. H'low —8D 56
Spruce Hills Rd. E17 —6C 108
Sprundel Av. Can I —3K 153
Spur Clo. Abr —2G 95
Spurgate. Hut —8K 99
Spurgeon Clo. Sib H —6C 206
Spurgeon Pl. K'dn —8C 202
Spurgeon St. Colc —9C 168
Spurling Rd. Dag —8L 127
Spur Rd. Orp —7J 47
Spur, The. Hock —7B 106
Squadrons App. Horn —8G 129
Square, The. Colc —3J 175
Square, The. H'bri —3K 203
Square, The. Horn H —2H 149
Square, The. Ilf —2N 125
Square, The. Marg —1J 87
Square, The. Saw —2K 53 (4K 21)
Square, The. Stock —7N 87
Square, The. T'ham —3E 36
Square, The. W Mer —3J 213
Square, The. Wfd G —2G 108
Squat La. Har —5J 201
Squires Ct. Hod —6A 54
Squires, The. Romf —1A 128
Squire St. S Fer —1L 105
Squirrells Ct. Chelm —6H 61
Squirrels. Lain —3K 133
Squirrels Chase. Grays —9C 148
Squirrelsfield. M End —2N 167
Squirrels Heath. —7H 113 (3B 40)
Squirrels Heath Av. Romf —7F 112
Squirrels Heath La. Romf & Horn
—8G 113 (3B 40)
Squirrels Heath Rd. Romf
—7J 113 (2C 40)
Squirrel's La. Buck H —9K 93
Stable Clo. S'way —9F 166
Stable Clo. W Mer —2M 213
Stablecroft. Chelm —3N 61
Stablefield Rd. W on N —7K 183
Stable M. W Mer —1M 213
Stables, The. Buck H —6J 93
Stables, The. Saw —1N 53
Stacey Clo. E10 —9D 108
Stacey Dri. Bas —4L 133
Stacey's Mt. Cray H —2D 118
Stack Av. Bas —2F 132
Stackfield. H'low —9F 52
Stack La. Hort K —6D 48
Staddles. L Hall —3K 21
Stadium Rd. Sth S —5M 139
Stadium Trad. Est. Ray —8K 121
Stadium Way. Ben —8J 121
Stafford Av. Horn —7H 113
Stafford Clo. Kir X —8H 183
Stafford Clo. Lgh S —9F 122
Stafford Clo. Linf —1J 159
Stafford Ct. Brox —8A 54
Stafford Cres. Brain —4M 193
Stafford Dri. Brox —8A 54
Stafford Grn. Lang H —2H 133
Stafford Ho. Brox —8A 54
Stafford Ind. Est. Horn —7H 113
Stafford Rd. E7 —9J 125
Staffords. H'low —8K 53
Stafford's Corner. —3C 26
Stafford Wlk. Can I —9G 137
Stagden Cross. —4G 23
Stagden Cross. Bas —1G 135
Staggart Grn. Chig —3E 110
Stag La. Buck H —8H 93
Staines Green. —6A 20
Staines Rd. Ilf —6B 126
Stainforth Rd. E17 —8A 108
Stainforth Rd. Ilf —2C 126
Stairs Rd. Gt W —4D 44
Stalin Rd. Colc —2A 176
Stallards Cres. Kir X —8H 183
Stambourne. —6A 8
Stambourne Green. —6A 8
Stambourne Rd. F'fld —3B 14
Stambourne Rd. Gt Yel
—6A 198 (6B 8)
Stambourne Rd. L Sam —1H 13
Stambourne Rd. Stamb & Ridg —6B 8
Stambourne Rd. Top —7B 8
Stambridge Rd. Clac S —9G 187
Stambridge Rd. R'fd —5L 123 (2K 43)
Stamford Gdns. Dag —9H 127
Stamford Hill. —3B 38
Stamford Hill. N16 —4B 38
Stamford Rd. N1 —5B 38
Stamford Rd. Dag —1G 142
Stamford St. SE1 —7A 38
Stammers Ct. S'min —7L 207
Stammers Rd. Colc —3N 167
Stanbrook. —4F 13
Stanbrook Rd. SE2 —9G 142
Stanbrook Rd. Thax —4J 211 (4F 13)
Standard Av. Jay —5B 190
Standard Rd. Colc —9C 168
Standen Av. Horn —5H 129
Standfield Gdns. Dag —8M 127
Standfield Rd. Dag —7M 127
Standford Warren Nature Reserve.
—6N 149 (7K 41)
Standingford. H'low —8A 56
Standley Rd. W on N —5N 183
Standon. —7E 10
Standon Green End. —2D 20
Standon Hill. Puck —7E 10
Standon Rd. L Had —7G 11
Standrums. D'mw —8L 197
Stane Field. M Tey —3F 172
Stanes Rd. Brain —2H 193
Staneway. Bas —3L 133 (4K 41)
Stanfield Clo. S'way —3F 174
Stanfield Rd. Sth S —5M 139
Stanford Clo. Romf —1N 127
Stanford Clo. Wfd G —2L 109
Stanford Ct. Wal A —3G 78
Stanford Gdns. Ave —8B 146
Stanford Hall. Corr —2A 150
Stanford Ho. Bark —2G 143
Stanford-le-Hope. —4M 149 (6K 41)
Stanford-le-Hope By-Pass. Stan H
—9M 133
Stanford Rivers. —3G 83 (4B 32)
Stanford Rivers Rd. Ong
—1L 83 (4C 32)
Stanford Rd. Can I —2G 152
Stanford Rd. Grays & Stan H
—1A 158 (1G 49)
Stanham Pl. Dart —9E 154
Stanhope Gdns. Dag —5L 127
Stanhope Gdns. Ilf —3M 125
Stanhope Rd. E17 —9B 108
Stanhope Rd. Dag —4L 127
Stanhope Rd. Rain —2E 144
Stanhope Rd. Swans —3F 49
Stanier Clo. Sth S —6A 140
Stanley Av. Bark —2E 142
Stanley Av. B'sea —7F 184
Stanley Av. Dag —3L 127
Stanley Av. Romf —8E 112
Stanley Clo. Horn —4G 129
Stanley Clo. Romf —8E 112
Stanley Pl. Ong —8L 69
Stanley Rise. Chel V —8A 62
Stanley Rd. E4 —7D 92
Stanley Rd. E10 —1B 124
Stanley Rd. E12 —7L 125
Stanley Rd. E18 —5F 108
Stanley Rd. Ben —1D 136
Stanley Rd. Bulp —6B 132
Stanley Rd. Can I —1K 153
Stanley Rd. Clac S —2F 190
Stanley Rd. Grays —3L 157 (1F 49)
Stanley Rd. Gt Che —2M 197
Stanley Rd. H'std —4J 199
Stanley Rd. Horn —4G 129
Stanley Rd. Ilf —4C 126
Stanley Rd. R'fd —9H 107
Stanley Rd. Sth S —7N 139
Stanley Rd. W'hoe —5J 177
Stanley Rd. N. Rain —1C 144
Stanley Rd. S. Rain —2D 144
Stanleys Farm Rd. Saf W —5M 205
Stanley Ter. Bill —7J 101
Stanley Wooster Way. Colc —8E 168
Stanmore Clo. Clac S —8H 187
Stanmore Rd. E11 —3F 124
Stanmore Rd. Belv —2A 154
Stanmore Rd. W'fd —1B 120
Stanmore Way. Lou —9N 79
Stanmore Way. St O —9N 185
Stannard Way. Gt Cor —5K 9
Stannetts. Lain —7K 117
Stansfeld Rd. E16 —7F 39
Stansfield Ct. Ben —8B 120
(off Stansfield Rd.)
Stansfield Rd. Ben —8B 120
Stansgate Rd. Dag —4M 127
Stansgate Rd. Stpl —2B 36
Stanstead. —1H 9
Stanstead Abbots. —6E 20
Stanstead Dri. Hod —3B 54
Stanstead Rd. E11 —9H 109
Stanstead Rd. SE23 & SE6 —4C 46
Stanstead Rd. H'std —6L 199
Stanstead Rd. Hert & Gt A —5C 20
Stanstead Rd. Hod —4B 54 (7D 20)
Stansted Clo. Bill —6M 101
Stansted Clo. Chelm —1N 73
Stansted Clo. Horn —8F 128
Stansted Hill. M Hud —2G 21
Stansted Mountfitchet.
—3D 208 (6A 12)
Stansted Mountfitchet Castle.
—3E 208 (6A 12)
Stansted Mountfitchet Norman Village.
—3E 208 (6A 12)
Stansted Mountfitchet Towermill.
—3C 208 (6A 12)
Stansted Rd. Bchgr —6B 208

Stansted Rd.—Street, The

Stansted Rd. Bis S —8A 208 (1K 21)
Stansted Rd. Colc —5A 176
Stansted Rd. Else —9B 196 (6B 12)
Stansted Way. Frin S —8K 183
Stanstrete Field. Bla N —3B 198
Stantons. H'low —2A 56
Stanway. —1A 174 (6C 16)
Stanway Clo. Chig —2D 110
Stanway Green. —3F 174
Stanway Rd. Ben —1C 136
Stanway Rd. Wal A —3G 79
Stanwell St. Colc —9N 167 (6E 16)
Stanwick Dri. Chig —2B 110
Stanwyck Gdns. H Hill —2F 112
Stanwyn Av. Clac S —1J 191
Stapleford. —3A 20
Stapleford Abbotts. —4A 96 (7A 32)
Stapleford Av. Ilf —9D 110
Stapleford Clo. E4 —9C 92
Stapleford Clo. Chelm —1B 74
Stapleford End. W'fd —2B 120
Stapleford Gdns. Romf —3M 111
Stapleford Rd. Romf —7K 31
Stapleford Rd. Stap A —3N 95
Stapleford Tawney. —6A 82 (5A 32)
Stapleford Tawney Airfield. —1M 95 (6K 31)
Stapleford Way. Bark —3G 143
Staplegrove. Shoe —6H 141
Staplers Clo. Gt Tot —8N 213
Staplers Heath. Gt Tot —8N 213
Staplers Wlk. Gt Tot —8N 213
Staple's Rd. Lou —2K 93
Stapleton Cres. Rain —8E 128
Stapleton Hall Rd. N4 —4A 38
Staple Tye. H'low —6B 56
Staple Tye Shop. Cen. H'low —6C 56
Starboard View. S Fer —3L 105
Star Bus. Cen. Rain —5B 144
Starch Ho. La. Ilf —6C 110
Star La. D'mw —7L 197
Star La. Epp —9F 66
Star La. Gt W —3J 141 (4B 44)
Star La. Ing —5E 86
Star La. Orp —6J 47
Star La. Ind. Est. Gt W —3K 141
Starling Clo. Buck H —7G 93
Starling M. SE28 —9C 142
Starling's Green. —3J 11
Starling's Hill. Sib H —3E 14
Starmans Clo. Dag —1K 143
Star Mead. Thax —3K 211
Starr Rd. Hen —4C 12
Star St. Ware —4D 20
Start Hill. —1A 22
Starts Hill Rd. Orp —7G 47
Statford Rd. Strat M —2H 17
Stathers Ct. Romf —5C 112
Stathers Cres. Chelm —9N 61
Station App. E4 —3D 108
Station App. E7 —6H 125
Station App. E11 —9G 108
Station App. E17 —9A 108
(in two parts)
Station App. E18 —6G 108
Station App. B'hurst —7A 154
Station App. Brain —6J 193
Station App. Buck H —1K 109
Station App. Bur C —3L 195
Station App. Can I —8F 136
Station App. Frin S —9J 183
Station App. Grays —4K 157
Station App. H'low —7H 53
Station App. Har —2N 201
Station App. Hay —7F 47
Station App. Hock —1D 122
Station App. Lain —1L 133
Station App. Lou —3B 94
(Debden)
Station App. Lou —4L 93
(Loughton)
Station App. N Fam —6H 35
Station App. Pits —2J 135
Station App. Sth S —4L 139
(Prittlewell)
Station App. Sth S —6M 139
(Southend Central)
Station App. S Fer —9J 91
Station App. They B —6D 80
Station App. Upm —4N 129
Station App. W'fd —8L 103
Station App. Rd. Til —9C 158
Station Av. Ray —4H 121
Station Av. Sth S —3M 139
Station Av. W'fd —8K 103
Station Cotts. Brox —9A 54
Station Ct. E10 —2B 124
(off Kings Clo.)
Station Ct. W'fd —8L 103
Station Cres. Cold N —4H 35
Station Cres. Ray —4K 121
Station Ga. Lain —1L 133
Station Hall La. Ing —5H 33
Station Hill. Brom —7F 47
Station Hill. Bures —8C 194 (2A 16)
Station Ind. Est. Bur C —3K 195
Station La. Bas —1J 135
Station La. Har —3L 201
Station La. Horn —5H 129 (4C 40)
Station La. Ing —6D 86
Station Pde. E11 —9G 108
Station Pde. Bark —9B 126
Station Pde. Dag —8M 127
Station Pde. Eri —7C 154
Station Pde. Horn —6F 128
Station Pde. Romf —1C 128
Station Pas. E18 —6H 109
Station Rd. E4 —7D 92 (7E 30)
Station Rd. E7 —6G 124
Station Rd. E10 —5C 124
Station Rd. E12 —6L 125
Station Rd. N11 —1A 30
Station Rd. N21 —7A 30
Station Rd. N22 —2A 38
Station Rd. Alr —6N 177 (1J 27)
Station Rd. Alth —5A 36
Station Rd. A'lgh —9L 163 (4H 17)
Station Rd. B'side —7C 110
Station Rd. Ben —6D 136
Station Rd. B'ley —1A 18
Station Rd. Bill —6H 101
Station Rd. Bird —5A 8
Station Rd. Bis S —1K 21
Station Rd. Brad —3C 18
Station Rd. Brain —6H 193
Station Rd. Brau —7E 10
Station Rd. B'sea —7D 184 (3K 27)
Station Rd. Brox —8A 54 (1D 30)
Station Rd. Bunt —4D 10
Station Rd. Bur C —3L 195 (6C 36)
Station Rd. Can I —2L 153
Station Rd. Chad H —2J 127
Station Rd. Chig —9A 94
Station Rd. Clac S —2K 191 (4D 28)
Station Rd. Cold N —4H 35
Station Rd. Coln E & E Col —1A 196 (3H 15)
Station Rd. Cray —3A 48
Station Rd. Cux —7K 49
Station Rd. Dag & Romf —4J 39
Station Rd. Dov —3M 201
Station Rd. D'mw —8M 197
Station Rd. E Til —4M 159 (2J 49)
Station Rd. Else —7C 196 (5B 12)
Station Rd. Epp —1E 80 (4J 31)
Station Rd. Eri —3C 154
Station Rd. Eyns —7B 48
Station Rd. Fels —1J 23
Station Rd. Frat —4F 178 (1K 27)
Station Rd. Gid P —8F 112 (3B 40)
Station Rd. Gt Ab —1A 6
Station Rd. Gt Ben —7K 179
Station Rd. Grnh —9D 156 (3E 48)
(in two parts)
Station Rd. H'low —8H 53 (6J 21)
Station Rd. H Wood —5K 113
Station Rd. Hars —1G 5
Station Rd. Har —2M 201
Station Rd. Hat P —5E 24
Station Rd. Hock —1D 122
Station Rd. Ilf —5A 126
Station Rd. K'dn —7C 202 (2J 25)
Station Rd. Kir X —8E 182
Station Rd. Lgh S —3D 138 (4H 43)
(in two parts)
Station Rd. L Mel —3J 9
Station Rd. Lou —3L 93 (7G 31)
Station Rd. Mal —5K 203
Station Rd. Mann —3G 164 (2K 17)
Station Rd. M Tey —2J 173 (7A 16)
Station Rd. Mel —3D 4
Station Rd. Meop —5F 49
Station Rd. Newp —8D 204
Station Rd. N Wea —6N 67
Station Rd. Odsey —6A 4
Station Rd. Orp —7H 47
Station Rd. Pkstn —2H 201 (2G 19)
Station Rd. Pot B —3A 30
Station Rd. Puck —7E 10
Station Rd. Ray —4J 121 (2F 43)
Station Rd. Rayne —7B 192
Station Rd. Saf W —5K 205
Station Rd. Saw —1K 53 (4K 21)
Station Rd. Shepr —1E 4
Station Rd. Short —6E 46
Station Rd. Sib H —5B 206 (1D 14)
Station Rd. Sidc —4J 47
Station Rd. Sth S —6F 140 (5A 44)
Station Rd. S'min —7L 207 (5C 36)
Station Rd. Stan A —6E 20
Station Rd. Stans —3D 208
Station Rd. Stpl M & Odsey —5A 4
Station Rd. St P —6J 47
Station Rd. S at H —6C 48
Station Rd. Tak —8C 210 (1D 22)
Station Rd. T Sok —6K 181 (1D 28)
Station Rd. Thorr —9E 178 (1K 27)
Station Rd. Tip —7C 212 (4K 25)
Station Rd. Tol —8K 211
Station Rd. Tol D —5B 26
Station Rd. T Mary —1K 19
Station Rd. Upm —4N 129 (4D 40)
Station Rd. Wak C —4K 15
Station Rd. Wal A —4A 78
Station Rd. Wal X —4D 30
Station Rd. Wat S —2A 20
Station Rd. Wen A —7A 6
Station Rd. Wclf S —6H 139 (5J 43)
Station Rd. W H'dn —1M 131 (3G 41)
Station Rd. W Wick —7E 46
Station Rd. Whi C —2F 196 (4J 15)
Station Rd. Whi N —2E 24
Station Rd. W'fd —6K 103
Station Rd. W Bis —8H 213 (6F 25)
Station Rd. Wthm —4D 214
Station Rd. W'hoe —6H 177 (1G 27)
Station Rd. Wrab —3D 18
Station Rd. Ind. Est. Tol D —9M 197
Station Sq. Gid P —8F 112
Station St. E15 —9D 124
Station St. E16 —8A 142
Station St. Saf W —4K 205
Station St. W on N —7M 183
Station Ter. Purf —3L 155
Station Way. Bas —1M 134
Station Way. Buck H —1J 109 (1F 39)
Staverton Rd. Horn —1H 129
Stawberry La. Tip —4A 26
Steadman Ho. Dag —5M 127
(off Uvedale Rd.)
Steamer Ter. Chelm —8J 61
Steam Mill Rd. Brad —8M 165 (4B 18)
Stebbing. —6J 13
Stebbing Green. —7K 13
Stebbing Rd. Fels —1J 23
Stebbings. Bas —2L 133
Stebbing Way. Bark —2F 142
Steed Clo. Horn —4F 128
Steeds Way. Lou —2L 93
Steele Clo. M Tey —3G 173
Steele Rd. E11 —6E 124
Steen Clo. Ing —5D 86
Steeple. —3B 36
Steeple Bumpstead. —2C 210 (5K 7)
Steeple Bumpstead Rd. Stpl B —2A 210 (5J 7)
Steeplechase. Hund —1B 8
Steeple Clo. H'bri —4N 203
Steeple Clo. R'fd —4J 123
Steeplefield. Lgh S —9C 122
Steeplehall. Bas —1J 135
Steeple Heights. Ben —9A 120
Steeple Morden. —4A 4
Steeple Rd. Latch —4K 35
Steeple Rd. May —4A 204
Steeple Rd. S'min —6J 207 (4C 36)
Steeple Rd. Stpl —3C 36
Steeple View. —2J 41
Steeple Way. Dodd —6E 84
Steerforth Clo. Chelm —4F 60
Steli Av. Can I —8F 136
Stella Maris Clo. Can I —2M 153
Stelling Rd. Eri —5B 154
Stembridge Rd. SE20 —6C 46
Stenning Av. Linf —2J 159
Stepfield. Wthm —5E 214
Stephen Av. Rain —8E 128
Stephen Cranfield Clo. Rhdge —7G 176
Stephen Marshall Av. F'fld —2K 13
Stephen Neville Ct. Saf W —5K 205
Stephen Rd. Bexh —8A 154
Stephens Clo. Romf —2G 113
Stephens Cres. Horn H —2H 149
Stephenson Av. Til —6C 158
Stephenson Rd. Brain —7J 193
Stephenson Rd. Clac S —5M 187 (3E 28)
Stephenson Rd. Colc —1D 168
Stephenson Rd. Lgh S —9B 122
Stephenson Rd. N Fam —6H 35
Stephenson Rd. W. Clac S —4L 187 (2E 28)
Stephenson St. E16 —6E 38
Stepney. —7C 38
Stepney Grn. E1 —7C 38
Stepney Way. E1 —7C 38
Sterling Clo. Colc —1F 174
Sterling Clo. Ray —2H 121
Sterling Way. N18 —1B 38
Sternhold Av. SW2 —4A 46
Sterry Cres. Dag —7M 127
Sterry Gdns. Dag —8M 127
Sterry Rd. Bark —1E 142
Sterry Rd. Dag —6M 127
Stethall. —6K 5
Stevenage Rd. E6 —8N 125
Stevens Clo. Can I —1K 153
Stevens La. Fels —1K 23
Stevenson Clo. Eri —5F 154
Stevenson Way. W'fd —2K 119
Stevens Rd. Dag —5G 127
Stevens Rd. Wthm —6B 214
Stevens Wlk. Chelm —5C 74
Stevens Wlk. Colc —8F 168
Stevens Way. Chig —1D 110
Steventon End. —4F 7
Stewards. —7C 56 (1H 31)
Stewards Clo. Epp —3F 80
Stewards Clo. Frin S —7J 183
Stewards Elm Farm La. Stam —2K 43
Steward's Green. —2G 81 (4J 31)
Stewards Grn. La. Epp —2G 81
Stewards Grn. Rd. Epp —3F 80 (4J 31)
Stewards Wlk. Romf —9C 112
Stewart Av. Upm —5M 129
Stewart Ct. Lgh S —4A 138
Stewart Pl. W'fd —1N 119
Stewart Rainbird Ho. E12 —7N 125
(off Parkhurst Rd.)
Stewart Rd. E15 —6D 124
Stewart Rd. Chelm —4B 74
Stewarts Way. Man —5K 11
Steyning Av. Sth S —4C 140
Sticking Hill. —2E 148
Stickling Green. —2J 11
Stifford Clays Rd. N Stif —8J 147 (7F 41)
(in three parts)
Stifford Hill. S Ock & N Stif —7F 146 (7E 40)
Stifford Rd. S Ock —8B 146 (7D 40)
Stile Croft. H'low —5F 56
Stile La. Ray —5K 121
Stilemans. W'fd —8L 103
Stiles, The. Hey B —8N 203
Stirling Av. Lgh S —4A 138
Stirling Clo. Rain —3F 144
Stirling Pl. Bas —7J 119
Stirrup Clo. Chelm —4N 61
Stirrup M. S'way —9E 166
Stisted. —6E 14
Stivvy's Rd. Wdhm W —1F 35
Stock. —7N 87 (5K 33)
Stock Chase. Mal —3L 203
Stock Clo. Sth S —2L 139
Stockdale Rd. Dag —4L 127
Stock Farm La. Brain —7C 192
Stockfield Av. Hod —3A 54
Stock Hill. Stock —8M 87
Stockhouse Clo. Tol K —4A 26
Stockhouse Rd. Lay M —3A 26
Stock Ind. Pk. Sth S —2L 139
Stocking Green. —6E 6
Stocking Pelham. —4H 11
Stockland Rd. Romf —1B 128
Stock La. Ing —5E 86 (5H 33)
Stock Pk. Ct. Lgh S —9D 122
Stock Rd. Bill & Stock —5K 101 (7J 33)
Stock Rd. Gall —7B 74 (3A 34)
Stock Rd. Sth S —1L 139
Stock Rd. Stock —6N 87 (5K 33)
Stocksfield. Kel H —7C 84
Stocksfield Rd. E17 —7C 108
Stocks Green. —7B 172
Stocks La. Kel H —7C 84 (5D 32)
Stockstreet. —7G 15
Stock Ter. Mal —3L 203
Stockton Rd. N18 —2C 38
Stock Towermill. —7A 88 (5K 33)
Stockwell. —2A 46
Stockwell. Colc —8N 167
Stockwell Clo. Bill —9M 101
Stockwell Rd. SW9 —2A 46
Stockwood. Ben —8H 121
Stoke Ash Clo. Clac S —9E 186
Stoke Av. Ilf —3F 110
Stoke by Clare. —4C 8
Stoke-by-Nayland. —1E 16
Stokefelde. Pits —8J 119
Stoke Newington. —4B 38
Stoke Newington Chu. St. N16 —4B 38
Stoke Newington High St. N16 —4B 38
Stoke Newington Rd. N16 —5B 38
Stoke Rd. Clare —3C 8
Stoke Rd. Nay —1D 16
Stoke Rd. Rain —2H 145
Stokes Cotts. Ilf —5B 110
Stokes, The. W on N —6L 183
Stonard Rd. N13 —1A 38
Stonard Rd. Dag —7G 127
Stonards Hill. Epp —8F 66 (3J 31)
Stonards Hill. Lou —5M 93
Stondon Massey. —3D 84 (4E 32)
Stondon Pk. SE23 —3D 46
Stondon Rd. B'more —2E 84
Stondon Rd. Ong —9L 69 (3C 32)
Stone. —3D 48
Stonebridge. —3A 44
Stonebridge Hill. Coln E —4G 15
Stonebridge Rd. N'fleet —3F 49
Stonebridge Wlk. Chelm —9K 61
Stonechat Rd. Bill —8L 101
Stone Clo. Dag —4L 127
Stone Ct. Eri —3D 154
Stonecroft Rd. Eri —5A 154
Stonecrop. Colc —5K 167
Stone Cross. H'low —2C 56
Stonehall Av. Ilf —1L 125
Stone Hall Cotts. L Hall —1A 202
Stone Hall Dri. L Cla —4H 187
Stonehall La. Sto G —5C 18
Stoneham Av. Clac S —9E 186
Stoneham St. Cogg —8K 195
(in two parts)
Stonehill Clo. Lgh S —2E 138
Stonehill Ct. E4 —6B 92
Stonehill Rd. Lgh S —2D 138
Stonehill Rd. Rox —1G 33
Stonehill Way. W Mer —3H 213
Stonehouse La. Purf —4B 156 (1D 48)
Stone La. Tip —9A 212
Stone La. Wrab —2D 18
Stoneleigh. Saw —1J 53
Stoneleigh Dri. Hod —2B 54
Stoneleigh Pk. Colc —3G 175
Stoneleigh Rd. Ilf —7J 109
Stoneleighs. Ben —9F 120
Stoneness Rd. Grays —2E 48
Stoneness Rd. W Thur —4E 156
Stone Pk. Av. Beck —6D 46
Stone Path Dri. Hat P —2K 63
Stone Pl. Rd. Grnh —3D 48
Stone Rd. Gt Bro —7F 170 (5K 17)
Stones Cross Rd. Swan —7A 48
Stones Green. —5D 18
Stones Grn. Rd. Gt Oak —5D 18
Stonewood Rd. Eri —3C 154
Stoney Comn. Stans —4D 208
Stoney Comn. Rd. Stans —4C 208
Stoneycroft Rd. Wfd G —3L 109
Stoneyfield Dri. Stans —3D 208
Stoneyhills. —6C 36
Stoney Hills. Bur C —6C 36
Stoney Hills. Chap E —3B 20
Stoney Hills. Rams H —3C 102
Stoney La. B'sea —5F 184
Stoney Pl. Stans —4D 208
Stony Corner. Meop —6G 49
Stony La. Ong —2F 68 (2B 32)
Stony La. Thax —3K 211
Stony Path. Lou —9M 79
Stonyshotts. Wal A —3E 78
Stony Wood. H'low —4D 56
Stopford Rd. E13 —6F 39
Stores La. Tip —5C 212
Store St. E15 —7D 124
Stork Rd. E7 —8G 124
Stormonts Way. Bas —4M 133
Stornoway Rd. Sth S —5A 140
Storr Gdns. Hut —4N 99
Stortford Hall Pk. Bis S —9A 208
Stortford Rd. Clav —3J 11
Stortford Rd. D'mw —8H 197 (1G 23)
Stortford Rd. Hat H —1A 202 (4A 22)
Stortford Rd. Hod —4B 54
Stortford Rd. L Can —1E 22
Stortford Rd. L Had —7H 11
Stortford Rd. Stdn —7E 10
Stort Tower. H'low —1E 56
Stort Valley Ind. Pk. Bis S —7A 208
Stour Clo. Har —5F 200
Stour Clo. Shoe —8J 141
Stour Ct. Brain —8M 193
Stourdale Clo. Law —5F 164
Stour Rd. E3 —9A 124
Stour Rd. Dag —4M 127
Stour Rd. Dart —8E 154
Stour Rd. Grays —3C 158
Stour Rd. Har —3M 201
Stour St. Caven —3E 8
Stour St. Mann —4J 165
Stour St. Sud —5J 9
Stourton Rd. Wthm —4B 214
Stour Valley Path. E Ber —1C 164
Stour Valley Path. L Hork —2C 160
Stour View. Ded —1M 163
Stour View Av. Mis —4M 165
Stourview Clo. Mis —4N 165
Stour Wlk. Colc —5E 168
Stour Way. Upm —1B 130
Stow Ct. Colc —2N 167
Stowe's La. T'ham —3E 36
Stow Maries. —5G 35
Stow Rd. Pur —4G 35
Stow, The. H'low —1E 56
Stracey Rd. E7 —6G 125
Stradbroke Dri. Chig —3N 109
Stradbroke Gro. Buck H —7K 93
Stradbroke Gro. Ilf —7L 109
Stradbroke Pk. Chig —3A 110
Stradishall Rd. Hund —1C 8
Strafford Av. Ilf —6N 109
Straight Rd. Boxt —8M 161 (4E 16)
Straight Rd. Brad —3B 18
Straight Rd. Colc —8F 166 (6D 16)
Straight Rd. E Ber & E End —1K 17
Straight Rd. Gt Ben —2L 185 (2B 28)
Straight Rd. Romf —2F 112 (1B 40)
Straight Way. Colc —9D 174
Strait Rd. E6 —7G 39
Straits, The. Wal A —2B 78
Strand. WC2 —7A 38
Strangman Av. Ben —3H 137
Strasbourg Rd. Can I —9K 137
Stratford. —9D 124 (5E 38)
Stratford Cen. E15 —9D 124
Stratford Clo. Bark —9F 126
Stratford Clo. Dag —9A 128
Stratford Gdns. Stan H —2M 149
Stratford Ho. Romf —3H 113
(off Dartfields)
Stratford Marsh. —9B 124 (6D 38)
Stratford New Town. —7D 124 (5E 38)
Stratford Office Village, The. E15 —9E 124
(off Romford Rd.)
Stratford Pl. W on N —6M 183
Stratford Rd. Clac S —7A 188
Stratford Rd. Ded —1J 163
Stratford St Mary. —1H 17
Stratheden Rd. SE3 —2F 47
Strathfield Gdns. Bark —8C 126
Strathmore. E Til —2L 159
Strathmore Gdns. Horn —3D 128
Strathyre Av. SW16 —6A 46
Stratton Dri. Bark —7D 126
Stratton Rd. Romf —2L 113
Stratton Wlk. Romf —2L 113
Strawberry Clo. Brain —7J 193
Strawberry La. Tip —8E 212
Strawbrook Hill. L L'gh —4A 24
Streatham. —5A 46
Streatham Common. —5A 46
Streatham Comn. N. SW16 —5A 46
Streatham High Rd. SW16 —4A 46
Streatham Hill. —4A 46
Streatham Hill. SW2 —4A 46
Streatham Park. —5A 46
Streatham Pl. SW2 —4A 46
Streatham Vale. —5A 46
Streatham Vale. SW16 —5A 46
Street Farm Ct. Rayne —6B 192
Street Ind. Est., The. H'bri —3L 203
Streetly End. —2F 7
Streetly End. W W'ck —1F 7
Street, The. A'lgh —8L 163 (4H 17)
Street, The. Ashen —4C 8
Street, The. Ber —4J 11
Street, The. Bird —5A 8
Street, The. Bla N —3B 194
Street, The. Bore —6E 24
Street, The. Brad —3C 18
Street, The. B'wll —7F 15
Street, The. Bran —1B 18
Street, The. Brau —6E 10
Street, The. Bulm —5H 9
Street, The. Cob —6J 49
Street, The. Cres —1H 207 (1E 24)
Street, The. E Ber —1J 17
Street, The. Erw —1F 19
Street, The. Fee —9A 172 (1J 25)
Street, The. Fox —3G 9
Street, The. Fur P —4G 11

268 A-Z Essex Atlas

Street, The—Taranto Rd.

Street, The. Gall —8C 74
Street, The. Gosf —4E 14
Street, The. Grav —6J 49
Street, The. Gt Hal —2B 22
Street, The. Gt Sal —6A 14
Street, The. Gt Tey —2D 172 (6K 15)
Street, The. Gt Wal —4K 9
Street, The. Gt Wra —1K 7
Street, The. Hark —1E 18
Street, The. Hat H —4A 202 (4K 21)
Street, The. Hat P —3J 63
Street, The. Haul —7B 10
Street, The. High E —4G 23
Street, The. H Ong —6N 69 (3D 32)
Street, The. High R —3F 23
Street, The. Holb —1D 18
Street, The. Hort K —6C 48
Street, The. Kir S —5F 182 (7G 19)
Street, The. Latch —4K 35
Street, The. L Cla —2D 28
Street, The. L Dun —1H 23
Street, The. L Tot —5K 25
Street, The. L Walt —6K 59 (5A 24)
Street, The. Man —5K 11
Street, The. Mdltn —6J 9
Street, The. Meop —7H 49
Street, The. Mess —1D 212 (2K 25)
Street, The. Peb —2H 15
Street, The. Ples —2A 58 (4J 23)
Street, The. Pos —1D 8
Street, The. R'sy —6C 200 (3F 19)
Street, The. Rayne —6B 192 (7B 14)
Street, The. Rox —7H 23
Street, The. Srng —4N 53 (5K 21)
Street, The. Shorne —5K 49
Street, The. S'ly —1G 19
Street, The. Stpl —3B 36
Street, The. Stis —6E 14
Street, The. Stoke C —4B 8
Street, The. Stow M —5G 35
Street, The. Stur —3K 7
Street, The. Ten —1C 180 (6C 18)
Street, The. Terl —4D 24
Street, The. Thurl —1J 7
Street, The. Top —7B 8
Street, The. Vir —5C 26
Street, The. Wak C —4K 15
Street, The. Wlgtn —2A 10
Street, The. Wdham F —5H 91
Street, The. Wee —6D 180 (7C 18)
Street, The. Wee H —1G 187
Street, The. Whi N —2E 24
Street, The. W Bis —7K 213 (5H 25)
Street, The. Wdhm W —1F 35
Stretford Ct. Sil E —4L 207
Strethall Rd. L'bry —1H 205 (5K 5)
Strickland Av. Dart —8K 155
(in two parts)
Strode Rd. E7 —6G 125
Stroma Av. Can I —8F 136
Stroma Gdns. Shoe —8H 141
Stromburg Rd. Can I —9E 136
Stromness Pl. Sth S —6A 140
Stromness Rd. Sth S —5A 140
Strone Rd. E7 & E12 —8J 125
Strood Av. Romf —3B 128
Strood Clo. W Mer —2J 213
Strood, The. Pel —4F 27
Stroud Green. —5G 122 (2H 43)
Stroud Grn. Rd. N4 —4A 38
Struan Av. Stan H —8N 133
Strudwick Clo. Brain —6H 193
Strutt Clo. Hat P —2L 63
Stuart Clo. Can I —1H 153
Stuart Clo. Chelm —4J 75
Stuart Clo. Gt W —2K 141
Stuart Clo. Pil H —4E 98
Stuart Clo. Sth S —4M 139
Stuart Mantle Way. Eri —5C 154
Stuart Pawsey Ct. W'hoe —5J 177
Stuart Rd. Bark —9E 126
Stuart Rd. Grav —3H 49
Stuart Rd. Grays —3L 157
Stuart Rd. Sth S —4M 139
Stuarts Way. Brain —6K 193
Stuart Way. Bill —7N 101
Stubbers La. Upm —8A 130 (5D 40)
Stubbs Clo. Kir X —7H 183
Stubbs Clo. Law —4G 164
Stubbs La. Brain —6L 193
Stubbs M. Dag —6G 127
(off Marlborough Rd.)
Stublands. Bas —9G 119
Studd's La. Colc —3L 167
Studland Av. W'fd —8G 102
Studley Av. E4 —4D 108
Studley Dri. Ilf —1K 125
Studley Rd. E7 —8H 125
Studley Rd. Dag —9J 127
Stukeley Rd. E7 —9H 125
Stump Cross. —3A 6
Stump La. Chelm —7M 61 (1A 34)
Stump Rd. Thorn —6H 67
Sturge Av. E17 —6B 108
Sturmer. —4K 7
Sturmer Rd. H'hll —3J 7
Sturmer Rd. Ked —2A 8
Sturmer Rd. Stpl B —1E 210 (5K 7)
Sturrick La. Gt Ben —5J 179
Sturrocks. Bas —3F 134
Stutton. —1C 18
Stutton Grn. Stut —1D 18
Stutton La. Tatt —1B 18
Stutton Rd. Bran —1B 18
Styles. L Bar —3H 13
Sucksted Green. —4E 12
Sudbourne Av. Clac S —9E 186
Sudbrook Clo. W'fd —1L 119
Sudbury. —5J 9
Sudbury Clo. Hock —3E 122
Sudbury Rd. Act —3K 9
Sudbury Rd. Bark —7E 126
Sudbury Rd. Bulm —5H 9
Sudbury Rd. Bures —7D 194 (1A 16)
Sudbury Rd. Can I —8E 136
Sudbury Rd. Cas H —3D 206 (1E 14)
Sudbury Rd. D'ham —3G 103 (6B 34)
Sudbury Rd. Gest & Bulm —6F 9
Sudbury Rd. H'std —3L 199 (3F 15)
Sudbury Rd. L Map —1G 15
Sudbury Rd. Stoke N —1E 16
Sudbury Rd. Sud —4H 9
Sudburys Farm Rd. L Bur —1D 116
Sudeley Gdns. Hock —1C 122
Sudicamps Ct. Wal A —3G 78
Sue Ryder Foundation Museum. —2F 9
Suffield Hatch. —1C 108
Suffield Rd. E4 —1B 108
Suffolk Av. Lgh S —3E 138
Suffolk Av. W Mer —2L 213
Suffolk Clo. Clac S —6B 188
Suffolk Clo. Colc —6B 168
Suffolk Ct. E10 —2A 124
Suffolk Ct. Ilf —1D 126
Suffolk Ct. R'fd —5K 123
Suffolk Dri. Bas —9K 117
Suffolk Dri. Chelm —7B 62
Suffolk Rd. Bark —9C 126
Suffolk Rd. Dag —7A 128
Suffolk Rd. Ilf —1D 126
Suffolk Rd. Mal —7H 203
Suffolk St. E7 —6G 125
Suffolk St. W on N —6M 183
Suffolk Wlk. Can I —1E 152
Suffolk Way. Can I —1E 152
Suffolk Way. Horn —8L 113
Sugar La. Sib H —2C 14
Sugden Av. W'fd —9H 103
Sugden Way. Bark —2E 142
Sullivan Clo. Colc —9E 168
Sullivan Rd. Til —6C 158
Sullivan Way. Lang H —1J 133
Sultan Rd. E11 —8H 109
Summercourt Rd. Wclf S —6K 139
Summerdale. Alth —5A 36
Summerdale. Bill —6J 101
Summerfield Rd. Lou —5K 93
Summer Fields. Ing —6E 86
Summerfields. Sib H —6C 206
Summerhill. Alth —5A 36
Summer Hill. Chst —6G 47
Summer Hill Rd. Saf W —5K 205
Summerhouse Dri. Bex & Dart —4A 48
Summerton Way. SE28 —6J 143
Summerwood Clo. Ben —3J 137
Summit Dri. Wfd G —6K 109
Summit Rd. E17 —8B 108
Summit, The. Lou —9M 79
Sumner Rd. Croy —7A 46
Sumners. —7N 55 (1G 31)
Sumners Farm Clo. H'low —8A 56
Sumpters Way. Sth S —9L 123
Sunbank. D'mw —9M 197
Sunbeam Av. Jay —6C 190
Sunbury Ct. Shoe —4J 141
Sunbury Way. Mal —8J 203
Sun Ct. Eri —7D 154
Sundale Clo. Clac S —7C 188
Sunderland Rd. SE23 —4C 46
Sunderland Way. E12 —4K 125
Sundew Ct. Grays —4N 157
Sundridge. —5F 47
Sundridge Av. Brom & Chst —6F 47
Sunflower Clo. Chelm —5A 62
Sunflower Way. Romf —5H 113
Sungate Cotts. Romf —5L 111
Sun Hill. Fawk —7E 48
Sun-in-the-Sands. (Junct.) —2F 47
Sunken Marsh. —9J 137
Sunnedon. Bas —1E 134
Sunnedon Ct. Van —1E 134
Sunningdale. Can I —1J 153
Sunningdale Av. Bark —1C 142
Sunningdale Av. Lgh S —5F 138
Sunningdale Av. Rain —4F 144
Sunningdale Fall. Hat P —2M 63
Sunningdale Rd. Alth —5A 36
Sunningdale Rd. Chelm —7G 60
Sunningdale Rd. Rain —9E 128
Sunningdale Way. Kir X —7H 183
Sunnings La. Upm —7N 129 (5D 40)
Sunnybank Clo. Lgh S —9E 122
Sunnycroft Gdns. Upm —2C 130
Sunnydene Av. E4 —2D 108
Sunnydene Clo. Romf —4K 113
Sunnyfield Gdns. Hock —1A 122
Sunnyfields Rd. Brain —5D 14
Sunnymead Flats. Bur C —4M 195
Sunnymede. —7M 101 (7K 33)
Sunnymede. Chig —9G 95
Sunnymede Clo. Ben —9G 120
Sunnymede Dri. Ilf —9A 110
Sunny Point. W on N —1M 183
Sunny Rd. Hock —2D 122
Sunnyside. Bas —2H 133
Sunnyside. Brain —5G 193
Sunnyside. Naze —1F 64
Sunnyside. Stans —3D 208
Sunnyside Av. Bas —2K 135
Sunnyside Dri. E4 —6C 92
Sunnyside Gdns. Upm —5N 129
Sunnyside Rd. E10 —3A 124
Sunnyside Rd. Epp —3E 80
Sunnyside Rd. For —2A 166
Sunnyside Rd. Ilf —5B 126
Sunnyside Way. L Cla —4G 187
Sunnyway. Dan —7E 76
Sunnyway. St La —2C 36
Sunray Av. SE24 —3B 46
Sun Ray Av. Hut —5A 100
Sunrise Av. Chelm —6J 61
Sunrise Av. Horn —5G 128
Sunset Av. E4 —7B 92
Sunset Av. Wfd G —1F 108
Sunset Clo. Eri —5F 154
Sunset Ct. Wfd G —4J 109
Sunset Dri. Hav —2F 112
Sunset Rd. SE28 —8F 142
Sunshine Clo. Hull —5L 105
Sun St. EC2 —7B 38
Sun St. Bill —7J 101
Sun St. Saw —3L 53
Sun St. Wal A —3C 78
Surbiton Av. Sth S —6B 140
Surbiton Rd. Sth S —5B 140
Surig Rd. Can I —1G 152
Surlingham Clo. SE28 —7J 143
Surman Cres. Hut —6M 99
Surrex. —4A 172 (7J 15)
Surrey Av. Lgh S —3E 138
Surrey Canal Rd. SE15 & SE14 —2C 46
Surrey Dri. Horn —8L 113
Surrey La. Tip —7C 212
Surrey Rd. Bark —9D 126
Surrey Rd. Dag —7N 127
Surrey Way. Bas —9K 117
Surridge Clo. Rain —3G 144
Susan Clo. Romf —7A 112
Susan Fielder Cotts. Can I —2G 153
(off Kitkatts Rd.)
Susan Lawrence Ho. E12 —6N 125
(off Walton Rd.)
Sussex Av. Romf —4K 113
Sussex Clo. Bas —9K 117
Sussex Clo. Bore —3G 62
Sussex Clo. Can I —9G 137
Sussex Clo. Hod —4A 54
Sussex Clo. Ilf —9M 109
Sussex Ct. Bill —2K 101
Sussex Gdns. Clac S —7B 188
Sussex Rd. Colc —8K 167
Sussex Rd. War —1E 114
Sussex Way. Bill —2K 101
Sussex Way. Can I —9G 136
Sutcliffe Clo. W'fd —1L 119
Sutherland Boulevd. Lgh S —4A 138
Sutherland Ho. Chelm —7J 61
Sutherland Pl. W'fd —2L 119
Sutor Clo. Wthm —6B 214
Sutton Acres. L Hall —3A 22
Sutton at Hone. —5C 48
Sutton Clo. Lou —6L 93
Sutton Ct. Sth S —4A 140
Sutton Ct. Dri. R'fd —8L 123
Sutton Gdns. Bark —1D 142
Sutton Grn. Bark —1E 142
Sutton Mead. Chelm —7B 62
Sutton Pk. Av. Colc —3G 175
Sutton Rd. Bark —1D 142
Sutton Rd. R'fd & Sth S —7L 123 (3J 43)
Suttons Av. Horn —5G 129 (4B 40)
Suttons Bus. Pk. Rain —3B 144
Suttons Gdns. Horn —5H 129
Suttons La. Horn —7H 129 (5B 40)
Suttons Rd. Shoe —7M 141
Swains Ind. Est. R'fd —4J 123
Swale Clo. Ave —6N 145
Swale Rd. Ben —1H 137
Swale Rd. Dart —9E 154
Swallowcliffe. Shoe —5H 141
Swallow Clo. Eri —6C 154
Swallow Clo. Lay H —9H 175
Swallow Ct. Ilf —9A 110
Swallow Dale. Bas —2C 134
Swallowdale. Clac S —6K 187
Swallow Dale. Colc —3C 176
Swallow Dri. Ben —4B 136
Swallow Field. E Col —3C 196
Swallow Path. Chelm —6C 74
Swallow Rd. W'fd —6K 103
Swallows. H'low —8H 53
Swallows Cross. —7K 85 (5F 33)
Swallows Cross Rd. Mount —7K 85 (5F 33)
Swallow's Row. Gt Ben —6N 179 (1B 28)
Swallows, The. Bill —8L 101
Swallow Wlk. Horn —8F 128
Swanage Rd. E4 —4C 108
Swanage Rd. Sth S —5N 139
Swan Av. Upm —3C 130
Swanbourne Dri. Horn —7G 129
Swan Bus. Pk. Dart —9H 155
Swan Chase. Sib H —7C 206
Swan Clo. Bas —9N 117
Swan Clo. Colc —9E 168
Swan Clo. Hat P —2K 63
Swan Ct. Ben —1B 136
Swan Ct. H'bri —4L 203
Swan Ct. Mis —5M 165
(off High St. Mistley.)
Swan Ct. Sib H —7C 206
Swandale. Clac S —6K 187
Swanfield Cotts. S'way —1N 173
Swan Gro. Chap —4K 15
Swan La. Dart —4A 48
Swan La. H'hll —3J 7
Swan La. Kel H —7B 84
Swan La. Lou —6J 93
Swan La. Runw & W'fd —6L 103 (7C 34)
Swan La. Stock —3L 87 (4K 33)
Swanley. —6A 48
Swanley By-Pass. Sidc & Swan —6K 47
Swanley Interchange. (Junct.) —7B 48
Swanley La. Swan —6A 48
Swanley Village. —6B 48
Swanley Village Rd. Swan —6B 48
Swan Mead. Bas —2E 134
Swan Paddock. Brtwd —8F 98
Swan Pas. Colc —8N 167
Swan & Pike Rd. Enf —8A 78
Swan Rd. Beau —1G 181 (6D 18)
Swanscombe. —3F 49
Swanscombe St. Swans —3F 49
Swanscomb Rd. Gt Tey —5J 15
Swans Grn. Clo. Ben —9G 120
Swanshope. Lou —1A 94
Swan Side. Brain —5H 193
Swanstead. Bas —2F 134
Swan Street. —5K 15
Swan St. Chap —5K 15
Swan St. K'dn —7D 202
Swan St. Sib H —6C 206 (1E 14)
Swan, The. (Junct.) —7E 46
Swan Wlk. Romf —9C 112
Swan Yd. Cogg —8L 195
Swatchways. Sth S —8B 140
Sweden Clo. Har —3H 201
Sweeps La. Orp —7J 47
Sweet Briar Av. Ben —4D 136
Sweet Briar Dri. Lain —6M 117
Sweetbriar Lodge. Can I —1E 152
(off Link Rd.)
Sweet Briar Rd. S'way —8D 166
Sweetland Ct. Dag —8G 126
Sweet Mead. Saf W —2L 205
Swell Ct. E17 —1B 124
Sweyne Av. Hock —3F 122
Sweyne Av. Sth S —5L 139
Sweyne Clo. Ray —3H 121
Sweyne Ct. Ray —5K 121
Sweyns, The. H'low —5H 57
Swift Av. Jay —6D 190
Swift Clo. Brain —1A 194
Swift Clo. Upm —3B 130
Swinborne Ct. Bas —5J 119
Swinborne Rd. Bas —6K 119
Swinbourne Dri. Brain —5F 192
Swinburne Gdns. Til —7D 158
Swindon Clo. Ilf —4D 126
Swindon Clo. Romf —2K 113
Swindon Gdns. Romf —2K 113
Swindon La. Romf —2K 113
Swingate La. SE18 —2H 47
Swingboat Ter. Sth S —7A 140
(off Outing Clo.)
Swiss Av. Chelm —7H 61
Sycamore Av. Upm —5L 129
Sycamore Clo. Can I —2F 152
Sycamore Clo. Tak —8C 210
Sycamore Clo. Til —7C 158
Sycamore Clo. Wthm —2D 214
Sycamore Ct. E7 —8G 125
Sycamore Ct. Eri —3B 154
(off Sandcliff Rd.)
Sycamore Ct. W'fd —8L 103
Sycamore Dri. Brtwd —7F 98
Sycamore Field. H'low —7N 55
Sycamore Gro. Brain —6F 192
Sycamore Gro. Sth S —4N 139
Sycamore Ho. Buck H —8K 93
Sycamore M. Eri —3B 154
(off St John's Rd.)
Sycamore Pl. Gt Ben —6K 179
Sycamore Rd. Colc —7D 168
Sycamore Rd. H'bri —2L 203
Sycamores, The. Ave —8A 146
Sycamores, The. Bas —9K 119
Sycamores, The. Wal A —5J 79
Sycamore Wlk. Ilf —8B 110
Sycamore Way. Cwdn —2M 107
Sycamore Way. Chelm —4D 74
Sycamore Way. Clac S —1G 190
Sycamore Way. Kir X —8G 182
Sycamore Way. S Ock —4G 146
Sydenham. —5C 46
Sydenham Clo. Romf —8D 112
Sydenham Hill. SE26 & SE23 —5C 46
Sydenham Rd. SE26 —5C 46
Sydenham Rd. Croy —7B 46
Sydervelt Rd. Can I —1G 152
Sydner Clo. Chelm —5H 75
Sydney Rd. E11 —1H 125
Sydney Rd. Ben —2C 136
Sydney Rd. Enf —6B 30
Sydney Rd. Ilf —6B 110
Sydney Rd. Lgh S —4A 138
Sydney Rd. Til —7C 158
Sydney Rd. Wfd G —1G 108
Sydney St. B'sea —8E 184
Sydney St. Colc —5B 176
Syers Field. Bla E —3B 14
Sykes Mead. Ray —6K 121
Sylvan Av. Horn —1J 129
Sylvan Av. Romf —1L 127
Sylvan Clo. Can I —3H 153
Sylvan Clo. Chaf H —2H 157
Sylvan Clo. Chelm —4C 74
Sylvan Clo. Lain —9K 117
Sylvan Ct. Bas —8H 117
Sylvan Hill. SE19 —6B 46
Sylvan Rd. E7 —8G 125
Sylvan Rd. E11 —9G 108
Sylvan Rd. E17 —9A 108
Sylvan Tryst. Bill —4K 101
Sylvan Way. Chig —9G 95
Sylvan Way. Dag —6G 127
Sylvan Way. Lain —8H 117
Sylvan Way. Lgh S —2N 137
Sylvester Gdns. Ilf —2G 111
Sylvesters. H'low —5M 55
Sylvia Av. Hut —8M 99
Sylvia Pankhurst Ho. Dag —5M 127
(off Wythenshawe Rd.)
Symmons Clo. Rayne —7B 192
Symonds La. Lin —2C 6
Symons Av. Lgh S —8D 122
Syracuse Av. Rain —3J 145
Syrett Dri. Colc —8G 168
Syringa Ct. Grays —5N 157

Taber Pl. Wthm —4E 214
Tabora Av. Can I —9F 136
Tabor Av. Brain —5G 192
Tabor Clo. B'sea —5E 184
Tabor Rd. Colc —8C 168
Tabors Av. Chelm —2G 74
Tabor's Hill. Gt Bad —3G 74
Tabrum's La. Bat —2G 104
Tabrums, The. S Fer —8J 91
Tabrums Way. Upm —2B 130
Tadlows Clo. Upm —7M 129
Tadworth Pde. Horn —6F 128
Taffrail Gdns. S Fer —3L 105
Tailors Ct. Sth S —1L 139
Taits. Stan H —3A 150
Takeley. —8C 210 (1D 22)
Takeley Clo. Romf —6B 112
Takeley Clo. Wal A —3D 78
Takeley Pk., The. Tak —9C 210
Takeley Street. —1C 22
Takely End. Bas —1B 134
Takely Ride. Bas —1B 134
Talbot Av. Jay —6D 190
Talbot Av. Ray —4J 121
Talbot Gdns. Ilf —4F 126
Talbot Rd. E7 —6G 124
Talbot Rd. Dag —8L 127
Talbot Rd. Wee H —1F 186
Talbot St. Har —2M 201
Talbrook. Brtwd —9C 98
Talcott Rd. Colc —4A 176
Talisman Clo. Ilf —3G 127
Talisman Clo. Tip —5D 212
Talisman Wlk. Bill —2M 101
Talisman Wlk. Tip —5D 212
Tallack Rd. E10 —3A 124
Tallis Clo. Stan H —2L 149
Tallis Rd. Bas —7M 117
Tallon Rd. Hut —4A 100
Tallow Ga. S Fer —2L 105
Tall Trees. Colc —4M 167
Tall Trees Cvn. Pk. Stans —5F 208
(off Old Bury Lodge La.)
Tall Trees Clo. Horn —9J 113
Tally-Ho Dri. Hut —7D 100
Tally Ho. H'wds —3B 168
Tally Ho. Dri. Hut —7D 100
Talus Clo. Purf —2A 156
Talza Way. Sth S —6M 139
(off Victoria Plaza Shop. Cen.)
Tamage Rd. Act —3K 9
Tamar Av. Wthm —5B 214
Tamar Clo. Upm —1B 130
Tamar Dri. Ave —6N 145
Tamarisk. Ben —2C 136
Tamarisk Rd. S Ock —3F 146
Tamarisk Way. Colc —7E 168
Tamarisk Way. Jay —6D 190 (5C 28)
Tamar Rise. Chelm —5L 61
Tamar Sq. Wfd G —3H 109
Tambour Clo. Gt Tey —2C 172
Tamdown Way. Brain —4E 192
Tamsy Clo. H Hill —3J 113
Tamworth Av. Wfd G —3E 108
Tamworth Chase. Colc —4A 176
Tamworth Rd. Croy —7A 46
Tanfield Dri. Bill —6J 101
Tangent Link. H Hill —5H 113
Tangerine Clo. Colc —9D 168
Tangham Wlk. Bas —8C 118
Tangmere Clo. W'fd —1B 120
Tangmere Cres. Horn —8F 128
Tan Ho. La. N'side —3K 97 (6C 32)
Tankerville Dri. Lgh S —3C 138
Tank Hill Rd. Purf —2L 155 (1C 48)
Tank La. Purf —2L 155
Tan La. L Cla —9J 181 (1D 28)
Tanner Clo. Clac S —1F 190
Tanners La. Ilf —7B 110 (3H 39)
Tanners Meadow. Brain —6M 193
Tanner St. Bark —8B 126
Tanners Way. Saf W —4L 205
Tanners Way. S Fer —9J 91
Tannery Clo. Dag —5N 127
Tanswell Av. Bas —9J 119
Tanswell Clo. Bas —9J 119
Tanswell Ct. Bas —8J 119
Tansy Clo. Romf —3J 113
Tantelen Rd. Can I —9F 136
Tantony Gro. Romf —7J 111
Tanyard Hill. Shorne —5K 49
Tanyard, The. Thax —3K 211 (3F 13)
Tany's Dell. H'low —9F 52
Tapestry Way. Brain —6M 193
Tapley Rd. Chelm —5H 61
Tapsworth Clo. Clac S —8G 187
Tapwoods. Colc —8H 167
Tara Clo. Colc —6D 168
Taranto Rd. Can I —2K 153

Tarnworth Rd.—Tidings Hill

Tarnworth Rd. *Romf* —3L **113**
Tarpots. —2C 136 (3D 42)
Tarragona M. *Colc* —2B **176**
Tarragon Clo. *Tip* —6C **212**
Tasker Ho. *Bark* —2C **142**
Tasker Rd. *Grays* —1D **158**
Tasman Clo. *Corr* —1A **150**
Tasman Ct. *Chelm* —6G **60**
Tatsfield Av. *Naze* —2D **64**
Tattenham Rd. *Bas* —8K **117**
(in two parts)
Tattersall Gdns. *Lgh S* —5N **137** (4G **43**)
Tattersalls Chase. *S'min* —7M **207**
Tattersall Way. *Chelm* —3N **73**
Tattingstone Wonder. —1B **18**
Tattle Hill. *W'frd* —4A **20**
Taunton Clo. *Bexh* —7B **154**
Taunton Clo. *Ilf* —3E **110**
Taunton Dri. *Wclf S* —2G **138**
Taunton Rd. *Chelm* —6N **61**
Taunton Rd. *Romf* —1G **113**
Taveners Grn. Clo. *W'fd* —1M **119**
Taverners Green. —2D 22
Taverners Wlk. *Wthm* —3C **214**
Taverners Way. *E4* —7E **92**
Taverners Way. *Hod* —5A **54**
Tavistock Clo. *Romf* —5H **113**
Tavistock Dri. *Bill* —3H **101**
Tavistock Gdns. *Ilf* —6D **126**
Tavistock M. *E18* —7G **109**
Tavistock Pl. *E18* —8G **109**
Tavistock Pl. *WC1* —6A **38**
Tavistock Rd. *E7* —6F **124**
Tavistock Rd. *E15* —8F **124**
Tavistock Rd. *E18* —7G **108**
Tavistock Rd. *Bas* —7L **117**
Tavistock Rd. *Chelm* —6N **61**
Tavistock Sq. *WC1* —6A **38**
Tavy Bri. *SE2* —9H **143**
Tavy Bri. Cen. *SE2* —9H **143**
Tawney Common. —4K 31
Tawney Comn. *They M* —2M **81** (4K **31**)
Tawney Rd. *SE28* —7G **142**
Tawney's Ride. *Bures* —7E **194**
Tawneys Rd. *H'low* —5D **56** (7H **21**)
Tawny Av. *Upm* —7M **129**
Taylifers. *H'low* —8N **55**
Taylor Av. *Chelm* —6G **61**
Taylor Clo. *Romf* —4M **111**
Taylor Ct. *E15* —7C **124**
Taylor Ct. *Colc* —8N **167**
Taylor Dri. *Law* —4H **165**
Taylor Pl. *Brox* —1A **64**
Taylor Rd. *Colc* —6M **167**
Taylor Row. *Noak H* —8G **97**
Taylors Av. *Hod* —6A **54**
Taylors End Rd. *Stan Apt* —8K **209**
Taylor's La. *High* —5K **49**
Taylor's Rd. *Rhdge* —6F **176**
Taylor Wlk. *Bas* —2K **133**
Tayside Way. *W'fd* —2L **119**
Tay Way. *Romf* —5D **112**
Teagles. *Bas* —9N **117**
Teak Wlk. *Wthm* —3D **214**
Teal Av. *May* —3D **204**
Teal Clo. *Bla N* —3B **198**
Teal Clo. *Colc* —7G **168**
Teal Way. *K'dn* —8D **202**
Tedder Clo. *Colc* —3A **176**
Tees Clo. *Upm* —2A **130**
Tees Clo. *Wthm* —5B **214**
Teesdale Rd. *E11* —2F **124**
Tees Dri. *Romf* —9H **97** (1B **40**)
Tees Rd. *Chelm* —5L **61**
Teign Dri. *Wthm* —5A **214**
Teigngrace. *Shoe* —6H **141**
Teignmouth Dri. *Ray* —2K **121**
Telegraph Hill. *High* —5K **49**
Telegraph M. *Ilf* —3F **126**
Telese Av. *Can I* —2K **153**
Telford Rd. *N11* —1A **38**
Telford Rd. *Brain* —7J **193**
Telford Rd. *Clac S* —5M **187** (3E **28**)
Telford Way. *Colc* —1D **168**
Temperance Yd. *E Col* —3C **196**
Tempest Way. *Rain* —8E **128**
Templar Dri. *SE28* —6J **143**
Templar Rd. *Brain* —6M **193**
Templars Clo. *Wthm* —3C **214**
Templars Ho. *E15* —7B **124**
Temple Av. *Dag* —3M **127**
Temple Clo. *E11* —2E **124**
Temple Clo. *Ben* —3M **137**
Temple Clo. *Bill* —3H **101**
Temple Clo. *Frin S* —8K **183**
Temple Clo. *Lain* —8L **117**
Temple Ct. *Colc* —5D **168**
Temple Ct. *Sth S* —3A **140**
Temple End. —1J 7
(nr. Little Thurlow)
Temple End. —4G 9
(nr. Sudbury)
Temple End. *Thurl* —1J **7**
Temple Farm Ind. Est. *Sth S* —1M **139**
Temple Farm Trading Est. *W Han* —2C **88**
Temple Fields. —8F 52 (5J 21)
Temple Gdns. *Dag* —5J **127**
Temple Gro. Cvn. Pk. *W Han* —2D **88**
Temple Hall Ct. *E4* —8D **92**
Temple Hill. —3C 48
Temple Hill. *Dart* —3C **48**
Temple Hill Sq. *Dart* —3C **48**
Temple La. *Brain* —4J **207**
Temple La. *Cres & Sil E* —2F **25**
Temple Mead. *Roy* —3H **55**
Templemead. *Wthm* —4C **214**
Temple Mill La. *E10 & E15*
(in two parts) —6B **124** (5E **38**)
Temple Mills. —7B 124 (5D 38)
Templer Av. *Grays* —2C **158**
Temple Rd. *Colc* —4H **175**
Templeton Av. *E4* —1A **108**
Templeton Cvn. Pk. *W Han* —2C **88**
Templewood Ct. *Ben* —3K **137**
Templewood Rd. *Ben* —3K **137**
Templewood Rd. *Colc* —6E **168**
Temptin Av. *Can I* —2L **153**
Ten Acre App. *H'bri* —3J **203**
Tenbury Clo. *E7* —7K **125**
Tenby Clo. *Romf* —1K **127**
Tenby Rd. *Romf* —1K **127**
Tendring. —1D 180 (6C 18)
Tendring Av. *Ray* —4G **121**
Tendring Ct. *Hut* —4N **99**
Tendring Green. —5C 18
Tendring Rd. *H'low* —5B **56** (7H **21**)
Tendring Rd. *L Ben* —7L **171** (6A **18**)
Tendring Rd. *Ten* —5B **18**
Tendring Rd. *T Sok* —2G **181** (7D **18**)
Tendring Way. *Romf* —9H **111**
Tennants Row. *Til* —7A **158**
Tennison Rd. *SE25* —7B **46**
Tenny Ho. *Grays* —5L **157**
Tennyson Av. *E11* —2G **125**
Tennyson Av. *E12* —9L **125**
Tennyson Av. *Grays* —1L **157**
Tennyson Av. *Sth S* —4N **139**
Tennyson Av. *Wal A* —4E **78**
Tennyson Clo. *Brain* —8H **193**
Tennyson Clo. *Lgh S* —4N **137**
Tennyson Dri. *Bas* —1J **135**
Tennyson Rd. *E10* —3B **124**
Tennyson Rd. *E15* —9E **124**
Tennyson Rd. *Chelm* —6H **61**
Tennyson Rd. *Hut* —6M **99**
Tennyson Rd. *Mal* —8K **203**
Tennyson Rd. *Romf* —4G **112**
Tennyson Wlk. *Til* —7D **158**
Tennyson Way. *Horn* —3D **128**
Tenpenny Hill. *Thorr* —8D **178** (1K **27**)
Tensing Gdns. *Bill* —7J **101**
Tenterden Rd. *Dag* —4L **127**
Tenterfield Rd. *Mal* —6K **203**
Tenterfields. *D'mw* —8M **197**
Tenterfields. *Newp* —7C **204**
Tenterfields. *Pits* —7K **119**
Tenth Av. *Stan Apt* —7G **209**
Tentree Rd. *Gt Wal* —3K **9**
Teramo Rd. *Can I* —2K **153**
Tercel Path. *Chig* —1G **111**
Terence McMillan Stadium. —6F **39**
Terence Webster Rd. *W'fd* —1M **119**
Teresa M. *E17* —8A **108**
Terling. —4D 24
Terling. *Bas* —1C **134**
Terling Clo. *E11* —5F **124**
Terling Clo. *Colc* —5A **176**
Terling Hall Rd. *Terl* —5D **24**
Terling Rd. *Dag* —4M **127**
Terling Rd. *Hat P* —1K **63** (5E **24**)
Terling Rd. *Wthm* —4A **214** (4E **24**)
Terlings, The. *Brtwd* —9D **98**
Terminal Clo. *Shoe* —7K **141**
Terminal Clo. Ind. Est. *Shoe* —7K **141**
Terminal Rd. N. *Tak* —6N **209** (7C **12**)
Terminal Rd. S. *Tak* —6N **209** (7C **12**)
Terminus Dri. *Bas* —2J **135**
Terminus St. *H'low* —2C **56**
Terms Av. *Can I* —9G **137**
Tern Clo. *K'dn* —7D **202**
Tern Clo. *May* —3D **204**
Terndale. *Clac S* —7K **187**
Tern Gdns. *Upm* —3B **130**
Terni Rd. *Can I* —2K **153**
Tern Way. *Brtwd* —1B **114**
Terrace Hall Chase. *Gt Hork* —1K **167**
Terrace, The. E4 —9E **92**
(off Newgate St.)
Terrace, The. *Ben* —6D **136**
Terrace, The. *Grav* —3H **49**
(in three parts)
Terrace, The. *Lgh S* —6D **138**
Terrace, The. *Shoe* —8K **141**
Terrace, The. *Wfd G* —3G **108** (2F **39**)
Terrace Wlk. *Dag* —7K **127**
Teviot Av. *Ave* —6N **145**
Tewkesbury Clo. *Lou* —5L **93**
Tewkesbury Rd. *Clac S* —9J **187**
Tewkes Rd. *Can I* —9K **137**
Tey Gdns. *M Tey* —3E **172**
Tey Rd. *Cogg* —7M **195** (7J **15**)
Tey Rd. *E Col* —3E **196** (4J **15**)
Tey Rd. *Gt Tey* —5K **15**
Tey Rd. Clo. *E Col* —3E **196**
Thackeray Av. *Til* —6D **158**
Thackeray Clo. *Brain* —8J **193**
Thackeray Dri. *Romf* —2F **126**
Thackeray Row. *W'fd* —2L **119**
Thal Massing Clo. *Hut* —8L **99**
Thames Av. *Chelm* —6E **60**
Thames Av. *Dag* —4N **143**
Thamesbank Pl. *SE28* —6H **143**
Thames Barrier Visitor Centre. —1F **47**
Thames Clo. *Brain* —7M **193**
Thames Clo. *Corr* —2B **150**
Thames Clo. *Lgh S* —5A **138**
Thames Clo. *Rain* —6F **144**
Thames Clo. *Ray* —6J **121**
Thames Cres. *Corr* —9C **134**
Thames Dri. *Grays* —3C **158**
Thames Dri. *Lgh S* —5N **137** (4G **43**)
Thames Flood Barrier. —1F **47**
Thames Haven. —5K 151 (7B 42)
Thames Haven Rd. *Corr* —2C **150**
Thameshill Av. *Romf* —6A **112**
Thameside Community Nature Reserve. —4G **143** (6J **39**)
Thameside Cres. *Can I* —2F **152**
Thameside Ind. Est. *Eri* —4H **155**
Thameside Wlk. *SE28* —6F **142**
Thames Ind. Pk. *E Til* —3K **159**
Thamesmead. —9F 142 (7J 39)
Thamesmead Central. —8F 142
Thamesmead East. —9M 143
Thamesmead North. —6H 143
Thamesmead South. —9J 143
Thamesmead South West. —9E 142
Thamesmere Dri. *SE28* —7F **142**
Thames Rd. *Bark* —3E **142** (6H **39**)
Thames Rd. *Can I* —3F **152**
Thames Rd. *Dart* —7D **154** (2A **48**)
Thames Rd. *Grays* —5L **157**
Thames View. *Bas* —5L **133**
Thames View. *Grays* —3C **158**
Thamesview Ct. *Ben* —4M **137**
Thames Way. *Bur C* —2K **195**
Thames Way. *Grav* —4G **49**
(in two parts)
Thamley. *Purf* —2L **155**
Thanet Grange. *Sth S* —1H **139**
Thanet Rd. *Eri* —5C **154**
Thant Clo. *E10* —5B **124**
Thatchers Clo. *Lou* —1B **94**
Thatchers Croft. *Latch* —4J **35**
Thatchers Dri. *Elms* —9M **169**
Thatches Gro. *Romf* —8K **111**
Thaxted. —2K 211 (3F 13)
Thaxted Bold. *Hut* —4N **99**
Thaxted Grn. *Hut* —4M **99**
Thaxted Guildhall. —3K **211** (3F **13**)
Thaxted Ho. *Dag* —9N **127**
Thaxted "John Webb's" Towermill. —3J **211** (3F **13**)
Thaxted Rd. *Buck H* —6L **93**
Thaxted Rd. *Deb* —2C **12**
Thaxted Rd. *Gt Sam* —2G **13**
Thaxted Rd. *Saf W* —4L **205** (6C **6**)
Thaxted Wlk. *Colc* —6A **176**
Thaxted Wlk. *Rain* —9C **128**
Thaxted Way. *Wal A* —3D **78**
Thear Clo. *Wclf S* —2H **139**
Theberton St. *N1* —6A **38**
Thelma Av. *Can I* —1G **153**
Thelsford Wlk. *Colc* —8F **168**
Theobald Rd. *E17* —2A **124**
Theobalds Av. *Grays* —3M **157**
Theobald's Ct. *Lgh S* —5B **138**
Theobalds La. *Chesh* —4C **30**
Theobalds Pk. Rd. *Enf* —5A **30**
Theobalds Rd. *WC1* —7A **38**
Theobald's Rd. *Lgh S* —5B **138**
Therfield. —7B 4
Thesiger Rd. *SE20* —5C **46**
Thetford Ct. *Chelm* —1N **73**
Thetford Gdns. *Dag* —9K **127**
Thetford Pl. *Bas* —6M **117**
Thetford Rd. *Dag* —9J **127**
Theydon. *Bas* —6G **119**
Theydon Bois. —7D 80 (5H 31)
Theydon Bower. *Epp* —1F **80**
Theydon Ct. *Wal A* —3G **79**
Theydon Cres. *Bas* —6G **118**
Theydon Gdns. *Rain* —9C **128**
Theydon Garnon. —5H 81 (5J 31)
Theydon Gro. *Epp* —9F **66**
Theydon Gro. *Wfd G* —3J **109**
Theydon Mount. —6M 81 (5K 31)
Theydon Mt. *They M* —4B **81**
Theydon Pk. Rd. *They B* —7D **80**
Theydon Pl. *Epp* —1E **80**
Theydon Rd. *Epp* —2C **80** (5H **31**)
Thicket Gro. *Dag* —8H **127**
Thicket Rd. *SE20* —5C **46**
Thickett Gro. *Dag* —8H **127**
Thielen Rd. *Can I* —1G **152**
Thieves La. *Hert* —5A **20**
Third Av. *E12* —6L **125**
Third Av. *E17* —9A **108**
Third Av. *Bas* —3G **132**
Third Av. *Ben* —9G **121**
Third Av. *Can I* —1E **152**
Third Av. *Chelm* —6J **61**
Third Av. *Clac S* —9N **187**
Third Av. *Dag* —1N **143**
Third Av. *Frin S* —1H **189**
Third Av. *Grays* —4D **156**
Third Av. *H'std* —5N **199**
Third Av. *H'low* —4M **55** (7G **21**)
Third Av. *Har* —4L **201**
Third Av. *Stan Apt* —7G **209**
Third Av. *Romf* —1H **127**
Third Av. *Stan H* —1N **149**
Third Av. *Wal A* —9H **65**
Third Av. *W on N* —1M **183**
Third Av. *W'fd* —1A **120**
Third Wlk. *Can I* —1E **152**
Thirlmere Clo. *Brain* —1D **198**
Thirlmere Rd. *Ben* —8E **120**
Thirlmere Rd. *Bexh* —6A **154**
Thirslet Dri. *H'bri* —4M **203**
Thirtieth St. *Stan Apt* —6L **209**
Thirtle Clo. *Clac S* —7H **187**
Thisselt Rd. *Can I* —9G **136**
Thistlebrook. *SE2* —9H **143**
Thistle Clo. *Lain* —6A **118**
Thistledene Av. *Romf* —2N **111**
Thistledown. *Bas* —9D **118**
Thistledown. *H'wds* —4B **168**
Thistledown. *Pan* —1C **192**
Thistledown Ct. *Bas* —9D **118**
Thistle Mead. *Lou* —2N **93**
Thistley Clo. *Gold* —7A **26**
Thistley Clo. *Lgh S* —2E **138**
Thistley Cres. *R Grn* —3A **12**
Thistley Green. —1K 193 (6D 14)
Thistley Grn. Rd. *Brain* —1K **193**
(in two parts)
Thistly Rd. *Tol* —9K **211**
Thoby La. *Mount* —8M **85** (5G **33**)
Thomas Bata Av. *E Til* —2K **159**
Thomas Bell Rd. *E Col* —3B **196**
Thomas Clo. *Brtwd* —8H **99**
Thomas Clo. *Chel V* —8A **62**
Thomas Ct. *E17* —9B **108**
Thomas Ct. *Colc* —8B **168**
Thomas Dri. *Can I* —9E **136**
Thomas England Ho. Romf —1B **128**
(off Waterloo Gdns.)
Thomasin Rd. *Bas* —6K **119**
Thomas More St. *E1* —7C **38**
Thomas Rd. *Bas* —8M **119**
Thomas Rd. *Clac S* —9H **187**
Thomas Sims Ct. *Horn* —8F **128**
Thomas St. *B'sea* —7E **184**
Thomas Wakley Clo. *Colc* —2N **167**
Thompson Av. *Can I* —2M **153**
Thompson Av. *Colc* —9G **167**
Thompson Clo. *Ilf* —4B **126**
Thompson Rd. *Dag* —5L **127**
Thompson's La. *Lou* —8G **78**
Thong. —5J 49
Thong La. *Grav* —5J **49**
Thorington Av. *Ben* —9K **121**
Thorington Hall. —1F **17**
Thorington Rd. *Ray* —6N **121**
Thorington Street. —1F 17
Thorins Ga. *S Fer* —2J **105**
Thorley. —2J 21
Thorley Hill. *Bis S* —1K **21**
Thorley La. *Bis S* —2J **21**
(Thorley)
Thorley La. *Bis S* —1J **21**
(Thorley Houses)
Thorley Rd. *Grays* —8K **147**
Thorley Street. —2K 21
Thornberry Av. *Wee* —5D **180**
Thornborough Av. *S Fer* —1L **105**
Thornbridge. *Ben* —2B **136**
Thornbury Clo. *Hod* —1B **54**
Thornbury Rd. *Clac S* —9K **187**
Thornbush. *Bas* —9N **117**
Thorncroft. *Horn* —1F **128**
Thorncroft. *Saf W* —3M **205**
Thorndale. *Ben* —8H **121**
Thorndales. *War* —1G **115**
Thorndene. *SE28* —7G **143**
Thorndon App. *Heron* —4N **115**
Thorndon Av. *W H'dn* —9M **115** (3G **41**)
Thorndon Clo. *Clac S* —9E **186**
Thorndon Country Park & Visitors Centre. —3K **115** (2F **41**)
Thorndon Ga. *Ingve* —2M **115**
Thorndon Pk. Clo. *Lgh S* —1B **138**
Thorndon Pk. Cres. *Lgh S* —1A **138**
Thorndon Pk. Dri. *Lgh S* —1A **138**
Thorne Clo. *E11* —6E **124**
Thorne Rd. *K'dn* —8B **202**
Thorney Bay Beech Camp. *Can I* —3F **152**
Thorney Bay Rd. *Can I* —2F **152** (6E **42**)
Thornford Gdns. *Sth S* —1L **139**
Thornham Gro. *E15* —7D **124**
Thornhill. *Lgh S* —2D **138**
Thornhill. *N Wea* —5A **68**
Thorn Hill. *Pur* —3G **35**
Thornhill Av. *SE18* —2H **47**
Thornhill Clo. *Kir X* —7J **183**
Thornhill Gdns. *E10* —4B **124**
Thornhill Gdns. *Bark* —9D **126**
Thornhill Rd. *E10* —4B **124**
Thornhill Rd. *N1* —5A **38**
Thorn La. *Rain* —2H **145**
Thornridge. *Brtwd* —7E **98**
Thorns, The. *Kel H* —9B **84**
Thorns Way. *W on N* —6K **183**
Thornton Av. *SW2* —4A **46**
Thornton Dri. *Colc* —5N **167**
Thornton Heath. —6A 46
Thornton Heath Pond. Junct. —7A **46**
Thornton Pl. *Stock* —7N **87**
Thornton Rd. *E11* —4D **124**
Thornton Rd. *SW12* —4A **46**
Thornton Rd. *Croy & T Hth* —7A **46**
Thornton Rd. *Ilf* —6A **126**
Thornton Rd. *L Can* —7F **210**
Thorntons. *Ingve* —3M **115**
Thorntons Farm Av. *Romf* —3A **128**
Thornton Way. *Bas* —9J **117**
Thornwood. —2G 67
Thornwood. *Colc* —3N **167**
Thornwood Clo. *E18* —6H **109**
Thornwood Clo. *W Mer* —3L **213**
Thornwood Common. —5H 67 (2J 31)
Thornwood Ho. *Buck H* —6L **93**
Thornwood Rd. *Epp* —8G **66** (3J **31**)
Thorogood Gdns. *E15* —7E **124**
Thorogood Way. *Rain* —1C **144**
Thorold Rd. *Ilf* —4A **126**
Thorolds. *Bas* —3K **134**
Thoroughgood Rd. *Clac S* —1K **191**
Thorpe Bay. —6F 140 (5A 44)
Thorpe Bay Gdns. *Sth S* —8E **140**
Thorpe Clo. *Hock* —3E **122**
Thorpe Cross. —1F 29
Thorpedale Gdns. *Ilf* —8N **109**
Thorpedene Av. *Hull* —6L **105**
Thorpedene Gdns. *Shoe* —7H **141**
Thorpe Esplanade. *Sth S* —8D **140** (5A **44**)
Thorpe Gdns. *Hock* —3E **122**
Thorpe Green. —3J 181 (7D 18)
Thorpe Hall Av. *Sth S* —5E **140** (4A **44**)
Thorpe Hall Clo. *Sth S* —6E **140**
Thorpe Hall Rd. *E17* —5C **108**
Thorpe Leas. *Can I* —3H **153**
Thorpe-le-Soken. —5L 181 (7E 18)
Thorpe Lodge. *Horn* —1J **129**
Thorpe Pk. La. *T Sok* —7L **181** (1E **28**)
(in two parts)
Thorpe Rd. *E7* —6F **124**
Thorpe Rd. *E17* —6C **108**
Thorpe Rd. *Bark* —9C **126**
Thorpe Rd. *Clac S* —7K **187** (3D **28**)
Thorpe Rd. *Hock* —3E **122**
Thorpe Rd. *Kir X* —6A **182** (1E **28**)
Thorpe Rd. *Ten* —1D **180** (6C **18**)
Thorpe Rd. *Wee* —5D **180** (7C **18**)
Thorpe Wlk. *Colc* —8F **168**
Thorrington. —9F 178 (2K 27)
Thorrington Bold. *Hut* —4N **99**
Thorrington Cross. *Bas* —9D **118**
Thorrington Rd. *Gt Ben* —1K **27**
Thorrington Rd. *L Cla* —2G **186**
Thorrington Tide Mill. —2D **184** (2K **27**)
Thors Oak. *Stan H* —3N **149**
Thracian Clo. *Colc* —4H **175**
Thrale Rd. *SW16* —5A **46**
Threadneedle St. *Chelm* —9K **61**
Threadneedle St. *Ded* —1M **163**
Three Acres. *St O* —9M **185**
Three Colts La. *E2* —6C **38**
Three Corners. *Bexh* —7A **154**
Three Crowns Rd. *Colc* —5M **167**
Three Gates Clo. *H'std* —6J **199**
Three Gates Rd. *Fawk* —7D **48**
Three Horseshoes Rd. *H'low* —5A **56**
Three Mile Hill. *Ing* —8K **73** (3J **33**)
Thremhall Av. *L Hall* —9E **208** (1A **22**)
Threshelford. *Bas* —2A **134**
Threshelfords Bus. Pk. *K'dn* —6E **202**
Threshers Bush. —4N 57 (7A 22)
Threshers Bush. *H'low* —6K **21**
Threshers End. *S'way* —1E **174**
Thrift Grn. *Brtwd* —9K **99**
Thrifts Mead. *They B* —7D **80**
Thrift, The. —6A 4
Thrift Wood. *Bick* —9E **76**
Thrift Wood Nature Reserve. —1G **90** (4E **34**)
Thrimley La. *Farnh* —6J **11**
Thriplow. —2G 5
Thriplow Rd. *Fow* —2G **5**
Throcking. —3B 10
Throcking La. *Thro* —3C **10**
Throwley Clo. *Bas* —1K **135**
Throws Corner. *Steb* —7H **13**
Thrushdale. *Clac S* —7K **187**
Thundersley. —9F 120 (3E 42)
Thundersley Chu. Rd. *Ben* —1D **136**
(in two parts)
Thundersley Gro. *Ben* —1F **136**
Thundersley Pk. Rd. *Ben* —4D **136**
Thundridge. —3D 20
Thurgood Rd. *Hod* —3A **54**
Thurlby Clo. *Wfd G* —2M **109**
Thurlestone Av. *Ilf* —6E **126**
Thurloe Gdns. *Romf* —1D **128** (3A **40**)
Thurloe Wlk. *Grays* —1K **157**
Thurlow Clo. *E4* —3C **108**
Thurlow Dri. *Sth S* —6D **140**
Thurlow Gdns. *Ilf* —3C **110**
Thurlow Pk. Rd. *SE27* —4A **46**
Thurlow Rd. *Gt Wra* —1K **7**
Thurlow Rd. *Wthfld* —1H **7**
Thurlow St. *SE17* —1B **46**
Thurlston Clo. *Colc* —6D **168**
Thurlstone. *Ben* —1J **137**
Thurrock Bus. Pk. *W Thur* —4C **156**
Thurrock Commercial Cen. *Ave* —9K **145**
Thurrock Enterprise Cen. *Grays* —4K **157**
Thurrock Lakeside. —1D 156 (1E 48)
Thurrock Lakeside Shopping Centre. —1E **156**
Thurrock Lakeside Shop. Cen. *W Thur* —1E **156**
Thurrock Museum. —3L **157** (1F **49**)
Thurrock Pk. Way. *Til* —5N **157**
Thurrock Service Area Tourist Information Centre. —1C **156** (1D **48**)
Thurso Clo. *Romf* —3M **113**
Thurstable Clo. *Tol* —7L **211**
Thurstable Rd. *Tol* —7K **211**
Thurstable Way. *Tol* —7L **211**
Thurstans. *H'low* —8A **56**
Thurston Av. *Sth S* —5C **140**
Thurston Rd. *SE13* —2D **46**
Thwaite Clo. *Eri* —4A **154**
Thyme M. *Wthm* —4B **214**
Thyme Rd. *Tip* —6C **212**
Thynne Rd. *Bill* —6L **101**
Tiberius Gdns. *Wthm* —7B **214**
Tickenhall Dri. *H'low* —4J **57**
Tickfield Av. *Sth S* —4L **139**
Tickford Clo. *SE2* —9H **143**
Tideswell Clo. *Brain* —4M **193**
Tide Way. *Mal* —8L **203**
Tidings Hill. *H'std* —7K **199** (4F **15**)

Tidworth Av.—Twin Oaks

Tidworth Av. Runw —6M 103
Tidy's La. Epp —8G 66
Tiepigs La. W Wick & Brom —7E 46
Tighfield Wlk. S Fer —3K 105
Tilburg Rd. Can I —1G 152
(in two parts)
Tilbury. —7C 158 (3H 49)
Tilbury Fort. —9E 158 (3H 49)
Tilbury Green. —5C 8
Tilbury Juxta Clare. —5D 8
Tilbury Mead. H'low —5F 56
Tilbury Rd. E10 —2C 124
Tilbury Rd. Gt Yel —7D 198 (6D 8)
Tilbury Rd. Ridg —5C 8
Tilbury Rd. W H'dn —8A 116 (3G 41)
Tile Barn La. Law —6B 164 (3J 17)
Tilegate Green. —7A 22
Tilegate Rd. H'low —5E 56
Tile Ho. Rd. Gt Hork —8J 161
Tilehurst Point. SE2 —9J 143
Tilekiln Green. —1B 22
Tile Kiln La. Bex —4A 48
(in two parts)
Tile Works La. Ret C —9M 89
Tilkey. —7K 195 (7H 15)
Tilkey Rd. Cogg —6K 195
Tillet Pl. Til —6D 158
Tillingham. —3E 36
Tillingham Ct. Wal A —3G 78
Tillingham Grn. Bas —9J 117
Tillingham Rd. Ashel —4D 36
Tillingham Rd. S'min —6M 207 (4D 36)
Tillingham Way. Ray —4G 121
Tillotson Rd. Ilf —2N 125
Tillwicks Clo. E Col —3B 196
Tillwicks Rd. H'low —4E 56 (7H 21)
Tilney Ct. Buck H —8G 93
Tilney Dri. Buck H —8G 93
Tilney Rd. Dag —8L 127
Tilney Turn. Bas —2F 134
(in two parts)
Tilston Clo. E11 —5F 124
Tilty. —5E 12
Tilty Chu. Rd. Tilty —5F 13
Timber Clo. Bla N —1B 198
Timber Ct. Grays —4K 157
Timbercroft La. SE18 —2H 47
Timberdene Av. Ilf —5A 110
Timber Hill. Colc —9C 168
Timberlog Clo. Bas —9F 118
Timberlog La. Bas —9F 118 (3B 42)
Timbermans View. Bas —2G 134
Timothy Ho. Eri —9K 143
(off Kale Rd.)
Timsons La. Chelm —7N 61
Tindall Clo. Romf —6K 113
Tindal Sq. Chelm —9K 61
Tindal St. Chelm —9K 61
Tindon End. —1F 13
Tindon End Rd. Gt Sam —1F 13
Tine Rd. Chig —2D 110
(in two parts)
Tinker Av. Weth —2A 14
Tinker's La. R'fd —7L 123
Tinker St. R'sy —7A 200 (4E 18)
Tinkler Side. Bas —9C 118
Tinnocks La. St La —1C 36
Tintage Ct. Horn —3L 129
Tintagel Way. Mal —8H 203
Tintern Av. Wclf S —5H 139
Tiplers Bri. Rams H —3C 102
Tippersfield. Ben —2E 136
Tippett Clo. Colc —9E 168
Tipps Cross La. Hook E —4E 84 (4E 32)
Tipps Cross Mead. Hook E —5E 84
Tip's Cross. —4E 84 (4E 32)
Tiptree. —6D 212 (3K 25)
Tiptree Clo. E4 —9C 92
Tiptree Clo. Horn —3L 129
Tiptree Clo. Lgh S —2E 138
Tiptree Cres. Ilf —7N 109
Tiptree Gro. W'fd —9L 103
Tiptree Hall La. Tip —8B 212
Tiptree Heath. —8A 212 (4K 25)
Tiptree Heath Nature Reserve. —9A 212 (4K 25)
Tiptree Rd. Gt Br —4J 25
Tiptree Rd. W Bis —7L 213 (5H 25)
Tiptree (Tolleshunt Knights) Towermill. —5A 212 (3K 25)
Tiree Chase. W'fd —2A 120
Titania Clo. Colc —8F 168
Titan Ind. Est. Grays —2K 157
Titan Rd. Grays —3K 157
Titan Way. Grays —3K 157
Tithe Clo. Wthm —4B 214
Tithelands. H'low —6N 55
Tithe, The. W'fd —1J 119
Titley Clo. E4 —2A 108
Titmuss Av. SE28 —7G 143
Titus Way. Colc —1B 168
Tiverton Av. Ilf —7N 109
Tiverton Gro. Romf —2L 113
Tobruk Rd. Chelm —5H 61
Tobruk Rd. Colc —3L 175
Toddbrook. H'low —4A 56
Todd Clo. Rain —4H 145
Toft Av. Grays —2N 157
Tofts Chase. L Bad —6L 63 (7E 24)
Toga Clo. Colc —4H 175
Tog La. Gt Hork —5G 161 (3D 16)
Tokely Rd. Frat —3F 178
Tolbut Ct. Romf —1D 128
Toledo Clo. Sth S —6N 139
Toledo Rd. Sth S —6N 139
Tollesbury. —8K 211 (6C 26)
Tollesbury Clo. W'fd —1M 119
Tollesbury Ct. Hut —4N 99
Tollesbury Gdns. Ilf —7C 110
Tollesbury Rd. Tol D & Tol —8H 211 (6B 26)
Tolleshunt D'Arcy. —5B 26
Tolleshunt D'arcy Rd. Tol M —6A 26
Tolleshunt Knights. —9F 212 (4A 26)
Tolleshunt Major. —6A 26
Tollgate. Ben —9J 121
Tollgate Cen., The. S'way —1D 174
Tollgate Ct. S'way —9D 166
Tollgate Dri. S'way —9C 166
Tollgate E. S'way —9D 166
Tollgate Rd. E16 & E6 —7F 39
Tollgate Rd. S'way —9D 166 (6C 16)
Tollgate Roundabout. S'way —9C 166
Tollgate W. S'way —1C 174
Tolliday Clo. W'hoe —4G 177
Tollington Pk. N4 —4A 38
Tollington Rd. N7 —5A 38
Tollington Way. N7 —4A 38
Tolworth Gdns. Romf —9J 111
Tolworth Pde. Chad H —9K 111
Tom Groves Clo. E15 —7D 124
Tom Hood Clo. E15 —7D 124
Tomkins Clo. Stan H —2L 149
Tomkyns La. Upm —6A 114 (2D 40)
Tomlins Orchard. Bark —1B 142
Tomlyns Clo. Hut —5A 100
Tom Mann Clo. Bark —1D 142
Tom Oakman Cen. E4 —9D 92
Tomswood Ct. Ilf —5B 110
Tomswood Hill. Ilf —3A 110 (2G 39)
Tomswood Rd. Chig —3N 109 (2G 39)
Tom Tit La. Wdhm M —2L 77 (2F 35)
Tonbridge Rd. Hock —8E 106
Tonbridge Rd. Romf —4H 113
Tonge Ct. Brox —8A 54
Tonge Rise. Shoe —7L 141
Tongres Rd. Can I —1G 153
Tonwell. —3B 20
Tony Webb Clo. H'wds —3B 168
Took Dri. S Fer —2J 105
Tooley St. SE1 —7B 38
Toot Hill. —8D 68 (3A 32)
Toot Hill Rd. Ong —3A 32
Toot Hill Rd. Toot —8D 68
Tooting Bec Gdns. SW16 —5A 46
Tooting Bec Rd. SW17 & SW16 —4A 46
Top Dartford Rd. Swan & Dart —5A 48
Top Ho. Rise. E4 —6C 92
Toplands Av. Ave —8N 145
Toppesfield. —7B 8
Toppesfield Av. W'fd —2K 119
Toppesfield Rd. F'fld —2K 13
Toppesfield Rd. Gt Yel —9C 198 (7C 8)
Top Rd. Tol K —4A 26
Top Rd. Wim —1E 12
Top Rd. Wdhm W —1F 35
Torbitt Way. Ilf —9E 110
Tor Bryan Ing —7C 86
Tornley Clo. Lang H —2H 133
Toronto Av. E12 —6M 125
Toronto Rd. E11 —6D 124
Toronto Rd. Ilf —3A 126
Toronto Rd. Til —7C 158
Torquay Clo. Ray —2K 121
Torquay Dri. Lgh S —5D 138
Torquay Gdns. Ilf —8K 109
Torquay Rd. Chelm —6M 61
Torrance Clo. Horn —3F 128
Torrens Rd. E15 —8F 124
Torrens Sq. E15 —8F 124
Torriano Av. NW5 —5A 38
Torridge. E Til —2L 159
Torridon Rd. SE6 —4E 46
(in two parts)
Torrington. Shoe —6H 141
Torrington Clo. Chelm —6N 61
Torrington Dri. Lou —3B 94
Torrington Gdns. Lou —3B 94
Torrington Pl. WC1 —7A 38
Torrington Rd. E18 —7G 109
Torrington Rd. Dag —3L 127
Torsi Rd. Can I —2K 153
Tortoiseshell Way. Brain —8G 192
Tortosa Clo. Colc —2B 176
Torver Clo. Brain —2C 198
Totham Hill. —5J 25
Totham Hill Grn. Gt Tot —5J 25
Totlands Dri. Clac S —6L 187
Tot La. Bir —7A 12
Tot La. Bis S —6C 208
Totman Clo. Ray —7K 121
Totman Cres. Ray —7K 121
Totnes Wlk. Chelm —5N 61
Tottenham. —2B 38
Tottenham Ct. Rd. W1 —6A 38
Tottenham Hale. —3C 38
Tottenham Hale Gyratory. (Junct.) —3B 38
Tottenham Hotspur F.C. —2C 38
Tottenham La. N8 —3A 38
Totteridge Clo. Clac S —8H 187
Totts La. Walk —5A 10
Toucan Clo. Shoe —5J 141
Toucan Way. Bas —3B 134
Toucan Way. Clac S —7K 187
Toulmin Rd. Hat P —2L 63
Tovey Av. Hod —3A 54
Tovey Clo. Naze —2F 64
Tower Av. Chelm —8H 61
Tower Av. Lain —8L 117
Tower Bri. SE1 —7B 38
Tower Bri. Rd. SE1 —1B 46
Tower Cvn. Pk. Hull —5L 105
Tower Cen. Hod —5A 54
Tower Clo. Ilf —3A 110
Tower Clo. N Wea —3B 68
Tower Ct. Brtwd —8F 98
Tower Ct. Wclf S —7K 139
Tower Ct. M. Wclf S —7K 139
Tower Cut. B'sea —7E 184
Towerfield Clo. Shoe —7J 141
Towerfield Rd. Shoe —7J 141
Towerfield Rd. Ind. Est. Shoe —7J 141
Tower Hamlets Rd. E7 —6F 124
Tower Hamlets Rd. E17 —7A 108
Tower Hill. (Junct.) —7B 38
Tower Hill. Brtwd —8F 98
Tower Hill. M Hud —2G 21
Tower M. E17 —8A 108
Tower Rd. Belv —2A 154
Tower Rd. Clac S —3J 191
Tower Rd. Epp —9D 66
Tower Rd. Orp —7H 47
Tower Rd. W'hoe —4H 177
Tower Rd. Writ —1H 73
Tower Side. Hull —4L 105
Towers Rd. Grays —3M 157
Towers Rd. Mal —3M 203
Tower St. B'sea —8E 184
Towncourt La. Orp —7H 47
Town Croft. Chelm —6J 61
Towneley Cotts. Stap A —7C 96
Town End Field. Wthm —7B 214
Townfield. Thax —3L 211
Townfield Rd. R'fd —5L 123
Townfield St. Chelm —8K 61
Townfield Wlk. Gt W —2J 141
Towngate. Bas —9B 118
Town Grn. Rd. Orw —1C 4
Town La. B'tn —7A 10
Town La. Pam —1K 5
Townley Ct. E15 —8F 124
Townley Rd. Bexh —3K 47
Townmead Rd. Wal A —4C 78
Town Quay. Bark —1A 142
Town Rd. N9 —1C 38
Townsend Rd. Tip —5C 212 (3K 25)
Town Sq. Bas —9B 118
Town Sq. Eri —4C 154
Town St. New —1G 5
Town St. Thax —3K 211 (3F 13)
Town, The. Enf —6B 30
Towse Clo. Clac S —8G 186
Tracyes Rd. H'low —5G 56
Traddles Ct. Chelm —5H 61
Trader Rd. E6 —6A 142
Trafalgar Av. SE15 —2B 46
Trafalgar Bus. Cen. Bark —4E 142
Trafalgar Ct. Brain —4K 193
Trafalgar Ct. Eri —5D 154
(off Frobisher Rd.)
Trafalgar Pl. E11 —8G 109
Trafalgar Rd. SE10 —2E 46
Trafalgar Rd. Clac S —3J 191
Trafalgar Rd. Colc —8F 166
Trafalgar Rd. Rain —2D 144
Trafalgar Rd. Shoe —7H 141
Trafalgar Sq. WC2 —7A 38
Trafalgar Way. Bill —3K 101
Trafalgar Way. Brain —4K 193
Trafford Clo. E15 —7B 124
Trafford Clo. Ilf —3E 110
Trafford Ho. Lgh S —4E 138
Trajan Clo. Colc —1B 168
Tramway Av. E15 —9E 124
Tranquil Rise. Eri —3C 154
Tranquil Vale. SE3 —2E 46
Trap's Hill. Lou —3M 93 (6G 31)
Travers Way. Bas —9H 119
Tredegar Rd. E3 —6D 38
Tredgetts. A'dn —4E 6
Treebeard Copse. S Fer —2H 105
Tree Clo. Clac S —6K 187
Treecot Dri. Lgh S —2E 138
Treelawn Dri. Lgh S —2E 138
Treelawn Gdns. Lgh S —2E 138
Tree Top M. Dag —8B 128
Tree Tops. Brtwd —7F 98
Treetops Ct. M End —2N 167
Trefgarne Rd. Dag —4M 127
Trefoil Ho. Eri —9K 143
(off Kale Rd.)
Trefoil Ho. Grays —5L 157
Tregelles Rd. Hod —2A 54
Trego Rd. E9 —9A 124
Trehearn Rd. Ilf —4C 110
Trelawney Rd. Ilf —4C 110
Trelawn Rd. E10 —5C 124
Trelawny Clo. E17 —8B 108
Trenance Gdns. Ilf —5F 126
Trenchard Cres. Chelm —4M 61
Trenchard Lodge. Chelm —4M 61
Trenders Av. Ray —1H 121
Trenham Av. Pits —8K 119
Trent. E Til —2L 159
Trent Av. Upm —1A 130
Trentbridge Clo. Ilf —3E 110
Trent Clo. Bur C —2K 195
Trent Clo. W'fd —1L 119
Trent Rd. Buck H —7H 93
Trent Rd. Chelm —6E 60
Trent Rd. Wthm —5B 214
Trescoe Gdns. Romf —2A 112
Tresco Gdns. Ilf —4F 126
Tresco Way. W'fd —2N 119
Tresham Rd. Bark —9E 126
Treswell Rd. Dag —1K 143
Trevelyan Av. E12 —6M 125
Trevelyan Clo. Dart —9K 155
Trevelyan Rd. E15 —6F 124
Treviria Av. Can I —1J 153
Trevithick Dri. Dart —9K 155
Trevor Clo. Bill —9H 101
Trevor Rd. Wfd G —4G 109
Trevose Rd. E17 —5D 108
Trevthick Dri. Dart —3C 48
Trewithen Ct. Ray —7N 121
(off Connaught Rd.)
Trewsbury Ho. SE2 —8J 143
Trews Gdns. K'dn —7C 202
Triangle Shop. Cen. Frin S —7J 183
Triangle, The. Bark —8B 126
Triangle, The. Bas —2K 133
(off High Rd.)
Trident Ind. Est. Hod —5C 54
Trigg La. Dan —3F 76
Trigg Pl. Saw —2K 53
Trigg View. Grays —7M 147
Trigg Way. B'sea —6D 184
Trillo Ct. Ilf —2D 126
Trimble Clo. Ing —5D 86
Trimley Clo. Bas —8D 118
Trimley Clo. Clac S —9F 186
Trimley Lower Street. —1J 19
Trimley St Mary. —1J 19
Trims Green. —3J 21
Trindehay. Bas —1N 133
Trinder Way. W'fd —1J 119
Tring Clo. Ilf —9C 110
Tring Clo. Romf —1K 113
Tring Gdns. Romf —1J 113
Tring Grn. Romf —1J 113
Tring Wlk. Romf —1J 113
Trinidad Gdns. Dag —9B 128
Trinity Av. Felix —1K 19
Trinity Av. Wclf S —7K 139
Trinity Clo. E11 —4E 124
Trinity Clo. Bill —1L 117
Trinity Clo. Chelm —8M 61
Trinity Clo. Lain —9L 117
Trinity Clo. Mann —5J 165
Trinity Clo. Ray —6L 121
Trinity Clo. W Mer —2K 213
Trinity Clo. W'hoe —5J 177
Trinity Ct. H'std —4K 199
(High St. Halstead,)
Trinity Ct. H'std —5K 199
(Kings Rd.)
Trinity M. W Mer —2K 213
Trinity Rd. Bill —1L 117
Trinity Rd. Chelm —9M 61
Trinity Rd. H'std —5J 199
Trinity Rd. Ilf —7B 110
Trinity Rd. Mann —5J 165 (3A 18)
Trinity Rd. Ray —6L 121 (2F 43)
Trinity Rd. Sth S —5A 140
Trinity Sq. Colc —8N 167
Trinity Sq. S Fer —1L 105
Trinity St. Colc —8N 167
Trinity St. H'std —5J 199 (3F 15)
Trinity Wood Rd. Hock —8F 106
Tripat Clo. Stan H —9E 134
Tripton Rd. H'low —4D 56 (7H 21)
Tristram Clo. E17 —7D 108
Triton Way. Ben —9G 121
Triumph Av. Jay —5C 190
Triumph Ho. Bark —3F 142
Trojan Ter. Saw —1K 53
Troopers Dri. Romf —1H 113
Trotters Field. Brain —5K 193
Trotters Rd. H'low —6F 56 (7J 21)
Trot Wood. Chig —2C 110
Trotwood. Shenf —7H 99
Trotwood Clo. Chelm —4G 60
Troubridge Clo. S Fer —1M 105
Trowbridge Rd. Romf —3H 113
Troys Chase. F'std —3D 24
Troys La. Fau —3E 24
Trueloves La. Ing —6A 86 (5G 33)
Truman Building, The. W Ber —3G 167
Truman Clo. Bas —9J 117
Trumpeter Ct. Bill —5H 101
Trumpington Rd. E7 —6F 124
Trundleys Rd. SE8 —1C 46
Trunette Rd. Clac S —2G 191
Trunnions, The. R'fd —6L 123
Truro Cres. Ray —2J 121
Truro Gdns. Ilf —2L 125
Truro Rd. N22 —2A 38
Truro Wlk. Romf —3G 113
Trusses Rd. Brad S —1E 36
Truston's Gdns. Horn —2E 128
Tryfan Clo. Ilf —9K 109
Tubbenden La. Orp —7H 47
Tucker Dri. Wthm —7C 214
Tucknott Gro. Writ —2K 73
Tuck Rd. Rain —8E 128
Tudor Av. Chelm —8J 61
Tudor Av. Romf —7E 112
Tudor Av. Stan H —1N 149
Tudor Chambers. Bas —1J 135
Tudor Clo. Ben —1F 136
Tudor Clo. B'sea —5D 184
Tudor Clo. Chig —1N 109
Tudor Clo. Ing —7C 86
Tudor Clo. Jay —3E 190
Tudor Clo. Lgh S —8B 122
Tudor Clo. Ray —5M 121
Tudor Clo. Shenf —5K 99
Tudor Clo. W on N —4N 183
Tudor Clo. Wthm —7C 214
Tudor Clo. Wfd G —2H 109
Tudor Ct. Bas —5A 118
Tudor Ct. Romf —3M 113
Tudor Ct. Saw —1K 53
Tudor Ct. W Mer —2K 213
Tudor Cres. Ilf —3A 110
Tudor Dri. Romf —8E 112
Tudor Gdns. Lgh S —3C 138
Tudor Gdns. Romf —8E 112
Tudor Gdns. Shoe —7H 141
Tudor Gdns. Upm —4N 129
Tudor Grn. Jay —3D 190
Tudor Mans. Pits —1J 135
Tudor M. Romf —9D 112
Tudor Pde. Jay —4E 190
Tudor Pde. Romf —2J 127
Tudor Pl. May —3D 204
Tudor Rd. E4 —3B 108
Tudor Rd. Bark —1E 142
Tudor Rd. Can I —2D 152
Tudor Rd. Lgh S —8B 122
Tudor Rd. Wclf S —4K 139
Tudor Rose Clo. S'way —8D 166
Tudor Wlk. W'fd —9H 103
Tudor Way. Hock —3E 122
Tudor Way. Orp —7H 47
Tudor Way. Wal A —3D 78
Tudor Way. W'fd —9H 103
Tudwick Rd. Tip —8E 212
Tudwick Rd. Tol M —5A 26
Tufnell Park. —5A 38
Tufnell Way. Colc —5K 167
Tufted Clo. Bla N —3C 198
Tufter Rd. Chig —2E 110
Tufton Rd. E4 —1A 108
Tugboat St. SE28 —9D 142
Tugby Pl. Chelm —5G 61
Tukes Way. Saf W —6M 205
Tulip Clo. Chelm —4N 61
Tulip Clo. Pil H —4E 98
Tulip Clo. Romf —3G 113
Tulip Gdns. E4 —9D 92
Tulip Gdns. Ilf —8A 126
Tulip Wlk. Colc —8D 168
Tulip Way. Clac S —9G 186
Tulse Hill. —4A 46
Tulse Hill. SW2 —3A 46
Tumbler Rd. H'low —4F 56
Tumbler's Green. —6F 15
Tumulus Way. Colc —4G 175
Tunbridge Av. Sth S —4M 139
Tunbridge Rd. Sth S —4L 139
Tunfield Rd. Hod —2B 54
Tunnel App. SE16 —1C 46
Tunnel Av. SE10 —1E 46
(in two parts)
Tunnel Est. Grays —2C 156
Tunnmeade. H'low —2F 56
Tunstall Av. Ilf —3F 110
Tunstall Clo. Bas —1K 135
Tunstall Clo. St O —8N 185
Tupelo Rd. E10 —4B 124
Tupman Clo. Chelm —5F 60
Turkey Cock La. S'way & Lex H —8A 166 (6B 16)
Turkey Oaks. Chelm —8L 61
Turkey St. Enf —5C 30
Turnage Rd. Dag —3K 127
Turner Av. Law —3G 165
Turner Clo. Shoe —6K 141
Turner Clo. W'hoe —5J 177
Turner Rd. E17 —7C 108
Turner Rd. Colc —6M 167 (5E 16)
Turners Clo. Ong —8K 69
Turner's Hill. Chesh —3C 30
Turner's Spring Nature Reserve. —4G 209 (6B 12)
Turney Rd. SE21 —4B 46
Turnford. —2C 30
Turnpike Clo. L'ham & A'lgh —9E 162
Turnpike Hill. Wthfld —2H 7
Turnpike La. N8 —3A 38
Turnpike La. W Til —2F 158 (1H 49)
Turnstone End. Colc —7F 168
Turold Rd. Stan H —1N 149
Turp Av. Grays —9M 147
Turpin Av. Romf —4M 111
Turpington La. Brom —7G 47
Turpin La. Eri —4E 154
Turpins. Bas —8D 118
Turpins Av. Clac S —8N 187
Turpins Clo. Clac S —8N 187
Turpins La. Kir X —6G 183
(in three parts)
Turpin's La. Wfd G —2M 109
Turret Ct. Ong —8L 69
Turstan Rd. Wthm —7B 214
Tusser Clo. Riven —3G 25
Tusser Ct. Chelm —2E 74
Tusset M. Colc —8F 166
Tutors Way. S Fer —1L 105
Tuttlebee La. Buck H —8G 93
Tuttleby Cotts. Abr —6L 95
Twain Ter. W'fd —2K 119
Twankhams All. Epp —9F 66
Tweed. E Til —2L 159
Tweedale Ct. E15 —7C 124
Tweed Clo. H'std —6J 199
Tweed Glen. Romf —4B 112
Tweed Grn. Romf —4B 112
Tweed Way. Romf —4B 112
Tweedy Rd. Brom —6E 46
Twelve Acres. Brain —5M 193
Twentyfirst St. Stan Apt —6L 209
Twentyman Clo. Wfd G —2G 109
Twickenham Rd. E11 —4D 124
Twigg Clo. Eri —5C 154
Twining Rd. Colc —2F 174
Twin Oaks. Chelm —7B 62

Twins Clo.—Victoria Rd.

Twins Clo. Bark —3G 143
Twinstead. —7J 9
Twinstead. W'fd —1M 119
Twinstead Green. —7H 9
Twitten La. Chelm —8C 74
Twitty Fee. Dan —1G 77 (2E 34)
(in two parts)
Two Tree Island Nature Reserve.
—7A 138 (5G 43)
Twyford Av. Gt W —2L 141
Twyford Rd. Ilf —7B 126
Twyzel Rd. Can I —1J 153
Tyburn Hill. Wak C —4K 15
Tyburns, The. Hut —8M 99
Tycehurst Hill. Lou —3M 93
Tydeman Clo. S'way —2D 174
Tye Common. —8H 101
Tye Comn. Rd. Bill —9F 100 (1H 41)
Tyefields. Pits —8K 119 (3C 42)
Tye Grn. Glem —1G 9
Tye Grn. H'low —5D 56
Tye Green. —2E 194 (1D 24)
(nr. Braintree)
Tye Green. —3J 209 (6C 12)
(nr. Elsenham)
Tye Green. —5E 56 (7H 21)
(nr. Harlow)
Tye Grn. Rd. Else —9D 196 (6B 12)
Tye Grn. Village. H'low —6E 56
Tyehurst Cres. Colc —5C 168
Tyelands. Bill —8H 101
Tye La. W'hoe —3L 177 (7H 17)
Tye Rd. Elms —8L 169 (6H 17)
Tye Rd., The. Gt Ben —6N 179 (1B 28)
Tye, The. E Han —2C 90 (4D 34)
Tye, The. Marg —3L 87 (4K 33)
Tyle Grn. Horn —8H 113
Tylehurst Gdns. Ilf —7B 126
Tyler Av. Bas —9L 117
Tyler Av. Clac S —1F 190
Tyler Gro. Dart —9K 155
Tylers. Sew E —6D 6
Tylers Av. Bill —3K 101
Tylers Av. Sth S —6M 139
Tylers Causeway. —1A 30
Tylers Causeway. New S —1A 30
Tylers Clo. Chelm —4C 74
Tylers Clo. Lou —6L 93
Tylers Ct. E17 —8A 108
(off Westbury Rd.)
Tylers Cres. Horn —7G 129
Tylerscross. —8L 55
Tyler's Green. —3B 68 (2A 32)
Tylers Grn. Rd. Swan —7A 48
Tylers Ride. S Fer —1L 105
Tylers Rd. Roy —7J 55 (1F 31)
Tyler St. Har —2H 201
Tyler Way. Brtwd —7E 98
Tylewood. Ben —4J 137
Tylney Av. R'fd —4K 123
Tylney Croft. H'low —5A 56
Tylney Rd. E7 —6J 125 (5F 39)
Tylney Rd. Brom —6F 47
Tylneys Rd. H'std —3M 199
Tymperleys Clock Museum.
—8N 167 (6E 16)
Tyms Way. Ray —3L 121
Tyndale Clo. Hull —5K 105
Tyndale Dri. Jay —3E 190
Tyndales La. Dan —5H 77 (2E 34)
Tyndall Gdns. E10 —4C 124
Tyndall Rd. E10 —4C 124
Tyne. E Til —2L 159
Tyne Clo. Upm —1A 130
Tynedale Ct. H'wds —3B 168
Tynedale Sq. H'wds —3B 168
Tyne Gdns. Ave —7N 145
Tynemouth Clo. E6 —6A 142
Tyne Way. Chelm —6F 60
Tyrell Pl. Shenf —7J 99
Tyrell Rise. War —2F 114
Tyrells. Hock —2C 122
Tyrells Clo. Chelm —7N 61
Tyrells Clo. Upm —4M 129
Tyrells, The. Corr —2B 150
Tyrells Way. Gt Bad —3G 75
Tyrone Clo. Bill —1L 117
Tyrone Rd. Bill —1L 117
Tyrone Rd. Sth S —8E 140
Tyrrel Dri. Sth S —6N 139
Tyrrell Ct. Bas —9K 119
Tyrrell Rd. Ben —4B 136
Tyrrells Hall Clo. Grays —4N 157
Tyrrells Rd. Bill —1M 117
Tysea Clo. H'low —6E 56
Tysea Hill. —6D 96
Tysea Hill. Stap A —7D 96 (7A 32)
Tysea Rd. H'low —6E 56 (7H 21)
Tyssen Mead. Bore —3F 62
Tyssen Pl. S Ock —2F 146
Tythe Barn Way. S Fer —9J 91
Tythe Clo. Chelm —3N 61
Tythings, The. H'std —6J 199

Udall Gdns. Romf —3M 111
Ugley. —4A 12
Ugley Green. —6A 196 (5B 12)
Ullswater Clo. Brain —2C 198
Ullswater Rd. Ben —8E 120
Ullswater Way. Horn —7E 128
Ulster Av. Shoe —8G 141
Ulting. —7F 25
Ulting Hall Rd. Ult —7F 25
Ulting La. Ult —7F 25
Ulting Rd. Hat P —3M 63 (6F 25)
Ulting Way. W'fd —8A 104
Ulverston Rd. E17 —6D 108
Ulverston Rd. R'fd —7H 107
Una Rd. Bas —9N 119
Una Rd. Har —3G 201
Undercliff Gdns. Lgh S —6E 138
Undercliff Rd. E. Felix —1K 19
Undercliff Rd. W. Felix —1K 19
Underhill Rd. Ben —3E 136
Underwood Ct. E10 —3B 124
(off Leyton Grange Est.)
Underwood Rd. E4 —2B 108
Underwood Rd. Wfd G —4J 109
Underwood Sq. Lgh S —4B 138
Union Clo. E11 —6D 124
Union Cotts. E15 —9E 124
Union La. R'fd —5K 123
Union Rd. Jay —4E 190
Union St. SE1 —1A 46
Unity Clo. Colc —2B 176
University of Essex. —6G 17
University Pl. Eri —5A 154
University Way. Dart —9G 155 (3B 48)
Unwin Pl. Stock —7N 87
Uphall Rd. Ilf —7A 126
Upland Clo. Bill —4J 101
Upland Ct. Rd. Romf —6K 113
Upland Cres. W Mer —2K 213
Upland Dri. Bill —4H 101
Upland Dri. Colc —5C 168 (5F 17)
Upland Rd. Bill —4H 101
Upland Rd. Epp Up —4C 66
Upland Rd. Lgh S —6F 138
Upland Rd. Thorn —2H 31
Upland Rd. W Mer —2K 213
Uplands Clo. Ben —3B 136
Uplands Clo. Hock —2E 122
Uplands Ct. Clac S —3H 191
Uplands Dri. Chelm —4M 61
Uplands End. Wfd G —4L 109
Uplands Pk. Ct. Ray —4L 121
Uplands Pk. Rd. Enf —6A 30
Uplands Pk. Rd. Ray —3K 121
Uplands Rd. Ben —3B 136
Uplands Rd. Clac S —3H 191
Uplands Rd. Hock —2E 122
Uplands Rd. Romf —7J 111
Uplands Rd. War —2H 115
Uplands Rd. Wfd G —4L 109
Uplands, The. Lou —2M 93
Upminster. —4N 129 (4D 40)
Upminster Rd. Horn —4K 129 (4C 40)
Upminster Rd. N. Rain —3G 145 (6B 40)
Upminster Rd. S. Rain —4E 144 (6A 40)
Upminster Smockmill. —4M 129 (4C 40)
Upminster Tithe Barn Museum.
—2A 130 (4D 40)
Upminster Trad. Pk. Upm —2G 130
Upney Clo. Horn —7H 129
Upney La. Bark —8D 126 (5H 39)
Uppark Dri. Ilf —1B 126
Uppend. —5J 11
Upper Acres. Wthm —2C 214
Upper Av. Bas —6M 119
Up. Beulah Hill. SE19 —6B 46
Up. Branston Rd. Clac S —9H 187
Up. Brentwood Rd. Romf
—8G 112 (3B 40)
Up. Bridge Rd. Chelm —2B 74
Up. Chapel St. H'std —4K 199
Up. Chase. Alth —5A 36
Up. Chase. Chelm —2B 74
Upper Clapton. —4C 38
Up. Clapton Rd. E5 —4C 38
Up. Cornsland. Brtwd —9G 98
Upper Dovercourt. —5G 200 (3G 19)
Upper Edmonton. —1C 38
Upper Elmers End. —7D 46
Up. Elmers End Rd. Beck —6D 46
Up. Farm Rd. Ashen —5C 8
Up. Fenn Rd. H'std —4M 199
Up. Fourth Av. Frin S —9J 183
Upper Green. —1H 11
Upper Grn. Wak C —3K 15
Up. Hall La. Gt Tey —6K 15
Up. Haye La. Fing —9E 176 (2F 27)
Upper Holloway. —4A 38
Up. Holt St. E Col —3D 196 (4J 15)
Up. Hook. H'low —5E 56
Upper Houses. Bulm —6G 9
Up. Lambricks. Ray —3L 121
Up. Market Rd. W'fd —8L 103
Up. Marsh La. Hod —6A 54
Up. Mayne. Bas —6N 117 (3K 41)
Up. Mealines. H'low —6F 56
Up. Mill Field. D'mw —9M 197
Up. Moors. Gt Walt —5H 59
Up. North St. E14 —7D 38
Up. North St. Hund —1B 8
Upper Norwood. —6B 46
Upper Pk. H'low —2A 56
Upper Pk. Lou —3K 93
Up. Park Rd. Belv —1K 47
Up. Park Rd. B'sea —6D 184
Up. Park Rd. Clac S —1H 191
Up. Park Rd. W'fd —3L 119
Up. Pond St. Dud E —7H 5
Up. Rainham Rd. Horn —3D 128 (4A 40)
Upper Rd. E13 —6E 38
Upper Rd. Cray H —2E 118
Upper Rd. L Cor —7K 9
Up. Roman Rd. Chelm —1C 74
Up. Ryle. Brtwd —6E 98
Up. Second Av. Frin S —9H 183
Up. Shirley Rd. Croy —7C 46
Upper Sq. Saf W —3K 205
Up. Stonyfield. H'low —3A 56
Upper Street. —1B 18
Upper St. N1 —6A 38
Upper St. S'std —1H 9
Upper St. Strat M —1H 17
Up. Swaines. Epp —9E 66
Upper Sydenham. —5C 46
Up. Thames St. EC4 —7A 38
Up. Third Av. Frin S —9H 183
Up. Tollington Pk. N4 —4A 38
Up. Trinity Rd. H'std —5K 199
Upper Walthamstow. —8D 108 (3E 38)
Up. Walthamstow Rd. E17 —8C 108
Up. Wickham La. Well —2J 47
Upsheres. Saf W —5M 205
Upshire. —2K 79 (4F 31)
Upshirebury Grn. Wal A —3K 79
Upshire Rd. Wal A —2F 78 (4E 30)
Upton. —9G 125 (5F 39)
Upton Av. E7 —9G 125
Upton Clo. Stan H —3M 149
Upton Clo. W Ber —3E 166
Upton Ho. H Hill —2H 113
(off Barnstaple Rd.)
Upton La. E7 —9G 125 (5F 39)
Upton Lodge. E7 —8G 125
Upton Park. —6F 39
Upton Pk. Rd. E7 —9H 125
Upton Rd. Bexh & Bex —3K 47
Upwick Green. —6H 11
Urban Av. Horn —5G 129
Urmond Rd. Can I —1G 152
Urswick Gdns. Dag —9K 127
Urswick Rd. E9 —5C 38
Urswick Rd. Dag —9J 127
Usk Rd. Ave —6N 145
Usterdale Rd. Saf W —2L 205
Uttons Av. Lgh S —6C 138
Uvedale Rd. Dag —5M 127
Uxbridge Clo. W'fd —1N 119

Vaagen Rd. Can I —1H 153
Vadsoe Rd. Can I —9G 136
Valance Av. E4 —7E 92
Valance Rd. Clav —2J 11
Vale Av. Sth S —4M 139
Vale Clo. Colc —5E 168
Vale Clo. Pil H —4C 98
Vale End. Chelm —7D 74
Valence Av. Dag —3J 127 (4J 39)
Valence Cir. Dag —5J 127
Valence House Museum & Art Gallery.
—4K 127 (4K 39)
Valence Rd. Eri —5B 154
Valence Way. Bas —1L 133
Valence Way. Clac S —9K 187
Valence Wood Rd. Dag —5J 127
Valentine Ct. Brain —4G 193
Valentines. Stock —7A 88
Valentines. W'fd —1L 119
Valentines Dri. Colc —6C 168
Valentines Rd. Ilf —3A 126
Valentine's Way. Romf —4C 128
Valentine Vs. S Ock —5F 146
Valentine Way. Sil E —3L 207
Vale Pk. View. Hod —7D 20
Vale Rd. E7 —8H 125
Vale Rd. N'fleet —4G 49
Vale, The. Bas —3E 134
Vale, The. Brtwd —7F 98
Vale, The. Stock —1M 101
Vale, The. Wfd G —4G 109
Valfreda Way. W'hoe —5H 177
Valiant Clo. Romf —6N 111
Valkyrie Clo. Tol —7K 211
Valkyrie Rd. Wclf S —6J 139 (5J 43)
Vallance Clo. Sth S —3C 140
Vallance Rd. E2 & E1 —6C 38
Vallentin Rd. E17 —8C 108 (3E 38)
Valletta Clo. Chelm —8J 61
Valley Bri. Broom —5K 61
Valley Bri. Chelm —7A 24
Valleybridge Rd. Clac S —8L 187
Valley Clo. Lou —5M 93
Valley Clo. S'way —3F 174
Valley Clo. Wal A —2C 78
Valley Cres. W Ber —4F 166
Valley Dri. Grav —5H 49
Valley Hill. Lou —6L 93 (7G 31)
Valley Rd. SW16 —5A 46
Valley Rd. Belv —2A 154
Valley Rd. Bill —6K 101 (7K 33)
Valley Rd. Brain —4J 193
Valley Rd. Clac S —8K 187 (3D 28)
Valley Rd. Colc —2F 176
Valley Rd. Eri —2B 154
Valley Rd. Fawk —7E 48
Valley Rd. Gt Wal —4K 9
Valley Rd. Har —5F 200
Valley Rd. Short —6E 46
Valley Rd. W'hoe —6J 177
Valley Side. E4 —8A 92
Valley Side Pde. E4 —8A 92
Valley View. S'std —1H 9
Valley View. W Ber —4F 166
Valley View Clo. H'wds —3A 168
Valley Wlk. W on N —7K 183
Valley Wash. Hund —1B 8
Valmar Av. Stan H —4K 149
Vanbrugh Hill. SE10 & SE3 —1E 46
Vanbrugh Pk. SE3 —2E 46
Vandenburg Circ. Weth —2A 14
Vanderbilt Av. Ray —8J 105
Vanderwalt Av. Can I —2K 153
Van Dieman's La. Chelm —2D 74
Van Dieman's Rd. Chelm
—2D 74 (2A 34)
Van Diemens Pass. Can I —2M 153
Van Dyck Rd. Colc —1H 175
Vane Ct. Wthm —2D 214
Vane La. Cogg —8L 195
Vanessa Dri. W'hoe —5H 177
Vange. —2E 134 (4B 42)
Vange Bells Corner. Fob —5C 134
Vange By-Pass. Bas —4D 134 (4A 42)
Vange Corner Dri. Van —5C 134
Vange Hill Ct. Bas —3F 134
Vange Hill Dri. Bas —1E 134
Vange Pk. Rd. Van —4C 134
Vanguard Clo. Romf —6M 111
Vanguards, The. Shoe —7K 141
(in two parts)
Vanguard Way. Brain —4K 193
Vanguard Way. Shoe —7K 141
Vanguard Way Ind. Est. Shoe —7J 141
Vanryne Ho. Lou —2L 93
Vansittart Rd. E7 —6F 124
Vansittart St. Har —2M 201
Vantorts Clo. Saw —2K 53
Vantorts Rd. Saw —3K 53
Varden Clo. Chelm —5H 61
Vardon Dri. Lgh S —3N 137
Vaughan Av. Horn —6H 129
Vaughan Av. Sth S —5B 140
Vaughan Clo. Rayne —6B 192
Vaughan Clo. R'fd —2K 123
Vaughan Gdns. Ilf —2M 125
Vaughan Rd. E15 —8F 124
Vaughan Williams Rd. Bas —7L 117
Vaulx Rd. Can I —1H 153
Vaux Av. Har —6H 201
Vauxhall. —1A 46
Vauxhall Av. Jay —6C 190
Vauxhall Bri. SW1 & SE1 —1A 46
Vauxhall Bri. Rd. SW1 —1A 46
Vauxhall Cross. (Junct.) —1A 46
Vauxhall Dri. Brain —6F 192
Veitch Clo. SE28 —7J 143
Veitch Rd. Wal A —4C 78
Velizy Av. H'low —2C 56
Vellacotts. Chelm —4K 61
Venables Clo. Can I —1J 153
Venables Clo. Dag —6N 127
Venables Ct. Can I —1J 153
Venette Clo. Rain —5F 144
Venlo Rd. Can I —9H 137
Venmore Dri. D'mw —8L 197
Venners Clo. Bexh —7C 154
Ventnor Dri. Clac S —5L 187
Ventnor Gdns. Bark —8D 126
Veny Cres. Horn —7H 129
Vera Lynn Clo. E7 —6G 125
Vera Rd. D'ham —6H 103
Verbena Clo. S Ock —6F 146
Verdant La. SE6 —4E 46
Verderers Rd. Chig —2F 110
Vere Rd. Lou —3B 94
Verlander Dri. Ray —9H 105
Vermeer Cres. Shoe —6L 141
Vermeer Ride. Chelm —4A 62
Vermont Clo. Bas —7K 119
Vermont Clo. Clac S —9L 187
Verney Gdns. Dag —6K 127
Verney Rd. Dag —6K 127
(in two parts)
Vernon Av. E12 —6M 125
Vernon Av. Ray —3H 121
Vernon Av. Wfd G —4H 109
Vernon Corner. Stock —7M 87
Vernon Ct. Lgh S —5B 138
Vernon Cres. Brtwd —9K 99
Vernon Pl. WC1 —7A 38
Vernon Rd. E11 —3E 124
Vernon Rd. E15 —9E 124
Vernon Rd. Ilf —3E 126
Vernon Rd. Lgh S —5B 138
Vernon Rd. N Fam —5H 35
Vernon Rd. Romf —2A 112
Vernon's Clo. Hen —5C 12
Vernons Rd. Wak C —4A 16
Vernons Wlk. Bas —7G 119
Vernon Way. Brain —4L 193
Verona Ho. Eri —5D 154
Verona Rd. E7 —9G 125
Veronica Clo. Romf —4G 113
Veronica Wlk. Colc —8E 168
Veronique Gdns. Ilf —9B 110
Vert Ho. Grays —5M 157
Vesta Clo. Cogg —8K 195
Vesta Rd. SE14 —2D 46
Vestry Clo. Lain —8L 117
Vestry House Museum. —8B 108 (3D 38)
Vestry Rd. E17 —8B 108
Vexil Clo. Purf —2A 156
Veysey Gdns. Dag —5M 127
Viaduct Rd. Chelm —9J 61
Viaduct Rd. Ware —4D 20
Viaduct, The. E18 —6H 109
Viborg Gdns. Mal —8H 203
Vicarage Av. Whi N —2E 24
Vicarage Causeway. Hert H —6C 20
Vicarage Clo. Brtwd —1B 114
Vicarage Clo. Can I —2D 152
Vicarage Clo. Eri —4A 154
Vicarage Clo. Gt Sal —6A 14
Vicarage Clo. Lain —9L 117
Vicarage Clo. Rox —7H 23
Vicarage Clo. Thax —2K 211
Vicarage Clo. Tol D —6B 26
Vicarage Ct. H'std —4J 199
Vicarage Ct. Ilf —7A 126
Vicarage Ct. Wal A —4G 79
(off Horseshoe La.)
Vicarage Cres. Hat P —2M 63
Vicarage Dri. Bark —9B 126
Vicarage Field Shop. Cen. Bark —9B 126
Vicarage Gdns. Clac S —2H 191
Vicarage Hill. Ben —5D 136 (4E 42)
Vicarage La. E15 —9E 124 (5E 38)
Vicarage La. Act —3K 9
Vicarage La. Ber —4J 11
Vicarage La. Chig —8B 94 (1H 39)
Vicarage La. Grav —4J 49
Vicarage La. Gt Bad —7G 74 (3B 34)
Vicarage La. Ilf —3C 126
Vicarage La. Mun —3J 35
Vicarage La. N Wea —3N 67 (2K 31)
Vicarage La. Thax —2K 211
Vicarage La. T Sok —4K 181
Vicarage La. T'ham —3E 36
Vicarage La. Ugley —4A 12
Vicarage La. W on N —6M 183
Vicarage La. W'frd —4A 20
Vicarage Mead. Thax —2K 211
Vicarage Meadow. H'std —5K 199
Vicarage Meadow. S'min —8L 207
Vicarage M. Gt Bad —4G 75
Vicarage Rd. E10 —2A 124
Vicarage Rd. E15 —9F 124
Vicarage Rd. Bel P —4E 8
Vicarage Rd. Bex —4K 47
Vicarage Rd. Bunt —4D 10
Vicarage Rd. Chelm —3B 74
Vicarage Rd. Coop —8H 67
Vicarage Rd. Dag —9N 127
Vicarage Rd. F'fld —2K 13
Vicarage Rd. Horn —3E 128
Vicarage Rd. Ples —2A 58
Vicarage Rd. Rox —7H 23
Vicarage Rd. Ware —4D 20
Vicarage Rd. Wfd G —4L 109
Vicarage Sq. Grays —4K 157
Vicarage Wood. H'low —2F 56
Vicars Orchard. Bulm —5H 9
Vicars Wlk. Dag —5G 127
Viceroy Clo. Colc —3B 176
Viceroy Ct. Horn H —2H 149
(off Gordon Rd.)
Viceroy Ct. Wclf S —7G 139
Vickers Rd. Eri —3B 154
Vickers Rd. Sth S —9J 123
V.I. Components Ind. Pk. Eri —3C 154
Victor App. Horn —3H 129
Victor Av. Bas —9L 119
Victor Clo. Horn —3H 129
Victor Ct. Horn —3H 129
(off Victor Wlk.)
Victor Dri. Lgh S —6E 138
Victor Gdns. Hock —2E 122
Victor Gdns. Horn —3H 129
Victoria Av. Grays —9M 147
Victoria Av. Kir S —6G 182
Victoria Av. Lang H —3L 133
Victoria Av. Ray —3H 121
Victoria Av. Romf —3N 111
Victoria Av. Saf W —5L 205
Victoria Av. Sth S —3K 139 (4J 43)
Victoria Av. W'fd —8K 103
Victoria Chase. Colc —7M 167
Victoria Clo. Bas —8K 117
Victoria Clo. Grays —9M 147
Victoria Clo. W'hoe —4H 177
Victoria Ct. E18 —7H 109
Victoria Ct. Brtwd —1F 114
Victoria Ct. Mal —6L 203
Victoria Ct. Romf —9E 112
Victoria Ct. Wclf S —7K 139
(off Tower Ct. M.)
Victoria Cres. Chelm —8K 61
Victoria Cres. Lain —7K 117
Victoria Cres. Law —4H 165
Victoria Cres. W'fd —9J 103
Victoria Dock Rd. E16 —7E 38
Victoria Dri. Gt W —4N 141
Victoria Dri. Lgh S —5D 138
Victoria Embkmt. SW1, WC2 & EC4
—1A 46
Victoria Esplanade. W Mer
—4L 213 (5F 27)
Victoria Gdns. Colc —4B 168
Victoria Gdns. Saf W —5L 205
Victoria Hill. Shalf —5A 14
Victoria Pk. Ind. Cen. E9 —9A 124
(off Rothbury Rd.)
Victoria Pk. Rd. E8 —6C 38
Victoria Pl. B'sea —7E 184
Victoria Pl. Colc —9B 168
(Cannon St.)
Victoria Pl. Colc —8N 167
(Eld La.)
Victoria Plaza Shop. Cen. Sth S
—6M 139
Victoria Rd. E4 —7E 92
Victoria Rd. E11 —6E 124
Victoria Rd. E17 —6C 108
Victoria Rd. E18 —6H 109
Victoria Rd. N18 & N9 —1B 38
Victoria Rd. Bark —8A 126
Victoria Rd. Buck H —8K 93 (1F 39)
Victoria Rd. Bulp —6B 132
Victoria Rd. Chelm —8K 61 (1A 34)
(in two parts)
Victoria Rd. Clac S —1L 191
Victoria Rd. Colc —1K 175

Victoria Rd.—Washington Rd.

Victoria Rd. *Cold N* —4H **35**
Victoria Rd. *Dag* —7N **127**
Victoria Rd. *Dart* —3C **48**
Victoria Rd. *Eri* —4C **154**
(in two parts)
Victoria Rd. *Horn H* —2H **149**
Victoria Rd. *Lain* —8J **117**
Victoria Rd. *Lgh S* —6D **138**
Victoria Rd. *Mal* —5K **203**
Victoria Rd. *Ray* —4L **121**
Victoria Rd. *Romf* —1D **128** (3A **40**)
Victoria Rd. *Sth S* —6A **140**
Victoria Rd. *S Fer* —2K **105**
Victoria Rd. *Stan H* —4L **149**
Victoria Rd. *Van* —4E **134**
Victoria Rd. *Wal A* —4C **78**
Victoria Rd. *W on N* —6M **183**
Victoria Rd. *War* —1F **114**
Victoria Rd. *Wee H* —9F **180**
Victoria Rd. *Writ* —1G **72** (1J **33**)
Victoria Rd. S. *Chelm* —9K **61** (1A **34**)
Victoria Scott Ct. *Dart* —8C **154**
Victoria St. *E15* —9E **124**
Victoria St. *SW1* —1A **46**
Victoria St. *Brain* —6H **193** (7C **14**)
Victoria St. *Har* —3M **201**
Victor M. Clo. *W'fd* —2L **119**
Victor Rd. *Colc* —9B **168**
Victor's Cres. *Hut* —8L **99**
Victor Wlk. *Horn* —3H **129**
Victory Clo. *W'fd* —2A **120**
Victory Ct. Eri —5D 154
(off Frobisher Rd.)
Victory Gdns. *Brain* —4K **193**
Victory Path. *Wclf S* —6G **138**
Victory Rd. *E11* —8G **109**
Victory Rd. *Clac S* —1H **191**
Victory Rd. *Rain* —2E **144**
Victory Rd. *W Mer* —3H **213**
Victory Way. *Dart* —9N **155**
Victory Way. *Romf* —6N **111**
Vienna Clo. *Har* —6J **201**
Vienna Clo. *Ilf* —6K **109**
View Clo. *Chig* —2C **110**
Vigar Wlk. *Clac S* —8G **187**
Vigerons Way. *Grays* —2D **158**
Vigilant Way. *Grav* —5J **49**
Vignoles Rd. *Romf* —2M **127**
Viking Rd. *Mal* —8H **203**
Vikings Way. *Can I* —2D **152**
Viking Way. *Clac S* —7C **188**
Viking Way. *Eri* —1A **154**
Viking Way. *Pil H* —5E **98**
Viking Way. *Rain* —4E **144**
Viking Way. *Runw* —6L **103**
Village Arc. *E4* —7D **92**
Village Clo. *E4* —2C **108**
Village Clo. *Kir X* —7G **183**
Village Clo. *L Cla* —4H **187**
Village Dri. *Can I* —2E **152**
Village Ga. *Chelm* —8B **62**
Village Grn. *Cwdn* —1M **107**
Village Grn. Rd. *Dart* —9E **154**
Village Hall Clo. *Can I* —2D **152**
Village Heights. *Wfd G* —2F **108**
Village Rd. *Enf* —7B **30**
Village Sq. *Chel V* —8B **62**
Village, The. *SE7* —2F **47**
Village, The. *Will* —1E **32**
Village Way. *SE21* —3B **46**
Village Way. *Beck* —6D **46**
Village Way. *Kir X* —7G **183**
Villa Rd. *Ben* —2B **136**
Villa Rd. *High* —5K **49**
Villa Rd. *S'way* —9D **166** (6C **16**)
Villiers Clo. *E10* —4A **124**
Villiers Pl. *Bore* —3F **62**
Villiers-Sur-Marne Av. *Bis S* —1J **21**
Villiers Way. *Ben* —1F **136**
Vince Clo. *W Mer* —3K **213**
Vincent Av. *Horn H* —2H **149**
Vincent Clo. *Corr* —2C **150**
Vincent Clo. *Ilf* —3B **110**
Vincent Clo. *Shoe* —7J **141**
Vincent Lodge. *S Fer* —2L **105**
Vincent M. *Shoe* —7J **141**
Vincent Rd. *E4* —3D **108**
Vincent Rd. *Dag* —9K **127**
Vincent Rd. *Hock* —7G **106**
Vincent Rd. *Rain* —4G **144**
Vincent Way. *Bill* —3H **101**
Vine Dri. *W'hoe* —3J **177**
Vine Farm Rd. *W'hoe* —3J **177**
Vinegar All. *E17* —8B **108**
Vine Gdns. *Ilf* —7B **126**
Vine Gro. *Gil* —7D **52**
Vine Pde. *W'hoe* —3J **177**
Vineries Clo. *Dag* —8L **127**
Vine Rd. *E15* —9F **124**
Vine Rd. *Tip* —5C **212**
Vinesse Rd. *L Hork* —6E **160** (3C **16**)
Vine St. *Gt Bar* —3J **13**
Vine St. *Romf* —8A **112**
Vine Way. *Brtwd* —7F **98**
Vineway, The. *Har* —3J **201**
Vineyard Ga. *Colc* —9N **167**
Vineyard Steps. *Colc* —9N **167**
Vineyards, The. *Gt Bad* —3G **75**
Vineyard St. *Colc* —9N **167**
Vint Cres. *Colc* —9K **167**
Vintners, The. *Sth S* —1L **139**
Vintry M. *E17* —8A **108**
Viola Clo. *S Ock* —3F **146**
Viola Wlk. *Colc* —8E **168**
Violet Clo. *Chelm* —4N **61**
Violet Rd. *E3* —6D **38**
Violet Rd. *E17* —1A **124**
Violet Rd. *E18* —6H **109**
Virgil Rd. *Wthm* —2C **214**
Virginia Clo. *Ben* —8B **120**
Virginia Clo. *Clac S* —3E **190**
Virginia Clo. *Romf* —4A **112**
Virginia Gdns. *Ilf* —6B **110**
Virginia Rd. *T Hth* —6A **46**
Virley. —5C 26
Virley Clo. *H'bri* —4N **203**
Viscount Dri. *H'wds* —2C **168**
Vista Av. *Kir S* —5G **182**
Vista Dri. *Ilf* —9K **109**
Vista Rd. *Clac S* —9K **187**
Vista Rd. *W'fd* —9N **103**
Vitellus Clo. *Colc* —1B **168**
Vivian Ct. *W on N* —6M **183**
Voluntary Pl. *E11* —1G **124**
Volwycke Av. *Mal* —8J **203**
Voorburg Rd. *Can I* —2K **153**
Voorne Av. *Can I* —3K **153**
Vowler Rd. *Bas* —2K **133**
Voyagers Clo. *SE28* —6H **143**
Voysey Gdns. *Bas* —6J **119**

Waalwyk Dri. *Can I* —1J **153**
Waarden Rd. *Can I* —1G **152**
Waarem Av. *Can I* —1G **153**
Waddesdon Rd. *Har* —3M **201**
Waddington Rd. *E15* —7D **124**
Waddington St. *E15* —8D **124**
Waddon. —7A 46
Waddon New Rd. *Croy* —7A **46**
Waddon Rd. *Croy* —7A **46**
Wade Reach. *W on N* —6K **183**
Wade Rd. *Clac S* —5M **187**
Wades Hill. *N21* —7A **30**
Wade's La. *S'ly* —1G **19**
Wadesmill. —3C 20
Wadesmill Rd. *Hert* —4B **20**
Wadesmill Rd. *Ware* —4C **20**
Wadeville Av. *Romf* —1K **127**
Wadey Clo. *Bas* —8N **117**
Wadey Grn. *Chelm* —7B **62**
Wadham Av. *E17* —4B **108**
Wadham Clo. *Ing* —5D **86**
Wadham Pk. Av. *Hock* —7N **105**
Wadham Rd. *E17* —5B **108** (2D **38**)
Wadley Rd. *E11* —2E **124**
Wagon Mead. *Hat H* —2C **202**
Wagtail Dri. *H'bri* —3M **203**
Wagtail Pl. *K'dn* —8C **202**
Wainfleet Av. *Romf* —6A **112**
Wainscott Northern By-Pass.
Strood & Wain —6K **49**
Wainsfield Vs. *Thax* —3L **211**
Wainwright Av. *Hut* —5N **99**
Wakefield Av. *Bill* —6J **101**
Wakefield Clo. *Colc* —7A **168**
Wakefield Clo. *Gt Che* —2L **197**
Wakefield Gdns. *Ilf* —1L **125**
Wakelin Chase. *Ing* —6C **86**
Wakelin Way. *Wthm* —5E **214**
Wakerfield Clo. *Horn* —9K **113**
Wakering Av. *Shoe* —7L **141**
Wakering Rd. *Bark* —8B **126**
Wakering Rd. *Gt W* —1J **141**
Wakering Rd. *Shoe* —6L **141** (5C **44**)
Wakering Rd. *Sth S* —4E **140** (4A **44**)
Wakerings, The. *Bark* —8B **126**
Wake Rd. *Lou* —8J **79** (5F **31**)
Wakes Colne. —4K 15
Wakescolne. *W'fd* —1A **120**
Wakes Colne Green. —3K 15
Wakeshall La. *Ovgtn* —5D **8**
Wakes St. *Wak C* —4K **15**
Waldair Ct. *E16* —9A **142**
Waldegrave. *Bas* —1C **134**
Waldegrave Clo. *Law* —5G **165**
Waldegrave Ct. *Bark* —1C **142**
Waldegrave Ct. *Upm* —3M **129**
Waldegrave Gdns. *Upm* —3M **129**
Waldegrave Rd. *Dag* —4H **127**
Waldegraves Farm Holiday Pk. *W Mer*
—5G **27**
Waldegraves La. *W Mer*
—1N **213** (5G **27**)
Waldegrave Way. *Law* —5G **165**
Walden Av. *Rain* —2B **144**
Walden Av. *Wim* —1D **12**
Walden Clo. *Gt Tot* —8M **213**
Walden Ct. *Bis S* —9C **208**
Walden Ho. Rd. *Gt Tot* —7M **213** (5H **25**)
Walden Pl. *Saf W* —4K **205**
Walden Rd. *A'dn* —5D **6**
Walden Rd. *Deb* —1C **12**
Walden Rd. *Gt Che* —1L **197** (4A **6**)
Walden Rd. *Hads* —3C **6**
Walden Rd. *Horn* —1H **129**
Walden Rd. *L'bry* —1J **205** (6A **6**)
Walden Rd. *R'ter* —6E **6**
Walden Rd. *Saf W* —6D **6**
Walden Rd. *Thax* —1J **211** (2F **13**)
Walden Rd. *Wen A* —7B **6**
Waldens Rd. *Orp* —7J **47**
Walden Way. *Frin S* —9J **183**
Walden Way. *Horn* —1H **129**
Walden Way. *Ilf* —4D **110**
Waldgrooms. *D'mw* —7K **197**
Waldingfield Rd. *Act* —3K **9**
Waldingfield Rd. *Sud* —5J **9**
Waldon. *E Til* —1K **159**
Waldram Pk. Rd. *SE23* —4C **46**
Waldring Field. *Bas* —8C **118**
Waldrist Way. *Eri* —9L **143**
Wales End. —1E 8
Walford Pl. *Chelm* —9A **62**
Walfords Clo. *H'low* —9H **53**
Walford Way. *Cogg* —8L **195**
Walfrey Gdns. *Dag* —9K **127**
Walkato Lodge. *Buck H* —7J **93**
Walker Av. *Fyf* —1D **32**
Walker Clo. *Dart* —8D **154**
Walker Dri. *Lgh S* —4N **137**
Walkern. —5A 10
Walkern Rd. *B'tn* —6A **10**
Walkern Rd. *Wat S* —1A **20**
Walkers Clo. *Chelm* —4M **61**
Walkers Sq. *Stan H* —4M **149**
Walkey Way. *Shoe* —7L **141**
Walk, The. *Bill* —7J **101**
Walk, The. *Eig G* —7B **166**
Walk, The. *Horn* —4K **129**
Walk, The. *Hull* —5K **105**
Walkways. *Can I* —9F **136**
Wallace Binder Clo. *Mal* —7J **203**
Wallace Clo. *SE28* —7J **143**
Wallace Clo. *Hull* —5K **105**
Wallace Cres. *Chelm* —2D **74**
Wallace Dri. *W'fd* —2M **119**
Wallace Rd. *Grays* —1K **157**
Wallace's La. *Bore* —6C **24**
Wallace St. *Shoe* —7K **141**
Wallasea Gdns. *Chelm* —6A **62**
Wall Ct. *Brain* —8G **192**
Wallend. —6G 39
Wall End Rd. *E6* —9N **125**
Wallenger Av. *Romf* —7F **112**
Waller Pl. *Can I* —1F **152**
Wallers Clo. *Dag* —1K **143**
Wallers Clo. *Wfd G* —3M **109**
Waller's Hoppet. *Lou* —1M **93**
Waller St. *Rain* —4G **145**
Wallers Way. *Hod* —2B **54**
Wallflower Ct. *Chelm* —6A **62**
Wallhouse Rd. *Eri* —5F **154**
Wallington. —2A 10
Wallington Rd. *Ilf* —2E **126**
Wallington Rd. *Wlgtn* —2A **10**
Wallis Av. *Sth S* —4L **139**
Wallis Clo. *Horn* —3F **128**
Wallis Ct. *Colc* —3F **174**
Wallis Rd. *E9* —8A **124** (5D **38**)
Wall La. *Wrab* —3D **18**
Wall Rd. *Can I* —2M **153**
Wall's Green. —1F 33
Walls, The. *Mann* —4J **165** (3A **18**)
Wall St. *Lee S* —5A **28**
Wallwood Rd. *E11* —2D **124**
Walmer Clo. *E4* —8B **92**
Walmer Clo. *Romf* —6N **111**
Walnut Clo. *Ilf* —8B **110**
Walnut Cotts. Saw —1K 53
(off Station Rd.)
Walnut Ct. *E17* —8C **108**
Walnut Ct. *Hock* —9D **106**
Walnut Dri. *Wthm* —3D **214**
Walnut Gdns. *E15* —6E **124**
Walnut Gro. *Brain* —6G **192**
Walnut Hill Rd. *Grav* —6G **49**
Walnut Rd. *E10* —4A **124**
Walnut Tree Clo. *Hod* —5A **54**
Walnut Tree Cres. *Saw* —1K **53**
Walnuttree Green. —7J 11
Walnut Tree Rd. *Dag* —4J **127** (4K **39**)
Walnut Tree Rd. *Eri* —3C **154**
Walnut Tree Way. *Colc* —3J **175**
Walnut Tree Way. *Tip* —4C **212**
Walnut Way. *B'sea* —6D **184**
Walnut Way. *Buck H* —9K **93**
Walnut Way. *Clac S* —1G **190**
Walpole Clo. *Grays* —2M **157**
Walpole Rd. *E6* —9J **125**
Walpole Rd. *E18* —5F **108**
Walpole Rd. *N17* —3B **38**
Walpole Wlk. Ray —5N 121
(off Bramfield Rd. E.)
Walsham Clo. *SE28* —7J **143**
Walsham Enterprise Cen. *Grays*
—3M **157**
Walsingham Clo. *Lain* —8L **117**
Walsingham Rd. *Colc* —9N **167**
Walsingham Rd. *Sth S* —3N **139**
Walsingham Way. *Bill* —3K **101**
Walter Hurford Pde. *E12* —6N **125**
Walter Radcliffe Way. *W'hoe* —7J **177**
Walter Rodney Clo. *E6* —8M **125**
Walters Clo. *Chelm* —7D **74**
Walters Clo. *Lgh S* —9D **122**
Walters Yd. *Colc* —8N **167**
Walter Way. *Sil E* —2L **207**
Waltham Abbey. —3C 78 (4E 30)
Waltham Abbey. —3C **78**
(Remains of)
Waltham Abbey Church. —3C **78** (4E **30**)
Waltham Abbey Gatehouse.
—3C **78** (4E **30**)
Waltham Abbey Tourist Information
Centre. —3C **78** (4E **30**)
Waltham Clo. *Hut* —5M **99**
Waltham Ct. *Wclf S* —6H **139**
Waltham Cres. *Sth S* —3N **139**
Waltham Cross. —4C 30
Waltham Glen. *Chelm* —3D **74**
Waltham Pk. Way. *E17* —5A **108**
Waltham Rd. *Bore* —1H **63** (5C **24**)
Waltham Rd. *Naze* —5E **64** (3E **30**)
Waltham Rd. *Ray* —4H **121**
Waltham Rd. *Terl* —4C **24**
Waltham Rd. *Wfd G* —3L **109**
Walthams. *Pits* —8J **119**
Waltham's Cross. *Gt Bar* —3K **13**
Walthams Pl. *Pits* —8J **119**
Walthamstow. —8A 108 (3D 38)
Walthamstow Av. *E4* —4A **108**
Walthamstow Bus. Cen. *E17* —6C **108**
Walthamstow Greyhound Race Track.
—4B **108** (2D **38**)
Waltham Way. *E4* —8A **92** (1D **38**)
Waltham Way. *Frin S* —9K **183**
Walton. —1K 19
Walton Av. *Felix* —1K **19**
Walton Ct. *Bas* —7L **117**
Walton Ct. *Hod* —3C **54**
Walton Gdns. *Stan H* —4M **99**
Walton Gdns. *Wal A* —3B **78**
Walton Hall Farm Museum.
—8K **149** (7J **41**)
Walton High. *Felix* —1K **19**
Walton Ho. *E4* —2A **108**
Walton Ho. E17 —7B 108
(off Drive, The)
Walton Maritime Museum.
—5N **183** (7H **19**)
Walton-on-the-Naze. —6N 183 (1H 29)
Walton-on-the-Naze Tourist Information
Centre. —6N **183** (1H **29**)
Walton Rd. *E12* —6N **125**
(in two parts)
Walton Rd. *Clac S* —1K **191**
Walton Rd. *Hod* —3B **54**
Walton Rd. *Kir X* —8H **183** (1G **29**)
Walton Rd. *Kir S* —6G **182** (1G **29**)
Walton Rd. *Romf* —4L **111**
Walton Rd. *Sth S* —8D **140**
Walton Rd. *T Sok* —3M **181** (7E **18**)
Walton's Hall Rd. *Stan H*
—9J **149** (1J **49**)
Walworth. —1B 46
Walworth Rd. *SE1* —1A **46**
Wambrook. *Shoe* —5H **141**
Wambrook Clo. *Hut* —7M **99**
Wamburg Rd. *Can I* —1L **153**
Wanderer Dri. *Bark* —3H **143**
Wandsworth Rd. *SW8* —3A **46**
Wangey Rd. *Romf* —2J **127**
Wannock Gdns. *Ilf* —4A **110**
Wansbeck Rd. *E9 & E3* —9A **124**
Wansfell Gdns. *Sth S* —5D **140**
Wansford Clo. *Brtwd* —9C **98**
Wansford Rd. *Wfd G* —5J **109**
Wanstead. —2H 125 (4F 39)
Wanstead Gdns. *Ilf* —1K **125**
Wanstead La. *Ilf* —1K **125**
Wanstead Pk. Av. *E12* —3K **125**
Wanstead Pk. Rd. *Ilf* —1K **125**
Wanstead Pl. *E11* —1G **124**
Wantz Chase. *Mal* —6K **203**
Wantz Corner. —4F 88
Wantz Haven. *Mal* —6K **203**
Wantz La. *Rain* —4F **144**
(in two parts)
Wantz Rd. *Dag* —6N **127**
Wantz Rd. *Mal* —6K **203** (1H **35**)
Wantz Rd. *Marg* —9H **73** (4J **33**)
Wapping. —7C 38
Wapping High St. *E1* —7C **38**
Wapping La. *E1* —7C **38**
Wapping La. *B'sea* —4A **184**
Wapping Way. *E1* —7C **38**
Warboys Cres. *E4* —2C **108**
Warburton Av. *Sib H* —7B **206**
Warburtons. *Stan H* —2B **150**
Warburton Ter. *E17* —6B **108**
Ward Av. *Grays* —2K **157**
Ward Clo. *Eri* —4B **154**
Warde Chase. *W on N* —6L **183**
Warden Av. *Romf* —2A **112**
Ward Gdns. *H Wood* —6J **113**
Ward Hatch. *H'low* —9F **52**
Wardle Way. *Broom* —4G **60**
Wards Croft. *Saf W* —7K **205**
Wards Rd. *Ilf* —2C **126**
Ware. —4D 20
Warehouse Rd. *Steb* —6J **13**
Waremead Rd. *Ilf* —9A **110**
Ware Museum. —4C **20**
Warepoint Dri. *SE28* —9C **142**
Ware Priory & Ware Priory Gardens.
—4C **20**
Ware Rd. *Gt Amw & Hail*
—1A **54** (6D **20**)
Ware Rd. *Hert* —5B **20**
Ware Rd. *Hly & EN11* —6D **20**
Ware Rd. *Hod* —1A **54**
Ware Rd. *Ton* —3B **20**
Ware Rd. *Wat S & Ton* —2A **20**
Ware Rd. *Wid* —4F **21**
Warescot Clo. *Brtwd* —6E **98**
Warescot Rd. *Brtwd* —6E **98**
Wareside. —4E 20
Wares Rd. *Good E* —5G **23**
Wargrave Rd. *Clac S* —9H **187**
Warham Rd. *Har* —5G **201**
Warish Hall Rd. *Tak* —7D **210** (1D **22**)
Warley. —2F 114 (1E 40)
Warley Av. *Dag* —2L **127**
Warley Clo. *Brain* —4L **193**
Warley Gap. *L War* —4E **114** (2E **40**)
Warley Hill. *Gt War & War*
—3E **114** (2E **40**)
Warley Hill Bus. Pk., The. *Gt War*
—3F **114**
Warley Mt. *War* —1F **114**
Warley Rd. *Ilf* —5N **109**
Warley Rd. *Upm & Gt War*
—6N **113** (2D **40**)
Warley Rd. *Wfd G* —4H **109**
Warley St. *Gt War & Upm*
—8F **114** (3E **40**)
Warley Way. *Frin S* —8L **183**
Warleywoods Cres. *Brtwd* —1E **114**
Warner Clo. *E15* —7E **124**
Warner Clo. *Bill* —7M **101**
Warner Dri. *Brain* —4E **192**
Warner Pl. *E2* —6C **38**
Warners. *D'mw* —8L **197**
Warners Bri. Chase. *R'fd* —9L **123**
Warners Clo. *Wfd G* —2G **108**
Warners Gdns. *Sth S* —9K **123**
Warners Mill. —6H **193** (7C **14**)
Warners Path. *Wfd G* —2G **108**
Warnham Clo. *Clac S* —7F **186**
Warren Av. *E10* —5C **124**
Warren Av. *Brom* —5E **46**
Warren Chase. *Ben* —2G **137**
Warren Clo. *Broom* —9K **59**
Warren Clo. *Ray* —7J **121**
Warren Clo. *Stan H* —4M **149**
Warren Clo. *Tak* —8D **210**
Warren Ct. *Chig* —1C **110**
Warren Dri. *Horn* —6E **128**
Warren Dri. *W'fd* —8A **104**
Warren Dri., The. *E11* —2J **125**
Warren Farm Cotts. *Romf* —8L **111**
Warren Field. *Epp* —2F **80**
Warren Gdns. *E15* —7D **124**
Warren Heights. *Chaf H* —2H **157**
Warren Hill. *Lou* —4J **93**
Warren La. *Cot* —4A **10**
Warren La. *Dodd* —9C **84** (6D **32**)
Warren La. *Grays* —2G **156** (1E **48**)
Warren La. *S'way* —7C **16**
Warren Pond Rd. *E4* —7F **92**
Warren Rd. *E4* —8C **92**
Warren Rd. *E10* —5C **124** (4E **38**)
Warren Rd. *E11* —1J **125**
Warren Rd. *Brain* —6L **193**
Warren Rd. *Brom* —7F **47**
Warren Rd. *Chaf H* —2F **156**
Warren Rd. *H'std* —5J **199**
Warren Rd. *Ilf* —9C **110**
Warren Rd. *Lgh S* —3N **137**
Warren Rd. *Ludd* —7K **49**
Warren Rd. *S'fleet* —5F **49**
Warren Rd. *S Han* —2J **103** (6B **34**)
Warrens. *H'std* —5J **199**
Warrenside. *Brain* —8J **193**
Warrens, The. *Kir X* —8H **183**
Warrens, The. *W Bis* —7L **213**
Warren Ter. *Grays* —9G **147**
Warren Ter. *Romf* —8J **111**
(in two parts)
Warren, The. *E12* —6L **125**
Warren, The. *Bill* —4G **101**
Warren, The. *Stan H* —6N **149**
Warriner Av. *Horn* —4H **129**
Warrington Gdns. *Horn* —1G **129**
Warrington Rd. *Dag* —4J **127**
Warrington Sq. *Bill* —5G **101**
Warrington Sq. *Dag* —4J **127**
Warrior Sq. *E12* —6N **125**
Warrior Sq. *Sth S* —6M **139**
Warrior Sq. E. *Sth S* —6M **139**
Warrior Sq. N. *Sth S* —6M **139**
Warrior Sq. Rd. *Shoe* —9K **141**
Warton Rd. *E15* —9C **124**
Warwall. *E6* —6A **142**
Warwick Bailey Clo. *Colc* —5L **167**
Warwick Clo. *Ben* —8D **120**
Warwick Clo. *Brain* —4J **193**
Warwick Clo. *Can I* —9G **137**
Warwick Clo. *Mal* —7K **203**
Warwick Clo. *Ray* —6M **121**
Warwick Ct. *Bur C* —4L **195**
Warwick Ct. *Colc* —2C **176**
Warwick Ct. *Eri* —5D **154**
Warwick Cres. *Clac S* —9J **187**
Warwick Cres. *Mal* —7K **203**
Warwick Dri. *Mal* —7K **203**
Warwick Dri. *R'fd* —8L **123**
Warwick Gdns. *Ilf* —3A **126**
Warwick Gdns. *Ray* —6M **121**
Warwick Gdns. *Romf* —7G **113**
Warwick Grn. *Ray* —6N **121**
Warwick La. *Rain & Upm*
—2K **145** (6C **40**)
Warwick Pde. *S Fer* —9K **91**
Warwick Pl. *Lang H* —2H **133**
Warwick Pl. *Pil H* —3N **97**
Warwick Rd. *E4* —2A **108**
Warwick Rd. *E11* —9H **109**
Warwick Rd. *E12* —7L **125**
Warwick Rd. *E15* —8F **124**
Warwick Rd. *Clac S* —1H **191**
Warwick Rd. *L Can* —7F **210**
Warwick Rd. *Rain* —4G **145**
Warwick Rd. *Ray* —6L **121**
(in two parts)
Warwick Rd. *Sth S* —8D **140**
Warwick Sq. *Chelm* —7H **61**
Warwick Ter. E17 —9D 108
(off Lea Bri. Rd.)
Warwick Ter. *SE18* —2H **47**
Warwick Way. *SW1* —1A **46**
Washall Green. —3H 11
Washford Gdns. *Clac S* —2H **191**
Washington Av. *E12* —6L **125**
Washington Av. *Lain* —9J **117**
Washington Clo. *Mal* —7H **203**
Washington Ct. *Colc* —1F **174**
Washington Meads. *Stans* —3D **208**
Washington Rd. *E6* —9J **125**

Washington Rd.—West Mersea

Washington Rd. E18 —6F 108
Washington Rd. Dov —5H 201
Washington Rd. Mal —7H 203
Wash La. Clac S —3H 191 (4D 28)
(in two parts)
Wash La. L Tot —6K 25
Wash Rd. Bas —5L 117 (2K 41)
(in two parts)
Wash Rd. Hut —5N 99 (7G 33)
Watch House Green. —1K 23
Watch Ho. Rd. Steb —6J 13
Watchouse Rd. Chelm —8C 74 (3A 34)
Waterbeach Rd. Dag —8H 127
Waterden Cres. E15 —7A 124
Waterdene. Can I —9E 136
Waterden Rd. E15 —7A 124 (5D 38)
Water End. —5E 6
Waterfall Rd. N11 & N14 —1A 38
Waterfalls, The. Lang H —3K 133
Waterfield Clo. SE28 —8G 142
Waterfield Gdns. SE28 —8G 143
Waterford. —4A 20
Waterford Rd. Shoe —8H 141
Waterglade Ind. Pk. W Thur —4C 156
Waterhale. Sth S —5E 140
Waterhales. —4H 97 (7B 32)
Waterhall Av. E4 —1E 108
Water Hall La. Shalf —4B 14
Waterhall Meadows Nature Reserve. —8G 63 (1C 34)
Waterhead Clo. Eri —5C 154
Waterhouse La. A'lgh —2N 169 (4J 17)
Waterhouse La. Chelm —1N 73 (1K 33)
Waterhouse Moor. H'low —4E 56
Waterhouse St. Chelm —2A 74
Water La. E15 —8E 124 (5E 38)
Water La. Bures —7C 194
Water La. Caven —2F 9
Water La. Colc —7K 167
Water La. Deb —1C 12
Water La. Gt Eas —6E 12
Water La. Hel B —5H 7
Water La. Ilf —5D 126 (4H 39)
Water La. L'ham —1E 162 (2G 17)
Water La. L Hork —3F 160 (2D 16)
Water La. Newp —7D 204
Water La. Pan —5B 14
Water La. Peb —2H 15
Water La. Ples —1B 58
Water La. Purf —2L 155
Water La. R'ter —7F 7
Water La. Roy —7L 55 (1G 31)
Water La. Stans —3D 208
Water La. Stpl B —3B 210 (5J 7)
Water La. Stis —6F 15
Waterloo Bri. SE1 —7A 38
Waterloo Gdns. Romf —1B 128
Waterloo La. Chelm —9K 61
Waterloo Rd. E6 —9J 125
Waterloo Rd. E7 —7F 124
Waterloo Rd. E10 —2A 124
Waterloo Rd. SE1 —1A 46
Waterloo Rd. Brtwd —7F 98
Waterloo Rd. Ilf —6B 110
Waterloo Rd. Romf —9C 112 (3A 40)
Waterloo Rd. Shoe —7H 141
Watermans. Romf —9D 112
Watermans Way. N Wea —6M 67
Watermead Way. N17 —3C 38
Watermill Rd. Fee —6E 202
Waters Edge. Wclf S —7J 139
Waters Gdns. Dag —7M 127
Waterside. B'sea —8E 184 (3K 27)
Waterside. Sth S —8B 140
Waterside. Stans —3D 208
Waterside Clo. Bark —6F 126
Waterside Clo. H Wood —4L 113
Waterside Pl. Saw —2M 53
Waterside Rd. Brad S —1E 36
Waterside Rd. Pag —1C 44
Watersmeet. H'low —7A 56
Watersmeet Way. SE28 —6H 143
Waterson Rd. Grays —2D 158
Waterville Dri. Van —2H 135
Waterville M. Colc —3B 176
Waterwick Hill. Lang L —2G 11
Waterworks Corner. (Junct.) —5E 108 (2E 38)
Waterworks Dri. Clac S —8F 186
Waterworks La. Fob —8D 134
Waterworks Rd. Tol —7K 211
Watery La. Cogg —7G 15
Watery La. D'mw —2F 23
Watery La. Man —5J 11
Watery La. Mat G —7B 22
Watery La. Raw —7H 105 (7E 34)
Watery La. Sidc —5J 47
Wates Way. Brtwd —7G 98
Watkins Clo. Burnt M —6L 119
Watkins Way. Shoe —5K 141
Watling La. Thax —1J 211
Watling St. Bexh —9A 154 (3K 47)
Watling St. Cob & Strd —6K 49
Watling St. Dart & Grav —4C 48
Watling St. Thax —2K 211
Watlington Rd. Ben —4B 136
Watlington Rd. H'low —8J 53
Watney's Rd. Mitc —7A 46
Watson Av. E6 —9N 125
Watson Clo. Grays —6D 156
Watson Clo. Shoe —7H 141
Watson Gdns. H Wood —6J 113
Watson Rd. Clac S —1J 191
Watsons Ct. Saf W —3K 205
Watton at Stone. —2A 20
Watton Rd. Ware —4C 20
Watton Rd. Wat S —2A 20
Watton's Green. —5F 96 (7B 32)
Watts Bri. Rd. Eri —4D 154
Watts Clo. Barns —1H 23
Watts Cres. Purf —2N 155
Watts La. Chst —6G 47
Watts La. R'fd —6L 123
Watts Rd. Colc —4J 175
Watts Yd. Man —5K 11
Wat Tyler Rd. SE13 —2E 46
Wat Tyler Wlk. Colc —8N 167
(off W. Stockwell St.)
Wavell Av. Colc —2K 175
Wavell Clo. Spri —3M 61
Waveney Dri. Chelm —5L 61
Waverley Av. E17 —7D 108
Waverley Bri. Ct. H'bri —4L 203
Waverley Clo. E18 —5J 109
Waverley Cres. SE18 —2H 47
Waverley Cres. Romf —4G 112
Waverley Cres. W'fd —5K 103
Waverley Gdns. Bark —2D 142
Waverley Gdns. Grays —9K 147
Waverley Gdns. Ilf —6B 110
Waverley Rd. E17 —7C 108
Waverley Rd. E18 —5J 109
Waverley Rd. Bas —6N 117
Waverley Rd. Ben —1C 136
Waverley Rd. Rain —4F 144
Waver Ter. Abb —8B 176
Wavertree Rd. E18 —6G 109
Wavertree Rd. Ben —2B 136
Wavring Av. Kir X —7H 183
Waxwell Rd. Hull —6L 105
Wayback, The. Saf W —3L 205
Way Bank La. Stoke C —3B 8
Waycross Rd. Upm —2B 130
Wayfarer Gdns. Bur C —3K 195
Wayfaring Grn. Badg D —3J 157
Wayletts. Lain —7J 117
Wayletts. Lgh S —9A 122
Wayre St. H'low —8H 53
Wayre, The. H'low —8H 53
Wayside. L Bad —2E 76
Wayside Av. Horn —4H 129
Wayside Clo. Romf —7D 112
Wayside Gdns. Dag —7M 127
Wayside M. Ilf —9N 109
Weald Bri. Rd. N Wea —3B 68 (2A 32)
Weald Clo. Brtwd —9D 98
Weald Country Park & Visitors Centre. —8B 98 (1D 40)
Wealdgullet. —5M 67
Weald Hall La. Thorn —4H 67 (2J 31)
Weald Hall La. Ind. Est. Thorn —4H 67
Weald Pk. Way. S Wea —9B 98 (1D 40)
Weald Rd. Brtwd —7C 32
Weald Rd. S Wea —7K 97
Weald, The. Can I —1E 152
Weald Way. Romf —1N 127
Weale Rd. E4 —9D 92
Wear Dri. Chelm —5M 61
(in two parts)
Weare Gifford. Shoe —6G 140
Weaver Clo. E6 —7A 142
Weaverdale. Shoe —5J 141
Weaverhead Clo. Thax —2K 211
Weaverhead La. Thax —2K 211
Weavers. Bas —2G 135
Weavers Clo. Bill —6K 101
Weavers Clo. Brain —5H 193
Weavers Clo. Colc —1G 174
Weavers Ct. H'std —5K 199
Weaversfield. Sil E —2K 207
Weavers Grn. For —1A 166
Weavers Ho. E11 —1G 124
(off New Wanstead)
Weavers Row. H'std —5L 199
Webber Clo. Eri —5F 154
Webb Ho. Dag —5M 127
(off Kershaw Rd.)
Webbscroft Rd. Dag —6N 127
Webster Clo. Horn —5H 129
Webster Clo. Sib H —7B 206
Webster Clo. Wal A —3F 78
Webster Pl. Stock —7N 87
Webster Rd. E11 —5C 124
Webster Rd. Stan H —3N 149
Websters Way. Ray —5K 121 (2F 43)
Wedderburn Rd. Bark —1D 142
Wedds Way. Gt W —2M 141
Wedgewood Clo. Epp —9F 66
Wedgewood Dri. Chu L —4J 57
Wedgewood Dri. Colc —5M 167
Wedgwood Ct. R'fd —1J 123
Wedgwood Way. R'fd —1H 123
Wedhey. H'low —3B 56
Wedlake Clo. Horn —3J 129
Wedmore Av. Ilf —5N 109
Wednesbury Gdns. Romf —4K 113
Wednesbury Grn. Romf —4K 113
Wednesbury Rd. Romf —4K 113
Wedow Rd. Thax —2K 211
Weeley. —5D 180 (7C 18)
Weeley Bri. Cvn. Pk. Wee —6C 180
Weeley By-Pass Rd. Wee —5C 180 (7C 18)
Weeleyhall Wood Nature Reserve. —8F 180 (1C 28)
Weeley Heath. —8E 180 (1C 28)
Weeley Rd. Gt Ben —6K 179 (1A 28)
Weeley Rd. L Cla —1G 186 (2D 28)
Weelkes Clo. Stan H —2L 149
Weel Rd. Can I —3K 153
Weggs Willow. Colc —8C 168
Weigall Rd. SE12 —3F 47
Weighbridge Ct. Saf W —5K 205
Weight Rd. Chelm —9L 61
Weind, The. They B —6D 80
Weir. —7J 121 (3F 43)
Weir Farm Rd. Ray —7J 121
Weir Gdns. Ray —7J 121
Weir La. B'hth —7B 176 (1F 27)
(in two parts)
Weir Pond Rd. R'fd —5L 123 (2J 43)
Weir Wynd. Bill —7J 101
Welbeck Clo. Hock —3E 122
Welbeck Dri. Bas —2J 133
Welbeck Rise. Bas —2J 133
Welbeck Rd. Can I —3G 153
Welch Clo. Sth S —4C 140
Welcome Ct. E17 —2A 124
(off Saxon Clo.)
Welcome Ct. Stan H —4L 149
Welfare Rd. E15 —9E 124
Welland. E Til —2L 159
Welland Av. Chelm —6E 60
Welland Rd. Bur C —2K 195
Wellands. W Bis —7K 213
Wellands Clo. W Bis —7J 213
Wellcome Av. Dart —9J 155
Well Cottage Clo. E11 —1J 125
Weller Gro. Chelm —4G 61
Wellesley. H'low —6N 55
Wellesley Rd. E11 —9G 109
Wellesley Rd. E17 —1A 124
Wellesley Rd. Brtwd —7F 98
Wellesley Rd. Clac S —9J 187 (4D 28)
Wellesley Rd. Colc —9M 167
Wellesley Rd. Croy —7B 46
Wellesley Rd. Ilf —4A 126
Well Field. H'std —6L 199
Well Field. Writ —1J 73
Wellfields. Lou —2N 93
Wellfield Way. Kir X —8G 183
Well Grn. Clo. Saf W —6L 205
Well Hall Rd. SE9 —3G 47
Well Hall Roundabout. (Junct.) —3G 47
Welling. —2J 47
Wellingbury. Ben —1C 136
Welling High St. Well —3J 47
Welling Rd. Ors —6E 148
Wellington Av. E4 —8A 92
Wellington Av. Hull —8K 105
Wellington Av. Wclf S —5F 138
Wellington Clo. Brain —4L 193
Wellington Clo. Chelm —6F 60
Wellington Clo. Dag —9A 128
Wellington Ct. Grays —8L 147
Wellington Dri. Dag —9A 128
Wellington Hill. Lou —7G 79 (5F 31)
Wellingtonia Av. Hav —1A 112
Wellington Mans. E11 —3A 124
Wellington M. Bill —3J 101
Wellington Pas. E11 —9G 109
(off Wellington Rd.)
Wellington Pl. War —2F 114
Wellington Rd. E7 —6F 124
Wellington Rd. E11 —9G 109
Wellington Rd. Har —1N 201
Wellington Rd. Hock —7E 106
Wellington Rd. Mal —6J 203
Wellington Rd. N Wea —6M 67
Wellington Rd. Ray —3M 121
Wellington Rd. Til —7C 158
Wellingtons, The. S'min —8L 207
(off Kings Rd.)
Wellington St. SE18 —1G 47
Wellington St. WC2 —7A 38
Wellington St. Bark —1B 142
Wellington St. B'sea —7E 184
Wellington St. Colc —9M 167
Wellington St. Grav —4H 49
Welling Way. SE9 & Well —3H 47
Well La. Clare —3D 8
Well La. Dan —4C 76 (2D 34)
Well La. Ethpe —7J 173 (1A 26)
Well La. Gall —8C 74
Well La. H'low —2N 55
(in three parts)
Well La. N Stif —8H 147
Well La. Pil H —2C 98
Well La. Stock —8N 87 (5K 33)
Well Mead. Bill —9L 101
Wellmeads. Chelm —2C 74
Wellpond Green. —1F 21
Well Row. B'frd —7A 20
Wells Av. Sth S —9J 123
Wells Ct. Chelm —6M 61
Wells Ct. D'mw —7L 197
Wellsfield. Ray —3L 121
Wells Gdns. Bas —7G 118
Wells Gdns. Dag —7N 127
Wells Gdns. Ilf —2L 125
Wells Gdns. Rain —8D 128
Wells Hall Rd. Gt Cor —5K 9
Wells Ho. Bark —9F 126
(off Margaret Bondfield Av.)
Well Side. M Tey —3G 173
Wells Pk. Rd. SE26 —5C 46
Wells Rd. Colc —7A 168
Wells St. Chelm —8J 61
Wellstead Gdns. Wclf S —3G 138
Well St. E8 —5C 38
Well St. E15 —8E 124
Well St. B'sea —6D 184
Wellstye Green. —2H 23
Wellstye Grn. Bas —7F 118
Wells Way. SE5 —2B 46
Well Ter. H'bri —4L 203
Wellwood Rd. Ilf —3F 126
Welshwood Park. —5E 168
Welshwood Pk. Rd. Colc —5E 168
Welwyn Rd. Hert —5A 20
Wembley Av. May —3C 204
Wendene. Bas —2G 135
Wenden Rd. A'den —1K 11
Wenden Rd. A End —6H 205
Wenden Rd. Wen A —7B 6
Wendens Ambo. —1A 12
Wendon Clo. R'fd —3H 123
Wendover Gdns. Brtwd —9L 99
Wendover Way. Horn —7G 129
Wendover Way. Well —3J 47
Wendy. —2B 4
Wendy Rd. Shin W —3A 4
Wenham Dri. Wclf S —4K 139
Wenham Gdns. Hut —5M 99
Wenlock Rd. Wee —8D 180
Wenlock's La. Ing —3G 84 (4E 32)
Wennington. —7H 145 (7C 40)
Wennington Rd. Rain —4E 144 (6B 40)
Wensley Av. Wfd G —4F 108
Wensley Clo. Romf —2M 111
Wensleydale Av. Ilf —6L 109
Wensley Rd. Ben —2H 137
Wents Clo. Gt Ben —5K 179
Wentworth Clo. Hat P —2M 63
Wentworth Cres. Brain —3H 193
Wentworth Meadows. Mal —6J 203
Wentworth Pl. Grays —1N 157
Wentworth Rd. E12 —6K 125
Wentworth Rd. Sth S —3M 139
Wentworth Way. Rain —3F 144
Werneth Hall Rd. Ilf —7M 109
Wesel Av. Felix —1K 19
Wesley Av. Colc —7C 168
Wesley Ct. Sth S —6N 139
Wesley End Rd. Stamb —6A 8
Wesley Gdns. Bill —3H 101
Wesley Rd. E10 —2C 124
Wesley Rd. Sth S —7N 139
Wessem Rd. Can I —9H 137
Wessex Clo. Ilf —1D 126
Wessex Dri. Eri —7C 154
Westall Rd. Lou —2A 94
West Av. E17 —8B 108
West Av. Chelm —6H 61
West Av. Clac S —2J 191
West Av. Hull —5J 105
West Av. Lang H —2G 133
West Av. May —2B 204
W. Avenue Rd. E17 —8A 108
West Bank. Bark —1A 142
W. Beech Av. W'fd —9L 103
W. Beech Clo. W'fd —9M 103
W. Belvedere. Dan —3F 76
West Bergholt. —3F 166 (5C 16)
Westborough. —4H 139
Westborough Rd. Wclf S —4G 139
Westbourne Clo. Ben —1K 137
Westbourne Clo. Hock —9F 106
Westbourne Dri. Brtwd —1C 114
Westbourne Gdns. Bill —3K 101
Westbourne Gro. Chelm —3E 74
Westbourne Gro. Wclf S —5G 139 (4H 43)
Westbourne Rd. N7 —5A 38
W. Bowers Rd. Wdhm W —1E 34
Westbrook. H'low —6M 55
Westbury. R'fd —3H 123
Westbury Av. N22 —3A 38
Westbury Clo. Cop —2M 173
Westbury Ct. Bark —1C 142
(off Westbury Rd.)
Westbury Dri. Brtwd —8F 98
Westbury La. Buck H —8J 93
Westbury Rise. H'low —4J 57
Westbury Rd. E7 —8H 125
Westbury Rd. E17 —8A 108
Westbury Rd. Bark —1C 142
Westbury Rd. Brtwd —8F 98
Westbury Rd. Buck H —7J 93
Westbury Rd. Gt Hol —9D 182
Westbury Rd. Ilf —4N 125
Westbury Rd. Sth S —4A 140
W. Bury St. N9 —7B 30
Westbury Ter. E7 —8H 125
Westbury Ter. Upm —4B 130
W. Chase. Mal —5J 203 (3J 35)
Westcliff Av. Wclf S —7K 139 (5J 43)
Westcliff Dri. Lgh S —5C 138
Westcliff Gdns. Can I —3L 153
Westcliff-on-Sea. —7J 139 (5J 43)
Westcliff Pde. Wclf S —7K 139 (5J 43)
Westcliff Pk. Dri. Wclf S —5J 139
W. Cloister. Bill —6K 101
West Clo. Hod —3A 54
West Clo. Rain —4F 144
Westcombe Hill. SE3 —2F 47
W. Common Rd. Brom —7F 47
Westcott Clo. Clac S —7H 187
Westcourt. —4J 49
West Ct. E17 —8B 108
West Ct. Ing —6D 86
West Ct. Saw —1K 53
West Cres. Can I —1F 152
W. Croft. Bill —7K 101
Westcroft Ct. Brox —7A 54
W. Dene Dri. H Hill —2H 113
W. Dock Rd. Pkstn —2G 200
Westdown Rd. E15 —6C 124
West Dri. SW16 —5A 46
West Dri. Weth —3A 14
West Dulwich. —4B 46
Wested La. Swan —7A 48
West End. —7A 6
West End. Whitt —2J 5
W. End Av. E10 —9D 108
W. End La. Har —6K 201
W. End La. Ked —2A 8
W. End Rd. Tip —8A 212 (4J 25)
W. End Rd. Worm —1B 30
Westerdale. Chelm —4M 61
Westergreen Meadow. Brain —7G 193
Westerham Rd. E10 —2B 124
Westerings. Bick —8F 76
Westerings. Pur —3G 35
Westerings, The. Gt Bad —5G 75
Westerings, The. Hock —2D 122
Westerland Av. Can I —1K 153
Westerlings, The. Tye G —2E 194
Western Approaches. Sth S —8F 122
Western Av. Brtwd —7F 98 (7E 32)
Western Av. Dag —8A 128
Western Av. Epp —2E 80
Western Av. Romf —6G 112
Western Clo. Sil E —4M 207
Western Ct. Romf —9C 112
(off Chandlers Way)
Western Esplanade. Can I —3H 153 (6E 42)
Western Esplanade. Wclf S & Sth S —7H 139 (5J 43)
Western Gdns. Brtwd —8F 98
Western La. Sil E —4M 207
Western M. Bill —6J 101
Western Pathway. Rain & Horn —9F 128
Western Promenade. P Bay —9D 184 (4K 27)
Western Rd. E17 —9C 108
Western Rd. Ben —9L 121 (3F 43)
Western Rd. Bill —7H 101 (7J 33)
Western Rd. Brtwd —8F 98 (1E 40)
Western Rd. B'sea —7D 184
Western Rd. Bur C —4L 195
Western Rd. Epp —2E 80
Western Rd. Lgh S —5N 137
Western Rd. Naze —1E 64
Western Rd. Ray —7H 121
Western Rd. Romf —9C 112 (3A 40)
Western Rd. Sil E —4M 207 (2F 25)
Western Ter. Hod —2B 54
Westernville Gdns. Ilf —2B 126
Western Way. SE28 —9D 142 (1H 47)
Westferry Rd. E14 —7D 38
Westfield. Bas —7J 117
Westfield. H'low —4D 56
Westfield. Lou —4K 93
Westfield Av. Chelm —7J 61
Westfield Clo. Ray —2H 121
Westfield Clo. W'fd —8N 103
Westfield Dri. Cogg —7L 195
Westfield Pk. Dri. Wfd G —3L 109
Westfield Rd. Bexh —8A 154
Westfield Rd. Dag —6K 127
Westfield Rd. Hod —4A 54
Westfields. Saf W —5L 205
Westfleet Trad. Est. W'fd —1N 119
West Ga. H'low —3B 56
(in two parts)
Westgate. Shoe —8J 141
Westgate Rd. Dart —3B 48
(in two parts)
Westgate St. L Mel —2J 9
West Green. —3B 38
West Grn. Barr —1E 4
West Grn. Ben —1B 136
W. Green Rd. N15 —3A 38
West Gro. Wfd G —3J 109
West Ham. —6F 39
W. Ham La. E15 —9D 124 (5E 38)
West Ham United F.C. —6F 39
West Hanningfield. —5H 89 (4B 34)
W. Hanningfield Rd. W Han —3F 88 (4B 34)
West Heath. —2J 47
W. Heath Rd. SE2 —2J 47
West Hill. Dart —3B 48
W. Hill Rd. Hod —3A 54
W. Holme. Eri —6A 154
West Hook. Bas —3H 133
West Horndon. —1M 131 (3G 41)
Westhorne Av. SE12 & SE9 —3F 47
W. House Est. S'min —7K 207
West House Wood Nature Reserve. —5H 167 (5D 16)
W. India Dock Rd. E14 —7D 38
Westlake Av. Bas —9M 119
Westlake Cres. W'hoe —4G 177
Westland Av. Horn —3J 129
Westland Green. —1G 21
Westland View. Grays —8K 147
West Lawn. Chelm —8D 74
Westleigh Av. Lgh S —4C 138
Westleigh Ct. E11 —9G 109
Westleigh Ct. Lgh S —4C 138
(off Westleigh Av.)
Westley. Bur C —3M 195
Westley Heights Country Park. —5L 133 (4K 41)
Westley La. Saf W —5B 6
Westley Rd. Bas —4L 133
W. Lodge Rd. Colc —9L 167
Westlyn Clo. Rain —4G 145
W. Malling Way. Horn —7G 128
Westman Rd. Can I —2L 153
Westmarch. S Fer —2J 105
W. Mayne. Bas —7F 116 (3H 41)
Westmayne Ind. Pk. Lain —9G 117
Westmede. Bas —2L 133
Westmede. Chig —3B 110
West Mersea. —3J 213 (5F 27)

Westmill—Willow Pde.

Westmill. —5D 10
Westmill Rd. Ware —3B 20
Westminster. —1A 46
Westminster Bri. SW1 & SE1 —1A 46
Westminster Bri. Rd. SE1 —1A 46
Westminster Clo. Ilf —6C 110
Westminster Ct. E11 —1G 125 (off Cambridge Pk.)
Westminster Ct. Colc —2C 176
Westminster Dri. Hock —1B 122
Westminster Dri. Wclf S —5G 139
Westminster Gdns. E4 —7E 92
Westminster Gdns. Bark —2D 142
Westminster Gdns. Brain —4J 193
Westminster Gdns. Ilf —6B 110
Westmoreland Av. Horn —9G 112
Westmoreland Rd. Brom —7E 46
Westmorland Clo. E12 —4K 125
Westmorland Clo. Mis —5N 165
Westmorland Rd. E17 —1A 124
Westmount Rd. SE9 —2G 47
West Norwood. —5B 46
Weston Av. Grays —1D 48
Weston Av. W Thur —4C 156
Weston Chambers. Sth S —7M 139 (off Weston Rd.)
Weston Clo. Hut —6M 99
Westone Mans. Bark —9E 126 (off Upney La.)
Weston Grn. Dag —6L 127
Weston Rd. Colc —2B 176
Weston Rd. Dag —6K 127
Weston Rd. Sth S —7M 139
Westow Hill. SE19 —5B 46
Westow St. SE19 —5B 46
West Pk. SE9 —4G 47
W. Park Av. Bill —5J 101
W. Park Clo. Romf —9J 111
W. Park Cres. Bill —6J 101
W. Park Dri. Bill —6J 101
W. Park Hill. Brtwd —9D 98
W. Point Pl. Can I —2C 152
Westpole Av. Barn —6A 30
W. Ridge. Bill —8J 101
Westridge Way. Clac S —7L 187
West Rd. Chad H —1J 127
West Rd. Clac S —4E 190 (5C 28)
West Rd. H'std —5K 199
West Rd. H'low —8F 52
West Rd. Rush G —2B 128
West Rd. Saf W —5K 205
West Rd. Saw —1G 52 (4J 21)
West Rd. Shoe —7H 141
West Rd. S Ock —3D 146 (6E 40)
West Rd. Stans —4D 208
West Rd. Wclf S —5J 139 (4J 43)
Westrow Dri. Bark —8E 126
Westrow Gdns. Ilf —4E 126
Westside Ind. Est. S'way —1C 174
W. Smithfield. EC4 —7A 38
West Sq. Chelm —9K 61
West Sq. H'low —2B 56
West Sq. Mal —6J 203
W. Station Ind. Est. Mal —7H 203
W. Station Yd. Mal —7H 203
W. Stockwell St. Colc —8N 167
West St. E11 —5E 124
West St. Cogg —9H 195 (7G 15)
West St. Colc —9M 167
West St. Eri —2B 154 (1A 48)
West St. Grav —3H 49
West St. Grays —4K 157 (2F 49)
West St. Har —1M 201 (2J 19)
West St. Lgh S —6D 138
West St. R'fd —5K 123 (2J 43)
West St. Rhdge —6F 176
West St. Sth S —4K 139 (4J 43)
West St. Tol —8H 211 (6C 26)
West St. W on N —6M 183
West St. W'hoe —6H 177
W. Thorpe. Bas —9D 118
West Thurrock. —4D 156 (1E 48)
W. Thurrock Way. W Thur —2C 156 (1E 48)
West Tilbury. —4G 158 (1J 49)
West View. Ded —2M 163
West View. Lou —3M 93
West View. Tak —7C 210
W. View Clo. Colc —4B 168
Westview Clo. Rain —3G 145
W. View Dri. Ray —6H 121
Westview Dri. Wfd G —6K 109
West Wlk. H'low —3B 56
Westward Deals. Ked —2A 8
Westward Rd. E4 —2A 108
Westwater. Ben —2B 136
West Way. Brtwd —9D 98
Westway. Chelm —3N 73 (2K 33)
Westway. Colc —6M 167 (5E 16)
Westway. Shoe —8J 141
Westway. S Fer —1J 105
West Way. Wal A —6B 78
West Wickham. —7E 46
(nr. Bromley)
West Wickham. —1F 7
(nr. Horseheath)
W. Wickham Rd. B'shm —1E 6
Westwood Av. Brtwd —1D 114
Westwood Clo. Ben —2J 137
Westwood Ct. Ben —2K 137
Westwood Dri. W Mer —3M 213
Westwood Gdns. Ben —2K 137
Westwood Hill. SE26 —5C 46
Westwood Hill. B'wck —4J 167
Westwood La. Well —3H 47
Westwood Lodge. Ben —1J 137
Westwood Pk. Rd. W Ber —8E 160 (4C 16)
Westwood Rd. Can I —2H 153
Westwood Rd. Ilf —3E 126
Westwood Rd. S'fleet —5E 48
W. Wratting Comn. B'shm —1G 7
W. Wratting Rd. B'shm —1E 6
West Yd. H'std —6K 199
West Yoke. —7E 48
West Yoke. As —7E 48
W. Yoke Rd. New Ash —7F 49
Wetherfield. Stans —2C 208
Wetherfield Rd. Sib H —2C 14
Wetherland. Bas —1A 134
Wetherly Clo. H'low —8L 53
Wethersfield. —3A 14
Wethersfield Clo. Ray —4G 120
Wethersfield Rd. Colc —6A 176
Wethersfield Rd. Sib H —6A 206 (1D 14)
Wethersfield Rd. Weth —2K 13
Wethersfield Way. W'fd —2B 120
Wet La. Boxt —2M 161 (2E 16)
Wetzlar Clo. Colc —2B 176
Weybourne Clo. Sth S —3N 139
Weybourne Gdns. Sth S —3N 139
Weybridge Wlk. Shoe —5J 141
Weydale. Corr —9C 134
Weylond Rd. Dag —5L 127
Weymarks. Bas —8M 117
Weymouth Clo. E6 —6A 142
Weymouth Clo. Clac S —4H 191
Weymouth Rd. Chelm —5N 61
Whadden Chase. Ing —6C 86
Whaddon. —2C 4
Whaddon Rd. Meld —2D 4
Whalebone Av. Romf —1L 127
Whalebone Gro. Romf —1L 127
Whalebone La. E15 —9E 124
Whalebone La. N. Romf —4K 111 (2K 39)
Whalebone La. S. Romf & Dag —2L 127 (4K 39)
Whales Yd. E15 —9E 124 (off West Ham La.)
Whaley Rd. Colc —8C 168
Wharf Clo. Stan H —4M 149
Wharfdale Rd. N1 —6A 38
Wharfe Clo. Wthm —5B 214
Wharf La. Bas —4G 134
Wharf Rd. Brox —3A 64
(in two parts)
Wharf La. Bures —8D 194
Wharf Rd. Brtwd —9F 98
Wharf Rd. Chelm —9L 61
Wharf Rd. Fob —1E 150 (6K 41)
Wharf Rd. Grays —4J 157
Wharf Rd. Stan H —4M 149
Wharf Rd. S. Grays —4J 157
Wharley Hook. H'low —6E 56
Wharncliffe Rd. SE25 —6B 46
Wheatear Pl. Bill —7L 101
Wheatfield Rd. S'way —9E 166
Wheatfields. E6 —6A 142
Wheatfields. H'low —6H 53
Wheatfields. Stam —1K 43
Wheatfields Ct. Wal A —4G 79 (off Farthingale La.)
Wheatfield Way. Bas —3J 133
Wheatfield Way. Chelm —8H 61
(in two parts)
Wheatlands. Elms —9M 169
Wheatley Av. Brain —5L 193
Wheatley Clo. Horn —9H 113
Wheatley Clo. R'fd —3J 123
Wheatley Clo. Saw —3H 53
Wheatley Mans. Bark —9F 126 (off Bevan Av.)
Wheatley Rd. Corr —9C 134
Wheatley Ter. Rd. Eri —4D 154
Wheaton Rd. Wthm —5E 214
Wheatsheaf Clo. Wrab —3D 18
Wheatsheaf Ct. Colc —9A 168
Wheatsheaf La. Wrab —3D 18
Wheatsheaf Rd. Romf —1D 128
Wheeler Clo. Colc —9E 168
Wheeler Clo. Wfd G —3M 109
Wheelers. Epp —8E 66
Wheelers Clo. Naze —1E 64
Wheelers Cross. Bark —2C 142
Wheelers Farm Gdns. N Wea —5N 67
Wheeler's Hill. L Walt —6L 59 (5A 24)
Wheelers La. Pil H —3M 97 (6C 32)
Wheelers La. Stan H —9E 134
Wheel Farm Dri. Dag —5A 128
Wheelwrights, The. Sth S —1M 139
Whempstead. —1B 20
Whempstead La. Whem —1A 20
Whempstead Rd. B'tn —7A 10
Whernside Av. Can I —9J 137
Whernside Clo. SE28 —7H 143
Whiffins Orchard. Coop —8J 67
Whimbrel Clo. SE28 —7H 143
Whinchat Rd. SE28 —9C 142
Whinfield Av. Dov —6G 201
Whinhams Way. Bill —5H 101
Whipletree Rd. Whitt —1J 5
Whipps Cross. E17 —9D 108
Whipps Cross Ho. E17 —8D 108 (off Wood St.)
Whipps Cross Rd. E11 —9D 108 (3E 38)
Whist Av. W'fd —7N 103
Whistler M. Dag —7G 127 (off Fitzstephen Rd.)
Whistler Rise. Shoe —6L 141
Whiston Rd. E2 —6C 38
Whitakers Way. Lou —9M 79
Whitbreads Farm La. L L'gh —4A 24
Whitby Av. Ingve —3N 115
Whitby Rd. S'min —9J 207
Whitchurch Rd. Romf —1H 113 (1B 40)
Whitcroft. Bas —3L 133
Whitear Wlk. E15 —8D 124
Whiteash Green. —3E 14
Whitebarn La. Dag —1M 143
Whitebeam Clo. Chelm —3A 74
Whitebeam Dri. S Ock —3F 146
Whitebear. Stans —1D 208
Whitechapel. —7C 38
Whitechapel Rd. E1 —7C 38
White City. Fou I —1G 45
White Colne. —3F 196 (4J 15)
White Cres. Gt Bad —5G 75
Whitecroft Rd. Meld —2D 4
Whiteditch La. Newp —6C 204 (1A 12)
White Elm Rd. Bick —8F 76
Whitefield Ct. May —3D 204
Whitefoot La. Brom —5E 46
Whitefriars Cres. Wclf S —6H 139
Whitefriars Way. Colc —1H 175
White Gdns. Dag —8M 127
Whitegate Rd. B'sea —7F 184
Whitegate Rd. Sth S —6M 139
Whitehall. SW1 —7A 38
Whitehall Clo. Chig —9F 94
Whitehall Clo. Colc —2C 176
Whitehall Clo. Naze —1E 64
Whitehall Ct. Wthm —5D 214
Whitehall Est. H'low —4L 55
Whitehall Gdns. E4 —7E 92
Whitehall Ind. Est. Colc —2D 176
Whitehall La. Buck H —8G 92
Whitehall La. Eri —7D 154 (2A 48)
Whitehall La. Grays —3M 157
Whitehall La. Stan H —7D 134
Whitehall La. T Sok —3G 180 (7D 18)
Whitehall Pl. E7 —7G 125
Whitehall Rd. E4 & Wfd G —8E 92 (1E 38)
Whitehall Rd. Colc —3C 176 (7F 17)
Whitehall Rd. Grays —2M 157
White Hall Rd. Gt W —2M 141
White Hart La. N22 & N17 —2A 38
White Hart La. Brtwd —8F 98
White Hart La. Chelm —3N 61 (7B 24)
White Hart La. Har —1M 201
White Hart La. Hock —2D 122
White Hart La. Romf —5M 111 (2K 39)
White Hart La. W Ber —2E 166
White Hill. Cro —5A 10
Whitehill La. Grav —4H 49
Whitehill Rd. Grav —4H 49
Whitehill Rd. Long & Grav —6E 48
Whitehill Rd. Meop —7H 49
Whitehills Rd. Lou —2N 93
White Horse Av. H'std —6J 199
White Horse Hill. Chst —5G 47
White Horse La. E1 —6C 38
Whitehorse La. SE25 —6B 46
White Horse La. Mal —6J 203
Whitehorse La. Newp —7D 204
White Horse La. Wthm —4C 214
Whitehorse Rd. Croy & T Hth —7B 46
White Horse Rd. E Ber —1J 17
White Ho. Chase. Ray —6L 121
Whitehouse Cres. Chelm —2E 74
White Ho. Dri. Wfd G —3F 108
Whitehouse Est. E10 —1C 124
Whitehouse Hill. Tol D —5C 26
Whitehouse La. Bel O —4E 8
Whitehouse La. W Ber —4E 166 (5C 16)
Whitehouse Meadows. Lgh S —9F 122
Whitehouse Pde. W'fd —1D 118
White Ho. Rd. Lgh S —9E 122 (3H 43)
Whitehouse Rd. S Fer —9K 91
Whitehouse Rd. Steb —6J 13
Whitelands. Hook E —5G 85
Whitelands Clo. W'fd —7M 103
Whitelands Way. Romf —5H 113 (2C 40)
Whiteley La. Bkld —2C 10
White Lodge Cres. T Sok —5N 181
White Lyons Rd. Brtwd —8F 98
Whitemead. Broom —1K 61
White Notley. —2E 24
White Post Field. Saw —2J 53
White Post La. E9 —8A 124
White Post La. Meop —6H 49
White Rd. E15 —9E 124
White Rd. Can I —2C 152
White Roding. —5D 22
Whites Av. Ilf —1D 126
Whitesbridge La. Ing —8M 73
(in two parts)
Whites Hill. Cogg —7F 15
White's Hill. Stock —7A 88 (5K 33)
Whiteshott. Bas —2B 134
Whiteshot Way. Saf W —3M 205
Whites La. L L'gh —3B 24
Whitesmith Dri. Bill —5G 101
White St. D'mw —8L 197
White Stubbs La. B'frd & EN10 —1A 30
Whitethorn Gdns. Chelm —3D 74
Whitethorn Gdns. Horn —1G 129
White Tree Ct. S Fer —2H 105
Whitewaites. H'low —2D 56
Whiteways. Bill —6N 101
Whiteways. Can I —3K 153
Whiteways. Gt Che —3K 197
Whiteways. Lgh S —9E 122
White Ways Ct. Wthm —4B 214
Whitewebbs La. Enf —5B 30
Whitewebbs Rd. Enf —5A 30
Whitewebs Museum of Transport & Industry, The. —5A 30
Whitewell Rd. Colc —9N 167
Whitfield Rd. E6 —9J 125
Whitfields. Stan H —3A 150
Whiting Av. Bark —9A 126
Whitings. Ilf —9D 110
Whitley Ct. Hod —3B 54
Whitley Rd. Hod —3B 54
Whitley's Chase. Corn H —7K 7
Whitlock Dri. Gt Yel —8C 198
Whitmore Av. Grays —8L 147
Whitmore Av. H Wood —6J 113
Whitmore Clo. Ors —6G 148
Whitmore Ct. Bas —7F 118
Whitmore Way. Bas —8C 118 (3A 42)
Whitney Av. Ilf —8K 109
Whitney Rd. E10 —2B 124
Whittaker Rd. E6 —9J 125
Whittaker Way. W Mer —2J 213
Whitta Rd. E12 —6K 125
Whittingham Av. Sth S —4C 140
Whittingham Ho. Sth S —4C 140
Whittingstall Rd. Hod —3B 54
Whittington Rd. N22 —2A 38
Whittington Rd. Hut —5M 99
Whittington Way. Bis S —2K 21
Whittlesford. —1J 5
Whittlesford Rd. New —1H 5
Whittlesford Rd. Whitt —1H 5
Whittle Wlk. Bas —8F 118
Whitwell Clo. Stan H —5L 149
Whitworth Cen., The. Noak H —2G 112
Whitworth Rd. SE25 —6B 46
Whybrews. Stan H —3A 150
Whybridge Clo. Rain —1C 144
Whyteville Rd. E7 —8H 125
Whytewaters. Bas —3G 134
Whyverne Clo. Chelm —5N 61
Wick Beech Av. W'fd —9M 103
Wick Cen., The. W'fd —2N 119
Wick Chase. Sth S —4D 140
Wick Cres. W'fd —2M 119
Wick Dri. W'fd —2M 119
(Cranfield Pk. Rd.)
Wick Dri. W'fd —9L 103
(Nevendon Rd.)
Wicken Bonhunt. —2A 12
Wicken Rd. A'den —1K 11
Wicken Rd. Newp —8B 204 (2A 12)
Wickets Way. Ilf —3E 110
Wick Farm Rd. St La —2C 36
Wickfield Ash. Chelm —5F 60
Wickford. —8K 103 (1C 42)
Wickford Av. Bas —9H 119 (3B 42)
Wickford Clo. Romf —2K 113
Wickford Ct. Bas —9H 119
Wickford Dri. Romf —2K 113
Wickford M. Bas —9H 119
Wickford Pl. Bas —9H 119
Wickford Rd. S Fer —9G 91 (6E 34)
Wickford Rd. Wclf S —7K 139
Wick Glen. Bill —4H 101
Wickham Bishops. —7J 213 (5G 25)
Wickham Bishops Rd. Hat P —3N 63 (6F 25)
Wickham Ct. Rd. W Wick —7E 46
Wickham Hall La. W Bis —9H 213 (6G 25)
Wickham La. SE2 & Well —1J 47
Wickham Pl. Bas —1D 134
Wickham Rd. E4 —4C 108
Wickham Rd. SE4 —3D 46
Wickham Rd. Beck —6D 46
Wickham Rd. Colc —1L 175
Wickham Rd. Croy —7C 46
Wickham Rd. Grays —9E 148
Wickham Rd. Wthm —7C 214
Wickham St Paul. —7G 9
Wickham's Chase. Bick —8J 77
Wickham St. Well —2J 47
Wickham Way. Beck —6E 46
Wickhay. Bas —1A 134
Wick La. E3 —6D 38
(in two parts)
Wick La. A'lgh —8F 162 (4G 17)
Wick La. Fing —2H 27
Wick La. Gt Ben —1N 185
(in two parts)
Wick La. Har —3H 19
Wick La. W'fd —9M 103
(in two parts)
Wicklow Av. Chelm —5F 60
Wicklow Wlk. Shoe —7G 140
Wickmead Clo. Sth S —4C 140
Wick Rd. E9 —5C 38
Wick Rd. Bur C —4N 195
Wick Rd. Colc —4D 176
Wick Rd. Gt Ben —1M 185 (2B 28)
Wick Rd. L'ham —5F 162 (3G 17)
Wick Rd. Thor S —1F 17
Wicks Clo. Brain —4E 192
Wick Ter. L'ham —5F 162
Widbrook. Dodd —6F 84
Widbury Hill. Ware —4D 20
Wid Clo. Hut —4N 99
Widdington. —3C 12
Widdin St. E15 —9D 124
Widecombe Clo. Romf —5H 113
Widecombe Gdns. Ilf —8L 109
Wide Way. Mitc —6A 46
Widford. —3A 74 (2K 33)
(nr. Chelmsford)
Widford. —4G 21
(nr. Hunsdon)
Widford Chase. Chelm —3A 74
Widford Clo. Chelm —3A 74
Widford Gro. Chelm —3A 74
Widford Ind. Est. Chelm —3N 73
Widford Pk. Pl. Chelm —3A 74
Widford Rd. Chelm —3A 74
Widford Rd. Hun —4F 21
Widford Rd. Wid & Hun —3G 21
Widgeon Pl. K'dn —8C 202
Widgeon Rd. Eri —5F 154
Widgeons. Pits —9K 119
Widmore. —6F 47
Widmore Rd. Brom —6F 47
Wid Ter. Dodd —6F 84
Widworthy Hayes. Hut —7L 99
Wigborough Rd. Gt Wig & Lay H —3D 26
Wigborough Rd. L Wig —4D 26
Wigboro Wick La. St O —4A 28
Wigeon Clo. Bla N —3C 198
Wiggens Green. —4J 7
Wiggin's La. L Bur & Bill —1G 116
Wightman Rd. N8 & N4 —3A 38
Wigley Bush La. S Wea —8B 98 (1D 40)
Wignall St. Law —5E 164 (3K 17)
Wigram Rd. E11 —1J 125
Wigram Sq. E17 —7C 108
Wigton Rd. Romf —1J 113
Wigton Way. Romf —1J 113
Wilbury Way. N18 —1B 38
Wilbye Clo. Colc —2J 175
Wilde Clo. Til —7E 158
Wilfred Av. Rain —5E 144
Wilkes Rd. Hut —4N 99
Wilkin Ct. Colc —2H 175
Wilkin Ct. Lgh S —4C 138
Wilkinson Clo. Dart —9K 155
Wilkinsons Mead. Chelm —7B 62
Willers Mill Wildlife Park. —1E 4
Willett Rd. Colc —3J 175
William Barefoot Dri. SE9 —5G 47
William Boys Clo. Colc —7D 168
William Clo. Romf —5A 112
William Clo. W'hoe —2J 177
William Cory Promenade. Eri —3C 154
William Dri. Clac S —2H 191
William Grn. Hull —5L 105
William Groom Av. Dov —5J 201
William Morris Gallery. —7A 108 (2D 38)
William Pike Ho. Romf —1B 128 (off Waterloo Gdns.)
William Rd. Bas —9N 119
Williamsons Way. Corr —9A 134
William Sparrow Ct. W'hoe —4J 177
Williams Rd. Chelm —2K 61
William St. E10 —1B 124
William St. Bark —9B 126
William St. Grays —4L 157
(in two parts)
Williams Wlk. Colc —8N 167
Willingale. —1E 32
Willingale Av. Ray —4G 120
Willingale Clo. Hut —5A 100
Willingale Clo. Lou —1B 94
Willingale Clo. Wfd G —3J 109
Willingale Rd. Brain —4M 193
Willingale Rd. Fyf —1D 32
Willingale Rd. Lou —2B 94 (6H 31)
Willingale Rd. Ong —2E 32
Willingale Rd. Will —2G 70 (2E 32)
Willingales, The. Bas —9J 117
Willingale Way. Sth S —5E 140
Willinghall Clo. Wal A —2D 78
Willingham Way. Colc —8E 168
Willis Rd. Eri —2B 154
Willmott Rd. Sth S —9J 123
Willoughby Av. W Mer —3L 213
Willoughby Dri. Chelm —9A 62
Willoughby Dri. Rain —9C 128
Willoughby Rd. N17 —2C 38
Willoughby's La. Brain —6D 14
Willow Av. Kir X —8G 182
Willow Bank. Chelm —7C 74
Willow Brook Rd. SE15 —2B 46
Willow Clo. B'sea —7C 184
Willow Clo. Broom —2K 61
Willow Clo. Buck H —9K 93
Willow Clo. Bur C —2L 195
Willow Clo. Can I —2F 152
Willow Clo. Colc —1D 168
Willow Clo. Dodd —8G 84
Willow Clo. Hock —1E 122
Willow Clo. Horn —5F 128
Willow Clo. Hut —5L 99
Willow Clo. Lgh S —9E 122
Willow Clo. Ray —3K 121
Willow Cotts. E Han —3G 90
Willow Ct. E11 —4E 124 (off Trinity Clo.)
Willow Cres. Hat P —3L 63
Willowdale Cen. W'fd —8L 103
Willowdene. Pil H —4C 98
Willow Dene. Sib H —5B 206
Willowdene Ct. War —1F 114
Willow Dri. Ray —3J 121
Willowfield. H'low —5C 56
Willowfield. Lain —7L 117 (3K 41)
Willow Grn. Ing —5D 86
Willow Gro. S Fer —7G 90 (5E 34)
Willow Hall La. Wix —4D 18
Willowherb Wlk. Romf —4G 113
Willowhill. Stan H —9N 133
Willow Mead. Chig —9F 94
Willowmead. Rams H —3D 102
Willow Mead. Saw —3K 53
Willow Meadows. Sib H —7C 206
Willow Pde. Upm —3B 130

Woodshire Rd. *Dag* —5N **127**
Woodside. —7C **46**
Woodside. *Bchgr* —9C **208**
Woodside. *Buck H* —8J **93**
Woodside. *Gt Tot* —9N **213**
Woodside. *Lgh S* —9A **122**
Woodside. *L Bad* —1E **76**
Woodside. *R Grn* —3A **12**
Woodside. *Thorn* —5H **67** (2J **31**)
Woodside. *W on N* —8L **183**
Woodside Av. *Ben* —7B **120**
Woodside Chase. *Hock* —3D **122**
Woodside Clo. *Bexh* —9B **154**
Woodside Clo. *Colc* —6E **168**
Woodside Clo. *Hut* —4N **99**
Woodside Clo. *Lgh S* —9A **122**
Woodside Clo. *Rain* —4G **144**
Woodside Cotts. *Bill* —3M **101**
Woodside Ct. *E12* —3J **125**
Woodside Ct. *Lgh S* —1A **138**
Woodside Gdns. *E4* —2B **108**
Woodside Green. —2A **22**
Woodside Grn. *SE25* —7C **46**
Woodside Pk. Av. *E17* —8D **108**
Woodside Rd. *Bexh* —9B **154**
Woodside Rd. *Hock* —7E **106**
  (Cavendish Rd.)
Woodside Rd. *Hock* —2A **122**
  (Hillside Rd.)
Woodside Rd. *Wfd G* —1G **108**
Woodside View. *Ben* —7C **120**
Woodside Way. *D'mw* —7H **197** (7F **13**)
Woods Rd. *F End* —3J **23**
Woods, The. *Ben* —3M **137**
Woodstock. *W Mer* —2K **213**
Woodstock Av. *Romf* —3M **113**
Woodstock Cres. *Hock* —1C **122**
Woodstock Cres. *Lain* —9H **117**
Woodstock Gdns. *Ilf* —4F **126**
Woodstock Gdns. *Lain* —9H **117**
Woodstock Rd. *E7* —9J **125**
Woodstock Rd. *E17* —6D **108**
Wood Street. (Junct.) —7C **108** (2E **38**)
Wood St. *E17* —7C **108** (3E **38**)
Wood St. *Chelm* —3A **74** (2A **34**)
Wood St. *Grays* —4M **157**
Wood St. *Swan* —6B **48**
Wood Vale. *SE22* —4C **46**
Wood View. *Grays* —1N **157** (1G **49**)
Woodview. *Lang H* —2G **133**
Woodview Av. *E4* —1C **108**
Woodview Clo. *Colc* —3D **168**
Woodview Dri. *Gt L* —1N **59**
Woodview Rd. *D'mw* —8K **197**
Woodville Clo. *R'fd* —4J **123**
Woodville Gdns. *Ilf* —7A **110**
Woodville Rd. *E11* —3F **124**
Woodville Rd. *E18* —6H **109**
Woodville Rd. *Can I* —2K **153**
Woodward Clo. *Grays* —2L **157**
Woodward Gdns. *Dag* —9H **127**
Woodward Heights. *Grays* —2L **157**
Woodward Rd. *Dag* —9G **127** (5J **39**)
Woodwards. *H'low* —5B **56**
Wood Way. *Bla N* —2B **198**
Woodway. *Shenf & Hut* —7K **99**
Woodyards. *Brad S* —1E **36**
Woolards Way. *S Fer* —1K **105**
Woolf Clo. *SE28* —8G **142**
Woolf Wlk. *Til* —7E **158**
Woolhampton Way. *Chig* —9G **94**
Woolifers Av. *Corr* —1C **150**

Woollard St. *Wal A* —4C **78**
Woollard Way. *B'more* —1H **85**
Woollensbrook. —7C **20**
Woollett Clo. *Cray* —9E **154**
Woolmergreen. *Bas* —8M **117**
  (in two parts)
Woolmers Mead. *Ples* —2B **58**
Woolmonger's La. *Ing* —1D **84** (4E **32**)
Woolner Rd. *Clac S* —7H **187**
Woolnough Clo. *Stpl B* —3C **210**
Woolpack. *Shoe* —7H **141**
Woolpack La. *Brain* —3H **193**
Woolpits Rd. *Gt Sal* —5K **13**
Woolshots Cotts. *Bill* —9F **102**
Woolshots Rd. *W'fd* —9G **102**
Woolstone Rd. *SE23* —4D **46**
Woolwich. —1G **47**
Woolwich Chu. St. *SE18* —1G **47**
Woolwich Comn. *SE18* —2G **47**
Woolwich Mnr. Way. *E6 & E16*
  —6A **142** (7G **39**)
Woolwich New Rd. *SE18* —1G **47**
Woolwich Rd. *SE18* —1G **47**
Woolwich Rd. *SE10 & SE7* —1E **46**
Woolwich Rd. *Bexh* —9K **47**
Woolwich Rd. *Clac S* —8G **186**
Woolwich Stadium. —2G **47**
Wootton Clo. *Horn* —9H **113**
Worcester Av. *Upm* —4C **130**
Worcester Clo. *Brain* —7J **193**
Worcester Clo. *Grnh* —9E **156**
Worcester Clo. *Horn* —1H **133**
Worcester Clo. *May* —2D **204**
Worcester Clo. *Stan H* —2M **149**
Worcester Ct. *Chelm* —5G **75**
Worcester Cres. *Alr* —6A **178**
Worcester Cres. *Wfd G* —2H **109**
Worcester Dri. *Ray* —6M **141**
Worcester Gdns. *Ilf* —2L **125**
Worcester Rd. *E12* —5M **125**
Worcester Rd. *Bur C* —2M **195**
Worcester Rd. *Colc* —7A **168**
Wordsworth Av. *E12* —9L **125**
Wordsworth Av. *E18* —7F **108**
Wordsworth Av. *Mal* —8K **203**
Wordsworth Clo. *Romf* —5G **112**
Wordsworth Clo. *Sth S* —4N **139**
Wordsworth Clo. *Til* —7E **158**
Wordsworth Ct. *Chelm* —6J **61**
Wordsworth Rd. *Brain* —1H **193**
Wordsworth Rd. *Colc* —9G **167**
Wordsworth Way. *Dart* —9L **155**
Workers Rd. *H'low* —4N **57**
Workhouse Green. —7K **9**
Workhouse Hill. —4M **161** (3E **16**)
Workhouse Hill. *Boxt* —4M **161** (3E **16**)
Workhouse La. *Ret C* —9B **90**
Workhouse La. *S Han* —7G **91** (5E **34**)
Workhouse Rd. *L Hork* —6D **160** (3C **16**)
Working Silk Museum, The.
  —6H **193** (7C **14**)
Worland Rd. *E15* —9E **124**
World's End. —6A **30**
World's End La. *N21 & Enf* —7A **30**
Worlds End La. *Fee* —7D **202**
Wormingford. —3B **16**
Wormingford Rd. *For* —3B **16**
Wormley. —2D **30**
Wormley Ct. *Wal A* —3G **78**
Wormley West End. —1B **30**
Wormyngford Ct. *Wal A* —3G **78**
Worpin Rd. *Shenf* —8J **99**

Worrin Clo. *Shenf* —7J **99**
Worrin Rd. *Shenf* —8J **99**
Worsdell Way. *Colc* —5N **167**
Worship St. *EC2* —6B **38**
Worsley Rd. *E11* —6E **124**
Worsted La. *Hare S* —4E **10**
Worthing M. *Clac S* —4G **191**
Worthing Rd. *Bas* —9J **117**
Worthington Way. *Colc* —2G **174**
Wortley Rd. *E6* —9K **125**
Wouldham Rd. *Grays* —4H **157**
Wrabness. —3D **18**
Wrabness Rd. *R'sy* —4A **200** (3E **18**)
  (in two parts)
Wrackhall Ct. *Can I* —3L **153**
  (off Gatzelle Dri.)
Wragby Rd. *E11* —5E **124**
Wrangley Ct. *Wal A* —3G **79**
Wratting Rd. *Gt Wra* —1J **7**
Wratting Rd. *h'hll* —3J **7**
Wray Av. *Ilf* —7N **109**
Wray Clo. *Horn* —1H **129**
Wraysbury Dri. *Bas* —6M **117**
Wren Av. *Lgh S* —8C **122**
Wren Clo. *Ben* —9B **120**
Wren Clo. *Bill* —7L **101**
Wren Clo. *Gt Ben* —6J **179**
Wren Clo. *Lgh S* —8C **122**
Wrendale. *Clac S* —7K **187**
Wren Dri. *Wal A* —4G **78**
Wren Gdns. *Dag* —7J **127**
Wren Gdns. *Horn* —3D **128**
Wren Path. *SE28* —9C **142**
Wren Pl. *Brtwd* —9G **98**
Wren Rd. *Dag* —7J **127**
Wrens, The. *H'low* —3A **56**
Wren Wlk. *Til* —5D **158**
Wrexham Rd. *Bas* —1K **133**
Wrexham Rd. *Romf* —9H **97**
Wright's Av. *Cres* —2E **194**
Wrightsbridge Rd. *S Wea*
  —7L **97** (7C **32**)
Wrights Clo. *Dag* —6N **127**
Wrights Ct. *H'low* —5H **57**
Wright's Green. —3A **22**
Wright's Grn. La. *L Hall* —3A **22**
Wrights La. *Wy G* —6G **85**
Wrigley Clo. *E4* —2D **108**
Writtle. —1K **73** (1J **33**)
Writtle Clo. *Clac S* —9F **186**
Writtle Rd. *Chelm* —1M **73** (1K **33**)
Writtle Rd. *Marg* —9H **73** (3J **33**)
Writtle Wlk. *Bas* —8F **118**
Writtle Wlk. *Rain* —1C **144**
Wrotham Rd. *Meop & Grav* —7G **49**
Wroth's Path. *Lou* —9M **79**
Wroxall Rd. *Dag* —8H **127**
Wroxham Clo. *Colc* —9J **167**
Wroxham Rd. *Lgh S* —9A **122**
Wroxham Rd. *SE28* —2J **143**
Wryneck Clo. *Colc* —4N **167**
Wulvesford. *Wthm* —7A **214**
Wyatt Rd. *E7* —8G **125**
Wyatt Rd. *Dart* —8D **154**
Wyatts Dri. *Sth S* —7C **140**
Wyatts Green. —6H **85** (5E **32**)
Wyatt's Grn. La. *Wy G* —6G **85**
Wyatt's Grn. Rd. *Wy G* —6G **84** (5E **32**)
Wyatts La. *E17* —7C **108**
Wyatts La. *L Cor* —7K **9**
Wyburn Rd. *Ben* —9K **121**
Wyburns Av. *Ray* —7L **121**

Wyburns Av. E. *Ray* —7L **121**
Wych Elm. *Colc* —3A **176**
Wych Elm. *H'low* —2B **56**
Wych Elm Clo. *Horn* —2L **129**
Wych Elm Rd. *Horn* —1L **129**
Wychford Dri. *Saw* —3H **53**
Wych M. *Lain* —6L **117**
Wychwood Gdns. *Ilf* —8M **109**
Wycke Hill. *Mal* —7H **203** (2G **35**)
Wycke La. *Tol* —8L **211**
Wycliffe Gro. *Colc* —6M **167**
Wycombe Av. *Ben* —9A **120**
Wycombe Rd. *Ilf* —9M **109**
Wyddial. —3D **10**
Wyddial Rd. *Bunt* —4D **10**
Wyedale Dri. *Colc* —1F **174**
Wyemead Cres. *E4* —8E **92**
Wyfields. *Ilf* —5A **110**
Wyfold Ho. SE2 —9J **143**
  (off Wolvercote Rd.)
Wyhill Wlk. *Dag* —9A **128**
Wykeham Av. *Dag* —8H **127**
Wykeham Av. *Horn* —1H **129**
Wykeham Grn. *Dag* —8H **127**
Wykeham Rd. *Bas* —7L **119**
Wykeham Rd. *Writ* —1K **73**
Wyke Rd. *E3* —9A **124**
Wykes Grn. *Bas* —8E **118**
Wyldwood Clo. *H'low* —6H **53**
Wymans Way. *E7* —6J **125**
Wyncolls Rd. *Colc* —1C **168** (4F **17**)
Wyndham Clo. *Colc* —6B **176**
Wyndham Cres. *Clac S* —9L **187**
Wyndham Rd. *E6* —9K **125**
Wyndham Rd. *SE5* —2A **46**
Wynndale Rd. *E18* —5H **109**
Wynters. *Bas* —2C **134**
Wynyard Rd. *Saf W* —2L **205**
Wyse's Rd. *Hghwd* —3B **72** (2G **33**)
Wythams. *Pits* —8K **119**
Wythefield. *Bas* —1H **135**
Wythenshawe Rd. *Dag* —5M **127**
Wyvern Ho. Grays —4L **157**
  (off Bridge Rd.)

Yale M. *Colc* —3B **168**
Yale Way. *Horn* —6E **128**
Yamburg Rd. *Can I* —2K **153**
Yardeley. *Lain* —9N **117**
Yardley Clo. *E4* —4B **92**
Yardley Hall La. *Thax* —2E **12**
Yardley La. *E4* —4B **92**
Yare Av. *Wthm* —4A **214**
Yarmouth Clo. *Clac S* —7H **187**
Yarnacott. *Shoe* —6G **141**
Yarnton Way. *SE2 & Eri*
  —9H **143** (1J **47**)
Yarwood Rd. *Chelm* —9J **61**
Yeldham Lock. *Chelm* —9B **62**
Yeldham Rd. *Bel W* —6E **8**
Yeldham Rd. *Cas H* —7D **8**
Yeldham Rd. *Sib H* —2A **206**
Yellowpine Way. *Chig* —1G **111**
Yelverton Clo. *Romf* —5H **113**
Yeoman Clo. *E6* —7A **142**
Yeomen Way. *Ilf* —3B **110**
Yeovil Chase. *Wclf S* —2G **138**
Yester Rd. *Chst* —5G **47**
Yevele Way. *Horn* —2J **129**
Yew Clo. *Buck H* —8K **93**
Yew Clo. *Lain* —6L **117**

Yew Clo. *Wthm* —2E **214**
Yewlands. *Hod* —6A **54**
Yewlands. *Saw* —3K **53**
Yew Tree Clo. *Colc* —7E **168**
Yew Tree Clo. *Hat P* —1L **63**
Yew Tree Clo. *Hut* —5L **99**
Yew Tree Gdns. *Chad H* —9K **111**
Yew Tree Gdns. *Chelm* —4D **74**
Yew Tree Gdns. *Romf* —9B **112**
Yew Tree Lodge. Romf —9B **112**
  (off Yew Tree Gdns.)
Yew Wlk. *Hod* —6A **54**
Yew Way. *Jay* —6D **190**
Yorick Av. *W Mer* —3K **213**
Yorick Rd. *W Mer* —3K **213**
York Av. *Corr* —9B **134**
York Clo. *Ray* —7N **121**
York Clo. *Shenf* —6J **99**
York Cres. *Lou* —2L **93**
Yorkes. *H'low* —6E **56**
York Gdns. *Brain* —4K **193**
York Hill. *Lou* —2L **93**
York Lodge. *Dodd* —5E **84**
York Mans. *Hol S* —8B **188**
York M. *Ilf* —5N **125**
York Pl. *Colc* —7A **168**
York Pl. *Dag* —8A **128**
York Pl. *Grays* —4K **157**
York Pl. *Ilf* —4A **126**
York Rise. *Ray* —7N **121**
York Rd. *E4* —1A **108**
York Rd. *E7* —8G **124**
York Rd. *E10* —5C **124** (4E **38**)
York Rd. *SE1* —1A **46**
York Rd. *Bill* —3J **101**
York Rd. *B'sea* —7D **184**
York Rd. *Bur C* —4M **195**
York Rd. *Chelm* —2B **74**
York Rd. *Clac S* —7A **188**
York Rd. *E Col* —3C **196**
York Rd. *Horn* —1H **149**
York Rd. *Ilf* —5N **125**
York Rd. *N Wea* —6M **67**
York Rd. *Rain* —9B **124**
York Rd. *Ray* —7N **121**
York Rd. *R'fd* —9H **107**
York Rd. *Shenf* —6J **99**
York Rd. *Sth S* —7M **139**
Yorkshire Grey (Eltham Hill) (Junct.)
  —3F **47**
York St. *Bark* —1B **142**
York St. *Mann* —4J **165**
York Ter. *Eri* —6A **154**
York Way. *N7 & N1* —5A **38**
Young Clo. *Clac S* —8G **187**
Young Clo. *Lgh S* —9F **122**
Youngsbury. —3E **20**
Young's End. —4B **198** (2B **24**)
Youngs Rd. *Ilf* —9C **110**
Yoxley App. *Ilf* —1B **126**
Yoxley Dri. *Ilf* —1B **126**
Ypres Rd. *Colc* —3L **175**
Yunus Khan Clo. *E17* —9A **108**

Zandi Rd. *Can I* —3K **153**
Zealand Dri. *Can I* —2L **153**
Zelham Dri. *Can I* —2M **153**
Zider Pass. *Can I* —2M **153**
Zinnia M. *Clac S* —9G **186**
Zuidorp Rd. *Can I* —2L **153**

HOSPITALS, HEALTH CENTRES and HOSPICES
covered by this atlas
with their map square reference

N.B. Where Hospitals, Health Centres and Hospices are not named on the map,
the reference given is for the road in which they are situated.

ABBERTON DAY HOSPITAL —4N **167**
The Lakes, Turner Rd., Colchester,
Essex. CO4 5JL
Tel: (01206) 843535

Annie Prendergast Health Centre —1K **127**
Ashton Gdns., Chadwell Heath,
Essex. RM6 6RT
Tel: 020 8590 1086

Barbara Castle Health Centre —7N **55**
Broadley Rd., Harlow,
Essex. CM19 5RD
Tel: (01279) 416931

BARKING HOSPITAL —9E **126**
Upney La., Barking,
Essex. IG11 9LX
Tel: 020 8983 8000

BASILDON HOSPITAL —3B **134**
Nether Mayne, Basildon,
Essex. SS16 5NL
Tel: (01268) 533911

BECONTREE DAY HOSPITAL —4K **127**
Becontree Av., Dagenham,
Essex. RM8 3HR
Tel: 020 8984 1234

Billericay Health Centre —5K **101**
Stock Rd., Billericay,
Essex. CM12 0BJ
Tel: (01277) 658071

Braintree Health Centre —5H **193**
The Gables, 17 Bocking End,
Braintree, Essex. CM7 9AE
Tel: (01376) 555700

Braintree Health Centre —5J **193**
21 Coggeshall Rd., Braintree,
Essex. CM7 9DB
Tel: (01376) 550058

BRENTWOOD COMMUNITY HOSPITAL —7H **99**
Crescent Dri., Shenfield,
Brentwood,
Essex. CM15 8DR
Tel: (01708) 465000

Bridge (Care Home) —7B **214**
Hatfield Rd., Witham,
Essex. CM8 1EQ
Tel: (01376) 551221

BROOMFIELD HOSPITAL —9J **59**
Hospital Approach,
Chelmsford,
Essex. CM1 7ET
Tel: (01245) 440761

Canvey Health Centre —1E **152**
Third Av., Canvey Island,
Essex. SS8 9SU
Tel: (01268) 696301

CHADWELL HEATH HOSPITAL —9G **111**
Grove Rd., Chadwell Heath,
Essex. RM6 4XH
Tel: 020 8983 8000

Chigwell Primary Health Care Centre —3C **110**
548 Limes Av., Chigwell,
Essex. IG7 5NG
Tel: 020 8500 1867

CLACTON & DISTICT HOSPITAL —3J **191**
Tower Rd., Clacton-on-Sea,
Essex. CO15 1LH
Tel: (01255) 421145

Colchester Community Mental Health Centre —9M **167**
Holmer Ct., Headgate, Colchester,
Essex. CO3 3BT
Tel: (01206) 761901

COLCHESTER GENERAL HOSPITAL —3N **167**
Turner Rd., Colchester,
Essex. CO4 5JL
Tel: (01206) 853535

Corringham Health Centre —1C **150**
Giffords Cross Rd.,
Corringham,
Stanford-Le-Hope,
Essex. SS17 7QQ
Tel: (01375) 674436

Cranham Health Centre —2B **130**
Avon Rd., Cranham,
Essex. RM14 1RG
Tel: (01708) 222584

Dovercourt Health Centre —4J **201**
407 Main Rd., Dovercourt,
Harwich, Essex. CO12 4ET
Tel: (01255) 506451

DUKES PRIORY HOSPITAL —7M **61**
Stump La., Springfield, Chelmsford,
Essex. CM1 7SJ
Tel: (01245) 345345

EAST HAM MEMORIAL HOSPITAL —9K **125**
Shrewsbury Rd., Forest Gate,
London. E7 8QR
Tel: 020 8586 5000

ERITH & DISTRICT HOSPITAL —4B **154**
Park Cres., Erith,
Kent. DA8 3EE
Tel: 020 8302 2678

Erith Health Centre —4D **154**
2 Queen's St., Erith,
Kent. DA8 1TT
Tel: (01322) 336661

ESSEX COUNTY HOSPITAL —9L **167**
Lexden Rd., Colchester,
Essex. CO3 3NB
Tel: (01206) 853535

ESSEX NUFFIELD HOSPITAL, THE —7H **99**
Shenfield Rd., Shenfield,
Brentwood,
Essex. CM15 8EH
Tel: (01277) 263263

Fair Havens Hospice —6G **139**
126 Chalkwell Av.,
Westcliffe-on-Sea,
Essex. SS0 8HN
Tel: (01702) 344879

Farleigh Hospice —2B **74**
212 New London Rd.,
Chelmsford,
Essex. CM2 9AE
Tel: (01245) 358130

Five Elms Health Centre —5L **127**
Five Elms Rd., Dagenham,
Essex. RM9 5TT
Tel: 020 8593 7241

Fulwell Cross Health Centre —6B **110**
1 Tomswood Hill, Ilford,
Essex. IG6 2HL
Tel: 020 8491 1580

Gallions Reach Health Centre —7F **142**
Bentham Rd., Thamesmead,
London. SE28 8BE
Tel: 020 8311 1010

GOODMAYES HOSPITAL —9F **110**
Barley La., Goodmayes, Ilford,
Essex. IG3 8XJ
Tel: 020 8983 8000

Grays Health Centre —3K **157**
Brooke Rd., Grays,
Essex. RM17 5BY
Tel: (01375) 372555

Great Wakering Health Centre —2K **141**
High St., Great Wakering,
Essex. SS3 0HX
Tel: (01702) 219387

Halstead Community Mental Health Centre —4J **199**
The Coach House,
Trinity St., Halstead,
Essex. CO9 1JD
Tel: (01787) 476486

HALSTEAD HOSPITAL —3K **199**
78 Hedingham Rd., Halstead,
Essex. CO9 2DL
Tel: (01787) 472965

Handsworth Avenue Health Centre —3D **108**
Handsworth Av.,
London. E4 9PD
Tel: 020 8527 0913

Harold Hill Health Centre —2J **113**
Gooshays Dri., Harold Hill,
Essex. RM3 9SU
Tel: (01708) 377004

HAROLD WOOD HOSPITAL —5J **113**
Gubbins La., Harold Wood,
Romford, Essex. RM3 0BE
Tel: (01708) 345533

HARTSWOOD HOSPITAL (BUPA) —3E **114**
Warley Rd., Warley, Brentwood,
Essex. CM13 3LE
Tel: (01277) 232525

HARWICH & DISTRICT HOSPITAL —4J **201**
Main Rd., Dovercourt, Harwich,
Essex. CO12 4EX
Tel: (01255) 502446

Henry Haynes Mental Health Centre —5K **123**
Union La., Rochford, Essex. SS4 1RH
Tel: (01702) 209947

HIGHWOOD HOSPITAL —7F **98**
Ongar Rd., Brentwood,
Essex. CM15 9DY
Tel: (01708) 465000

HOLLY HOUSE HOSPITAL —8H **93**
High Rd., Buckhurst Hill,
Essex. IG9 5HX
Tel: 020 8505 3311

Hurst Road Health Centre —7B **108**
36a Hurst Rd., London. E17 3BL
Tel: 020 8520 8513

JOYCE GREEN HOSPITAL —7K **155**
Joyce Green La., Dartford,
Kent. DA1 5PL
Tel: (01322) 227242

Julia Engwell Health Centre —9H **127**
Woodward Rd., Dagenham,
Essex. RM9 4SR
Tel: 020 8592 2588

KING GEORGE HOSPITAL —9F **110**
Barley La., Goodmayes,
Ilford, Essex. IG3 8YB
Tel: 020 8983 8000

Laindon Health Centre —9K **117**
High Rd., Laindon,
Essex. SS15 5TR
Tel: (01268) 546411

Lakeside Health Centre —9J **143**
Tavy Bri., Thamesmead,
London. SE2 9UQ
Tel: 020 8310 3281

LANGTHORNE HOSPITAL —6D **124**
1 Langthorne Rd., London. E11 4HJ
Tel: 020 8539 5511

LITTLE HIGHWOOD HOSPITAL —6E **98**
Ongar Rd., Brentwood,
Essex. CM15 9DY
Tel: (01708) 465000

Lord Lister Health Centre —6G **125**
121 Woodgrange Rd.,
Forest Gate,
London. E7 0EP
Tel: 020 8250 7200

Loughton Health Centre —3L **93**
The Drive, Loughton,
Essex. IG10 1HW
Tel: 020 8508 8124

Manford Way Health Centre —2E **110**
Foremark Clo., Chigwell,
Essex. IG7 4DF
Tel: 020 8924 6170

Mapline House Health Centre —5K **121**
14 Bull La., Rayleigh,
Essex. SS6 8JD
Tel: (01268) 775650

Marks Gate Health Centre —7K **111**
Lawn Farm Gro., Chadwell Heath,
Essex. RM6 5LL
Tel: 020 8590 9181

Masters Mental Health Centre —5K **139**
Balmoral Rd., Westcliff-on-Sea,
Essex. SS0 7DN
Tel: (01702) 436546

MAYFIELD CENTRE —1K **191**
93 Station Rd.,
Clacton-on-Sea,
Essex. CO15 1TW
Tel: (01255) 424561

Mistley Health Centre —4L **165**
New Rd., Manningtree, Mistley,
Essex. CO11 2AP
Tel: (01206) 392858

MOUNTNESSING COURT —5H **101**
240 Mountnessing Rd.,
Billericay, Essex.
CM12 0EH
Tel: 01277 634711

Newbury Park Health Centre —1C **126**
40 Perrymans Farm Rd.,
Newbury Park, Ilford,
Essex. IG2 7LB
Tel: 020 8491 1550

North Tendring Community Mental Health Centre —3M **201**
Graylings, First Floor,
190 High St., Dovercourt,
Essex. CO12 3AP
Tel: 01255 240565

OAKS HOSPITAL, COLCHESTER —4M **167**
Oaks Pl., Mile End Rd.,
Colchester,
Essex. CO4 5XR
Tel: 01206 752121

OLDCHURCH HOSPITAL —1C **128**
Oldchurch Rd., Romford,
Essex. RM7 0BE
Tel: 01708 746090

Old Harlow Health Centre —8H **53**
Garden Terrace Rd.,
Old Harlow,
Essex. CM17 0AT
Tel: 01279 418139

ONGAR WAR MEMORIAL HOSPITAL —5L **69**
Fyfield Rd., Ongar,
Essex. CM5 0AL
Tel: 01277 362629

Orchards Health Centre —1B **142**
Gascoigne Rd., Barking,
Essex. IG11 7RS
Tel: 020 8594 1311

ORSETT HOSPITAL —5C **148**
Rowley Rd., Orsett,
Grays, Essex.
RM16 3EU
Tel: 01268 533911

PRINCESS ALEXANDRA HOSPITAL, THE —2B **56**
Hamstel Rd., Harlow,
Essex. CM20 1QX
Tel: 01279 444455

Purfleet Care Centre —2L **155**
Tank Hill Rd., Purfleet,
Essex. RM19 1SX
Tel: 01708 864834

Rainham Health Centre —4F **144**
Upminster Rd. S., Rainham,
Essex. RM13 9AB
Tel: 01708 552187

Raphael House Health Centre —5L **123**
Old Ship La., Rochford,
Essex. SS4 1DD
Tel: 01702 543404

RIVERS HOSPITAL, THE —3H **53**
Thomas Rivers Medical Centre,
High Wych Rd., Sawbridgeworth,
Herts. CM21 0HH
Tel: 01279 600282

ROCHFORD HOSPITAL —5K **123**
Union La., Rochford,
Essex. SS4 1RH
Tel: 01702 578000

RODING HOSPITAL BUPA —7K **109**
Roding La. S., Redbridge,
Essex. IG4 5PZ
Tel: 020 8551 1100

RUNWELL HOSPITAL —4A **104**
Runwell Chase, Runwell,
Wickford, Essex. SS11 7QE
Tel: 01268 366000

SAFFRON WALDEN COMMUNITY HOSPITAL —3N **205**
Radwinter Rd., Saffron Walden,
Essex. CB11 3HY
Tel: 01799 522464

St Clare's Day Hospice —3L **203**
Bentalls Complex,
Colchester Rd.,
Heybridge, Maldon,
Essex. CM9 7GD
Tel: 01621 857727

St Francis Hospice —9C **96**
The Hall, Broxhill Rd.,
Havering-atte-Bower,
Romford,
Essex. RM4 1QH
Tel: 01708 753319

ST GEORGES HOSPITAL —7J **129**
Suttons La., Hornchurch,
Essex. RM12 6RS
Tel: 01708 465000

ST HELENA HOSPICE —4B **168**
Barncroft Clo., Highwoods,
Colchester, Essex. CO4 4JU
Tel: 01206 845566

ST JOHN'S HOSPITAL —3A **74**
Wood St., Chelmsford,
Essex. CM2 9BG
Tel: 01245 491149

St Luke's Hospice —2B **134**
Fobbing Farm,
Nethermayne,
Basildon,
Essex. SS16 5NJ
Tel: 01268 524973

ST MARGARET'S HOSPITAL —8G **67**
The Plain, Epping,
Essex. CM16 6TN
Tel: 01992 561666

ST MICHAEL'S HOSPITAL —5G **192**
Rayne Rd., Braintree,
Essex. CM7 2QU
Tel: 01376 551221

ST PETER'S HOSPITAL —6J **203**
Spital Rd., Maldon,
Essex. CM9 6EG
Tel: 01376 551221

Seven Kings Health Centre —3D **126**
1 Salisbury Rd.,
Seven Kings,
Ilford, Essex. IG3 8BE
Tel: 020 8924 6290

SEVERALLS HOSPITAL —2M **167**
Boxted Rd., Colchester,
Essex. CO4 5HG
Tel: 01206 228600

Shoebury Health Centre —8J **141**
Campfield Rd.,
Shoeburyness,
Essex. SS3 9BX
Tel: 01702 293633

Silverthorne Health Centre —9C **92**
2 Friars Clo.,
Larkshall Rd.,
Chingford,
Essex. E4 6UN
Tel: 020 8529 3706

Southend Health Centre —6M **139**
Queensway Ho., Essex St.,
Southend-on-Sea,
Essex. SS2 5TD
Tel: 01702 616322

SOUTHEND HOSPITAL —3H **139**
Prittlewell Chase,
Westcliff-on-Sea,
Essex. SS0 0RT
Tel: 01702 435555

South Ockendon Health Centre —6E **146**
Darenth La., South Ockendon,
Essex. RM15 5LP
Tel: 01708 853295

South Tendring Community Mental Health Centre —1K **191**
32 Thoroughgood Rd.,
Clacton-on-Sea,
Essex. CO15 6DD
Tel: 01255 220226

South Woodford Health Centre —5G **108**
114 High Rd.,
South Woodford,
Essex. E18 2QS
Tel: 020 8491 3333

Stifford Clays Health Centre —8L **147**
Crammavill St.,
Stifford Clays,
Essex. RM16 2AP
Tel: 01375 377127

Thames View Health Centre —2E **142**
Bastable Av., Barking,
Essex. IG11 0LG
Tel: 020 8594 4233

THORPE COOMBE HOSPITAL —7C **108**
714 Forest Rd.,
Walthamstow,
London. E17 3HP
Tel: 020 8520 8971

THURROCK COMMUNITY HOSPITAL —8M **147**
Long La., Grays,
Essex. RM16 2PX
Tel: 01375 390044

Tilbury Health Centre —7C **158**
London Rd., Tilbury,
Essex. RM18 8EB
Tel: 01375 843241

TURNER VILLAGE —4N **167**
Turner Rd., Colchester,
Essex. CO4 5JP
Tel: 01206 844 840

Vange Health Centre —1F **134**
Southview Rd., Vange,
Essex. SS16 4HD
Tel: 01268 520484

Vicarage Fields Health Centre —9B **126**
Vicarage Dri., Barking,
Essex. IG11 7NR
Tel: 020 8591 5466

WARLEY HOSPITAL —2E **114**
Warley Hill, Warley,
Brentwood,
Essex. CM14 5HQ
Tel: 01708 465000

WELLESLEY BUPA HOSPITAL —3A **140**
Eastern Av.,
Southend-on-Sea,
Essex. SS2 4XH
Tel: 01702 462944

WHIPPS CROSS HOSPITAL —1D **124**
Whipps Cross Rd.,
Leytonstone,
London. E11 1NR
Tel: 020 8539 5522

Wickford Health Centre —8L **103**
Market Rd., Wickford,
Essex. SS12 0AG
Tel: 01268 766222

WILLIAM JULIAN COURTAULD HOSPITAL —6G **193**
London Rd., Braintree,
Essex. CM7 2LJ
Tel: 01376 551221

Witham Health Centre —5D **214**
4 Mayland Rd., Witham,
Essex. CM8 2UX
Tel: 01376 512243

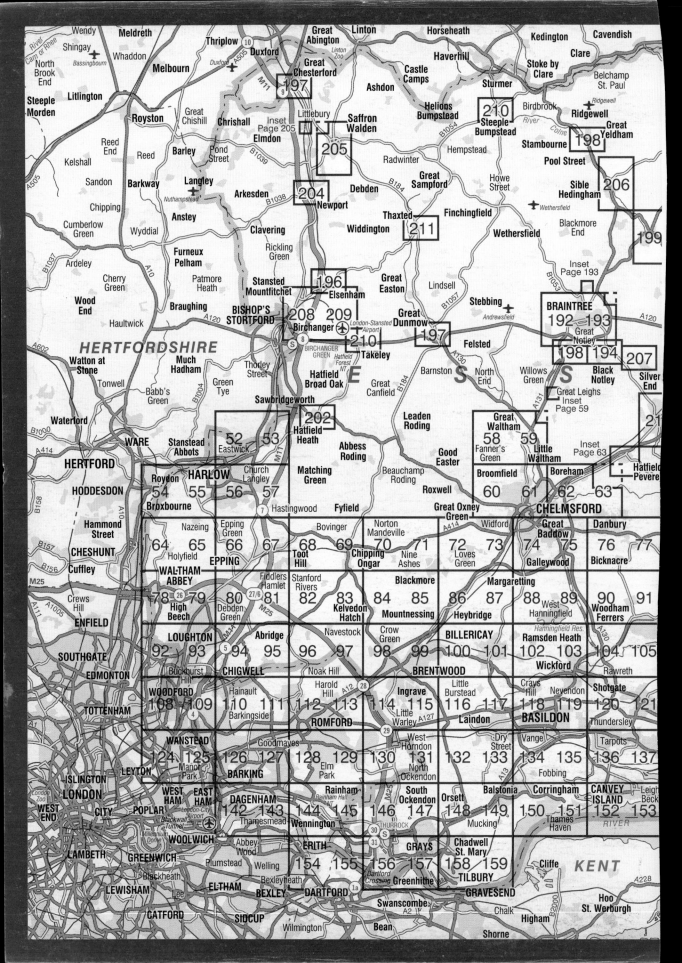